PÄPSTE UND PAPSTTUM

ISSN 0340-7993 · BAND 30

PÄPSTE UND PAPSTTUM

IN VERBINDUNG MIT
REINHARD ELZE · ODILO ENGELS · WILHELM GESSEL
OTTO KRESTEN · GERHARD MÜLLER · TORE NYBERG
WOLFGANG REINHARD · PETER WIRTH
CHRISTOPH WEBER UND HARALD ZIMMERMANN
HERAUSGEGEBEN VON
GEORG DENZLER

BAND 30

ANTON HIERSEMANN · STUTTGART
2001

BÜROKRATIE UND NEPOTISMUS UNTER PAUL V. (1605–1621)

STUDIEN ZUR FRÜHNEUZEITLICHEN MIKROPOLITIK IN ROM

VON
BIRGIT EMICH

ANTON HIERSEMANN · STUTTGART
2001

Die Deutsche Bibliothek – CIP-Einheitsaufnahme

Emich, Birgit:
Bürokratie und Nepotismus unter Paul V. (1605–1621) :
Studien zur frühneuzeitlichen Mikropolitik in Rom /
von Birgit Emich. – Stuttgart : Hiersemann, 2001
(Päpste und Papsttum ; Bd. 30)
ISBN 3-7772-0121-9

Printed in Germany © 2001 Anton Hiersemann, Stuttgart

Schrift: Sabon
Satz: Utesch GmbH, Hamburg.
Druck: AZ Druck und Datentechnik GmbH, Kempten.
Gedruckt auf einem holzfreien, säurefreien und alterungsbeständigen Papier.
Bindearbeit: Großbuchbinderei Heinr. Koch, Tübingen.
Einbandgestaltung: Alfred Finsterer †, Stuttgart.

Inhalt

Zum Gedenken an Reinhard Elze (1922–2000)

Reinhard Elze gehörte seit Gründung der Buchreihe «Päpste und Papsttum» (1971) zum Beratergremium, das dem Herausgeber und dem Verlag Anton Hiersemann mit Rat und Tat zur Seite steht. Nach Raoul Manselli und Walter Ullmann ist Reinhard Elze das dritte Mitglied, das durch Tod ausgeschieden ist.

Reinhard Elze wurde 1922 in Rostock geboren. Nach Studien der Geschichte in Freiburg, Bonn und Göttingen wirkte er 1961 bis 1972 als ord. Professor für mittlere und neuere Geschichte an der Freien Universität Berlin. Da der Berliner Ordinarius als ein hervorragender Kenner des Mittelalters und scharfsinniger Kritiker bekannt war, lud ich ihn 1970 ein, dem neu zu gründenden Beratergremium für «Päpste und Papsttum» anzugehören. Meiner Einladung folgte postwendend sein bereitwilliges Ja, obwohl noch nicht ein einziger Band der Reihe vorlag. Allein schon das Projekt muß ihn, den Protestanten, gereizt haben. Bald erlebte ich, daß die Papstgeschichte zu seinen bevorzugten Interessen- und Forschungsgebieten zählte. Auch wenn Elze selbst keinen Band beisteuerte – das Bücherschreiben war nicht seine Sache –, so stand er doch stets für Gutachten und für das Mitlesen von Korrekturfahnen zur Verfügung.

Als Direktor des Deutschen Historischen Instituts in Rom (1972–1988) hatte er nicht nur eine vorzügliche Bibliothek im Haus, sondern darüber hinaus die günstige Gelegenheit, die reichhaltigen Avchive und Bibliotheken Roms, an der Spitze die berühmte Bibliotheca Vaticana, konsultieren zu können. Nach seiner Emeritierung erwählte Elze München zu seiner neuen Heimat und kehrte damit an seine frühere Arbeitsstätte (1948–1950) zurück, zu den Monumenta Germaniae Historica, wo man ihm bis zu seinem plötzlichen Tod am 8. November 2000 fast täglich im Lesesaal begegnen konnte.

Vergeblich halte ich jetzt Ausschau nach Reinhard Elzes verschmitztem Lächeln und nach seiner selbstlosen Hilfsbereitschaft. Was über den Tod hinaus bleibt ist eine große Dankbarkeit.

Breitbrunn am Ammersee, Februar 2001   Georg Denzler

Vorwort

Habent sua fata libelli – Bücher haben ihre Geschichte. Auch über das vorliegende Buch gäbe es eine Geschichte zu erzählen. Sie ist in Teilen heiter, zuweilen zäh, am Ende ein Anfang und für das Vorwort zu lang. Reduziert auf das Wesentliche, bleiben die Namen derjenigen, ohne die sie weniger heiter und vielleicht noch länger geworden wäre.

Wolfgang Reinhard hat diese als Dissertation entstandene Arbeit in jeder Phase engagiert betreut: Den Anstoß gab sein Projekt zur frühneuzeitlichen Mikropolitik in Rom, die Umwege, die mir verlockend erschienen, hat er auf Kosten eigener Vorhaben toleriert, der Schlußspurt wäre ohne seine Zeitangaben gemächlicher verlaufen. Hubert Mordek fand sich bereit, das Korreferat zu übernehmen. Teilweise finanziert wurde die Arbeit durch ein Stipendium der Konrad-Adenauer-Stiftung, bedingungslos unterstützt haben mich meine Eltern. Was ich ihrem Vertrauen und dem Zuspruch meiner Schwester verdanke, kann ein Buch nur andeuten. Viel Geduld mit mir und den Zeitgenossen Pauls V., die sie im Laufe der Jahre kennengelernt haben, bewiesen auch meine Freunde. Ihre Versuche, mich an ein Leben ohne Kurie und Kardinäle zu erinnern, waren oft notwendig und nicht selten erfolgreich. Daß die Zeit in Italien zu den schönsten Phasen der Arbeit zählte, lag nicht zuletzt an meinen dortigen Gastgebern: in Ferrara Giovanna Sidari, in Rom Klaus Jeska, Dorothea Bayer und die Familie Gentili. Auch in den Archiven und Bibliotheken bin ich auf große Hilfsbereitschaft gestoßen. Stellvertretend für alle anderen Mitarbeiter und Mitarbeiterinnen möchte ich Andrea Gardi nennen, der mir den Anfang in Ferrara sehr erleichtert hat. Georg Denzler war bereit, das Buch in die von ihm begründete Reihe aufzunehmen, Axel Dornemann vom Anton Hiersemann Verlag hat die Drucklegung kompetent und freundlich begleitet. Den Kampf gegen den Computer hätte ich ohne Hilfe verloren: Helga Hilmes nahm sich der Schaubilder an, Thomas König hat das Register erstellt.

Ihnen allen danke ich sehr herzlich.

Freiburg, am 3. April 2001   Birgit Emich

Papst Paul V.:
Eine biographische Skizze

Camillo Borghese, der als Paul V. von Mai 1605 bis Januar 1621 die katholische
Weltkirche regierte, gehört zu den weniger bekannten Pontifices der Frühen Neuzeit. Er werde wohl eher ein guter als ein großer Papst, vermuteten die Zeitgenossen kurz nach der Wahl Camillo Borgheses, und als ob sie dies bestätigen wollten,
weisen die Standardwerke zur Kirchengeschichte Paul V. einen Platz in der zweiten
Reihe zu[1]. Für die Sozialgeschichte der Kurie in der Frühen Neuzeit ist der Borghese-Pontifex hingegen von besonderem Interesse, denn ob gut oder groß – Paul
V. war vor allem ein typischer Papst. So verband ihn eine ganze Reihe von Gemeinsamkeiten mit der Mehrheit der Pontifices, die zwischen 1500 und 1700
amtierten[2]: seine soziale und geographische Herkunft, Art und Verlauf seiner Kar-

---

[1] In der *Relatione delle qualità et governo della città di Roma et dello Stato Ecclesiastico di Battista
Ceci da Urbino d'ottobre l'anno 1605* (ediert bei Sabrina M. Seidler, *Il teatro del mondo*. Diplomatische und journalistische Relationen vom römischen Hof aus dem 17. Jahrhundert (Christoph Weber
(Hg.), Beiträge zur Kirchen- und Kulturgeschichte, Bd. 3), Frankfurt am Main 1996, S. 217–281) heißt
es, Paul V. *«sia di natura assai dolce, ma però d'ingegno mediocre, di spirito non molto vivo: di modo
che pare che si creda, ch'egli sia per essere più tosto buon papa che gran papa»* (ebd., S. 218). Mit der
häufig anzutreffenden Einschätzung, Paul V. sei zwar moralisch integer und pflichtbewußt, aber in
politischen Fragen wenig einfallsreich gewesen (vgl. z. B. Ludwig Freiherr von Pastor, Geschichte der
Päpste seit dem Ausgang des Mittelalters. Mit Benutzung des Päpstlichen Geheim-Archives und vieler
anderer Archive, Bd. 12: Geschichte der Päpste im Zeitalter der katholischen Restauration und des
Dreißigjährigen Krieges. Leo XI. und Paul V. (1605–1621), Freiburg 1927, S. 33–35, ebd., S. 34, auch
das Zitat aus Cecis Relation), korrespondiert die relativ geringe Beachtung, die dieser Papst in den
Handwörterbüchern zur Kirchengeschichte findet. So sucht man etwa in der Theologischen Realen-
zyklopädie zwischen Paul IV. und Paul VI. vergebens nach dem fünften Papst dieses Namens.
[2] Die im folgenden zum Vergleich mit Paul V. herangezogenen Daten zu den Päpsten des 16. und 17.
Jahrhunderts wurden ermittelt von Wolfgang Reinhard, Herkunft und Karriere der Päpste 1417–
1963. Beiträge zu einer historischen Soziologie der römischen Kurie, in: Mededelingen van het Nederlands Historisch Instituut te Rome 38 (1976), S. 87–108

riere bis hin zur Papstwahl und nicht zuletzt die Themen und Probleme, die sein Pontifikat bestimmten.

Wie die meisten Papstfamilien des 16. und 17. Jahrhunderts gehörten auch die Borghese dem städtischen Patriziat Mittel- und Oberitaliens an[3]. Camillos Vater Marcantonio, ein angesehener Jurist aus dem Adel Sienas, war um 1537 von Siena nach Rom übergesiedelt und dank einer überaus erfolgreichen Karriere als Laienjurist an der Kurie in das Patriziat der Ewigen Stadt aufgenommen worden. Davon zeugt seine Ehe mit der römischen Patrizierin Flaminia Astalli, der neben Camillo noch sechs weitere Kinder entstammten. Die Hoffnungen und Ressourcen der Familie konzentrierten sich auf die beiden ältesten Söhne: auf den am 17. September 1552 geborenen Camillo, den späteren Papst, und auf seinen 16 Monate jüngeren Bruder Orazio. Zum Studium wurden sie nach Perugia und damit an jenen Ort geschickt, der sich nach Rom der meisten späteren Päpste unter seinen Studenten rühmen konnte. Auch mit der Wahl des Studienfaches entsprachen Camillo und sein Bruder den Anforderungen, denen sich die Mitarbeiter der Kirche vom Referendar bis hin zum Papst in wachsendem Maße ausgesetzt sahen: Beide absolvierten eine juristisch-kanonistische Ausbildung, und beide verließen die Universität mit dem Doktorgrad *utriusque iuris*. Dann aber trennten sich ihre Wege: Camillo, der bereits 1568 die erste Tonsur erhalten hatte, schlug die geistliche Laufbahn ein, Orazio folgte dem Vorbild des Vaters und entschied sich für eine Karriere als Jurist im Laienstand. Der Erfolg ließ nicht lange auf sich warten. Im September 1572 erklomm Camillo mit der Ernennung zum Referendar der Signatura Iustitiae durch Gregor XIII. die unterste Stufe der Prälatenlaufbahn, 1577 empfing er anläßlich seiner Berufung zum Vikar des Kardinalerzpriesters von Santa Maria Maggiore alle sieben Weihen, 1581 wurde das nunmehrige Vollmitglied des geistlichen Standes zum Datar der Pönitentiarie erhoben, und 1588 folgte mit der Ernennung zum Vizelegaten von Bologna durch Sixtus V. die erste Bewährungsprobe im Verwaltungsapparat des Kirchenstaates. Da er in Bologna den nominellen Legaten Kardinal Montalto zu vertreten hatte und dieser absente Verwaltungschef kein Geringerer als der Neffe des amtierenden Papstes war, ist Camillos Entsendung in die Provinz wohl als Vertrauenserweis Sixtus' V. zu werten. So verwundert es nicht, daß nun auch Orazio Borghese die offensichtlich guten Beziehungen seines Bruders zur Papstfamilie zu nutzen gedachte. Obwohl er von seinem 1574 verstorbenen Vater dessen Stelle als Konsistorialadvokat übernommen und es damit zu einem der höchsten nichtgeistlichen Juristen in Rom gebracht

---

[3] Ausführlich zu Herkunft, Familie und Karriere Camillo Borgheses vgl. Wolfgang Reinhard, Ämterlaufbahn und Familienstatus. Der Aufstieg des Hauses Borghese 1537–1621, in: QFIAB 54 (1974), S. 328–427, v. a. S. 329–387. Da Reinhard die ältere Literatur ausgewertet und in nicht wenigen Punkten korrigiert hat, stützen sich die folgenden Angaben maßgeblich auf diesen Beitrag.

hatte, entschloß er sich unmittelbar nach Camillos Amtsantritt in Bologna, seine Karriere mit einer riskanten Finanzspekulation zu beschleunigen. Unter Einsatz sämtlicher finanzieller Mittel der Familie wollte er das Amt des Kammerauditors erwerben, das mit einem Preis von 60 000 Scudi zwar eines der teuersten Kaufämter der Kurie überhaupt darstellte, aber nur durch Tod oder Beförderung seines Inhabers zum Kardinal an die Kammer zurückfiel und daher in aller Regel zum roten Hut führte. Dank der Unterstützung Kardinal Montaltos gelang der Coup, und so wäre Orazio wohl nach der üblichen Frist von sechs Jahren zum Kardinal promoviert worden. Doch bevor er seinen «gekauften Kardinalshut»[4] entgegennehmen konnte, ereilte Orazio am 3. Oktober 1590 ein früher Tod und seine Familie damit ein schwerer Schlag. Wäre das Auditorat wie in solchen Fällen üblich an die Kammer zurückgefallen, hätten die Borghese vor dem Ruin gestanden. Daher mußte Camillo seine bislang gemächlich, aber erfolgreich beschrittene Ämterlaufbahn aufgeben und alles daransetzen, als Erbe des Amtes anerkannt zu werden. Dies schien zunächst sehr unwahrscheinlich, denn Sixtus V., der den Borghese das seltene Privileg eingeräumt hatte, das Auditorat in den ersten drei Jahren nach Erwerb vererben zu können, war wenige Wochen vor Orazio gestorben. Doch Camillo hatte Freunde und Glück: Zum einen verwandten sich die Medici, die seit der Einverleibung Sienas in ihr Herzogtum und der Vermittlung Marcantonios in dieser Frage die Borghese als treue Untertanen betrachteten, für die Familie und ihre Interessen an der Kurie, und zum anderen war der nach dem Übergangspontifikat Urbans VII. im Dezember 1590 gewählte Papst Gregor XIV. Sfondrato nicht nur ein alter Bekannter Marcantonio Borgheses, sondern auch der Taufpate Camillos. Noch am Tag seiner Wahl bestätigte er seinen Patensohn als Kammerauditor, und so war der bevorstehende Ruin dank der von Marcantonio geknüpften und von diesem auf Camillo übergegangenen Beziehungen abgewandt.

Allerdings verfügte Camillo nicht nur über Beziehungen, sondern auch über fachliche und menschliche Qualitäten. Dies wenigstens legt der weitere Verlauf seiner Karriere nahe, die auch unter dem im Januar 1592 gewählten Clemens VIII. Aldobrandini steil nach oben wies. Obwohl Clemens VIII. vor seiner Wahl keine engeren Verbindungen zu den Borghese gepflegt hatte, beehrte er seinen Kammerauditor im Herbst 1593 mit dem verantwortungsvollen Auftrag, als Sondernuntius nach Spanien zu reisen und Philipp II. für den Krieg gegen die Türken zu gewinnen. Politisch war die Mission nur mäßig erfolgreich, persönlich brachte sie Camillo jedoch Kontakte nach Spanien ein, die sich Jahre später als höchst nütz-

---

[4] Eine ausführliche Analyse der «gekauften Kardinalate» bietet der Schöpfer dieses Begriffs: Christoph Weber, Senatus Divinus. Verborgene Strukturen im Kardinalskollegium der frühen Neuzeit (1500–1800) (Ders. (Hg.), Beiträge zur Kirchen- und Kulturgeschichte, Bd. 2), Frankfurt am Main 1996, Kap. 5, S. 182–239.

lich erweisen sollten. Zuvor aber erfolgte der Schritt, auf den Orazio Borghese im Wortsinne spekuliert hatte: Am 22. Mai 1596 und damit etwa sechs Jahre nach dem Erwerb des Kammerauditorats durch Orazio erhielt Camillo den roten Kardinalshut. Daß er dies nicht allein der gewagten Finanzanlage seines Bruders, sondern auch der Wertschätzung des Papstes zu verdanken hatte, deuten indes weitere Gunst- und Vertrauenserweise Clemens' VIII. an. So verlieh dieser dem finanziell noch immer unter Orazios Großinvestition leidenden Camillo neben einigen Pensionen im April 1597 auch das ertragreiche Bistum Jesi. Überdies betraute der Papst Kardinal Borghese mit kirchlichen Aufgaben: Er wurde Mitglied der Kongregation für die Bischöfe und Ordensleute und, auch dies teilte er mit nicht wenigen Pontifices seiner Zeit, der Inquisition. Im November 1603 folgte schließlich Camillos Ernennung zum Kardinalvikar von Rom, als welcher er den Papst in der Rolle des Diözesanbischofs der Ewigen Stadt zu vertreten und die Gelegenheit hatte, seinen Ruf als nicht nur gelehrter, sondern auch moralisch integrer Kardinal zu mehren. Wäre er nicht so jung, er hätte Aussichten auf die Tiara, hieß es denn auch über Kardinal Borghese nach dem Tod Clemens' VIII. im März 1605, und so hatte es Camillo mit kaum mehr als 52 Jahren zum *papabile* geschafft. Welche Wege zu diesem Ziel führen konnten, gibt der Blick auf die Karriere der beiden Borghese klar zu erkennen: der Erwerb eines teuren Kaufamtes wie des Kammerauditorats, das aufgrund des päpstlichen Geldbedarfs in der Regel mindestens bis zum Kardinalat führte, oder die am Ende des 16. Jahrhunderts zu einem festen *cursus honorum* gewordene Ämterlaufbahn, die Camillo seinem ruhigen Temperament und wohl auch seiner Neigung zum geistlichen Stand entsprechend vorgezogen hatte. Ebenso deutlich zeigt Borgheses Aufstieg, was für eine Karriere im Dienst der Kirche neben einem Mindestmaß an persönlicher Eignung unverzichtbar war: Geld, ohne das weder ein Amt zu kaufen noch ein nichtkäufliches Amt zu bekleiden war[5], Beziehungen zu Freunden und Protektoren, deren Fürsprache gerade in Notfällen die einzige Rettung sein konnte, und Glück.

War bereits Camillos Aufstieg bis zum Konklave von 1605 typisch für die sozialen Mechanismen der Zeit, entsprach auch die Geschichte seiner Wahl dem im 16. und 17. Jahrhundert Üblichen[6]. Wie alle Konklaven dieser Phase zeigten sich die beiden Papstwahlen des Jahres 1605 dominiert von zwei verschiedenen Arten

---

[5] Dies belegen etwa die finanziellen Verluste, die die spanische Sondernuntiatur für Kardinal Borghese bedeutet hat, vgl. Reinhard, Ämterlaufbahn, S. 371. Reinhard weist ebd., S. 386 f., darauf hin, daß zuweilen auch «persönlich besitzlose Ordensleute zum Kardinalat oder gar Pontifikat gelangen» konnten, präsentiert aber den Aufstieg eines mittellosen Ordensmannes allein durch Verdienst als Ausnahme (vgl. ders., Herkunft, S. 96 f.).

[6] Zu den beiden Konklaven des Jahres 1605 vgl. Pastor, Bd. 12, S. 3–30, sowie Reinhard, Ämterlaufbahn, S. 381–385.

der Kardinalsparteien. So orientierten sich die Purpurträger entweder an dem Pontifex, dem sie ihre Promotion verdankten und nun auch danken wollten, indem sie sich um dessen kardinalizischen Neffen scharten, oder aber an einer der beiden großen Mächte, die mit ihren Bitten an den Papst für nicht wenige Kardinalserhebungen verantwortlich zeichneten und von den derart Begünstigten im Moment der Wahl Loyalität forderten. Folglich standen sich jeweils mehrere Nepotenfaktionen und Nationalparteien gegenüber, und da keine der Gruppen imstande war, die notwendige Zweidrittelmehrheit aufzubringen, setzte in aller Regel die Suche nach Koalitionen und letztendlich nach Kompromißkandidaten ein. Nicht anders verhielt es sich im ersten Konklave nach dem Tod Clemens' VIII am 3. März 1605. Eine spanische Partei bekämpfte eine französisch orientierte Gruppe, und die von Kardinal Montalto geführten Kreaturen Sixtus' V. ließen gemeinsam mit den wenigen Kardinälen Gregors XIV. unter Kardinal Sfondrato nichts unversucht, um die von Kardinal Aldobrandini und den Seinen gewünschten Kandidaten zu verhindern. Wie so oft, war gegen die starke Gruppe des zuletzt verstorbenen Papstes keine Kandidatur durchzusetzen. Doch da es den Aldobrandini-Kardinälen ihrerseits selbst mit der Unterstützung der französischen Partei nicht gelang, den von Spanien strikt abgelehnten Kardinal Baronius zum Papst zu erheben, führte kein Weg an einem Kompromiß vorbei. Gesucht wurde ein Kardinal, gegen den weder die beiden Mächte noch Montalto und Aldobrandini als Führer der Nepotenfaktionen elementare Einwände zu erheben hatten. Kardinal Alessandro de' Medici aus einer Seitenlinie des Hauses war ein solcher Kardinal, und so konnte er als Leo XI. auf dem Stuhl Petri Platz nehmen.

Doch schon am 8. Mai 1605 schlossen sich die Türen des Konklave abermals. Leo XI. war kaum vier Wochen nach seiner Erhebung gestorben, das Verhältnis zwischen den Kardinälen nach den mühsamen Wahlverhandlungen aber noch immer gespannt und der Zusammenhalt der Koalitionen unter der Last wechselseitiger Vorwürfe zerbrochen. Entsprechend schwierig gestaltete sich das Konklave. Die spanische Partei verhinderte den Montalto-Kardinal Pierbenedetti di Camerino, Montalto selbst blockierte die Wahl des Aldobrandini-Kandidaten Biandrata, und Aldobrandini seinerseits sorgte für den Ausschluß des von Spanien und Sfondrato gewünschten Sauli. Gute Aussichten hatte schließlich Kardinal Tosco, doch da die rauhen Manieren dieses ehemaligen Soldaten der reformorientierten Splittergruppe im Kollegium mit der Würde des Apostolischen Stuhles nicht vereinbar erschienen, scheiterte er am Widerstand der sittenstrengen *spirituali* um Baronius. Erst als der Versuch, dann eben Baronius zu wählen, in einem regelrechten Tumult untergegangen war, begannen Aldobrandini und Montalto mit der Suche nach einem Kompromißkandidaten. Angesichts der verfahrenen Situation mußten sie nun auch die jüngeren *papabili* in den Blick und damit das Risiko eines langen Pontifikats in Kauf nehmen. Um so wichtiger war es, unter den Jüngeren einen

Kardinal ohne erklärte Feinde und offene Rechnungen zu finden. So schlug die Stunde des allseits geschätzten Camillo Borghese. Von Aldobrandinis Onkel promoviert, aber auch Montalto und Sfondrato verbunden, weckte Camillo bei allen noch lebenden Papstneffen Hoffnungen auf ein ihrer Familie günstiges Pontifikat. In Spanien war Borghese seit seiner Sondernuntiatur wohlbekannt und -gelitten, in Frankreich hatte man nichts gegen ihn einzuwenden, und in Florenz war die Freude über die Wahl eines Kardinals mit Sieneser Wurzeln groß. Daß ein Teil dieser Beziehungen noch auf Marcantonio Borghese zurückging, scheint Camillo nicht vergessen zu haben: Nachdem er am 16. Mai 1605 gewählt worden war, nannte er sich aus Dankbarkeit gegenüber den päpstlichen Förderern seines Vaters Paul V.

Machten Herkunft, Aufstieg und Wahl Paul V. zu einem für das 16. und 17. Jahrhundert typischen Pontifex, stand sein Pontifikat zwischen Tradition und Zukunft[7]. Der Tradition verpflichtet war vor allem das Bemühen des Papstes um die Durchsetzung der Trienter Reformbeschlüsse. Gleich zu Beginn seiner Amtszeit schärfte er die Residenzpflicht der Bischöfe ein, eine Reihe von Verordnungen zur Disziplin des klösterlichen Lebens folgte. Neue Kongregationen und Orden wie die 1612 bestätigten Oratorianer oder die von Paul V. besonders geschätzten Kapuziner erfuhren die Förderung des Papstes, der Mission gegenüber zeigte er sich zu jeder Unterstützung bereit, und mit dem Rituale Romanum, das der Borghese-Pontifex 1614 veröffentlichte, war die nach Trient begonnene Reform der liturgischen Bücher abgeschlossen. Die von Paul V. vorgenommenen Heilig- bzw. Seligsprechungen runden das Bild ab. Die Kanonisation der in Rom schon lange verehrten Francesca Romana dürfte zwar eher als Reverenz des Papstes an seine Geburtsstadt zu verstehen sein. Doch daß mit Carlo Borromeo das Idealbild eines Reformbischofs heilig- und mit Ignatius von Loyola, Filippo Neri, Franz Xaver sowie Teresa von Ávila gleich vier prominente Vorkämpfer der katholischen Erneuerung seliggesprochen wurden, unterstreicht die Orientierung Pauls V. an den in Trient formulierten Grundsätzen nachdrücklich.

In die Zukunft, die für Rom alles andere als glänzend sein sollte, wiesen hingegen die Konflikte Pauls V. mit den weltlichen Autoritäten seiner Zeit. Ob im protestantischen England oder in den großen katholischen Monarchien Spanien und Frankreich, ob im spanisch dominierten Teil Italiens oder in den Republiken

---

[7] Brauchbare Angaben zum Borghese-Pontifikat bieten die Einträge zu Paul V. in: Realencyklopädie für protestantische Theologie und Kirche, Bd. 15, Leipzig 1904, S. 44–49 (Richard Zöpffel, Karl Benrath); Lexikon für Theologie und Kirche, Bd. 8, Freiburg 1963, Sp. 202 f. (Georg Schwaiger); Biographisch-bibliographisches Kirchenlexikon, Bd. 7, Herzberg 1994, Sp. 18 f. (Georg Denzler); Dictionnaire historique de la papauté, hg. von Philippe Levillain, Paris 1994, S. 1269–1272 (Philippe Boutry). Die einzige modernere Gesamtdarstellung des Pontifikats Pauls V. stellt noch immer Pastor, Bd. 12, dar.

und Herzogtümern der Halbinsel – überall formierte sich der Widerstand gegen die traditionellen Hoheitsansprüche Roms in kirchlichen Fragen. In diesen Zusammenhang gehört die Auseinandersetzung zwischen Paul V. und Venedig, die zwar nicht die einzige dieser Art, aber gewiß die spektakulärste war. Entzündet hatte sich die Krise an der Verhaftung zweier Geistlicher durch die venezianischen Behörden und dem Erlaß von Gesetzen, die dem Juristen auf dem Stuhl Petri als unzumutbare Eingriffe in die kirchliche Prärogative erschienen. Unter Einsatz geistlicher wie weltlicher Waffen versuchte Paul V., die Republik zum Einlenken zu bewegen. Doch Bann und Interdikt vom 17. April 1606 blieben wirkungslos, und ein offener Krieg, den Rom mangels Unterstützung durch die katholischen Mächte mehr fürchten mußte als Venedig, konnte nur dank der Vermittlung Frankreichs abgewandt werden. Mit dem auf diesem Wege gefundenen Kompromiß vom April 1607 war daher zwar eine militärische Auseinandersetzung vermieden worden, nicht aber die Niederlage des Apostolischen Stuhls. Konfrontiert mit der eigenen Machtlosigkeit gegenüber den staatskirchlichen Tendenzen der Zeit, hatte Paul V. in fast allen wesentlichen Punkten nachgeben müssen und damit eine Phase in der Geschichte des Papsttums eingeläutet, die von demütigenden Niederlagen Roms im Kampf um die kirchlichen Hoheitsrechte geprägt war und erst mit der Konkordatspolitik Benedikts XIV. enden sollte.

Dennoch konnte Paul V. am Ende seines Pontifikats hoffen, die Position der Kirche gestärkt zu haben. So erreichte ihn im Dezember 1620 die Nachricht vom Sieg der katholischen Truppen in der Schlacht am Weißen Berg (8. November 1620), und da der Borghese-Papst sowohl den Kaiser als auch die katholische Liga mit Subsidien unterstützt hatte, durfte er deren militärische Erfolge auch als seinen Sieg betrachten. Daß der Dreißigjährige Krieg die konfessionelle Teilung Europas nicht überwinden, wohl aber die außenpolitische Machtlosigkeit Roms endgültig offenbaren würde, mußte er nicht mehr erleben. Am 28. Januar 1621 starb Papst Paul V. im Alter von 69 Jahren an den Folgen eines Schlaganfalls.

Der Name dieses Papstes und seiner Familie ist in Rom noch heute präsent. So hat Paul V. mit der Acqua Paola, der Umgestaltung des Petersdoms, der Cappella Paolina in Santa Maria Maggiore und vor allem mit Palazzo und Villa Borghese unübersehbare Spuren in der Ewigen Stadt hinterlassen. Diese Spuren verweisen indes nicht nur auf die Familie Borghese und ihren Papst, sondern auch auf ein Phänomen, das in fast allen Pontifikaten des 16. und 17. Jahrhunderts zu beobachten ist und im Mittelpunkt der vorliegenden Untersuchung steht: auf den päpstlichen Nepotismus.

I. Bürokratie und Nepotismus: Der Kardinalnepot als Schlüsselfigur des päpstlichen Herrschaftssystems

Bürokratie und Nepotismus – eine Arbeit, die diesen Titel trägt, könnte den Kampf zweier Prinzipien und ihrer Exponenten schildern. Auf der einen Seite der Front wären Bürokraten zu vermuten, deren Amtsverständnis private Wünsche nicht kennt und ein Handeln ohne jedes Ansehen der Person fordert. Auf der anderen Seite stünden Verwandte, Freunde und Bekannte, die ihre Beziehungen nutzen und Entscheidungen zu ihren Gunsten herbeiführen wollen. Bürokratische Herrschaft im Behördenalltag würde das Ideal der einen lauten, Nepotismus, Vetternwirtschaft, die Losung der anderen. Allerdings bleibt zu fragen, ob dieses kriegerische Szenario die historische Realität des frühen 17. Jahrhunderts trifft. Möglicherweise spiegeln sich hier weniger die Verhältnisse um 1600 als vielmehr die Vorstellungen unserer Zeit, in der Rationalität und Sachbezogenheit allen Ernüchterungen zum Trotz als erreichbare Maximen behördlichen Handelns gelten und jeder Hinweis auf den Einsatz vormoderner Herrschaftstechniken kollektives Entsetzen auslöst. In dieser Perspektive präsentieren sich Bürokratie und Nepotismus als Gegenentwürfe, deren strikte Trennung in der Theorie möglich und in der Praxis nach Gesetz und Moral geboten ist. Wenn aber die Prinzipien unvereinbar sind, bleibt ihren Vertretern nur die Konfrontation, und so müssen die Bürokraten gegen die Freunde, Bekannten und Verwandten in Stellung gehen[1].

Alles andere als strikt getrennt waren Bürokratie und Nepotismus im Rom der Frühen Neuzeit. Wenigstens legt dies der Blick auf eine Institution nahe, die mit-

---

[1] Zu verdanken haben sie dies nicht zuletzt Max Weber, dessen Bürokratisierungstheorie die Gegenüberstellung der Idealtypen Vetternwirtschaft und Bürokratie (herrschaftssoziologisch gesprochen: patrimonialer und bürokratischer Herrschaft) sowie die Terminologie entlehnt ist. Auf die Amtsführung «ohne Ansehen der Person» und andere Kategorien Webers wird in Kap. VI.2 (ebd., Anm. 24, die Belege) zurückzukommen sein.

samt ihren Inhabern zu den schillerndsten Phänomenen der Papstgeschichte gehört und im Mittelpunkt der folgenden Erörterungen stehen wird. Gemeint ist der Kardinalnepot und sein Amt, das ab 1538 regelmäßig besetzt wurde und erst 1692 von der römischen Bühne verschwand[2]. Der Nepot war, sein Titel sagt es bereits, zumeist ein Neffe (nepos) oder ein anderer enger Verwandter des amtierenden Pontifex, den sein Onkel auf dem Stuhl Petri kurz nach der eigenen Wahl mit dem roten Hut der Kardinäle versehen hatte. Im Verlaufe des Pontifikats überhäufte der Papst den jungen Purpurträger nicht nur mit weiteren hohen Würden, sondern auch mit ansehnlichen Summen aus den Kassen der Kurie, und so dürfte die Ernennung des Kardinalnepoten stets auch der Bereicherung der regierenden Familie gedient haben. Daß er als Verkörperung des aus gutem Grund nach ihm benannten Nepotismus gilt, hatte der päpstliche Neffe jedoch keineswegs nur den in seine Taschen geleiteten Geldern zu verdanken. Hinzu kam eine Aufgabe, kraft derer er wie die Spinne im Netz der Beziehungen saß: die Versorgung von Klienten und Freunden, die für ihre Loyalität gegenüber der Papstfamilie mit Ämtern, Geld und Gnadenakten belohnt sein wollten. Angesichts dieser Doppelfunktion in Sachen Konten und Klienten darf man den Nepoten wohl als institutionalisierten Inbegriff der Vetternwirtschaft bezeichnen, und wenn sich seine Pflichten in Bereicherung und Patronage erschöpft hätten, wäre er der ideale Gegenspieler der päpstlichen Bürokratie gewesen. Allerdings zeigt bereits ein flüchtiger Blick in die römischen Amtsakten, daß ausgerechnet dem papstverwandten Kardinal mit den vielen Freunden und Klienten die dominierende Position innerhalb der kurialen Behördenlandschaft zukam. Deutlich wird dies in der Allgegenwart seiner Unterschrift, denn neben den Antworten auf die Gesuche der Bittsteller um Gunstbeweise jeder Art, für die er als Chef der Klientel zuständig war, unterzeichnete der Papstneffe auch die amtliche Korrespondenz der Kurie. So trugen die Schreiben Roms in Fragen der großen Politik nicht anders als die Weisungen der Zentrale an das Verwaltungspersonal im Kirchenstaat den Namenszug des Nepoten, und da diese Post in verschiedenen Büros und Behörden angefertigt wurde, muß der Kardinal, bei dem sie zusammenlief, an der Spitze der administrativen Hierarchie gestanden haben.

Wenn aber der päpstliche Neffe, der den Nepotismus verkörperte wie kein anderer und von Amts wegen auf Eigennutz und Privatinteressen zu achten hatte,

---

[2] Grundlegend zum päpstlichen Nepotismus und zum Amt des Kardinalnepoten: Wolfgang Reinhard, Nepotismus. Der Funktionswandel einer papstgeschichtlichen Konstanten, in: Zeitschrift für Kirchengeschichte 86 (1975), S. 145–185. Es sei darauf hingewiesen, daß der Beginn dieser Einleitung lediglich einen ersten Überblick über das zu behandelnde Thema geben möchte und die hier nur angerissenen Aspekte des Phänomens Nepotismus in den folgenden Abschnitten ausführlich dargelegt werden.

gleichzeitig auch die kurialen Behörden leitete, stellt sich die Frage, ob und wie diese Personalunion auf der Führungsebene die Arbeit der römischen Gremien beeinflußte. Sollte die päpstliche Administration nicht der Gegenpol, sondern ein Bestandteil des nepotistischen Systems gewesen sein, ein Instrument, mit dessen Hilfe der Papstneffe sich selbst und seinen Klienten jeden Wunsch erfüllte? Oder gab es Kräfte, die gegen die Gesetze der Vetternwirtschaft und für eine Amtsführung ohne Ansehen der Person zu streiten bereit waren? Immerhin saßen in den Amtsstuben am Tiber zahlreiche Sekretäre und Experten, die die vom Nepoten zu unterzeichnenden Schreiben erstellten, und vielleicht hatten diese Fachleute mehr Verständnis für bürokratische Prinzipien wie Neutralität und Sachlichkeit als ihr nepotistischer Chef. Feststellen läßt sich dies wohl nur durch eine Rekonstruktion des römischen Behördenalltags, die die Verteilung von Macht und Arbeit innerhalb der Gremien nachzeichnet, die maßgeblichen Personen identifiziert und die Kriterien benennt, nach denen entschieden wurde. Die kurialen Machtverhältnisse müssen unter die mikropolitische Lupe genommen werden, und genau dies soll im folgenden für die Regierungszeit Pauls V. geschehen.

Auch unter Paul V. hatten Politik, Verwaltung und Patronage mindestens den Namen gemeinsam, in dem die jeweilige Korrespondenz der Kurie erging. «Il Cardinale Borghese», stand unter diesen Briefen, seit Camillo Borghese als Paul V. auf dem Stuhl Petri Platz genommen und den Sohn seiner Schwester Ortensia Caffarelli mit dem Namen der Papstfamilie und dem roten Hut versehen hatte[3]. Daß er von seiner Promotion im Juli 1605 bis zum Tod des päpstlichen Onkels im Januar 1621 die Post der Kurie unterzeichnen sollte, dürfte weder Scipione Borghese-Caffarelli noch seine Zeitgenossen überrascht haben. Schließlich war die Rolle des Kardinalnepoten schon seit etwa siebzig Jahren besetzt, als Scipione sie erhielt, und da es nach dem Ende des Borghese-Pontifikats weitere siebzig Jahre dauern sollte, bis das Amt in seiner institutionalisierten Form abgeschafft wurde, stand der Nepot Pauls V. in der Mitte einer langen Reihe kardinalizischer Papstneffen mit den gleichen Ämtern und Pflichten. Welche Funktionen diesen Kardinalnepoten im einzelnen zukamen, ob sie ihren Aufgaben in und außerhalb der Ämter gerecht wurden, was ihre Existenz für die Organisation, Tätigkeit und Entwicklung der kurialen Gremien bedeutete – kurzum: die Auswirkungen des Nepotismus im Behördenalltag dürften sich in der Zeit Pauls V. und seines Neffen daher in exemplarischer Weise zeigen.

Noch vor wenigen Jahrzehnten hätte eine solche Themenstellung überrascht,

---

[3] Zu Herkunft, Aufstieg und Wahl Camillo Borgheses vgl. die biographische Skizze am Anfang dieser Arbeit. Über Camillos Geschwister und deren Ehen informiert Reinhard, Ämterlaufbahn, S.339, 344–346. Zu Camillos Verhältnis zu seinem Neffen Scipione Caffarelli bis zur Papstwahl im Mai 1605 vgl. ebd., S.373 und 375.

galt der Papstneffe im Kardinalsrang der kirchengeschichtlich orientierten Forschung doch als Verkörperung der auf ihre finanzielle Dimension reduzierten und
entsprechend verpönten römischen Vetternwirtschaft. Von katholischen Kirchen-
historikern unter dem Mantel des Schweigens verborgen oder als bedauerliche
Verirrung einzelner präsentiert, von ihren protestantischen Kollegen als Munition
in der konfessionellen Polemik genutzt, mußten Nepotismus und Nepot auf den
Siegeszug sozialgeschichtlicher Ansätze warten, bis sie von dieser moralisieren-
den Betrachtung befreit und nach ihrer Funktion für die Papstherrschaft der
Frühen Neuzeit befragt wurden. Dieser funktionale Zugriff, für den vor allem
die Untersuchungen Wolfgang Reinhards und dessen Konzept der Verflechtungsanalyse stehen[4], hat zweierlei zutage gefördert: die Parallelen, die der als Form
der Klientelbildung und damit als Herrschaftstechnik interpretierte Nepotismus
und selbst der Kardinalnepot als Variante der Gattung Günstling-Minister in den
europäischen Staaten des 16. und 17. Jahrhunderts hatten, und die Besonderheiten des römischen Systems, die vor diesem gesamteuropäischen Hintergrund
deutlich zu erkennen sind. Wenn einleitend sowohl die allgemein frühneuzeitlichen Aspekte der Nepotenrolle, die man unter dem Reinhardschen Begriff der
Herrschaftsfunktion subsumieren kann, als auch die spezifisch römischen Cha-
rakteristika wie die Versorgungsfunktion des Nepotismus beschrieben werden,
geschieht dies aus zwei Gründen: Zum einen gilt es, den internationalen Ver-
gleichsrahmen für die folgende Detailstudie und ihre Ergebnisse zu skizzieren,
und zum anderen soll die doppelte Perspektive den Zugang zu den doch sehr
speziellen Fragestellungen der Untersuchung erleichtern. Diesen Zielen zuliebe
gliedert sich die Einleitung in drei Abschnitte. Da bereits eine erste Annäherung
an die Herrschaftsfunktion des Papstneffen den Blick auf die Günstling-Minister
des 16. und 17. Jahrhunderts lenkt, ist zunächst nach den Gründen zu fragen,
denen sowohl der Kardinalnepot als auch die Favoriten an den Höfen jenseits
des Kirchenstaats ihren Aufstieg zu verdanken hatten. Besondere Aufmerksamkeit wird hierbei der Entwicklung der päpstlichen Administration und ihrer zentralen Organe gelten: nicht nur, weil eine solche Betrachtung in einer behörden-
geschichtlich orientierten Arbeit ohnehin unverzichtbar ist, sondern auch und vor
allem, weil sie den Blick auf die chronisch unterschätzte funktionale Verwandt-

---

[4] Vgl. Wolfgang Reinhard, Freunde und Kreaturen. «Verflechtung» als Konzept zur Erforschung historischer Führungsgruppen. Römische Oligarchie um 1600 (Schriften der Philosophischen Fachbereiche der Universität Augsburg, Nr. 14), München 1979; ders., Papal Power and Family Strategy in the
Sixteenth and Seventeenth Centuries, in: Ronald G. Asch, Adolf M. Birke (Hgg.), Princes, Patronage,
and the Nobility. The Court at the Beginning of the Modern Age c. 1450–1650, London 1991,
S. 329–356; ders., Amici e creature. Politische Mikrogeschichte der römischen Kurie im 17. Jahrhundert, in: QFIAB 76 (1996), S. 308–334. Weitere Untersuchungen Reinhards zum Phänomen Nepotismus werden in den folgenden Anm. genannt.

schaft zwischen dem Kardinalnepoten und den anderen Günstling-Ministern schärft[5]. Allerdings zeigt sich bei näherem Hinsehen, daß der Papstneffe neben den für die Favoriten der Zeit typischen Pflichten eine Reihe von Aufgaben zu erfüllen hatte, die ihn von den Günstling-Ministern an weltlichen Höfen unterscheiden und die päpstliche Wahlmonarchie als Sonderfall in der europäischen Staatenwelt ausweisen. Diesen Zusatzfunktionen des Nepoten wird sich der zweite Abschnitt widmen. Sind die europäischen Gemeinsamkeiten und die römischen Eigenheiten beleuchtet, läßt sich die Fragestellung der folgenden Kapitel präzisieren, und so seien abschließend Aufbau und Ziel der vorliegenden Arbeit erläutert.

1. Europäische Gemeinsamkeiten:
Der Kardinalnepot und die Günstling-Minister

«Am 1. Januar 1538 beauftragte der Pontifex den Kardinal Farnese, die Geschäfte des Apostolischen Stuhls und des Kirchenstaats zu führen», heißt es in einem Bericht über die Schaffung des Nepotenamtes durch Paul III[6]. Was damit gemeint war, erklärte der Papst in einem Breve vom folgenden Tag. Fortan hätten sie ihre Meldungen an Kardinal Farnese zu adressieren, erfuhren die Gouverneure des Kirchenstaats aus der päpstlichen Order, und wenn ihnen der Kardinal in Zukunft Anweisungen erteilen werde, seien diese Befehle nicht weniger verbindlich als ein

---

[5] Daß der Kardinalnepot der römische «Vertreter der Gattung Günstling-Premierminister» war, wie Reinhard, Freunde, S. 57, bereits 1979 angemerkt hat, fand in der Debatte über die Favoriten der Frühen Neuzeit bislang kaum Berücksichtigung (vgl. Anm. 12). Eine Ausnahme stellt der in der vorherigen Anm. genannte Band von Asch und Birke dar, in dessen Einleitung Asch den Kardinalnepoten umstandslos in die Reihe der Günstling-Minister aufnimmt (vgl. Ronald G. Asch, Introduction: The Court and Household from the Fifteenth to the Seventeenth Century, in: Ders., Adolf M. Birke (Hgg.), Princes, Patronage, and the Nobility. The Court at the Beginning of the Modern Age, c. 1450–1650, Oxford 1991, S. 1–38, hier: S. 23). Dies dürfte damit zusammenhängen, daß die Kurie mittlerweile immerhin in den vergleichenden Studien zum frühneuzeitlichen Hof Beachtung findet und der Nepot auf diesem Umweg ins Blickfeld der Forschung zu gelangen scheint, vgl. z. B. den jüngsten Sammelband zum Thema: John Adamson (Hg.), The Princely Courts of Europe. Ritual, Politics and Culture under the Ancien Régime 1500–1750, London 1999, und darin den allerdings eher kunstgeschichtlich orientierten Beitrag von Henry Dietrich Fernández, The Patrimony of St Peter. The Papal Court at Rome, c. 1450–1700, ebd., S. 141–163 und 326–328.

[6] *«Primo die ianuarii 1538 Pontifex deputavit cardinalem Farnesium ad tractanda negotia Sedis Apostolicae et status ecclesiastici.»* Vat.lat. 6978,140, zit. nach Reinhard, Nepotismus, S. 172, Anm. 151.

Schreiben seines Onkels auf dem Stuhl Petri[7]. Den Nuntien außerhalb des Kirchenstaats dürfte eine ähnliche Mitteilung zugegangen sein, denn seit der Verordnung
von 1538, die man wohl als Geburtsurkunde des Kardinalnepoten als institutio-
nalisiertem Vertreter des Papstes bezeichnen darf, unterzeichnete der Neffe mit
dem roten Hut sowohl die diplomatische Korrespondenz der Kurie als auch den
Schriftwechsel der Zentrale mit den Repräsentanten der Staatsgewalt im Land der
Kirche[8]. Rechtlich festgeschrieben wurde die Funktion des Kardinalnepoten als
eine Art Vizepapst für Fragen der Politik und Verwaltung in den Breven, mit denen
die Nachfolger Pauls III. in schöner Regelmäßigkeit und meist zu Beginn des Pontifikats einen soeben in den Heiligen Senat beförderten Neffen zum *Sopraintendente dello Stato Ecclesiastico* ernannten[9]. Die Ämter, die mit diesem Titel verbunden waren, lassen keinen Zweifel an der exponierten Position dieses ersten unter
den Purpurträgern: Als Leiter der Außenpolitik und unterzeichnender Korrespondenzpartner der Nuntien und Regenten Europas fungierte er als Chef des Staatssekretariats, das mit der entsprechenden Post befaßt war, als Superintendent des
Kirchenstaats saß er den wichtigsten Behörden der Staatsverwaltung vor. Allerdings beschränkten sich die Kompetenzen des Kardinalnepoten keineswegs auf das
politisch-administrative Alltagsgeschäft der Kurie. Wäre dem so gewesen, hätten
die Briefpartner Roms den kardinalizischen Neffen mit einem seiner zahlreichen
Amtstitel ansprechen können. Doch dies taten sie nicht. Ob in den Schreiben des
apostolischen Personals oder in den Briefen der Privatpersonen aus aller Welt –
stets begegnet der Papstneffe als *Cardinale Padrone*[10]. Er war der oberste Patron

---

[7] In einem Breve Pauls III. vom 2. Januar 1538 an den Gouverneur von Bologna heißt es über die neue
Rolle des Nepoten, der den Sekretär Ambrosio Recalcati als unterzeichnenden Korrespondenzpartner ersetzen sollte: «*Cum nos ex nonnullis rationabilibus causis cum curam tractandi nostra et huius
sanctae sedis negocia, ac tam ad te quam caeteros status nostri Ecclesiastici Gubernatoris scribendi,
quam hactenus Ambrosius Recalcatus habuit, Dilecto filio et secundum Carnem nepoti nostro Alex-
andro Cardinali de Farnesio S.R.E. vicecancellario demandaverimus, Volumus, ac tibi mandamus,
ut litteris quas Idem Alexander Cardinalis ad te nostro nomine scribet, fidem indubiam adhibeas, et
ea omnia quae per easdem litteras tibi ordinabuntur, perinde exequaris, ac si nos ipsi ea ad te
scriberemus, et ad ipsum Cardinalem ea scribas quae nos rescite oportere indicaveris.*» Das Origi-
nalbreve findet sich in IB 93.

[8] Auch Reinhard, Nepotismus, S. 172, Anm. 151, vermutet, daß den Nuntien die Betrauung Farneses
mit den Geschäften der Kurie mitgeteilt wurde, was der Order an die Diplomaten gleichkam, ihre
Berichte fortan an den Nepoten zu schicken. Laut Paolo Prodi, Lo sviluppo dell'assolutismo nello
stato pontificio (secoli XV-XVI), Bd. 1: La monarchia papale e gli organi centrali di governo, Bologna
1968, S. 121, läßt sich ein solcher Befehl an die Nuntien erst für den November 1551, d. h. für Julius
III., nachweisen.

[9] Die Ernennungsbreven der Kardinalnepoten zu Superintendenten und ihre formalen Kompetenzen
werden ausführlich behandelt von Madelaine Laurain-Portemer, Absolutisme et népotisme. La surintendance de l'État ecclesiastique, in: Bibliothèque de l'École des Chartes 131 (1973), S. 487–568.

[10] Die zitierte Anrede des Nepoten ist im folgenden in zahlreichen Anm. nachzulesen.

in Rom und dem Kirchenstaat, sollte diese Formulierung sagen, das Haupt der
Kientel, und an ihn mußte sich wenden, wer seinen Lohn für treue Dienste einfor-
dern oder in das Geflecht informeller Beziehungen aufgenommen werden wollte,
das sich von der Kurie über die Provinzen des Staates bis hin zu den Metropolen
Italiens und Europas erstreckte. Auf ein solches Netzwerk aus persönlichen Bindungen, Abhängigkeiten und Verpflichtungen konnten die päpstlichen Landesherren der Frühen Neuzeit so wenig verzichten wie die Regenten auf den Thronen
Europas, denn noch galten bei der Rekrutierung des Personals und der Integration
lokaler Machteliten die Gesetze patrimonial geprägter Gesellschaften: Verläßliche
Mitarbeiter und loyale Untertanen waren nur mit Hilfe einer gezielten Patronagepolitik zu gewinnen, die weiterhin zu den unverzichtbaren Herrschaftsinstrumen-
ten gehörte und von der sich entwickelnden Bürokratie zwar ergänzt, aber keineswegs verdrängt wurde[11]. Miteinander verbunden waren die beiden Stützen der
päpstlichen Landesherrschaft, der noch schwache bürokratische Apparat und das
klienteläre Netz der regierenden Familie, in zweifacher Hinsicht. Zum einen bestimmten informelle Beziehungen über die Besetzung der Positionen in Zentrum
und Peripherie, und zum anderen stand der gleiche Kardinal, der die Klientel mit
Ämtern und die Amtsträger mit Gunstbeweisen zu versorgen hatte, an der Spitze
der wichtigsten Behörden. Dem Neffen des Pontifex war damit eine im doppelten
Sinne staatstragende Rolle zugefallen: Als Cardinale Padrone verkörperte er die
patrimonialen Aspekte frühneuzeitlicher Herrschaft im Land der Kirche, als Behördenleiter repräsentierte er die frühbürokratischen Elemente des Systems. Wenn
aber der Nepot an der Schnittstelle traditionaler und moderner Herrschaftsprak-
tiken zu finden war, liegt der Gedanke nahe, die Verklammerung dieser beiden
Sphären sei seine Aufgabe und der Bedarf an einem solchen Bindeglied der eigentliche Grund für die Institutionalisierung der Nepotenrolle gewesen.

Genau diesen Verdacht bestärkt ein Blick über die Grenzen des Kirchenstaats.
Schließlich waren Patronagemanager mit hohen Ämtern und Einfluß auf die
Politik der Regenten nicht nur am Tiber zu finden, sondern ein nahezu gesamt-
europäisches Phänomen des 16. und 17. Jahrhunderts[12]. Allein zu Lebzeiten

---

[11] Zur anhaltenden Bedeutung klientelärer Bindungen für die Herrschaftspraxis vgl. die aufschlußrei-
chen Aufsätze bei Antoni Mǎczak (Hg.), Klientelsysteme im Europa der Frühen Neuzeit (Schriften
des Historischen Kollegs, Kolloquien, Bd. 9), München 1988.

[12] Daß es sich bei dem Aufstieg der zeitlosen Favoriten zu (mit)regierenden Günstling-Ministern, der
in dem von Robert Evans als «dieses große Zeitalter des europäischen Valido» bezeichneten Jahrhundert zwischen 1560 und 1660 (Robert John Weston Evans, Die Habsburger: Die Dynastie als
politische Institution, in: Arthur Geoffrey Dickens (Hg.), Europäische Fürstenhöfe. Herrscher, Politiker und Mäzene 1400–1800, Graz/Köln/Wien 1978 (engl. Orig: London 1977), S. 121–145, hier:
S. 133) an nahezu allen Höfen Europas zu beobachten ist, nicht um einen allein der Schwäche der
jeweiligen Regenten geschuldeten Zufall handelt, sondern um ein gesamteuropäisches Phänomen

Pauls V. und seines Neffen Scipione tummelte sich eine ganze Reihe namhafter Vertreter der Gattung Günstling-Minister an den Höfen Westeuropas. In England war George Villiers dank der Zuneigung Jakobs I. nicht nur zum Herzog von Buckingham, sondern auch zur zentralen Figur am Hof der Stuarts aufgestiegen, in Spanien wartete Olivares auf den Sturz des Herzogs von Lerma und die Thronbesteigung Philipps IV., um mit und für seinen früheren Schützling die Politik der Krone zu gestalten, und in Frankreich führte die Reihe der Favoriten seit der Ermordung Heinrichs IV. und Sullys Entmachtung über Concino Concini und Albert de Luynes zu keinem Geringeren als Richelieu[13]. Wie breit das Spektrum war, auf dem sich die unterschiedlichen Varianten dieser Günstling-Minister bewegten, verdeutlichen die Namen Buckingham und Richelieu: der erste ein Günstling reinsten Wassers, dessen Sonderstellung der Krone wohl mehr geschadet als genutzt hat, der zweite ein Minister erster Güte, der der Entwicklung Frankreichs seinen Stempel aufdrückte. Und doch sind die Parallelen zwischen diesen beiden und allen Vertretern ihrer Gattung nicht zu übersehen. So verfügten

---

mit vergleichbaren strukturellen Ursachen, wurde erstmals festgestellt von Jean Bérenger, Pour une enquête européenne: Le problème du ministériat au XVIIe siècle, in: Annales. Économies, Sociétés, Civilisations 29 (1974), S. 166–192. Zu den in der Zwischenzeit erschienenen, z. T. glänzenden Untersuchungen über einzelne Günstling-Minister (vgl. z. B. die in der folgenden Anm. genannten Titel) hat sich unlängst ein Tagungsband gesellt, in dem Bérengers Anregungen auf breiter Front und in vergleichender Perspektive wiederaufgenommen und weitergeführt werden: John H. Elliott, Lawrence W.B. Brockliss (Hgg.), The World of the Favorite, New Haven/London 1999. Daß es der bei Bérenger unerwähnt gebliebene Kardinalnepot auch in diesem Sammelband nicht in den Kreis der untersuchten Günstling-Minister geschafft hat, wird zwar von Elliott in seiner Introduction, ebd., S. 1–10, hier: S. 8, als Defizit vermerkt, spricht aber nicht für ein gewachsenes Interesse am Papstneffen und seiner funktionalen Verwandtschaft mit den anderen Vertretern der Gattung. Ähnliches gilt für die jüngste Studie zum päpstlichen Nepotismus: Antonio Menniti Ippolito, Il tramonto della curia nepotista. Papi, nipoti e burocrazia curiale tra XVI e XVII secolo (La corte dei Papi 5), Rom 1999. Da Menniti Ippolito die Rolle des Kardinalnepoten als Patronagemanager nicht berücksichtigt, muß ihm eine der wichtigsten Gemeinsamkeiten zwischen diesem und den anderen Favoriten entgehen, deren funktionale Verwandtschaft gering und die Parallelen in der Entwicklung ihrer Positionen als Zufall erscheinen (vgl. ebd., S. 31).

[13] Über Buckingham, dessen politischer Einfluß unter Karl I. zwar zunahm, seinen Aufstieg als Günstling aber nicht vergessen ließ, informiert umfassend Roger Lockyer, Buckingham. The Life and political Career of George Villiers, First Duke of Buckingham 1592–1628, London 1981. Zu Olivares vgl. John H. Elliott, The Count-Duke of Olivares. The Statesman in an Age of Decline, New Haven 1986, der auf S. 31–37 die Rolle des Herzogs von Lerma bis zu dessen Sturz im Herbst 1618 umreißt. Zum Verhältnis zwischen Olivares und Philipp IV. vor und nach der Thronbesteigung des letzteren vgl. auch Robert A. Stradling, Philip IV. and the Government of Spain 1621–1665, Cambridge 1988, v. a. S. 36–82. Einen guten ersten Überblick über die Position der für Frankreich genannten Günstlinge bietet Klaus Malettke, The Crown, *Ministériat*, and Nobility at the Court of Louis XIII, in: Ronald G. Asch, Adolf M. Birke (Hgg.), Princes, Patronage, and the Nobility. The Court at the Beginning of the Modern Age, c. 1450–1650, Oxford 1991, S. 415–439.

die Favoriten quasi per definitionem über ein enges Verhältnis zum Regenten, das anders als bei ihrem römischen Pendant nicht verwandtschaftlich begründet war und in seiner Beschaffenheit variieren mochte, aber häufig in einem Amt im persönlichen Umfeld des Königs, dem Haushalt, zum Ausdruck kam und immer für leichte Zugangsmöglichkeiten zum Herrscher sorgte[14]. Überdies gab es keinen unter ihnen, dessen sozioökonomische Position durch die Nähe zum Regenten gelitten hätte. Sozialen Aufsteigern wie Melchior Klesl in Wien war die Verachtung der Hofaristokratie zwar gewiß[15], doch daß die Teilhabe an der Macht stets auch Prestige und Geld versprach, zeigen die Kunstwerke aus der Sammlung Buckinghams und sein Herzogstitel ebenso deutlich wie die Reichtümer Richelieus[16]. Die wichtigste Gemeinsamkeit der Günstling-Minister war indes funktionaler Art und läßt sich, um bei den Antipoden ihrer Gattung zu bleiben, auf diese Formel bringen: Selbst Buckingham hatte einen Sitz im Kronrat und Einfluß auf die Politik der Stuarts, und auch ein Richelieu wäre ohne den Einsatz informeller Beziehungen seinen persönlichen wie politischen Zielen nicht nahe gekommen[17].

---

[14] Die (wie im Falle Elton/Starkey) mitunter heftige Debatte über den politischen Einfluß, der vom Haushalt des Regenten ausging, kann hier nicht behandelt werden. Daß für die meisten Günstling-Minister «one *sine qua non* of government control was control over the sovereign's household», wie Pere Molas Ribalta, The Impact of Central Institutions, in: Wolfgang Reinhard (Hg.), Power Elites and State Building, 13th–18th Centuries (The Origins of the Modern State in Europe IV), Oxford 1996, S. 19–39, hier: S. 37, betont, weist nicht nur auf die anhaltende Bedeutung des Haushalts hin, sondern auch auf die typische Stellung der Günstling-Minister «oscillating between the formal and the informal sphere, between court and government» (ebd., S. 28).

[15] Vgl. Molas Ribalta, S. 28.

[16] Zu Buckinghams Kunstsammlung vgl. Lockyer, S. 409–411; zu seinem Herzogstitel vgl. ebd., S. 28. Wie und in welchem Maße Richelieu sich bereichert hat, wird rekonstruiert bei Joseph Bergin, Cardinal Richelieu: Power and the Pursuit of Wealth, Yale 1985.

[17] Zu Buckinghams Sitz im Kronrat vgl. Lockyer, S. 28, zum Beginn seiner politischen Einflußnahme vgl. Ronald G. Asch, Der Hof Karls I. von England. Politik, Provinz und Patronage 1625–1640 (Gert Melville (Hg.), Norm und Struktur. Studien zum sozialen Wandel in Mittelalter und Früher Neuzeit, Bd. 3), Köln 1993, S. 40, Anm. 3. Daß sich bereits Richelieus Aufstieg nicht ohne klienteläre Hilfestellung vollzogen hat, wird ausführlich dargelegt bei Georges Dethan, Mazarin et ses amis. Étude sur la jeunesse du Cardinal d'après ses papiers conservés aux archives du Quai d'Orsay suivie d'un choix de lettres inédites, Paris 1968. Wie Richelieu Verwandte und Klienten einsetzte, um die ihm als Gouverneur unterstellten Provinzen auf seine und der Krone politische Linie zu bringen, und sich somit der «traditional methods of patronage and clientage» bediente, schildert Kenneth M. Dunkley, Patronage and Power in Seventeenth Century France: Richelieu's Clients and the Estates of Brittany, in: Parliaments, Estates, and Representation 1 (1981), S. 1–12, das Zitat auf S. 12. Daß selbst der Kardinal auf informelle Beziehungen angewiesen war, um sich im französischen *Conseil* durchzusetzen, berichtet Malettke, S. 433 f. Ausführlich hierzu vgl. Orest Ranum, Richelieu and the Councillors of Louis XIII: A Study of the Secretaries of State and Superintendants of Finance in the Ministry of Richelieu, 1635–1642, Oxford 1963. Das zentrale Ergebnis Ranums steht bei der französischen Ausgabe seines Buches bereits auf der Titelseite: Ders., Les Créatures de Richelieu, Paris 1966.

Daß diese Doppelrolle der Günstling-Minister als Patronagemanager und Amtsinhaber kein Zufall, sondern der Schlüssel zum Verständnis ihrer historischen
Rolle ist, zeigt ein Blick auf zwei Entwicklungslinien des frühneuzeitlichen Europa, die zwar in unterschiedliche Richtungen wiesen, an einem Punkt aber aufein-
andertrafen und damit den Bedarf an den Favoriten des 16. und 17. Jahrhunderts
erst weckten. Die erste Linie beschreibt den Auszug der zentralen Regierungs-
und Verwaltungsorgane aus Haushalt und Hof des Herrschers, die zweite zeich-
net die schrittweise Konzentration der Patronagepolitik in der Hand der Krone
nach. Diese beiden Prozesse verliefen in den verschiedenen Staaten Europas weder gleichzeitig noch gleichförmig und auch nicht überall erfolgreich. Doch Parallelen, die sich mit viel Mut zur Vereinfachung auf ein allgemeingültiges Muster
reduzieren lassen, sind durchaus zu erkennen. So begegnen in den Untersuchungen über das «going out of court», wie die Emanzipation der Behörden von der
Hofgesellschaft in der angelsächsischen Forschung treffend genannt wird, immer
wieder die gleichen Stichworte, und stets kreisen diese Stichworte um vier Aspekte: die Organisation der Behörden, die Expeditionsformen und -wege, die soziale
Herkunft der Amtsträger sowie die Anforderungen des Staates an sein Personal[18].
Geheime Räte verdrängten die zu groß und zu unabhängig gewordenen Kronräte
mittelalterlicher Prägung, spezialisierte Fachausschüsse die alten Gremien mit
umfassender Zuständigkeit, kollegial organisierte Behörden die hierarchisch verfaßten Einrichtungen. Die Privat- und Sekretsiegel der Regenten setzten sich gegen das Große Staatssiegel durch, weniger feierliche Dokumente bis hin zum
schlichten Brief in der Landessprache lösten die hochoffiziellen Urkunden als
maßgebliche Mitteilungsform der Zentrale ab, und die in ihren umständlichen
Geschäftsordnungen und Regeln erstarrten Kanzleien mußten die Expedition der
königlichen Weisungen zusehends den Sekretären als aufsteigenden Sternen am
Bürokratenhimmel überlassen. Die Dominanz des alten Adels in den Gremien
wurde durch den Aufstieg juristisch geschulter Verwaltungsexperten gebrochen,
und wenn der im Dienst nobilitierte neue Amtsadel mit einer eigenen Identität
eigene Standesinteressen zu entwickeln begann, wie es sich etwa bei der französischen Noblesse de Robe anbahnte, antwortete die Krone mit dem von Otto
Hintze als Commissarius bezeichneten und nicht zufällig in seiner französischen
Variante, dem Intendanten, mustergültig verkörperten neuen Typus des jederzeit

---

[18] Das «going out of court» wird als bedeutender Modernisierungsprozeß erwähnt z.B. bei Wolfgang
Reinhard, Introduction: Power Elites, State Servants, Ruling Class, and the Growth of State Power,
in: Ders. (Hg.), Power Elites and State Building, 13th–18th Centuries (The Origins of the Modern
State in Europe IV), Oxford 1996, S. 1–18, hier: S. 14. Einen ebenso knappen wie guten Überblick
über die Diskussion des «going out of court» mit den entsprechenden Literaturangaben bietet Asch,
Introduction, v.a. S. 11–16. Da vor allem Molas Ribalta die behördengeschichtlichen Ergebnisse der
neueren Forschung präsentiert, stützt sich das Folgende maßgeblich auf seinen Beitrag.

ab- und überall einsetzbaren Beamten[19]. In dieser Entwicklung spiegelt sich der Bedeutungsverlust, den sowohl die auf Lebenszeit verliehenen als auch die meist erblichen Kaufämter hinnehmen mußten. Amtsträger, die ihre Position als persönliches Eigentum betrachten und ihre Kompetenzen entsprechend unabhängig nutzen konnten, waren offensichtlich nicht mehr gefragt, denn mit den Sekretären in der Zentrale und den Intendanten in der Provinz setzten sich allerorten die Prototypen des modernen Staatsdieners durch.

Möglich geworden war dies nicht zuletzt durch den veränderten Charakter der klientelären Beziehungen und einer entsprechend modifizierten Patronagepolitik. Durch den Ausbau des Amtsapparats und den Ausgriff obrigkeitlicher Bemühungen auf bislang unerschlossene Bereiche des Lebens war es der Staatsgewalt gelungen, ihr Patronagepotential zu erweitern. Wer Ämter erlangen, Steuern pachten, Privilegien erhalten oder in juristischen Auseinandersetzungen bevorzugt behandelt sein wollte, mußte sich an die Zentrale wenden oder einen Fürsprecher am Hof gewinnen. Folglich orientierten sich die vormals unabhängigen Klientelverbände des alten Adels in wachsendem Maße an der Krone, und an die Stelle der parzellierten kleinen Netze trat ein umfassendes Netz mit dem Monarchen im Zentrum, den lokalen Magnaten als Vermittlern (Broker) der königlichen Gunst und Klienten in allen Zonen des Herrschaftsgebiets. War der Hof als erste Anlaufstelle für Wünsche jeder Art und der Regent als oberster Patron akzeptiert, konnte ein Prozeß einsetzen, den Sharon Kettering für Frankreich untersucht und als Politisierung des Klientelismus bezeichnet hat. Statt ergebener Kreaturen förderte die Krone pflichtbewußte Amtsträger, statt unverbrüchlicher Treue verlangte sie bürokratische Effizienz. Die Rolle der Broker wurde mehr und mehr von den Intendanten im Staatsdienst übernommen, die ihre Klienten in den aufsteigenden sozialen Schichten unterhalb des Adels suchten und deren Hilfe bei der Erfüllung ihrer Amtsaufgaben in Anspruch nahmen. Auf diese Weise wurden die Bindungen zwar unpersönlicher, aber pragmatischer, und die Durchsetzung staatlicher Ziele zur eigentlichen Funktion des neuen administrativen Netzes[20]. Daß informelle Beziehungen gänzlich bedeutungslos geworden wären, wird man bis heute nicht behaupten können. Ihre einstmalige Rolle als unverzichtbares Herrschaftsinstrument und Stütze eines noch schwachen Behördenapparats hatten sie jedoch eingebüßt, und wenn Patronagepolitik und Klientelismus ihre noch immer vorhandene Kraft innerhalb der nun allein staatstragenden Bürokratie zu entfalten versuchten,

---

[19] Vgl. Otto Hintze, Der Commissarius und seine Bedeutung in der allgemeinen Verwaltungsgeschichte. Eine vergleichende Studie (1910), in: Ders., Staat und Verfassung. Gesammelte Abhandlungen zur allgemeinen Verfassungsgeschichte. Göttingen ³1970, S. 242–274. Auf Hintzes Befunde gehen auch Reinhard, Freunde, S. 42, und Molas Ribalta, S. 36, ein.

[20] Vgl. Sharon Kettering, Patrons, Brokers, and Clients in Seventeenth-Century France, Oxford 1986.

wurden sie zusehend als dysfunktionale Nachwirkungen überlebter Herrschafts-
praktiken und ihre Folgen als Amtsmißbrauch und Korruption diskreditiert.

Was aber, so ist dieser groben Skizze mit ihren starken Anleihen bei den moder-
nisierungstheoretischen Abstraktionen Max Webers entgegenzuhalten, soll die
parallele Bürokratisierung von Amtsapparat und klientelärem Netz mit den
Günstling-Ministern des 16. und 17. Jahrhunderts zu tun gehabt haben? Mustert
man diese Prozesse weniger im Lichte ihrer Ergebnisse als vielmehr aus der Perspektive des frühneuzeitlichen Hofes und des Regenten in seiner Mitte, wird der
Zusammenhang greifbarer. Schließlich konnte es für den Herrscher nicht ohne
Folgen bleiben, wenn Politik und Verwaltung in die ausdifferenzierte Behördenlandschaft jenseits des Hofes abwanderten und die unmittelbare Umgebung des
Monarchen zum zentralen Treffpunkt für Bittsteller aus dem ganzen Land wurde[21]. Durch diesen Funktionswandel des Hofes vom Regierungssitz zur Patrona-
gebörse stand der König vor einem doppelten Problem: Die Staatsgeschäfte, die
ihm zu entgleiten drohten, mußte er an sich binden, die unzähligen klientelären
Anträge konnte er weder ignorieren noch selbst bearbeiten. Letzteres verbot ihm
seine im Hofzeremoniell immer wieder inszenierte Rolle als Souverän, und da die
unvermeidbaren Absagen überdies auch ein politisches Risiko bargen[22], empfahl
es sich, die Patronagepolitik und mit ihr die Kontrolle der Hofgesellschaft einem
den Bittstellern im Rang mindestens ebenbürtigen Stellvertreter zu überlassen.
Gleichzeitig benötigten Regenten, die sich anders als Philipp II. nicht selbst mit der
anschwellenden Aktenflut und den Details der laufenden Angelegenheiten befassen wollten, einen Koordinator für die Arbeit der Behörden, der ihr Vertrauen und
die Fähigkeit besaß, die politischen Vorstellungen des Monarchen in den Gremien
durchzusetzen. Das Vertrauen seines Herrn genoß auch der Staatssekretär, der die
mit dem Ausbau des Gesandtschaftswesens massiv angewachsene diplomatische
Korrespondenz der Krone zu bearbeiten und dank seiner Rolle als stets gut informierter Referent der anstehenden Probleme in nicht wenigen Ländern Europas

---

[21] Zum Funktionswandel des Hofes vgl. Asch, Introduction. Daß Aschs Beitrag die maßgebliche Syn-
these zum Thema darstellt, betont auch Trevor Dean, Le corti. Un problema storiografico, in: Giorgio Chittolini, Anthony Molho, Pierangelo Schiera (Hgg.), Origini dello stato. Processi di formazione
statale in Italia fra medioevo ed età moderna (Annali dell'Istituto storico italo-germanico, Quaderno
39), Bologna 1994, S. 425–447 (engl. Übersetzung in: The Origins of the State in Italy, 1300–1600,
in: The Journal of Modern History, Suppl. 67, Dezember 1995, S. 136–151).

[22] Wie das Impeachment gegen Buckingham und die in diesem Verfahren geäußerten Vorwürfe gegen
die Patronagepolitik des Günstlings (vgl. Asch, Hof, S. 51 f.) zeigen, war die Klientelbildung auch für
die Favoriten nicht ohne Gefahr. Gleichzeitig illustrieren die Geschehnisse um den Herzog die Risiken
der Patronagepolitik für die Krone, in deren Interesse eine Polarisierung der Hofgesellschaft nicht
liegen konnte (vgl. ders., Introduction, S. 24) und die mit der Auflösung des Parlaments zum Schutz
Buckinghams die Auseinandersetzungen um diesen zu einem Grundsatzkonflikt mit dem Parlament
ausweitete (vgl. ders., Hof, S. 53).

eine steile Karriere vor sich hatte. Über das nötige Durchsetzungsvermögen gegenüber den Mitgliedern der zentralen Gremien verfügte der in der Regel selbst zu den sozialen Aufsteigern zählende und auf die Förderung durch einen höhergestellten Patron angewiesene Sekretär jedoch nicht. Folglich kam als Koordinator der behördlichen Arbeit nur derjenige in Frage, dem die Amtsträger ihre Position verdankten, und da dies der Patronagemanager des Regenten war, wurden aus den Favoriten die Günstling-Minister des 16. und 17. Jahrhunderts.

Daß ihre große Zeit mit dem 17. Jahrhundert zu Ende ging, paßt ebenso gut ins Bild wie die allseits vermeldeten Konflikte zwischen dem Günstling-Minister als Auslaufmodell patrimonialer Bauart und dem Staatssekretär als Verkörperung modernerer Herrschaftstechniken. Je stärker die Position der Favoriten war, um so bescheidener nahm sich die Rolle der Staatssekretariate und ihrer Leiter aus, doch wem die Zukunft gehörte, zeigt bereits ein Blick auf die heutigen Amtstitel der britischen und US-amerikanischen Außenminister. Mit der Bürokratisierung des Amtsapparats und der Verstaatlichung der Patronagepolitik verschwand der Bedarf an Vertretern des Monarchen, die die zu weisungsgebundenen Exekutivorganen der königlichen Politik gewordenen Behörden kontrolliert und die nicht mehr in hellen Scharen zum Hof pilgernden Bittsteller betreut hätten, und so konnten die Vorfahren der modernen Fachminister die Nachfolge der nicht mehr gefragten Günstlinge antreten[23].

Die römische Entwicklung scheint nahtlos in dieses Schema zu passen. Mehr noch: Im Blick auf die Behördenorganisation dürfte die Kurie nicht nur das Paradebeispiel für den beschriebenen Prozeß der Ausdifferenzierung gewesen sein, sondern auch ein Vorbild für andere Staaten, und nicht von ungefähr schrieben die zeitgenössischen Beobachter dem päpstlichen Landesherrn schon vor dem Beginn des 17. Jahrhunderts uneingeschränkte Machtbefugnisse zu[24]. In der Tat mußten

---

[23] Vgl. Andreas Kraus, Secretarius und Sekretariat. Der Ursprung der Institution des Staatssekretariats und ihr Einfluß auf die Entwicklung moderner Regierungsformen in Europa, in: RQS 55 (1960), S. 43–84, hier: S. 74, 78–82; Reinhard, Nepotismus, S. 174; Molas Ribalta, S. 32–34. Den transitorischen Charakter der Herrschaft der Günstling-Minister betont auch I.A.A. Thompson, The institutional Background to the Rise of the Minister-Favorite, in: John H. Elliott, Lawrence W.B. Brockliss (Hgg.), The World of the Favorite, New Haven/London 1999. S. 13–25, v. a. S. 23.

[24] Vgl. das bei Paolo Prodi, Il sovrano pontefice, un corpo e due anime: La monarchia papale nella prima età moderna, Bologna 1982 (engl. Übersetzung: The Papal Prince. One Body and two Souls: The Papal Monarchy in Early Modern Europe, Cambridge 1987), S. 81 des ital. Originals, wiedergegebene Zitat aus dem Bericht des von seiner römischen Mission heimgekehrten venezianischen Botschafters Paolo Paruta von 1595. Da es im folgenden lediglich um einen groben Überblick über die Grundlinien der behördenorganisatorischen Entwicklung an der Kurie geht und einige der römischen Organe in den nächsten Kapiteln näher betrachtet werden sollen, mag hier der Hinweis auf zwei Werke mit weiteren Angaben genügen: Lajos Pásztor, Guida delle fonti per la storia dell'America Latina negli archivi della Santa Sede e negli archivi ecclesiastici d'Italia (Collectanea Archivi Vaticani,

die Pontifices seit der Mitte des 16. Jahrhunderts nicht mehr mit Widerspruch gegen ihre Entscheidungen rechnen, denn der Heilige Senat, d.h. das Kardinalskollegium, hatte seine Rolle als funktionales Äquivalent der europäischen Kronräte verloren und bei seinen selten gewordenen Zusammenkünften kaum mehr zu tun, als andernorts gefallene Beschlüsse abzusegnen[25]. Die alte Macht der Kardinäle kehrte zwar schlagartig zurück, sobald der Papst gestorben war und sich die Türen zum Konklave schlossen. Doch wenn die Kirche und ihr Staat einen neuen Regenten hatten, waren nur noch jene Purpurträger gefragt, die der frischgebakkene Herrscher in die Verwaltungsgremien der Zentrale berief. Vor allem die Kongregationen, die im Verlaufe des 16. Jahrhunderts entstanden und von Sixtus V. im Rahmen seiner Kurienreform von 1588 auf 15 ausgebaut worden waren, boten den Kardinälen die Möglichkeit, sich wenn schon nicht mehr an der großen Politik, so doch wenigstens am römischen Behördenalltag zu beteiligen[26]. So gehörten jedem dieser kollegial verfaßten Fachausschüsse eine ganze Reihe von Purpurträgern an, die unter der Leitung eines stets kardinalizischen Präfekten über die ihrem Gremium zugewiesenen Themen berieten und die entsprechende Korrespondenz mit der Hilfe eines eigenen Sekretärs abwickelten. Neun Kongregationen kümmerten sich seit 1588 um kirchliche Fragen, sechs Behörden dieser Art standen für die Probleme der Staatsverwaltung bereit, und da in den Jahrzehnten nach der Reform Sixtus' V. einige weitere Organe wie die für den Kirchenstaat überaus wichtige *Congregazione del Buon Governo* (1592) oder die *Propaganda Fide* (1622) für die Mission hinzukamen, mußte die Kurie den internationalen Vergleich in Sachen Behördenentwicklung nicht scheuen. Spiegelt sich in der wachsenden Zahl staatlicher Gremien das zunehmende Interesse der päpstlichen Landesherren an ihren Untertanen und deren Steuern wider, dürften die geistlichen Pflichten der Pontifices deren Bedarf an spezialisierten Fachorganen verstärkt haben. Fragen des Gewissens blieben zwar der Pönitentiarie vorbehalten, und die Datarie, deren Ausbau zum päpstlichen Gnadenhof wohl vor allem auf die wachsende Zahl der Suppliken

---

Bd. 2), Vatikanstadt 1970, der der Schilderung der erhaltenen Bestände stets einige Bemerkungen über die Geschichte der jeweiligen Behörden voranstellt, sowie Niccolò Del Re, La curia romana. Lineamenti storico-giuridici, Rom ³1970. Del Res Angaben sind zwar nicht immer zuverlässig, doch seine Einleitung (S. 3–60) stellt einen der wenigen Versuche dar, die Entwicklung der kurialen Behördenorganisation über die Jahrhunderte zu verfolgen, und in seiner umfangreichen Bibliographie (S. 569–608) werden die wichtigsten Arbeiten zu den einzelnen Gremien genannt.

[25] Vgl. ausführlich hierzu die in der vorherigen Anm. genannte Monographie Prodis, Il sovrano, S. 169–180, sowie die ebenso kurze wie eindrucksvolle Zusammenfassung seiner Egebnisse: Ders., Il «sovrano pontefice», in: Giorgio Chittolini, Giovanni Miccoli (Hgg.), La Chiesa e il potere politico dal Medioevo all'età contemporanea (Storia d'Italia, Annali, Bd. 9), Turin 1986, S. 195–216, hier: S. 207 f.

[26] Zu den Kongregationen vgl. die Angaben bei Pásztor, Guida, und Del Re. Ebd., S. 505–521, ist die berühmte Reformbulle *Immensa aeterni dei*, die Sixtus V. am 22. Januar 1588 erlassen hat, ediert.

zurückzuführen ist, war weiterhin für die Gesuche *in foro externo* sowie für alle benefizialrechtlichen Angelegenheiten zuständig[27]. Die seit dem Trienter Konzil intensivierten Reformbemühungen der Kirche waren jedoch mit einem administrativen Aufwand verbunden, der sich nur mit Hilfe zusätzlicher Organe bewältigen ließ, und so fanden die veränderten kirchenpolitischen Anforderungen in Kongregationen wie jener für die Durchsetzung der Trienter Beschlüsse ihren behördenorganisatorischen Niederschlag[28].

Zum Opfer gefallen war dieser Entwicklung in erster Linie die Apostolische Kammer: Ihre frühere Monopolstellung in Fragen der Papstfinanz hatte sie durch den Ausgriff der weit jüngeren Datarie auf einen Teil der Geldquellen verloren[29], ihre bislang exklusive Zuständigkeit für die Wirtschafts- und Finanzpolitik im Kirchenstaat mußte sie mit den neuen Verwaltungskongregationen teilen. Vor allem aber hatte die Kammer ihre einst von der Kanzlei übernommene Rolle als maßgebliches Expeditionsorgan der Kurie eingebüßt. Greifbar wird diese Verlagerung der Expeditionswege wie überall so auch in Rom in einem diplomatisch-sphragistischen Ablösungsprozeß[30]. Seit 1391 zu belegen, verdrängten die vergleichsweise schlichten Breven unter dem Fischerringsiegel die von den Zeitgenossen und auch im folgenden als Bullen bezeichneten Urkunden unter dem

---

[27] Zur Pönitentiarie vgl. die im allgemeinen recht zuverlässige Beschreibung der Kurie vor den Reformen des 20. Jahrhunderts aus der Feder des Münsteraner Priesters Johann Heinrich Bangen, Die römische Curie, ihre gegenwärtige Zusammensetzung und ihr Geschäftsgang, Münster 1854, S. 418–426, sowie Kap. III, Anm. 118. Da die Monographie von Nicola Storti, La storia e il diritto della Dataria apostolica dalle origini ai nostri giorni, Neapel 1969, mit Vorsicht zu genießen ist, sei auch für die Datarie verwiesen auf Bangen, S. 396–418, sowie auf Pásztor, Guida, S. 44–47, und Del Re, S. 443–452.

[28] Da diese Kongregation schon vor 1588 bestand, mußte sie Sixtus V. nur noch bestätigen, vgl. Del Re, S. 23.

[29] Zur einst dominierenden Stellung der Kammer vgl. Karl August Fink, Das Vatikanische Archiv. Einführung in die Bestände und ihre Erforschung, 2., vermehrte Auflage, Rom 1951, S. 45. Welche Geldquellen die Datarie an sich gezogen hatte, ist nachzulesen bei Wolfgang Reinhard, Papstfinanz, Benefizienwesen und Staatsfinanz im konfessionellen Zeitalter, In: Hermann Kellenbenz, Paolo Prodi (Hgg.), Fiskus, Kirche und Staat im konfessionellen Zeitalter (Schriften des Italienisch-Deutschen Historischen Instituts in Trient, Bd. 7), Berlin 1994, S. 337–371 (zuerst erschienen als: Finanza pontificia, sistema beneficiale e finanza statale nell'età confessionale, in: Hermann Kellenbenz, Paolo Prodi (Hgg.), Fisco, religione, stato nell'età confessionale (Annali dell'Istituto storico italo-germanico in Trento, Quaderno 26), Bologna 1989, S. 459–504). Hier: S. 339 f. der deutschen Fassung.

[30] Zum Folgenden und vor allem zum Aufstieg der Sekretäre vgl. Thomas Frenz, Die Kanzlei der Päpste der Hochrenaissance (1471–1527) (Bibliothek des Deutschen Historischen Instituts in Rom, Bd. 63), Tübingen 1986, S. 166–178; Pásztor, Guida, S. 41 f., 73 f., 112; Kraus, Secretarius, S. 63–70, und (mit Einschränkungen) Del Re, S. 63–66.

Bleisiegel[31]. Die Expedition der Breven oblag ausschließlich den Sekretären, die seit dem 14. Jahrhundert anstelle von Kanzlei und Kammer mit der Korrespondenz der Päpste in vertraulichen Angelegenheiten befaßt und auch an der Bullenexpedition beteiligt waren[32], ihren Aufstieg aber vor allem dem Siegeszug der neuen Urkundenform verdankten. An Nachfrage mangelte es den Breven nicht: Weniger aufwendig als die Bullen und daher billiger, erfreuten sich die schlichteren Dokumente zunehmender Beliebtheit bei Päpsten wie Petenten[33]. So wuchs die Zahl der Sekretäre und mit ihr deren Spezialisierung. Während sich die Mehrheit der Sekretäre auf die *brevia communia* konzentrierte, die als Antwort auf erfolgreiche Suppliken ergingen und die darin erbetenen Gnadenakte rechtskräftig machten, oblagen die *brevia de curia*, in denen der Papst aus eigenem Antrieb zu politischen Problemen und Fragen der Staatsverwaltung Stellung nahm, nur wenigen engen Mitarbeitern des Regenten. Abzulesen ist diese Zweiteilung in der ab 1470 belegbaren Trennung der Verzeichnisse in Kommun- und De curia-Register[34], kodifiziert wurde sie 1487, als Innozenz VIII. die *Segreteria Apostolica*

---

[31] Vgl. Karl August Fink, Die ältesten Breven und Brevenregister, in: QFIAB 25 (1933/34), S. 292–307; ders., Untersuchungen über die päpstlichen Breven des 15. Jahrhunderts, in: RQS 43 (1935), S. 55–86. Was die Breven in formaler Hinsicht ausmacht und von den Bleisiegelurkunden unterscheidet, wird immer wieder beschrieben, so z. B. bei Bangen, S. 432 f.; Ludwig Schmitz-Kallenberg, Die Lehre von den Papsturkunden, in: Urkundenlehre, erster und zweiter Teil (Grundriß der Geschichtswissenschaft. Zur Einführung in das Studium der Deutschen Geschichte des Mittelalters und der Neuzeit, hg. von Aloys Meister), Leipzig und Berlin 1913, Bd. 1, Abt. 2, Teil B, S. 56–116; hier: S. 109–111; Frenz, Kanzlei, S. 61–67. Zur Terminologie vgl. die Übersicht bei dems., Papsturkunden des Mittelalters und der Neuzeit (Thomas Frenz, Peter-Johannes Schuler (Hg.), Historische Grundwissenschaften in Einzeldarstellungen, Bd. 2), Stuttgart 1986, S. 12.

[32] Laut Martino Giusti, Studi sui registri di bolle papali (Collectanea Archivi Vaticani, Bd. 1), Vatikanstadt 1968, S. 15, ist auf der Rückseite der Originalbullen seit Eugen IV. neben anderen auch folgender Registrierungsvermerk vertreten: «*Registrata apud me N. Secretarium*». Die Bände mit den derart gekennzeichneten und folglich von den Sekretären registrierten Bullen tragen laut ebd. den Titel «*Secret.*» und sind in der Serie der Registri Vaticani des Vatikanischen Archivs zu finden. Um welche Bände der Reg. Vat. es sich im einzelnen handelt, ist nachzulesen bei: Ders., Inventario dei Registri Vaticani (Collectanea Archivi Vaticani, Bd. 8), Vatikanstadt 1981, S. 305.

[33] Zur Nachfrage nach den Breven vgl. Fink, Zu den Brevia Lateranensia des Vatikanischen Archivs, in: QFIAB 32 (1942), S. 260–266, hier: S. 265, und Hermann Diener, Die großen Registerserien im Vatikanischen Archiv (1378–1523). Hinweise und Hilfsmittel zu ihrer Benutzung und Auswertung, in: QFIAB 51 (1971), S. 305–368, hier: S. 341. Noch zwei Jahrhunderte nach dem Aufkommen der Breven waren deren Vorteile gegenüber den Bullen einem Beobachter des römischen Geschehens der Erwähnung wert. So heißt es in der *Relatione* Cecis von 1605 (ediert bei Seidler, S. 217–281, hier: S. 259) über die Breven: «*Questa sorte di scrittura fu ritrovata per maggiore brevità e manca spesa che non comporta la bolla.*»

[34] Vgl. Germano Gualdo, Il «Liber Brevium de Curia anni septimi» di Paolo II. Contributo allo Studio del Breve pontificio, in: Mélanges Eugène Tisserant, Bd. 4 (Studi e Testi, Bd. 234), Vatikanstadt 1964, S. 301–345. Daß bei der Expedition der Bullen und Breven durch die Sekretäre laut Frenz, Kanzlei,

gründete und von dieser den *Secretarius domesticus* unterschied. Fortan fielen die Brevia communia und ihre Unterformen in den Zuständigkeitsbereich der 24 Secretarii Apostolici, in deren Registern, den *Brevia Lateranensia,* somit alle Breven zu finden sind, die auf Wunsch der Petenten und im Auftrag der mit dem Supplikenwesen befaßten Datarie erstellt wurden[35]. Die in politischer Hinsicht weit wichtigeren Brevia de curia oder *brevi segreti* blieben hingegen dem Secretarius domesticus vorbehalten[36]. Bei den traditionellen Urkunden unter dem Bleisiegel vollzog sich eine ähnliche Spaltung: An der Expedition *per viam cameram,* die zwar nicht den strengen Vorschriften der Kanzlei unterworfen, aber teurer als die Expedition *per viam cancelleriam* war, beteiligten sich die Secretarii Apostolici weiterhin. Bei den ebenfalls von den Kanzleiregeln befreiten, aber überdies billigeren oder gar kostenfreien und entsprechend attraktiven Expeditionsformen *de curia* und *per viam secretam* wirkten indes nur noch die Secretarii domestici mit[37]. Zusätzlich geschwächt durch die Umwandlung der Sekretärsstellen in

---

S. 167, eine Konzentration auf einige wenige, d.h. auf die Vorläufer der *Secretarii domestici* (s.u.) zu beobachten ist, sei hier wenigstens erwähnt.

[35] Zum Supplikenwesen vgl. den Klassiker Bruno Katterbach, Specimina supplicationum ex registris vaticanis, Rom 1927, sowie Frenz, Kanzlei, S. 91–103. Den engen Zusammenhang zwischen dem in der Datarie geführten Supplikenregister (Reg.Suppl.) und den Brev.Lat. betont auch Pásztor, Guida, S. 54 f. Einen schönen Überblick über den Themenkreis der Breven in den Brev.Lat. bietet Thomas Frenz, Armarium XXXIX vol.11 im Vatikanischen Archiv. Ein Formelbuch für Breven aus der Zeit Julius' II., in: Erwin Gatz (Hg.), Römische Kurie. Kirchliche Finanzen. Vatikanisches Archiv. Studien zu Ehren von Hermann Hoberg, Bd. 1 (Miscellanea Historiae Pontificiae, Bd. 45), Rom 1979, S. 197–213, v.a. S. 200–206. Zu beachten ist, daß die Brev.Lat. aus der Zeit der Segreteria Apostolica neben den von der Datarie in Auftrag gegebenen Breven auch enthalten: die von der *Signatura iustitiae* bestellten Kommissionen, die mitsamt ihrer klassischen Expeditionsform, der *supplicatione introclusa* (hierzu vgl. v.a. Fink, Zu den Brevia), allerdings gegen Ende des 16. Jahrhunderts außer Gebrauch kamen, sowie die von der *Signatura gratiae* genehmigten Indulte, mit denen sich jedoch im Verlaufe des 17. Jahrhunderts verstärkt die Datarie befaßte. Seit die Pönitentiarie bei den Reformen des späteren 16. Jahrhunderts ihrer eigenen Expeditionsorgane beraubt wurde und die Ausstellung von Ehedispensen in Brevenform einsetzte, dominieren diese von der Pönitentiarie bestellten Dokumente die Brev.Lat. (vgl. Thomas Frenz, Die «Computi» in der Serie der Brevia Lateranensia im Vatikanischen Archiv, in: QFIAB 55/56 (1976), S. 251–275, v.a. S. 251, 259 f.).

[36] In seiner Bulle von 1487 übertrug Innozenz VIII. dem Secretarius domesticus die Aufgabe, «*nostra et Romane ecclesie negotia secreta nostrum et eiusdem Ecclesie aut orthodoxe fidei statum concernentia … expedire*» (zit. nach Giusti, Studi, S. 17).

[37] Zu den verschiedenen Expeditionswegen für die Bullen und ihren Vor- und Nachteilen vgl. die ausführliche Darstellung bei Frenz, Kanzlei, S. 104–163. Während Frenz, ebd., S. 132, unter *per viam cameram* expedierten Bullen sämtliche Urkunden mit Bleisiegel versteht, die vom Papst aus seinen Privatgemächern (*camera secreta*) zur Besiegelung freigegeben wurden, bezeichnet Giusti, Studi, S. 87–90, nur die mit dem Vermerk «*Registrata in Camera Apostolica*» versehenen Bullen als solche. Der entsprechende Registrierungsvermerk der Sekretäre war bis 1487 einheitlich (vgl. Anm. 32), danach in zwei Versionen zu finden: «*Registrata in Secretaria Apostolica*», notierten deren Mitglie-

Kaufämter und die 1503 erfolgte Errichtung eines Kollegs der *scriptores brevium*, dessen Mitgliedern die Apostolischen Sekretäre die Arbeit überließen[38], kam ihrem Sekretariat daher weit weniger Bedeutung zu als dem Secretarius domesticus. Gemeinsam mit seinen Helfern bildete dieser wichtigste der päpstlichen Sekretäre schon bald eine eigene *Segreteria di Sua Santità* oder *Segreteria Segreta*, die für die politische Korrespondenz des Papstes zuständig war. Dies aber sollte sich ändern, als mit dem Ausbau des Nuntiaturwesens im 16. Jahrhundert der Schriftverkehr der Kurie massiv zunahm und die diplomatische Korrespondenz nicht nur verstärkt in Form schlichter Briefe, sondern seit Leo X. auch in italienischer Sprache geführt wurde. Denn unter dem Druck der neuen Aufgabe erfolgte der nächste Schritt der Ausdifferenzierung, deren Verlauf einige Autoren sehr treffend mit dem Bild konzentrischer Kreise beschreiben[39]. Wie einst die Sekretäre als persönliche Gehilfen des Papstes das Personal der Kammer abgelöst hatten und der Secretarius domesticus dank seiner Vertrauensstellung aus ihrer Gruppe hervorgetreten war, mußte der auf die lateinischen Breven spezialisierte Domesticus die politischen Themen an die italienische Briefkorrespondenz und seine führende Position an den fortan mit der Diplomatenpost befaßten *Secretarius intimus* abgeben[40]. Bereits der Titel verdeutlicht, daß der neue Sekretär dem Papst am nächsten und damit im innersten der konzentrischen Kreise stand. Dort sollte er auch bleiben, hatte der Schriftwechsel der Kurie mit den italienischen Briefen doch seine endgültige Form und mit der Behörde des Secretarius intimus eine Einrichtung gefunden, die bald schon als Staatssekretariat bezeichnet wurde[41] und unter diesem Namen noch heute als eine Art Außenministerium des Apostolischen Stuhls fungiert. Aber auch der Secretarius domesticus verschwand nicht gänzlich. Schließlich wollten die Breven und Bullen aus seinem Ressort, die in Gratialsachen nicht an Bedeutung verloren und in der Staatsverwaltung zwar nicht mehr im alltäglichen Schriftverkehr, aber weiterhin als Dokumente mit hoher Rechtskraft zum Einsatz kamen, auch in Zukunft expediert sein, und so

---

der auf ihren *per viam cameram* expedierten Bullen, «*Registrata apud me NN. secretarius*», vermerkten die *secretarii domestici* auf ihren laut Giusti, Studi, S. 92, stets *per viam secretam* expedierten Dokumenten. Zu den Expeditionswegen *de curia* und *per viam secretam* vgl. Pásztor, Guida, S. 57–59 und 62. Zu den Fundstellen der beiden Typen von Sekretärsregistern in den Reg. Vat. (bis 1572) vgl. Giusti, Inventario, S. 305, für die Zeit danach in Sec. Cam. bzw. Sec. Brev. vgl. ders., Studi, 90 f., 93 f.

[38] Vgl. Frenz, Kanzlei, S. 164 und 167, der ebd., S. 461–465, die Gründungsbulle des Kollegs vom 1. April 1503 ediert.

[39] Vgl. Reinhard, Introduction, S. 14, Molas Ribalta, S. 19.

[40] Zu diesem Sekretär und seiner Rolle vgl. Prodi, Lo sviluppo, S. 119. Daß der Secretario intimo seine Briefe vom Kardinalnepoten unterzeichnen lassen mußte, wird noch zu berichten sein.

[41] Die ersten Belegstellen für diese Bezeichnung stammen vom Beginn des 17. Jahrhunderts und werden genannt bei Kraus, Secretarius, S. 74, Anm. 157.

konnte Sixtus V. 1586 zwar den obsolet gewordenen Titel des Secretarius domesticus abschaffen, nicht aber die damit bislang bezeichneten Brevensekretäre[42]. Deren Gruppe hatte sich bereits in den 1560er Jahren aufgeteilt: in das Sekretariat für die Fürstenbreven, das dem Staatssekretariat als Unterabteilung einverleibt wurde, und in die *Segreteria dei Brevi*, die sich als selbständige Ausfertigungsbehörde unter der Leitung eines Präfekten behaupten konnte. Seinen Wurzeln entsprechend war das Brevensekretariat für zweierlei zuständig: für die Registrierung der de curia oder per viam secretam expedierten Bullen[43], und für alle Breven, die nicht in das Ressort der Datarie und der ihr eng verbundenen Segreteria Apostolica fielen. Daß die Segreteria dei Brevi nicht nur weit wichtiger war als die käuflichen Posten in der Segreteria Apostolica, sondern dieser auch einen Teil ihrer Aufgaben abnahm, zeigt ein Blick in die Bände der beiden Ausfertigungsbehörden. So sucht man in den Brevia Lateranensia vergebens nach Exportlizenzen, Ratsberufungen, Fakultätsbreven für Nuntien und Legaten, Ernennungsurkunden für Gouverneure und Sekretäre sowie ähnlichen Bestimmungen aus dem weiten Feld der Staatsverwaltung, mit der allein die Segreteria dei Brevi befaßt war. Dispense, Indulte, Altarprivilegien und andere Gnadenakte, die ausschließlich in den Bänden der Segreteria Apostolica zu vermuten wären, finden sich jedoch auch in den Registern des Brevensekretariats (Sec.Brev.) in großer Zahl[44]. Möglicherweise hing dies mit der starken Zunahme der formlosen, meist

---

[42] Vgl. Frenz, Kanzlei, S. 180 (dort allerdings mit der von Richard übernommenen falschen Jahreszahl 1589); ders., Computi, S. 251, Anm. 6 (mit dem richtigen Datum) und Giusti, Studi, S. 92 f. Da die Aufgaben des Domesticus an die beiden Brevensekretariate übergingen, führt die sowohl bei Del Re, S. 65 f., als auch bei Menniti Ippolito, Il tramonto, S. 40, anzutreffende Einschätzung, der Secretarius Domesticus habe seinen Platz dem Kardinalnepoten überlassen, m. E. in die Irre.

[43] Und damit für die in Patronagefragen interessantesten Urkunden unter dem Bleisiegel, war die Zulassung zu diesen preisgünstigen Wegen doch Verwandten des Papstes und der Kardinäle, Mitgliedern der päpstlichen Familia, gekrönten Häuptern und ihren Verwandten sowie den Nuntien vorbehalten, aber eben auch «*ex gratia pontificia*» möglich (vgl. Pásztor, Guida, S. 62). Zu finden sind die Register der auf diesem Wege expedierten Bullen aus dem Pontifikat Pauls V. in Sec.Brev. 607,1–60, 608,111–535, 609–627. Der Vollständigkeit halber seien auch die Fundstellen für die anderen Bullenregister aus der Zeit des Borghese-Papstes genannt: Bei den *per viam cancelleriam* expedierten Bullen handelt es sich um die Kanzleiregister Reg. Lat. 1923–1936, 1936 A, 1937–1942, 1942 A, 1943–1945 sowie Teile aus 2466 (vgl. Giusti, Studi, S. 156). Für die Expedition *per viam cameram* sind nur die von der Segreteria Apostolica registrierten Bullen erhalten (Sec.Cam. 108–112, 115; vgl. Giusti, Studi, S. 91), während sich von den 62 Bänden, die die von den Kammernotaren registrierten Bullen aus der Zeit Pauls V. den Rubrizellen zufolge füllten, keine Spur findet (vgl. ebd., S. 87).

[44] Zu den Themen in den Brev.Lat. vgl. Anm. 35. Womit sich das Brevensekretariat befaßte, ist einer Denkschrift über das Staats- und andere Sekretariate zu entnehmen, die der etwa 1608 in die politische Behörde eingetretene und dort bis 1623 beschäftigte Cristoforo Caetano im Jahr 1623 verfaßt und Andreas Kraus, Das päpstliche Staatssekretariat im Jahre 1623. Eine Denkschrift des ausschei-

italienischen *memoriali* zusammen, die den lateinischen Suppliken mit ihrem Formzwang Konkurrenz machten. Denn da diese Eingaben keineswegs nur Fragen weltlicher Art berührten, die Breven der Segreteria Apostolica aber nur auf die in Gestalt von Suppliken eingereichten Bitten der Petenten antworteten, bot sich das Brevensekretariat für die Expedition der in den Memoriali erbetenen Gnadenakte an. Für diese Annahme sprechen die positiv beschiedenen Memoriali in geistlichen wie weltlichen Angelegenheiten, die den Breven in den Bänden der Segreteria dei Brevi häufig beiliegen, und so dürfte auch in diesem Fall der Bedeutungsverlust einer älteren Einrichtung und der Aufstieg eines neuen Organs auf die wachsende Verbreitung einer schlichteren Kommunikationsform und die damit verbundene Vereinfachung im Geschäftsgang zurückzuführen sein[45]. Die Konsequenz aus dieser Entwicklung zog Innozenz XI., als er die Segreteria Apostolica 1678 mit dem Hinweis auf ihren Funktionsverlust auflöste[46]. Da er gleichzeitig eine Nachfolgebehörde unter dem Dach der Datarie schuf, war für die Fortsetzung der Kompetenzkonflikte in Sachen Brevenexpedition zwar gesorgt[47]. Doch an der Vorrangstellung der Segreteria dei Brevi in weltlichen Fragen sollte auch dies nichts ändern.

Bis zum Beginn des 17. Jahrhunderts hatte der Prozeß der behördenorganisatorischen Ausdifferenzierung eine ganze Reihe von Gremien hervorgebracht, die sich in Alter, Struktur und Zuständigkeitsbereich unterschieden: Neben den Organen für die Verwaltung des Kirchenstaats standen Behörden für die Regierung

---

denden Sostituto an den neuernannten Staatssekretär, in: RQS 52 (1957), S. 93–122, ediert hat. In der Schrift (ebd., S. 108 f.) heißt es über die Segreteria dei Brevi: «*Nella segreteria ... si spediscono Indulti, che si concedono à Cardinali, Brevi di facoltà, che si danno alli Cardinali Legati, et à i Nuntij, et ad altri Ministri, che si spediscono da Sua Santità, Gratie Apostoliche di qualsivoglia sorte, fuor che de' benefitij, spedendosi questi in Dataria; Indulgenze plenarie, Altari privilegiati, Brevi di poter goder frutti in assenza, senza servir alle Chiese, facoltà di trasferir pensioni et di testare, extra tempora, Brevi de capienda possessione nostre Camerae, Brevi Sanatorij di Nullità, et di Commissioni di cause, Brevi Oratorij, et in somma in questa Segreteria capitano, e si registrano tutte le Bolle de' Benefizij, Abbadie, e Vescovati, Arcivescovati, e Patriarchati, che si spediscono per via secreta*».

[45] Daß die Memoriali an den Papst (sie konnten sich auch an andere Adressaten, etwa den Nepoten, richten), in denen dieser als *Vostra Santità* angesprochen wird und der *oratore* in der dritten Person auftritt, auch geistliche Fragen behandeln, betont Pásztor, Guida, S. 122, zu Recht. Die Bearbeitung der Eingaben durch den Pontifex und seinen *Segretario dei Memoriali* wird noch zu schildern sein.

[46] Vgl. Pásztor, Guida, S. 113 f.

[47] Vgl. Frenz, Computi, S. 251. Allerdings dürfte das Kolleg der Brevenschreiber mit der Auflösung des ihm bisher vorgesetzten Kollegs der Apostolischen Sekretäre nicht dem *Secretarius brevium* unterstellt worden sein, wie Frenz, ebd., berichtet, sondern dem *Magister brevium*, der der Datarie angehörte. Dies legen sowohl die anhaltenden Kompetenzkonflikte bei den Breven als auch der Versuch Benedikts XIV. nahe, in seiner Bulle *Gravissimum* von 1745 dieses Problem endgültig zu lösen. In der Bulle, die ediert ist bei Bangen, S. 567–572, wird der Magister brevium aus der Datarie als der Konkurrent des Brevensekretärs genannt.

der Weltkirche, zu den hierarchisch organisierten Einrichtungen alter Prägung hatten sich die kollegial verfaßten Kongregationen gesellt, und wie Hand in Hand mit der Zunahme der Breven zwei neue Ausfertigungsstellen entstanden waren, hatten sich die Akten mit dem Staatssekretariat ein eigenes Büro geschaffen. Im Blick auf die Entfaltung der Behördenlandschaft und die entsprechenden Verschiebungen bei den Expeditionsformen und -wegen dürfte sich die Kurie somit in der europäischen Spitzengruppe befunden haben, doch endeten die Gemeinsamkeiten zwischen Rom und den übrigen Staaten keineswegs bei der Entwicklung des administrativen Apparats. So illustriert bereits der Aufstieg der in aller Regel nichtadligen Sekretäre, daß sich auch am Tiber die Kriterien bei der Vergabe der Posten geändert hatten[48]. In den Ämtern des Apostolischen Stuhls wie im Heiligen Senat dominierte das Patriziat der mittel- und oberitalienischen Städte, und selbst die Tiara ging nur noch in Ausnahmefällen an die Vertreter des Hochadels[49]. Wer in der Kirche und ihrem Staat Karriere machen durfte, hing zwar weiterhin von informellen Beziehungen und der Hilfsbereitschaft einflußreicher Protektoren ab. Doch wie diese Karrieren aussahen, hatte sich ebenfalls verändert. Ob ein Monsignore auf den vor ihm liegenden *cursus honorum* blickte oder ein Papst auf seine Ämterlaufbahn zurücksah – vom Einstieg in die Hierarchie bis zu ihrer Spitze war es zu einer «Verlaufbahnung» der Karrierewege gekommen[50]. Dies konnte nicht ohne Folgen für die Qualifikation der Kandidaten bleiben. Der Einstieg in die Prälatur wurde zur Voraussetzung für jeden weiteren Fortschritt, und da diese Hürde mit dem Titel eines Referendars beider Signaturen leichter zu nehmen war[51], empfahl sich für aufstiegswillige Anwärter nicht nur der obligatorische Eintritt in den geistlichen Stand, sondern auch das Studium beider Rechte. Die Klerikalisierung des Apparats stellte eine Besonderheit des römischen Systems

---

[48] Zur sozialen Herkunft der Sekretäre vgl. Ludwig Hammermayer, Grundlinien der Entwicklung des Päpstlichen Staatssekretariats von Paul V. bis Innozenz X. (1605–1655), in: RQS 55 (1960), S. 157–202, hier: S. 193.

[49] Um den sozialen Hintergrund der Amtsträger im allgemeinen abschätzen zu können, mag der Hinweis genügen, daß nur Referendar beider Signaturen werden und damit eine kuriale Karriere starten konnte (vgl. Anm. 51), wer über jährliche Mindesteinnahmen von 1500 Scudi verfügte (vgl. Renata Ago, Carriere e clientele nella Roma barocca, Rom 1990, S. 16). Daß das Kardinalskollegium auch in seiner sozialen Zusammensetzung den Senaten der italienischen Städte, Stadtstaaten und Republiken glich, berichtet Christoph Weber, Senatus, S. 291. Zum sozialen Hintergrund der Päpste vgl. die biographische Skizze zu Paul V. am Anfang dieser Arbeit und vor allem die dortigen Ausführungen zugrunde liegende Analyse von Reinhard, Herkunft. Aus welchen Schichten die Päpste von Martin V. bis Alexander VIII. stammten, hat ders., Nepotismus, S. 168–170, kurz zusammengefaßt.

[50] Zum *cursus honorum* im Außendienst um 1600 vgl. Yves-Marie Bercé, La carrière politique dans l'État pontifical au XVIIe siècle, in: Journal des Savants 1965, S. 645–652. Von der «Verlaufbahnung» der Papstkarriere spricht Reinhard, Herkunft, S. 99.

[51] Vgl. Ago, S. 16, v. a. Anm. 10, und S. 51 f.

und zunächst einen Vorteil dar, denn zum einen konnte der Pontifex sein klerikales Personal mit Benefizien entlohnen und durch diesen Griff in die Kassen der Kirche die Ressourcen seines Staates schonen, und zum anderen hatten die päpstlichen Amtsträger dank ihrer Weihen und der damit verbundenen Kompetenzen weniger Probleme mit kirchlichen Privilegien und geistlichen Untertanen als die Administrationen der rein weltlichen Monarchen[52]. Daß diese zölibatären Geistlichen gleichzeitig auch Juristen waren und die Verwaltungsposten im Land der Kirche somit in der Hand geschulter Rechtsexperten lagen, entsprach indes der europäischen Norm.

Ebenfalls in voller Übereinstimmung mit der Entwicklung jenseits der Grenzen vollzog sich der Bedeutungsverlust der durch Kauf oder durch Verleihung auf Lebenszeit schwer kontrollierbaren Ämter und ihrer Inhaber. Je teurer das Amt, um so größer die Karrierechancen, hieß zwar eine der Regeln im Geschäft mit den Posten, die bei der Beförderung ihrer Inhaber zum Bischof oder Kardinal an die Kurie zurückfielen und neu verkauft werden konnten[53]. Je größer die Befugnisse einer Position, desto geringer ihre Eignung für den freien Markt, lautete jedoch der Grundsatz der Päpste, die zwischen Geldgewinn und Machtverlust abzuwägen verstanden und daher alle 24 Stellen in der Segreteria Apostolica, aber keinen einzigen Posten im Staatssekretariat feilboten[54]. Ähnlich verhielt es sich mit den traditionell auf Lebenszeit verliehenen kardinalizischen Ämtern an der Spitze der alten Einrichtungen, deren Inhaber gegen einen Wechsel auf dem Stuhl Petri resistent und dem neuen Regenten nicht immer wohlgesonnen waren. Die nominelle Behördenleitung samt Prestige und Einnahmen blieb den Vizekanzlern, Kämmerern und Großpönitentiaren zwar erhalten, doch die Geschäftsführung ging an rangniedere Mitarbeiter der Gremien über[55]. Daß die Verwaltungspositionen in den Provinzen des Kirchenstaats vom kleinsten Gouvernatorat bis hin zu den Ämtern der Kardinallegaten nur noch befristet verge-

---

[52] Die Vorteile der Klerikalisierung des Apparats im Staatsbildungsprozeß, aber auch ihre längerfristig wirksamen Nachteile, auf die in Kap. VI.3 zurückzukommen sein wird, werden ausführlich geschildert bei Prodi, Il sovrano, S. 209–248. Eine prägnante Zusammenfassung seiner Thesen zum Thema bietet ders., Il «sovrano», S. 207.

[53] Dies waren die Wurzeln des Mechanismus, der bei Weber, Senatus, S. 189–239, am Beispiel des Kammerpersonals untersucht und ebd., S. 196, als «plutokratischer »Direkteinstieg« in das Kardinalat» bezeichnet wird. Vgl. auch Wolfgang Reinhard, Reformpapsttum zwischen Renaissance und Barock, in: Remigius Bäumer (Hg.), Reformatio Ecclesiae. Festgabe für Erwin Iserloh, Paderborn 1980, S. 779–796; wiederabgedruckt in: Wolfgang Reinhard, Ausgewählte Abhandlungen (Historische Forschungen, Bd. 60), Berlin 1997, S. 37–52, hier: S. 42 (1997).

[54] Vgl. Reinhard, Freunde, S. 55 f.

[55] Vgl. Wolfgang Reinhard, Papstfinanz und Nepotismus unter Paul V. (1605–1621). Studien und Quellen zur Struktur und zu quantitativen Aspekten des päpstlichen Herrschaftssystems, 2 Bde. (Georg Denzler (Hg.), Päpste und Papsttum, Bd. 6,I+II), Stuttgart 1974, Bd. 1, S. 99.

ben wurden[56], rundet das Bild ab: Wie ihre Herrscherkollegen im europäischen Ausland zogen auch die päpstlichen Landesherren Mitarbeiter vor, die ihr Amt nicht als Eigentum, sondern als Bewährungsprobe begriffen und, die nächste Stufe auf der Karriereleiter ebenso vor Augen wie die im schlimmsten Fall drohende Abberufung, den römischen Weisungen aus eigenem Interesse nachkamen.

Ob es um die Entwicklung der Behördenorganisation und der Expeditionswege, um die sozialen Rekrutierungsfelder des Personals oder den dominierenden Beamtentypus geht – außer der Klerikalisierung des Apparats und den ungewöhnlich großen Aufstiegschancen, die die Wahl zum Papst für einen Angehörigen des italienischen Patriziats darstellte, ist von spezifisch römischen Bedingungen wenig zu sehen. Auch der Kardinalnepot scheint sich nur unwesentlich von den Günstling-Ministern seiner Zeit unterschieden zu haben. Gewiß, seine Position war institutionalisiert, er selbst im Besitz des roten Hutes und der amtierende Regent einer seiner engsten Verwandten. Doch im Lichte seiner wichtigsten Ämter präsentiert sich der päpstliche Neffe nicht anders als die Favoriten von Buckingham bis Richelieu als Antwort der Staatsgewalt auf den Prozeß der behördlichen Ausdifferenzierung. Schließlich hatte die Entmachtung des Heiligen Senats den Auszug von Politik und Verwaltung in die gerade in Rom besonders zahlreichen Gremien eher beschleunigt als verhindert, und wenn der päpstliche Landesherr die Kontrolle über die Arbeit der Behörden behalten wollte, benötigte auch er einen Stellvertreter. Vor diesem Hintergrund wird verständlich, warum die kardinalizischen Nepoten eine ganze Reihe von Ämtern innehatten, ja innehaben mußten. Die Leitung des Staatssekretariats, durch dessen Amtsstuben die politische Korrespondenz der Kurie ging, die Präfektur der Segreteria dei Brevi[57], die von den Fakultäten des

---

[56] In der Regel auf drei Jahre, vgl. die zahllosen Ernennungsbreven in Sec.Brev. Verlängerungen der Amtszeit, auch mehrmalige, waren jedoch nicht ausgeschlossen.

[57] Was es mit diesem Posten auf sich hatte, ist einer bekannten und mehrfach aufgelegten Schrift über die römische Kurie aus der Zeit Pauls V. zu entnehmen: Girolamo Lunadoro, Relazione della Corte di Roma. E de' Riti da osservarsi in essa, e de' suoi Magistrati, et Offitij; con la loro distinta giurisditione. In questa ultima editione accresciuta dall'Autore di molti Capitoli, e lettere, et in cose Notabili emandata, Viterbo 1652. Auf S. 30 schreibt Lunadoro: «Vi è il Prefetto de' Brevi, il quale hà di provisione cento ducati al mese di camera, hoggi hà questo offitio il Signor Cardinal Aldobrandino, la cura del quale è rivedere, e segnare tutte le minute de' Brevi, che vanno sotto tassa», d.h. die Dokumente aus der von Lunadoro zuvor (S. 12 f.) beschriebenen und als Sekretariat «de' Brevi, che vanno sotto Tassa» (ebd., S. 12) bezeichneten Segreteria dei Brevi. Ceci äußert sich in seiner Relazione von 1605 über die Amtspflichten dieses Präfekten in gleicher Weise, beziffert dessen Gehalt aber auf 6000 Scudi im Jahr, vgl. Seidler, S. 259. Da das Amt nach dem Verzicht Aldobrandinis, des Neffen des 1605 gestorbenen Clemens' VIII., 1612 zunächst an den amtierenden Nepoten Scipione Borghese (vgl. Pastor, Bd. 12, S. 47) und nach dem Tod Pauls V. an den Neffen seines Nachfolgers Gregor XV. ging (vgl. Reinhard, Nepotismus, S. 173), dürfte es zu den regelmäßig mit Kardinalnepoten besetzten Stellen gehört haben.

Personals bis zu den Steuerbewilligungen für die Kommunen sämtliche rechtssetzende Dokumente administrativen Charakters zu expedieren hatte, sowie der Vorsitz in den jungen, aber einflußreichen Kongregationen wie der Consulta und dem Buon Governo – dies waren die Schlüsselpositionen in Politik und Verwaltung, die die Entwicklung der kurialen Behördenlandschaft im 16. Jahrhundert hervorgebracht hatte. Daß die Institution des Kardinalnepoten als weiteres Produkt dieser Entwicklung zu begreifen ist, zeigt vor allem der Zusammenhang zwischen der Entstehung des Staatssekretariats und der Etablierung des Nepotenamtes. Während die Bullen und Breven im Namen des Papstes ergingen, mußte die umfangreiche italienische Briefkorrespondenz von einem Mitarbeiter des Regenten unterzeichnet werden, der das Vertrauen des Pontifex genoß und in Rang und Autorität über den mindestens mit einem Bischofstitel versehenen Nuntien stand[58]. Ein loyaler Kardinal wurde benötigt, und da die Regenten am Tiber schon in ihren Auseinandersetzungen mit Konkurrenten in Zeiten des Schismas, italienischen Potentaten und römischen Baronen auf die eigene Familie zu setzen gelernt hatten, fiel die Wahl auch in diesem Fall auf einen Verwandten[59]. Auf diese Weise offiziell ins Zentrum der Macht gerückt, stand der Nepot für weitere Aufgaben bereit: für die Rolle des Sopraintendente dello Stato Ecclesiastico, und für die Leitung der Verwaltungsbehörden, die in den folgenden Jahrzehnten entstanden und dank der Personalunion an der Spitze nicht nur untereinander, sondern auch mit den thematisch benachbarten Expeditionsorganen für Briefe und Breven, dem Staatssekretariat und der Segreteria dei Brevi, eng verklammert waren.

In funktionaler Hinsicht erinnert die Führungsposition, die die Nepoten kraft der auf sie gehäuften Ämter in allen weltlichen Fragen innehatten, somit an die Stellung der Günstling-Minister, doch heben sich die Papstneffen durch das hohe Maß an institutioneller Absicherung von den anderen Favoriten ab. Möglicherweise hing dieser Unterschied mit der geistlich-weltlichen Doppelrolle des Pontifex zusammen, der ja nicht nur einem Staat, sondern auch der Weltkirche vorstand und seine Selbstdarstellung als Landesfürst den Anforderungen eines spiritualisierten Papstbildes anpassen mußte[60]. Als Stellvertreter Christi hatte er allen Katholi-

---

[58] Daß dies maßgeblich zur Berufung des Kardinalnepoten beigetragen habe, betont Hammermayer, S. 162 f. Auch Reinhard, Nepotismus, S. 171, Anm. 151, erklärt die Betrauung Farneses mit der diplomatischen Korrespondenz zur «Konsequenz einer längeren Entwicklung im Zusammenhang mit der Ausbildung des Staatssekretariats», geht aber auf diesen Aspekt nicht näher ein.

[59] Zur Herrschaftsfunktion des Nepotismus vor dem 16. Jahrhundert vgl. Reinhard, Nepotismus, S. 150–165.

[60] Zur Spiritualisierung des Papstbildes vgl. Volker Reinhardt, Der päpstliche Hof um 1600, in: August Buck, Georg Kauffmann, Blake Lee Spahr, Conrad Wiedemann (Hgg.), Europäische Hofkultur im 16. und 17. Jahrhundert, Bd. 3 (Wolfenbütteler Arbeiten zur Barockforschung, Bd. 10), Hamburg 1981, S. 709–715, v. a. S. 710.

ken im gleichen Maße ein liebender Vater zu sein, auf der internationalen Bühne wie bei der Verwaltung seines eigenen Territoriums. Als Landesherr mit außenpolitischen Ambitionen kam er jedoch nicht immer umhin, einer Seite den Vorzug zu geben. Einen Ausweg aus diesem Dilemma bot die Indienstnahme des Nepoten, der mit der Autorität seines Onkels, aber an dessen Stelle die Amtsgeschäfte führen und dabei Partei ergreifen konnte, ohne daß der Papst selbst zwischen die Fronten geraten wäre[61]. Gleichzeitig dürften die ideologischen Auflagen der Papstrolle erklären, warum die Neffen mit dem roten Hut in Politik und Administration formal übermächtig, in den Kongregationen für die Weltkirche aber nicht vertreten waren[62]. In kirchlichen Fragen gab es statt mehrerer Parteien nur die eine Wahrheit, und da es zu den ureigenen Aufgaben des Pontifex gehörte, diese Wahrheit zu verkünden, konnte die Verwaltung der Weltkirche zwar de facto von einem vertrauten Mitarbeiter des Regenten koordiniert[63], aber keinem Vizepapst vom Schlage des Nepoten überlassen werden. Daß die ideologischen Auflagen der Papstrolle auch und gerade in der zwangsläufig parteilichen Patronagepolitik zum Tragen kamen, liegt auf der Hand. Schließlich durfte der Padre comune auf dem Stuhl Petri das Netz aus informellen Beziehungen, das er für seine Herrschaft brauchte, nicht selbst aufbauen und pflegen, und so fiel es dem Nepoten als seinem kardinalizischen alter ego zu, die Klienten der regierenden Familie zu fördern, neue Anhänger zu werben und die eigene Gefolgschaft in Amt und Würden zu bringen[64].

Für den Pontifex als weltlich-geistlichem Doppelregenten mochten somit zusätzliche Gründe für die Ernennung eines Stellvertreters sprechen, doch die Aufgaben des Papstneffen, wie sie bisher begegnet sind, unterschieden sich kaum von den Funktionen der europäischen Günstling-Minister. Daß sowohl der römische Nepot als auch die Favoriten jenseits der Grenzen die behördliche Arbeit koordinieren und gleichzeitig die Klientel des Regenten betreuen sollten, war indes nicht die einzige Gemeinsamkeit zwischen den Vertretern der Gattung Günstling-Minister. So wurde auch die römische Variante der Favoriten vom Vorläufer des modernen Fachministers verdrängt: vom Staatssekretär, der als Secretarius intimus in Erscheinung und schon bald aus dem Schatten des Papstneffen getreten war. Begleitet von zuweilen heftigen Auseinandersetzungen wie dem von Andreas Kraus

---

[61] Zur Rolle des Papstes als Padre comune und zur Entlastungsfunktion des Nepoten vgl. Reinhard, Freunde, S.61, und ders., Nepotismus, S.174f. Daß die Untertanen im Land der Kirche ihrem Regenten diese Rolle zwar nicht abnahmen, ihn aber daran maßen, belegen die Quellenzitate in Kap. III, Anm. 50.

[62] Vgl. Reinhard, Nepotismus, S.172, v.a. Anm.153.

[63] Im Borghese-Pontifikat war dies die Aufgabe des Kardinals Millino, vgl. Kap. III.3.a.

[64] Vgl. Reinhard, Nepotismus, S.175. Daß noch andere Gründe dafür sprachen, dem Kardinalnepoten die Betreuung der Klientel zu überlassen, wird noch zu berichten sein.

beschriebenen Machtkampf zwischen dem Nepoten Urbans VIII., Francesco Barberini, und dem Staatssekretär Ceva[65], folgte die Wachablösung am Tiber offensichtlich den gleichen Regeln, die für die Günstling-Minister an den europäischen Höfen galten: Die Staatsidee habe sich gegen den Nepotismus durchgesetzt, lautet die Formel, auf die der Bedeutungsverlust der Nepotenrolle und ihre 1692 erfolgte Abschaffung in einigen älteren Arbeiten über das päpstliche Staatssekretariat und seinen Aufstieg gebracht wurde[66]. In nicht unbedingt präzisere, aber aktuellere Termini übersetzt heißt das, die fortschreitende Bürokratisierung der römischen Verwaltung habe den kardinalizischen Papstneffen als Verkörperung traditionaler Herrschaftstechniken überflüssig und den Weg für den Staatssekretär als Produkt und treibende Kraft der Modernisierung frei gemacht. Nepotismus und Nepot markierten die Phase des Übergangs von einem feudal geprägten Umgang mit der Macht zur modernen Regierungsform, befindet auch Paolo Prodi[67], und so scheinen die päpstlichen Neffen die gleiche historische Aufgabe erfüllt zu haben wie die übrigen Günstling-Minister: für ihre eigene Entbehrlichkeit zu sorgen.

2. Römische Eigenheiten:
Die Zusatzfunktionen des Kardinalnepoten

Ob man nach ihrem Ursprung fragt oder ihr Ende betrachtet, ob sie als Patronagemanager oder Amtsträger begegnen – die Parallelen zwischen dem Kardinalnepoten und den Günstling-Ministern an den Höfen Europas sind offenkundig. Allerdings, und hier beginnen die römischen Eigentümlichkeiten, erschöpfte sich die Funktion des Nepoten keineswegs darin, als Koordinator der behördlichen Arbeit und Chef der Klientel die Zeit bis zur Ausbildung eines tragfähigen büro-

---

[65] Vgl. Andreas Kraus, Das päpstliche Staatssekretariat unter Urban VIII. (1623–1644) (Forschungen zur Geschichte des päpstlichen Staatssekretariats I – RQS Suppl. 29), Rom 1964. Auf den Machtkampf im Barberini-Pontifikat wird in Kap. V.2 zurückzukommen sein.

[66] Daß der Schritt von 1692 der Staatsidee zum Durchbruch verholfen haben soll, wurde am deutlichsten formuliert von Andreas Kraus. Ders., Die Geschichte des päpstlichen Staatssekretariats im Zeitalter der katholischen Reform und der Gegenreformation als Aufgabe der Forschung, in: RQS 84 (1989), S. 74–91, hier: S. 84, stellt fest, «daß unter dem Druck der sachlichen Erfordernisse, bei der gewaltigen Steigerung der behördenmäßigen Anstrengungen ... die Behörde sich gegenüber der bisher dominierenden persönlich bzw. familiär geprägten Institution des Kardinalnepoten durchsetzt», und erklärt diesen Sieg der Behörde über eine Institution zum «Sieg der Staatsidee über den Nepotismus». Mit dieser Interpretation wird sich Kap. VI.3 befassen.

[67] Vgl. Prodi, Il «sovrano», S. 209, sowie ders., Il sovrano, S. 192 f.

kratischen Apparats zu überbrücken. Dies zeigen – ausgerechnet – seine Ämter. Genauer: die Ämter, die nicht zu den Schlüsselpositionen in Politik und Verwaltung zählten, aber dennoch regelmäßig an die geistlichen Neffen der Pontifices gingen. Den Legatenposten in der französischen Exklave Avignon mit einem Nepoten zu besetzen mochte zwar die gleichen politischen Vorteile mit sich bringen, denen Richelieu seine Berufung zum Gouverneur der Bretagne verdankte[68]. Doch schon im Gouvernatorat Fermo, einem weiteren klassischen Nepotenamt, hätte es über ein Jahrhundert nach der Rückeroberung des Gebiets wohl keines Verwandten des Papstes mehr bedurft, der mit seinem Namen die römischen Herrschaftsansprüche dokumentierte und mit Hilfe eines ihm unterstellten Vizegouverneurs den Willen der Zentrale in der mittlerweile gut integrierten Region durchsetzte[69]. Offenbar erfreuten sich klangvolle Amtstitel, die zwar mit Prestige und Einnahmen verbunden waren, aber kaum noch Pflichten nach sich zogen, besonderer Beliebtheit bei den Nepoten, und da es derart beschaffene Positionen auch an der Kurie gab, mußten sich die Papstneffen nicht mit den Titeln in der Provinz zufriedengeben. Vielmehr waren sie stets auch an der Spitze der Behörden alter Prägung zu finden. Als Großpönitentiare, Vizekanzler und Kämmerer der Kirche hatten die papstverwandten Purpurträger nicht viel zu tun, aber Anspruch auf die üppigen Bezüge, die die ihrer einstigen Bedeutung beraubten Ämter zu den fettesten kardinalizischen Posten an der Kurie machten[70] und deutlich zeigen, worum es den Pontifices und ihren Neffen bei der Besetzung dieser Stellen tatsächlich ging: nicht um die Leitung der Geschäfte, die schon lange in der Hand des rangniederen Personals lag, sondern um das Geld, das diese Ämter einbrachten. Eine augenfällige Parallele zu den bürokratischen Sinekuren der Kardinäle bieten die Ämtersammlungen der nichtgeistlichen Papstverwandten. Daß die Pontifices ihre Brüder und Neffen ohne Weihen mit den Führungspositionen in der kirchenstaatlichen Militärhierarchie versahen, könnte man noch als personalpolitische Sicherheitsmaßnahme in einem äußerst sensiblen und daher auf die Loya-

---

[68] Zu Richelieu vgl. Dunkley, zu Avignon, wo ein Vizelegat im Auftrag des in Rom residierenden Nepoten die Geschäfte führte, vgl. Reinhard, Papstfinanz und Nepotismus, Bd. 1, S. 100, und ders., Nepotismus, S. 175, Anm. 168.

[69] Vgl. Reinhard, ebd.

[70] Daß diese drei Posten zu den klassischen Nepotenämtern zählten, zeigt das Schicksal Scipione Borgheses: Auf die Berufung zum Großpönitentiar und die etwa 6000 Scudi jährlicher Einnahmen, die damit verbunden waren, mußte er warten, bis der mit diesem Amt ausgestattete Nepot Clemens' VIII. Cinzio Aldobrandini am 1. Januar 1610 gestorben war (vgl. Reinhard, Papstfinanz und Nepotismus, Bd. 1, S. 99). Camerlengo wurde er erst, als der zweite Nepot Clemens' VIII., Pietro Aldobrandini, 1612 auf diesen Posten verzichtete (vgl. Pastor, Bd. 12, S. 47), und da der Neffe Sixtus' V., Kardinal Montalto, weder starb noch von der Spitze der Kanzlei zurücktrat, blieb Scipione der Posten des Vizekanzlers gänzlich verwehrt (vgl. Reinhard, ebd.).

lität der Entscheidungsträger angewiesenen Bereich deuten[71]. Die zur einträglichen Handelsware herabgesunkenen Kaufämter im Besitz der weltlichen Nepoten
lenken den Blick jedoch abermals auf die Bilanzen der regierenden Familie, denn
warum sonst als zum Zwecke der Bereicherung hätte der Papst seinen Angehörigen eine ganze Reihe der an sich zum Verkauf bestimmten Ämter schenken sollen?[72] Im Europa des 16. und 17. Jahrhunderts gab es wohl keinen einzigen
Favoriten, der für seine Dienste nicht auch mit Ämtern und deren Erträgen belohnt worden wäre, und einige von ihnen, allen voran Richelieu und Mazarin,
brachten es zu für die Verhältnisse der Zeit rekordverdächtigen Vermögen[73]. Doch
während die Monarchen ihre Günstling-Minister zwar großzügig, aber nur zuweilen mit Zeichen der Anerkennung versahen, bereicherten die römischen Regenten ihre eigene Familie mit einer Planmäßigkeit, die die römische Praxis zur
Ausnahme von der europäischen Norm machte. Diese Planmäßigkeit wird nirgends sichtbarer als im doppelten Zugriff der Päpste und ihrer Verwandten auf
die weltlichen und geistlichen Geldquellen der Kirche: die Nepoten ohne Weihen
wurden mit den wenigen finanziell attraktiven Posten versehen, die nicht für
Kleriker reserviert waren, sowie mit Kaufämtern und Bargeldschenkungen überhäuft, der kardinalizische Papstneffe übernahm die einträglichen Positionen in der
kirchlichen Hierarchie und – dies vor allem – die Akkumulation geistlicher Einnahmen, die die in großer Zahl auf die Kardinalnepoten herabregnenden Abteien,
Bistümer und sonstigen Benefizien abwarfen[74]. Daß diese offenkundige Versorgungsfunktion des päpstlichen Nepotismus keineswegs das Resultat einer kollek-
tiven moralischen Verfehlung, sondern die systembedingte Antwort aufstiegswilliger Papstfamilien auf die fehlende Erblichkeit der Tiara war, zeigt ein Blick auf
die tieferen Gründe dieser römischen Anomalie. Das Papsttum war die konse-
quenteste Wahlmonarchie des Kontinents, in der sich weit mehr Familien Hoff-

---

[71] Zu den in aller Regel mit weltlichen Nepoten besetzten militärischen Ämtern vgl. Reinhard, Papstfinanz und Nepotismus, Bd. 1, S. 33–38. Zur Dominanz des finanziellen Aspekts vgl. ebd., S. 33. Daß
die Militärposten zunächst aus machtpolitischen Gründen an Verwandte des Papstes gingen, berichtet ders., Nepotismus, S. 159. Daß dies um 1600 wohl kaum noch der Fall gewesen sein dürfte,
illustriert die Besetzung gerade der wichtigsten Positionen wie des Kastellanats im grenznahen Ferrara mit anderen als den Papstverwandten, deren rein ökonomisches Interesse an den Ämtern die
militärische Sicherheit des Kirchenstaates hätte gefährden können, vgl. ders., Papstfinanz und Nepotismus, Bd. 1, S. 38.

[72] Paul V. etwa hat laut Reinhard, ebd., S. 43, seinen Nepoten Kaufämter (darunter drei Stellen in der
Segreteria Apostolica) im Wert von über 200 000 Scudi geschenkt. Ebd., S. 39–43, findet sich eine
Auflistung dieser Ämter.

[73] Vgl. A. Lloyd Moote, Richelieu as Chief Minister. A comparative Study of the Favorite in Early
Seventeenth Century Politics, in: Joseph Bergin, Laurence Brockliss (Hgg.), Richelieu and his Age,
Oxford 1992, S. 13–43, hier: S. 42.

[74] Vgl. Reinhard, Nepotismus, S. 173.

nung auf die höchste Würde machen konnten als in den Staaten unter dem Regiment der Dynastien mit ihren festen Erbfolgeregelungen. Doch auch diese Medaille hatte eine Rückseite, denn wer einmal oben angelangt war, dem stand stets das baldige Ende seiner Herrschaft vor Augen und folglich nur wenig Zeit zur Verfügung, um die Früchte der Macht zu ernten[75]. Zur Eile gedrängt fühlen mußten sich vor allem die Familien aus dem italienischen Patriziat, die die soziale Öffnung des Papsttums auf den Stuhl Petri gebracht hatte. Schließlich wollten sie die mit der Tiara verbundenen Aufstiegschancen nutzen, und da der im 15. und 16. Jahrhundert beliebteste Weg zu diesem Ziel, die Gründung eines eigenen Fürstentums, nach dem «Ausverkauf» (Reinhard) geeigneter Gebiete und angesichts des Infeudationsverbots von 1567 nur noch schwer zu begehen war[76], bot sich die kapitalorientierte Variante der Statuserhöhung an. Um die eigene Familie im römischen Hochadel zu etablieren, blieb den Pontifices des späteren 16. und des 17. Jahrhunderts daher nichts anderes übrig, als die verfügbaren Geldquellen in Staat und Kirche entschlossen und zügig auszubeuten[77]. Maßgeblich erleichtert wurde dieses Unternehmen durch die Institutionalisierung des Nepotenamtes, die ihre Wurzeln m. E. in der Entwicklung der kurialen Behördenlandschaft hatte, den aufstiegswilligen Päpsten aber auch für ihre Versorgungspläne wie gerufen kam. Daß die römischen Favoriten stets den roten Hut trugen, mochte der allgemeinen Klerikalisierung des päpstlichen Apparats entsprechen, daß sie mit dem Regenten verwandt waren, ist wohl der Suche der Pontifices nach verläßlichen Mitarbeitern entsprungen. Gleichzeitig aber machten Kardinalswürde und Familienbande die Nepoten zu idealen Trägern der Versorgungsfunktion, die mit der Institutionalisierung ihres Zentralorgans eine neue Dimension erreichte. Neu war nicht etwa die Bereicherung an sich, die dem päpstlichen Nepotismus schon immer anhaftete und, verstanden als Versorgung armer Verwandter, von der sozialen Norm der Pietas geradezu gefordert wurde[78]. Neu war vielmehr der Amtscharakter ihres Nutznießers, mit dessen Ernennung zum Superintendenten für den Papst und seine Zeitgenossen feststand, in wessen Taschen fortan ein nicht unerheblicher

---

[75] Vgl. ders., Freunde, S. 46.

[76] Vgl. ders., Nepotismus, S. 166, mit Hinweisen auf die dennoch unternommenen, aber gescheiterten Versuche dieser Art.

[77] Einen kurzen Überblick über die Mittel, die sich für diesen Zweck eigneten, gibt ders., Nepotismus, S. 170.

[78] Zur Versorgungsfunktion vor 1500 vgl. ebd., S. 146–165, zur Pietas vgl. ebd., sowie ausführlich ders., Papa Pius. Prolegomena zu einer Sozialgeschichte des Papsttums, in: Remigius Bäumer (Hg.), Von Konstanz nach Trient. Beiträge zur Kirchengeschichte von den Reformkonzilien bis zum Tridentinum. Festgabe für August Franzen, Paderborn u. a., 1972, S. 261–299; gekürzt wiederabgedruckt in: Wolfgang Reinhard, Ausgewählte Abhandlungen (Historische Forschungen, Bd. 60), Berlin 1997, S. 13–36.

Teil der kirchlichen und weltlichen Gelder fließen würde[79]. Welchen Vorteil es hatte, den Kardinal mit den vielen Ämtern zum Empfänger der reichen Gaben zu bestimmen, liegt auf der Hand. Schließlich gab es in einem System, in dem die Entlohnung des klerikalen Personals mit Benefizien ein alltägliches Mittel zur Kostenreduktion in der Staatsverwaltung war, keine bessere Rechtfertigung für die Einnahmen des Nepoten als den Hinweis auf die verantwortungsvolle Rolle in Politik und Verwaltung, die dem Papstneffen im Lichte seiner Ämter ja tatsächlich zukam[80].

Allerdings konnte sich der Zusammenhang zwischen der Versorgungsfunktion des Kardinalnepoten und seinen restlichen Aufgaben nicht im legitimatorischen Nutzen der Ämter erschöpfen. So steht zu vermuten, daß die Rolle des Papstneffen beim Aufstieg seiner Familie auch in anderen Tätigkeitsbereichen des Kardinals zum Tragen kam. Genau dies illustrieren die Aktivitäten der Nepoten auf einem weiteren Feld, das sie in Vertretung ihrer ideologisch verhinderten Onkel bestellen mußten: die Repräsentation und Prätention der päpstlichen Macht mit den Mitteln der höfischen Gesellschaft[81]. Wie der Padre comune auf dem Stuhl Petri die Klientel, die er als Landesherr brauchte, als Oberhaupt der Kirche nicht selbst betreuen konnte, mußte er als Regent eines Staates indirekte Herrschaftsmittel wie die Ostentation seiner Macht und seines Machtanspruchs einsetzen, ohne dabei seine spiritualisierte Selbstdarstellung und Legitimation zu unterlaufen. Daß den Päpsten bei geistlichen Bau- und Kunstaufträgen zwar zuweilen die Proportionen entglitten, aber nicht grundsätzlich die Hände gebunden waren, zeigt das meterhohe *Paulus V Burghesius* auf der Fassade des Petersdoms[82]. Bankette feiern, auswärtige Fürsten und Gesandte bewirten, Villen und Paläste bauen und diese

---

[79] Vgl. die Belege aus der Zeit Pauls V. für die verbreitete Interpretation des Nepotismus als Mittel zum Aufstieg der Papstfamilie bei dems., Papstfinanz und Nepotismus, Bd. 1, S. 157. Daß nach Reinhard um 1500 ein weiterer fundamentaler Wandel der Versorgungsfunktion, nämlich ihr Aufstieg zur manifesten, eigentlichen Funktion des Nepotismus, stattfand, wird im Zusammenhang mit den Veränderungen im Bereich der Herrschaftsfunktion in Kap. I.3 zu schildern sein.

[80] Vgl. Reinhard, Nepotismus, S. 173. Auf den ebd. betonten fiktiven Charakter dieser Rolle wird noch einzugehen sein.

[81] Zum Folgenden vgl. Volker Reinhardt, Hof.

[82] Daß die Langhauserweiterung Pauls V. den Charakter des als Zentralbau konzipierten Petersdoms veränderte und die Fassade des Borghese-Papstes den Blick auf die Kuppel verstellt, scheint seine Zeitgenossen weniger gestört zu haben. So konzentrierten sich die Verfasser der beliebten Spottverse vor allem auf den in der Mitte und damit an der doch eigentlich dem Patron der Kirche vorbehaltenen Stelle angebrachten Namen des Papstes. Eine Pasquinate hat den Eindruck, den diese Plazierung hervorruft, sehr treffend zusammengefaßt: «*Angulus est Petri, Pauli frons tota. Quid inde? Non Petri, Paulo stat fabricata domus.*» Zit. nach Rossana Arzone, Pasquinate del Seicento. Le invettive delle «statue parlanti» contro il potere delle nobili famiglie alla conquista di Roma barocca (Quaderni della Città, Bd. 4), Rom 1995, S. 10.

mit Kunstwerken weltlicher Art füllen konnten die Pontifices jedoch nicht selbst. Hier sprangen die Kardinalnepoten ein: Als Gastgeber, Bauherren, Kunstsammler und Mäzene kamen sie den Anforderungen der höfischen Gesellschaft an den Regenten nach, der durch die Delegation der repräsentativen Aufgaben an sein kardinalizisches alter ego sowohl den Pflichten eines Landesfürsten als auch den ideologischen Auflagen der Papstrolle gerecht wurde. Die Ausgaben dienten Kirche und Papsttum, lautete denn auch die Rechtfertigung für die enormen Summen, die aus den römischen Kassen in die Taschen der baufreudigen Nepoten flossen[83]. Doch wem die Gelder letztendlich zugute kamen, vermag jeder Rom-Besucher zu sagen, der nicht nur die Fassade von Sankt Peter, sondern auch die Villa Borghese mit ihrer zu Recht berühmten Kunstsammlung gesehen hat.

Daß der als Stellvertreter seines Onkels gefragte Kardinalnepot nicht nur herrschaftsnotwendige Aufgaben erfüllte, sondern gleichzeitig den sozioökonomischen Aufstieg der eigenen Familie betrieb und den neuen Status zu sichern versuchte, gilt nicht allein für die Repräsentations- und Prätentionspflichten aus dem Repertoire der höfischen Gesellschaft. Auch die Patronagepolitik mußte unter dem Druck der Versorgungsfunktion Schlagseite bekommen: Schlagseite weg von den staatlichen Zielen, hin zu den Interessen der Familie, deren Vermögen und Ansehen der Patronagemanager des Papstes zu mehren hatte. So diente das klienteläre Netz nicht anders als jenseits der Grenzen zwar auch im Kirchenstaat als Stärkung und zuweilen als Ergänzung des noch schwachen bürokratischen Apparats. Doch ein Patron, der zu Lebzeiten seines päpstlichen Onkels aus dem vollen schöpfen und nach dessen Tod nicht alles verlieren wollte, mußte mehr von seiner Gefolgschaft verlangen als Loyalität gegenüber der Staatsgewalt. Schließlich hatte seine Familie diese Staatsgewalt nur befristet in der Hand, und da der neue Papst nach den Spielregeln des römischen Systems zwangsläufig die Klientel seines Vorgängers schwächen und die eigenen verläßlichen Diener in die Schaltstellen der Macht bringen mußte, begannen mit dem Wechsel auf dem Stuhl Petri harte Zeiten für den bisherigen Nepoten[84]. Verhindern konnte er seine Demontage nicht, aber wenn es ihm gelang, erklärte Gegner von der Tiara fernzuhalten oder gar einen eigenen Gefolgsmann auf den Thron zu hieven, bestand wenigstens die Hoffnung, daß ihm sein Nachfolger aus alter Verbundenheit eine etwas rücksichtsvollere Behandlung angedeihen ließ und vor allem nicht die Güter streitig machte, die er von seinem Onkel erhalten, aber noch nicht in rechtlich unantastbare Form über-

---

[83] Vgl. Volker Reinhardt, Hof, S. 712. Wie hoch diese Beträge im Pontifikat Pauls V. waren und wofür der Nepot die Gelder im einzelnen ausgab, ist nachzulesen bei dems., Kardinal Scipione Borghese 1605–1633. Vermögen, Finanzen und sozialer Aufstieg eines Papstnepoten (Bibliothek des Deutschen Historischen Instituts in Rom, Bd. 58), Tübingen 1984.

[84] Zum Folgenden vgl. Reinhard, Nepotismus, S. 170 f., und ders., Amici, S. 330 f.

führt hatte[85]. Daher galt es, bereits beim Aufbau der Klientel den kritischen Punkt jeder Nepotenlaufbahn im Auge zu behalten: das Konklave nach dem Ende des Familienpontifikats, in dem die alte Macht der Kardinäle aufblitzen und das Schlimmste nur mit den Stimmen treuer Anhänger zu vermeiden sein würde. Seinen deutlichsten Ausdruck fand dieser Umstand in der Promotionspolitik der Päpste, die bei ihrer letzten Kardinalserhebung in der Regel nur noch eigene Klienten berücksichtigten und auf diese Weise versuchten, die Position ihrer Neffen im Heiligen Senat zu stärken. Weniger offenkundig, doch im kirchenstaatlichen Verwaltungsalltag immer wieder zu beobachten sind die Auswirkungen, die die Versorgungsfunktion des Nepotismus unter den spezifischen Bedingungen der römischen Wahlmonarchie auf den Charakter der klientelären Beziehungen hatte[86]. Solange der Onkel des Patrons die Tiara trug, war Gehorsam gegenüber dem Nepoten Gehorsam gegenüber dem Apostolischen Stuhl. Starb der Pontifex, konnte der verwaiste Kardinal die Interessen seiner Familie nicht länger im Namen der Staatsgewalt verfolgen, doch weiterhin, so zeigen es die Erwartungen an das Konklave, auf die Dienstpflicht seiner Klientel pochen. Dies aber war nur möglich, wenn die Treue der Anhänger nicht dem Papsttum als abstrakter Größe, sondern der Familie des konkreten Papstes galt und sich nach dessen Tod von der Institution trennen ließ. Weil Herrschaft in Rom wie überall im Europa der Frühen Neuzeit Familienherrschaft war, mußte die Klientel des Regenten die Klientel der regierenden Familie sein. Doch da die zölibatäre Wahlmonarchie der Päpste kein Erbrecht vorsah, traten am Tiber Staatsgewalt und Familieninteressen mit jedem Pontifikatswechsel auseinander und die personale Dimension der Herrschaft deutlicher hervor als jenseits der Grenzen.

Wenn der Kardinalnepot der römischen Wahlmonarchie im Unterschied zu den Günstling-Ministern der europäischen Dynastien von Amts wegen mit der Bereicherung seiner auf Zeit regierenden Familie befaßt war und diese zusätzliche Versorgungsfunktion sowohl seine Aktivitäten in Sachen Repräsentation beeinflußte

---

[85] Wenn die Finanzstrategie der Borghese zwischen 1616 und 1618 zur «Absicherung des bereits gewonnenen Besitzstandes» schritt (vgl. Volker Reinhardt, Scipione Borghese, S. 163; zur Finanzstrategie insgesamt vgl. ebd., S. 139–181), war dies nichts anderes als der Versuch, die mit dem zeitlich nicht vorhersehbaren, aber immer wahrscheinlicher werdenden Tod Pauls V. verbundenen Risiken rechtzeitig zu begrenzen. Allerdings konnten sich die «üblichen Spannungen zwischen der neuen regierenden Familie … und deren Vorgängern» (Reinhard, Freunde, S. 64) bis zur Verfolgung der ehemaligen Papstfamilie steigern, wie sie Innozenz X. Pamphili gegenüber den Barberini betrieb, vgl. Ludwig von Pastor, Geschichte der Päpste seit dem Ausgang des Mittelalters, Bd. 14: Geschichte der Päpste im Zeitalter des fürstlichen Absolutismus. Von der Wahl Innozenz' X. bis zum Tode Innozenz' XII. (1644–1700), Freiburg 1929, Teilbd. 1, S. 41–45.

[86] Wie sich diese Auswirkungen im Alltag der Staatsverwaltung äußerten, wird vor allem in Kap. V.3 zu erörtern sein.

als auch der Patronagepolitik einen eigenen Charakter verlieh, stellt sich eine Frage: Welche Auswirkungen hatte die dominierende Position des vor allem im Interesse der Papstfamilie und ihrer Klientel tätigen, gleichzeitig aber mit nicht wenigen Ämtern versehenen Papstneffen auf den kurialen Behördenalltag? Genau dies ist das Thema der vorliegenden Arbeit.

3. Nepotismus und Behördenalltag:
Ziel und Aufbau der Arbeit

Wo man ansetzen muß, um die Rolle des Kardinalnepoten im römischen Behördenalltag zu ermitteln, scheint auf der Hand zu liegen: bei den Ämtern des Papstneffen, die noch nicht zu reinen Geldquellen herabgesunken waren. Die Zahl der kurialen Posten, die nach Abzug der klangvollen, aber inhaltsleeren Titel eines Großpönitentiars, Kämmerers oder Vizekanzlers übrigbleiben, ist ansehnlich genug. So machten die Papstneffen als Leiter des Staats- und des Brevensekretariats sowie als Präfekten der wichtigsten Kongregationen für das Land der Kirche ihrer offiziellen Bezeichnung als Sopraintendenti dello Stato Ecclesiastico alle Ehre, denn wie ein Blick auf die Entwicklung der römischen Behördenlandschaft gezeigt hat, waren dies die Schlüsselpositionen in Politik und Verwaltung. Im Lichte ihrer Versorgungsfunktion präsentiert sich die Machtrolle der Nepoten hingegen als willkommene Rechtfertigung der von ihnen betriebenen Kapitalakkumulation, und da die Bereicherung der eigenen Familie auch in anderen Tätigkeitsfeldern der Papstneffen deren erstes Ziel war, drängt sich ein Verdacht auf, der in den Studien Wolfgang Reinhards Bestätigung findet. «Grundsätzlich ist die Machtrolle des Kardinalnepoten eine Fiktion», lautet das Urteil Reinhards, dem zufolge der päpstliche Nepotismus seine in Gestalt des kriegslustigen Cesare Borgia zur letzten Blüte gelangte Herrschaftsfunktion mit dem Ende des Papstsohnes und damit am Beginn des 16. Jahrhunderts verloren hatte[87]. Durch das ebenso brutale wie erfolgreiche Vorgehen Alexanders VI. und seines Sohnes gegen den römischen Hochadel und die lokalen Magnaten in der nördlichen Provinz seien die traditionellen Konkurrenten um die Macht ausgeschaltet und die Pontifices der Notwendigkeit enthoben worden, wenigstens die wichtigsten Ämter im Staat durch die Vergabe an Verwandte vor dem Zugriff ihrer Gegner zu schützen. Wenn diese Stellen weiterhin an die Nepoten gingen, dann vor allem, um die fortan dominierende, manifest gewordene Versorgungsfunktion der Papstneffen mit dem Hinweis auf ihre – de

---

[87] Vgl. Reinhard, Nepotismus, S. 165 und 173 (dort das Zitat).

facto zu Attrappen der Macht verkommenen – Ämter rechtfertigen zu können. Als tatkräftige Amtsleiter dürfte man die Nepoten daher auch nach ihrer Institutionalisierung nur in Ausnahmefällen antreffen, und aus der Gattung der Günstling-Minister wären sie damit ausgeschieden. Allerdings sind die Parallelen, die sich gerade in behördengeschichtlicher Perspektive zwischen den Favoriten in Rom und andernorts gezeigt haben, zu offenkundig, als daß sie unter der Übermacht der Versorgungsfunktion gänzlich bedeutungslos werden könnten. Folglich müßte es gelingen, den herrschaftsnotwendigen Kardinalnepoten, der als Vertreter des Regenten die behördliche Arbeit koordinierte und die Klientel betreute, mit dem auf die Bereicherung seiner Familie bedachten Benefiziensammler zu versöhnen, und genau dies erlaubt die Reinhardsche Kategorie der latenten Herrschaftsfunktion[88]. Schließlich mußte der Papstneffe nicht die Politik der Kurie bestimmen, um der Herrschaft seines Onkels nützliche Dienste zu erweisen. Gerade die bei ihrer Erhebung zum Superintendenten noch minderjährigen Kardinäle dürften die Geschäfte des Apostolischen Stuhls kaum persönlich geleitet haben, aber ohne ihre Berufung zum unterzeichnenden Korrespondenzpartner der Nuntien hätten weder die schlichten Briefe aus dem Staatssekretariat zum maßgeblichen Kommunikationsmittel noch die Behörde selbst zum zentralen Organ der kurialen Politik werden können[89]. Von der Unterschrift des Kardinals unter den Briefen des Staatssekretariats und der später hinzukommenden Kongregationen profitierten indes nicht nur die Gremien, deren Ausdifferenzierung ja nicht von ungefähr zur Etablierung des Nepotenamtes geführt hatte. Auch für den Papst selbst war es von Vorteil, seinen Neffen an der Spitze der wichtigsten Organe zu wissen und deren Post unterzeichnen zu lassen. Zum einen brachte die Vorlage der Korrespondenz vor dem Kardinal und dessen Anwesenheit bei den Versammlungen der Gremien neben einem gewissen Maß an zwischenbehördlicher Kooperation Kontrollmöglichkeiten für den Onkel des Amtsleiters mit sich. Und zum anderen erleichterten die Briefe des Nepoten als flexiblere Alternative zu den förmlichen Bullen und Breven des Papstes nicht nur den administrativen Alltag, sondern auch die Stilisierung des Pontifex zum Padre comune über den Parteien. Letzteres gilt im besonderen Maße für die Patronagepolitik und die einschlägige Korrespondenz des Kardinals, der als alter ego seines Onkels somit die gleichen Aufgaben zu erfüllen hatte wie die Günstling-Minister an den übrigen Höfen. Hauptberuflich mochte er damit befaßt sein, den sozioökonomischen Aufstieg seiner Familie zu betreiben, doch da er gleichzeitig für die Anbindung der Behörden an die Person des Papstes sorgte

---

[88] Zum Folgenden vgl. ebd., S. 174 f.

[89] Daß der Nepot vor allem wegen der Autorität seiner Unterschrift mit der Abwicklung der diplomatischen Korrespondenz betraut wurde, fand bereits Erwähnung. Mit dem weiteren Aufstieg des (späteren Kardinal-)Staatssekretärs im Windschatten des Papstneffen befaßt sich Kap. VI.3.

und diesen vor den Belastungen der klientelären Parteinahme schützte, kehrt der von der Dominanz der Versorgungsfunktion aus dem Kreis der Günstling-Minister verdrängte Kardinalnepot auf dem Umweg über die latente, d. h. nachrangige, aber gleichwohl vorhandene Herrschaftsfunktion in diese Gruppe zurück.

Sind die allgemeineuropäischen Züge und die römischen Besonderheiten der Nepotenrolle als latente Herrschafts- und manifeste Versorgungsfunktion des Nepotismus identifiziert und die verschiedenen Aufgaben des Papstneffen mit Hilfe dieser Kategorien nicht nur auseinanderdividiert, sondern auch in eine Rangordnung gebracht, können die theoretischen Überlegungen an der historischen Realität überprüft und die Wechselwirkungen zwischen diesen Funktionen in den Blick genommen werden. Nach dreierlei ist zu fragen: nach den Aktivitäten, die der Nepot als Behördenleiter, Klientelchef und Interessenvertreter seiner Familie an den Tag legte, nach seinen Eingriffen in die Arbeit der kurialen Gremien, deren Tätigkeit der multifunktionale Papstneffe möglicherweise zugunsten seiner Konten und Klienten zu beeinflussen suchte, und nach den Folgen dieser Ämter- und Aufgabenhäufung, man könnte auch sagen: nach deren dysfunktionalen Effekten für das gesamte System. Wo die Antworten auf diese Fragen zu suchen sind, liegt auf der Hand: in den Überresten des kurialen Behördenalltags, im Briefwechsel des Nepoten als Klientelchef, den man zwar erst finden muß, aber schon im vorhinein mit dem Namen Patronagekorrespondenz versehen kann, und schließlich im Schriftverkehr, den der Kardinal als Repräsentant seiner im Aufstieg begriffenen Familie parallel zu Amts- und Patronagekorrespondenz geführt haben dürfte. Die Quellenlage für diese drei Bereiche mag unterschiedlich gut sein, doch da sich bereits die von der Görres-Gesellschaft in Rom angeregten aktenkundlichen Arbeiten über das päpstliche Staatssekretariat angesichts der Masse der erhaltenen Amtsunterlagen auf überschaubare Zeiträume beschränken[90], kann es im folgen-

---

[90] Zum 1954 begonnenen und 1962 versandeten Projekt der Görres-Gesellschaft vgl. Kraus, Geschichte. In welchem Maße das Projekt der Görres-Gesellschaft zum Verständnis der Kurienorganisation beigetragen hat, zeigt ein Blick in das Werk von Giampiero Carocci, Lo stato della chiesa nella seconda metà del secolo XVI. Note e contributi, Mailand 1961. Carocci, der sich nur auf ältere Beiträge wie jene von Richard, Serafini und von Törne stützt (zu diesen Titeln vgl. Kraus, ebd., S. 89), scheint das Staatssekretariat für eine Art erweiterte Versammlung der Kongregationssekretäre zu halten, vgl. Carocci, S. 110–112, wohl weil er, wie S. 112, Anm. 36, andeutet, die Ruoli der päpstlichen Familia mit einer Mitgliedsliste des Staatssekretariats verwechselt. Daß Alberto Caracciolo dies teilweise von Carocci übernimmt, hätte ein Blick in die Veröffentlichungen der Görres-Gesellschaft zweifellos verhindert; vgl. Mario Caravale, Alberto Caracciolo, Lo stato pontificio da Martino V a Pio IX (Storia d'Italia, diretta da Giuseppe Galasso, Bd. 14), Turin 1978, S. 384. Unter dem Titel «Forschungen zur Geschichte des päpstlichen Staatssekretariats» hat die Görres-Gesellschaft in den Supplementbänden ihrer Römischen Quartalschrift bis zur Einstellung ihres Projektes zwei Monographien herausgegeben: das in Anm. 93 genannte Werk Josef Semmlers und die 1964 erschienene Arbeit von Andreas Kraus über das Staatssekretariat Urbans VIII. Eine bereits als Anhang für dieses

den nur um ein einziges Pontifikat gehen. Warum die Wahl auf die Regierungszeit Pauls V. fiel, ergibt sich nach dem Rekurs auf die Studien Wolfgang Reinhards und Volker Reinhardts über den Borghese-Papst und seinen Neffen nahezu von selbst. Wolfgang Reinhard hat den Aufstieg der Borghese aus sozialgeschichtlicher Perspektive rekonstruiert und die Kosten dieses Unternehmens für die Papstfinanz ermittelt, Volker Reinhardt hat sich auf die Finanzen des Kardinalnepoten und seine Einnahmequellen konzentriert und die Rolle des Papstneffen in der höfischen Gesellschaft erhellt[91]. Überdies liegen die ersten Arbeiten über die Bedeutung informeller Beziehungen und der Patronagepolitik der Borghese für die Herrschaft Pauls V. im Kirchenstaat vor, und mit weiteren Untersuchungen zu diesem Thema ist zu rechnen[92]. Auch das Staatssekretariat des Borghese-Papstes ist bereits zum Gegenstand einer Studie geworden: der aktenkundlich orientierten Arbeit Josef Semmlers, dessen Ergebnisse den folgenden Erörterungen über die politische Behörde zur Zeit Pauls V. eine große Hilfe waren[93]. Allerdings ist Semmlers Werk

---

Werk vorgesehene Auflistung hat Kraus unlängst nachgereicht: Andreas Kraus, Das päpstliche Staatssekretariat unter Urban VIII.: Verzeichnis der Minutanten und ihrer Mitarbeiter, in: AHP 33 (1995), S. 117–167. Wiederaufgenommen hat die Erforschung der römischen Zentralbehörde, allerdings für das 19. Jahrhundert, Lajos Pásztor, La Segreteria di Stato e il suo Archivio 1814–1833, 2 Bde. (Georg Denzler (Hg.), Päpste und Papsttum 23, I+II), Stuttgart 1984 bzw. 1985; vgl. auch Egon Johannes Greipl, Die Geschichte des päpstlichen Staatssekretariats nach 1870 als Aufgabe der Forschung, in: RQS 84 (1989), S. 92–103, sowie die ohne Herausgeber unter dem Titel Les Sécretaires d'État du Saint-Siège (1814–1979) in den Mélanges de l'École Française de Rome. Italie et Méditerranée 110 (1998), S. 439–686, erschienene Sammlung zahlreicher Aufsätze verschiedener Autoren.

[91] Vgl. die bereits genannten Untersuchungen von Wolfgang Reinhard, Ämterlaufbahn, ders., Papstfinanz und Nepotismus, sowie die Studien von Volker Reinhardt, Scipione Borghese, und ders., Hof.

[92] Bisher erschienen sind: Ingo Stader, Herrschaft durch Verflechtung. Perugia unter Paul V. (1605–1621). Studien zur frühneuzeitlichen Mikropolitik im Kirchenstaat (Christoph Weber (Hg.), Beiträge zur Kirchen- und Kulturgeschichte, Bd. 5), Frankfurt am Main 1997. Nicole Reinhardt, Macht und Ohnmacht der Verflechtung. Rom und Bologna unter Paul V. (Peter Blickle, Richard van Dülmen, Heinz Schilling, Winfried Schulze (Hg.), Frühneuzeit-Forschungen, Bd. 8), Tübingen 2000. Die entsprechende Untersuchung zur Legation Ferrara hat einen Umweg über die kuriale Behördengeschichte genommen, dürfte aber in absehbarer (sic!) Zeit vorliegen. Mittlerweile hat das verflechtungsanalytische Großunternehmen unter der Leitung Wolfgang Reinhards die Grenzen des Kirchenstaats überschritten: Die soziale Verflechtung zwischen dem Rom der Borghese und Florenz untersucht Christian Wieland, mit den informellen Beziehungen zu Savoyen ist Tobias Mörschel befaßt, um die Genuesen in der Borghese-Klientel kümmert sich Jan Kitzler. Martin Faber bearbeitet die Protektorate Scipione Borgheses. Mit den Beziehungen der Borghese im weiter entfernten Ausland beschäftigen sich Julia Zunckel (Mailand), Guido Metzler (Neapel), Hillard von Thiessen (Spanien) und Ingeborg Jostock (Frankreich).

[93] Vgl. Josef Semmler, Beiträge zum Aufbau des päpstlichen Staatssekretariats unter Paul V. (1605–1621), in: RQS 54 (1959), S. 40–80, sowie die auf diesem Aufsatz aufbauende Monographie: Ders., Das päpstliche Staatssekretariat in den Pontifikaten Pauls V. und Gregors XV. (1605–1623) (For-

erschienen, bevor der Blick der Forschung auf die Funktion des Kardinalnepoten in Sachen Patronage und Bereicherung gefallen ist. Wohl nicht zuletzt deshalb beherzigte Semmler die methodischen Vorgaben der Görres-Gesellschaft, die zwar nicht ohne Grund zur Beschränkung auf «die äußeren Zeichen der Quellen» riet[94], mit dieser Empfehlung aber den Zugang zu den verschiedenen inhaltlichen Ebenen der Korrespondenz erschwerte. Eine Untersuchung, die dem bereits aus mehreren Blickwinkeln beleuchteten Kardinalnepoten Scipione Borghese und seinen vielschichtigen Aktivitäten mit behördengeschichtlichem Interesse und primär aktenkundlichen Mitteln zu Leibe rückt, steht daher noch aus[95]. Um diese Lücke zu füllen, bietet sich folgende Marschroute an.

Zunächst wird es um die Beteiligung Scipione Borgheses an der alltäglichen Arbeit der Gremien gehen. Besondere Aufmerksamkeit und ein eigenes Kapitel verdient hierbei das Staatssekretariat, das im Verlaufe des 16. Jahrhunderts zum wichtigsten Organ der römischen Behördenlandschaft aufgestiegen war und mit

---

schungen zur Geschichte des päpstlichen Staatssekretariats II – RQS Suppl. 33), Rom 1969. Wenn im folgenden die Schwachstellen dieser Arbeiten ausführlich diskutiert werden, geschieht dies keinesfalls in der Absicht, die unbestreitbaren Verdienste Semmlers als Pionier auf diesem Feld zu mindern, sondern in dem Bewußtsein, daß neue Perspektiven der Forschung frühere Untersuchungen häufig alt aussehen lassen und meiner eigenen Studie über kurz oder lang ein ähnliches Schicksal drohen könnte. Als weitere Arbeiten, die sich mit dem Staatssekretariat Pauls V. und seiner Korrespondenz befassen, wären die bisher erschienenen Editionen von Nuntiaturberichten zu nennen, die ja stets auch Weisungen der römischen Behörde an die Diplomaten vor Ort beinhalten. Da jedoch eine von Alexander Koller erstellte aktuelle Übersicht (Stand: Herbst 1997) vorliegt, die «alle Aktenpublikationen zur päpstlichen Diplomatie und Außenpolitik, die den Zeitraum von 1500 bis 1800 betreffen», und daher auch die Editionen zum Borghese-Pontifikat umfaßt, sei statt der Auflistung der einzelnen Veröffentlichungen auf die Nummern 44–48, 71, 81–86, 100, 136–142, 169–172, 186 in Kollers Liste verwiesen. Diese ist zu finden in: Alexander Koller (Hg.), Kurie und Politik. Stand und Perspektiven der Nuntiaturberichtsforschung (Bibliothek des Deutschen Historischen Instituts in Rom, Bd. 87), Tübingen 1998, S. 415–435, das Zitat auf S. 415. Hingewiesen sei auch auf die von Peter Schmidt zusammengestellte Bibliographie zur Nuntiaturberichtsforschung, ebd., S. 436–493. Eine Edition der Hauptinstruktionen Pauls V. an seine Diplomaten, wie sie Jaitner für die Pontifikate Clemens' VIII. und Gregors XV. vorgelegt hat, wird derzeit von Silvano Giordano vorbereitet, vgl. dessen Zwischenbericht: Aspetti di politica ecclesiastica e riforma religiosa nelle istruzioni generali di Paolo V, in: ebd., S. 236–259.

[94] Hier zit. nach Hammermayer, S. 200.

[95] In diese Richtung weist auch die kritische Anmerkung bei Menniti Ippolito, Il tramonto, S. 25, Anm. 2, der die Studien Wolfgang Reinhards und seiner Schüler zwar in sozialgeschichtlicher Hinsicht für sehr bedeutend, im Blick auf die «storia politico-istituzionale» aber für weit weniger aussagekräftig hält. Davon abgesehen, daß er mit dieser Einschätzung den vorliegenden Untersuchungen nicht ganz gerecht wird, konzentriert sich Menniti Ippolito in seiner eigenen Darstellung m. E. zu stark auf die offizielle Rolle des Nepoten als Behördenchef. Daher dürfte das eigentliche Desiderat wohl in einer Studie bestehen, die die Rolle des Kardinalnepoten im institutionellen Gefüge der Kurie erfaßt, ohne seine Funktion in Sachen Klientelpflege und Bereicherung aus den Augen zu verlieren.

seinem nominellen Amtsleiter auch zur Zeit Pauls V. im Zentrum der Politik stand. Aufbauend auf Semmlers Befunden soll in einem ersten Schritt das Personal der politischen Behörde vorgestellt, die zwischen den Mitarbeitern praktizierte Ressortaufteilung beschrieben und ein Blick auf das Schicksal der Amtsakten nach dem Tod Pauls V. geworfen werden. Wie Semmlers Werk zeigt, ermöglichen vor allem die eingelaufenen Originalschreiben solche grundsätzlichen Beobachtungen zur Arbeit der Behörde und ihren Quellen. Illustrieren lassen sich die Ergebnisse jedoch auch mit Hilfe der Auslaufregister, und so sei diesen in aktenkundlichen Studien oft verschmähten Bänden zu ihrem Recht verholfen. Der zweite Abschnitt widmet sich der im Staatssekretariat bearbeiteten Post der römischen Vertreter im Außendienst. Da ein ausgewiesener Kenner der Bestände wie Andreas Kraus schon den Editoren der Nuntiaturberichte nicht zumuten wollte, sowohl den Inhalt der Akten als auch ihre Bearbeitungsvermerke zu berücksichtigen, kann eine Untersuchung, die sich für beides interessiert, kaum am gesamten Material eines Pontifikats durchgeführt werden[96]. Beschränkung tut daher not, ist bei der Wahl eines geeigneten Beispiels aber auch vertretbar. Für solche Zwecke bestens geeignet ist die Legation Ferrara und die Korrespondenz des Staatssekretariats mit dem in der Provinz am Po tätigen Verwaltungschef, dem Kardinallegaten. Gerade erst 1598 unter die direkte Herrschaft Roms gefallen und an der sensiblen Grenze zur Republik Venedig gelegen, kam der jungen Legation eine politische und strategische Bedeutung zu, die mit den Nuntiaturen konkurrieren konnte und den Berichten des Ferrareser Legaten die Aufmerksamkeit des Staatssekretariats garantierte. Wer

---

[96] Eine Einbeziehung des Akteninhalts forderte bereits Helmut Jaschke, «Das persönliche Regiment» Clemens' VIII. Zur Geschichte des päpstlichen Staatssekretariats, in: RQS 65 (1970), S.133–144; hier: S.135. Kraus, Geschichte, S.83, hält Jaschke entgegen, daß der inhaltliche Zugriff die zähe Puzzlearbeit an den Quellen keineswegs ersetze, beides zugleich aber kaum möglich sei, wobei er ebd., S.82, zu Recht auf die aktenkundlichen Bemerkungen in den neueren Editionen hinweist; vgl. z.B. Wolfgang Reinhard, Nuntiaturberichte aus Deutschland nebst ergänzenden Aktenstücken. Die Kölner Nuntiatur. Bd.V/1, erster Halbband: Nuntius Antonio Albergati (1610 Mai–1614 Mai). Im Auftrag der Görres-Gesellschaft bearbeitet von Wolfgang Reinhard, Paderborn u.a. 1972, S.XLII-LII; Joseph Wijnhoven, Nuntiaturberichte aus Deutschland nebst ergänzenden Aktenstücken. Die Kölner Nuntiatur. Bd.VII,1: Nuntius Pier Luigi Carafa (1624 Juni–1627 August). Im Auftrag der Görres-Gesellschaft bearbeitet von Joseph Wijnhoven, Paderborn u.a. 1980, S.LXI-LXVI. Auch Klaus Jaitner, Die Hauptinstruktionen Clemens' VIII. für die Nuntien und Legaten an den europäischen Fürstenhöfen. 1592–1605. Im Auftrag des Deutschen Historischen Instituts in Rom bearbeitet von Klaus Jaitner, 2 Bde., Tübingen 1984, Bd.1, S.XLII-LIX, stellt seiner Edition einen Überblick über das Staatssekretariat zur Zeit Clemens' VIII. voran. Der Aufzählung bei Kraus sind hinzuzufügen: Almut Bues, Nuntiaturberichte aus Deutschland 1572–1585 nebst ergänzenden Aktenstücken. Bd.7: Nuntiatur Giovanni Dolfins (1573–1574). Im Auftrag des Deutschen Historischen Instituts in Rom bearbeitet von Almut Bues, Tübingen 1990; Michael F. Feldkamp, Studien und Texte zur Geschichte der Kölner Nuntiatur, Bd.1: Die Kölner Nuntiatur und ihr Archiv. Eine behördengeschichtliche und quellenkundliche Untersuchung (Collectanea Archivi Vaticani, Bd.30), Vatikanstadt 1993.

sich der Meldungen über die Lage in Ferrara und im benachbarten Ausland annahm, wer die Politik der Kurie im Norden des Staates und nicht nur dort gestaltete, dürften die nahezu vollständig vorliegenden Schreiben des Kardinallegaten und ihre Bearbeitungsvermerke somit zu erkennen geben. Daß die Lektüre der Post auf den Unterschied zwischen Amts- und Patronagekorrespondenz aufmerksam macht und die Aufgabenverteilung innerhalb des Staatssekretariats in einem neuen Licht erscheinen läßt, wird anhand der Ferrareser Schreiben zu zeigen, mit Hilfe weiterer Briefcorpora aber auch auf eine breitere Quellenbasis zu stellen sein. Vertieft werden können die Befunde im dritten Abschnitt, der sich mit den ebenfalls von der politischen Behörde bearbeiteten Schreiben der Absender ohne Amt im Dienste Roms befaßt. Die meisten Briefe waren an Kardinal Borghese adressiert, doch zuweilen wandten sich die Absender auch an den Papst persönlich. Ein Blick auf die verschiedenen Möglichkeiten, die der Pontifex bei der Beantwortung der an ihn gerichteten Post hatte, wird daher den dritten Abschnitt und das Kapitel über das Staatssekretariat abschließen.

Ist der Alltag im Staatssekretariat in groben Zügen nachgezeichnet und die Rolle Borgheses als Chef dieser wichtigsten der ihm unterstellten Behörden ermittelt, gilt das Interesse im dritten Kapitel den kurialen Gremien für die Verwaltung von Staat und Kirche. Hier war der Nepot in mehreren Eigenschaften gefragt: als Leiter des Staatssekretariats, das in politisch relevanten Fällen in die Korrespondenz anderer Gremien eingriff und damit Gelegenheit gibt, die Kooperation zwischen den Behörden zu beleuchten, als Präfekt der traditionell den Papstneffen unterstellten Kongregationen Consulta, Buon Governo und der erst 1604 gegründeten *Congregazione delle acque* sowie als Unterzeichner einiger Schreiben aus Ressorts, die ihm zwar nicht übertragen waren, aber offensichtlich nicht immer ohne seine Unterschrift auskamen. Um den Kardinal in all diesen Rollen anzutreffen, werden zunächst die Verwaltungskongregationen unter seiner Leitung, danach die wirtschaftspolitische Abteilung der Apostolischen Kammer und der kirchenstaatliche Militärapparat als Beispiele für ihm nicht zugewiesene Ressorts weltlicher Art und schließlich die stets mit anderen Amtschefs als den Papstneffen versehenen kirchlichen Kongregationen zu behandeln sein. Was die Allgegenwart seines Namens mit der Beteiligung des Kardinals an der Arbeit der Behörden zu tun hat, ist dabei zu klären, welche Vorteile mit seiner Ernennung zum Amtsleiter verbunden und warum auch andere Gremien auf seine Unterschrift angewiesen waren, gilt es ebenfalls zu ergründen. Daß gerade im Blick auf die Verwaltung des Kirchenstaats zwar nicht ausschließlich, aber vorrangig Ferrareser Quellenmaterial zum Einsatz gelangen wird, liegt nicht etwa an der Masse der erhaltenen Bestände. Im Gegenteil: Während man im Falle des Staatssekretariats aus dem vollen schöpfen kann, zwingt die schlechte Überlieferungslage für die übrigen Behörden zur Suche nach Ersatz für die verschollenen Amtsakten. Fündig wird man vor allem in den Unterlagen zur Legation Ferrara, die ihre Eignung als Testfall für aktenkundliche Studien gerade hier eindrücklich unter Beweis stellt. Neben Bologna war die Legation am Po die einzige Provinz im Land der Kirche, die über ihren Verwaltungschef sowohl mit den Kongregationen als auch mit dem Staatssekretariat in Verbindung stand und überdies einen diplomatischen Vertreter an der Kurie unterhielt. Damit sind für Ferrara sämtliche Quellenarten verfügbar, die Informationen über die Tätigkeit der kurialen Organe versprechen: die beim Papst eingereichten Memoriali, die bei den Objekten der Verwaltung verbliebenen Dokumente aus den Behörden, parallele Quellen wie die Hintergrundberichte der in Rom akkreditierten Botschafter und Agenten und nicht zuletzt Schreiben aus dem Staatssekretariat, die die Kompetenzen anderer Gremien berührten.

Daß diese Quellen mehr zu bieten haben als Einblicke in die Arbeit der Behörden und in die Rolle des Nepoten bei der Verwaltung von Staat und Kirche, wird sich im vierten Kapitel zeigen. So weist vor allem die im Projekt der Görres-Gesellschaft ausgeklammerte Empfängerüberlieferung[97] den Weg zu den Mitarbeitern des Kardinals, die keinem der ihm unterstellten Gremien angehörten und dem auf die bekannten Behörden konzentrierten Blick daher leicht entgehen könnten. Für das Verständnis der Nepotenrolle wäre dies fatal, wickelten diese Einrichtungen doch die Korrespondenz des Papstneffen ab, die mit seinen Amtspflichten wenig, mit seinen Zusatzaufgaben im Interesse der eigenen Familie jedoch um so mehr zu tun hatte. Für Zwecke dieser Art standen Borghese mehrere Einrichtungen zur Verfügung: ein Privatsekretariat, das im September 1616 in einer neuen Einrichtung aufging, das in diesem Monat errichtete Patronagesekretariat, das nicht nur die Post des Privatsekretärs übernahm, sondern auch die bislang in der politischen Behörde abgewickelte Korrespondenz mit den Klienten, und schließlich der Stab des Kardinals für die Verwaltung seiner Güter. Mit dem vierten Kapitel, das die Zuständigkeitsbereiche dieser Büros, ihr Personal und die in manchen Fällen nur äußerst spärlichen Überreste ihrer Korrespondenz ermitteln will, ist die Beschreibung der Gremien abgeschlossen.

Das fünfte Kapitel stellt daher den nun möglichen Versuch dar, das Verhältnis zwischen den kurialen Behörden auf der einen und den Sekretariaten des Nepoten auf der anderen Seite näher zu bestimmen. So wie die parallele Existenz dieser Organe die doppelte Indienstnahme des Nepoten für die Aufstiegspläne seiner Familie und für die Zwecke der päpstlichen Herrschaft widerspiegelt, ist die Frage nach Konkurrenz oder Arbeitsteilung zwischen den Gremien nicht ohne Belang für die Bewertung der Nepotenrolle und ihrer dysfunktionalen Folgen. Schließlich

---

[97] Vgl. Hammermayer, S. 180, der zwar betont, daß man «die Nachforschungen auch auf private, auf kirchliche und auf staatliche Archive Italiens ausdehnen muß», aber nur, um «die Nachlässe von Sekretären und Nuntien ausfindig (zu) machen».

ist weder für die Politik der Kurie noch für die Verwaltung des Kirchenstaats auszuschließen, daß der Papstneffe seinen eigenen Interessen oder den Klienten zuliebe in die Arbeit der Behörden eingriff, und genau dies ist zu prüfen. Daher wird zunächst ein Blick auf die eigenhändigen Zusätze des Nepoten zu werfen sein, mit denen er seinen Mitteilungen Nachdruck zu verleihen suchte und sein persönliches Engagement in Politik und Patronage dokumentiert haben könnte. Die Warnung der Barberini beherzigend, sei anschließend gefragt, ob der Neffe Pauls V. wie nach ihm Francesco Barberini dem Staatssekretariat mit Hilfe seines eigenen Stabes Konkurrenz machen und die Federführung in der kurialen Politik an sich reißen wollte. Der dritte Abschnitt widmet sich dagegen den Eingriffen Borgheses in die Arbeit der kurialen Verwaltungsgremien, die zwar keine Auftritte auf der internationalen Bühne ermöglichten, aber hinreichend Raum für den Kampf zwischen Sachverstand und Privatinteressen boten.

Im sechsten Kapitel wird zunächst Bilanz zu ziehen und zusammenzutragen sein, was über die Rollen des Kardinalnepoten, die verschiedenen Kategorien seiner Korrespondenz und die Aussagekraft dieser Briefwechsel in Erfahrung zu bringen war. Der zweite Abschnitt kommt auf die These vom Kampf zwischen Staatsidee und Nepotismus zurück und versucht zu klären, ob man dem Nepoten als Verkörperung überlebter Herrschaftstechniken die Sekretäre der römischen Behörden als Bannerträger der Modernisierung gegenüberstellen kann. Konzentrieren sich diese Überlegungen auf die Sekretäre im Pontifikat Pauls V. und ihre Position zwischen Gunst und Amtspflicht, öffnet sich im dritten Abschnitt die Perspektive für einen Blick auf die Jahrzehnte bis zur Abschaffung des Nepotenamtes im Jahre 1692. Hier nun endlich werden die einleitenden Erörterungen über die europäischen Gemeinsamkeiten und die Eigenheiten des römischen Systems wiederaufzugreifen sein. Was den Kardinalnepoten zu einem leichteren Gegner für den Staatssekretär machte, als es die Günstling-Minister an den Höfen Europas waren, gilt es zu überlegen. Daß die Sekretäre zwar über den Papstneffen, doch nicht über die strukturellen Probleme der römischen Wahlmonarchie jenseits des Nepoten gesiegt hatten, sollte sich dabei zeigen.

Zur Zitierweise der italienischen Quellen sei folgendes angemerkt: Während Orthographie und Akzentsetzung in aller Regel dem Original folgen, werden bei Namen grundsätzlich große Anfangsbuchstaben verwandt und Abkürzungen stillschweigend aufgelöst. Nur einige Anredeformeln (*V.S.* (*Ill.ma*) = Vostra Signoria (Illustrissima), *SS.VV.* (*Ill.me*) = Signorie Vostre (Illustrissime) und Titel (*Ill.mo* = Illustrissimo, *Ecc.mo* = Eccellentissimo) bleiben abgekürzt. Bei der vorsichtigen Modernisierung der Interpunktion wird vor allem auf Kommata verzichtet, die das Verständnis des Textes eher erschweren als erleichtern.

II. Im Zentrum der kurialen Politik:
Das Staatssekretariat Pauls V.

«Papst, Kardinalnepote, Staatssekretär im beginnenden siebzehnten Jahrhundert: sie sind die drei treibenden Kräfte der kurialen Politik»[1]. Wie selbstverständlich steht dieser in den Worten Hammermayers wiedergegebene Befund in den einschlägigen Arbeiten zum Staatssekretariat am Anfang der Betrachtungen, und zu klären scheint nur noch der jeweilige Anteil der drei Akteure an der Gestaltung der Politik Roms. Um dies zu ermitteln, kommen nach der reinen Lehre der Aktenkunde vor allem die eingelaufenen Originalbriefe mit ihren Bearbeitungsvermerken und die Entwürfe der Antwortschreiben in Frage. Die Auslaufregister, in denen die in der Behörde erstellte Post verzeichnet wurde, finden hingegen wenig Gnade. Doch da gerade diese Bände die Organisation der Arbeit im Staatssekretariat und das Schicksal seiner Bestände besser dokumentieren als jede andere Quellenart, sei ihnen der erste Abschnitt gewidmet. Zuerst soll mit Hilfe der Auslaufregister für die Nuntien und Legaten das unter Paul V. tätige Personal der Behörde vorgestellt und die Ressortaufteilung ermittelt werden, dann folgt ein Blick auf die Register *a diversi* und die Kriterien, nach denen die Korrespondenzpartner der Kurie in verschiedene Kategorien und die entsprechenden Bände eingeteilt wurden, und schließlich wird anhand der Fundstellen zu rekonstruieren sein, wie die Mitarbeiter des Staatssekretariats nach dem Ende ihrer Dienstzeit mit den Amtsakten verfuhren. Sind diese grundsätzlichen Aspekte erörtert, rücken die in aktenkundlicher Hinsicht zu Recht hoch geschätzten Originalschreiben des römischen Einlaufs in den Mittelpunkt. Nach dem Vorbild der Registerbände, die zwischen den Nuntien und Legaten des Apostolischen Stuhls und den übrigen Absendern unterscheiden, wird sich der zweite Abschnitt auf die Schreiben der Amtsträger und ihre Bearbeitung konzentrieren. Der dritte Abschnitt gehört hingegen den im Staatssekretariat bearbeiteten Briefen, deren Verfasser unter der

---

[1] Hammermayer, S. 165.

Rubrik mit dem bezeichnend unspezifischen Titel «*diversi*» zusammengefaßt wurden. Da sich nicht wenige aus der bunten Schar der *diversi* an Paul V. persönlich wandten, wird ein Blick auf die verschiedenen Formen päpstlicher Antwortschreiben und deren Entstehung das Kapitel über die Arbeit des Staatssekretariats abschließen.

1. Das Staatssekretariat Pauls V. und seine Auslaufregister:
Grundsätzliches zur Arbeit der Behörde und zu ihren Quellen

Auslaufregister sind die Stiefkinder der Aktenkunde: Lediglich Abschriften der weit interessanteren Minuten, angefertigt von rangniederen *sostituti* (Gehilfen) und nicht selten erst lange nach der Absendung der registrierten Schreiben erstellt, überdies häufig nochmals kopiert und oft erst Jahre später völlig willkürlich mit anderen Registern zu einem Band zusammengefügt – was soll man mit solchen Bänden anfangen? Bei der aktenkundlichen Suche nach Handschriften sicherlich nichts[2]. Für die politische Geschichte dagegen können Auslaufregister in Ermangelung der Originalschreiben Roms von größter Bedeutung und selbst Kopien dieser Bände ein wahrer Glücksfund sein. Auch für das Pontifikat Pauls V. gestattet es die Überlieferungslage nur in seltenen Fällen, auf den für Mediävisten ohnehin selbstverständlichen Griff zu den Registern zu verzichten[3], und so sei zunächst ein Überblick über die Bände gegeben, in denen die Schreiben des Staatssekretariats in der Regierungszeit des Borghese-Papstes verzeichnet wurden. Gleichzeitige, d. h. im Rahmen des üblichen Geschäftsgangs angelegte Auslaufregister haben bereits das aktenkundliche Interesse Josef Semmlers und damit den Weg in seine Liste der

---

[2] Semmler, Staatssekretariat, S. 11, schreibt zur kopialen Überlieferung: «Für uns ... scheidet sie als Quelle aus, tilgt oder verwischt sie doch jeden Hinweis auf die Entstehung der Akten, die sie überliefert.» Kraus, Staatssekretariat, S. 251–260, beschreibt Registrierverfahren und Registerbände samt Kopien für die Zeit Urbans VIII. ausführlich, doch auch für ihn sind diese Quellen aktenkundlich von nachrangiger Bedeutung.

[3] Für die Legation Ferrara etwa stellen die Auslaufregister den mit Abstand größten Teil der relevanten römischen Quellen dar, und ohne sie wäre die Politik der Zentrale gegenüber dieser Provinz schwerlich ausreichend zu beleuchten. Allein mit den Minuten, die Semmler, Staatssekretariat, S. 29–32, angibt, könnte dies nicht gelingen, gehen sie doch über Juni 1609 (für die Legaten) bzw. Januar 1610 (für andere Adressaten) nicht hinaus. Auch bei Berücksichtigung weiterer Minutenbände aus dem Staatssekretariat Pauls V., die Semmler nicht aufführt (SS Part 171, 172, 174, 175; SS Ppi 184–194; SS Card 135–138; SS Vesc 189–191; E 57–61) wäre die Quellenbasis für allgemeinhistorische Untersuchungen nicht ausreichend, die Auslaufregister bleiben somit unverzichtbar.

originalen Amtsakten gefunden[4]. Bei näherem Hinsehen zeigt sich jedoch, daß in der entsprechenden Aufstellung keineswegs nur die kopiale Überlieferung fehlt. Denn da sich Semmler auf die Weisungen der Behörde an die Nuntien und Legaten außerhalb des Kirchenstaats konzentriert hat, sucht man zweierlei vergebens: die zwar des öfteren kopierten, aber auch im Original erhaltenen Auslaufregister für die Schreiben des Staatssekretariats an die Kardinallegaten der Kirchenstaatsprovinzen Ferrara, Bologna und der Romagna mit Amtssitz Ravenna, und die sogenannten *Registri a diversi*, die Briefe an höchst unterschiedliche Empfänger beinhalten und wenigstens zum Teil zu den Originalakten des Staatssekretariats Pauls V. zu zählen sind[5]. In Ergänzung zu Semmlers Angaben sollen daher sowohl die kopierten Auslaufregister für die Nuntiaturen als auch die Bände für die kardinalizischen Verwaltungschefs der Legationen sowie die Register *a diversi* nachgetragen werden. Daß sich mit Hilfe dieser Bände einige Lücken in der Quellenlage für das Borghese-Pontifikat schließen lassen, wird dabei zu zeigen sein. Doch dies ist keineswegs der einzige Zweck der kompilativen Übung. Vielmehr wirft ein Blick auf die Auslaufregister des Staatssekretariats Fragen auf, die grundlegende Apekte der innerbehördlichen Arbeit berühren und daher auch in behördengeschichtlicher und aktenkundlicher Hinsicht von Bedeutung sind. Anlaß zu solchen Fragen geben vor allem drei Phänomene: die zeitlichen Einschnitte, die die Register des Staatssekretariats in erstaunlicher Übereinstimmung aufweisen, der Kreis der Adressaten in den *Registri a diversi*, in denen trotz der gesondert geführten Bände für das römische Personal auch Amtsträger des Apostolischen Stuhls auftauchen konnten, und die über zahlreiche Fondi nicht nur des Vatikanischen Archivs verteilten Fundstellen der Register und ihrer Kopien. Um diesen Phänomenen auf den Grund zu kommen, sollen im folgenden drei Themenkomplexe erörtert werden, deren Betrachtung einen ersten Überblick über die Arbeit der politischen Behörde und ihre Quellen eröffnet und daher als Einstieg in die weitere Untersuchung des Staatssekretariats zu verstehen ist: die wechselnde personelle Besetzung der Behörde, die

---

[4] Vgl. die Aufstellung für die Nuntiaturen und Legationen außerhalb des Kirchenstaats bei Semmler, Staatssekretariat, S. 36–38.

[5] Daß die *Registri a diversi* bei Semmler keine Erwähnung finden, könnte mit seiner Meinung zusammenhängen, die Minutenbände für die als «publiche d'Italia» und «private miste» bezeichneten Briefentwürfe, die z.T. diesen Registern entsprechen, seien «von vornherein als Auslaufregister angelegt» worden (Semmler, Staatssekretariat, S. 42). Diese Einschätzung mag dem äußeren Erscheinungsbild der Minutenbände entsprechen, wird aber bereits von den Registrierungsvermerken auf den Minuten widerlegt, die Semmler im gleichen Absatz beschreibt. Warum er die Auslaufregister an die Kardinallegaten nicht erwähnt, ist unklar, finden sich einige von ihnen doch in Bänden, die Semmler bei der Suche nach Auslaufregistern für die Nuntiaturen durchaus berücksichtigt hat, vgl. die Angaben für SS Germ 27, SS Nap 326 und SS Ven 272 in Tab. 1. Daß es sich bei FB III 16 um ein Auslaufregister für die Legation Ravenna handelt, wie Semmler, ebd., S. 37, berichtet, trifft nicht zu.

Kriterien, nach denen ihre Korrespondenzpartner in verschiedene Kategorien und die entsprechenden Bände eingeteilt wurden, sowie das Schicksal der Bände, deren Weg vom Staatssekretariat Pauls V. zu ihren heutigen Fundorten ein bezeichnendes Licht auf das Selbstverständnis der Sekretäre und den Umgang mit den Amtsakten wirft.

a. Die Register für die Nuntien und Legaten: Personal und Ressortaufteilung in der politischen Behörde

Wer die Mitarbeiter der Behörde waren und wie sie die anfallende Arbeit untereinander aufteilten, hat Semmler anhand der Bearbeitungsvermerke auf den eingelaufenen Schreiben und der daraufhin erstellten Minuten bereits in weiten Teilen rekonstruiert[6]. Die Bände, in denen die auslaufende Post verzeichnet wurde, konnten ihm hierbei nur wenige Informationen liefern, doch da bereits die Register für die Nuntiaturen und Legationen mit ihren zeitlichen Brüchen und Lücken die personellen Wechsel im Staatssekretariat und ihre Folgen für Ressortaufteilung und Überlieferungslage höchst anschaulich illustrieren, seien zunächst die ermittelten Bände für die diplomatischen Vertreter Roms jenseits des päpstlichen Territoriums und die Legaten im Norden des Staates aufgeführt[7]: die von Semmler

---

[6] Die folgenden Ausführungen stützen sich daher maßgeblich auf Semmler, Staatssekretariat, S. 52–88, übernehmen dessen Sicht aber keineswegs in allen Punkten.

[7] Nicht berücksichtigt werden die Bände der bei Semmler den Nuntiaturen zugeschlagenen Inquisitur Malta, da es sich hierbei nicht um eine diplomatische Vertretung im eigentlichen Sinne handelt. Semmler, Staatssekretariat, S. 37, nennt für die Inquisitur Malta die Bände FB II 428,485–535: 2. Januar 1614 (tatsächlich: 29. Januar 1614) bis 18. Dezember 1620, sowie FB II 369, wobei dieser Band Briefe an *diversi* in Sizilien und Malta beinhaltet und daher in Tab. 2 aufzuführen sein wird. Zu ergänzen sind die Schreiben vom 11. bis zum 25. Juni 1605 und vom 9. Oktober 1605 in FB I 923,76–79+90 f.; SS Ppi 160,3–5+25; Barb.lat. 5945, S. 127–134+174–176; SS Div 7,427–430+446. (Diese Aneinanderreihung der Bände heißt hier wie im folgenden, daß es sich um identische Exemplare ein und desselben Registers handelt.) Ebenfalls nicht in die Tabelle aufgenommen wurden die von Semmler nicht berücksichtigten Verzeichnisse des Staatssekretariats für Schreiben, deren Empfänger zwar im diplomatischen Dienst der Kurie standen, aber nicht zu den regulären Nuntien zählten. Erwähnt seien diese häufig kopierten Register und ihre Adressaten dennoch. So richteten sich an: den in Militärangelegenheiten nach Ungarn und Wien entsandten Monsignore Giacomo Serra, 2. Juli 1605 bis 28. Januar 1606: SS Germ 17,4–28; FB I 936,5–38; SS Div 7,3–31; Pio 173,3–17; Barb.lat. 5931, S. 1–62; nur bis zum 27. August 1605, aber mit den Begleitschreiben für Serra vom 3. Juni 1605 am Anfang: SS Pol 174,2–13; FB I 923,28–41; SS Div 7,395–408; Pio 169,14–23; Barb.lat. 5945, S. 44–79. An den Provinzial der Minoritenkonventualen in Österreich, der nach Serras Abreise die einschlägige Korrespondenz übernahm, 28. Januar 1606 bis 18. Juli 1609: SS Germ 17,28–57; FB I 936, 38–79; SS Div 7,31–62; Pio 173,17–32; Barb.lat. 5931,S. 62–131. An die Unterhändler des Apostolischen Stuhls in der Krise zwischen Rom und Venedig, 6. Januar 1607 bis 18. September 1607: SS Ppi 156,58–95; FB I 927,65–100; SS Div 147,313–358; Pio 174,43–65; Barb.lat. 5952, S. 150–228

ermittelten originalen Register (mit (S) gekennzeichnet) für die Nuntien und deren zahlreich vorhandenen Kopien, die bei Semmler nicht erfaßten Verzeichnisse für die Kardinallegaten in Bologna, Ferrara und Ravenna samt ihrer Abschriften sowie eine Reihe weiterer Bände, die zum größten Teil zwar nicht unmittelbar aus dem Geschäftsgang der Behörde hervorgegangen sind, doch die bei Semmler verbliebenen Lücken weitgehend schließen können[8]. Um die markanten zeitlichen Einschnitte zu verdeutlichen, die die Geschichte des Staatssekretariats unter Paul V. in verschiedene Phasen einteilen, ist der Tabelle eine graphische Darstellung der

---

(nur bis zum 18. Juni 1607). An den als Legaten zu Rudolf II. entsandten Kardinal Millino, 24. Mai 1608 bis 18. Oktober 1608 (einschließlich der Instruktion für Millino vom 12. Mai 1608): SS Germ 18; FB I 931 bis, 86–155; SS Div 200,380–441; Pio 178,197–227; Barb.lat.5929, S. 210–349. An den mit der Berichterstattung vom Regensburger Reichstag beauftragten Augustinerpater Milensio, 26. Januar 1608 bis 31. Mai 1608: SS Germ 19; FB I 931 bis,156–163; SS Div 200,444–451; Pio 178,228–231; Barb.lat.5929, S. 349–365. An den nach der Verhaftung des Salzburger Erzbischofs durch Herzog Maximilian von Bayern nach Salzburg entsandten Monsignore Diaz, 28. Januar 1612 bis 8. Oktober 1612: SS Ppi 160,214–249. An den mit inneritalienischen Friedensverhandlungen beauftragten Monsignore Savelli, 16. August 1614 bis 28. März 1615: SS Ppi 168,1–35; FB I 906,3–61.

[8] Mit (S) gekennzeichnet sind in Tab. 1 auch jene Bände aus Semmlers Liste, die ich mit einem anderen Datum versehen, um Folio-Angaben ergänzt oder anderen Rubriken zugeordnet habe. Letzteres gilt für fast alle Bände aus Semmlers Rubriken Wien und Prag (vgl. Anm. 11); für SS Col 210 und 211 (Köln statt Schweiz) sowie für SS Fra 297, SS Spa 334 und FB II 369, die sich an *diversi* in Frankreich, Spanien, Malta und Sizilien (vgl. Tab. 2), nicht an die diplomatischen Vertreter Roms richten. Bei den nicht mit (S) markierten Bänden handelt es sich keineswegs ausschließlich um Kopien. So sind zwar die Bände aus den Fondi Pio, SS Div und Barb.lat. (außer Barb.lat. 5943, einem Originalregister, das aus dieser Reihe fällt), die in enger Abhängigkeit voneinander entstanden sein dürften, sowie die Register der Biblioteca Angelica (Ang.) ihrem äußeren Erscheinungsbild zufolge erst nach dem Ende des Borghese-Pontifikats entstanden, während die Bände FB I 894 bis 954 möglicherweise noch zu Lebzeiten Pauls V., aber nach der Vorlage bereits vorhandener Originalregister erstellt wurden und daher ebenfalls als Kopien anzusprechen sind (vgl. auch die Notiz im Index 193 für den Fondo Borghese, fol. 142 f.). Die Fondi SS Nunziature e Legazioni, SS Lettere und FB, Serie II, zwischen denen es bezeichnenderweise keine Überschneidungen gibt (vgl. Tab. 3), können dagegen mit einer Reihe von Bänden aufwarten, die m. E. in Semmlers Liste der gleichzeitigen Auslaufregister gehört hätten. Diesem Befund trägt die Reihenfolge Rechnung, in der die ermittelten Exemplare für die jeweiligen Register angegeben werden. Da – falls vorhanden – zunächst die von Semmler als Originale identifizierten Bände, dann die stets originalen Register aus SS Nunziature e Legazioni bzw. SS Lettere, danach die wenigstens zum Teil originalen Register des FB und erst am Ende die Kopien aus den Fondi SS Div, Pio, Barb.lat. und Ang. genannt werden, ist der in fast allen Fällen vorhandene originale Band stets an erster Stelle zu finden. Die für den registrierten Zeitraum angegebenen Daten entstammen jeweils dem zuerst genannten Band, gelten in der Regel aber auch für die folgenden Kopien. Bei einigen Registern muß der Vermerk xy die an sich nötigen Folio-Angaben ersetzen: Diese Bände sind wegen ihres schlechten Zustands zur Zeit *non consultabili* (so die Notiz auf den gescheiterten Bestellungen im Vatikanischen Archiv), was dank der Existenz mehrerer paralleler Verzeichnisse allerdings zu verschmerzen ist und den auch praktischen Nutzen der kopialen Überlieferung nachdrücklich unterstreicht. Die Aufschlüsselung der Abkürzungen ist dem entsprechenden Verzeichnis am Ende der vorliegenden Arbeit zu entnehmen.

erhaltenen Bestände beigegeben[9]. Die jeweilige Ressortaufteilung innerhalb dieser Phasen ist zur Illustration der folgenden Erläuterungen optisch hervorgehoben[10].

---

[9] Im Schaubild zu Tab. 1 werden die Bände in Form von Rechtecken dargestellt, deren Größe sich allein nach dem zeitlichen Umfang der jeweiligen Register richtet. Anfang und Ende des in einem Verzeichnis erfaßten Zeitraums werden in aller Regel von zwei Kriterien bestimmt: vom Kalenderjahr, das komplett zu umfassen sich die meisten Bände bemühen (besonders deutlich für die Zeit ab 1614), und von der Dienstzeit des zuständigen Sekretärs, bei dessen Ausscheiden aus der Behörde die von ihm geführten Verzeichnisse abrupt abbrechen (vgl. die folgenden Erörterungen). Daneben gibt es ein drittes Kriterium, das vor allem in den Bänden des Fondo Barb.lat. zum Tragen, im Schaubild aber nicht immer zum Ausdruck kommt: das Ende der Amtszeit des Nuntius, an den die erfaßten Schreiben gingen. Ein Blick auf die Register für die Nuntiatur Graz mag dies verdeutlichen. So sind die Briefe des Staatssekretariats an den Nuntius in Graz für die Zeit vom 4. Juni 1605 bis zum 26. November 1611, dem Ausscheiden des Sekretärs Confalonieri (s.u.), in mehreren Registern zu finden. Pio 166 deckt den gesamten Zeitraum ab, SS Germ 21 (= FB I 919 = SS Div 5) und SS Germ 22 (= FB I 918 = SS Div 6) umfassen gemeinsam den genannten Abschnitt. Auch Barb.lat. 5923 und 5924 decken gemeinsam die Zeit bis zum November 1611 ab, doch im Unterschied zu den Registern aus den Fondi SS Germ, FB und SS Div, die bis zum Ausscheiden des Sekretärs Malacrida im Juli 1609 reichen bzw. mit dem Amtsantritt seines Nachfolgers Confalonieri im August 1609 einsetzen, weisen die Bände aus Barb.lat. den zeitlichen Einschnitt erst Ende 1610 und im November/Dezember dieses Jahres eine leichte Überschneidung auf. Ein Vergleich mit den bei Henry Biaudet, Les nonciatures apostoliques permanentes jusqu'en 1648 (Annales Academiae Scientiarum Fennicae, Ser.B, Tom.II, Nr. 1), Helsinki 1910, Sp. 172–214, aufgeführten Amtszeiten der Nuntien Pauls V. kann dies erklären. Laut ebd., Sp. 197, wurde am 9. Oktober 1610 Pietro Antonio da Ponte, der Erzbischof von Troia, zum Nachfolger des bislang in Graz akkreditierten Nuntius Giovanni Battista Salvago bestimmt. Da Salvago in Graz ausharren mußte, bis sein Nachfolger angekommen war, reicht seine Grazer Korrespondenz mit Rom und der ihm vorbehaltene Band Barb.lat. 5923 bis zum 25. Dezember 1610. Da Ponte hingegen brach bereits im November 1610 nach Graz auf, so daß die an ihn gerichtete Post und damit der dem neuen Nuntius vorbehaltene Band Barb.lat. 5924 am 6. November 1610 einsetzt. Solche nur mit einem Wechsel im Amt des Nuntius zu erklärenden Einschnitte und die daraus resultierenden zeitlichen Überschneidungen zwischen den Registern für den scheidenden Diplomaten und seinen Nachfolger begegnen in Tab. 1 des öfteren. Im Schaubild wurden diese Bände indes nur dann berücksichtigt, wenn keine Register vorliegen, die, wie SS Germ 21 und 22 mit ihren Kopien im Beispiel Graz, für die personellen Wechsel innerhalb des Staatssekretariats weit aussagekräftiger sind. Bei Bänden für die gleiche Nuntiatur, die sich zeitlich überschneiden, aber dennoch ins Schaubild aufgenommen wurden, ist der erste Band mit durchgezogener, der zweite mit gestrichelter Linie dargestellt.

[10] Die verschiedenen Hervorhebungen stehen für folgende Sekretäre: A: Malacrida; B: Margotti; C: Confalonieri; D: Perugino; E: Feliciani. Nicht unterlegt wurden die Monate vor September 1605, weil erst zu Anfang dieses Monats die Ernennung Borgheses zum Chef der Behörde erfolgte und die für das Pontifikat Pauls V. maßgebliche Einteilung der Ressorts Konturen gewinnen konnte, sowie jene Phasen in den Rubriken Wien und Kirchenstaat, in denen das Staatssekretariat aus noch zu klärenden Gründen kein Register führen mußte.

TABELLE 1: DIE AUSLAUFREGISTER DES STAATSSEKRETARIATS PAULS V. FÜR DIE NUNTIATUREN UND LEGATIONEN

Nuntiatur Graz

1. 4. Juni 1605–25. Juli 1609
SS Germ 21 (S)
FB I 919
SS Div 5

2. 1. August 1609–26. November 1611
SS Germ 22 (S)
FB I 918
SS Div 6

4. Juni 1605–26. November 161
Pio 166

4. Juni 1605–25. Dezember 1610
Barb.lat. 5923

6. November 1610–26. November 1611
Barb.lat. 5924

3. 4. Januar 1614–23. Januar 1621
FB II 332

Nuntiatur Köln

1. 28. Mai 1605–25. Juli 1609
SS Col 210 (S)
FB I 917
SS Div 201,2–275
Pio 167,3–133
Barb.lat. 5922

2. 1. August 1609–26. November 1611
SS Col 211,14–290 (S)
FB I 898

3. 4. Januar 1614–23. Januar 1621
FB II 359 (S)

Nuntiatur Polen

1. 4. Juni 1605–20. August 1605
SS Pol 174,26–34
SS Div 7,430–441
Pio 169,38–44
Barb.lat. 5945, S. 134–160

2. 4. Juni 1605–25. Juli 1609
SS Pol 173
FB II 435

3. 26. September 1609–26. November 1611
SS Pol 174,49–212
FB I 920,283–487
SS Div 147,1–225
Pio 173,184–293
Barb.lat. 5932

4. 4. Januar 1614–6. Dezember 1614
FB II 428,167–194

5. 11. Oktober 1614–23. Januar 1621
FB II 427

Nuntiatur Wien[11]

1. 23. August 1608–25. Juli 1609
SS Germ 20 (S)
FB I 931 bis,4–84
SS Div 200,284–376
Pio 178,153–196
Barb.lat. 5929, S. 1–210

---

[11] Da Semmlers Auflistung der originalen Amtsakten aus der Zeit Pauls V. den Schluß nahelegen könnte, sowohl die Nuntiatur in Prag als auch die römische Vertretung in Wien seien während des gesamten Borghese-Pontifikats kontinuierlich besetzt gewesen (vgl. v.a. die Angaben zu den eingelaufenen Berichten bei Semmler, Staatssekretariat, S. 19 f. und 23 f.), sei hier folgendes angemerkt: Am Hof des Kaisers war mit Giovanni Stefano Ferreri, Antonio Caetano, Giovanni Battista Salvago, Placido de Marra, Viteliano Visconti bzw. Ascanio Gesualdo tatsächlich stets ein Nuntius akkreditiert (vgl. Biaudet, Sp. 181, 196, 211), und da die kaiserliche Residenz erst nach der Wahl Ferdinands II. im Jahre 1619 endgültig von Prag nach Wien verlegt wurde (vgl. Johann Rainer, Die Grazer Nuntiatur 1580–1622, in: Alexander Koller (Hg.), Kurie und Politik. Stand und Perspektiven der

Schaubild zu Tabelle 1:
Die Auslaufregister des Staatssekreteriats Pauls V. für die Nunitiaturen und Legationen

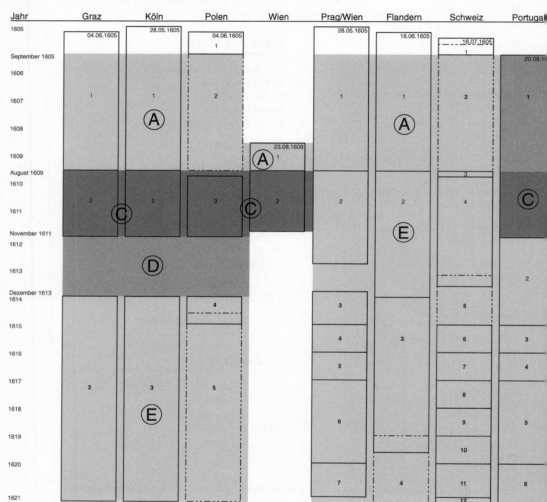

Schaubild zu Tab. 1: Die Auslaufregister des Staatssekretariats Pauls V. für die Nuntiaturen und Legationen

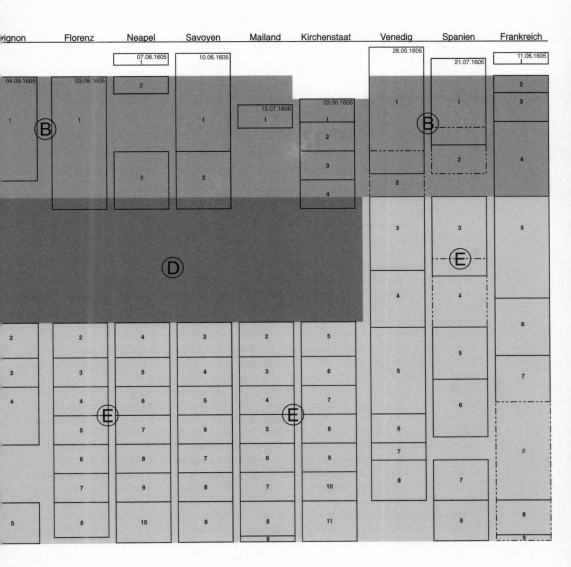

vignon	Florenz	Neapel	Savoyen	Mailand	Kirchenstaat	Venedig	Spanien	Frankreich
		07.06.1605 1	10.06.1605			28.05.1605	21.07.1605	11.06.1605 1
04.09.1605	03.09.1605	2				I	I	2
				15.07.1606	03.06.1606 I			3
1	1		I	I	2		2	4
		3	2		3	2		
					4			
	D					3	3	5
						4	4	6
2	2	4	3	2	5		5	
3	3	5	4	3	6	5		7
4	4	6	5	4	7		6	
	5	7	6	5	8	6		9
	6	8	7	6	9	7	7	
	7	9	8	7	10	8		8
5	8	10	9	8	11		8	9
				9				

2. 1. August 1609–22. Oktober 1611
SS Germ 26, 2–232
FB I 920,3–280
SS Div 7,63–374
Pio 173,33–183
Barb.lat. 5931, S. 131–749

Nuntiatur am Kaiserhof (Prag/Wien)[12]

1. 28. Mai 1605–25. Juli 1609
SS Germ 16 (S)
FB I 926
Pio 170

28. Mai 1605–8. September 1607
SS Div 2
Barb.lat. 5925

19. Mai 1607–25. Juli 1609
SS Div 3
Barb.lat. 5926

2. 1. August 1609–11. August 1612
SS Germ 23 (S)
FB I 953
SS Div 8
Pio 181
Ang. 1217
Ang. 1236,1–323

Nuntiaturberichtsforschung (Bibliothek des Deutschen Historischen Instituts in Rom, Bd. 87), Tübingen 1998, S. 272–284, hier: S. 282), taten die Diplomaten mit dem Titel *Nunzio all'Imperatore* bis kurz vor dem Ende des Borghese-Pontifikats in Prag Dienst. In Wien dagegen war in der Zeit vor dem Umzug des kaiserlichen Hofes nur sporadisch ein päpstlicher Nuntius anzutreffen. So hielt sich der im Juni 1605 bereits zum fünften Mal über die Alpen geschickte Monsignore Giacomo Serra zwar bis Ende 1605 in Wien auf, doch da er wie bei seinen vorherigen Missionen den Titel eines Generalkommissars für die päpstlichen Truppen im «Langen Türkenkrieg» trug, als solcher vor allem mit militärfiskalischen Aufgaben betraut war und keineswegs die gleichen Fakultäten besaß wie ein Nuntius (vgl. Arnold Oskar Meyer, Nuntiaturberichte aus Deutschland nebst ergänzenden Aktenstücken. IV. Abteilung: Siebzehntes Jahrhundert. Die Prager Nuntiatur des Giovanni Stefano Ferreri und die Wiener Nuntiatur des Giacomo Serra (1603–1606). Im Auftrage des K. Preussischen Historischen Instituts in Rom bearbeitet von Arnold Oskar Meyer, Berlin 1913, Bd. 1, S. XXIV–XXVI, der ebd., S. XXXVI–XXXVIII, die Fakultäten Serras ediert und kommentiert), sollte man Serra m. E. nicht zu den regulären Nuntien zählen. Aus diesem Grund wurden die Register mit den Schreiben des Staatssekretariats an Serra nicht in Tab. 1 aufgenommen, sondern in Anm. 7 genannt. Erst als der «Bruderzwist in Habsburg» seinem Höhepunkt zusteuerte und der in Wien residierende Erzherzog Matthias 1608 an Stelle seines Bruders, des Kaisers Rudolf II., König von Ungarn und Böhmen geworden war, entsandte der vor allem an der Wahl eines konfessionell zuverlässigen Kandidaten zum römischen König interessierte Paul V. einen Nuntius nach Wien: den Bischof von Melfi Placido de Marra. Vgl. hierzu Giordano, Istruzioni, S. 238 f., sowie die im Oktober 1608 abgefaßte Finalrelation des Mitte des Jahres als Legat zum Kaiser entsandten Kardinals Millino, der Rudolf II. vergeblich für die Wahl eines Nachfolgers zu gewinnen versucht hatte und nach seiner Rückreise über Wien nach Rom notierte: «*Havendo io procurato il servitio della Religione et con Cesare et con l'Arciduca Mathias ... mi rimisi in via, lasciando però conforme la prudentissima determinatione di Vostra Santità Nuntio appresso l'Arciduca Monsignore Vescovo di Melfi*» (zit. nach der Edition der Relation bei Anton Pieper, Instruction und Relation der Sendung des Cardinals Millino als Legaten zum Kaiser (1608), in: Stephan Ehses (Hg.), Festschrift zum elfhundertjährigen Jubiläum des deutschen Campo Santo in Rom, Rom 1897, S. 264–279, hier: S. 278 f.). Die Register mit den Weisungen an Millino sind ebenfalls in Anm. 7 aufgeführt. Der ab 1612 in Prag tätige de Marra (s. o.) war den Registern mit den an ihn gerichteten Weisungen zufolge (vgl. Tab. 1, Rubrik Wien) von August 1608 bis Oktober 1611 bei Matthias in Wien akkreditiert und bis zur Verlegung des Kaiserhofs der einzige reguläre Nuntius Pauls V. in Wien.

[12] Vgl. die vorherige Anm.

1. August 1609–27. November 1610
Barb.lat. 5927

27. November 1610–11. August 1612
Barb.lat. 5928

3. 7. Dezember 1613–27. Dezember 1614
SS Port 150,2–157 (S)
FB I 937,3–177
SS Div 4,2–202
Pio 187,3–98
Barb.lat. 5930
Ang. 1227,5–132

4. 3. Januar 1615–30. Dezember 1615
SS Port 151, 2–170 (S)
FB I 942,4–214
Ang. 1234,8–164

5. 2. Januar 1616–31. Dezember 1616
SS Germ 27,10–194 (S)
FB I 945,2–228
Ang. 1235,3–113
Ang. 1236,324–357

6. 4. Januar 1617–28. Dezember 1619
SS Port 152,1–306 (S)
FB I 947,5–355

7. 4. Januar 1620- 25. Dezember 1620
SS Germ 26,233–318 (S)

Nuntiatur Flandern

1. 18. Juni 1605–25. Juli 1609
SS Fian 136A (S)
SS Div 201,278–543
Pio 167,135–267
Barb.lat. 5919

2. 1. August 1609–28. Dezember 1613
SS Fian 137A (S)
FB I 914
Ang. 1220

3. 4. Januar 1614–20. Juli 1619
FB II 428: 343–476 (S), 219–335 (S), 23–153

4. 1619–1621
FB II 403,xy

Nuntiatur Schweiz

1. 16. Juli 1605–13. August 1605
SS Ppi 160,172–176
FB I 923,82–87
SS Div 7,441–446
Pio 169,44–47
Barb.lat. 5945, S. 160–174

2. 30. Juli 1605–25. Juli 1609
FB I 899

3. 1. August 1609–8. August 1609
FB I 932,103–106

4. 8. August 1609–26. Oktober 1613
FB I 597 (S)
SS Svizz 11
FB I 901
SS Div 204
Pio 184
Barb.lat. 5920
Ang. 1221

5. 14. September 1613–20. Dezember 1614
SS Port 150, 163–286 (S)
FB I 937,178–310
SS Div 4,204–348
Pio 187,99–169
Barb.lat. 5921
Ang. 1227,134–218

6. 3. Januar 1615–26. Dezember 1615
SS Port 151,170–266 (S)
FB I 942,215–316
Ang. 1234,167–245

7. 2. Januar 1616–31. Dezember 1616
SS Germ 27,309–387 (S)
FB I 945,381–476
Ang. 1235,190–237
Ang. 1236,375–392

8. 4. Januar 1617–30. Dezember 1617
SS Ppi 168,125–184
FB I 906,169–244

9. 6. Januar 1618–29. Dezember 1618
SS Ppi 160,250–321

10. 5. Januar 1619–28. Dezember 1619
SS Ven 272,388–453 (S)
FB I 895,355–420

11. 4. Januar 1620–26. Dezember 1620
SS Ppi 160,322–379

12. 2.–23. Januar 1621
SS Ppi 160,383–385

Kollektorie Portugal

1. 2o. September 1605–8. November 1611
SS Port 12,11–170 (S)

20. September 1605–10. Dezember 1608
FB I 592, 4–47 (S)

13. Oktober 1609–8. November 1611
FB I 952,205–323
SS Div 233,222–372
Pio 182,111–183
Barb.lat. 5955, S. 427–705

2. 7. Dezember 1611–5. Dezember 1614
SS Port 150,292–431 (S)
FB I 937,311–467
SS Div 144A
Pio 187,170–251
Barb.lat. 5940
Ang. 1227,219–342

3. 3. Januar 1615–9. Dezember 1615
SS Port 151,266–316 (S)
FB I 942,317–370
Ang. 1234,251–290

4. 6. Januar 1616–10. Dezember 1616
SS Germ 27,505–558
FB I 945,621–684
Ang. 1235,311–336

Ang. 1236,416–429

5. 14. Januar 1617–2. Dezember 1619
SS Port 152,307–435 (S)
FB I 947,356–484

6. 20. Januar 1620–15. Januar 1621
SS Port 12,193–231 (S)

Legation Avignon[13]

1. 14. September 1605–5. Dezember 1608
SS Av 154,2–187

14. September 1605–4. Januar 1608
FB I 949

4. Januar 1608–5. Dezember 1608
FB I 592,49–85 (S)

2. 6. Dezember 1613–12. Dezember 1614
SS Av 155,180–218
FB I 935,163–204
SS Div 236,535–585
Pio 188,270–295
Barb.lat. 5957, S. 1043–1139
Ang. 1226,183–230

3. 9. Januar 1615–25. Dezember 1615
SS Nap 325,268–299
FB I 894,253–289
Ang. 1233,266–301

4. 8. Januar 1616–22. Dezember 1617
SS Av 154,194–205

5. 3. Januar 1620–8. Januar 1621
SS Av 154,207–288

---

[13] Die Legation Avignon könnte man für eine Ausnahme halten, fielen der Titel des Legaten und die mit diesem Amt verbundenen Einnahmen doch traditionell dem Kardinalnepoten des regierenden Papstes zu. Auch Paul V. hielt sich an diese Regel: Als die Amtszeit des von Clemens VIII. zum Legaten von Avignon ernannten Kardinals Cinzio Aldobrandini auslief, ernannte der Borghese-Papst im November 1607 seinen Neffen Scipione zum Nachfolger (vgl. Reinhard, Papstfinanz und Nepotismus, Bd. 1, S. 100, und Semmler, Beiträge, S. 43). Allerdings ließ sich auch Borghese wie die Nepoten vor ihm von einem Vizelegaten vertreten, der vor Ort die Geschäfte führte, und da die Korrespondenz mit diesem nicht anders als die amtlichen Briefwechsel mit den übrigen Nuntien und Legaten im Staatssekretariat abgewickelt wurde, gehören die entsprechenden Bände der Behörde in diese Tabelle.

Nuntiatur Florenz

1. 3. September 1605–26. Dezember 1609
SS Fir 193,16–318 (S)

3. September 1605–30. Dezember 1606
FB I 593 (S)

6. Januar 1607–29. Dezember 1607
FB I 948,171–221
SS Div 205,202–272
Pio 177,109–149
Barb.lat. 5948

5. Januar 1608–26. Dezember 1609
FB I 916
SS Div 147,406–525
Pio 168,331–402
Barb.lat. 5949

2. 7. Dezember 1613–27. Dezember 1614
SS Nap 324,210–264
FB I 909,289–363
SS Div 200 A,231–295
Pio 189,121–153
Barb.lat. 5950, S. 517–652
Ang. 1229,240–301

3. 3. Januar 1615–26. Dezember 1615
SS Nap 325,144–192
FB I 894,133–182
Ang. 1233,142–182

4. 2. Januar 1616–31. Dezember 1616
SS Germ 27,453–500
FB I 945,565–620
Ang. 1235,283–310
Ang. 1236,407–416

5. 7. Januar 1617–30. Dezember 1617
SS Nap 326,187–251
FB I 900,197–257

6. 6. Januar 1618–29. Dezember 1618
SS Nap 326,338–380
FB I 900,348–394

7. 5. Januar 1619–28. Dezember 1619
SS Ven 272,172–222 (S)
FB I 895,161–211

8. 1. Januar 1620–26. Dezember 1620
SS Fir 193,362–399

Nuntiatur Neapel

1. 7. Juni 1605–28. Juli 1605
SS Nap 323,380–382
FB I 923,70–74
SS Div 7,424–427
Pio 169,34–36
Barb.lat. 5945, S. 120–127

2. 5. September 1605–30. Dezember 1605
SS Nap 323,4–24
FB I 923,4–26
SS Div 7,376–395
Pio 169,2–14
Barb.lat. 5945, S. 1–44

3. 4. Januar 1608–26. Dezember 1609
SS Nap 323,28–287
FB I 910
SS Div 200,2–281
Pio 178, 3–148

4. Januar 1608–5. September 1609
Barb.lat. 5946

21. Januar 1609–26. Dezember 1609
Barb.lat. 5947

4. 7. Dezember 1613–27. Dezember 1614
SS Nap 324,2–142
FB I 909,4–192
SS Div 200A,2–157
Pio 189,2–80
Barb.lat. 5950, S. 1–349
Ang. 1229,3–160

5. 2. Januar 1615–29. Dezember 1615
SS Nap 325,12–137
FB I 894,3–132
Ang. 1233,2–138

6. 1. Januar 1616–30. Dezember 1616
SS Germ 27,197–302
FB I 945,229–380
Ang. 1235,114–189
Ang. 1236,358–374

7. 6. Januar 1617–29. Dezember 1617
SS Nap 326,10–129
FB I 900,4–139

8. 5. Januar 1618–28. Dezember 1618
SS Nap 326,255–337
FB I 900,258–347

9. 5. Januar 1619–28. Dezember 1619
SS Ven 272,224–303 (S)
FB I 895,212–288

10. 3. Januar 1620–8. Januar 1621
SS Nap 323,289–367

Nuntiatur Savoyen

1. 10. Juni 1605–29. Dezember 1607
SS Sav 39 (S)

2. 5. Januar 1608–26. Dezember 1609
SS Sav 40,2–166 (S)

10. Juni 1605–26. Dezember 1609
FB I 903
SS Div 203
Pio 168,1–331
Barb.lat. 5951

3. 7. Dezember 1613–26. Dezember 1614
SS Nap 324,144–206
FB I 909,196–208
SS Div 200A,158–230
Pio 189,81–120
Barb.lat. 5950, S. 351–515
Ang. 1229,164–238

4. 2. Januar 1615–26. Dezember 1615
SS Nap 325,196–257
FB I 894,183–252
Ang. 1233,194–261

5. 2. Januar 1616–30. Dezember 1616
SS Germ 27,393–452
FB I 945,477–564
Ang. 1235,238–282
Ang. 1236,393–407

6. 6. Januar 1617–29. Dezember 1617
SS Nap 326,133–182
FB I 900, 140–196

7. 5. Januar 1618–28. Dezember 1618
SS Nap 326,384–440
FB I 900,395–455

8. 5. Januar 1619–28. Dezember 1619
SS Ven 272,124–167 (S)
FB I 895,118–160

9. 4. Januar 1620–16. Januar 1621
SS Sav 40,178–254 (S)

an Giulio della Torre in Mailand[14]

1. 15. Juli 1606–10. März 1607
SS Ppi 160,44–119
FB I 927,5–64
SS Div 147,231–312
Pio 174,3–42
Barb.lat. 5952, S. 1–149

2. 7. Dezember 1613–27. Dezember 1614
SS Av 155,222–299
FB I 935,204–274
SS Div 236,585–664
Pio 188,295–330
Barb.lat. 5957, S. 1149–1304
Ang. 1226,233–307

3. 3. Januar 1615–26. Dezember 1615
SS Ppi 166,11–55
FB I 940,4–50
FB I 941,2–57
Ang. 1231,2–46

4. 2. Januar 1616–31. Dezember 1616
SS Germ 27,687–733 (S)
FB I 945,824–878
Ang. 1235,403–429
Ang. 1236,452–466

5. 7. Januar 1617–30. Dezember 1617
SS Ppi 168,481–519
FB I 906,662–712

6. 6. Januar 1618–29. Dezember 1618
SS Nap 326,501–540

---

[14] Giulio della Torre, der Rom während des gesamten Borghese-Pontifikats in Mailand vertrat, trug zwar nicht den offiziellen Titel eines Nuntius, erfüllte aber die Aufgaben eines solchen und gehört daher mit seiner Korrespondenz in diese Liste.

FB I 900,510–547

7. *5. Januar 1619–28. Dezember 1619*
SS Ven 272,308–339 (S)
FB I 895,289–316

8. *4. Januar 1620–26. Dezember 1620*
SS Ppi 160,126–168

9. *2.–16. Januar 1621*
SS Sav 40,257 f.

Legationen im Kirchenstaat (Bologna, Ferrara, Ravenna)[15]

1. *3. Juni 1606–30. Dezember 1606*
SS Fe 238,15–220
FB I 925,3–175

2. *3. Januar 1607–29. Dezember 1607*
SS Bo 184
Barb.lat. 5953

3. *2. Januar 1608–31. Dezember 1608*
SS Bo 185
Barb.lat.5954

3. Januar 1607–31. Dezember 1608
FB I 930
SS Div 235
Pio 175

4. *3. Januar 1609–30. Dezember 1609*
SS Bo 186,3–188
FB I 932, 13–101 + 118–181

19. August 1609–15. Dezember 1609
FB I 954,87–97
Ang. 1216,75–84

5. *4. Dezember 1613–31. Dezember 1614*
SS Av 155,1–176
FB I 935,4–163
SS Div 236,344–535
Pio 188,190–270
Barb.lat.5957, S. 688–1043
Ang. 1226,2–177

6. *3. Januar 1615–30. Dezember 1615*
SS Ppi 166,347–495
FB I 940,339–487
FB I 941,390–570
Ang. 1231,332–476

7. *2. Januar 1616–31. Dezember 1616*
SS Germ 27,565–682
FB I 945,685–823
Ang. 1235,338–402
Ang. 1236,429–452

8. *4. Januar 1617–30. Dezember 1617*
SS Ppi 168,41–124
FB I 906,62–168

9. *3. Januar 1618–19. Dezember 1618*
SS Nap 326,444–495
FB I 900,456–509

10. *2. Januar 1619–21. Dezember 1619*
SS Ven 272,344–383
FB I 895,316–354

11. *8. Januar 1620–23. Januar 1621*
SS Bo 186,205–250

---

[15] Die auslaufende Post des Staatssekretariats an die Kardinallegaten in Bologna, Ferrara und Ravenna, die im Unterschied zu den Gouverneuren der nicht von einem Kardinallegaten verwalteten übrigen Provinzen des Kirchenstaats dauerhaft mit der politischen Behörde korrespondierten, wurde stets in ein und demselben Band verzeichnet. Was für diese Zusammenfassung sprach, wird in Kap. II.1.b zu erläutern sein. Als Ergänzung zu den Auslaufregistern an die Kardinallegaten sei darauf hingewiesen, daß ein Teil der Schreiben Borgheses an den Ferrareser Verwaltungschef aus der ersten Zeit nach Rom zurückgekehrt ist. Diese Originale finden sich in FB II 364 (Oktober 1605 – Juli 1606) und FB II 346 (August – Dezember 1606). Die Originalschreiben der Behörde an den Bologneser Legaten sind in weit größerem Umfang in Rom zu finden. So füllen die an den Legaten Maffeo Barberini gerichteten Schreiben des Staatssekretariats vom Juli 1611 bis zum September 1614, die in Barberinis Familienarchiv und mit diesem in die BAV gelangten, die Bände Barb.lat. 8685–8690.

Nuntiatur Venedig

1. 28. Mai 1605–13. September 1608
SS Ven 268
FB I 908
Pio 171
Barb.lat.5942

13. Juni 1607–13. September 1608
SS Div 186

2. 5. Januar 1608–25. Juli 1609
SS Ven 39,2–187 (S)

3. 22. August 1609–31. Dezember 1611
SS Ven 269 (S)
FB I 897

4. 7. Januar 1612–28. Dezember 1613
SS Ven 270 (S)
FB I 905
Ang. 1223

5. 4. Januar 1614–31. Dezember 1616
SS Ven 271 (S)
FB I 904

6. 7. Januar 1617–30. Dezember 1617
SS Ven 39,291–454 (S)

7. 6. Januar 1618–25. August 1618
Barb.lat. 5943

8. 5. Januar 1619–28. Dezember 1619
SS Ven 272,8–121 (S)
FB I 895,3–118

Nuntiatur Spanien

1. 21. Juli 1605–16. Oktober 1607
SS Spa 333 (S)

21. Juli 1605–15. Dezember 1606
Pio 172
SS Div 124
Barb.lat. 5933

9. Januar 1607–16. Oktober 1607
FB I 928,6–122

2. 28. Mai 1607–11. November 1608
SS Spa 335 (S)
FB I 928,124–354

3. 18. August 1609–8. Februar 1612
SS Spa 336 (S)
FB I 950
SS Div 125
Pio 183
Barb.lat.5934
Ang. 1218

4. 5. November 1611–21. Dezember 1613
SS Spa 337 (S)
FB I 951
SS Div 126
Pio 185
Barb.lat. 5935
Ang. 1222

5. 2. Januar 1614–30. Dezember 1615
SS Spa 339 (S)
FB I 939
SS Div 127
Pio 190
Ang. 1230

2. Januar 1614–23. Dezember 1614
Barb.lat. 5936

3. Januar 1615–30. Dezember 1615
Barb.lat. 5937

6. 8. Januar 1616–12. November 1618
SS Spa 340 (S)
FB I 921

7. 13. August 1618–13. Dezember 1619
SS Spa 341 (S)

8. 3. Januar 1620–17. Januar 1621
SS Fra 299,81–259

Nuntiatur Frankreich

1. 11. Juni 1605–9. Juli 1605
FB I 923,56–61
SS Div 7,414–420
Pio 169,28–31
Barb.lat. 5945, S. 97–111

2. 5. September 1605–27. Dezember 1605
FB I 923,96–133
SS Div 7,447–491
Pio 169,48–72
Barb.lat. 5945, S. 176–282

3. 10. Januar 1606–27. Dezember 1606
FB I 925,177–313

4. 9. Januar 1607–21. Juli 1609
SS Fra 293 (S)
FB I 931A
SS Div 293
Pio 176

9. Januar 1607–1. Oktober 1607
Barb.lat. 5913

1. Oktober 1607–21. Juli 1609
Barb.lat. 5914

11. Juni 1605–28. Dezember 1607
SS Fra 292

5. 18. August 1609–23. Dezember 1612
SS Fra 294 (S)
FB I 907
SS Div 293A
Pio 180
Barb.lat. 5915
Ang. 1215
Ang. 1224

6. 4. Januar 1613–20. Dezember 1614
SS Fra 295 (S)
SS Fra 295A
FB I 896
SS Div 71
Pio 186
Barb.lat. 5916

7. 3. Januar 1615–26. Dezember 1619
SS Fra 296 (S)
FB I 902

8. 20. Januar 1620–23. Dezember 1620
SS Fra 299,6–77 (S)

9. 28. November 1616–18. Januar 1621
Pio 191

28. November 1616–30. Dezember 1618
SS Div 72
Barb.lat. 5917

12. Januar 1619–18. Januar 1621
SS Div 73
Barb.lat. 5918

Überblickt man die Liste der Auslaufregister, fällt zunächst der unterschiedliche zeitliche Beginn der Bände ins Auge[16]. So setzten die Register für die Nuntien in

---

[16] Die folgenden Ausführungen stehen und fallen mit dem Nachweis, daß die Register tatsächlich neu angelegt und nicht etwa erst später zwar chronologisch, aber für willkürlich gewählte Zeiträume zusammengebunden wurden. Letzteres mögen die noch folgenden Bemerkungen zur im nachhinein vorgenommenen Zusammenfassung mehrerer Register in einem Band nahelegen. Doch auch in diesem Fall wurden die einzelnen Register zwar zufällig miteinander kombiniert, in sich aber nicht verändert. So können verschiedene Register, die sich in einem Band befinden, durchaus unterschiedliche Zeiträume umfassen (vgl. z.B. FB I 925,3–175: Register an die Kardinallegaten 31. Mai 1606–30. Dezember 1606; 177–313: Register an den Nuntius in Frankreich 10. Januar 1606–27. Dezember 1606). Nur um im nachhinein einen bestimmten Zeitraum wie etwa ein Kalenderjahr zusammenzufassen, wurden m.E. die originalen Register niemals auseinandergerissen und neu zusammengefügt, und auch die Kopisten haben ihre Vorlagen so abgeschrieben, wie sie sie vorfanden, auch wenn der zeitliche Umfang ungewöhnlich war. Dies belegt z.B. der Band Ang. 1226, bei dem es sich höchstwahrscheinlich um eine Abschrift des originalen Auslaufregisters handelt (vgl. die noch folgenden Ausführungen zur Entstehungsgeschichte der Ang.-Bände). Daß er zwar das gesamte Jahr 1614 umfaßt, aber nicht im Januar 1614, sondern bereits im Dezember 1613 beginnt, hat den Kopisten zwar offensichtlich irritiert, denn hartnäckig datierte er die eindeutig im Dezember 1613 verfaßten Schreiben am Anfang des Bandes auf Dezember 1614. Doch dem Jahrestakt zuliebe den Dezember 1613 wegzulassen und andernorts zu vermerken, kam ebensowenig in Frage wie die Einordnung der falsch datierten Schreiben am Ende des Bandes, wo sie der Datierung des Kopisten zufolge doch hingehört hätten.

Köln, Prag und Venedig bereits am 28. Mai 1605 ein, während die Verzeichnisse für ihre Kollegen in Graz, Polen, Flandern, Neapel, Savoyen und Frankreich im Laufe des Monats Juni hinzukamen und die Bände für die Schweiz und Spanien im Juli 1605 folgten. Abgeschlossen war die Anlage neuer Register jedoch erst im September 1605, denn zum einen begannen nun auch die noch ausstehenden Verzeichnisse für Portugal, Avignon und Florenz, und zum anderen wurde die zwar bereits im Juni aufgenommene, im Juli 1605 aber wieder abgebrochene Registrierung der Schreiben an die Nuntien in Neapel und Frankreich in neuen Bänden fortgesetzt[17]. Erst nach diesem Zeitpunkt präsentieren sich die Register etwas einheitlicher, und so ist anzunehmen, daß die Neuorganisation der Arbeit im Staatssekretariat Pauls V. bis in den September 1605 andauerte. Den diplomatischen Vertretern Roms dürfte dies nicht entgangen sein, denn erst Monate nach der Wahl Pauls V. konnten sie ihren Weisungen entnehmen, daß der in personalpolitischen Fragen zunächst zögernde Pontifex schließlich doch noch die allseits erwartete Entscheidung getroffen und die politische Behörde der Leitung seines Neffen Scipione Borghese unterstellt hatte. Ab dem 3. September 1605 unterzeichnete der Papstnepot mit dem roten Hut die Post des Staatssekretariats, dessen Briefpartner ihre Schreiben fortan an Kardinal Borghese als nominellem Chef der Behörde zu richten hatten[18], und da es bis zum Tod Pauls V. dabei bleiben sollte, stand das Sekretariat auch in der Regierungszeit des Borghese-Pontifex im Zeichen des institutionalisierten Nepotismus.

So selbstverständlich, wie man meinen könnte, scheint dies für Paul V. jedoch nicht gewesen zu sein, denn anstatt sofort einen Neffen oder einen anderen nahen Verwandten mit dem Purpur und den klassischen Nepotenämtern zu versehen, hatte der Papst in den ersten Monaten nach seiner Wahl alternative Lösungen in Erwägung gezogen. An Raum für personalpolitische Gedankenspiele mangelte es nicht, war das wichtigste der päpstlichen Sekretariate nach dem Tod des Aldobrandini-Papstes und dem Zwischenspiel Leos XI. doch nahezu gänzlich verwaist. Die Nepoten des verstorbenen Pontifex Pietro und Cinzio Aldobrandini, die sich zu Lebzeiten Clemens' VIII. einen langen und erbitterten Machtkampf um die Führung der Geschäfte geliefert hatten[19], waren in der Behörde nicht mehr anzutreffen, und auch die bislang mit der Abwicklung der Korrespondenz betrauten Sekretäre der beiden Papstneffen hatten den Rückzug angetreten. Kardinal Erminio

---

[17] Während das Fehlen der frühen Bände für Mailand auf eine Überlieferungslücke zurückzuführen sein dürfte, setzten die Register für die Kardinallegaten in Bologna, Ferrara und Ravenna aus Gründen, die in Kap. II.1.b zu erläutern sein werden, erst im Juni 1606 ein.

[18] Vgl. Semmler, Staatssekretariat, S. 52 f.

[19] Zum Staatssekretariat unter Clemens VIII. vgl. Jaschke und Jaitner, Hauptinstruktionen I, S. XLII-LIX; zur Konkurrenz der Nepoten vgl. ders., Il nepotismo di Papa Clemente VIII: Il dramma del Cardinale Cinzio Aldobrandini, in: Archivio Storico Italiano 146 (1988), S. 57-93.

Valenti, der für seinen langjährigen Dienst im Stab Pietro Aldobrandinis 1604 mit dem roten Hut belohnt worden war, soll in den wenigen Tagen Leos XI. entlassen worden sein, Lanfranco Margotti, die rechte Hand Cinzio Aldobrandinis im Staatssekretariat, hatte sich freiwillig in den vorzeitigen Ruhestand begeben[20]. Bald darauf fand sich Camillo Borghese auf dem Stuhl Petri wieder und vor die Aufgabe gestellt, die Führungspositionen der politischen Behörde neu zu besetzen. Nun mußte sich Paul V. entscheiden: Sollte er auf bewährte Amtsträger bauen, die sich mit den Geschäften des Staatssekretariats auskannten, aber unter den Aldobrandini aufgestiegen und daher den entmachteten Nepoten seines Vorgängers verpflichtet waren? Oder konnte er es wagen, die politische Korrespondenz in die Hände seiner eigenen Vertrauten zu legen, denen es zwar nicht an Loyalität, wohl aber an Erfahrung mangelte? Kontinuität geht vor, scheint sich der Borghese-Papst gedacht zu haben. Noch vor seiner Krönung am 29. Mai 1605 betraute er Kardinal Valenti mit der Leitung der Behörde, die einem nicht mit dem regierenden Pontifex verwandten Purpurträger zu überlassen zwar ein ungewöhnlicher Vorgriff auf die zukünftige Entwicklung, für Paul V. aber offensichtlich vorstellbar war[21].

Ob der frischgebackene Pontifex mit diesem Zögern lediglich Bedenkzeit gewinnen, eine Schamfrist einhalten oder vielleicht doch einen ernstgemeinten Versuch unternehmen wollte, mit dem institutionalisierten Nepotismus zu brechen, läßt sich kaum entscheiden. Fest steht hingegen, daß die Zeit für einen solchen Schritt noch nicht reif und der soziale Druck zu groß war, als daß Paul V. auf die Ernennung eines Nepoten hätte verzichten können. Zu spüren bekamen diesen Druck vor allem zwei Personen: der sofort nach der Wahl seines Onkels nach Rom geeilte Scipione Caffarelli, der trotz der Gerüchte über seine geplante Verheiratung von der gesamten kurialen Gesellschaft als zukünftiger Kardinalnepot gehandelt und mit Besuchen, Geschenken und anderen Zeichen der Ehrerbietung überhäuft wurde[22], und Kardi-

---

[20] Zu Valenti vgl. Jaschke, S.140; HC IV, S.8; Jaitner, Hauptinstruktionen, Bd.1, S.LVIIIf., sowie Semmler, Staatssekretariat, S.122f., der ebd., S.122, von der Entlassung Valentis durch Leo XI. ausgeht, aber ebd., S.55, berichtet, die Handschrift Valentis begegne bereits auf Schreiben vom 25. April 1605. Daß Leo XI. in seinem kurzen Pontifikat Kardinal Roberto Ubaldini zum Staatssekretär ernannt habe, wie Hammermayer, S.166, ohne Angabe seiner Quelle meldet, bestätigen die bei Meyer, Bd.1, Nr.413 und 417, edierten Schreiben des Prager Nuntius Ferreri vom 25. April und 2. Mai 1605 an den mit dem Medici-Papst verwandten Kardinal. Zu Margotti vgl. Jaschke, S.140; HC IV, S.11; Jaitner, Hauptinstruktionen, Bd.1, S.XLIX-LI; Semmler, Staatssekretariat, S.119f.

[21] Zur Berufung Valentis durch Paul V. vgl. Semmler, Staatssekretariat, S.52, der sich hierbei auf das bei Meyer, Bd.1, Nr.425, S.372, als Regest wiedergegebene Originalschreiben Valentis an Rudolf II. vom 3. Juni 1605 stützt; zur weiteren Entwicklung vgl. Kap. VI.3.

[22] Am 25. Mai 1605 berichteten die Avvisi von Gerüchten, Scipione solle verheiratet werden und den Erhalt der Casa Borghese sichern (vgl. Urb.lat. 1073,281r), aber schon Anfang Juli 1605 rechnete man an der Kurie fest mit der Promotion Scipiones (vgl. ebd.,377r; beide Quellen sind zit. bei Aloisio Antinori, Scipione Borghese e l'architettura. Programmi, progetti, cantieri alle soglie dell'età barocca,

nal Valenti, mit dem über die anstehenden Geschäfte zu reden sich nicht wenige Botschafter kurzerhand weigerten. Allen voran die Vertreter Spaniens und der Toskana würden den Kardinal aus der Klientel der Aldobrandini standhaft ignorieren, wußten die Gazettenschreiber zu berichten[23], und tatsächlich dürften dem Großherzog in Florenz und dem spanischen König mehr als allen anderen an einer Politik gelegen gewesen sein, die allein der einer Sieneser Familie entstammende und seit seiner Sondernuntiatur in Spanien dort bestens bekannte Camillo Borghese gestaltete[24]. Nolens oder volens – Paul V. kam den Erwartungen seiner Zeitgenossen nach: Am 18. Juli 1605 wurde Camillos Neffe Scipione Caffarelli mit dem Namen Borghese und dem roten Hut versehen, Anfang August folgten in einer tagelangen Prozedur die kirchlichen Weihen, Mitte des Monats nahm der junge Kardinal in der Sacra Consulta Platz, am 10. September 1605 erging die offizielle Berufung des Nepoten zum Superintendenten des Kirchenstaats, und am 21. September 1605 fiel ihm die Leitung der Kongregation Del Buon Governo zu[25]. Die Zeit Valentis im Staatssekretsariat war schon zuvor abgelaufen. Am 3. August 1605 mit dem Bistum Faenza bedacht, wußte er, wohin er zu gehen hatte, als Paul V. Ende des Monats seine Entlassung aussprach[26]. Als letzte Amtshandlung forderte er die Korrespondenzpartner der Behörde auf, ihre Meldungen in Zukunft an Kardinal Borghese zu

---

Rom 1995, S. 4, Anm. 4 und 5). Zu den Aufwartungen und Geschenken vgl. Reinhard, Ämterlaufbahn, S. 392 und 394. Allgemein zu Scipione Borghese vgl. Valerio Castronovo, Scipione Borghese Caffarelli, in: DBI 12 (1970), S. 620–624.

[23] Am 1. Juni 1605 hieß es in den Avvisi: «*Già si scrisse che Nostro Signore ha dichiarato Valenti secretario de Principi, et hora s'intende, che molti ministri non ci vogliono trattare dubitando che le cose potra saper Aldobrandino, però si fa giuditio che Nostro Signore con questa escusa potrebbe proveder in altri questo carico*» (Urb.lat. 1073,295). Bereits am 8. Juni 1605 konnten die Hofberichterstatter diese Meldung bestätigen und konkretisieren: «*Col Cardinale Valenti si verifica che gli Ambasciatori di Principi non vogliono trattare in particolar quello di Spagna et Toscana, si che potrebbe esser questo vero stimolo, che Sua Santità facci un Nipote Cardinale*» (ebd.,309). Daß auch Valenti seine Entlassung der Obstruktion des spanischen Botschafters zugeschrieben haben soll, legen die in Anm. 26 zitierten Avvisi vom 3. August 1605 nahe.

[24] Zu Camillos Familie und seiner Sondernuntiatur in Spanien vgl. die biographische Skizze am Anfang dieser Arbeit sowie Reinhard, Ämterlaufbahn, S. 328 und S. 364–370.

[25] Zu Scipiones Promotion und seinen Weihen vgl. HC IV, S. 9, v.a. Anm. 2. Die *Deputatio in superintendentem generalem omnium negotiorum status ecclesiastici cum facultatibus* Borgheses vom 10. September 1605 findet sich in Sec.Brev. 399,384–389 (vgl. auch Laurain-Portemer, S. 511). Zu Borgheses Berufung in die Consulta vgl. Reinhard, Ämterlaufbahn, S. 394, zu seinen Fakultäten in der Kongregation Del Buon Governo vgl. Laurain-Portemer, S. 512.

[26] Daß Valenti das Bistum Faenza nicht etwa als Lohn für seine Mühen betrachtet hat, wie es die Darstellung bei Semmler, Staatssekretariat, S. 122, nahelegt, sondern als untrügliches Zeichen für seine bevorstehende Abschiebung, glaubten die Avvisi-Schreiber zu wissen. So berichteten sie am 3. August 1605 in einem Atemzug mit der Verleihung des Bistums an den Kardinal, dieser «*s'intende si sia doluto apertamente dell'Ambasciatore di Spagna che è stato potissima et forse sola causa, che sia levato da quel luogo, et dalla Secretaria*» (Urb.lat. 1073,426).

richten[27], denn nun war der Papstneffe der neue Chef des Sekretariats und die klassische Nepotenrolle auch im Pontifikat Pauls V. besetzt.

Ein Blick auf das Personal der Behörde, das die Post im Namen Borgheses entwerfen und in den Registern verzeichnen sollte, zeugt indes abermals vom Willen des Papstes, ein gewisses Maß an Kontinuität zu wahren und seine politische Korrespondenz nicht ausschließlich amtsunerfahrenen Neulingen zu überlassen. Der schon 1591 zum Chiffrensekretär berufene Matteo Argenti konnte die Tradition seiner Familie in dieser Abteilung zunächst fortsetzen und gemeinsam mit seinem Bruder Marcello auch in den folgenden Monaten die Geheimkorrespondenz der Kurie entschlüsseln und chiffrieren[28], Martio Malacrida, seit seinem

---

[27] Dies belegt der an Borghese gerichtete Brief des eifrigen Avvisi-Schreibers Alessandro dell'Effetti aus Neapel vom 30. August 1605. Nach der Gratulation zur Erhebung des Nepoten zum Kardinal versicherte er diesem: «*et passero poi a reguagliarla delle cose di qui come me commette l'Ill.mo Signore Cardinale Valenti per ordine di Nostro Signore*» (FB II 431,9r–10r, hier: 9r). Möglicherweise hat sich Borghese über das eine oder andere Schreiben gewundert, das zwar an Valenti gerichtet war, aber ihm als neuem Behördenleiter in die Hände fiel, so etwa über den Brief des *Gran Maestro* des Malteserordens vom 23. September 1605 an Valenti mit seinem Hinweis auf die Sonderwünsche des entlassenen Sekretärs: «*S'è continuato, non solo, ad eseguire in questo Venerabile Consiglio quanto hà comandato Nostro Signore con il suo sanctissimo breve nella causa del Prior di Venetia Sforza, ma ho anco obbedito l'ordine del segreto, che, per parte sua, mi ha imposto V.S.Ill.ma con il dupplicato delle benignissime lettere delli 13. di Giugno, reiteratomi con l'ultima delli 29 del passato, e così l'assicuro, che si continuerà con ogni puntualità, e il simile devo sperare che faranno gli altri, che intervengano ne' consigli segreti, come ho ordinato a ciascheduno*» (ebd.,37r). Näheres werde Valenti von einem Vertreter des Ordens erfahren, hieß es in dem Schreiben, auf dessen Rückseite Borghese persönlich vermerkte, «*che ne si rispondi solo al primo capo, cioè che mandi il suo voto, et il sommario del processo*» (ebd.,40v). Daß sich der Wind in Rom gedreht hatte, wußte man jedoch auch in Malta: Vom gleichen Tag wie der Brief an Valenti datiert die Bitte des Ordens an Borghese, der Protektor der Malteser zu werden (ebd.,38r). Allerdings erhielt der mittlerweile in Faenza eingetroffene Valenti noch Monate später Post von den Amtsträgern Roms, die er an den Nepoten weiterleiten mußte. So schickte er im Dezember 1605 die wohl zunächst nach Faenza gelangte schriftliche Bitte des Nuntius in Polen um Rückerstattung des Geldes, das der Diplomat seinem Neffen für eine Reise nach Moskau gegeben hatte, mit den Worten an Borghese, der Brief «*non solo è vecchia, ma rancida*» (6. Dezember 1605, ebd.,310r). Dieses Schreiben verwies der Nepot eigenhändig an den für Polen zuständigen Malacrida (ebd.,321v).

[28] Zum Chiffrensekretariat unter Paul V. vgl. Semmler, Staatssekretariat, S. 93–95. Zu den beiden Argenti, die laut ebd., S. 94, zwar zu einem nicht genau zu bestimmenden früheren Datum offiziell entlassen worden waren, aber bis Februar bzw. Mai 1606 in den Akten nachzuweisen sind, vgl. auch ebd., S. 110 f. Ihre Nachfolge traten «die beiden namentlich nicht bekannten Männer PV 7 und PV 8» (ebd., S. 95) an. Daß es sich bei PV 7 um Vincenzo Bilotta handelt, belegen sowohl die Avvisi vom 13. Juni 1606, die die soeben erfolgte Ablösung des langjährigen Chiffrensekretärs Argenti durch besagten Bilotta meldeten (Urb.lat. 1074,305), als auch der Vergleich der Schriftprobe Semmlers für PV 7 (Staatssekretariat, Tafel 24) mit dem eigenhändig verfaßten Tagebuch Bilottas, das sich in Barb.lat. 4810 findet. Da Vincenzo Bilotta im Februar 1609 sein Amt gekündigt hat (vgl. Kap. IV, Anm. 124), wäre überdies geklärt, warum die Handschrift von PV 7 just zu diesem Zeitpunkt aus

Eintritt in das Staatssekretariat im Jahre 1603 einer der engsten Mitarbeiter Valentis im Ressort Pietro Aldobrandinis[29], durfte mitsamt seinen eingearbeiteten Gehilfen weiterhin Dienst in der Behörde tun, und der bereits in seiner zum Ruhesitz erkorenen Abtei eingetroffene Lanfranco Margotti aus der Abteilung Cinzio Aldobrandinis wurde an die Kurie zurückbeordert[30]. Wegen der Verdienste, die er sich als Sekretär erworben habe, werde Margotti im Amt bestätigt, begründete Paul V. in einem Breve vom 31. August 1605 die Übernahme des alten Sekretärs in die neuformierte Behörde[31], und so hatte der Borghese-Pontifex beide Faktoren berücksichtigt, die bei der Besetzung einer so wichtigen Einrichtung von Bedeutung waren: die bürokratische Effizienz, die von den bewährten Sekretären zu erwarten war, und die politische Loyaliät der Behördenmitarbeiter, die der Kardinalnepot als Chef des Staatssekretariats zu garantieren versprach.

Kardinal Valenti wird über seine Abschiebung in das Bistum Faenza wohl nicht

---

den Akten verschwindet (vgl. Semmler, Staatssekretariat, S.95). Daß PV 8 mit dem von Semmler erst ab 1611 im Staatssekretariat entdeckten Decio Memolo (vgl. Staatssekretariat, S.120) identisch sein dürfte, legt der Vergleich der entsprechenden Schriftproben (Tafel 25 für PV 8, Tafel 33 für Memolo) nahe. Tatsächlich diente Memolo den Borghese bereits Jahre vor 1611. So teilte der Nepot dem Bischof von Telese in der Provinz Benevent schon am 13. Juli 1607 mit, Memolo dürfe als Erzpriester von S.Anastasia di Ponte in dieser Diözese einen Substituten bestellen und mit der Erlaubnis Pauls V. weitere drei Jahre in Rom bleiben, wo er «in servitio della Santità Sua et mio» stehe. Anstatt ihn zu belästigen, solle sich der Bischof daher Memolos Angelegenheiten so wohlwollend annehmen, wie es dessen wertvolle Dienste verdienten (FB I 929,454v). Den entscheidenden Beweis für Memolos Tätigkeit im Chiffrensekretariat liefert indes das Tagebuch Bilottas, laut dessen Einträgen vom Mai 1608 Memolo «alla secretezza della cifra» teilhatte, sich aber, vielleicht «perche la fatica della cifra li pareva troppo dura», nach Alternativen umsah und sich damit den Unmut Bilottas zuzog, der nicht nur sein «cugino» war, sondern ihn auch an die Kurie geholt hatte (Barb.lat. 4810, S.38–40). Auf Bilotta, der Anfang 1609 in Ungnade fiel (vgl. Kap.IV, Anm. 124), und Memolo, der in den Dienst des Kardinals Millino wechselte (vgl. Semmler, Staatssekretariat, S.120), folgte im Februar 1609 der bis zum Pontifikatsende als Chiffrensekretär belegbare Mario d'Ilio (vgl. ebd., S.95, sowie Urb.lat. 1077,71r/v).

[29] Zu Malacrida vgl. Semmler, Staatssekretariat, S.118 f., und Jaitner, Hauptinstruktionen, Bd.1, S.XLVI, Anm.21.

[30] Daß Margotti von seiner Abtei, bei der es sich um San Grisogono in Zara handeln dürfte (vgl. Jaitner, Hauptinstruktionen, Bd.1, S.L), zurückgerufen werden mußte, meldeten die Avvisi Mitte August 1605 (Urb.lat. 1073,452v).

[31] In dem Breve in Sec.Brev. 399,101–104, mit dem Paul V. Margotti zum Protonotario participante ernannte, wurde sowohl dies als auch seine Übernahme in das Staatssekretariat Pauls V. begründet mit seinen unter Clemens VIII. erworbenen Verdiensten «in offitio secretarii negociorum et rerum Germaniae, Ungariae, Poloniae, Neapolis et Venetiarum» (d. h. Margotti wurde nicht, wie Semmler, Beiträge, S. 41, annimmt, mit den genannten Gebieten betraut). Anbei findet sich die Aufforderung an den Brevensekretär, in dem Dokument ausdrücklich auf Margottis meriti hinzuweisen.

sehr glücklich gewesen sein[32], doch Malacrida und Margotti hatten allen Grund zur Freude. Wie mit dem neuen Chef der Behörde auszukommen war, mußte sich erst zeigen. Doch daß sich die Situation der beiden Sekretäre durch den Pontifikatswechsel verbessert hatte, ist nicht zu übersehen. Malacrida war durch die Entlassung seines bisherigen Vorgesetzten Valenti zum gleichberechtigten Chefsekretär aufgestiegen, und Margotti konnte unter Paul V. auf einen üppigeren Lohn für seine Mühen hoffen als in der Zeit, in der er der Familia des im Machtkampf der Nepoten unterlegenen Cinzio Aldobrandini angehört und lediglich Trostpreise erhalten hatte, während sein bis dahin gleichrangiger Kollege Valenti den roten Hut davontrug[33]. Auch die Arbeitsbedingungen innerhalb der Behörde dürften mit dem Tod Clemens' VIII. und dem Ausscheiden seiner verfeindeten Neffen aus dem Staatssekretariat besser geworden sein. Nicht länger mußten die Nuntien, für die Cinzio Aldobrandini und seine Mitarbeiter zuständig gewesen waren, ihre Berichte gleichzeitig auch an dessen mißtrauischen Cousin Pietro schicken, nicht länger belastete diese doppelte Korrespondenz die Sekretäre beider Abteilungen[34]. An der seit Leo X. regelmäßig praktizierten Aufteilung der Geschäftsbereiche in große Ressorts hielt Paul V. zwar fest[35]. Doch da er die Leitung der Büros nicht in die Hände zweier sich bekämpfender Nepoten legte, sondern allein Kardinal Borghese übertrug, war die Gefahr eines behördeninternen Machtkampfes auf Kosten der bürokratischen Effizienz gebannt, die Koordination zwischen den beiden Ressorts gewährleistet und die Entlastung der für je eine Hälfte der katholischen Welt

---

[32] Daß Valentis Verhältnis zu den Borghese deutlich abgekühlt war, belegt sein spärlicher Schriftwechsel mit der Papstfamilie. So beantwortete er zwar am 1. März 1607 eine Anfrage des Nepoten, die sich auf die finanziellen Ansprüche des Nuntius in Turin gegenüber der Behörde bezog (FB I 695,45), doch mehr als gelegentliche Höflichkeitsbekundungen wie seine an Paul V. gerichteten Wünsche zu Weihnachten 1607 und die gleichzeitige Gratulation zur jüngsten Kardinalspromotion (FB III 42 D,108, Valenti an Paul V. aus Faenza, 20. Dezember 1607) war von dem entlassenen Staatssekretär nicht mehr zu erwarten. Um so eifriger soll sich Valenti dagegen einigen Spitzelberichten zufolge um die Gunst seines ehemaligen Vorgesetzten Kardinal Pietro Aldobrandini bemüht und diesem stets zu Diensten gestanden haben (vgl. die Meldungen des um ein besseres Amt bemühten und daher besonders eifrigen Gouverneurs von Forlimpopoli an Borghese vom 28. Mai und 8. Juni 1608 in FB III 45 A, 41 und 93 f. und vom 4. Juni 1608 in FB III 128 D,47).

[33] Zur Promotion Valentis am 9. Juni 1604 vgl. HC IV, S. 8, sowie Jaitner, Hauptinstruktionen, Bd. 1, S.LIX. Daß sich Margotti «als Parteigänger Cinzios ... kaum Hoffnungen auf den Kardinalat wie sein Kollege Valenti machen (konnte)», berichtet ders. ebd., S.L.

[34] Zur doppelten Korrespondenz unter Clemens VIII. vgl. Jaschke, S. 142.

[35] Zu Leo X. vgl. Pierre Richard, Origins et développement de la secrétairerie d'état apostolique (1417–1823), in: RHE 11 (1910), S.56–72, 505–529, 728–754, hier: S.506–512. Laut Hammermayer, S. 166, diente die Aufteilung der Geschäftsbereiche sowohl unter Leo X. als auch unter Clemens VIII. der Teilung der Macht in der politischen Behörde. Daß Innozenz IX. dagegen *per maggiore facilità et meglior governo de negotii ... il carico della segretaria* auf drei Sekretäre verteilt habe, berichtet einer der drei Chefsekretäre in einem bei Jaschke, S. 137, Anm. 18, zitierten Schreiben von 1591.

zuständigen Chefsekretäre der einzige Zweck dieser Maßnahmen[36]. Daß die Ressortaufteilung allein auf die Optimierung der behördlichen Arbeit zielte, legt auch der neue Zuschnitt der Tätigkeitsbereiche nahe. So hatte sich der unter Cinzio Aldobrandini für das Reich, Polen und Teile Italiens zuständige Lanfranco Margotti fortan um die Legationen im Kirchenstaat, um alle italienischen Nuntiaturen sowie um die Auslandsvertretungen Roms in den restlichen romanischen Ländern zu kümmern, während Martio Malacrida für die Gebiete nördlich der Alpen verantwortlich war[37]. Auf den ersten Blick folgte die Neuaufteilung der nun weit homogener gestalteten Ressorts vor allem geographischen und sprachlichen Gesichtspunkten. Doch da Martio Malacrida 1592 und 1595/96 dem Nuntius in Polen als Sekretär gedient und Lanfranco Margotti 1589 die entsprechende Stellung an der Pariser Nuntiatur bekleidet hatte, dürfte sich die Reform der Zuständigkeitsbereiche auch an den Auslandserfahrungen und Ortskenntnissen der beiden Chefsekretäre orientiert haben[38].

Zunächst arbeiteten Malacrida und Margotti unter der Leitung Valentis, der während seines kurzen Auftritts als Kardinalstaatssekretär für sämtliche Regionen und daher auch für die Anlage der zwischen Mai und Juli 1605 einsetzenden Registerbände verantwortlich war[39]. Nach der Entlassung Valentis Ende August 1605 begann jedoch die Zeit ihrer gemeinsamen Amtsführung, und dies konnte nicht ohne Folgen für die Auslaufregister bleiben. Malacrida führte die Bände seines Ressorts zwar weiter, vermerkte darin aber den Wechsel an der Spitze der Behörde[40], und in der Abteilung Margottis, der erst wenige Tage vor der Ernennung Borgheses zum neuen Chef des Staatssekretariats in die Behörde zurückgekehrt war[41], wurden für nicht wenige Adressaten neue Verzeichnisse angelegt. Daß sich die beiden Chefsekretäre persönlich um die Registrierung der auslaufenden Post gekümmert haben, darf man angesichts der ebenso zahl- wie umfangreichen Bände für die Monate nach September 1605 bezweifeln. Schließlich hatten Malacrida und Margotti genug damit zu tun, die eintreffenden Nuntiaturberichte mit

---

[36] Während Hammermayer, S. 166, in der Ernennung zweier Chefsekretäre durch Paul V. eine Rückkehr zum «alten Prinzip der Machtteilung» sieht, vermutet auch Kraus, Geschichte, S. 78, diese Maßnahme habe allein der Arbeitserleichterung gedient.

[37] Zu den Zuständigkeitsbereichen der Sekretäre unter Clemens VIII. vgl. Jaschke, S. 139, zur Ressortaufteilung in den ersten Jahren des Borghese-Pontifikats vgl. Semmler, Staatssekretariat, S. 57–59.

[38] Zu Malacridas Werdegang vgl. Jaitner, Hauptinstruktionen, Bd. 1, S. XLVI, Anm. 21; zur Ämterlaufbahn Margottis, der laut Semmler, S. 119, zwar auch in Polen, aber länger als dort in Paris gewesen war, vgl. Jaitner, ebd., S. XLIX.

[39] Vgl. Semmler, Staatssekretariat, S. 55–57.

[40] Vgl. ebd., S. 52 f.

[41] Laut Semmler, Staatssekretariat, S. 56, läßt sich Margottis Hand in den Akten der Behörde seit dem 22. August 1605 nachweisen. Dies stimmt überein mit der Meldung in den Avvisi vom 20. August 1605, der Sekretär sei soeben in Rom eingetroffen (Urb. lat. 1073, 458v).

dem Papst zu besprechen und die gewünschten Antworten zu konzipieren. Diese Entwürfe in den Auslaufregistern zu verzeichnen und ins reine zu schreiben überließen sie daher ihren Sostituti (Gehilfen), zu deren Aufgaben es ebenso zählte, auf der Rückseite der ankommenden Post eine kurze Notiz über Absender, Datum und Inhalt der jeweiligen Briefe anzubringen[42]. Gelegentlich wurden die Sostituti für die Konzipierung der Antwortschreiben herangezogen, doch auch als Minutanten blieben sie der Weisungsbefugnis der Abteilungsleiter unterstellt, die ihre Gehilfen selbst auswählten, nach Belieben entlohnten und nicht selten einer scharfen Kontrolle aussetzten[43]. So mögen die Handschriften der nur zum Teil namentlich bekannten Sostituti die Register des Staatssekretariats dominieren. Doch für den Inhalt der Bände waren allein die amtierenden Chefsekretäre verantwortlich.

Vor allem Lanfranco Margotti scheint seine Aufgabe zur Zufriedenheit des Papstes erfüllt zu haben, denn im November 1608 erhielt der bei der Promotion seines damaligen Kollegen Valenti noch leer ausgegangene Sekretär den roten Hut[44]. Was dies für Malacrida bedeutete, kann man sich unschwer ausmalen. Gewiß, er hatte einige Dienstjahre weniger vorzuweisen als Margotti, auf dessen diplomatisches Geschick die Avvisi-Schreiber in der Hauptstadt überdies die Versöhnung zwischen Rom und Venedig nach der Krise der Jahre 1606/07 zurückführten[45]. Doch selbst wenn diese Gründe Malacrida geholfen haben sollten, die ungewöhnlich großzügige Belohnung Margottis neidlos hinzunehmen, mußte der rote Hut des Kollegen seine Stellung im Staatssekretariat schwächen. Margotti sei als Kardinal der alleinige Chefsekretär der Behörde gewesen, weiß denn auch eine der wenigen Quellen zu berichten, die sich mit der Reaktion Malacridas auf die Erhebung des bislang gleichgestellten Sekretärs befassen: *«Si licentiò»*, fährt der erwähnte Text lapidar fort, und tatsächlich quittierte Martio Malacrida mitsamt seinen Sostituti

---

[42] Zu den Aufgaben der nur in seltenen Fällen namentlich bekannten Sostituti, von deren Händen v. a. Einlaufvermerke, Reinschriften und Auslaufregister stammen, vgl. Semmler, Staatssekretariat, S. 105 f.

[43] Daß die Chefsekretäre das Gehalt der Sostituti von ihren monatlichen Spesen bestritten, wie Hammermayer, S. 165, Anm. 15, berichtet, und dabei nach Gutdünken verfuhren, gereichte ihren Untergebenen nicht immer zur Freude. So klagte der langjährige Behördenmitarbeiter Caetano in seiner Schrift von 1623 über die schändlich geringe Entlohnung der Gehilfen durch einige Chefsekretäre (vgl. Kraus, Denkschrift, S. 111). Margotti war zwar vergleichsweise großzügig (vgl. ebd.), dafür aber um so mehr auf die Überwachung seiner Mitarbeiter bedacht (vgl. ebd., S. 117).

[44] Vgl. HC IV, S. 11. Im Januar 1609 erhielt Margotti überdies das Bistum Viterbo (vgl. ebd., S. 371), *«Chiesa, che governò mai sempre assente per mezzo di Vicarj»* (Lorenzo Cardella, Memorie storiche de' Cardinali della Santa Romana Chiesa, 9 Tomi in 10 voll. (Tomo primo in due parti), Rom 1792–1797, Bd. 6, S. 150). Daß er von der Pflicht zur Residenz in seiner Diözese befreit war, versteht sich bei einem noch amtierenden Sekretär von selbst und illustriert den Versorgungscharakter solcher Erhebungen.

[45] Vgl. Urb.lat. 1076,861.

Ende Juli 1609 den Dienst[46]. Ob sich dieser Schritt mit dem gekränkten Stolz eines übergangenen Sekretärs ausreichend erklären läßt, sei dahingestellt. Doch daß Malacridas Verhältnis zum regierenden Papst und seiner Familie getrübt war, ist in einigen späteren Schreiben des Sekretärs a.D. nicht zu übersehen. So bedachte er Kardinal Borghese zwar mit gelegentlichen Höflichkeitsbekundungen, aber mehr als die Erlaubnis, auf den Gütern des Nepoten in Subiaco angeln zu dürfen, scheint er sich von den Borghese nicht mehr versprochen zu haben[47]. In seinen Briefen an Pietro Aldobrandini hingegen präsentierte sich Malacrida keineswegs als freundlicher Hobbyangler, sondern als treuer Parteigänger des entmachteten Papstneffen, dessen nicht selten gegen die Interessen der Borghese gerichteten Projekte er tatkräftig zu fördern versuchte[48].

---

[46] Zit. nach Pastor, Bd. 12, S. 46, Anm. 8. Für Semmler, Staatssekretariat, S. 53, ist Malacrida im Juli 1609 «aus ungeklärten Gründen» aus der Behörde ausgeschieden. Diese Einschätzung ist nicht erstaunlich, denn da Semmler die Promotion Margottis dem Datum in der von ihm selbst als Quelle angegebenen HC zum Trotz auf Januar 1610 verlegt (ebd., S. 50, S. 120; in Beiträge, S. 56, nennt er dagegen mit dem 24. November 1608 noch das richtige Datum), kann er die Erhebung Margottis mit der Kündigung Malacridas nicht in Verbindung bringen. Daß Margotti den roten Hut tatsächlich im November 1608 erhielt, belegt die veränderte Anrede des Sekretärs, der bereits in einer Dorsalnotiz auf einem Schreiben vom 10. Dezember 1608 als «Signore Cardinale Lanfranco» bezeichnet wird (FB II 320,181v). Sowohl Hammermayer, S. 167, als auch Stefan Samerski, Akten aus den Staatssekretariaten Pauls V. und Gregors XV. im Archiv des Kardinals Alderano Cibo (1613–1700) in Massa, in: AHP 33 (1995), S. 303–314, hier: S. 307, Anm. 38, und ders., Das päpstliche Staatssekretariat unter Lanfranco Margotti 1609–1611. Das Provinzprinzip als notwendiges strukturelles Fundament zur Etablierung des Kardinalstaatssekretärs, in: RQS 90 (1995), S. 74–84, hier: S. 79, haben die falsche Angabe von Semmler übernommen und daher keine Erklärung für Malacridas Ausscheiden zu bieten.

[47] Am 5. Januar 1610 kondolierte Malacrida dem Nepoten zum Tod seines Onkels Giovanni Battista (FB IV 217,137), am 10. April 1610 wünschte er Francesco Borghese schöne Osterfeiertage (ebd.,138), Anfang 1611 schickte er dem Kardinal eine Sammlung seiner im Dienst verfaßten Briefe (vgl. Anm. 127), und am 1. August 1612 schrieb der ehemalige Sekretär aus Subiaco an Borghese, er sei «venuto quà direttamente à goder' il fresco di questa Badia di V.S.Ill.ma ... Ardisco come servitore di V.S.Ill.ma supplicarla riverentemente di una gratia. Diventarei volentieri pescatore, mà per quanto intendo non mi sarà permesso l'essercizio senza patente di V.S.Ill.ma». (FB IV 217,139r). Daß er die gewünschte Genehmigung erhalten hatte, belegt Malacridas Nachricht vom 27. September 1612, er reise wegen der einbrechenden Kühle ab, wolle aber nächstes Jahre gern wiederkommen; «et intanto intendo conservarmi in possesso de la gratia fattami da V.S.Ill.ma di poter pescare in questo fiume» (ebd.,140r).

[48] So nutzte Malacrida einigen in FB IV 217 gelandeten Schreiben an Kardinal Aldobrandini in Ravenna zufolge einen Aufenthalt in Rom im Januar und Februar 1614, um im Auftrag des ehemaligen Nepoten mit Kardinal Ginnasio über eine wohl aus gutem Grund nicht schriftlich festgehaltene Angelegenheit zu verhandeln (ebd.,146–148). In einem dieser Briefe verkündete er seinem Vorgesetzten aus vergangenen Tagen: «Altro non desiderero che di vivere, et morire in servitio di V.S.Ill.ma» (ebd.,148r). Daß er für seine Mühen entlohnt worden war, legt das am 1. November 1614 in Siena zu Papier gebrachte Schreiben Malacridas an Kardinal Aldobrandini nahe: «Uscito son di Roma, mà accompagnato da la memoria de' benefitii da lei ricevuti ... Pensarò al ritorno a Roma quando mi si presentarò occasione di servire V.S.Ill.ma» und «la casa sua Ill.ma» (ebd.,136r).

Die Gründe für Malacridas Kündigung mögen im dunkeln bleiben, doch ihre Folgen für die Arbeit der Behörde lassen sich mit Händen greifen. So steht hinter dem markanten Einschnitt bei der Registrierung der auslaufenden Schreiben, die für die meisten Nuntiaturen seit August 1609 in neu angelegten Bänden verzeichnet wurden, nichts anderes als die freiwillige Selbstauflösung der Abteilung Malacridas. Schließlich hatte nicht nur er selbst den Dienst quittiert, sondern auch seine Gehilfen, und so war der nunmehr alleinige Chefsekretär Kardinal Margotti gezwungen, sich nach neuen Mitarbeitern umzusehen. Paul V. hätte auch an der doppelten Amtsführung festhalten und Margotti lediglich einen neuen Kollegen beiordnen können. Doch da es sich nicht empfahl, einen in den Geschäften der Behörde unerfahrenen Neuling ohne Anlaufzeit zum Chefsekretär zu befördern, und einer gleichberechtigten Leitung der bisherigen Ressorts ohnehin Margottis roter Hut im Wege stand, entschied sich der Papst für eine andere Lösung. Nominell blieb das Staatssekretariat unverändert Kardinal Borghese unterstellt, aber auf der Ebene der Sekretäre hatte fortan allein der bewährte Lanfranco Margotti das Sagen. Margotti seinerseits wollte sich nicht gänzlich von der Aufteilung der Arbeit in verschiedene Ressorts verabschieden und schuf, ohnehin auf zusätzliche Mitarbeiter angewiesen, im August 1609 eine neue Stufe in der Hierarchie der Behörde. Ihm selbst untergeordnet, doch mit verantwortungsvolleren Aufgaben betraut als die restlichen Schreibkräfte des Staatssekretariats, kümmerten sich ab August 1609 gleich drei neue Mitarbeiter um die politische Korrespondenz der Kurie und die entsprechenden Register. Zwei dieser Herren haben die unter ihrer Regie geführten Auslaufregister mit ihrem Namen versehen, einer von ihnen notierte sogar, welche Gebiete in sein Ressort fielen. «Dies ist ein als Register angelegter Band mit Minuten, die der Sekretär Giovanni Battista Confalonieri im Namen Seiner Heiligkeit Papst Paul V. und seines Neffen des Hochwürdigsten Kardinal Borghese abgefaßt hat», beginnt der eigenhändige Vermerk Confalonieris, und als ob er sich einen festen Platz in aktenkundlichen Arbeiten hätte sichern wollen, nannte er mit Polen, Wien, Graz, Köln, Portugal und der Levante auch noch die ihm zugewiesenen sechs Regionen[49]. An die dortigen Vertreter Roms habe er zu schreiben gehabt, bestätigte der Sekretär

---

[49] Der Eintrag Confalonieris in Confal. 54,1r ist zitiert bei Samerski, Provinzprinzip, S. 79 f., und lautet: «*Minute, che servono per Registro di lettere diverse di mano del secretario Giovan Battista Confalonieri Dottore Teologo, Sacerdote Romano et Protonotario Apostolico, composte da lui sotto nomine della Santità di Nostro Signore Papa Paolo Quinto et dell'Ill.mo Signor Cardinale Borghese suo Nepote; così per Principi, Ministri Apostolici et altri diversi, compresi nelle sei Provincie ordinarie a lui assignate; come ad'altri Principi, Nuntii et Particolari fuora di esse Provincie, mentre il Signore Cardinale Lanfranco era Presidente della Secreteria Pontificia. Le lettere poste in esso, furono sottoscritte dal Signore Cardinale Borghese, sono per lo spatio di mesi 28, compresi nel sodetto Pontificato, cominciati dal Primo d'Agosto 1609 et finiti a 26 di Novembre 1611. Cessò di scrivere il secretario sopranominato per la morte del Cardinale Lanfranco la quale seguì a 30 di*

diese Mitteilung an zwei weiteren Stellen[50], und so scheint der größere Teil der Aufgaben Malacridas an Confalonieri übergegangen zu sein[51]. Daß sich Portugal zu den Nuntiaturen im Norden gesellt hatte, mag überraschen, war damit doch die bisherige Orientierung der Ressortaufteilung an geographischen und sprachlichen Aspekten aufgegeben worden. Doch da Confalonieri in der Amtszeit Clemens' VIII. nicht nur drei Jahre an der spanischen Nuntiatur Dienst getan, sondern auch vier Jahre als Sekretär des Kollektors in Portugal verbracht hatte[52], lag es nahe, seine Spezialkenntnisse zu nutzen und ihn mit der Post aus Portugal zu betrauen.

Nicht von Malacrida übernehmen mußte Confalonieri hingegen die Korrespondenz mit den Nuntien in Prag, Flandern und der Schweiz, die mitsamt den Schreiben aus Venedig, Spanien und Frankreich dem zweiten neuen Mitarbeiter Margottis zugefallen war. Auch dieser Sekretär hat die unter seiner Regie erstellten Register mit seinem Namen versehen lassen: «Del Secretario Porfirio Feliciani», steht auf einigen der Bände, die seit August 1609 von dem Monsignore aus dem umbrischen Gualdo betreut wurden[53]. Daß Feliciani den Aldobrandini jahrelang

---

Novembre 1611. ... Provincie ordinarie, assignate al Secretario Confaloniero: 1) Polonia 2) Vienna 3) Gratz 4) Colonia 5) Portogallo 6) Levante, (nachträglich ergänzt:) Constantinopoli, e Pera et Ethiopia». Daß Confalonieri auch Minuten an Adressaten «fuora di esse Provincie» hinzufügte, entspricht nicht den Gewohnheiten des Staatssekretariats: Bei der üblicherweise anhand der Minuten vorgenommenen Registrierung der Schreiben wurde das «Provinzprinzip», das Samerski in diesem Fall zu Recht betont, in aller Regel eingehalten.

50 Vgl. Semmler, Staatssekretariat, S. 68.

51 Der Nachfolger Malacridas, wie Jaitner, Hauptinstruktionen, Bd. 1, S.LI, Anm. 34, es sieht, war er indes nicht, denn anders als der ausgeschiedene Mitarbeiter war Confalonieri der Untergebene Margottis, nicht sein gleichberechtigter Kollege, vgl. Semmler, Beiträge, S. 56, Anm. 159.

52 Vgl. Semmler, Staatssekretariat, S. 113 f., sowie Jaitner, Hauptinstruktionen, Bd. 1, S.LI, Anm. 34, und S. CLXXXV. Laut ebd., S.CLXXIV, war der Kollektor, dem Confalonieri als Sekretär diente, der spätere Maggiordomo Pauls V., Fabio Biondi (zu diesem vgl. ebd., S.CLXXIII-CLXXV). Da Confalonieri nach seinem Ausscheiden aus dem Staatssekretariat Ende 1611 (s.u.) wieder in den Dienst Biondis eintrat (vgl. Semmler, Staatssekretariat, S. 114), überrascht es nicht, dessen Nachlaß bei der Hinterlassenschaft Confalonieris in Fondo Confal. zu finden (vgl. Jaitner, Hauptinstruktionen, Bd. 1, S.CLXXV, Anm. 112).

53 So z. B. auf den originalen Registern a diversi SS Ppi 161, 163 und 164, auf die noch einzugehen sein wird, sowie auf jedem der 22 Bände aus der Serie der Auslaufregister des Staatssekretariats Pauls V., die sich in der Biblioteca Angelica befinden (Ang.1215–1236), eindeutig (warum, wird noch zu erläutern sein) unter Felicianis Regie entstanden sind und daher keinen Zweifel an seiner Zuständigkeit für die genannten Gebiete lassen. Dies gilt auch für die Nuntiatur Prag, die Semmler, Staatssekretariat, S. 68, dem Ressort Confalonieris zuordnet, obwohl dieser selbst bei der Aufzählung der ihm unterstellten Provinzen zwar Wien, nicht aber Prag genannt, in der Tat zahlreiche Briefe an den Nuntius in Wien (vgl. die Minuten vom 1. August 1609 bis zum 26. November 1611 in Confal.21), doch nur eine Handvoll Schreiben an den römischen Vertreter in Prag (Confal.54,110–145: 13. Oktober 1609 bis 12. November 1611) konzipiert und sowohl den Entwurf der Briefe nach Prag als auch deren Registrierung Feliciani und dessen Mitarbeitern überlassen hat.

als Sekretär gedient hatte[54], scheint weniger ein Hindernis als vielmehr der wenn auch indirekte Grund für seine Berufung in das Staatssekretariat Pauls V. gewesen zu sein. Schließlich dürfte er in seiner Zeit als Sekretär verschiedener Aldobrandini den damals ebenfalls von der Familie Clemens' VIII. beschäftigten Margotti kennengelernt und von seinen beruflichen Qualitäten überzeugt haben, und so ist die Entscheidung für Porfirio Feliciani wohl auf den Wunsch seines alten Bekannten und neuen Vorgesetzten zurückzuführen, fähige Mitarbeiter für die Behörde zu gewinnen. Offensichtlich hat Feliciani die in ihn gesetzten Erwartungen erfüllt, denn obschon der neue Sekretär in seinen ersten Amtsjahren bei Semmler kein Profil gewinnt und von Stefan Samerski gar zum einflußlosen Hilfsarbeiter degradiert wird, lassen die von den beiden Autoren nicht berücksichtigten Briefminuten aus seinem Ressort keinen Zweifel an der führenden Rolle, die Feliciani seit August 1609 einnahm[55].

---

[54] Laut Jaitner, Hauptinstruktionen, Bd. 1, S. LI, Anm. 35, hatte Feliciani sowohl dem Vater des Nepoten Pietro, Silvestro Aldobrandini, als auch Pietros Schwester Olimpia als Sekretär gedient. Wie eng sein Verhältnis zu Olimpia noch unter Paul V. war, belegt ihre Korrespondenz vom November und Dezember 1606 in FB I 705 B, 198–223. Daß diese Bindung auch zu einem höflichen Briefwechsel mit Kardinal Pietro Aldobrandini führte, zeigen dessen Schreiben an Feliciani von August und September 1607 in CB 115 und 103, in denen der Kardinal auf die Berichte des Sekretärs über Krankheit und Genesung der in Rom weilenden Olimpia antwortete. Da Feliciani in den Meldungen der Avvisi vom August 1609 über seine Berufung in die Behörde als Sekretär Olimpias bezeichnet wird (vgl. die folgende Anm.), könnte er diese Position bis zu diesem Zeitpunkt innegehabt haben.

[55] Vgl. Semmler, Staatssekretariat, S. 67–69, und Samerski, Provinzprinzip, S. 80 f., der Giulio Cameresio zum neben Confalonieri wichtigsten Mitarbeiter Margottis erklärt und Feliciani in die Fußnoten (S. 80, Anm. 41, S. 81, Anm. 43) verbannt. Cameresio mag zwar einer «der fleißigsten Sekretäre … unter Paul V.» (Semmler, Staatssekretariat, S. 111) gewesen sein, doch da er von seinem Eintritt in die Behörde Anfang August 1609 (vgl. ebd., S. 112) bis Ende 1611 vorrangig Einlaufvermerke anbrachte, Register führte und sogar Entwürfe ins reine schrieb (vgl. ebd., S. 67–70), was für einen Sekretär in leitender Position mehr als ungewöhnlich ist, dürfte er wohl kaum die Rolle gespielt haben, die ihm in Samerskis fast ausschließlich auf Semmlers Befunde gestütztem Beitrag zufällt. Feliciani hingegen gewinnt an Bedeutung, wenn man die Minuten aus den ersten Jahren seiner Tätigkeit im Staatssekretariat in SS Ppi 184–187, SS Part 171 und 172 sowie die im August 1609 einsetzenden Auslaufregister in der Biblioteca Angelica (vgl. Anm. 53) berücksichtigt. Daß Feliciani schon bald nach seinem Eintritt in die Behörde verantwortungsvolle Aufgaben übernahm, belegt überdies nicht nur die Meldung der Avvisi vom August 1609, dem durch das Ausscheiden Malacridas zum alleinigen Chefsekretär aufgestiegenen Margotti seien Biondis Sekretär Confalonieri und der Sekretär Olimpia Aldobrandinis, Porfirio Feliciani, beigeordnet worden (Urb.lat.1077,368v), sondern auch eine Bemerkung des langjährigen Behördenmitarbeiters Caetano. In seiner Vita des Kardinals Caetano schrieb er über Feliciani, Margotti «haveva poco doppo la sua promotione (1608) già appoggiato parte de negotij più gravi, et più importanti a questo secretario, segregandolo, et differentiandolo con le demonstrationi remunerationi, et provisioni da gl'altri» (zit. nach Kraus, Denkschrift, S. 110, Anm. 61). Feliciani ist allerdings nicht kurz nach Margottis Promotion im November 1608 ins Staatssekretariat eingetreten, sondern erst im August 1609, vgl. Semmler, Staatssekretariat, S. 115.

Schwerer zu identifizieren ist hingegen der Dritte im Bunde, fehlen seit dem Ausscheiden Malacridas für die verbliebenen Nuntiaturen Avignon, Florenz, Neapel, Savoyen und Mailand sowie für die Legationen im Kirchenstaat doch nahezu sämtliche Quellen. Auch bei den Briefminuten an die dortigen Diplomaten, die für die Monate nach August 1609 erhalten und der Aufmerksamkeit Semmlers und Samerskis ebenfalls entgangen sind, handelt es sich lediglich um eher zufällig überlieferte Bruchstücke aus den einstmals vorhandenen Beständen. Dennoch reichen diese Dokumente aus, um den verantwortlichen Sekretär dingfest zu machen: Es war Giovanni Battista Perugino, von dem man kaum mehr weiß, als daß er im April 1610 die Arbeit im Staatssekretariat aufgenommen hat und damit in die Fußstapfen seines 1595 zum Bischof von Terracino ernannten und von Paul V. bis zu seinem Tod im Jahre 1608 mit zahlreichen Aufgaben in der kirchenstaatlichen Verwaltung betrauten Bruders Fabrizio getreten war[56]. Confalonieri, Feliciani und

---

[56] Zu Perugino vgl. Semmler, S. 121. Zu seinem bei Semmler, ebd., ebenfalls erwähnten Bruder Fabrizio vgl. HC IV, S. 330, zu dessen Einsatz im staatlichen Verwaltungsapparat vgl. Stader, S. 154 f, sowie Sec.Brev. 398,330; 400,24; 421,218 und 656; 422,367. Daß der für die Zeit vor Margottis Tod im November 1611 von Semmler kaum und von Samerski noch weniger beachtete Perugino der dritte leitende Sekretär unter Lanfrancos Kommando war, belegt bereits eine Bemerkung seines damaligen Kollegen Caetano, die überdies erklärt, warum Perugino anders als Feliciani und Confalonieri nicht im August 1609, sondern erst im April 1610 in die Behörde berufen wurde. Der in der vorherigen Anm. zitierten Mitteilung Caetanos zufolge habe Margotti Feliciani besser entlohnt und behandelt als die «altri, che erano il signore Giovanni Battista Confaloniere et il Signore Severo Turinotij, à cui succede il Signore Giovanni Battista Perugino» (zit. nach Kraus, Denkschrift, S. 110, Anm. 61). Der Hinweis Caetanos auf den ansonsten unbekannten «Signore Severo Turinotij» könnte erklären, warum die Register für die später von Perugino betreuten Nuntiaturen Florenz, Neapel und Savoyen im Unterschied zu den von Feliciani und Confalonieri übernommenen Bänden erst Ende Dezember 1609 statt schon im August 1609 abbrechen. Wie es scheint, führte der zunächst als dritter neuer Sekretär eingestellte Turinotio die bei seinem Amtsantritt bereits existierenden Bände bis zum Jahresende weiter, wohl um im Januar 1610 neue, allerdings nicht erhaltene Register anlegen zu lassen. Da Turinotio jedoch schon wenige Monate nach seiner Berufung aus der Behörde ausschied (ob durch Tod, Entlassung oder freiwilligen Rückzug, ist unklar), konnte der ab April 1610 belegbare Perugino (vgl. Semmler, Staatssekretariat, S. 121) seine Stelle und damit auch die Leitung des dritten Ressorts und seiner komplett nicht erhaltenen Register übernehmen. In dieses Ressort fielen auch die Legationen im Kirchenstaat mit ihren bis Dezember 1609 reichenden Registern. Doch sei darauf hingewiesen, daß dem in der Angelica gelandeten und daher eindeutig von Feliciani geführten (s.u.) Register Ang. 1216,75–84, zufolge zwischen August und Dezember 1609 auch der Sekretär aus Gualdo einige Briefe an die Legaten konzipierte. Minuten aus der Zeit zwischen April 1610 und Dezember 1611 an die dem Ressort Peruginos zugeschlagenen Nuntien in Turin und Neapel finden sich in den Bänden E 58 und E 59. Daß diese von mehreren Minutanten erstellten Entwürfe unter der Leitung Peruginos entstanden sind, belegt für E 59 die im Auftrag Borgheses auf der Rückseite eines bereits ins reine geschriebenen Briefes an den Bischof von Squillaci vom 17. Dezember 1611 angebrachte Notiz: «Signore Perugino. S.S.Ill.ma dice, che lei faccia riscrivere..» (E 59,312v). Daß Perugino für die Minuten in E 58 zuständig war, mußte auch ein Ottavio Marazzo, wohl der römische Agent des Kardinals Farnese, erfahren, der am 2. Februar 1611 an den

Perugino – dies waren die Sekretäre, die nach der Auflösung der Abteilung Malacridas die Geschäfte des Staatssekretariats führten: unter dem Kommando und der Kontrolle Margottis, dessen Handschrift sich in den Dokumenten aller Ressorts findet, doch selbständig genug, um auch und gerade mit ihren jeweiligen Registerbänden – und deren Lücken – die Arbeitsteilung auf der mittleren Stufe der innerbehördlichen Hierarchie sichtbar zu machen.

Lange währte die gemeinsame Arbeit der drei gleichberechtigten Sekretäre indes nicht. Am 30. November 1611 verstarb Kardinal Lanfranco Margotti[57], und da Confalonieri nach dem Tod seines Chefs und Förderers umgehend den Stift aus der Hand und den Dienst im Staatssekretariat niederlegte[58], standen aus der einstigen Führungsgruppe der Sekretäre ab Dezember 1611 nur noch Feliciani und Perugino zur Verfügung. Paul V. schien diese beiden für erfahren genug und für geeignet gehalten zu haben, die Geschäfte der Behörde künftig zu zweit zu meistern, denn anstatt einen neuen Chefsekretär zu ernennen und diesem einige weitere Mitarbeiter zur Seite zu stellen, kehrte der Papst zur doppelten Amtsführung zurück. Wie einst Malacrida und Margotti teilten sich fortan Feliciani und Perugino die anfallende Arbeit. Ohne die bislang praktizierte Trennung der Ressorts beizubehalten, hätten sie dies getan, berichtet Semmler über die von ihm als Zeit der kollegialen Amtsführung bezeichnete Phase des Staatssekretariats unter Feliciani und Perugino[59]. Die

---

Sekretär schrieb: «*L'Ill.mo Signore Cardinale Lanfranco si compiacque heri mattina di dirmi, che la lettera ricercata dall'Ill.mo Signore Cardinale Farnese à Monsignore Nontio di Napoli in favore di Monsignore Vescovo di Civita di Pieve, era già scritta, et che heri sera sarebbe stata segnata dal Ill.mo Signore Cardinale Borghese, et che io potevo mandare à pigliarla, et perche heri sera mandai il presente latore ... al Signore Mario D'Ilio, ne potè haverla, havendo inteso, che si deve trattare con V.S.*» (E 58,235r). In wessen Ressort die bis zu Malacridas Weggang von Margotti betreute Legation Avignon nach diesem Zeitpunkt fiel, konnte Semmler nicht entscheiden, da die von ihm für Avignon ermittelten originalen Amtsakten nur bis 1609 reichen (vgl. Semmler, Staatssekretariat, S. 12–38, passim). Zieht man jedoch den Band SS Card 134A zu Rate, in dem Originalschreiben des Vizelegaten (bis Mitte 1614 Filippo Filonardi, danach Giovanni Francesco Guidi di Bagno) sowie des in Avignon stationierten Generals (zunächst Pompeo Frangipane, nach ihm Carlo Malatesta) an Borghese aus den Jahren 1610 bis 1614 gesammelt sind, läßt sich in den Dorsalnotizen die Handschrift Peruginos, an den überdies zahlreiche Schreiben zur Bearbeitung verwiesen wurden, nicht übersehen und seine Zuständigkeit für die Post aus Avignon eindeutig feststellen.

[57] Und nicht, wie HC IV, S. 11, meldet, am 28. Februar 1611, vgl. Semmler, Staatssekretariat, S. 53, Anm. 16, und S. 120, Anm. 19, sowie die folgende Anm.

[58] Sowohl der Todestag Margottis als auch der damit einhergehende Austritt Confalonieris aus der Behörde sind belegt in dem in Anm. 49 zitierten Eintrag des Sekretärs in Confal. 54,1r. Auf SS Germ 22,221, SS Port 12,170v und SS Col 211,290 (nicht, wie Semmler, Beiträge, S. 57, Anm. 170, schreibt, SS Germ 211) vermerkte Confalonieri, wie üblich von sich selbst in der dritten Person redend: «*Le lettere del Segretario Confalonieri ... finiscono con occasione della morte del Cardinale Lanfranco soccessa a 30 di novembre 1611*» (zit. ebd.).

[59] Vgl. Semmler, Staatssekretariat, S. 70–77.

von Semmler nicht erwähnten Minuten Peruginos für die Monate zwischen Dezember 1611 und Dezember 1613[60] bestätigen hingegen den Verdacht, der sich bereits bei einem Blick auf die höchst unterschiedliche Überlieferung der Auslaufregister einstellt: Während die erhaltenen Bände für die Nuntiaturen Prag, Flandern, Schweiz, Venedig, Spanien und Frankreich unverändert von Feliciani stammen, der aus Confalonieris ehemaligem Ressort lediglich die Post aus Portugal übernahm[61], dürfte die bereits bekannte Lücke in der Quellenlage für Avignon, Florenz, Neapel, Savoyen, Mailand und die Legationen sowie der im Dezember 1611 zu verzeichnende Abbruch der Überlieferung für die bis dahin Confalonieri unterstellten Nuntiaturen Graz, Köln und Polen auf das Konto Peruginos gegangen sein. Daß die Bände für alle Nuntiaturen und Legationen ab Ende 1613 vorhanden sind, paßt ins Bild, denn Anfang Dezember dieses Jahres war Perugino, das in überlieferungstechnischer Hinsicht schwarze Schaf der Behörde[62], gestorben und Porfirio Feliciani zum alleinigen Chefsekretär aufgestiegen[63]. Dem Monsignore di Foligno, wie Feliciani

---

[60] Vgl. die Minuten von 1612 und 1613 in E 60, unter deren Adressaten nicht nur die bereits vor Margottis Tod dem Ressort Peruginos zugeschlagenen Nuntien in Savoyen, Florenz und Neapel und die Legaten im Norden des Staates (z. B. nach Ferrara: ebd., 6–16), sondern auch der von Confalonieri an Perugino übergegangene Nuntius Madruzzi in Deutschland zu finden sind.

[61] Dies belegen die Kopien der entsprechenden Auslaufregister in der Biblioteca Angelica. Warum deren Bestände aus dem Staatssekretariat Pauls V. nur aus Felicianis Ressort stammen können, wird noch zu erläutern sein.

[62] Nicht nur die Lücken in der Quellenlage lassen Perugino als das schwarze Schaf der Behörde erscheinen. So verweist Semmler, Staatssekretariat, S. 54, auf einen Aktenvermerk auf einem Schreiben der Brüsseler Nuntiatur vom 13. Dezember 1613 (FB II 138,94v), dem zufolge zwar erst «durch den Tod Peruginos eine ziemliche Unordnung im behördlichen Geschäftsgang des Staatssekretariats eingetreten sei». Hammermayer, S. 167, deutet den Vermerk dagegen als Klage über die «heillose Unordnung» bereits zu Lebzeiten Peruginos, mit der auch Reinhard, Albergati, Bd. 1, S. XXXVIIf., die schlechte Überlieferung der Korrespondenz mit dem Nuntius Albergati in Köln in der Amtszeit Peruginos erklärt. In einem von ihm edierten Schreiben Albergatis an Borghese vom 10. Januar 1614 ist allerdings die Rede von «un poco di disordine ... seguitò con l'occasione della morte del Signore Giovan Battista Perugino» (Reinhard, Albergati, Bd. 2, Nr. 936, hier: S. 887). Für das Ende des Wiener Registers im Oktober 1611 ist Perugino indes nicht verantwortlich zu machen, denn wenn meine Ausführungen in Anm. 11 zutreffen, ist der Legatenposten in Wien nach diesem Zeitpunkt zunächst nicht mehr besetzt worden und das Ende der Registrierung daher nicht auf eine Lücke in der Überlieferung zurückzuführen.

[63] Vgl. Semmler, Staatssekretariat, S. 54. Einen Beleg sowohl für die Erhebung Felicianis zum alleinigen Chefsekretär als auch für die zwischen diesem und Perugino bestehende Ressortaufteilung, die zwar weniger strikt als in den Jahren zuvor eingehalten wurde, aber doch klarer zu erkennen ist, als Semmler vermutet, liefert die eigenhändige Mitteilung Borgheses vom 21. Dezember 1613 an den Ferraresen Enzo Bentivoglio. Über die durch den Tod Peruginos notwendig gewordene Besetzung des «loco vacato di Segretario» schrieb der Nepot: «e tanta alla mano la persona di Monsignore Vescovo di Foligni ben informato de negotij occorrenti, e di esperimentata fide, e conosciuto valore, che Nostro Signore si risolsi d'acrescerli la parte de negotij, ch'havea il Perugino» (ABent.Corr. 278,440r).

seit seiner Erhebung zum Bischof dieser Diözese im April 1612 genannt wurde[64], sind daher die deutlicher denn je im Takt der Kalenderjahre geführten Registerbände zu verdanken, die für fast alle Adressaten vollständig und nur für einige wenige Empfänger mit wohl allein dem Zufall zuzuschreibenden Lücken bis zu ihrem abrupten Abbrechen mit dem Tod Pauls V. im Januar 1621 vorliegen. Schreiben ließ der Chefsekretär diese Bände von seinen Sostituti, deren jeweilige Tätigkeit nach den Befunden Semmlers zwar nicht das Bild scharf voneinander getrennter Ressorts vermittelt, aber doch gewisse geographische Schwerpunkte aufweist[65]. So war es kein Zufall, daß die nach Peruginos Tod neuangelegten Bände für die Nuntien in Graz, Köln, Polen und Flandern allesamt am 4. Januar 1614 einsetzten, denn zu Anfang des Jahres hatte Feliciani mit Decio Bilotta einen neuen Mitarbeiter eingestellt und diesem die Korrespondenz mit den genannten Empfängern anvertraut[66]. Allerdings mußte sich der wohl mit dem ehemaligen Chiffrensekretär Vincenzo Bilotta verwandte Decio[67] Korrekturen an seinen Registern gefallen lassen: nicht

---

[64] Vgl. HC IV, S. 191. Selbstverständlich war auch Feliciani von der Residenzpflicht befreit, und so dürfte der nach dem Tod Pauls V. im Januar 1621 aus der Behörde ausgeschiedene und nach Foligno abgereiste Sekretär die Diözese fast ein Jahrzehnt nach seiner Erhebung zum Bischof erstmals betreten haben.

[65] Vgl. Semmler, Staatssekretariat, S. 77–87, v. a. S. 77, 85 und 87.

[66] Laut Semmler, Staatssekretariat, S. 80, stellte Feliciani im Januar 1614 mit PV 13 einen neuen Mitarbeiter ein, der in der entsprechenden Meldung der Avvisi vom 4. Januar 1614 namentlich genannt wird und daher als Decio Bilotta zu identifizieren ist (vgl. Urb. lat. 1082,25v). Laut Semmler, ebd., S. 85–87, wurde PV 13 als Hauptminutant für Köln und Polen tätig, erstellte Reinschriften für Graz und Köln und führte die am 4. Januar 1614 beginnenden Register für Flandern (FB II 428, 343–476 und 219–335), Köln (FB II 359) und Malta (an den Inquisitor: FB II 428, 485–535; an *diversi* in Malta und Sizilien: FB II 369). Zu ergänzen sind die in Tab. 1 aufgeführten Register für Graz (FB II 332), Polen (FB II 428,167–194; FB II 427) und Flandern (FB II 428,23–153), die bei Semmler nicht genannt werden, ihrem äußeren Erscheinungsbild zufolge aber in die Reihe der originalen Register aus dem Staatssekretariat Pauls V. gehören, die in FB II zu finden sind (FB II 332, 359, 369, 403, 427, 428) und sich von der Serie kopierter Register in FB I (894–910, 914, 916–921, 923, 925–954) durch den Titel auf dem Bandrücken, die Bindung und die für die erwähnten Bände in FB II typischen Sachstichworte am Rand (vgl. Anm. 68) unterscheiden. Da sich außer in den erwähnten Avvisi keine weiteren Hinweise auf Decio Bilotta finden, könnte man vermuten, die Avvisi-Schreiber hätten sich schlicht im Nachnamen vertan und mit dem neueingestellten Mitarbeiter Decio Memolo (s. u.) gemeint. Dies ist allerdings auszuschließen, sind die Handschriften von PV 13 und Memolo (Semmler, Staatssekretariat, Tafel 36 bzw. 33) doch keinesfalls identisch. Überdies läßt sich Memolos Hand laut ebd., S. 120, Anm. 4, spätestens seit August 1611 und nicht erst seit Januar 1614 in den Akten der Behörde belegen.

[67] Zu Vincenzo Bilotta als Chiffrensekretär vgl. Anm. 28. Während einige Empfehlungsschreiben Borgheses belegen, daß Vincenzo der Neffe des Cavaliere Bartolomeo Bilotta (vgl. Borghese an die Consoli von Benevent, 2. Mai 1608, FB II 434,297vf.) sowie mit Pietro Bilotta und dessen Kindern Scipione, Antonio und Giovanna (vgl. Borghese an den Vizegouverneur von Benevent, 26. Juli 1608, FB II 434,516) verwandt war, fand sich kein Hinweis auf Decios Zugehörigkeit zu dieser Familie. Vgl. aber die folgende Anm.

etwa von Feliciani, sondern von Decio Memolo[68], der bereits in den ersten Pontifi-katsjahren als Chiffrensekretär Erfahrungen in der Behörde gesammelt hatte, spä-testens 1611 ins Staatssekretariat zurückgekehrt war und nach dem Aufstieg Feli-cianis zum alleinigen Chefsekretär dessen rechte Hand wurde[69]. Mit Memolos Hilfe koordinierte der Bischof von Foligno die Arbeit seiner Gehilfen, doch das letzte Wort dürfte stets Feliciani gehabt haben, und so trug die letzte und längste Phase in der Geschichte des Staatssekretariats unter Paul V. die Handschrift des Sekretärs aus Gualdo[70].

Eine Veränderung scheint es jedoch selbst in der erfreulich gut dokumentierten Ära Felicianis gegeben zu haben, denn ab 1616 wurden die Verzeichnisse für die Nuntien und Legaten deutlich dünner. Dieser Schwund hängt mit einer Serie von Registern zusammen, die im September 1616 einsetzten und bis zum Ende des Borghese-Pontifikats kontinuierlich geführt wurden. Was es mit diesen Bänden – sie stammen aus dem bereits erwähnten Patronagesekretariat – auf sich hat, wird noch ausführlich zu schildern sein[71], und so mag hier der Hinweis genügen, daß ein Teil der römischen Korrespondenz mit dem Personal des Apostolischen Stuhls in diese Auslaufregister abwanderte. Ebenfalls dort zu finden sind zahlreiche

---

[68] Vgl. z. B. die von anderer Hand nachgetragene Einfügung einer vom Registrator ausgelassenen Pas-sage in FB II 427,283v, die auf einen Vergleich des Registereintrags mit dem Originalschreiben oder der Minute hinweist. Von dieser verbessernden Hand stammen auch die Randnotizen, die in den Bänden FB II 332, 359, 369, 403, 427 und 428 auftauchen. Laut Semmlers Beobachtung zu FB II 369 war dies die Hand Memolos (vgl. Semmler, Staatssekretariat, S. 112, Anm. 1), der nicht nur Sachstichworte zum schnelleren Auffinden einzelner Briefe, sondern auch Angaben zur Entstehung der Schreiben notierte (vgl. z. B. den Vermerk *Havuto l'ordine di Monsignore Cennini* in FB II 369,2r, der sich m. E. nur auf den mit dieser Notiz versehenen Brief, nicht, wie Semmler, Staatssekretariat, S. 112, Anm. 1, annimmt, auf die Anlage des ganzen Bandes bezieht). Interessanterweise finden sich solche Randkommentare auch in dem Tagebuch Vincenzo Bilottas in Barb.lat. 4810. Sollten diese Notizen ebenfalls von Memolo stammen, könnte dies darauf hinweisen, daß Decio Bilotta Vincenzos Tagebuch an sich genommen und gemeinsam mit seinen eigenen Auslaufregistern Decio Memolo zur Bearbeitung überlassen hat. Dies würde nicht nur die vermutete Verwandtschaft zwischen Decio und Vincenzo Bilotta wahrscheinlicher machen, sondern auch erklären, wie das den letzten Eintragungen zufolge in Benevent abgeschlossene Tagebuch nach Rom zurückgekehrt ist.

[69] Zu Memolos Rolle unter Feliciani vgl. Semmler, Staatssekretariat, S. 54, 77 und 120f., zu seiner Tätigkeit im Chiffrensekretariat und seinem Wechsel in den Dienst des Kardinals Millino vgl. Anm. 28.

[70] Vgl. die Aktennotiz bei Pastor, Bd. 12, S. 46, Anm. 8, auf die sich auch Semmler, Staatssekretariat, S. 77, Anm. 2, bei seiner Mitteilung beruft, Memolo sei «als Gehilfe, nicht mehr als Kollege» an die Seite Felicianis getreten. Auch laut Caetano, der in der fraglichen Zeit dem Staatssekretariat ange-hörte und es daher wissen mußte, lag nach dem Tod Peruginos die Leitung der Behörde allein bei Feliciani (vgl. Kraus, Denkschrift, S. 110), und da die Dorsalvermerke auf der eingelaufenen Post (vgl. Kap. II.2 und II.3) dies nachdrücklich bestätigen, darf man den Bischof von Foligno für die Zeit von Dezember 1613 bis zum Tod Pauls V. wohl zu Recht als alleinigen Chefsekretär betrachten.

[71] Vgl. Kap. IV.1.

Schreiben an verschiedene andere Empfänger, deren Post vor September 1616 in den Verzeichnissen des Staatssekretariats *a diversi* vermerkt wurde. Diese Register *a diversi* gilt es nun in den Blick zu nehmen.

b. Die Register *a diversi*:
Kategorien der Korrespondenz, Kriterien der Trennung

Was sind *Registri a diversi*? Welche Adressaten landeten in diesen Bänden? Und wer führte die Verzeichnisse? Bevor diese Fragen geklärt werden, sei zunächst ein Überblick über die betreffenden Auslaufregister gegeben[72].

TABELLE 2: DIE AUSLAUFREGISTER *a diversi*

Teil 1: Die Auslaufregister des Staatssekretariats *a diversi*

an *diversi* aus dem Ressort Mala-crida/Confalonieri

1. 12. September 1605–25. August 1609
SS Ppi 154
FB I 933

2. 19. August 1609–26. November 1611
SS Ppi 159
FB I 952,3–202
SS Div 233,2–221
Pio 182,1–110
Barb.lat. 5955, S. 1–426

an *diversi* in Spanien

1. 20. September 1605–19. Dezember 1607
SS Spa 334,4–192
FB I 948,5–167
SS Div 205,2–201
Pio 177,3–109
Barb.lat. 5938

2. 7.–26. Januar + 6.–31. März 1609
SS Spa 334,193–210
FB I 932,184–204

3. 18. August 1609–4. September 1612
SS Ppi 161,xy
FB I 954,230–410
SS Div 234,301–422
Pio 179,142–199
Barb.lat. 5956, S. 631–877
Ang. 1216,204–362

4. 11. September 1612–20. Dezember 1616
SS Ppi 162,1–28 + 175–526
FB I 943,4–25 + 184–513

5. 14. Januar 1617–2. Dezember 1619
SS Fra 297,533–620

an *diversi* in Malta und Sizilien

1. 18. Januar 1614–22. Januar 1621
FB II 369

an *diversi d'Italia, Francia e Spagna*

1. 5. September 1605–31. Dezember 1605
SS Ppi 156,4–52
FB I 923,137–216
SS Div 7,491–581

---

[72] Im Blick auf die Frage nach Original oder Kopie, die Reihenfolge, in der die Bände genannt werden, den Zeitraum, den sie umfassen, die z. T. durch xy ersetzten Folioangaben sowie die verwendeten Abkürzungen sei auf die Erläuterungen zu Tab. 1 in Anm. 8 hingewiesen, die auch für Tab. 2 gelten.

Pio 169,72–114
Barb.lat. 5945, S. 282–449

2. 4. Januar 1606–30. Dezember 1606
SS Ppi 155
(z. T. auch in SS Ppi 157,67–81)

3. 2. Januar 1607–29. Dezember 1607
SS Ppi 169
FB I 929

4. 2. Januar 1608–23. Dezember 1608
SS Ppi 158
FB II 434

5. 3.–24. Januar 1609
SS Ppi 156,128–199
FB I 932,206–261

an diversi d'Italia, Francia e Germania

1. 19. August 1609–25. Dezember 1610
SS Ppi 161,xy
FB I 954,5–86 + 98–229
SS Div 234,4–301
Pio 179,4–141
Barb.lat. 5956, S. 7–630
Ang. 1216,2–74 + 86–198

2. 1. Januar 1611–31. Dezember 1611
Ang. 1219,3–155

3. 5. Januar 1612–29. Dezember 1612
Ang. 1219,157–260

4. 4. Januar 1613–28. Dezember 1613
SS Ppi 162,33–174
FB I 943,26–183

an diversi d'Italia, Francia, Spagna e Germania

1. 4. Dezember 1613–10. Mai 1614
SS Ppi 163,1–165
FB I 938,4–235
FB I 946,3–187
SS Div 236,2–217
Pio 188,2–116
Barb.lat. 5957, S. 1–407
Ang. 1225,2–187

an diversi d'Italia e Spagna

1. 14. Mai 1614–26. Dezember 1614
SS Ppi 163,165–272
FB I 938,236–393
FB I 946,187–310
SS Div 236,217–343
Pio 188,116–187
Barb.lat. 5957, S. 408–688
Ang. 1225,188–296

2. 2. Januar 1615–30. Dezember 1615
SS Ppi 165,13–183
Ang. 1232,2–177

3. 1. Januar 1616–30. Dezember 1616
SS Part 152,146–234
FB I 944,161–273

4. 4. Januar 1617–30. Dezember 1617
SS Ppi 168,185–246
FB I 906,245–320

an diversi d'Italia

1. 14. Mai 1614–31. Dezember 1614
SS Ppi 164,1–159
Ang. 1228,1–150

2. 3. Januar 1615–30. Dezember 1615
SS Ppi 165,193–385
Ang. 1232,179–327

3. 2. Januar 1616–24. Dezember 1616
SS Part 152,423–511
FB I 944,472–557

4. 4. Januar 1617–23. Dezember 1617
SS Ppi 168,337–367
FB I 906,480–522

5. 25. Januar 1620–23. Januar 1621
SS Ppi 156,278–305

an diversi d'Italia e Germania

1. 10. Mai 1614–27. Dezember 1614
SS Ppi 164,161–345
Ang. 1228,155–325

2. 2. Januar 1615–30. Dezember 1615
SS Ppi 166,167–341
FB I 940,162–338
FB I 941,183–389
Ang. 1231,160–326

3. 2. Januar 1616–31. Dezember 1616
SS Part 152,12–142
FB I 944,2–160

4. 6. Januar 1617–30. Dezember 1617
SS Ppi 168,249–336
FB I 906,321–479

5. 25. Januar 1620–25. Dezember 1620
SS Ppi 157,85–112

an *diversi d'Italia e Francia*

1. 10. Januar 1615–26. Dezember 1615
SS Ppi 166,59–161
FB I 940,51–161
FB I 941,58–182
Ang. 1231,52–155

2. 2. Januar 1616–31. Dezember 1616
SS Part 152,240–420
FB I 944,274–471

3. 7. Januar 1617–30. Dezember 1617
SS Ppi 168,373–477
FB I 906,523–661

4. 7. Januar 1617–28. Dezember 1619
SS Fra 297,4–529

5. 4. Januar 1620–16. Januar 1621
SS Ppi 156,200–269

Teil 2: Die Auslaufregister des Patronagesekretariats[73]

1. FB II 416: 13. September 1616–31. Dezember 1616
2. FB II 401: 4. Januar 1617–30. Dezember 1617
3. FB II 432: 1. Januar 1618–30. Juni 1618
4. FB II 488: 2. Juli 1618–31. Dezember 1618
5. FB II 419: 1. Januar 1619–30. Juni 1619
6. FB II 420: 1. Juli 1619–31. Dezember 1619
7. FB II 417: 1. Januar 1620–31. Juli 1620
8. FB II 422: 1. August 1620–13. Februar 1621

Sieht man von den ominösen Bänden FB II 416 bis FB II 422 ab, die zwar im Patronagesekretariat geführt, zur leichteren Orientierung aber bereits hier genannt werden, stammen die in Tab. 2 erfaßten Register *a diversi* ausnahmslos aus dem Staatssekretariat. Dessen Mitarbeiter dürften daher gewußt haben, was es mit diesen Verzeichnissen auf sich hat, und tatsächlich ist in einem Vermerk Confalonieris wie selbstverständlich von den *diversi* oder *particolari* unter den Adressaten seiner Post die Rede. An Nuntien habe er geschrieben, aber auch an

---

[73] Diese Bände stammen zwar nicht aus dem Staats-, sondern aus dem im September 1616 errichteten Patronagesekretariat unter Ottavio Bacci (vgl. Kap. IV.1), werden aber hier angeführt, um die Folgen der Neugründung zu verdeutlichen, nämlich den rückläufigen Umfang der Behördenbände durch die Registrierung eines Teils der bislang im Staatssekretariat erstellten Schreiben bei Bacci.

andere Empfänger in den ihm zugewiesenen Provinzen, heißt es in der Notiz des Sekretärs am Beginn eines Bandes, der dem Titel gemäß Briefentwürfe für römische Diplomaten, Fürsten, kirchliche Würdenträger und Privatpersonen ohne Amt und Weihen enthält[74]. Damit wäre bereits eines geklärt: Das Provinzprinzip, das in fast allen Kanzleien und Sekretariaten des frühneuzeitlichen Europa zur Anwendung gelangte, galt auch in der politischen Behörde der Päpste, und so hatte sich der Sekretär, dem die Amtskorrespondenz für eine bestimmte Nuntiatur oder Legation oblag, gleichzeitig um den Briefwechsel mit allen anderen Bewohnern dieser Provinz zu kümmern[75]. Genau dies bestätigt ein Blick in die Register, die den jeweiligen Sekretären und ihren Ressorts zuzuordnen dank der Erläuterungen Confalonieris keine Probleme bereitet. So landeten die gleichen Adressaten aus den Ländern nördlich der Alpen, die ab August 1609 von Confalonieri betreut wurden, vor diesem Zeitpunkt in Malacridas Band SS Ppi 154 (= FB I 933), ob es sich nun um gekrönte Häupter, um Geistliche oder um Privatleute gleich welchen Ranges handelte. Der König von Frankreich fand sich hingegen in den Bänden Margottis wieder, der für die *diversi* in Spanien ein eigenes Register anlegen, die Post an die restlichen *particolari* seines Ressorts

---

[74] Vgl. den in Anm. 49 zitierten Vermerk in Confal. 54. Obwohl die hier gebündelten Minuten der Notiz Confalonieris entsprechend zwar vor allem an Privatpersonen, aber auch an die Nuntien beim Kaiser, in Frankreich, Spanien, Venedig und Flandern gingen, habe ich die auf diesem Minutenband fußenden Register SS Ppi 159 etc. den Registern *a diversi* zugeordnet. Dafür spricht zweierlei: Zum einen liegen für die hier nur mit einigen wenigen Briefen vertretenen Nuntiaturen, die ohnehin nicht in Confalonieris Ressort fielen, weit vollständigere Sammlungen vor (vgl. Tab. 1), und zum anderen hielt auch Confalonieri diesen Band seiner Notiz zufolge für ein «*Registro di lettere diverse*». Das in FB I 952, SS Div 233, Pio 182 und Barb.lat. *5955* jeweils am Bandende eingebundene Register an den Kollektor in Portugal für die Zeit vom 13. Oktober 1609 bis zum 8. November 1611, für das sich weder die Minuten in Confal. 54 noch Eintragungen in SS Ppi 159 finden, wurde hingegen in Tab. 1 erfaßt.

[75] Daß das Provinzprinzip, auf das sich bereits Semmler konzentriert hat und dessen strikte Einhaltung auf der mittleren Ebene der Hierarchie unlängst von Stefan Samerski zum «Markstein auf dem Weg zur Etablierung des Kardinalstaatssekretärs» (ders., Provinzprinzip, S. 82) erhoben wurde, der Unterteilung der Aufgabenbereiche in große Ressorts zugrunde lag, ist unbestritten. Allerdings scheint mir die Begeisterung der beiden Autoren für diese Beobachtung zu weit zu gehen, verstellt die Konzentration auf regionale Kriterien doch den Blick auf den Inhalt der Schreiben und dessen Bedeutung für den Umgang mit der Post. So ist Semmlers Fixierung auf die Herkunft der Briefe m. E. maßgeblich dafür verantwortlich, daß er weder auf den Unterschied zwischen Amts- und Patronagekorrespondenz noch auf den mit der Bearbeitung der letzteren befaßten Stab des Nepoten und dessen eigene Sekretariate eingeht. Zu diesen Sekretariaten vgl. Kap. IV. Im übrigen wäre es zur Vermeidung von Mißverständnissen wohl ratsam, das Provinz- in Regionalprinzip umzubenennen. Schließlich geht es hier um die Aufteilung der Korrespondenz aus allen Teilen der Welt, nicht nur um die Briefe aus den verschiedenen Gebieten des Kirchenstaates als eigentliche Provinzen Roms. Doch da bereits Confalonieri von seinen *provincie* sprach und sich der Begriff in den aktenkundlichen Arbeiten durchgesetzt hat, wird er im folgenden beibehalten.

aber in den Verzeichnissen SS Ppi 156 bis FB II 932 vermerken ließ. Solange Lanfranco Margotti sowohl für Frankreich als auch für alle italienischen Regionen zuständig war, mochte die Bündelung der dortigen Briefpartner in einem Band angehen. Als aber nach dem Ausscheiden Malacridas im Juli 1609 Frankreich und Venedig an Feliciani fielen, während die Briefe aus dem Kirchenstaat und weiten Teilen Italiens an Perugino übergingen, konnte dies auch für die Register a diversi nicht ohne Folgen bleiben. Der Prozeß der Differenzierung, den das Revirement von 1609 in Gang setzte, ist für die Amtszeit Peruginos aufgrund der notorischen Überlieferungslücke nur zu erahnen, ab Dezember 1613 jedoch etwas klarer zu erkennen. Neben dem Band für die particolari in Spanien und dem im Januar 1614 begonnenen Sonderregister für Empfänger auf Sizilien und Malta führte Feliciani nach seinem Aufstieg zum alleinigen Chefsekretär zunächst nur ein weiteres Verzeichnis, in dem die Post an die diversi aller anderen Regionen erfaßt wurde. Wohl wegen des Umfangs dieser Korrespondenz, die das Fassungsvermögen eines einzigen Registers weit überschritt, stellte Feliciani das Verfahren jedoch bereits im Mai 1614 um. Fortan wurden die Briefe a diversi d'Italia, Francia, Spagna e Germania in vier parallelen Auslaufverzeichnissen registriert: In der ersten Serie landeten Schreiben an den Vizekönig in Neapel und andere Adressaten im spanisch dominierten Süditalien, die zweite Reihe war den Empfängern innerhalb des Kirchenstaats und einiger benachbarter Regionen vorbehalten, in der dritten Serie findet sich die Post der Behörde a diversi entlang einer über Genua bis zum Kaiserhof laufenden Linie von Italien bis ins Reich, und in den Registern der vierten Rubrik wurden die Briefe des Staatssekretariats vermerkt, die sich an Adressaten in Mailand und Frankreich wandten[76]. Blickt man nun zurück auf die Zeit zwischen Dezember 1611 und Dezember 1613, fällt auf, daß für diese Phase zwar Felicianis Verzeichnisse für die particolari der ihm unterstellten Gebiete vorhanden sind, für die diversi, die sich ab Dezember 1613 in den Serien Italia e Spagna und Italia fanden und bis zu diesem Zeitpunkt von Perugino betreut worden sein dürften, jedoch keine Bände vorliegen. Ein Vergleich der in Ferrareser Archiven befindlichen Originale mit den erhaltenen Auslaufregistern bestätigt dies in aller Deutlichkeit. So wurden die Schreiben des Staatssekretariats an die Repräsentanten der Stadt Ferrara und einzelne Bewohner der Provinz in den ersten Jahren des Borghese-Pontifikats in Margottis Bänden verzeichnet, um ab Dezember 1613 in Felicianis Registern a diversi des Kirchenstaats notiert zu werden. Für die im Original erhaltene Post aus der Zeit zwischen diesen beiden Abschnitten sind jedoch außer einigen Ausreißern in

---

[76] Diese Unterteilung legen auch die in der Tabelle übernommenen Bezeichnungen der Register als Registri a diversi d'Italia e Spagna, d'Italia, d'Italia e Germania und d'Italia e Francia nahe, die in einigen Bänden zu finden sind, vgl. z.B. FB I 944.

Felicianis Bänden[77] keine Eintragungen zu finden. Verwunderlich ist dies nicht, fiel das entsprechende Register gemäß dem von Confalonieri beschriebenen Provinzprinzip doch in den Zuständigkeitsbereich Peruginos und daher wohl dem gleichen Schicksal zum Opfer, das von den Beständen dieses Ressorts kaum mehr übriggelassen hat als die charakteristische Lücke in der Überlieferungslage.

Ob es um die Ressortaufteilung oder die Quellenlage geht – die Befunde für die *Registri a diversi* gleichen den Ergebnissen, die der Blick auf die Bände des Staatssekretariats für die Post an die Nuntien und Legaten zutage gefördert hat, und so könnte man annehmen, die beiden Registertypen hätten sich allein durch den Kreis ihrer Adressaten unterschieden. Nur eine Kleinigkeit will nicht ins Bild passen: Während die Verzeichnisse für die Weisungen an das diplomatische Personal wenigstens zum Teil noch unter der Regie des kurzzeitigen Kardinalstaatssekretärs Valenti angelegt wurden, setzten die Register an die *diversi* ausnahmslos erst im September und somit nach der Ernennung des Kardinalnepoten Scipione Borghese zum Chef der Behörde ein. Möglicherweise deutet sich bereits hier eine größere Unabhängigkeit der Amtskorrespondenz von der Person des Papstneffen an, als sie für dessen Schriftwechsel mit der bunten Schar der *diversi* zu konstatieren ist. Gänzlich überraschend käme dies nicht, denn schließlich dürften unter den Schreiben der Regenten, Politiker und Privatpersonen aus ganz Europa weit mehr Bittbriefe an den für Patronagefragen zuständigen Chef der Borghese-Klientel zu finden sein als in den Berichten der Diplomaten über die

---

[77] Von Briefen, die in Peruginos Ressort gehörten, aber dennoch in Felicianis Bänden zu finden sind, berichtet auch Reinhard, Albergati, Bd. 1, S.XXXVII, Anm. 128, im Blick auf die Schreiben an den Kölner Nuntius. Für die Korrespondenz der Behörde mit Ferrareser Empfängern sind neben einigen Briefen an einzelne Bewohner der Provinz auch eine Handvoll Schreiben an den Ferrareser Legaten Spinola in Felicianis Registern *a diversi* zu nennen. Da sich deren Anzahl (1610: 12, 1611: 10, 1612: 1, 1613: 1) im Vergleich mit dem Umfang der üblichen Legationskorrespondenz jedoch bescheiden ausnimmt, steht außer Frage, daß Feliciani nur in Ausnahmefällen mit der Bearbeitung der Ferrareser Post betraut wurde und seine Bände folglich keineswegs die eigentlichen Register für die Legation Ferrara darstellen. Sucht man nach dem Grund für den unerwarteten Einsatz des Sekretärs, fällt eines ins Auge: In aller Regel behandeln die in Felicianis Bänden vermerkten Schreiben nach Ferrara Themen, die die nördlich an Ferrara angrenzende Republik Venedig berührten, und so dürfte Feliciani in diesen Fällen als der für Venedig zuständige Sekretär aktiv geworden sein. Vgl. z.B. Ang.1219,3–155: Von den 10 Briefen an Spinola in Felicianis Register für 1611 weisen 8 einen Bezug zu Venedig auf (62r/v, 64vf.: Probleme bei der Postzustellung nach Venedig, die Spinola übernehmen soll; 113vf., 126vf.: Informationsaustausch zwischen Spinola und dem Nuntius in Venedig in einer grenzüberschreitenden Causa; 64r/v, 82vf., 83r/v, 91r–92r: Beschwerden des venezianischen Botschafters in Rom über ein privates Entwässerungsprojekt an der ferraresisch – venezianischen Grenze). In einem der übrigen Schreiben erhält Spinola den Auftrag, dem Herzog von Modena, d.h. einem weiteren Nachbarn, eine Entscheidung des Papstes mitzuteilen (68r), und in nur einem einzigen Brief fehlt der direkte Bezug zu einem Nachbarstaat (76vf.).

politische Lage vor Ort[78]. Die Lektüre der in den Registern verzeichneten Briefe könnte hier weiterhelfen, doch da die eingelaufene Post wohl die beste Quelle für die Wünsche der Absender ist, sei das Interesse Borgheses an den unterschiedlichen Korrespondenzarten im Zusammenhang mit dem Briefeinlauf der Behörde und seiner Bearbeitung untersucht.

Geklärt werden muß an dieser Stelle indes eine andere Beobachtung. So zeigt ein näherer Blick auf die als *diversi* bezeichneten Adressaten, daß keineswegs jeder Amtsträger des Apostolischen Stuhls mit einem eigenen Auslaufregister rechnen durfte und die Anlage solcher Bände zuweilen mehr über die Politik Roms als über behördenorganisatorische Prinzipien aussagt. Illustrieren läßt sich dies am Beispiel des Ferrareser Vizelegaten, dessen Post man in den Registern für die Verwaltungschefs in Ferrara, Bologna und Ravenna vergebens sucht. Warum die Schreiben an die Legaten der drei Provinzen, die im Unterschied zum restlichen Territorium des Kirchenstaats in den Zuständigkeitsbereich des Staatssekretariats fielen, in ein und demselben Band registriert wurden, ist offenkundig: Bei aller Verschiedenheit im Detail waren die Grundprobleme der Legationen dieselben, die Themen der Korrespondenz folglich sehr ähnlich, und nicht selten gingen an die drei Legaten Schreiben gleichen Wortlauts, die, mit der Anmerkung «*Ai Signori Cardinali Legati*» versehen, nur einmal vermerkt werden mußten. Vor allem aber ermöglichte die gemeinsame Registrierung den schnellen Überblick über Anweisungen, die in der gleichen Angelegenheit an drei verschiedene Empfänger gesandt worden waren, was etwa während der Auseinandersetzungen zwischen Rom und Venedig 1606/1607 von großem Wert sein konnte. Doch trotz dieser Vorzüge scheinen nicht allein funktionale Kriterien über den Ort der Registrierung entschieden zu haben, denn wenn dem so gewesen wäre, hätte man all jenen einen gemeinsamen Band widmen müssen, die Rom am gleichen Ort und in enger Zusammenarbeit vertraten. Doch davon kann keine Rede sein: Giulio della Torre, eine Art Nuntius Roms in Mailand, hatte ein eigenes Auslaufregister, der stets nur «il Todeschino» genannte Agent des Apostolischen Stuhls in Mailand, Ambrogio Fornero, fand sich dagegen in den *Registri a diversi* wieder. Für Ferrara gilt ähnliches. Während die Briefe an den Kardinallegaten mit jenen an seine gleichrangigen Amtskollegen verzeichnet wurden, landeten die Schreiben an den Vizelegaten ebenfalls in den *Registri a diversi*. Wenn aber offensichtlich nicht strikt nach Amtsträgern und Privatpersonen unterschieden wurde, wie diese Beispiele belegen, wonach dann? Ein Blick auf Umfang und Regelmäßigkeit der Korrespondenz kann hier weiterhelfen: Allein Nuntien und Legaten schrieben unaufgefordert und in einem bestimmten Rhythmus nach Rom, selbst wenn es

---

[78] Zur Patronagekorrespondenz der Amtsträger sowie der *diversi* und zum Interesse Borgheses an dieser Post vgl. die beiden nächsten Abschnitte.

nichts zu berichten gab, und allein an sie gingen ebenso zahlreiche und regelmäßige Antwortschreiben. Alle anderen griffen lediglich bei Bedarf zur Feder, was eine annähernd regelmäßige Korrespondenz im Einzelfall freilich nicht ausschließt. Einen eigenen Registerband erhielten somit nur solche Amtsträger, zu deren Pflichten die kontinuierliche Berichterstattung im Takt des Postverkehrs gehörte. Daß dies auf den Ferrareser Legaten zutraf, zeigen seine zahlreichen und vor allem stets zweimal wöchentlich abgefaßten Berichte. Den Vizelegaten dagegen unter den *diversi* zu finden wirft ein bezeichnendes Licht auf seine Stellung: Er war der Diener des Legaten, dem er seine Berufung verdankte und mit dessen Amtszeit auch die seine endete, nicht aber ein Korrespondenzpartner, auf dessen Informationen man in Rom angewiesen zu sein glaubte.

Genau dies jedoch führte zu Beginn des Borghese-Pontifikats zu Komplikationen, die auf den ersten Blick wie behördentechnische Lappalien wirken, tatsächlich aber ein politisches Problem erster Ordnung darstellten. Überdies zeigt die Episode aus den Monaten nach der Wahl Pauls V., daß die politische Korrespondenz der Kurie durchaus auch Wege am Staatssekretariat vorbei nehmen konnte, wenn es der Papst für nötig hielt, seine eigene Behörde auszuschalten. Wie es soweit gekommen war, sei daher kurz geschildert. Die völlige Unterordnung des Vizelegaten unter den Legaten und die Konzentration des Staatssekretariats auf letzteren als alleinigen Ansprechpartner in der Provinz mochte unproblematisch sein, solange der Verwaltungschef im Kardinalsrang seinen Dienstsitz nicht verließ. Doch sobald der Legat ein Leben in der Hauptstadt vorzog und seinem Vertreter mit der Arbeit vor Ort auch die Berichterstattung über die Legationsgeschäfte übertrug, standen einige Fragen im Raum. Wo sollten in einem solchen Fall die Schreiben an den Vizelegaten registriert werden? Und vor allem: An wen hatte dieser seine Berichte zu schicken? Unter Clemens VIII. war die Sache einfach. Legat Ferraras war kein Geringerer als der Kardinalnepot Pietro Aldobrandini, der sowohl den Titel des Sopraintendente dello Stato Ecclesiastico führte als auch der für den Kirchenstaat zuständigen Abteilung des Staatssekretariats offiziell vorstand und damit alle Ämter auf sich vereinigte, deren Inhaber als Adressaten in Frage kommen konnten. Und da Clemens VIII. keinen rangniederen Monsignore als Vizelegaten, sondern einen Kardinal als *Collegato* nach Ferrara entsandt hatte, dem überdies ein eigener Vizelegat zur Verfügung stand[79], ließ sich Aldobrandinis Vertreter protokollarisch und behördentechnisch wie der eigentliche Legat behandeln. Doch wenige Monate nach Clemens VIII. starb auch der Collegato, und als Aldobrandini wohl nicht ohne Beteiligung Pauls V. mit Orazio Spinola einen Mon-

---

[79] Dem stets nach seiner Titelkirche San Clemente genannten Collegato Kardinal Francesco Biandrata stand zunächst Alessandro Centurione (1598), danach Giacomo Severoli (1599–1605) zur Seite.

signore zum Vizelegaten Ferraras ernannte[80], wurde es kompliziert. Denn Kardinal Borghese war nun der neue Sopraintendente dello Stato Ecclesiastico und bald der nominelle Leiter des Staatssekretariats, Kardinal Aldobrandini aber unverändert Legat Ferraras und als solcher für die Belange der Provinz zuständig[81]. Die Stadt Ferrara und die Landgemeinden wandten sich mit ihren Bitten und Problemen an ihn, der Papst selbst überwies ihm die Memoriali aus der Legation, und auch Spinola schickte seine Berichte an Aldobrandini[82]. Dieser bearbeitete mit der Unterstützung seines Maggiordomo Monsignore Benini die Post aus Ferrara, trug die

---

[80] Ausgestellt wurde das Patent vom 26. Juni 1605 (Reg. C,31r/v), mit dem Spinola zum Vizelegaten ernannt wurde, zwar im Namen des amtierenden Legaten Aldobrandini, doch ist diese Wahl sicherlich nicht ohne Zustimmung Pauls V. getroffen worden, nach dessen Willen Spinola bis Ende 1615 der Vertreter Roms in Ferrara blieb. Die *licentia immiscendi se in criminalibus* (die Lizenz für Geistliche, im Rahmen der Gerichtsbarkeit Blut zu vergießen) *«per l'Arcivescovo di Genova deputato dal Signore Cardinale Aldobrandino Vicelegato di Ferrara»* datiert vom 22. Juli 1605 (Sec.Brev. 397,994; das Zitat ist der Anweisung zur Ausstellung des entsprechenden Breves zu entnehmen, die Valenti dem Brevensekretär Vestri im Auftrag Pauls V. erteilte, ebd.,995). Seinen Dienst hat er Anfang August 1605 angetreten, denn während ein Bando (ein ausgehängter Erlaß des Legaten oder seines Stellvertreters) vom 4. August noch den langjährigen Vizelegaten Severoli als Urheber angibt, wurde der nächste Bando vom 11. August 1605 im Namen Spinolas veröffentlicht, vgl. die Sammlung der Bandi dei Cardinali Legati dal 1598 al 1690. Raccolti in voll. IX, Bd. 1: 1598–1615, unter dem Datum.

[81] Leo XI. hatte Aldobrandini als Legat Ferraras am 5. April 1605 bestätigt (Sec.Brev. 395,45), Paul V. tat dies am 8. Juni 1605 (ebd. 396,562).

[82] Die Minuten der Briefe Ferraras an Aldobrandini und dessen Antworten finden sich in CC 153,1–419. Daß sich auch der Ferrareser Botschafter in Rom an Aldobrandini wandte, belegen dessen Berichte an die Stadt über die Klagen ihres Vertreters vom 6. und 17. August 1605 (ebd., 286, 288). In CB 60 landeten zwei Schreiben des Domkapitels von Ferrara an Aldobrandini vom 30. November und 7. Dezember 1605. In SS Fe 2 dagegen finden sich Briefe der Presidenti del Monte di Bagnacavallo (7. September 1605: fol.103) und der dortigen Anziani (18. September 1605: 136; vgl. dass., 22. Dezember 1605 in CB 60) sowie ein Schreiben der Consoli d'Argenta (3. September 1605: 93) an Aldobrandini. Ein Memoriale der Fischhändler Ferraras an Paul V. trägt auf der Rückseite den Vermerk *Al Signore Cardinale Aldobrandini* (SS Fe 2, 123/124v). Daß Paul V. die zahlreichen Memoriali, in denen die Stadt um die zu Pontifikatsbeginn üblichen Privilegienbestätigungen und andere Gnaden bat, an Aldobrandini überwies, belegt der Beginn einer direkt an den Legaten gerichteten Supplik Ferraras: *«Nostro Signore si contentò trà le gratie chieste da Signori Ambasciatori come s'è veduto da rescritti de' memoriali da Sua Beatitudine diretti à V.S.Ill.ma ... supplica humilmente V.S.Ill.ma à volere ordinare à Monsignore Vestri* (den noch amtierenden Brevensekretär, B.E.) *che ne spedischi li dovuti Brevi»* (Sec.Brev.400,644r). Auch eine Supplik der Gemeinde Comacchio an Paul V. erwähnt *«un altro memoriale che la Santità Vostra fece rescrivere al Cardinale legato»* (ebd.,399,2r). Ein weiteres Memoriale Comacchios wurde überwiesen *«Al Signore Cardinale Legato che faccia qualche li par conveniente»* (ebd.,538v). Aldobrandini schickte die an ihn verwiesenen Memoriali häufig an Spinola mit der Bitte um Stellungnahme, vgl. Spinolas Antworten in SS Fe 2,79r (2. September 1605), 152 (24. September 1605) und in CB 57 (7. Dezember 1605). Die Legationsberichte Spinolas an Aldobrandini vom September 1605 finden sich in großer Zahl in SS Fe 2,75–183, jene vom Dezember 1605 in CB 57 und 60.

Angelegenheiten der Provinz im Bedarfsfall Paul V. vor und teilte seinem Vizelegaten vor Ort die Entscheidungen des Papstes mit[83]. Zwar konnte dieser Zustand nicht von Dauer sein, da der neue Papst wohl kaum gewillt war, die Verwaltung eines so wichtigen Gebiets wie Ferrara einem ehemaligen Kardinalnepoten und dessen Maggiordomo zu überlassen. Aber gerade diese Übergangsphase taucht die Rolle des Staatssekretariats für die Legation Ferrara in helles Licht: Das Staatssekretariat war nicht mehr als die Ausfertigungsbehörde, die die Weisungen des Papstes an den Legaten weiterzuleiten hatte und nicht mehr gebraucht wurde, sobald sich der Legat in Rom aufhielt und die päpstlichen Befehle persönlich entgegennehmen konnte. Wie er seinem Vizelegaten die entsprechenden Anweisungen zukommen ließ, war nun die Sache des Legaten. Natürlich konnte er sich des Staatssekretariats für diese Zwecke bedienen, wenn er zufällig – wie Kardinal Aldobrandini bis zum Tod seines Onkels – zugleich dessen Leiter war. Aber auch jeder andere Mitarbeiter des Legaten wäre für diese Aufgabe in Frage gekommen, und als Aldobrandini seine Position als Behördenchef abtreten mußte, ließ er die Korrespondenz mit dem Vizelegaten eben von seinem Maggiordomo abwickeln.

Dieser aber war der Vertraute seines Herrn, und wenn Paul V. die volle Kontrolle über die Legation Ferrara erobern wollte, mußte es ihm gelingen, den Briefverkehr mit Ferrara in die Hände seiner eigenen Leute umzuleiten. Zwar hätte er Aldobrandini kurzerhand des Amtes als Legat entheben können, aber noch war der neue Papst um ein gutes Verhältnis zum Neffen seines Vorgängers und Kreators bemüht[84]. Und da er selbst das Amt des Staatssekretärs im Mai 1605 mit Kardinal Erminio Valenti einem ehemaligen Sekretär und Vertrauten Aldobrandinis übertragen hatte, wäre eine stärkere Beteiligung der Behörde an der Verwaltung Ferraras ohnehin von nur geringem Nutzen gewesen. Doch als Ende August auch noch Kardinal Valenti dem bereits zum Präfekten der Kongregationen Sacra Consulta und Del Buon Governo und zum Sopraintendente dello Stato Ecclesia-

---

[83] «A Monsignore Benino», ist auf der Rückseite vieler Schreiben Spinolas an Aldobrandini und zuweilen auch auf den Suppliken vermerkt (vgl. Sec.Brev. 399,539v: «A Monsignore ... Benino che ne parli a S.S.Ill.ma»). Daß Giovanni Benini der Maggiordomo Aldobrandinis war, belegt die Adresse des Schreibens eines Leone Rieti aus Lugo vom 3. September 1605 an Benini (SS Fe 2,92v). Auch Monsignore Agucchia half Aldobrandini gelegentlich, Spinola die Anweisungen Pauls V. zu übermitteln, vgl. SS Fe 2,114r, Spinola an Aldobrandini, 10. September 1605: «Monsignore Agucchj m'ha significato per ordine di V.S.Ill.ma l'intentione di Sua Santità..». Die Vermittlerfunktion Aldobrandinis wird besonders deutlich, wenn ihm Spinola als Antwort auf die Schreiben des Legaten versichert, «eseguirò la mente di Sua Beatitudine ..» (SS Fe 2,164r, 24. September 1605) oder erwidert: «Da la lettera di V.S.Ill.ma delli 6 ho visto, come Nostro Signore si contenta di far gratia ... Non mancarò d'osservarne in tutto la mente di Sua Beatitudine..» (CB 57, 14. Dezember 1605). Einige Schreiben Aldobrandinis, in denen er seinem Vizelegaten Anweisungen gibt, finden sich in CC 153: 286, 288, 331.

[84] Vgl. Pastor, Bd. 12, S. 43.

stico ernannten Borghese in der Leitung des Staatssekretariats weichen mußte, schien die Schonzeit für Aldobrandini und seine Getreuen abgelaufen.

Tatsächlich berichtete ihm sein Vizelegat in Ferrara schon am 14. September 1605 von einer Order, die deutlich zeigte, was die Stunde geschlagen hatte: Kardinal Borghese habe ihm befohlen, jede Angelegenheit von Bedeutung nicht nur Aldobrandini, sondern gleichzeitig der Consulta mitzuteilen. Diese Anweisung stamme vom Papst selbst und sei äußerst strikt. Falls ihm, Spinola, etwas an der Gnade Seiner Heiligkeit gelegen sei, habe er sie einzuhalten. Ein Schreiben an den Legaten genüge keinesfalls, und Entschuldigungen würden nicht akzeptiert werden[85]. Daß Borghese selbst es war, der über alles informiert werden sollte, stand für Aldobrandini und Spinola außer Zweifel[86]. Warum aber dann der ausdrückliche Befehl, an die Consulta und nicht etwa an das Staatssekretariat oder an Borghese direkt zu berichten? Zunächst wohl aus taktischen Gründen: Denn da schon im Pontifikat Clemens' VIII. eine gleichlautende Anweisung vom damaligen Consulta-Präfekten an Spinolas Vorgänger als Vizelegat in Ferrara ergangen war, konnte sich Borgheses Schreiben auf den Aldobrandini-Papst berufen und dessen Neffe die Anweisung somit nicht als unzulässige Neuerung und Eingriff in seinen Machtbereich kritisieren[87]. Vor allem aber war die Consulta eine etablierte Verwaltungsbehörde mit klaren Kompetenzen und Weisungsbefugnissen auch gegenüber den Legaten, das Staatssekretariat dagegen – formal betrachtet – nichts anderes als eine päpstliche Schreibstube. Der Kardinalnepot als ihr nomineller Leiter hatte weitreichende Kompetenzen, nicht aber die Behörde selbst, und wofür sie zuständig war, lag allein im Ermessen des Papstes und seines Neffen. Eine ständige Berichterstattung an das Sekretariat zu fordern war mithin undenkbar. Und Borghese selbst mußte man nicht als Adressaten der Legationsberichte angeben, denn auch die für die Consulta bestimmten Briefe waren ohnehin an den Nepoten als ihren Präfekten zu richten, der sie dann den jeweiligen Gremien zur Bearbeitung zuweisen konnte. Somit war mit jenem Befehl an Spinola eine Situation geschaffen,

---

[85] Spinola an Aldobrandini, 14. September 1605, SS Fe 2, 137/138r, hier: 137r: «*Il Signore Cardinale Borghese mi reitera un'ordine stato dato dal Cardinale de Camerino voglio credere a Monsignore Severola nel quale mi commanda che nelle cose di momento che occorrono in questa Legatione ne dij conto alla consulta nel medesimo tempo che lo faccio a V.S.Ill.ma l'ordine e di Nostro Signore e molto stretto perche me ne impone per quanto stimo la gratia di Sua Santità et soggionge che non sara accettata la scusa quando tralasci di farlo per haverne dato relatione al legato, serva per V.S.Ill.ma et accetti l'aviso sotto quello termine che suole ricevere l'avisi da me suo Servitore*».

[86] Auf die nicht vorhandene Antwort Aldobrandinis erwiderte Spinola am 28. September 1605 in bezeichnender Gleichsetzung Borgheses mit der Consulta: «*Nel dare conto al Signore Cardinale Borghese mi governero conforme à quello V.S.Ill.ma mi scrive, et spero si dara poco fastidio alla consulta perche alla fine de casi gravi non ne devono succedere ogni giorno*» (SS Fe 2,176r).

[87] Vgl. das Zitat in Anm. 85. Kardinal di Camerino war der Präfekt der Consulta zur Zeit Clemens' VIII., Severoli der Vizelegat Ferraras von 1599 bis 1605.

die Aldobrandini noch aus seiner Zeit im Staatssekretariat kannte: Wie einst er die Nuntien aus dem Zuständigkeitsbereich seines Cousins und Konkurrenten Cinzio aufgefordert hatte, auch an ihn zu berichten[88], mußte jetzt Spinola sowohl Borghese als auch Aldobrandini auf dem laufenden halten.

Doch mit diesem ersten Sieg konnte sich Borghese nicht zufriedengeben, denn wichtiger, als die Berichte zu erhalten, war es zweifellos, dem Vizelegaten Anweisungen zu geben. Paul V. schien diese Rolle dem noch amtierenden Legaten allerdings nicht vollends nehmen zu wollen, und so erhielt Spinola in den folgenden Monaten weiterhin Briefe Aldobrandinis, in denen dieser nicht nur Entscheidungen des Papstes mitteilte, sondern auch von seinen Kompetenzen als Legat Gebrauch machte[89]. Aber auch Kardinal Borghese wandte sich nun in zunehmendem Maße an Spinola[90], der seinerseits an einem guten Kontakt zum neuen Kardinalnepoten interessiert sein mußte. Schließlich war der Vizelegat zugleich Erzbischof seiner Heimatstadt Genua, und wenn es Probleme mit der Republik gab, was nicht selten der Fall war, bedurfte es der Unterstützung Borgheses und seines Onkels, die um Hilfe zu bitten Spinola nicht zögerte[91]. Da ein gutes Verhältnis zur regierenden Familie nicht nur in solchen Fällen von Nutzen sein konnte, sondern die Voraussetzung für Spinolas weitere Karriere im Borghese-Pontifikat war, durfte Aldobrandini nicht auf Spinolas Treue hoffen, sollte es denn zu einem Machtkampf zwischen Legat und Kardinalnepot kommen.

---

[88] Vgl. Jaschke, S. 142.

[89] Als Legat war es Aldobrandini weiterhin möglich, gewisse Ämter zu vergeben (vgl. z. B. Spinolas Brief an Aldobrandini vom 24. September 1605 in SS Fe 2,154r über Girolamo Bertoldi und «*'l possesso dell'offitio della valle d'Agosta concessoli da V.S.Ill.ma*» oder das Schreiben eines Giovanni Amati aus Comacchio an Aldobrandini vom 18. Dezember 1605 in CB 60, der berichtet: «*sono stato da V.S.Ill.ma et R.a deputato podestà della Cittade*») oder, wenn auch in diesem Fall erfolglos, deren Vergabe zu verhindern (vgl. Spinola an Aldobrandini, 2. September 1605, SS Fe 2,81, über «*la sospensione del possesso di questa Compagnia de' Cavalli fatta d'ordine di V.S.Ill.ma al Capitano Horatio Barogli*»). Des weiteren konnte er in Getreidefragen von Pflichten befreien (vgl. Spinola an Aldobrandini, 24. September 1605, SS Fe 2,152, auf das von Aldobrandini geschickte «*Memoriale del Signore Conte Ottavio Tassoni, al quale ella si contenta di concedere, che non sia astretto di condurre in Ferrara i grani raccolti ne i suoi benifici*»). Spinola selbst bat seinen Legaten gelegentlich um Anweisungen: «*n'ho voluto dar prima conto a V.S.Ill.ma accio ordini quello si dovera fare*» (21. September 1605, SS Fe 2,78r).

[90] Schon am 17. September 1605 begann Spinola einen Brief an Aldobrandini mit den Worten: «*Il Signore Cardinale Borghese m'ha scritto d'ordine di Nostro Signore..*» (SS Fe 2,133r).

[91] So z. B. schon im Oktober 1605, als die Republik in kirchliche Rechte eingreifen wollte (vgl. Spinola an Borghese, 19. Oktober 1605, FB II 431,81). Bereits am 9. November 1605 konnte Spinola Borghese vom Erfolg der römischen Intervention berichten:«*Mi scrivono da Genova che il Senato ha rivocato in buona forma quello che gia decretorno in pregiuditio delli oratorij et compagnie spirituali*» (FB II 431,140). Zu den Bitten des Legaten um Hilfe in Genua und dem Einsatz des Nepoten vgl. auch Kap. II.2.b.

Tatsächlich erhielt der Vizelegat bald ausreichend Gelegenheit, seine Treue gegenüber Paul V. und Borghese unter Beweis zu stellen. Der Konflikt zwischen Rom und Venedig gewann immer mehr an Schärfe, die Legation Ferrara als Bollwerk des Kirchenstaats an der Grenze zur Lagunenrepublik an Bedeutung und die Korrespondenz zwischen Staatssekretariat und Spinola an Umfang[92]. Zunächst beschränkte sich die Aufgabe des Vizelegaten auf die Weiterleitung der Post an den Nuntius in Venedig[93], doch je klarer die Gefahr einer bewaffneten Auseinandersetzung hervortrat, um so größer wurde die Verantwortung des Monsignore. So war es Spinola, der Mittel und Wege finden sollte, um das im April 1606 über Venedig verhängte Interdikt in die Höhle des Löwen zu schmuggeln und im gesamten venezianischen Gebiet bekanntzumachen[94]. Und als die Serenissima mit militärischen Drohgebärden antwortete und Truppen an der Grenze zum Kirchenstaat in Stellung brachte, war der Ferrareser Vizelegat endgültig in den Mittelpunkt der Ereignisse gerückt. Welche Verantwortung auf Spinola lastete, wird nirgends deutlicher als in dem eigenhändigen Schreiben Pauls V., in dem er seinem Mann vor Ort die Sorge um die Sicherheit Ferraras eindringlich ans Herz legte[95].

---

[92] Die Schreiben Borgheses an Spinola aus dem Jahre 1605 wurden registriert in Pio 169, 1606 in SS Ppi 155, ab Juni auch in SS Fe 238. Originale dieser Schreiben aus beiden Jahren, die nicht alle registriert sind, finden sich in FB II 364 und 346. In all diesen Bänden befinden sich für die ersten Monate jeweils nur eine Handvoll Briefe an Spinola, ab April 1606 dagegen kontinuierlich zwanzig und mehr pro Monat. Daß ein Teil der Korrespondenz in dieser heiklen Angelegenheit in Geheimschrift geführt wurde, kann nur vermutet werden, da für diese Zeit weder Chiffrenminuten noch -klarschriften vorhanden sind.

[93] Aufgaben dieser Art erhielt Spinola auch in den folgenden Monaten, bis zum Dezember 1605 aber ausschließlich. Die diesbezügliche Korrespondenz für Dezember 1605 findet sich in Pio 169: 107vf., 114r, 138; FB II 431: 193, 244, 245, 266, 268, 313.

[94] Schon das Monitorium vom Januar 1606 hatte Spinola nach Venedig zu schmuggeln gehabt, vgl. FB I 513: 26, 46f.; FB II 364,148. Am 17. April 1606 teilte Borghese Spinola die Verhängung des Interdikts über Venedig mit, «et convenendo darne conto al Vescovo di Gierace (= den Nuntius in Venedig, B.E.) s'invia à V.S. per staffetta l'incluso piego per esso al quale devrà farlo capitare subito per mezzo fidato et sicuro» (FB II 364,195r). «Pieghi ... per diversi Prelati del Dominio Veneto» erhielt Spinola am 19. April 1606 (FB II 364,199r). Doch nicht nur das: «mà un'altro servitio di più desidera Sua Beatitudine da lei del quale non si perderà mai la memoria, et questo sarà, che V.S. faccia penetrare in Venetia una ò più persone che affiggano la scommunica sodetta alla Chiesa patriarcale et alla chiesa di San Marco, et potendosi in luogo eminente» (ebd.,199v). Am 22. April folgten die «pieghi per li Prelati di Capodistria» (FB II 364,198). Die erfolgreiche «affissione della scomunica» (FB II 322,2) konnte Spinola am 29. April 1606 nach Rom melden (vgl. FB II 364,8; FB II 322: 2, 3f.).

[95] Borghese schickte das nicht erhaltene Schreiben Pauls V. am 27. Mai 1606 mit den Worten an Spinola: «Nostro Signore si come preme infinitamente nella conservatione di Ferrara, così si è mossa raccommandarne la custodia à V.S. con una lettera di sua mano che viene qui aggiunta» (FB II 364,39). Am 3. Juni 1606 erwiderte der Vizelegat dem Papst: «Beatissimo Padre. Dalla lettera della Santità Vostra ho veduto quanto con molta ragione le prema la conservatione di questa Città; io resto

Was im einzelnen zu tun war, konnte der Vizelegat dagegen den zahlreichen Schreiben des Staatssekretariats entnehmen, dessen Mitarbeiter bald alle Stadttore Ferraras beim Namen kannten[96].

Einer aber war in der Korrespondenz mit Ferrara von der Bildfläche verschwunden: Kardinal Aldobrandini. Ihm, der sich mit Borghese bereits im Dezember 1605 überworfen hatte[97] und dem als entmachtetem Kardinalnepoten quasi von Amts wegen nicht mehr zu trauen war, konnte Paul V. unmöglich weiterhin die Rolle des Vermittlers zwischen Papst und Vizelegat überlassen. So kursierten bereits Anfang April 1606 Gerüchte in Rom, die Legation Ferrara sei ihm entzogen worden, was faktisch durchaus zutraf[98]. Denn spätestens mit der Zuspitzung des Konflikts zwischen Rom und Venedig erfuhr Spinola den Willen Pauls V. nur noch durch Schreiben des Staatssekretariats, nicht aber mehr durch Briefe Aldobrandinis. Offensichtlich zog es nun auch der Papst vor, die Angelegenheiten der Legation Ferrara mit seinen eigenen Mitarbeitern zu besprechen und diese die Korrespondenz mit dem Vizelegaten führen zu lassen. Indem er Aldobrandini weder konsultierte noch mit der Abfassung von Antwortschreiben an Spinola betraute, hatte Paul V. den Legaten Ferraras seiner Funktion beraubt, ohne ihn offiziell seines Amtes enthoben zu haben. Daß seine Zeit in Rom endgültig abgelaufen war, hatte Aldobrandini an diesen und an anderen Schlägen bereits erkannt. Und da er nicht auch noch seine reiche Erzdiözese Ravenna verlieren wollte, die vor Ort zu leiten ihm die von Paul V. allen Bischöfen eingeschärfte Residenzpflicht auferlegte, packte er seine Sachen und verließ Ende Mai 1606 das für ihn so unfreundlich gewor-

---

infinitamente obligato alla benignità sua per la confidenza (che) tiene nella mia persona; asicuro Vostra Beatitudine che non si pertemettera vigilanza ne alcuna diligenza per la buona custodia di essa» (FB II 322,30). Eine weitere, ebenfalls nicht erhaltene *«lettera che Nostro Signore scrive à V.S.»* schickte Borghese am 9. August 1606 an Spinola (vgl. FB II 346,5).

[96] So wurde Spinola z.B. mitgeteilt, wo er wieviele Wachen zu postieren habe (18. Mai 1606, FB II 364,18r). Fast alle Briefe an den Vizelegaten aus diesen Monaten enthalten ausführliche und detaillierte Anweisungen zur militärischen Sicherung Ferraras und der Grenze.

[97] Vgl. Pastor, Bd. 12, S. 44.

[98] Von der Absetzung Aldobrandinis als Legat berichteten die Avvisi vom April und Mai 1606 laut Pastor, Bd. 12, S. 44 und Anm. 6. Gegen Pastor, ebd., der Spinola im übrigen einige Monate zu früh zum Kardinal macht, muß betont werden, daß Spinola bis zu seiner offiziellen Ernennung zum Legaten im September 1606 unverändert als Vizelegat bezeichnet wurde (vgl. die Adressen auf den in FB II 364 und 346 erhaltenen Originalen Borgheses an den *Vicelegato*). Daß Aldobrandini allen Gerüchten zum Trotz bis zur Ernennung seines Nachfolgers offiziell der Legat Ferraras war, zeigen die Bandi, auf denen stets das Wappen des Legaten neben jenem des regierenden Papstes prangte: Bis zum 28. September 1606 ist das Wappen Aldobrandinis zu sehen, und erst als am 6. Oktober 1606 das brandneue Kardinalswappen Spinolas seinen ersten Auftritt hatte, verschwand dasjenige Aldobrandinis, vgl. die Sammlung der Bandi dei Cardinali Legati, Bd. 1.

dene Rom[99]. So weilte er schon seit einigen Monaten in der unmittelbaren Nach-barschaft seiner Legation Ferrara, mit der er nichts mehr zu tun hatte, als am 25. September 1606 mit der Ernennung Spinolas zum Kardinal und neuen Legaten seine Amtszeit auch offiziell zu Ende ging[100].

Daß dieser letzte keineswegs der wichtigste Schritt auf dem Weg der Entmachtung Aldobrandinis war, wird in den Registerbänden des Staatssekretariats mit Händen greifbar. Sowohl die Anzahl der Schreiben an Spinola als auch der Ort ihrer Regi-strierung sind aufschlußreich. So dokumentiert die zunehmende Zahl der Briefe an den Vizelegaten die wachsende Einbeziehung des Staatssekretariats, dem immer häufiger die Ausfertigung von Schreiben aufgetragen wurde, die abzufassen doch eigentlich die Aufgabe des Legaten gewesen wäre. Und daß ab April 1606 die Briefe an Spinola konstant zahlreich und im Takt des Postverkehrs geschrieben wurden, ist ein deutliches Zeichen für den Sieg der Behörde über den unliebsamen Legaten[101]. In anderer Hinsicht jedoch machte sich der Legatentitel Aldobrandinis bemerkbar:

---

[99] Vgl. Pastor, Bd. 12, S. 44. Daß Aldobrandini nicht vorhatte, von Ravenna aus nach Ferrara zu kommen, war Spinola eine Meldung wert (7. Juni 1606, FB II 322,33). Seine Aufwartung hatte er Aldobrandini mittels eines Boten gemacht (vgl. ebd.), was eine weise Entscheidung gewesen war, denn in ungewohnt deutlichen Worten verbot ihm Rom die Reise nach Ravenna: «*Non pare à Nostro Signore che V.S. debba allontanarsi da Ferrara nè anco per breve spatio di tempo ò di luogo et devrà però astenersi dal viaggio di Ravenna havendo massime legitima causa di scusarsi s'e bisogno con la qualità degl'accidenti che passano*» (Borghese an Spinola, 14. Juni 1606, Original in FB II 364,59, registriert in SS Fe 238,21vf.). Am gleichen Tag legte Borghese nach: «*Oltre à quello ch'io scrivo à V.S. con un' altra mia intorno al suo non partirsi di Ferrara le soggiungo qui che bisognando ella dica chiaramente di haver ordine da Nostro Signore di non partirne perche Sua Beatitudine l'intendi così in effetto*» (registriert in SS Fe 238,20v, Original nicht erhalten).

[100] Da Aldobrandini im Januar 1598 zum Legaten ernannt (vgl. Antonio Frizzi, Memorie per la storia di Ferrara. Con giunte e note di Camillo Laderchi, Seconda Edizione, Volume V, Ferrara 1848, S. 16) und im Januar 1604 von seinem Onkel für ein weiteres Triennium im Amt bestätigt worden war (vgl. die Abschrift des Breves in SP 40/1), kann seine Amtszeit, die bei Legaten üblicherweise drei Jahre betrug bzw. jeweils um drei weitere Jahre verlängert wurde, im September 1606 nicht regulär abgelaufen sein. Indem Paul V. aber gleichzeitig mit Ferrara neue Legaten für Ravenna und Bologna ernannte, wirkte die Ablösung Aldobrandinis als Teil eines allgemeinen Revirements, was ihr min-destens aus heutiger Sicht die Schärfe nahm. Die Promotion Spinolas erfolgte laut HC IV, S. 9, am 11. September 1606. Borghese selbst teilte sie Spinola mit (vgl. FB II 346,54), der dankte ihm und Paul V. am 14. September 1606 (vgl. FB II 322: 176, 175). Das Breve zur *Missio Bireti Rubei* datiert vom 15. September 1606 (vgl. Sec.Brev. 593,244/245r). Am 23. September 1606 informierte Bor-ghese Spinola über den Entschluß Pauls V., ihn im für den übernächsten Tag anberaumten Konsi-storium zum Legaten zu ernennen (vgl. SS Ppi 155,425r/v; das Original in CB 78), am 27. September meldete er, dies sei vorgestern, also am 25. September 1606, geschehen (vgl. SS Fe 238,110vf., das Original in CB 78). Der Dankesbrief Spinolas datiert vom 30. September (vgl. FB II 322,211). Die Facultates wurden noch am 25. September ausgestellt (vgl. Sec.Brev. 593, 291–298r und 236–242r) und Spinola am 30. September 1606 zugeschickt (vgl. SS Fe 238,112v, das Original in CB 78).

[101] Vgl. Anm. 92.

Solange er in Rom weilte und wenigstens theoretisch seiner Funktion als kommunikativer Vermittler zwischen Papst und Vizelegat hätte nachkommen können, wurden die Schreiben des Staatssekretariats an den Vizelegaten in den für solche Fälle zuständigen *Registri a diversi* verzeichnet. Erst als Aldobrandini die Konsequenzen aus seiner schleichenden Entmachtung gezogen und Rom Ende Mai 1606 verlassen hatte, stieg der Vizelegat auch formal zum offiziellen Ansprechpartner Roms in der Provinz auf und erhielt sein eigenes Auslaufregister[102]. Die Promotion Spinolas zum Kardinal und seine Ernennung zum Legaten blieben indes ohne jede Auswirkung auf das Registrierverfahren. Schließlich war der Kampf um die Leitung der Ferrareser Geschäfte schon mit der Abreise Aldobrandinis nach Ravenna endgültig entschieden worden, in den Registerbänden wie im wirklichen Leben.

c. Fundstellen und Überlieferungswege:
Das Schicksal der Amtsakten nach dem Tod des Papstes

Die wechselnde personelle Besetzung der Führungspositionen im Staatssekretariat Pauls V., die Ressortaufteilung innerhalb der Behörde und die Überlieferungslage der Amtsakten wurden ausführlich behandelt, was es mit den verschiedenen Registertypen auf sich hat, sollte deutlich geworden sein. Unerwähnt blieb bisher der dritte der eingangs angesprochenen Themenkomplexe, und so sei abschließend der Frage nachgegangen, wie die Quellen für das Pontifikat des Borghese-Papstes dorthin gelangten, wo sie heute zu finden sind. Den Weg der Dokumente vom Staatssekretariat Pauls V. zu ihren aktuellen Aufenthaltsorten zu rekonstruieren mag wie der nachgereichte Bericht über die mühsame Suche nach den Bänden anmuten. Eine solche Betrachtung auszulassen hieße jedoch, die Aussagekraft der Registerbände zu unterschätzen. Denn wie die Auslaufverzeichnisse des Staatssekretariats mit ihren zeitlichen Einschnitten und Lücken die Geschichte der Behörde unter Paul V. widerspiegeln, illustrieren die Fundstellen dieser Bände das weitere Schicksal der Dokumente. Und da dieses Schicksal ein helles Licht auf den zeitüblichen Umgang mit den Amtsakten wirft, scheint ein Wort zu den Überlieferungswegen

---

[102] Das *Registro di lettere alla legazione di Ferrara* in SS Fe 238,15–220, beginnt mit dem 3. Juni 1606, das ansonsten identische Register in FB I 925,3–175, schon am 31. Mai 1606. Neben Spinola gelangten auch Caetano in Ravenna, der im September 1606 mit Spinola zum Kardinal promoviert und zum Legaten ernannt wurde, in das neu angelegte Register sowie der Vizelegat in Bologna, dessen Chef, der Kardinallegat Montalto, ebenfalls nicht in Rom weilte, vgl. Borgheses Antwort an Montalto vom 23. September 1606 (SS Ppi 155,426r/v), der ihm «*l'animo suo intorno alla legatione di Bologna, della quale però disponerà Nostro Signore nel primo Concistoro*» mitgeteilt hatte. Ob der Absentist Montalto seine Legation behalten wollte oder einen anderen Kandidaten vorgeschlagen hatte, ist ungewiß. Paul V. wenigstens hat am 25. September 1606 Giustiniani zum Legaten Bolognas ernannt (vgl. Sec.Brev. 593,266–270v und 272–279v).

der Register auch in aktenkundlicher Hinsicht geboten. Wo die Originalbände und ihre Kopien zu finden sind, ist der folgenden Tabelle zu entnehmen[103].

Überblickt man die Liste der Auslaufregister in Tab. 3, fällt zweierlei ins Auge: die erstaunliche Anzahl der Kopien, die von den originalen Verzeichnissen angefertigt wurden, und die Konzentration all dieser Bände auf einige zwar weit gestreute, aber verhältnismäßig wenige Fondi des Vatikanischen und anderer Archive. Die Suche nach den Quellen für das Pontifikat Pauls V. im Fondo Borghese zu beginnen ist angesichts der großen Unordnung in diesem Bestand zwar nicht sehr verlockend[104], liegt aber nahe. Schließlich teilte auch Kardinal Borghese die Ansicht seiner Zeitgenossen, Amtsakten seien das Eigentum der für ihre Entstehung verantwortlichen Sekretäre oder Behördenleiter, und so nahm er nach dem Tod seines Onkels sämtliche Unterlagen mit, derer er habhaft werden konnte[105].

---

[103] Wer die Bestände des ASV und anderer Archive mit römischen Amtsakten sowie deren Ordnung kennt, wird die Bezeichnung der Tabelle als «Gesamtverzeichnis» einzuordnen wissen. Erfaßt sind hier die von Semmler und mir ermittelten und in Tab. 1 und 2 aufgeführten Register des Staatssekretariats. Daher fehlen sowohl die in Tab. 2, Teil 2, genannten Auslaufregister des Patronagesekretariats als auch die noch zu erwähnenden Bände Ang. 1237 (= Barb.lat. 6029) und 1238 mit privaten Unterlagen des Sekretärs Feliciani. Daß es sich in aller Regel bei den Bänden aus den Fondi SS Nunziature e Legazioni, SS Lettere und FB, Serie II, um Originale, bei den Registern aus SS Div, Pio, Ang. und Barb.lat. dagegen um Kopien handelt, wurde bereits in Anm. 8. erwähnt. Bei den in Tab. 3 in ein und derselben Zeile genannten Bänden handelt es sich – sieht man von gelegentlichen Abweichungen des erfaßten Zeitraums um einige Tage und den den Kopisten zuweilen unterlaufenen Fehlern ab – um identische Exemplare des gleichen Registers. Nicht als Kopien dargestellt wurden Register an den gleichen Adressaten, die sich zwar zeitlich überschneiden, aber nicht gänzlich decken (vgl. z.B. die Angaben in Tab. 1 zu Florenz, Nr. 1, oder zu Spanien, Nr. 1–4). Dies gilt für die Bände SS Fir 193 (Überschneidungen mit FB I 593, 916, 948); SS Av 154 (FB I 592, 949); SS Port 12 (FB I 592, 952); SS Spa 333 (FB I 928, SS Div 124, Pio 172, Barb.lat. 5933); SS Div 72 und 73 (SS Fra 296 und 299). SS Div 186 stellt einen Teil des Bandes SS Ven 268 und seiner Kopie dar. Bei Bänden, die nicht nur aus ein oder zwei, sondern aus zahlreichen kleineren Teilregistern bestehen, werden der Übersichtlichkeit zuliebe nur identische Parallelbände angegeben, nicht aber die Kopien einzelner Teilregister, die sich in anderen Bänden finden. Betroffen davon sind die Register SS Nap 323 (z.T. identische Teilregister in: FB I 910, 923; SS Div 7, 200; Pio 169, 178; Barb.lat. 5945, 5946, 5947); SS Pol 174 (FB I 920, 923; SS Div 7, 147; Pio 169, 173; Barb.lat. 5932, 5945); SS Ppi 152 (FB I 923, 927, 932; SS Div 7, 147; Pio 169, 174; Barb.lat. 5945, 5952); SS Ppi 160 (FB I 923, 927; SS Div 7, 147; Pio 169, 174; Barb.lat. 5945, 5952).

[104] Höchst hilfreich war bei diesem Unterfangen die Zettelkartei Prof. Dr. Wolfgang Reinhards, der sämtliche Bände des Fondo Borghese mit der Korrespondenz des Kardinals Borghese gesichtet, großteils verzettelt und darüber hinaus eine Kopie des im Vatikanischen Archiv vorhandenen Index des Fondo Borghese erstellt und um weitere Angaben zu den Bänden ergänzt hat. Für die großzügige Bereitstellung dieser Unterlagen sei ihm hier herzlich gedankt.

[105] Zu diesem «Spolienrecht» der Kurialbeamten vgl. u.a. Semmler, Staatssekretariat, S. 44 f. Zur Sammelaktion Borgheses vgl. ebd., S. 44. Dazu und zum Fondo Borghese allgemein einschließlich Literaturangaben vgl. Fink, Archiv, S. 100 f.; Pásztor, Guida, S. 213 f.; Leonard E. Boyle, O.P, A Survey of the Vatican Archives and of its Medieval Holdings, Toronto 1972, S. 74.

Tabelle 3: Gesamtverzeichnis der Auslaufregister des Staatssekretariats Pauls V.

Segreteria di Stato Nunziature e Legazioni	Segreteria di Stato Lettere	Fondo Borghese	Segreteria di Stato Nunziature Diverse	Fondo Pio	Fondo Barberini latini	Biblioteca Angelica
Av 154						
155	I 935	236,344-664	188,190-330	5957,688-1304	1226	
Bo 184					5953	
	I 930	235	175			
185					5954	
186,3-188 205-255	I 932,13-101+118-181					
Col 210	I 917	201,2-275	167,3-133	5922		
211	I 898					
Fe 238,15-220	I 925,3-175					
Fian 136 A			201,278-543	167,135-267	5919	
137 A	I 914					
Fir 193						
Fra 292						
293	I 931 a	293	176	5913 + 5914		
294	I 907	293 A (= ehem. 164 A)	180	5915	1215 = 1224	
295 = 295 A	I 896	71	186	5916		
296	I 902					
297						
299						
Germ 16	I 926	2 + 3	170	5925 + 5926		
17	I 936	7,3-62	173,3-32	5931,1-131		
18	86-155	380-441	197-227	210-349		
19	I 931 bis, 156-163	200, 444-451	178, 228-231	5929, 349-365		
20	4-84	284-376	153-196	1-210		
21	I 919	5		5924		
			166			
22	I 918	6		5923		
23	I 953	8	181	5927 + 5928	1217 = 1236,1-3?	
25: s. Port.151						
26,2-232 233-318	I 920,3-280	7,63-374	173,33-183	5931,131-749		
27	I 945				1235 = 1236,324	
Nap 323						
324	I 909	200 A	189	5950	1229	
325	I 894					
326	I 900					
Pol 173	II 435					
174						
Port 12						
150	I 937	4 + 144 A	187	5930 + 5921 + 5940	1227	
151 (ehem. Germ 25)	I 942				1234	
Sav 39						
	I 903	203	168,1-331	5951		
40,2-166 178-254 257f.						
Spa 333						
334,4-192 193-210	I 948,5-167 I 932,184-204	205,2-201	177,3-109	5938		
335	I 928,124-354					
336	I 950	125	183	5934	1218	
337	I 951	126	185	5935	1222	

Segreteria di Stato Nunziature e Legazioni	Segreteria di Stato Lettere	Fondo Borghese	Segreteria di Stato Nunziature Diverse	Fondo Pio	Fondo Barberini latini	Biblioteca Angelica
339		I 939	127	190	5936 + 5937	1230
340		I 921				
341						
izz 11		I 597 = I 901	204	184	5920	1221
en 39						
268		I 908	171		5942	
269		I 897				
270		I 905				1223
271		I 904				
272		I 895				
	Part 152	I 944				
	Ppi 154	I 933				
	155					
	156					
	157					
	158	II 434				
	159	I 952,3-202	233,2-221	182,1-110	5955,1-426	
	160					
	161	I 954	234	179	5956	1216
	162	I 943				
	163	I 938 = I 946	236,2- 343	188,2-187	5957,1-688	1225
	164					1228
	165					1232
	166	I 940 = I 941				1231
	168	I 906				
	169	I 929				
		I 592				
		I 593				
		I 899				
		I 910	200,2-281	178,3- 148	5946 + 5947	
		I 916	147,406-525	168,331-402	5949	
		I 920,283-487	147,1-225	173,184-293	5932	
		I 923	7,375-581	169	5945	
		I 925,177-313				
		I 927	147,231-405	174	5952	
		I 928,6-122				
		I 932,206-261				
		I 948,171-221	205,202-272	177,109-149	5948	
		I 949				
		I 952,205-323	233,222-372	182,111- 183	5955,427-705	
		II 332				
		II 359				
		II 369				
		II 403				
		II 427				
		II 428				
			7,3-374	173,3-183	5931	
			72		5917	
				191		
			73		5918	
			124	172	5933	
			186			
					5943	
						1219

Doch so selbstverständlich dieses «Spolienrecht» der Kurialbeamten für Scipione Borghese und seine Zeit gewesen sein mag, so stark ist der Kontrast zwischen der Sammelaktion des verwaisten Nepoten und den Bemühungen Pauls V. um die Aufbewahrung der Amtsakten im Papstpalast. Immerhin geht die Gründung des Vatikanischen Archivs auf keinen anderen als den Borghese-Papst zurück, der die Dokumente seines Pontifikats wohl lieber in den Räumen im und um den Turm der Vier Winde als in den Kisten des Kardinals gesehen hätte[106]. Nahezu drei Jahrhunderte sollten vergehen, bis Scipiones reiche Beute den Weg zurück in den Vatikan fand, denn erst als die Familie Borghese im Jahre 1891 endgültig ruiniert und daher gezwungen war, ihr Archiv zu veräußern, konnte der Apostolische Stuhl mit den privaten Unterlagen der Borghese auch die Amtsakten aus der Zeit Pauls V. erwerben[107]. Ähnliches widerfuhr einem Teil der Dokumente, die Kardinal Borghese in der Eile nach dem Tod seines Onkels übersehen und in den Amtsstuben des Staatssekretariats zurückgelassen hatte. Dieser Bestände bemächtigte sich der Nepot des neuen Papstes, und da Kardinal Ludovisi nicht anders als Scipione Borghese einige Unterlagen der Behörde in das Archiv seiner Familie überführte, hat der seit 1953 in der Apostolischen Bibliothek befindliche Fondo Boncompagni-Ludovisi neben Unterlagen zu den Pontifikaten Gregors XIII. Boncompagni und Gregors XV. Ludovisi auch 55 Bände aus dem Staatssekretariat Pauls V. zu bieten[108]. Das gesamte Material aus der Zeit bis 1623 war indes noch nicht verschwunden, als Francesco Barberini seinen Onkel Maffeo auf dem Stuhl Petri und sich selbst an der Spitze des Staatssekretariats wiederfand. Daher konnte der Neffe Urbans VIII. mit dem umfangreichen Bestand aus seiner Amtszeit auch einige Bände aus den Pontifikaten Pauls V. und Gregors XV. in die Privatsammlung der Barberini transferieren, die 1902 als Fondo Barberini in die Apostolische Bibliothek gelangte und mit ihren weit über 3000 Volumina der Serie *Carteggi diplomatici* den Wert solcher Nepotenarchive für die politische Geschichte der Kurie eindrucksvoll

---

[106] Vgl. Fink, Archiv, S.11, sowie Lajos Pásztor, Per la storia degli archivi della Curia Romana nell'epoca moderna. Gli archivi delle Segreterie dei Brevi ai Principi e delle Lettere Latine, in: Erwin Gatz (Hg.), Römische Kurie. Kirchliche Finanzen. Vatikanisches Archiv. Studien zu Ehren von Hermann Hoberg, Bd.2 (Miscellanea Historiae Pontificiae, Bd.46), Rom 1979, S.659–686, hier: S.659, und die in ebd., Anm.1, genannte Literatur zur Gründung und Geschichte des Vatikanischen Archivs.

[107] Vgl. Fink, Archiv, S.100 und die ebd., S.101, genannte Literatur; Pásztor, Curia Romana, S.660; ders., Guida, S.214. Vom Fondo Borghese zu unterscheiden ist das ebenfalls im Vatikanischen Archiv untergebrachte Archivio Borghese, in dem die privaten Unterlagen der Familie Borghese wie etwa die Dokumente zur Verwaltung ihrer Güter zu finden sind, vgl. Fink, Archiv, S.128, sowie Kap.IV.3.

[108] Vgl. Pásztor, Guida, S.598f., und vor allem Wolfgang Reinhard, Akten aus dem Staatssekretariat Pauls V. im Fondo Boncompagni-Ludovisi der Vatikanischen Bibliothek, in: RQS 62 (1967), S.94–101, der die angesprochenen Bände auflistet.

unter Beweis stellt[109]. Daß Urban VIII. nicht nur die Bullen und Breven seiner Vorgänger zusammentragen ließ, sondern auch die Korrespondenz des Staatssekretariats im Vatikanischen Archiv aufbewahren wollte[110], scheint der Sammelleidenschaft seines Neffen keinen Abbruch getan zu haben. Der letzte in der langen Reihe der Kardinalnepoten, die von ihrem «Spolienrecht» Gebrauch machten, war indes auch Francesco Barberini nicht. So hatte Alexander VII. zwar ausdrücklich verfügt, die unter seiner Herrschaft entstandenen Unterlagen des Staatssekretariats seien im Vatikan zu belassen[111], doch dort zu finden sind sie erst, seit die Biblioteca Apostolica im Jahre 1923 das Archiv der Chigi übernommen und den gleichnamigen Fondo eingerichtet hat[112]. Einen weiteren Beleg für die Privatisierung der Amtsakten durch die Kardinalnepoten liefert der Fondo Ottoboni mit seinen Quellen für das Pontifikat Alexanders VIII., unter dem der institutionalisierte Nepotismus einen letzten Höhepunkt erreichte[113]. Ob mit der Abschaffung der offiziellen Nepotenrolle im Jahre 1692 auch der Abtransport der Dokumente durch die kardinalizischen Papstneffen ein Ende fand, wäre noch zu überprüfen. Doch daß die Pontifices tief in die Tasche greifen mußten, um die von den Neffen ihrer Vorgänger initiierte Zerstreuung der behördlichen Unterlagen in alle Winde aufzuhalten, sollte der Blick auf die Archive der Papstfamilien und die Aufkaufpolitik des Apostolischen Stuhls gezeigt haben.

Trotz der Bemühungen der Nepoten um die Bestände ihrer Behörde ist ein Teil der Akten tatsächlich dort gelandet, wo sie das moderne Amtsverständnis vermutet: Im Fondo *Segreteria di Stato* des Vatikanischen Archivs. Allerdings wäre die Suche nach den Unterlagen für eine bestimmte Nuntiatur oder Legation schnell beendet, würde man sich auf die entsprechende Unterabteilung dieses Fondo beschränken[114]. Bei den Auslaufregistern an die Kardinallegaten der nördlichen Provinzen liegt dies nahe, denn da für die Verwaltungschefs in Bologna, Ferrara und Ravenna stets ein gemeinsames Register geführt wurde, sind die Bände mit ihren

---

[109] Zu diesem Fondo vgl. Fink, Archiv, S. 101 f., und Pásztor, Guida, S. 597. Unter dem Titel *Carteggi diplomatici* firmieren die Bände Barb.lat. 6559–9808, die sich ab Band 8675 vor allem auf den Kirchenstaat beziehen. Einige der Bände des Fondo Barb.lat., die aus dem Staatssekretariat unter Paul V. und Gregor XV. stammen, hat Semmler, Staatssekretariat, S. 12–25, in seiner Liste der eingelaufenen Originalschreiben erfaßt. Zu ergänzen sind die von ihm nicht berücksichtigten Bände 5912–5957 (außer 5939, 5941, 5944), bei denen es sich um die in Tab. 1–3 aufgeführten Kopien von Auslaufregistern aus der Zeit Pauls V. handelt.

[110] Vgl. Pásztor, Curia Romana, S. 660.

[111] Vgl. ebd., S. 663, das Zitat aus dem Breve von 1660 (Sec.Brev. 1362,349).

[112] Zum Fondo Chigi vgl. Fink, Archiv, S. 102; Boyle, S. 74; Pásztor, Guida, S. 603 f.

[113] Zum Fondo Ottoboni vgl. Fink, Archiv, S. 102, Anm. 1; Pásztor, Guida, S. 603 f. Auf den Nepotismus Alexanders VIII. und seine Folgen wird in Kap. VI.3 zurückzukommen sein.

[114] D.h. auf die dem Namen nach einschlägigen Unterserien des Fondo Segreteria di Stato, Nunziature e Legazioni. Zu diesen Beständen vgl. Fink, Archiv, S. 82–89; Boyle, S. 76 f., Pásztor, Guida, S. 81–86.

Weisungen sowohl unter der Rubrik *Legazione di Ferrara* als auch in der Serie *Legazione di Bologna* zu vermuten und zu finden. In anderen Fällen scheint jedoch der reine Zufall am Werk gewesen zu sein. Wie sonst ist es zu erklären, daß etwa das Register SS Port 150 neben den verheißenen Briefen an den Kollektor in Portugal auch Verzeichnisse für die Nuntien beim Kaiser und in der Schweiz zu bieten hat, während die Bände SS Germ 27, SS Nap 326 und SS Ven 272 mit eingebundenen Teilregistern an eine bunte Schar von Diplomaten einschließlich der Legaten zu überraschen wissen?[115] Offenkundig wurden die ursprünglich getrennt geführten Verzeichnisse an verschiedene Empfänger später zu einem einzigen Band zusammengeschnürt und in die Rubrik desjenigen Adressaten einsortiert, dessen Titel auf den ersten Blättern zu lesen war. Wo diese Sammelbände gelandet sind, läßt sich daher erst sagen, wenn man die Nadel im Heuhaufen gefunden hat. Daß die Register an mehrere Empfänger ab 1616 häufiger auftreten als in den Jahren zuvor, dürfte hingegen mit den ominösen Bänden FB II 416 bis FB II 422 zu tun haben, denn da ab September 1616 ein Teil der bisher bei der Amtskorrespondenz vermerkten Post in diese parallel geführten Verzeichnisse überging[116], konnten mehrere der schlanker gewordenen Register an die Diplomaten in einem einzigen Band zusammengefaßt werden.

Noch besser versteckt als diese willkürlich über die Bestände der Nuntiaturen und Legationen verteilten Sammelbände haben sich lediglich die Auslaufregister aus den Reihen der *Lettere* im Fondo *Segreteria di Stato*. Völlig unvermittelt in die Serien *Lettere di Cardinali, di Vescovi, di Principi* und *di Particolari* eingeschoben und in deren Indizes nur sehr kursorisch erwähnt, waren die auch von Semmler nicht berücksichtigten Bände bis zu ihrer Erfassung durch Lajos Pásztor nicht leicht zu finden[117]. Gerade in der auf aktenkundliche Fragen konzentrierten Arbeit Semmlers hätten sie gewiß eine große Rolle gespielt, denn daß es sich um Originalakten aus dem Geschäftsgang der Behörde handelt, legen sowohl die äußeren Merkmale der Auslaufregister als auch die in dieser Gruppe befindlichen Minuten nahe. Doch auch bei der Frage nach dem Umgang mit den Dokumenten der Behör-

---

[115] Vgl. die Angaben in Tab. 1 und 2.

[116] Vgl. Kap. IV.1.

[117] Zu den *Lettere*, aber ohne Hinweis auf die eingeschobenen Bände, vgl. Fink, Archiv, S. 94–97; Boyle, S. 73. Laut Pásztor, Guida, S. 92 und 94 f., sowie dem Index 1071 des Vatikanischen Archivs beinhalten folgende Bände Akten aus dem Staatssekretariat, die man hier nicht vermuten würde: SS Part 152–213, 283–311; Minuten und Auslaufregister aus den Jahren 1616–1801; aus dem Borghese-Pontifikat stammen: 152 (Register), 171–175 (Minuten). SS Ppi 146B–207, 229A (z. T.), 278–280; aus den Jahren 1541–1740; aus dem Borghese-Pontifikat: 154–169 (Register), 184–194 (Minuten). SS Vesc 167–230, 323–376; aus den Jahren 1606–1797; aus dem Borghese-Pontifikat: 189–191 (Minuten). SS Card 6, 7, 10, 11, 120–158, 173–187, 189–191; aus den Jahren 1554–1797; aus dem Borghese-Pontfikat: 134A (Einlauf), 135–138 (Minuten).

de können die Bände weiterhelfen. So scheint es bemerkenswert, daß der Großteil der in die Serie der *Lettere* eingeschobenen Register aus dem Staatssekretariat Pauls V. den Weg dorthin erst nach 1874 gefunden und bis zu diesem Zeitpunkt einem später aufgelösten Fondo namens *Diversorum* angehört hat[118]. *Diversorum*, Verschiedenes – offenkundig wußte man nicht, wohin mit den Bänden, die als Originale aus dem Geschäftsgang des Staatssekretariats doch eher in die Bestände der Behörde als in einen gemischten Fonds unklarer Herkunft und Zusammensetzung gepaßt hätten. Sollte es sich bei diesen Registern etwa um zunächst verschwundene, später in das Vatikanische Archiv zurückgekehrte Amtsakten handeln, die nach ihrer zwischenzeitlichen Abwesenheit den Weg in die für sie bestimmte Abteilung nicht mehr gefunden haben? Dies mag zunächst konstruiert klingen[119], aber wenn man sich an eines erinnert, gewinnt die Vermutung an Wahrscheinlichkeit: Nicht anders als die Kardinalnepoten an der Spitze der Behörde betrachteten auch die Sekretäre die Amtsakten als ihr Eigentum, und da sie die von ihnen erstellten Unterlagen nach dem Ende ihrer Dienstzeit nicht selten mitnahmen, könnten die Bände aus dem Fondo *Diversorum* durchaus auf Reisen gegangen sein.

Auf ähnlich verschlungenen Wegen wie die heute in SS *Lettere* befindlichen Bände aus dem einstigen Fondo *Diversorum* sind die Register mit der Signatur SS Div an ihren aktuellen Standort gelangt. So gehörte die Mehrzahl dieser Volumina vor ihrem Umzug in den Fondo *Nunziature Diverse* zu einer schon 1731 in einem Index erfaßten und später aufgelösten Sammlung namens *Diverse*, deren Zustandekommen sich wohl nicht mehr klären läßt[120]. Fest steht indes, daß es sich bei

---

[118] Hinweise auf diese Serie finden sich bei Lajos Pásztor, Per la storia dell'Archivio Segreto Vaticano nei secoli XVII – XVIII (Eredità Passionei, Carte Favoriti-Casoni, Archivio dei Cardinali Bernardino e Fabrizio Spada), in: Archivio della Società Romana di Storia Patria 91 (1968), S.157–249, als Estratto 1970 gesondert erschienen, hier: S.211 f. Die Serie «Diversorum», für die der belgische Archivar Louis-Prosper Gachard 1874 einen Index veröffentlicht hat, wurde nach diesem Zeitpunkt aufgelöst und ihre Bände verschiedenen Fondi einverleibt. Die aktuellen Fundstellen der ehemaligen Diversorum-Bände zu ermitteln war das Ziel Pásztors, auf dessen Beitrag mich Ingo Stader hingewiesen hat. Dafür möchte ich ihm sehr danken.

[119] Zumal, wenn man bedenkt, daß in SS Lettere fast ausschließlich Register gelandet sind, die sich entweder in einem Teilregister oder – was häufiger vorkommt – komplett an *diversi* wenden, daher in keine der Unterserien des Fondo SS Nunziature e Legazioni passen und, so könnte man meinen, möglicherweise allein aus diesem Grund dem Fondo Diversorum zugeordnet wurden. Dem ist jedoch entgegenzuhalten, daß sich im Fondo Diversorum auch Register mit Schreiben an Amtsträger befanden, die man problemlos in SS Nunziature e Legazioni hätte einordnen können und nach der Auflösung des Fondo Diversorum zum Teil dort auch einsortiert hat. So stammen laut Pásztor folgende Auslaufregister Pauls V. in der Serie SS Nunziature e Legazioni aus dem Fondo Diversorum: SS Germ 27; SS Fra 297, 299; SS Nap 325, 326; SS Pol 174; SS Port 151, 152; SS Ven 272.

[120] Zu diesem Fondo vgl. Pásztor, Guida, S.86, der ebd., Anm.3, den in dem von P.D. De Pretis 1731 erstellten Index 134 vermerkten Titel der zu diesem Zeitpunkt offensichtlich noch nicht aufgelösten Serie «*Diverse, consistente in copie di lettere et altre cose*» zitiert.

den über den Fondo *Diverse* in die Serie *Nunziature Diverse* gelangten Auslaufregistern mit Schreiben aus der Borghese-Zeit ausnahmslos um Kopien handelt, die
ihrem äußeren Erscheinungsbild zufolge erst Jahrzehnte nach dem Tod Pauls V.
angefertigt wurden[121]. Sucht man mit Hilfe von Tab. 3 nach möglichen Vorlagen
für diese Abschriften, fällt der Blick auf die Auslaufregister der Fondi Barb.lat.
und Pio, bei denen es sich ebenfalls um weit nach Pontifikatsende erstellte Kopien
handelt. Was die Zusammenstellung der Teilregister zu einzelnen Bänden angeht,
unterscheiden sich diese beiden Serien erheblich: Im Fondo Barb.lat. beanspruchen
die einzelnen Verzeichnisse in der Regel einen Band für sich, im Fondo Pio wurden
stets mehrere Teilregister in einem Volumen zusammengefaßt. Inhaltlich präsentieren sich diese Serien jedoch weitgehend deckungsgleich[122], und so ist anzunehmen, daß sie in enger Abhängigkeit voneinander entstanden sind. In diesen Ent-
stehungszusammenhang gehören auch die Register des Fondo SS Div, hat der
Bestand doch kein einziges Verzeichnis zu bieten, das nicht auch in den Fondi
Barb.lat. und Pio zu finden wäre. Da nun aber umgekehrt keineswegs alle Register
aus diesen beiden Sammlungen in der Serie SS Div vertreten sind und diese damit
als Vorlage für die umfangreicheren Bände in Barb.lat. und Pio ausscheidet[123], liegt
die Annahme nahe, die Volumina mit der aktuellen Signatur SS Div seien auf der
Grundlage der Register aus den Fondi Barb.lat. oder Pio angefertigt worden[124].
Doch trotz der offenkundig engen Verwandtschaft zwischen diesen drei Serien, die

---

[121] Für diese grobe Datierung sprechen neben dem in der vorhergehenden Anm. zitierten Titel der Serie
sowohl die Handschriften in diesen Bänden als auch die ungewöhnlichen Verzierungen der Titelblät-
ter mit bunten Blumenmustern und schließlich die Titel der einzelnen Verzeichnisse, die nicht als
Register mit Schreiben an den Nuntius *di Nostro Signore* bezeichnet werden, wie es bei gleichzeitig
entstandenen Bänden üblich ist, sondern als Register mit den Weisungen an die Nuntien *di Papa Paolo
Quinto*, der durch diese namentliche Nennung wie ein Papst längst vergangener Zeiten erscheint.

[122] Wohlgemerkt: Diese Aussage gilt nur für die Auslaufregister aus dem Borghese-Pontifikat, für diese
Zeit aber für alle Bände der beiden Serien mit einer bezeichnenden Ausnahme: Für den Band
Barb.lat. 5943 liegt weder im Fondo Pio noch in einer anderen Serie ein paralleles Verzeichnis vor,
doch zeigt sich bei näherem Hinsehen, daß dieses Register ein von PV 9 angefertigter Originalband
aus dem Staatssekretariat Pauls V. darstellt und als solcher im wahrsten Sinne des Wortes aus der
Reihe fällt.

[123] Nicht in der Reihe SS Div zu finden ist Barb.lat. 5921 = Pio 187,99–169. Barb.lat. 5942 = Pio 171
findet sich nur zum Teil in SS Div 186.

[124] Der Vollständigkeit in dieser verwirrenden Sachlage zuliebe sei hier eine abweichende Deutung der
Befunde wenigstens erwähnt: Blickt man allein auf die Zusammenfassung der Teilregister in einzelne
Bände, nehmen die Volumina der Serie SS Div eine Position zwischen den eigenständigen Bänden
aus Barb.lat. und den komprimierten Zusammenstellungen des Fondo Pio ein. So kommt es vor,
daß zwei Register aus Barb.lat. sowohl im Fondo Pio als auch in SS Div in einem einzigen Band
zusammengefaßt sind (z.B. Barb.lat. 5913 + 5914 = SS Div 293 = Pio 176; Barb.lat. 5919 + 5922
= SS Div 201 = Pio 167), doch gibt es auch Fälle, in denen SS Div der Aufteilung aus Barb.lat. folgt
und die Bündelung erst im Fondo Pio auftritt (z.B. Barb.lat. 5917 + 5918 = SS Div 72 + 73 = Pio
191; Barb.lat. 5923 + 5924 = SS Div 5 + 6 = Pio 166). Daher könnte man annehmen, die Bände aus

sich nicht nur in ihrer Zusammensetzung, sondern auch in Details wie Schreibfeh-
lern und deren Übernahme von den Registern der Serien FB, SS Nunziature e
Legazioni und SS Lettere unterscheiden[125], bleibt eine Frage offen: Wie sollen die
bekanntlich erst 1902 in den Vatikan zurückgekehrten Barberini-Bände oder die
1753 dem päpstlichen Archiv einverleibten Bestände aus der privaten Sammlung
des Kardinals Pio Kopien zum Vorbild gedient haben[126], die dem erwähnten Index
der Reihe *Diverse* zufolge schon 1731 existierten und im Vatikanischen Archiv
lagerten? Damit nicht genug: Selbst wenn sich die Abhängigkeit zwischen diesen
Serien gänzlich aufklären ließe, müßte noch die Vorlage ermittelt werden, auf die
sich die zuerst angefertigten Kopien – denn um Kopien handelt es sich bei allen
drei Register-Serien – gestützt haben. Zu suchen wären folglich die Originale der
in SS Div, Pio und Barb.lat. kopierten Auslaufregister, und da sich diese in nicht
wenigen Fällen weder in den Familienarchiven der Nepoten noch in den am Ort
verbliebenen Beständen der Behörde finden, richtet sich der Blick abermals auf die
Sekretäre Pauls V. und deren Beitrag zum Abtransport der Amtsakten.

An Hinweisen auf Unterlagen der Behörde im Gepäck ihrer Mitarbeiter fehlt es
für die Zeit Pauls V. tatsächlich nicht. Martio Malacrida hätte seinem ehemaligen
Chef wohl kaum das nützliche Verzeichnis seiner im Dienst Borgheses geschriebenen lateinischen Briefe schicken können, für das sich der Nepot im Februar 1611
höflich bedankte[127], wenn er nicht im Besitz der entsprechenden Unterlagen gewesen wäre, und auf die 1627 im Druck erschienene Sammlung mit Schreiben Lanfranco Margottis hätte die Nachwelt ohne den Zugriff des Editors auf die Vorlagen
des Sekretärs vergeblich gewartet[128].

SS Div seien anhand der Barberini-Register erstellt worden und hätten ihrerseits den Pio-Bänden als
Vorlage gedient. Was ebenso gegen diese wie gegen die im Text geäußerte Vermutung spricht, wird
im folgenden erläutert.

[125] Ein Beispiel von vielen mag hier genügen: In Felicianis Register an *diversi* verschiedener Regionen
für die Zeit vom 4.Dezember 1613 bis zum 10.Mai 1614, das sich in SS Ppi 163,1–165; FB I
938,4–235; FB I 946,3–187; SS Div 236,2–217; Pio 188,2–116; Barb.lat. 5957, S.1–407 und in
Ang. 1225,2–187 findet, folgt einem Brief vom 7.Mai 1614 an den Kardinal Aracoeli (Agostino
Galamini) ein Schreiben an den Bischof von San Marco, das in einigen Exemplaren des Registers
unter dem offenkundig falschen Datum 29.Mai registriert ist, in anderen Ausgaben jedoch das
korrigierte Datum 9.Mai 1614 trägt. Das wohl dem Originalband entnommene falsche Datum
findet sich in SS Ppi 163, FB I 938, FB I 946 und Ang. 1225, die offenbar von einem späteren
Kopisten vorgenommene Korrektur begegnet in SS Div 236, Pio 188 und Barb.lat. 5957.

[126] Zum Barberini-Archiv vgl. Anm. 109, zum Fondo Pio vgl. Anm. 137.

[127] Vgl. den Dank Borgheses an Malacrida vom 20.Februar 1611 für «*il libro, che V.S. m'hà mandato
delle lettere latine ch'ella hà scritte à tempo del suo servitio, il qual è stato molto caro ... per havere
la continuatione de negotij*» (FB I 952,173vf.).

[128] Lanfranco Margotti, Lettere scritte per lo più nei tempi di Paolo V a nome del Signore Cardinale
Borghese, raccolte e pubblicate da Pietro de Magistris de Caldirola, Rom 1627.

Daß die in Peruginos Ressort entstandenen Amtsakten nicht bei den Dokumenten der Behörde verblieben sind, bedarf keines weiteren Beweises, doch über das Schicksal der Bände kann man nur Mutmaßungen anstellen. Der Verdacht fällt auf die Familie des im Dienst verstorbenen Sekretärs, denn da sie wenige Monate nach seinem Tod für die Ausgaben entschädigt wurden, die Giovanni Battista im Amt getätigt hatte, scheinen sich Peruginos Erben intensiv um die Ansprüche und vielleicht auch um die schriftliche Hinterlassenschaft des verblichenen Verwandten gekümmert zu haben[129]. Weit geringer als in Peruginos Abteilung sind die Verluste ausgefallen, die die Quellen aus Confalonieris Zuständigkeitsbereich hinnehmen mußten. Dies aber lag keineswegs an der Bereitschaft des Sekretärs, seine Unterlagen in den Amtsstuben zurückzulassen. Wie alle seine Kollegen nahm auch Confalonieri den einen oder anderen Band mit, als er aus der Behörde ausschied, doch da der Nachlaß des Sekretärs, der unter Urban VIII. lange Jahre dem Archiv in der Engelsburg als Präfekt vorgestanden und in dieser Funktion wohl die Folgen einer solchen Privatisierung der Amtsakten zu spüren bekommen hatte, im Vatikanischen Archiv verblieb, sind einige Bände aus dem Staatssekretariat Pauls V. heute im Fondo Confalonieri zu finden[130]. Einzig und allein Porfirio Feliciani scheint sich nicht an den Unterlagen der Behörde bedient zu haben, kann mit der Quellenlage für die Amtszeit des Sekretärs aus Gualdo doch keine andere Phase aus der Geschichte des Staatssekretariats unter Paul V. konkurrieren. Nach einem Blick auf den Briefwechsel, den der amtierende Kardinalnepot Francesco Barberini 1628 mit dem Chefsekretär Pauls V. führte, möchte man indes nur noch leise in das Loblied einstimmen, das einige zeitgenössische Schriften über das Berufsbild des Sekretärs auf Feliciani

---

[129] Zu den Zahlungen an die Erben Peruginos vgl. Semmler, Staatssekretariat, S. 121. Daß die Familie des Sekretärs, bei deren Hinterlassenschaft möglicherweise Amtsakten zu finden sind, während des Borghese-Pontifikats in den Marken lebte, legt ein Schreiben des Nepoten an den dortigen Gouverneur nahe, den er am 13. Oktober 1610 unter Hinweis auf seinen *«affetto di molti anni verso di lui* (Perugino, B.E.) *e ... sua casa»* bat, das Kind des Giovanni Battista Perugino, bei dem es sich wohl um den Sekretär dieses Namens handelt, aus der Taufe zu heben (FB I 954,208v).

[130] Germano Gualdo (Hg.), Sussidi per la consultazione dell'Archivio Vaticano. Lo Schedario Garampi – I Registri Vaticani – I Registri Lateranensi – Le «Rationes Camerae» – L'Archivio Concistoriale, Nuova edizione (der etwa gleichnamigen Ausgabe von 1926) riveduta e ampliata (Collectanea Archivi Vaticani, Bd. 17), Vatikanstadt 1989, bietet auf S. 366–369 eine Liste der Präfekten des Archivs in der Engelsburg und ihrer Mitarbeiter zwischen 1593 und der Überführung der Sammlung in das Vatikanische Archiv im Jahre 1798. Laut ebd., S. 367, hatte der 1648 verstorbene Confalonieri das Amt des Präfekten von 1626 bis 1638 inne. Vgl. auch Semmler, Staatssekretariat, S. 114. Zum Fondo Confalonieri vgl. Fink, Archiv, S. 132 f., der den Großteil der Bände aus dem Staatssekretariat Pauls V. in diesem Bestand auflistet (Confal. 19–24, 43, 47, 54), sowie Pásztor, Guida, S. 219 f. Bei dem Band Confal. 3 handelt es sich um eines der Inventare Confalonieris für das Engelsburgarchiv.

singen[131]. Denn wie die Gesuche des Papstneffen um die Herausgabe der behördlichen Dokumente aus der Zeit bis 1621 zeigen, hatte auch der Bischof von Foligno die Taschen voller Akten, als er nach dem Tod des Borghese-Pontifex seinen Schreibtisch im Staatssekretariat räumte und die Reise in sein Bistum antrat[132]. Allerdings zeigte sich Feliciani bereit, die Bände zurückzugeben[133], was aus heutiger Sicht nicht nur zu begrüßen ist, sondern auch erklären könnte, warum der erwähnte Fondo *Diversorum* einige Register mit dem Vermerk «*Del Secretario Porfirio Feliciani*» aufzuweisen hatte[134].

Auch die Reihe der Sekretäre, die Unterlagen aus der Behörde mitnahmen, ließe sich problemlos fortsetzen, hat doch noch der von Innozenz XI. zum Kardinalstaatssekretär ernannte Alderano Cibo einige Akten aus seiner Amtszeit sowie fünf Bände mit Originaldokumenten aus den Pontifikaten Pauls V. und Gregors XV. dem heute in Massa befindlichen Archiv seiner Familie einverleibt[135]. Was aber

---

[131] Ludovicus Jacobelli, Biblioteca Umbria sive De scriptoribus provinciae Umbriae alphabetico ordine digesta, Foligno 1658, S. 232, berichtet, Feliciani werde u. a. «*a Pamphilo Persico in suo Secretario ... valde commendatus*». Zu Persico, der der Privatsekretär des Kardinals Barberini war, und seinem angesprochenen Werk vgl. Kraus, Staatssekretariat, S. 23 f. Lob erhielt Feliciani auch von seinem Mitarbeiter Caetano, vgl. Kraus, Denkschrift, S. 109 f. Allerdings strich Caetano die Behauptung, Feliciani habe sein Amt «*con immortal gloria del suo nome*» versehen (zit. bei Hugo Laemmer, Meletematum Romanorum Mantissa, Regensburg 1875, S. 256), aus der Schlußfassung seiner Denkschrift (zu den Fassungen der Schrift vgl. Kraus, Denkschrift, S. 93 f., der S. 110 die gestrichene Formulierung allerdings nicht erwähnt). Für Feliciani war dies sicherlich ein kleineres Ärgernis als das, was er mit Caetano als seinem Koadjutor in der Diözese Foligno noch erleben sollte, vgl. Semmler, Staatssekretariat, S. 115 f.

[132] Vgl. Semmler, Staatssekretariat, S. 45 f. Genau genommen belegen Barberinis Gesuche, die nicht erhalten, aber mit Hilfe der Entgegnungen des Sekretärs zu rekonstruieren sind, nur den Verdacht des Nepoten, Feliciani habe einige Bände mitgenommen. Daß dem tatsächlich so war, beweisen jedoch nicht nur die Antwortschreiben des Sekretärs (vgl. die folgende Anm.), sondern auch und vor allem die in der Biblioteca Angelica befindlichen Kopien zahlreicher Auslaufregister, deren Entstehung im folgenden zu behandeln sein wird.

[133] Dies scheint er schon vor 1628 getan zu haben. Wenigstens versicherte er Barberini auf dessen erstes Gesuch um Rückgabe der Bände, Amtsakten aus der Zeit Pauls V. besitze er nicht mehr. Allerdings wurde er dann doch noch fündig und schickte die wenn auch wenigen Dokumente, die er auf das Drängen des Nepoten hin aufgestöbert hatte, nach Rom, vgl. Semmler, Staatssekretariat, S. 46.

[134] Dies gilt für die Bände mit der aktuellen Bezeichnung SS Ppi 161, 163, 164; Pio 189; SS Port 151, 236; SS Nap 325. Die einstigen Diversorum-Bände SS Ppi 154 und 159 sind hingegen als Register Malacridas bzw. Confalonieris gekennzeichnet.

[135] Zu den Akten aus dem Staatssekretariat Innozenz' XI. in Massa vgl. Samerski, Akten, S. 303 und S. 304, Anm. 11. Samerski vermutet, daß sich Cibo die fünf in Massa befindlichen Bände aus den Staatssekretariaten Pauls V. und Gregors XV. «mit gezielter inhaltlicher Absicht beschafft und nach einem bestimmten System präzise geordnet und zusammengestellt» habe, um sich über die Politik Roms in Situationen zu informieren, die der Problemlage seiner eigenen Zeit ähnelten (ebd., S. 314). Alexander Koller stimmt dem in seiner Rezension der von Peter Burschel (Nuntiaturberichte aus Deutschland nebst ergänzenden Aktenstücken. Die Kölner Nuntiatur. Band V/1, Ergänzungsband:

machte den Reiz dieser Bände aus? Der zeitübliche Besitzanspruch der Sekretäre
spielte gewiß eine wichtige Rolle, doch da immer wieder Kopien der an sich wenig
aufregenden Unterlagen aus dem Alltag der Behörde angefertigt wurden, scheint
das Interesse an den Amtsakten noch andere Gründe gehabt zu haben. Daß etwa
der 1753 an das Vatikanische Archiv übergegangene Nachlaß des Kardinals Pio
die Kopien einiger Auslaufregister auch des Staatssekretariats Pauls V. enthält,
könnte man der Freude des 1689 verstorbenen Ferraresen an heimatgeschichtli-
chen Betrachtungen zuschreiben[136]. Doch da im Fondo Pio nicht nur Verzeichnisse
mit Schreiben nach Ferrara gelandet sind, sondern auch andere Bestände aus der
politischen Behörde des Borghese-Papstes[137], führt dieser Erklärungsversuch wohl
in die Irre. Hilfreicher ist dagegen ein Blick in die bereits erwähnte Sammlung der
Schreiben Margottis, die nicht nur kopiert, sondern Jahre nach dem Tod des Sekretärs sogar gedruckt wurden. Was sich der Herausgeber des Werkes davon versprach, einige der zahllosen Entwürfe aus der Feder Margottis zu veröffentlichen,
verdeutlicht die Auswahl der edierten Briefe. Es waren ausnahmslos undatierte
Höflichkeitsschreiben, in denen sich die Formulierungskünste des Sekretärs besser
entfalten konnten als in der inhaltsschweren politischen Korrespondenz seiner
Behörde[138], und so dürfte es sich bei der Briefkollektion um eine Art Lehrbuch
gehandelt haben, das Margottis Kollegen aus der schreibenden Zunft bei der Suche
nach den passenden Worten Anregung und Vorbild sein sollte. Lanfrancos Episteln
war ein doppelter Erfolg beschieden. Zum einen ging das Werk schon 1633 in die
zweite und 1661 in die dritte Auflage[139], was für eine nicht geringe Nachfrage und
das Interesse ganzer Sekretärsgenerationen an Margottis Wendungen spricht. Und
zum anderen weist die Sammlung Lanfrancos, der seine Sostituti in der politischen

---

Nuntius Antonio Albergati (1610 Mai–1614 Mai). Im Auftrag der Görres-Gesellschaft in Verbindung mit Wolfgang Reinhard bearbeitet von Peter Burschel, Paderborn u. a. 1997) vorgelegten Edition der in Massa befindlichen Schreiben des Kölner Nuntius aus den Jahren 1609 bis 1613 zwar
grundsätzlich zu, vermutet jedoch, Cibo habe sich eher für innerkirchliche als für außenpolitische
Themen in der Korrespondenz des Borghese-Pontifikats interessiert (vgl. QFIAB 77 (1997), S. 601 f.).

[136] Das Interesse des Kardinals Pio an Ferrara belegt neben den *Scritture per la controversia delle Acque*
von 1651 (Pio 287–291), einer für Ferrara lebenswichtigen Frage, v. a. die *Storia di Ferrara dal 1547
al 1633* (Pio 285).

[137] Allgemein zum Fondo Pio vgl. Fink, Archiv, S. 139 f., und Pásztor, Guida, S. 223 f. Aus dem Staats-
sekretariat Pauls V. stammen die Bände Pio 166–193, wobei es sich bei Pio 166–191 um die in den
Tab. 1–3 erfaßten Auslaufregister, bei Pio 192 und 193 dagegen um Register der Schreiben des
Pariser Nuntius an die Behörde handelt.

[138] Vgl. Pastor, Bd. 12, S. 45, Anm. 8.

[139] Vgl. ebd. Daß der Edition einige Bedeutung beigemessen wurde, belegen auch die Vermerke neben
den für die Sammlung ausgewählten Briefen Margottis in der Kopie eines seiner Auslaufregister (FB
II 434). So steht z. B. neben einem Schreiben Borgheses vom 30. Juli 1608: *«Stampato con molte altre,
che sono in questo registro, tra le lettere del Card. Lanfranco Margotti, a carta 259»* (ebd., 530r).

Behörde auch in Fragen des Stils einem strengen Reglement unterworfen hatte[140], Margotti noch heute als Meister seines Faches aus[141]. Wenn aber Amtsakten nicht nur als Vorbild Verwendung fanden, sondern auch geeignet waren, die stilistischen Qualitäten ihrer Verfasser unter Beweis zu stellen und ihren Ruhm als Literaten im Staatsdienst zu mehren, wird verständlich, warum die Register des Staatssekretariats so häufig kopiert wurden. Junge Monsignori beschafften sich die Bände, um mit den Gepflogenheiten der diplomatischen Korrespondenz vertraut zu werden[142], altgediente Sekretäre sorgten für die Abschrift ihrer Werke, damit sie auch nach dem Ausscheiden aus dem Amt nicht in Vergessenheit gerieten.

Diesen Wunsch hegte wohl auch Porfirio Feliciani, als er 1621 seine Unterlagen zusammenpackte und nach Foligno abreiste. Sonette schrieb er dort, Gedichtsammlungen gab er heraus, doch daß sich sein Ruf als Stilist humanistischer Prägung auch auf anderen Wegen verbreiten ließ, scheint Feliciani gewußt zu haben[143]. So gab er die Amtsakten in seinem Besitz einem Schreiber in die Hand und diesem den Auftrag, die unter seiner Regie entstandenen Auslaufregister an Nuntien, Legaten und *diversi* zu kopieren[144]. 21 dicke Bände mit zahllosen Briefen, die der Sekretär zwischen 1609 und 1616 im Namen Borgheses verfaßt hatte, waren das Resultat dieser Fleißarbeit[145]. Doch damit nicht genug: Schließlich hatte Feliciani bereits vor seinem

---

[140] Daß Margotti *«il bando Imperiale ad alcune parole»* verhängt hatte und ihm Feliciani in seiner Zeit als alleiniger Chefsekretär nach anfänglichen Bedenken darin gefolgt war, berichtet Caetano in seiner Schrift von 1623 (vgl. Kraus, Denkschrift, S. 121; vgl. auch die ebd., Anm. 89, zitierte Passage über die Bedeutung des guten Stils aus Cargas Schrift über die Aufgaben eines Sekretärs). Auf Caetanos Bemerkungen über die Wachsamkeit Lanfrancos gegenüber seinen Mitarbeitern (vgl. ebd., S. 117) wurde bereits hingewiesen.

[141] Wenigstens wird dieses Lob in der Regel mit dem Hinweis auf die Briefedition begründet, vgl. Pastor, Bd. 12, S. 45, Anm. 8, und in dessen Gefolge Samerski, Akten, S. 307, der angesichts der Sammlung Margottis und der 1607 entstandenen (allerdings erst 1906 gedruckten) Schrift des bisherigen Chiffrensekretärs Matteo Argenti über sein Handwerk aus dem Borghese-Pontifikat eine «als Vorbild dienende Blütezeit der päpstlichen Diplomatie» macht.

[142] Dies belegt der Auftrag des Kammerklerikers Domenico Maria Corso an einen Marco Aurelio Bongrati, einige Schreiben aus dem Staatssekretariat Felicianis an verschiedene Empfänger zu kopieren. Diese in den 1660er Jahren angefertigten Abschriften dienten dem jungen Monsignore am Beginn seiner Karriere wohl als Mustersammlung, vgl. Samerski, Akten, S. 306 f.

[143] Als *«Poeta antico»* begegnet Feliciani bereits in der Schrift seines ehemaligen Untergebenen Caetano (zit. nach Kraus, Denkschrift, S. 121). Ein Sonett, das Feliciani 1624 zu Ehren Urbans VIII. verfaßt hat, findet sich in Barb.lat. 6543, eine von ihm herausgegebene Sammlung von *Rime di vari autori* in BV Chigiani I, VII 273.27, eine weitere Gedichtsammlung in FB IV 8.

[144] Daß die Bände in der Angelica von Feliciani selbst in Auftrag gegeben wurden, legen dessen Briefe aus der Zeit vor und nach seinem Dienst im Staatssekretariat Pauls V. nahe, die ebenfalls kopiert wurden (s. u.), aber wohl nur Feliciani zugänglich gewesen sein dürften.

[145] Auf die Bände in der Angelica weist Pastor, Bd. 12, S. 46, Anm. 8, hin; für die Forschung entdeckt zu haben scheint sie jedoch der bei Pastor ebenfalls erwähnte Laemmer, der mehrfach Briefe aus diesen Bänden ediert hat, vgl. Hugo Laemmer, Zur Kirchengeschichte des sechzehnten und sieben-

Eintritt in den Dienst Pauls V. hochrangigen Persönlichkeiten wie Kardinal Salviati und Olimpia Aldobrandini seine Formulierungskünste zur Verfügung gestellt, und so füllte der Kopist einen weiteren Band mit Felicianis Briefen aus jenen Jahren[146]. Die in der Regel undatierten Höflichkeitsschreiben, die, nach Themen sortiert und durch ein Inhaltsverzeichnis erschlossen, im letztgenannten Band und ähnlichen Zusammenstellungen aus der Feder anderer Kopisten[147] dargeboten werden, räumen die letzten Zweifel am Zweck dieser Kopien aus. Nicht anders als die etwa zur gleichen Zeit gedruckten Briefe Margottis sollten auch Felicianis Werke zukünftigen Sekretären als Vorbild dienen, und da Musterschreiben dieser Art ihren Wert nicht aus dem Rang der einstigen Unterzeichner bezogen, ließ Feliciani auch noch eine Kollektion seiner im eigenen Namen verfaßten Post erstellen[148]. Mindestens 26 Bände sind auf diese Weise entstanden, und daß sich die Arbeit gelohnt hatte, zeigte sich bald. So fand sich auch Feliciani unter den Schriftstellern Umbriens, denen Ludovico Jacobelli 1658 seine *Biblioteca Umbria* widmete. Hochgelehrt sei er gewesen, und hinterlassen habe er neben einigen Gedichten auch eine umfangreiche Sammlung von Briefbänden[149]. 25 dieser Briefbände, nicht etwa die Gedichte des Sekretärs, befand der bibliophile Kardinal Domenico Passionei (1682–1761) Jahrzehnte später der Aufnahme in seine Sammlung für würdig, und als die Bibliothek des Kardinals 1762 von den Augustinern Roms erworben wurde, kamen auch Felicianis Epistolarien in deren Biblioteca Angelica[150]. Ein weiterer Band fand den Weg

---

zehnten Jahrhunderts, Freiburg 1863, S.75–91; ders., Meletematum, S.253–340. Die hier erwähnten 21 Bände tragen heute die Signaturen Ang.1215–1235; Ang.1236 ist ein in anderer Handschrift angefertigter Band mit Abschriften aus Registern an Nuntien und Legaten, die sämtlich bereits in den vorherigen Bänden enthalten sind. So findet sich z.B. das Register an die Kardinallegaten von 1616 in Ang. 1236,429–452, bereits in Ang. 1235,338–402, wobei in Ang.1236 einige Briefe weniger verzeichnet sind.

[146] Ang.1239. Daß der Band in der gleichen Handschrift abgefaßt ist wie Ang.1215–1235, vermerkt auch der *Catalogus codicum Manuscriptorum* von 1893, der übrigens ein ausführliches Namensregister zu allen Feliciani-Bänden der Angelica enthält. Zum Verhältnis zwischen Olimpia Aldobrandini und ihrem Sekretär Feliciani und ihrer Korrespondenz vgl. Anm.54.

[147] Ang.1238 enthält Höflichkeitsschreiben, die Feliciani in den Jahren von 1583 bis 1615 im Namen Salviatis und Borgheses abgefaßt hat. Auf einigen Seiten des Bandes begegnet die Handschrift Felicianis, der in diesen Fällen wohl entweder die originalen Minuten eingebunden oder die Entwürfe selbst kopiert hat.

[148] Ang.1237. In diesem Band sind vorrangig Briefe versammelt, die Feliciani im Pontifikat Urbans VIII. geschrieben hat. Da sich eine Abschrift dieser Zusammenstellung im Archiv der Barberini (Barb.lat. 6029) findet, könnte der ehemalige Sekretär Pauls V. die Kollektion für die regierende Papstfamilie gedacht und zum Nachweis seiner Fähigkeiten ein Exemplar nach Rom geschickt haben.

[149] Vgl. Jacobelli, S.232.

[150] Zu Kardinal Passionei vgl. Hammermayer, S.200, Anm.113 mit Literaturangaben, v.a. aber die ausführliche Geschichte der Biblioteca Angelica: Paola Munafò, Nicoletta Muratore, La Biblioteca Angelica, Rom 1989, S.38, Anm.11. Daß Felicianis Briefregister Ang.1215–1239 mit der Bibliothek

zu den ersten 25 erst im Jahre 1929: Daß sich noch Jahrhunderte später ein stolzer Landsmann des *Umanista* Feliciani erinnerte und dessen Briefband der Angelica schenkte, war wohl der größte Erfolg des Sekretärs und nicht zuletzt seiner Kopisten[151].

Feliciani und seinen Auftragsschreibern sei gedankt, denn von welchem Wert die Auslaufregister und deren Kopien auch für behördengeschichtliche Fragestellungen sein können, sollte sich gezeigt haben. So lassen die Register deutlich erkennen, wo die Grenzen zwischen den Ressorts verliefen, wer sie leitete und wie sich personelle Umbesetzungen auf die Arbeit im Staatssekretariat auswirkten. Überdies illustrieren die Bände, nach welchen Kriterien die Korrespondenzpartner der Behörde verschiedenen Kategorien zugeteilt wurden, und schließlich gewähren die Fundstellen der Verzeichnisse und ihrer Kopien Einblicke in den Umgang der Sekretäre mit den Amtsakten und in das Schicksal dieser Bestände. Dies alles mag die ausführliche Beschäftigung mit den Auslaufregistern rechtfertigen, über die Grenzen ihrer Aussagekraft kann es aber nicht hinwegtäuschen. Denn bei der Frage, die für die politische Geschichte von zentraler Bedeutung ist, können Auslaufregister nur wenig weiterhelfen. Wer für den Inhalt der hier vermerkten Schreiben verantwortlich war, wird im folgenden daher vorrangig mit der Hilfe anderer Quellen zu klären sein.

2. Amtskorrespondenz, Patronagekorrespondenz: Die Schreiben des römischen Personals und ihre Bearbeitung

a. Im Dienst der Staatsgewalt: Die Amtskorrespondenz des Ferrareser Legaten Spinola

Wie der Blick auf die Auslaufregister gezeigt hat, wurden die Schreiben des Staatssekretariats an die Nuntien und Legaten in eigenen Bänden verzeichnet, während sich alle übrigen Korrespondenzpartner der Behörde die Register *a diversi* teilten.

---

des Kardinals in die Angelica gelangten, beweist das Inventar der Sammlung Passionei, im Original in Parma, als Mikrofilm in der Angelica. Auf S. 454 werden Felicianis Bände aufgeführt als *Registro di lettere diverse, varie Nunziature, ed altro, tom. 25 in fol.* Für diesen Hinweis danke ich der Mitarbeiterin der Angelica Frau Dr. Daniela Scialanga.

[151] Ang. 1239 *bis* trägt im Katalog und vorne im Band den Titel «Epistolario dell'umanista e Vescovo di Foligno Porfirio Feliciani da Gualdo. Manoscritto donato alla Biblioteca Angelica dal Dott. Guerrieri Ruggero di Gualdo Tadino. Roma 26.X.1929». Hier finden sich bunt gemischte Schreiben Felicianis, die zum größten Teil bereits in den vorherigen Bänden verzeichnet sind.

Diesen Befund beherzigend, sei zunächst der Frage nachgegangen, wer die Briefe der Amtsträger bearbeitete und den Inhalt der Antwortschreiben bestimmte. Um dies zu klären, empfiehlt es sich, die in den Briefwechseln behandelten Themen im Auge zu behalten. Nur so wird deutlich, daß die Post der Nuntien und Legaten in zwei Kategorien zerfällt: die Amtsberichte im engeren Sinn und die Briefe, die zur Patronagekorrespondenz des Kardinalnepoten zu zählen sind. Allerdings zwingt die Rücksicht auf den Inhalt der Schreiben zur Bescheidenheit. Im Unterschied zu der Studie Josef Semmlers, der zwar die gesamte römische Empfängerüberlieferung durchgesehen, sich dabei aber auf die Rückseiten der Briefe und die dort angebrachten Bearbeitungsvermerke beschränkt hat, muß sich eine Untersuchung, die auch an der Vorderseiten der Post Interesse findet, auf ausgewähltes Material beschränken. Was es mit der Unterscheidung zwischen Amts- und Patronagekorrespondenz auf sich hat, wird daher im folgenden vorrangig an der Post des Ferrareser Legaten Orazio Spinola zu zeigen sein[152]. Stoff genug bieten die Bände und Bündel mit den Schreiben des langjährigen Verwaltungschefs zweifellos. Über 1200 Briefe des vom Beginn des Borghese-Pontifikats bis zum Ende des Jahres 1615 am Po stationierten Legaten sind erhalten, und da diese respektable Hinterlassenschaft für nahezu jedes der unter Paul V. anzutreffenden aktenkundlichen Phänomene Beispiele liefert, dürfte die Konzentration auf Spinolas Schreiben vertretbar sein. Überdies deckt seine Tätigkeit in Ferrara den gesamten Zeitraum ab, der hier betrachtet werden soll. So ist für das Jahr 1616 eine behördenorganisatorische Veränderung zu verzeichnen, die sich als Ausgliederung der Patronagekorrespondenz aus dem Staatssekretariat beschreiben läßt und am gegebenen Ort ausführlich zu behandeln sein wird[153]. Bis zu diesem Zeitpunkt wurde die Post des Ferrareser Legaten jedoch vom Staatssekretariat und seinem Behördenleiter bearbeitet, und wie dies im einzelnen geschah, sei nun anhand der in der folgenden Tabelle aufgeführten Quellen geschildert.

---

[152] Ob sich die am Ferrareser Beispiel gewonnenen Ergebnisse auf die Post anderer Amtsträger übertragen lassen, soll ein Seitenblick auf die Schreiben einiger Kollegen Spinolas am Ende des Abschnitts zeigen.

[153] An dieser Stelle sei lediglich an die merkwürdige Serie der Auslaufregister FB II 416 bis FB II 422 erinnert und für nähere Informationen auf Kap. IV.1 verwiesen.

TABELLE 4: EINGELAUFENE SCHREIBEN DES FERRARESER LEGATEN SPINOLA,
1605–1615[154]

1605

FB II 431 passim: Oktober–Dezember

1606

FB I 513 passim: Januar
FB I 647 passim: April
FB II 322: Mai–Dezember

1607

FB I 958: Januar–Dezember

1608

FB II 39: Januar–Juni
FB II 320: Juli-Dezember

1609

FB II 318: Januar–Mai
FB II 321: Mai–Dezember

1610

FB II 319: Januar–März
FB III 60 FG, 213–234: Oktober

1611

FB III 60 FG, 235–237, 240–247, 253–273:
Januar (248/252: 23. März):
E 13, 249–288: September

1612

Barb.lat. 8760: Januar–Dezember

1613

Barb.lat. 8761: Januar–August
E 14, 268–380: September–Dezember
(267: 10. Juli)

1614

E 15, 37–56: 1.–15. März
E 15, 57–90: Juni (91/92: 22. November)
FB III 60 FG, 279–314, 327–333: August

1615

FB III 60 FG, 347–372: Oktober

Bevor der Weg dieser Schreiben von ihrem Eintreffen in Rom bis zur Ausfertigung der Antwort nachgezeichnet werden soll, scheint ein Hinweis auf einen permanenten Unsicherheitsfaktor geboten: die mündliche Kommunikation zwischen den Beteiligten, die sich nicht immer und wohl niemals vollständig aus den Bearbeitungsvermerken erschließen läßt. Wo aber die Quellen schweigen, beginnt das Reich der Spekulation, und so müssen sich die folgenden Überlegungen mit den

---

[154] Aufgelistet sind in dieser Tabelle sämtliche Bände, in denen sich ausschließlich Schreiben Spinolas finden oder diese in nicht geringer Zahl und in der Regel stapelweise vorliegen. Andere Bände, in die lediglich einzelne Briefe des Legaten gelangt sind, werden nicht hier, sondern im weiteren Verlauf der Untersuchung genannt.

schriftlichen Spuren begnügen, die die Dokumente des Staatssekretariats zu bieten haben. Doch auch hier ist eine Warnung angebracht, denn der Großteil der Legationsberichte Spinolas liefert kaum Indizien, wer im einzelnen an ihrer Bearbeitung beteiligt war. Allerdings geben sie auch keinen Grund zu der Annahme, sie hätten einen anderen Geschäftsgang durchlaufen als jene Schreiben, deren Behandlung sich rekonstruieren läßt, und so scheinen Analogschlüsse zulässig. Eines aber steht für die Legatenpost mit und ohne Vermerke fest: Erstellt wurden die Antwortschreiben an Spinola im für Ferrara zuständigen Ressort des Staatssekretariats. So wurden die Minuten der Briefe an den Verwaltungschef in den ersten Jahren des Borghese-Pontifikats, die hier zunächst interessieren, entweder von Lanfranco Margotti persönlich oder doch zumindest unter seiner Regie entworfen, Paul V. nicht selten zur Kontrolle vorgelegt, von den Sostituti aus Margottis Abteilung ins reine geschrieben und in den Auslaufregistern des Staatssekretariats vermerkt[155]. Wer die einlaufenden Briefe Spinolas öffnete, wer über den Inhalt der Antworten entschied und wie die Post aus Ferrara auf den Schreibtisch Margottis gelangte, bedarf indes der Klärung. Lückenlos wird dies nicht gelingen, denn der relativ großen Zahl der erhaltenen Berichte zum Trotz bleibt die Rekonstruktion von Geschäftsgang und Rollenverteilung ein aktenkundliches Puzzlespiel, das vor allem vom scheinbar umgekehrt proportionalen Verhältnis zwischen der Häufigkeit von Bearbeitungshinweisen und ihrer Aussagekraft erschwert wird. So finden sich die laut Semmler im Staatssekretariat angebrachten Einlaufvermerke, die Absender, Abfassungsort und -datum angeben und für die Zuordnung einzelner Sostituti zu dem für Ferrara zuständigen Ressort von größter Bedeutung sind[156], zwar auf nahezu allen Schreiben Spinolas, doch über die Rollenverteilung in den oberen Rängen der Hierarchie schweigen sie sich aus. Andere Spuren der Bearbeitung wie das Fehlen einer Ecke der Briefrückseite kommen ebenfalls oft vor, geben jedoch ihre Bedeutung nicht auf den ersten Blick zu erkennen, wenn sie sie nicht gar standhaft für sich behalten. Die für aktenkundliche Ermittlungen über die Maßen wichtigen handschriftlichen Verweise und Kommentare führender – und identifi-

---

[155] Minuten Margottis an Spinola finden sich in FB II 390 (1607), FB II 399 (Mai-August 1608), FB II 408 (Mai/Juni 1609). Daß Paul V. die Minuten auch an Spinola häufig kontrollierte, berichtet Semmler, Staatssekretariat, S. 48, Anm. 5. Reinschriften an Spinola stammen laut Semmler, ebd., S. 63, von d'Ilio, Cipriani, PV 6, PV 2 und PV 4.

[156] Zu den hier gebrauchten Begriffen sei Folgendes angemerkt: Da ein Estratto bei Semmler, Staatssekretariat, S. 38 f., aus Kopf, Kontext, Anweisung, Ricevuta- und Rispostavermerk bestehen kann, ohne daß der Begriff Estratto deutlich machte, welche dieser Bestandteile tatsächlich vorhanden sind, wird im folgenden die Bezeichnung Estratto nur für die Zusammenfassung des Schreibens, also für den eigentlichen Kontext, verwandt. Der Estratto-Kopf Semmlers heißt hier Einlaufvermerk, eine Anweisung ist die Anordnung einer bestimmten Antwort, ein Vermerk ein allgemeiner Begriff.

zierbarer[157] – Personen dagegen tragen zweifellos am meisten zum Verständnis des Verfahrens bei, finden sich aber sehr selten. So ziert die Hand des Kardinals Borghese nur 115 der ca. 1200 Berichte Spinolas, und Paul V. griff gar nur in 67 Fällen zur Feder[158]. Und doch gewähren bereits diese wenigen Notizen erste Einblicke in den Geschäftsgang, den die Post aus Ferrara durchlief. Denn da sich fast alle Autographen des Kardinals wie seines Onkels oberhalb der erwähnten Einlaufvermerke finden, die auf Briefen ohne Verweis direkt am Blattrand beginnen und nur im Falle eines Vermerks unter diesem angebracht wurden, darf man annehmen, daß die beiden Borghese die Post Spinolas als erste in die Hand bekamen, wenn nötig mit Anweisungen versahen und erst dann an die Mitarbeiter des Staatssekretariats weiterleiteten. In der Behörde wurde zunächst der Einlaufvermerk notiert und, falls dem Vermerk Borgheses oder Pauls V. bereits eine Anweisung zu entnehmen war, die entsprechende Antwort an Spinola zu Papier gebracht. Anweisungen, was zu antworten sei, hat Paul V., der die Berichte des Legaten gern mit Randkommentaren versah, gelegentlich selbst auf der Briefrückseite angebracht, doch scheint er es vorgezogen zu haben, seinen Neffen zum Diktat zu bitten. So findet sich nicht selten eine hastige Bleistiftmitschrift des Nepoten, die er, wohl nach der Audienz bei seinem Onkel, mit Tinte in lesbare Form brachte, aber in der Regel blieb Kardinal Borghese genug Zeit für Federkiel und Tintenfaß[159]. Nicht immer hatte er zu protokollieren, was «Unser Herr sagt»[160]. So vermerkte er auch, wenn Paul V. ein Schreiben persönlich gelesen hatte[161], was wohl nicht der Normalfall und daher der Erwähnung wert war, und wenn es sein Onkel nicht selbst tat, notierte Borghese gegebenenfalls, daß der Papst den Inhalt des betreffenden Schreibens mit einem anderen kurialen Amtsträger, etwa dem Tesoriere Generale oder dem Commissario della Camera, besprechen wollte[162].

---

[157] Soweit es um die Mitarbeiter des Staatssekretariats geht, stützt sich die Identifizierung der Handschriften auf die überaus wertvollen Schriftproben, die Semmler am Ende seiner Monographie auf 50 Tafeln bietet. Auch bei der Benennung der Schreiber, deren Namen nicht ermittelt werden konnten, als PV 1 bis PV 16 folge ich Semmlers Vorgaben.

[158] Einzelnachweise werden im folgenden nach inhaltlichen Gesichtspunkten geliefert.

[159] Mit Tinte schrieb Borghese über seine gleichlautende Bleistiftmitschrift z.B. auf FB I 958: 396v, 419v, 420v; FB II 39: 125v, 185v; FB II 321: 62v, 68v; Barb.lat. 8760: 229v. Die meisten Vermerke notierte er indes gleich mit Tinte.

[160] «Dice Nostro Signore che ...», beginnt z.B. Borgheses Notiz auf FB I 958,383v.

[161] «Nostro Signore l'ha vista» war Borgheses Standardformel, um die persönliche Akteneinsicht seines Onkels festzuhalten. Nachweise dieser Vista-Vermerke folgen.

[162] Paul V. verwies zahlreiche Schreiben «Al Signor Mario», d.h. an den Generalleutnant Mario Farnese (FB I 958: zwischen 40v und 542v insgesamt vierundzwanzigmal; FB II 39: 106v, 107v), aber auch an den Tesoriere (FB I 958,170v; FB II 321,41v) und an den Commissario della Camera (FB II 39,100v). Borghese verwies Schreiben an Mario Farnese (FB II 322,82v; FB I 958,249v; FB II 320,60v), an den Tesoriere (FB II 322,202v; FB I 958: 383v, 407v; FB II 320,41v), an den Commis-

Überblickt man die Themen der Briefe aus Ferrara, die Paul V. eigenhändig mit Marginalkommentaren oder dorsalen Antwortanweisungen versehen, mit der Hilfe seines Neffen als Schreibkraft bearbeitet oder wenigstens persönlich gelesen hat, ergibt sich folgendes Bild: Im Mittelpunkt des päpstlichen Interesses stand zweifellos das stets schwierige Verhältnis zu Venedig, in der Krise von 1606/1607 wie in den folgenden Jahren. So widmete sich Paul V. all jenen Problemen wie Grenzstreitigkeiten oder Handelskonflikten, die neue Spannungen mit der Lagunenrepublik befürchten ließen, gleichzeitig aber auch den Fortschritten am Bau der gewaltigen Festung, die im strategisch wichtigen Ferrara als Bollwerk gegen Venedig errichtet wurde[163]. Doch da militärische Sicherheit nicht alles war, verfolgte er ebenso aufmerksam alle Meldungen über mögliche Gefahren für Ruhe und Ordnung innerhalb Ferraras. Berichte über die regelmäßig angekündigten Besuche des Kardinals aus dem Hause der erst vor kurzem entmachteten Este fanden im gleichen Maße sein Interesse wie Informationen über Unruhen in der Bürgerschaft im Vorfeld von Ratswahlen oder Querelen bei der Besetzung des Botschafterpostens der Stadt in Rom[164]. Und wenn der zunehmend amtsmüde Spinola, den Paul V. nicht einmal für wenige Tage die Stadt verlassen ließ, um seine Ablösung bat, war es der Papst, der solche Anfragen überdachte und sich regelmäßig für die Bestäti-

---

sario (FB I 958,447v; FB II 320,58v), an die beiden letzteren gemeinsam (FB II 320,69v), an Fuccioli, den Sekretär der Consulta (FB I 958,447v; FB II 320,37r am Textrand). Gelegentlich wurden diese Herren von Borghese aufgefordert, das anstehende Problem mit Paul V. zu besprechen, z. B. FB II 320,69v: «A Monsignore Tesoriere et al Signor Commissario che insieme ne parlino a Nostro Signore». Zu den Verweisen an kuriale Funktionsträger außerhalb des Staatssekretariats und der Zusammenarbeit zwischen den Behörden vgl. Kap. III.

163 Die handschriftlichen Kommentare Pauls V., die sich auf Venedig oder die Festung in Ferrara beziehen, stellen den größten Teil der insgesamt 67 Autographen des Papstes, die sich auf die ca. 1200 erhaltenen Schreiben des Legaten Spinola fanden. Die Fundstellen einschlägiger Vermerke Pauls V. im einzelnen: FB I 958,488v; FB II 39: 7v, 9/10, 24v, 27v, 36v, 44v, 71v, 76/77r, 77v, 100v; FB II 320: 39v, 137v, 181v, 191v; FB II 318: 103v, 161v, 176v; FB II 321: 35v, 134v, 151v; Barb.lat. 8760,300v. «Nostro Signore l'ha vista» vermerkte Borghese auf folgenden Schreiben zum Thema: FB I 958: 390v, 397v, 428v, 456v, 457v, 504v, 538v, 550v; FB II 39: 28v, 60v, 82v, 135v, 204v; FB II 320: 143v; FB II 318: 106v, 116v, 124v, 132v, 200v; FB II 321: 132v, 146v, 147v, 192v; FB II 319,44v. Eine Antwortanweisung im Namen seines Onkels notierte Borghese auf FB I 958: 409v, 564v.

164 Einen Bericht Spinolas über den drohenden Besuch des Kardinals Este in Ferrara kommentierte Paul V. in FB I 958,431v. Vista-Vermerke brachte Borgheses an auf FB I 958,455v; FB II 318,124v, eine Antwortanweisung im Namen des Papstes findet sich auf FB I 647,157v. Daß der Papst die Meldung über eine im Schutze der Nacht am Castello angebrachte anonyme Schrift antipäpstlichen Inhalts vom 18. Juni 1608 persönlich gelesen hatte und welche Anordnungen er traf, vermerkte Borghese auf FB II 39,194v. Anweisungen Pauls V. in Sachen Ferrareser Botschafterwahl notierte sein Neffe auf FB I 958,396v, Vista-Vermerke zum gleichen Thema auf FB II 39: 23v, 26v. Auch die Meldung über die Wahl des Marchese Turco zum Leiter des städtischen Magistrats las der Papst selbst: FB II 39,203v.

gung des Legaten im Amt entschied[165]. Stets ging es ihm um die Sicherung der päpstlichen Herrschaft in Ferrara, nach innen wie nach außen, und wenn sich Paul V. persönlich um die Getreideversorgung der Provinz kümmerte[166], entsprang dies ebenfalls seinem Bemühen, den Ferraresen keinen Grund zur Unzufriedenheit mit seinem Regiment zu geben. Daß sich die handschriftlichen Kommentare Pauls V. sogar in Schreiben zur für Ferrara zwar lebenswichtigen, aber nicht minder komplizierten Debatte über das richtige Wasserbaukonzept für die drei nördlichen Provinzen finden[167], an deren Verlauf und Ausgang die Stadt das Maß der päpstlichen Liebe ihr gegenüber festzumachen gewohnt war, rundet das Bild ab: Der Borghese-Papst präsentiert sich bei der Bearbeitung der Legatenpost aus Ferrara als vielseitig interessierter, gut informierter und wachsamer Herr der Lage, dessen Aufmerksamkeit potentielle Gefahrenquellen für die innere Sicherheit Ferraras ebensowenig entgingen wie außenpolitische Krisen in der Grenzregion[168]. So hatte

---

[165] Antwortanweisungen Borgheses im Namen Pauls V. zur Legationsverlängerung Spinolas finden sich auf FB II 321: 56v, 68v, zur Amtsverlängerung des Vizelegaten Massimi auf ebd., 98v.

[166] Eigenhändig zum Thema *grani* äußerte sich Paul V. auf FB II 322,84v; FB II 320: 50v, 101v, 107v, 115v, 121v, 122v. Daß der Tesoriere bzw. dieser und der Kammerkommissar wegen Getreidefragen beim Papst vorsprechen sollten, notierte Borghese auf FB II 320,41v bzw. 69v.

[167] Autographen Pauls V. zu Wasserfragen bieten FB II 39,36v; FB II 318: 103v, 161v; FB II 321: 41v, 135v, Autographen Borgheses FB I 958: 416v, 417v; FB II 39: 101v, 182v, 205v; FB II 320,132v; FB II 321,132v; FB II 319,44v.

[168] Diesen Eindruck, den bereits die Zeitgenossen von ihrem Papst hatten, bestätigt Semmler, Staatssekretariat, S. 49, für sämtliche Gebiete aus dem Geschäftsbereich der Behörde. Daß Paul V. über die in Chiffre geführte Korrespondenz mit dem Ferrareser Legaten ebensogut informiert war, liegt nahe, kam die Geheimschrift doch nur in besonders wichtigen und schwierigen Angelegenheiten zum Einsatz, derer sich der Papst zweifellos selbst annahm. Belegen läßt sich dies allerdings aufgrund der äußerst bruchstückhaften Überlieferung der chiffrierten Korrespondenz nur in Ausnahmefällen. So trägt die Klarschrift eines chiffrierten Schreibens vom 30. April 1608, in dem Spinola über das Verhalten des Kardinals Pio und dessen Überwachung berichtet, den eigenhändigen Vermerk Borgheses: «Nostrô *Signore l'ha vista*» (FB II 319,10r, dors.13v), während die in FB II 319,114–152 gesammelten Chiffrenklarschriften sowie die Chiffrenminuten an Spinola in FB II 378,117–133 keine Hinweise auf eine Beteiligung Borgheses oder des Papstes liefern. Wer für die Korrespondenz in Geheimschrift verantwortlich war, lassen jedoch auch diese wenigen Funde erkennen: Einige der Chiffrenminuten stammen zwar von Mario d'Ilio, der ab Februar 1609 als Chiffrensekretär fungierte (vgl. Semmler, Staatssekretariat, S. 95) und dessen Dechiffriervermerke die von ihm erstellten Klarschriften in FB II 319 tragen, doch in der Regel hat der jeweilige für Ferrara zuständige Chefsekretär sowohl die Chiffrenminuten entworfen als auch die Dechiffrate mit Bleistiftkommentaren versehen, was im übrigen auf einen Vortrag vor Paul V. hinweisen könnte (vgl. z. B. die Minuten Peruginos vom 8. und 18. August 1612 in FB II 378,126 und 127 und sein Dorsalvermerk auf Spinolas dechiffrierter Antwort vom 31. August 1612 in FB II 319,146v oder Felicianis Minute vom 28. Januar 1615 in FB II 378,117 und sein Vermerk auf Spinolas Antwort vom 4. Februar 1615 in FB II 319,153v). Warum nur so wenige Chiffrenminuten und -klarschriften erhalten sind, die in getrennten Bündeln vorliegen, aber aus den gleichen Monaten stammen (Klarschriften in FB II 319: April 1612, v. a. Juli bis November 1612, Juli 1613, August 1614, Februar 1615; Minuten in FB II

sich Kardinal Caetano, der Legat der Romagna, im Dezember 1608 wohl tatsächlich unnötig Sorgen gemacht, Paul V. hätte einige seiner Schreiben nicht zu Gesicht
bekommen. Wie alle wichtigen Mitteilungen, die den Kirchenstaat in welcher Weise auch immer beträfen, habe Seine Heiligkeit auch die seinen gründlich studiert
und bedacht, versicherte Borghese dem Legaten, dessen Zweifel im Lichte der
aktenkundlichen Befunde in der Tat unbegründet erscheinen[169].

Daß der Papst, der sich ja auch noch um anderes als nur um die Provinz Ferrara
zu kümmern hatte, die Legatenpost nicht komplett selbst bearbeiten konnte, liegt
auf der Hand. So bedurfte es des Einsatzes des Staatssekretariats für die Ausfertigung der angeordneten Schreiben, aber auch der Hilfe eines zuverlässigen Mitarbeiters, der die Briefe Spinolas öffnete und entschied, welchen von ihnen sich Paul
V. persönlich widmen sollte. Wem sonst als dem Kardinalnepoten hätte diese Aufgabe zukommen sollen? Schließlich war er nicht nur als Sopraintendente dello
Stato Ecclesiastico für alle Belange des Kirchenstaats und als Leiter des Staatssekretariats für die Korrespondenz mit den Legaten zuständig, sondern zugleich auch
ein Vertrauter seines Onkels, dessen Gunst er seine Promotion und jede weitere
Wohltat verdankte. Allein dem Chefsekretär konnte, wie Andreas Kraus für das
Pontifikat Urbans VIII. gezeigt hat, diese Rolle ebensogut zufallen[170]. Doch laut
Semmler war es in der Zeit Pauls V. der Kardinalnepot, der den gesamten Einlauf
des Staatssekretariats öffnete und zur Bearbeitung weiterleitete[171], und wie vor
allem die Verweise zeigen, machte auch Ferrara keine Ausnahme. Denn während
zahlreiche der an Borghese adressierten Schreiben des Legaten von Paul V. selbst
oder seinem Neffen an Amtsträger wie den Schatzmeister weitergeleitet wurden[172],

---

378: April 1612, v.a. August/September 1612, März 1614, August 1614, Oktober 1614, Januar
1615) und sich inhaltlich aufeinander beziehen (behandelt werden fast ausschließlich außenpolitische Fragen, z.B. 1612 ein Grenzkonflikt mit Venedig), ist unklar. Daß Spinola und das Staatssekretariat weit häufiger, als es diese spärlichen Reste vermuten lassen (außer den genannten Bündeln
finden sich nur noch sehr wenige verstreute Minuten und Klarschriften; von den bei Semmler,
Staatssekretariat, S.25, für die Legation Ferrara angegebenen Klarschriften in FB II 318,215–222
stammt nur 218f. von Spinola, der Rest vom Bischof von Adria), in Geheimschrift korrespondierten, belegen zahlreiche Hinweise in ihrer Klarkorrespondenz wie diese: «Il resto rimetto alla cifra»
(Borghese an Spinola, 19.April 1608, SS Bo 185,48r); «accuso à V.S.Ill.ma la sua cifra» (dass.,
7.Mai 1608, ebd.,54r). Daß das Chiffrierwesen der Zeit eine Kunst für sich war, zeigen die bei Aloys
Meister, Die Geheimschrift im Dienst der päpstlichen Kurie von ihren Anfängen bis zum Ende des
16. Jahrhunderts, Paderborn 1906, wiedergegebenen Traktate und Chifffrenschlüssel.

[169] Borghese an Caetano, 31.Dezember 1608 (SS Bo 185,169vf.): «Queste ultime sue come tutte le altre
ch'ella hà scritte ... sono state viste et lette da Nostro Signore, il quale non ha dubitare V.S.Ill.ma
che non le veda et legga tutte perche non solo queste ma qualsivoglia altro attinente à qualsivoglia
negotio di momento dello Stato Ecclesiastico le vede et considera diligentemente.»
[170] Vgl. Kraus, Staatssekretariat, S.186–189.
[171] Vgl. Semmler, Staatssekretariat, S.105.
[172] Vgl. Anm.162.

findet sich auf keinem einzigen dieser Briefe ein Verweis an den Kardinalnepoten. *«Al Signore Lanfranco»* dagegen vermerkten sowohl der Papst als auch Kardinal Borghese immer wieder auf den Berichten aus Ferrara[173]. Möglicherweise war dies eine Aufforderung an den Chefsekretär Lanfranco Margotti, den Inhalt des betreffenden Briefs mit Paul V. zu besprechen, denn ihm allein die Beantwortung der Schreiben aufzutragen wäre angesichts seiner Amtsobliegenheiten unnötig gewesen. So konnte Borghese bei jenen Berichten Spinolas, die er seinem Onkel vorzulegen für nicht notwendig erachtete, auf einen Verweis an den Sekretär verzichten, an dessen Zuständigkeit offenbar kein Zweifel bestand. Doch auch wenn der größte Teil der Legationsberichte ohne jeden schriftlichen Kommentar auf dem Schreibtisch Margottis landete, hatte dieser noch lange nicht allein über die Antworten zu befinden. Daß nicht wenige der Briefe Spinolas, die Borghese ohne Konsultierung seines Onkels an die Behörde weitergeleitet hatte, dem Papst zur Kenntnis gelangten, legen vor allem die Estratti nahe, denn diese kurzen Inhaltsangaben, die die Sostituti des Staatssekretariats auf der Rückseite einiger Schreiben anbrachten, dienten dem Chefsekretär als Gedächtnisstütze für den Vortrag der Post in seiner täglichen Audienz bei Paul V[174]. Ob Margotti sämtliche Schreiben Spinolas, die der Pontifex noch nicht gesehen hatte, zur Sprache brachte, ist unklar. Doch da Paul V. nicht selten lediglich befand, man solle *in forma* antworten[175], scheinen auch we-

---

[173] Verweise Pauls V. an Margotti: FB II 39,71v; FB II 320,39v; FB II 318,176v; FB II 321: 35v, 41v, 151v, Borghese an Margotti: FB II 431,149v; FB I 513: 29v, 30v, 47v, 65v; FB I 647,157v; FB II 322: 66v, 118v, 207v; FB I 958: 238v, 254v, 265v, 267v, 354v, 472v; FB II 39: 56v, 125v, 139v, 203v, 204v; FB II 320: 132v, 143v, 146v, 158v, 200v; FB II 318: 20v, 38v, 47v, 137v.

[174] Neben den Estratti auf den eingelaufenen Schreiben Spinolas sind die dem Einlauf des Legaten zuweilen beiliegenden Zettel zu berücksichtigen, auf deren linker Seite unter dem Titel *«Illustrissimo Spinola»* die einzelnen Punkte zusammengefaßt wurden, die dieser in einem oder mehreren (*«per altra»* steht dann über der Zusammenfassung des nächsten Briefs) Schreiben mitgeteilt hatte. Rechts neben dieser Auflistung wurde notiert, was dem Legaten darauf zu antworten war (FB II 322: 162, 187, 290, 294, 296, 361–365, 426 f., 433 f., 444–446; FB I 958: 20 f., 46, 52, 60, 90, 111, 135, 146, 156 f., 165, 173, 181, 189, 194, 198, 209, 214, 135, 246, 288, 551 f.). Gelegentlich findet sich ein *«Sommario in sostanza di quanto s'è stabilito con la Santità di Nostro Signore doversi scrivere à Ferrara»* (FB II 322,445 f.) oder eine Zusammenfassung *«La Santità di Nostro Signore vol che si scriva al Illustrissimo Legato et al Signore Paolo Savelli in sustanza quello, cioe ..»* (FB II 322,290). Da die Entscheidungen offensichtlich von Paul V. selbst getroffen wurden, scheinen die hier zusammengefaßten Briefe Spinolas dem Papst referiert worden zu sein, was wohl Margottis Aufgabe war, auch wenn die meisten dieser Notizen der Feder von PV 8 entstammten (v. a. jene in FB II 322). Vielleicht hat der Chefsekretär seinem Sostituto den Willen des Papstes diktiert, denn daß PV 8 persönlich mit Paul V. geredet hatte, ist unwahrscheinlich.

[175] *In forma* sollte z. B. auf Spinolas Mitteilung vom Tod des Ferrareser Ratsherren Camillo Tolomei, die vom 18. November 1606 datiert, geantwortet werden (FB II 322,364). Auch auf Meldungen zur Lage in Ferrara während des Konflikts mit Venedig ordnete Paul V. gelegentlich nur an: *«si loda la diligenza»* (FB II 322,433).

niger wichtige Mitteilungen des Legaten das Gehör Seiner Heiligkeit gefunden zu haben.

Faßt man diese Beobachtungen zusammen, ergibt sich folgendes Bild vom Geschäftsgang, den die Legationsberichte des Ferrareser Verwaltungschefs in den ersten Jahren des Pontifikats zu durchlaufen hatten: Zunächst gelangte die Post aus Ferrara zu Kardinal Borghese, der sie öffnete, studierte und sortierte. Mit dem kleineren Teil der Berichte begab sich Borghese zu seinem Onkel, trug ihm die Neuigkeiten vor und vermerkte dessen Entscheidungen oder die persönliche Akteneinsicht Pauls V., der sich die wichtigsten Briefe aushändigen ließ und nicht nur selbst las, sondern gelegentlich auch eigenhändig kommentierte. Derart bearbeitete Schreiben wurden an Margotti übermittelt, der die Anweisungen des Papstes auszuführen und die entsprechende Antwort an Spinola zu entwerfen hatte. Der weit größere Teil der Berichte aber wurde von Borghese direkt an Margotti weitergereicht, der sie im Bedarfsfall seinerseits Paul V. vortrug, um hernach die gewünschte Antwort des Papstes zu Papier zu bringen. Das Maß der Freiheit, das der Staatssekretär bei der Abfassung dieser Schreiben genoß, ist schwer zu ermitteln. Doch da er sich im Falle einer päpstlichen Anweisung fast wörtlich an die Vorgaben seines Herrn hielt, der überdies sämtliche Minuten an Spinola kontrollieren konnte, scheint es sich bei den Gestaltungsmöglichkeiten Margottis eher um sprachliche als um politische gehandelt zu haben[176]. Wenn aber der Papst mindestens in allen wichtigen Fragen die Entscheidung traf und allein der Staatssekretär für die Ausführung der Anordnungen zuständig war, welche Rolle blieb dann dem Kardinalnepoten? Gewiß, er erhielt die Briefe des Legaten als erster, doch da auch Margotti bei Paul V. vorstellig wurde, kam der Entscheidung, welche Schreiben Borghese seinem Onkel vortrug, eine geringere Bedeutung zu als anfangs angenommen. Sollte der Nepot tatsächlich nur ein bürokratischer Gehilfe im Kardinalsrang gewesen sein, der dem Papst als Protokollant zur Hand ging? Wenn man sich auf seine eigenhändigen Notizen beschränkt und diese nicht genauer als bisher betrachtet, entsteht in der Tat dieser Eindruck. So schwang sich Borghese seinen Vermerken auf den Legationsberichten aus Ferrara zufolge nur in einem einzigen Fall dazu auf, die Rolle des gehorsamen Sekretärs zu verlassen: in der Auseinandersetzung um die im Venezianischen gelegene Abtei Vangadizza, deren im Dezember 1608 vakant gewordene Abtstelle die Republik besetzen wollte, obwohl sie Paul V. bereits seinem Neffen verliehen

---

[176] Tatsächlich hatte sich Margotti ja gerade als Meister der eleganten Formulierung und nicht als Politiker einen Namen gemacht, vgl. Kap. II.1.c. Allerdings sollte man die Möglichkeiten der Einflußnahme auf die kuriale Politik, die dem Chefsekretär eröffnet wurden durch seine tägliche Audienz beim Papst und die Beratungsfunktion, die ihm hierbei zuwachsen konnte, auch nicht unterschätzen. So berichtet z. B. Pastor, Bd. 12, S. 291, von einer wichtigen außenpolitischen Entscheidung, die in einem kleinen Kreis, aber unter Beteiligung Margottis fiel. Daß der Sekretär die Texte seiner Schreiben nach Belieben gestalten konnte, heißt dies jedoch gewiß nicht.

hatte. Anders als sonst versah er die einschlägigen Schreiben des Legaten, die er offenbar gründlich studierte, mit Unterstreichungen und vor allem mit Anweisungen, die er selbst, nicht Paul V., getroffen hatte. Allerdings waren seine Anordnungen für die Antworten kaum mehr als Vorschläge, die dem Papst zu unterbreiten er den Sekretär bat, und so dürfte der Kardinal gewußt haben, daß Margotti seine Befehle ebensowenig ohne vorherige Rücksprache mit Paul V. ausführen würde, wie sich der Pontifex ausgerechnet in Fragen, die Venedig betrafen, das Heft aus der Hand nehmen ließ[177].

Angesichts des bescheidenen Einflusses auf die Geschäfte des Staatssekretariats, mit dem sich Borghese trotz seiner Rolle als nomineller Behördenchef begnügte oder begnügen mußte, kann die weitere Entwicklung nicht verwundern. So ist einem Blick auf die Rückseite der Ferrareser Legationsberichte zu entnehmen, daß sich der Nepot bereits wenige Monate nach dem Streit um Vangadizza noch weiter von der Arbeit seiner Behörde entfernt hatte als in den Jahren zuvor. Aktenkundig wurde dies, als im September 1609 eine neue Handschrift auftauchte, deren Inhaber zum Leidwesen späterer Leser ein großer Freund des Bleistifts war und mit diesem in der Hand den überwiegenden Teil der Legatenpost aus Ferrara bearbeitete[178]. September 1609:

---

[177] Zu der Auseinandersetzung um Vangadizza vgl. Reinhard, Papstfinanz und Nepotismus, Bd. 1, S. 89 f. Was Spinola mit der Abtei zu tun hatte, zeigt bereits sein Brief vom 27. Dezember 1608 mit der Meldung des bevorstehenden Todes des Abtes Loredano, den er per Eilboten nach Rom befördern ließ (FB II 320,202), auf daß Borghese als erster davon erfuhr. Der Nepot dankte herzlich und bat um Informationen «di tutti i particolari dell'Abbatia come dei beni che possiede dei luoghi et delle entrate» (Borghese an Spinola, 31. Dezember 1608, SS Bo 185,168r), die ihm Spinola prompt lieferte (FB II 318,9/10, mit Unterstreichungen im Text, dorsal (10v) an Margotti verwiesen). Weniger Erfreuliches hatte Spinola zu melden, als der General der Kamaldulenser die bereits an Borghese vergebene Abtstelle seinem Ordensbruder Fra Fulgentio verlieh, was den General in den Augen des Legaten als «pazzo» auswies und für eine «gagliarda mortificatione» empfahl (Spinola an Borghese, 17. Januar 1609, FB II 318,23r), aber dem Problem eine völlig neue Dimension und Spinola die Rolle eines wichtigen Beobachters vor Ort bescherte. Die Neuigkeiten, die der Legat, im übrigen ein ausgesprochener Hardliner gegenüber Venedig, über das unerhörte Verhalten Fulgentios zu berichten hatte, verwies Borghese «Al Signore Cardinale Nazaret, che le veda et poi le dia al Signore Cardinale Lanfranco» (FB II 318,90v), oder, zum Teil im Auftrag Pauls V., an einen nicht namentlich genannten «V.S.Ill.ma» (ebd.,94v), der die Schreiben nach der Lektüre an Lanfranco schicken sollte (ebd., 102v, 116v, 132v) und bei dem es sich zweifellos ebenfalls um den Kardinal Nazaret handelte, d. h. um den am 3. Dezember 1608 zum Prodatar erhobenen (Sec.Brev. 595,582rv) Borghese-Vertrauten Michele Angelo Tonti, der im folgenden noch öfters begegnen wird. Seiner Anweisung an Margotti, «che così si scriva al Signore Nuntio di Venetia», fügte Borghese hinzu: «V.S.Ill.ma mi farà gratia dire à Nostro Signore ch'io gliel'ho detto» (ebd.,38v). Das Thema Vangadizza beherrschte wochenlang die Korrespondenz zwischen Borghese und Spinola.

[178] Diese stets unterhalb des Einlaufvermerks notierten Bleistiftkommentare sind in Spinolas Korrespondenz erstmals auf dem Schreiben des Legaten vom 5. September 1609 zu bewundern (FB II 321,107v), ab dann aber sehr häufig, bis die Einlaufüberlieferung Ende März 1610 abbricht (z. B. auf FB II 321: 143v, 144v, 145v, 161v, 166v, 167v, 177v, 178v, 191v; FB II 319: 68v, 96v, 111v).

Was war geschehen? Von Semmler wissen wir, daß Malacrida mit fast allen seinen Sostituti im Juli 1609 aus dem Staatssekretariat ausgeschieden war und der nunmehr für alle Ressorts verantwortliche Margotti die personelle Lücke mit der Einstellung neuer Mitarbeiter füllen mußte[179]. Einer dieser Neuen war Porfirio Feliciani, und ihm gehört die Handschrift auf den Schreiben Spinolas. Die eigenhändigen Vermerke Borgheses dagegen werden ab dem gleichen Zeitpunkt deutlich seltener, und überdies beschränkte sich der Kardinalnepot bei der Bearbeitung der Legationsberichte aus Ferrara nun darauf, die Akteneinsicht seines Onkels zu notieren[180]. Antwortanweisungen diktierte Paul V. fortan Feliciani, und da dessen nahezu unlesbaren Bleistiftmitschriften stets unter dem Einlaufvermerk zu finden sind, ergibt sich folgendes Bild: Borghese öffnete weiterhin die Schreiben Spinolas, doch sie selbst Paul V. vorzutragen hielt er nur noch in seltenen Fällen für nötig, und als Protokollant päpstlicher Entscheidungen stand er gar nicht mehr zur Verfügung. Diese Aufgabe war Feliciani zugefallen, der die von Borghese kommentarlos an das Staatssekretariat weitergereichte und dort mit einem Einlaufvermerk versehene Post Spinolas in der Papstaudienz zur Sprache brachte, die Anweisungen Pauls V. mitschrieb und überdies der in der Biblioteca Angelica befindlichen Kopie des Auslaufregisters für August bis Dezember 1609 zufolge wohl auch die meisten Minuten an den Ferrareser Legaten konzipierte. Minuten Margottis an die Adresse Spinolas sind für die Zeit ab Juli 1609 hingegen nicht zu finden[181], und so scheint der nunmehr alleinige Chefsekretär, an den Paul V. die Briefe des Legaten auch nach Felicianis Amtsantritt überwies, zwar unverändert die Verantwortung für die Korrespondenz mit Ferrara getragen, den Großteil der Arbeit aber seinem neuen Helfer überlassen zu haben.

Daß sich Borghese um die Legationsberichte vom Po kaum noch kümmerte, änderte sich auch nicht, als Feliciani die Amtspost aus dem Norden des Staates an seinen neuen Kollegen Perugino abtrat. Dies dürfte kurz nach dem Eintritt Peruginos in die Behörde Anfang April 1610 geschehen sein, denn zum einen bricht just zu diesem Zeitpunkt die bis Ende März 1610 üppige Überlieferung der eingelaufenen Schreiben Spinolas ab, was man als deutlichen Hinweis auf den für das spätere

---

[179] Vgl. Semmler, Staatssekretariat, S. 65–67, und Kap. II.1.a.

[180] Vista-Vermerke von der Hand Borgheses aus der Zeit nach September 1609 bis zum Amtsende Spinolas finden sich auf FB II 321: 132v, 146v, 147v, 163v, 192v; FB II 39: 44v, 47v, 94v. Antwortanweisungen, die Borghese nach dem Diktat Pauls V. notiert haben dürfte, begegnen dagegen nur noch in zwei Fällen: auf dem Schreiben Spinolas vom 20. Februar 1610 über ein Problem in Genua (FB II 319,76v) und auf einer Empfehlung des Legaten vom 30. Juni 1612 (Barb.lat. 8760,229v). Daß Schreiben dieser Art in den Zuständigkeitsbereich des Nepoten fielen, wird noch zu schildern sein.

[181] Die Minuten Margottis enden laut Semmler, Staatssekretariat, S. 31, Ende Juni 1609. Der letzte eigenhändige Verweis Pauls V. an Margotti findet sich auf Spinolas Schreiben vom 28. Oktober 1609 (FB II 321,151v).

Verschwinden seiner Amtsakten bekannten Sekretär werten darf, und zum anderen sind die Bleistiftnotizen auf den wenigen erhaltenen Schreiben Spinolas aus den nächsten Monaten zwar ebenso schlecht zu lesen wie die Vermerke Felicianis, doch zweifelsfrei der Hand Peruginos zuzuordnen[182]. Einen Schriftzug sucht man auf den dienstlichen Berichten Spinolas für die Zeit zwischen April 1610 und seinem Ausscheiden aus dem Legatenamt Ende 1615 indes vergebens: Kein einziges der Schreiben über die politische Lage am Po und die internen Probleme der Provinz trägt eine eigenhändige Notiz Borgheses, der die Post aus Ferrara zwar unverändert entgegennahm[183], die Legationsberichte Spinolas seit dem Eintritt Felicianis und Peruginos in die politische Behörde aber ohne jeden Kommentar an das Staatssekretariat weiterreichte. Dort legte ein Sostituto zunächst den Einlaufvermerk und zuweilen einen Estratto an, wozu in der Amtszeit Peruginos sehr häufig nicht die Briefrückseite, sondern ein dorsal befestigter kleinerer Zettel benutzt wurde[184]. Danach gelangte das derart vorbereitete Schreiben an den zuständigen Chefsekretär, der es Paul V. vorzutragen und dessen Anordnungen zu notieren hatte. Bis zu seinem Tod Ende November 1613 war dies die Aufgabe Peruginos, der zu Bleistiftkommentaren in epischer Breite neigte[185]. Ab Dezember 1613 lag es an Feliciani, die Rückseite der Legatenpost mit den Anweisungen des Papstes zu versehen. Paul V. selbst griff nur noch selten zur Feder, doch da er es in der Zeit von April 1610 bis zum Jahresende 1615 auf immerhin vier Autographen brachte[186], hat sogar der vielbeschäftigte Pontifex deutlich mehr Spuren in der Amtspost aus Ferrara hinterlassen als sein Neffe. Den anderen Mitarbeitern Pauls V. konnten die Veränderungen im Staatsse-

---

[182] Laut Semmler, Staatssekretariat, S. 121, Anm. 3, datiert der erste Beleg für Perugino als Mitarbeiter der Behörde vom 3. April 1610. Wegen der schlechten Quellenlage (vgl. Tab. 4) sind auf den Berichten des Ferrareser Legaten aus den nächsten Monaten Bearbeitungsvermerke Peruginos zwar selten zu finden, aber dennoch zu belegen. So begegnet seine Handschrift in FB III 60 FG,213–273: Spinola an Borghese, 13. Oktober 1610–30. April 1611, z. B. auf 217v, 252v, und in E 13,249–287, dass., September 1611, z. B. auf dem Estrattozettel auf Spinolas Brief vom 7. September 1611 (255) oder auf 259v, 264v. Überdies wurden sämtliche Schreiben aus Ferrara, die einen Vermerk tragen, an Perugino verwiesen, und da unter seiner Leitung auch die wenigen erhaltenen Minuten an Spinola aus dieser Zeit erstellt wurden (vgl. E 60,6–16), kann an Peruginos Zuständigkeit für die Post aus Ferrara kein Zweifel bestehen.

[183] Dies wird im Zusammenhang mit Spinolas Schreiben privaten Charakters und ihrer Bearbeitung zu zeigen sein.

[184] Auch für die Post aus Ferrara gilt Semmlers Befund, daß «die Hauptmasse dieser Estratto-Zettel nicht erhalten ist» (Semmler, Staatssekretariat, S. 39). Spuren, etwa in Form von Resten des verwendeten roten Klebstoffs, finden sich für die Amtszeit Peruginos dagegen sehr häufig.

[185] Weswegen er vielleicht die Estratto-Zettel bevorzugt hat, dank derer mehr Platz für Kommentare zur Verfügung stand als bei Dorsalestratti. Beispiele für Peruginos Schreibeifer bieten u. a. Barb. lat. 8760: 127v, 162v, 170v, 289v, 328v.

[186] Die Autographen Pauls V. aus diesen Jahren finden sich auf Barb. lat. 8760,300v; Barb. lat. 8761: 212v, 218v; E 14,339v.

kretariat nicht entgangen sein. Zwar wurden den Fachleuten aus den restlichen Ressorts der Kurie die Berichte des Legaten wie zuvor überstellt, wenn dem Papst dies notwendig erschien. Die Vermerke, die sie in die Audienz des Regenten beorderten, wiesen nun jedoch die Handschrift des Chefsekretärs auf[187], und so dürften auch Amtsträger wie der Schatzmeister oder der Kammerkommissar gewußt haben, daß ihre Kollegen in der politischen Behörde wohl ohne den Nepoten auskommen mußten. Als Leiter des Staatssekretariats trat Scipione Borghese somit seit ca. 1610 nicht mehr in Erscheinung: weder in der Amtskorrespondenz, die er auch in den folgenden Jahren nicht in die Hand nahm, noch durch persönliche Besuche in den Räumen der Behörde. Nur wenn er sich der breiten Masse zeigte, hätten sie ihn zu Gesicht bekommen, erinnerten sich die einstigen Untergebenen des Kardinals noch lange nach dem Tod Pauls V. an ihren untätigen Vorgesetzten[188], dessen handschriftliche Spuren in der politischen Korrespondenz der Kurie auch, aber nicht nur mit dem Legaten in Ferrara tatsächlich keinen Zweifel am Rückzug des Nepoten von den Geschäften der Behörde lassen[189].

---

[187] Perugino konnte nicht nur Schreiben an andere Amtsträger weiterleiten, sondern diese auch zu Paul V. bestellen, selbst wenn sie im Rang über ihm standen: «*Al Signore Cardinale Serra, che la veda et ne parli à Nostro Signore*» (Barb.lat. 8760,90v, sehr ähnlich: Barb.lat. 8761,129v), «*Al Signore Commissario della Camera che dica quel che gli occorre*» (Barb.lat. 8761,20v).

[188] In einem im Dezember 1623 zu Papier gebrachten Brief Caetanos an Cameresio, die beide nach dem Ausscheiden Malacridas in die Behörde eingetreten waren (vgl. Semmler, Staatssekretariat, S. 111 f. und 116 f.), erinnerte Caetano seinen ehemaligen Kollegen an vergangene Zeiten in der politischen Behörde: «*se si rivolge à i tempi passati, doppo Lanfranco non vedessimo mai faccia de Padroni, se non quanto la godeva il volgo*» (22. Dezember 1623, Barb.lat. 6034,42, zit. nach Kraus, Denkschrift, S. 113, Anm. 71). Daß Borghese mit den Geschäften der Kurie wenig zu tun hatte, legt auch eine Äußerung von Giovanni Battista Agucchia, dem Chefsekretär unter Gregor XV., in einem Schreiben an den Kölner Nuntius Montoro vom 12. August 1623 nahe. Nachdem er von der Wahl und den ersten Maßnahmen Urbans VIII. berichtet hatte, äußerte er sich zur Person Francesco Barberinis und meldete, daß Urban VIII. diesen «*introduce pian piano a i negotii, volendo facilmente imitare in ciò Papa Clemente VIII*». Das zeitlich näherliegende Pontifikat Pauls V. hatte offensichtlich kein Beispiel für einen an den Geschäften beteiligten Nepoten zu bieten. Das Schreiben Agucchias ist ediert in: Nuntiaturberichte aus Deutschland. Nebst ergänzenden Aktenstücken. Die Kölner Nuntiatur. Bd. VI, zweiter Halbband: Nuntius Pietro Francesco Montoro (1621 Juli–1624 Oktober). Im Auftrage der Görres-Gesellschaft bearbeitet von Klaus Jaitner, München u. a. 1977, Bd. VI,2, Nr. 826, S. 660–662, hier: S. 661.

[189] Laut Semmler, Staatssekretariat, S. 50, der die Korrespondenz der Kurie mit allen Vertretern Roms in und außerhalb des Kirchenstaats untersucht hat, zog sich der Nepot aus sämtlichen Geschäftsbereichen zurück. Warum Semmler, ebd., diesen Rückzug mit der fälschlicherweise auf Januar 1610 verlegten Kardinalspromotion Margottis beginnen läßt, ist unklar. M.E. hat die personelle Neubesetzung vom August 1609 den Anstoß gegeben, während die Promotion des Sekretärs für die Bearbeitung der Ferrareser Post ohne Folgen blieb. Daß von einem grundsätzlichen Rückzug Borgheses von der gesamten Korrespondenz der Behörde allerdings keine Rede sein kann und der Nepot für private Schreiben der Amtsträger unverändert zuständig war, wird im folgenden zu zeigen sein.

b. Der Legat als Klient: Spinolas Patronagekorrespondenz

Wohlgemerkt: Es war die politische Korrespondenz des Staatssekretariats, von der sich Kardinal Borghese wenige Jahre nach seiner Ernennung zum Chef der Behörde verabschiedet hatte, und ausschließlich von Schreiben dieser Art war bisher die Rede. Der Briefwechsel zwischen dem Papstneffen in Rom und dem Legaten am Po erschöpfte sich jedoch keineswegs in den Berichten und Weisungen, in denen es um die politische Großwetterlage an der nördlichen Staatsgrenze sowie um Fragen aus dem Verwaltungsalltag der Legation Ferrara ging. Schließlich hatte Paul V. Spinola spätestens mit der Verleihung des roten Hutes im September 1606 zu seiner Kreatur gemacht[190], und Kreaturen gehörten versorgt. Dies aber war die Aufgabe des Kardinalnepoten, und folglich gingen bei Borghese auch zahlreiche Briefe Spinolas ein, die ihn als Superintendenten des Kirchenstaats kaum, als Haupt der Klientel dagegen um so mehr interessieren mußten. Denn in dieser Rolle war er zuständig für die Pensionen, Benefizien und Ämter, die der Legat für sich, seine Brüder, Familiaren und Freunde erbat[191], aber auch für die Gesuche des amtsmüden Spinola um seine Versetzung[192] und nicht zuletzt für die Sorgen, die den Legaten in seiner Funktion als Erzbischof von Genua plagten[193]. Daß sich Borghese auch mit den Angriffen der Republik Genua auf die jurisdiktionellen Privilegien ihres Hirten befassen mußte, obwohl er als Kardinalnepot zwar in den kirchenstaatlichen Verwaltungsgremien, nicht aber in den Kongregationen für kirchliche Angelegenheiten saß[194], unterstreicht eindrucksvoll, wie weit seine Aufgaben bei der klientelären Rundumversorgung des Ferrareser Legaten reichten[195]. Allerdings hatte Spinola als

---

[190] Was dies bedeutete, beschrieb Spinola im September 1607 so: «*Mentre Nostro Signore mi fece sua creatura et mi diede questa Legatione mi obligò di maniera che se io spedessi mille vite in servitio suo et di V.S.Ill.ma non arriverei à compire al debito mio*» (Spinola an Borghese, 5. September 1607, FB I 958, 444r).

[191] Bitten um *gratie* für seine Brüder und Dankesschreiben Spinolas für Pensionen u.ä.: FB I 958: 73r, 444, 466; FB II 39: 87, 151; FB II 320: 6, 53r, 69r; FB II 319,38; Barb.lat. 8760, 160; Barb.lat. 8761,48; FB III 60 FG: 349, 367. Personalempfehlungen Spinolas an Borghese: FB I 958: 23, 73, 544, 568; FB II 322, 328; FB II 39: 31, 169; FB II 320, 66, 128, 139, 142v; FB II 319: 2, 73; FB II 318: 12, 99, 108, 142; FB II 321,95v; FB III 60 FG: 221, 245, 263, 296; E 13,251; Barb.lat. 8760: 220, 274; Barb.lat. 8761: 2, 92, 241 f.; E 15,57; E 14,335.

[192] FB II 321,49r; Barb.lat. 8760: 135r/v, 165r–166r, 267r/v; vgl. auch Anm. 195.

[193] FB II 431: 81r/v, 140r; FB I 647,229r–230r; FB II 322: 54r, 77r, 143r/v, 172r, 246r/v; FB I 958: 74r/v, 123r, 338r–339r, 570r/v; FB II 39: 14r, 49–53; FB II 321,65r–66r; E 13: 253vf., 261r, 278v; Barb.lat. 8760: 180r/v, 186r.

[194] Vgl. Reinhard, Nepotismus, S. 172, Anm. 153, sowie Kap. III.3.

[195] M. E. diente der Einsatz des Kardinalnepoten und auch des Papstes für die Interessen des Erzbischofs Spinola der Beruhigung des Legaten Spinola, der sein Amt in Ferrara nicht zuletzt seiner Erzdiözese zuliebe aufgeben wollte, die unter der Abwesenheit ihres Hirten sehr leide. So berichtete Borghese am 26. September 1607 von den Maßnahmen, die Paul V. zur Beendigung einer von Spinola gemel-

Klient der Borghese nicht nur Anspruch auf die Förderung persönlicher Anliegen durch den Cardinale Padrone, sondern auch Pflichten. So erhielt er immer wieder Schreiben aus Rom, in denen ihm der Nepot die Wünsche Dritter ans Herz legte. Ob es um Gerichtsverhandlungen ging, die vor dem Tribunal des Legaten anhängig waren, um ökonomisch relevante Privilegien wie die begehrten Exportlizenzen für Getreide oder um die Besetzung attraktiver Stellen in der Stadt am Po – zahlreich waren die Bitten Borgheses für seine Klientel, und ebenso zahlreich mußten die Antwortschreiben sein, in denen Spinola dem Kardinal in Rom seine Hilfsbereitschaft für die Empfohlenen versicherte. Sowohl Briefe dieser Art als auch die Gesuche des Legaten in eigener Sache sind gemeint, wenn im folgenden die Rede von Schreiben privaten Inhalts ist. Diese Bezeichnung sollte nicht vergessen machen, daß die Betreuung der Klientel durchaus als politische Notwendigkeit zu betrachten ist und Borghese den entsprechenden Schriftwechsel mitnichten als Privatperson, sondern in seiner Rolle als Cardinale Padrone und damit von Amts wegen führte. Doch da alle Beteiligten sehr genau zu unterscheiden wußten zwischen der Amtskorrespondenz im engeren Sinne und dem Briefwechsel, der sich mit Fragen von Gunst, Gnade und Patronage befaßte, ist eine begriffliche Trennung notwendig und die Etikettierung eines Teils der Schreiben als privat wohl vertretbar. Bereits ein flüchtiger Blick auf Spinolas Schreiben zeigt, ob er in seiner Eigenschaft als Legat zur Feder gegriffen hatte und den Chef der politischen Behörde über den Stand der Dinge in Ferrara unterrichten wollte oder ob sich der Klient im Dienste der Borghese an seinen Patron in der Hauptstadt wandte. Amtliche Mitteilungen verfaßte der pflichtbewußte Verwaltungschef eigenhändig, persönliche Anliegen

---

deten Auseinandersetzung mit der Republik Genua ergriffen hatte, betonte, wieviel dem Papst an der Präsenz Spinolas in Ferrara gelegen sei, und fuhr fort: «*Se per quello che appartiene à gl'interessi della sua Chiesa succederà cosa che ricerchi rimedio basterà che V.S.Ill.ma ne scriva quì dove si havrà pensiero di provedere ..*» (SS Bo 184,241v–242v, hier: 242r/v). Um die *licenza* als Legat bat Spinola erneut im Juli 1609 «*à rivedere la mia Chiesa che tiene non solo bisogno, ma necessità della mia persona*» (Spinola an Borghese, 15. Juli 1609, FB II 321,64v), und im Mai 1612 verwies er gar auf seine «*conscienza, se bene essendo in servitio della Santa Sede, et quello importa il tutto, per commandamento di Sua Beatitudine, non doveria darmi travaglio, tuttavia sono obligato tanto strettamente alla residenza che devo mettere humilmente in consideratione*», daß seine Kirche ihn brauche (16. Mai 1612, Barb.lat. 8760,165v), der «*l'absenza mia sin hora di sette anni non puo haverle causato che pregiuditio*» (2. Mai 1612, Barb.lat. 8760,135v). Auch wenn Spinola «*nella licenza chiesta non hebbi maggior stimolo che l'obligo della residenza et il servitio della mia chiesa*» (15. August 1612, Barb.lat. 8760,267v), war der an sich auf die Residenzpflicht der Bischöfe pochende Paul V. nicht zu erweichen. Spinola, der sich als Legat wohl zu verdient gemacht hatte, sah seine Diözese erst 1616 wieder und verstarb wenige Wochen nach seiner Ankunft in Genua. Der Brief Borgheses vom 26. November 1616, in dem er dem neuen Erzbischof von Genua gegenüber seine Freude bekundete, daß die Erzdiözese nach zehn Jahren nun endlich wieder einen residierenden Hirten habe, hätte Spinola sicherlich die Sprache verschlagen (FB II 416,188v).

sowie seine Antworten auf Borgheses Empfehlungsschreiben ließ er von einem Sekretär zu Papier bringen[196]. Doch nicht nur die Handschrift, auch die Formulierung der Briefe variierte merklich: «Ich bitte Sie, sich in dieser Sache für mich zu verwenden», stand in keinem Bericht des Legaten über den Verlauf der Amtsgeschäfte, wohl aber in nahezu jedem Schreiben, das die privaten Interessen Spinolas betraf, und nur in den Antworten auf solche Bitten ist die Entgegnung Borgheses zu finden, er habe seine *uffici*[197] gemacht[198]. Zwar darf weder dies noch die postwendende Versicherung des Legaten, die Erfüllung seiner Wünsche ebenso der

---

[196] Daß dies nicht auf jedes einzelne der über 1200 Schreiben Spinolas zutrifft, versteht sich angesichts der Masse der Schreiben, der häufigen Gichtanfälle des Legaten (vgl. Kap. V, Anm. 30) und der auch in den Behörden der Kurie üblichen Abweichungen von der Norm von selbst. Daß die Zuordnung der verschiedenen Handschriften jedoch als Faustregel gelten kann, zeigt sich beim ersten Blick in einen der Bände mit den Briefen Spinolas. Im übrigen hat man in Rom genau gewußt, was es mit den unterschiedlichen Handschriften in den Briefen der Legaten vor Ort auf sich hatte. So versicherte Borghese Spinolas Kollegen in Bologna, Kardinal Giustiniani, in einem Schreiben vom 8. Dezember 1606, daß «*Nostro Signore ... vede quasi per l'ordinario le lettere che V.S.Ill.ma mi scrive di sua mano*» (SS Fe 238,195r). Vgl. aber auch Kap. V.1.b.

[197] Der Begriff der *uffici* spielt zwar eine zentrale Rolle in der gesamten Korrespondenz, kommt aber nicht nur in mehreren orthographischen Varianten vor, sondern auch mit unterschiedlichen Bedeutungen, ist daher nicht einheitlich übersetzbar und wird im folgenden im Original belassen. Einige Beispiele aus dem Schriftwechsel Ferraras mögen dies illustrieren. So bat die Stadt Borghese schon Ende 1605, «*d'haver per raccomandati nella distribuzione degli ufici, che dispenda la Santa Sede, i soggetti ferraresi*» (CC 156/1,18), während Borghese auf das verwies, was er in dieser Sache mit dem Botschafter besprochen hatte «*secondo l'officio che loro ne fanno meco*» (6. Dezember 1605, ebd.,22). Wenn sich Borghese für die Festwünsche und andere Höflichkeiten der Stadt bedankte, sprach er «*dell'officio amorevole passato meco*» (24. Dezember 1605, ebd.,27); die Bemühungen des Botschafters faßte der Magistrat zuweilen als «*gli ufizi fatti da V.S.Ill.ma*» zusammen (Ferrara an Manfredi, 16. Juli 1616, CA 9,751r). Mit *uffici* konnten somit Ämter, Anfragen, Höflichkeitsbekundungen oder ganz allgemein Bemühungen gemeint sein, aber auch gute Dienste wie im Falle Borgheses. So könnte man die *uffici* des Nepoten bei Paul V. wohl am ehesten mit Fürsprache, Verwendung oder Vermittlung übersetzen. Das Lexikographische Institut Sansoni bietet in seinem Großwörterbuch Italienisch folgende Übersetzungen an: (Amts)Pflicht, Schuldigkeit, Aufgabe, Dienst, Amt, Büro, Brevier; für *buoni uffici*: gute Dienste, Vermittlung; für *interporre i propri buoni uffici in favore di qd*: sich für jemanden verwenden.

[198] In einem Hilfegesuch für den Rechtsstreit seines Bruders, den Spinola in Rom verhandelt haben wollte, schrieb er am 16. August 1608: «*et perche alle volte ... vi è bisogno della protettione del Patrone io ricorro alla auttorità di V.S.Ill.ma accio mi favorisca d'interporvi la sua auttorità*» (FB II 320,53r). Am 30. August 1608 konnte Borghese melden: «*Al Signore Commendatore fratello di V.S.Ill.ma sarà administrato quì ogni buona giustitia nella sua controversia ... che tanto hò riportato da Nostro Signore havendone tenuto proposito con Sua Beatitudine in conformità del commandamento di lei*» (SS Bo 185,110v), worauf Spinola am 6. September 1608 dankte «*per havere impetrato da Sua Santità*», was er gewünscht hatte (FB II 320,69r). Die Formulierungen variieren, doch häufig wörtlich und immer sinngemäß ging es in Borgheses Antworten um «*quelli offitij ch'ella desiderava da me*», die der Nepot natürlich «*fatti*» hatte (Borghese an Spinola, 21. März 1609, SS Bo 186,44v).

Güte Pauls V. wie der Protektion Borgheses zu verdanken[199], ungeprüft als Beweis
für den tatsächlichen Einsatz des Kardinalnepoten durchgehen. Schließlich wurde
dem Ferrareser Legaten in den Schreiben aus dem Staatssekretariat immer wieder
versichert, Borghese habe seine politischen Meldungen «wie üblich» dem Papst
vorgetragen[200], doch daß das Bild des Nepoten als eifriger Behördenchef der Wirk-
lichkeit entsprach, ist im Lichte der aktenkundlichen Befunde wenigstens für die
späteren Jahre des Pontifikats zu bezweifeln. Aber auch wenn die Korrespondenz
der Zeit von einer in hohem Maße formalisierten Sprache beherrscht und die fiktive
Machtrolle des Papstneffen nach Kräften bedient wurde, sind diese Wendungen
nicht gänzlich ohne Aussagekraft. Denn zum einen läßt die in den stereotypen
Formulierungen geronnene Wahrnehmung und Selbstdarstellung des Kardinalnepoten erkennen, welche Aufgaben dem Inhaber dieser Position zugeschrieben wurden, ob er ihnen nun nachkam oder nicht. Und zum anderen muß im Blick auf die
Stilisierung des Nepoten zum Protektor und Vermittler päpstlicher Gnaden erst
noch geklärt werden, ob er den Schreiben solchen Inhalts nicht doch mehr Aufmerksamkeit zukommen ließ als den üblichen Legationsberichten.

Tatsächlich liefern die aktenkundlichen Befunde einigen Grund zu der Annahme,
daß sich die Briefe privaten Inhalts nicht nur in Thema, Handschrift und Sprachge-
brauch von der Amtskorrespondenz abhoben, sondern auch durch andere Hände
gingen als die Legationsberichte aus Ferrara. «Er bittet Sie, mit dem Papst über das
Problem in seiner Diözese Genua zu reden», lautet der Estratto auf Spinolas Hilfe-

---

[199] Schon am 9.November 1605 dankte Spinola für die erfolgreiche Hilfe in einer Angelegenheit seiner
Erzdiözese mit den Worten: «*Io ricognosco tutto quello dalla benignità di Nostro Signore ... et dalla
protetione di V.S.Ill.ma*» (FB II 431,140r), und 1612 galt ihm die Verleihung der *Facultas testandi* als
eine weitere der «*tante prove della benignità di Nostro Signore et della buona gratia di V.S.Ill.ma*»
(Spinola an Borghese, 12.Mai 1612, Barb.lat. 8760,160r). Schön kombiniert hat Spinola beide
Aspekte, als er am 13.Januar 1610 Borghese dankte, der «*m'ha impetrato ... dalla benignità di Nostro
Signore*» eine «*prepositura*» (FB II 319,38r). Die Rollenverteilung zwischen den beiden Borghese
wird noch deutlicher, wenn Spinola beiden ein Dankesschreiben schickte, was er bei besonders großen
Vergünstigungen zu tun pflegte. Anläßlich seiner Promotion zum Kardinal versicherte er Borghese,
er sei «*sicurissimo che la protetione sua ne ha giovato infinitamente; puo in ogni tempo sin che havero
spirito promettersi d'me sua creatura ogni osservanza, et fede*» (14.September 1606, FB II 322,176r),
während er Paul V. mitteilte: «*io cognosco che tutto questo è stato effetto della gran benignità sua*».
Sehr interessant für die Bedeutung der Promotion in klientelärer Hinsicht ist im übrigen Spinolas
Fortsetzung: «*questo istesso mi constituisce independente d'ognuno et solo obligato alla bontà sua
con desiderio infinito di servire sin che havero vita a Vostra Beatitudine al Signore Cardinale Borghese,
et tutta sua Casa*» (Spinola an Paul V., 14.September 1606, FB II 322,175r/v).

[200] «*Ho riferito à Nostro Signore che V.S.Ill.ma scrive..*», lautete die übliche Formulierung in den
Antworten Borgheses auf die Legationsberichte Spinolas (das Zitat stammt aus SS Bo 185,126v).
Sogar der Vizelegat Massimi konnte den von Borghese unterzeichneten Antworten auf seine außenpolitischen Informationen gelegentlich entnehmen, diese «*come cose degne di notitia sono state da
me secondo il solito communicate con Sua Santità*» (29.Januar 1614, Ang. 1225,71r).

gesuch vom 19. April 1606, und wem der Autor des Vermerks dies mitteilte, ist klar: Kardinal Borghese. Offenbar stand dem Papstneffen bei der Bearbeitung der privaten Post ein Mitarbeiter zur Verfügung, der die Briefe Spinolas möglicherweise öffnete, noch vor Borghese las, den Wunsch des Legaten bei Bedarf in wenigen Worten zusammenfaßte und seinem Herrn das derart behandelte Schreiben entweder vorlegte oder vortrug. Dieser Mitarbeiter muß über die eingelaufene Post gut informiert gewesen sein, denn unter der Wiedergabe des Inhalts notierte er, in der gleichen Sache liege auch ein Brief der in den Streit verwickelten Priorin vor. Es folgt der Auftrag an Monsignore Lanfranco, an Spinola und die Nonne zu schreiben und ihnen zu versichern, Kardinal Borghese werde alles ihm Mögliche für den gewünschten Ausgang der Angelegenheit tun[201]. Damit steht bereits eines fest: Wer auch immer der Verfasser dieser Zeilen gewesen sein mag – dem Staatssekretariat gehörte er nicht an. Schließlich dürfte es den Sostituti der Behörde kaum zugestanden haben, ein Schreiben an den amtierenden Chefsekretär zu überweisen, und da der Autor dieses Vermerks sowohl die restliche Post Borgheses im Blick hatte als auch imstande war, die Meinung des Kardinals einzuholen, ist der unbekannte Estratto-Schreiber im persönlichen Stab des Nepoten zu suchen. Sollte diese Vermutung eines weiteren Beweises bedürfen, liefert ihn der von der gleichen Hand angebrachte Vermerk auf einem Brief Spinolas vom 19. Januar 1608. Er werde dem von Borghese empfohlenen Juristen zur Bestätigung in seinem Ferrareser Richterposten verhelfen, hatte der Legat versichert. Der Nepot wußte jedoch nicht mehr, auf wessen Wunsch die Bitte um Förderung des Juristen ergangen war, und so ließ er seinen bei der Bearbeitung der Post offenkundig anwesenden Mitarbeiter auf der Rückseite des Schreibens notieren, man solle dies klären[202]. Wenn etwas in den Zuständigkeitsbereich des Papstnef-

---

[201] Auf der Rückseite von Spinolas Schreiben an Borghese vom 19. April 1606 (FB I 647,229r–230r) ist in einer einzigen Handschrift, die nicht die übliche für die Einlaufvermerke und Estratti in diesem Band ist, zunächst der Inhalt des Briefs zusammengefaßt (230v): «*scrive che ... dice che ... et che V.S.Ill.ma ne parli con Nostro Signore*». Es folgt die Notiz: «*ci è una lettera della priora del Monasterio nell'istesso negotio*». Darunter steht «*con Monsignore Gessi*», was auf die Absicht schließen läßt, den Sekretär der für Probleme dieser Art zuständigen Kongregation zu konsultieren. Es folgt der Verweis an «*Signor Corradi*» (zu Corradi vgl. Kap. IV.2.c), der später durchgestrichen und durch den gültigen Verweis ersetzt wurde: «*Monsignore Lanfranco. V.S.R.ma si contenta di scriver all'Arcivescovo et alla Monaca che ha scritto l'Inclusa al Signor Cardinale che S.S.Ill.ma ha fatto e farà ogni offitio acciò restino consolati*». Das Bild, das durch die Nennung des Kongregationssekretärs, den später durchgestrichenen Verweis und die für Margotti bestimmte Notiz entsteht, läßt kaum eine andere Deutung zu, als daß der Vermerk unterhalb des Estratto nach dem Diktat Borgheses geschrieben wurde.

[202] Spinola hatte am 19. Januar 1608 geschrieben: «*La lettera di V.S.Ill.ma delli .8. del passato à favore del Dottor Vignatoli Auditor di questa Ruota che desidera d'esser confirmato in uffitio à la nuova elettione da farsene mi fù resa hieri ... ella sa l'obligo mio di sempre servirla, e così ha da esser certa, ch'io non mancarò di fare ogni pratica possibile per aiutarlo*» (FB II 39,15r). Der Vermerk auf 18v

fen als Chef der Klientel fiel, dann waren es die Empfehlungsschreiben für solche Richterstellen[203], und da er sich überdies auf Wunsch eines Dritten für den Bewerber eingesetzt hatte, ist der Brief Spinolas ein klassisches Beispiel für die Patronagekorrespondenz des Nepoten und unser Unbekannter ein dem Cardinale Padrone unterstellter Mitarbeiter. Nicht minder eindeutig als Spinolas Antwort vom 19. Januar 1608 richteten sich die übrigen Briefe des Legaten mit Vermerken von dieser Hand an Kardinal Borghese in seiner Rolle als Haupt der Klientel. In einigen dieser Schreiben ging es um Borgheses Wunsch, einzelnen Bittstellern zu Privilegien oder einem Amt in Ferrara zu verhelfen, andere betrafen Spinolas Antrag auf eine Lizenz für seinen Vikar in Genua oder um Hilfe im Rechtsstreit seines Bruders, und fast alle diese Briefe wurden an Lanfranco Margotti überwiesen[204]. Unverzichtbar war der Gehilfe nicht, denn noch leitete auch der Nepot einige Schreiben dieser Art eigenhändig an den Chefsekretär weiter[205]. Wer der Mann war, der Borghese bei der Erfüllung seiner Pflichten als Patron half, wüßte man trotzdem gern. Da Spinolas Post keine Hinweise auf die Person des Gesuchten liefert, muß an dieser Stelle die Schilderung der zur Klärung seiner Identität notwendigen Puzzlearbeit und der damit verbundenen Mühen entfallen[206]. Nennen kann man den Namen aber auch ohne aktenkundlichen Trommelwirbel: Es war der nach dem Regierungsantritt Pauls V. zum Auditor des Kardinalnepoten beförderte Michele Angelo Tonti aus Rimini, der der Familie Borghese schon vor der Erhebung Camillos auf den Stuhl Petri nahegestanden und den jungen Scipione als Hauslehrer unterrichtet hatte[207]. Im Unterschied zu anderen Trägern dieses Titels wie etwa dem Uditore di Camera oder den ebenfalls als Auditoren bezeichneten Richtern der römischen Rota und weiterer Tribunale, hatte Tonti mit juristischen Fragen offensichtlich weit weniger zu tun als

---

lautet: *«sapere ad instanza di chi fosse scritto»*. Derjenge, der der Sache nachgegangen ist, hat unter dem Befehl das Ergebnis seiner Ermittlungen notiert: *«D'un Teatino»*. Es folgt der für das Staatssekretariat typische Einlaufvermerk, so daß der Brief erst nach der Bearbeitung durch Borghese und seine Helfer an die politische Behörde gegangen sein kann.

[203] Vgl. Kap. IV.2.b.

[204] Eine kleine Auswahl an Belegstellen für die Verweise von dieser Hand mag genügen: FB II 322,183v (Spinola an Borghese wegen Problemen in Genua); FB I 958: 324v (auf Empfehlung), 361v (über die Befreiungen einzelner Ferraresen von ihren Pflichten gegenüber der Kommune); FB II 39: 18v (auf Empfehlung), 174v (über die Befreiung des Ferrareser Bischofs von seinen Pflichten gegenüber der Kommune); FB II 320: 56v (Bitte um Hilfe in der Causa seines Bruders), 88v (über die Interessen des Kardinals Pio aus Ferrara), 94v (Bitte um Lizenz für seinen Vikar), 132v (über Pio, wie 88v).

[205] Vgl. z. B. FB II 431,149v (Spinola an Borghese wegen Problemen in Genua); FB II 322,207v (Dank für Promotion), 247v (Genua); FB I 958: 339v (Genua), 354v (auf Grüße durch den durchreisenden Nuntius Guido Bentivoglio), 449v (Dank für Pension), 573v (Genua); FB II 39: 19v (Genua).

[206] Es stand zu erwarten: Wie man diesen und andere aktenkundig gewordene Mitarbeiter Borgheses identifizieren kann, wird in noch zu erläutern sein, vgl. Kap. II.3.b.

[207] Zu Tonti vgl. Pastor, Bd. 12, S. 235, und Reinhard, Ämterlaufbahn, S. 375, 396.

mit der Post des Nepoten[208]. Genauer: mit der Post Borgheses, die in seine Zuständigkeit als Haupt der Klientel fiel, denn um die Schreiben, die den Nepoten als Chef der politischen Behörde erreichten, scheint Tonti sich nicht gekümmert zu haben.

Doch auch mit der Patronagekorrespondenz des Papstneffen sollte er bald schon nicht mehr befaßt sein: Im November 1608 erhielt Michele Angelo Tonti als Lohn für seine Mühen im Dienst des Nepoten den roten Hut[209]. Als Kardinal aber konnte der bald darauf auch noch zum Prodatar ernannte Tonti[210] schlecht die Rolle eines Sekretärs bekleiden, und so mußte sich Borghese einen neuen Mitarbeiter suchen. Er fand ihn in Domenico Rivarola aus Genua, der erst seit kurzem in Rom weilte und mit seinem rasanten Aufstieg in der Gunst der Papstfamilie reichlich Stoff zur Legendenbildung lieferte[211]. Vor allem Tonti soll den jungen

---

[208] Markus Völkel, Römische Kardinalshaushalte des 17. Jahrhunderts. Borghese – Barberini – Chigi (Bibliothek des Deutschen Historischen Instituts in Rom, Bd. 74), Tübingen 1993, S. 401, gibt folgende Definition für den Auditor eines Kardinalshaushaltes: «Beauftragter des *Padrone* für die Kongregationen und nichthäuslichen Geschäfte, in der Regel Doktor beider Rechte und Theologe, oft nicht direktes Mitglied der *Famiglia*, daher auch oft ohne *Provvisione*; trägt keine *Livrea*, findet bevorzugt als *Conclavista* Verwendung; erstrangiger Familiar, oft der 1. Vertreter des Padrone». Eine Schrift mit dem Titel *Modus servendi in Domo Cardinalium* (Ottob.lat. 1853, 96r–101r, Kopie, ca. 1600; eine weitere Abschrift in Borg.lat. 390, 86r–89v) betont ebenfalls die besondere Stellung des Auditors in der Familia. So beginnt der Text mit dem Satz (Ottob.lat. 1853,96r): «*In Domo unius Reverendissimorum dominorum Cardinalium sunt infrascripta officia principaliora, et primo Auditoris.*» Es folgen Ausführungen zum Amt des Auditors, dessen juristische Kompetenzen gleich am Anfang erwähnt werden (ebd.): «*Ad ipsum pertinet in genere, cura, gubernium et regimen totius domus. Et est quasi Iudex ordinarius totius familiae in civilibus et criminalibus non enormibus, quia potest ammovere, corrigere et punire secundum quod ei videbitur expedire.*»

[209] Da die Avvisi die kurz zuvor erfolgte Vergabe des, wie ausdrücklich vermerkt wird, nicht residenzpflichtigen (und daher für Freunde des römischen Lebens besonders attraktiven) Erzbistums Nazaret an Tonti (vgl. HC IV, S. 254) als Lohn für dessen treue Dienste deuten (vgl. Urb.lat. 1076,769vf.), dürfte auch die Kardinalspromotion des Auditors am 24. November 1608 (vgl. HC IV, S. 11) so zu verstehen sein.

[210] Vgl. das Breve vom 3. Dezember 1608 in Sec.Brev. 595,582.

[211] Den Blitzstart des Genuesen erklärt Cardella, Bd. 6, S. 155 f., folgendermaßen: Auf Drängen des französischen Botschafters habe Borghese den jungen Genuesen in seinen Hofstaat aufgenommen, doch da sich die Sympathien des Nepoten für Rivarola zunächst in Grenzen gehalten hätten, sei die Wahl auf ihn gefallen, als ein Vertreter des Kardinals für ein unangenehmes Gespräch mit dem Papst benötigt wurde. Statt wie allgemein erwartet mit einem Donnerwetter Pauls V. und dem Ende aller Hoffnungen für den jungen Monsignore zu enden, habe die Audienz jedoch einen entzückten Regenten zurückgelassen und Rivarola sowohl die besondere Zuneigung des Nepoten als auch die besten Karriereaussichten eingebracht. Se non è vero, è ben trovato. Allerdings ist es in der Tat bemerkenswert, daß die Republik Genua Borghese und den Papst noch in Schreiben vom 6. Mai 1608 um eine angemessene Stelle für den wohl mit diesen Briefen nach Rom gereisten und dort folglich noch unbekannten Rivarola bat (FB III 45 A,49; FB I 717,153), dieser aber schon im August von der römischen Gerüchteküche als heißer Kandidat für ein Bistum gehandelt wurde (vgl. Urb.lat. 1076,646) und ein solches im Dezember 1608 tatsächlich erhielt (vgl. die folgende Anm.)

Monsignore mit glühender Eifersucht verfolgt und dem Papst nahegelegt haben, Rivarola in das Bistum Aleria auf Korsika abzuschieben. Paul V. kam dem Besetzungsvorschlag seines Prodatars in der Tat nach, doch anstatt als Bischof von Aleria an seine Residenzpflicht erinnert zu werden, erhielt Rivarola mit dem Auditorenposten bei Borghese die Genehmigung, in Rom zu bleiben[212]. Daß er gegen seinen Nachfolger im Stab des Nepoten den kürzeren ziehen würde, mußte Tonti bereits wenige Monate später feststellen. Im März 1609 wurde er selbst auf das Bistum Cesena transferiert, und seine bisherige Diözese, das nicht etwa in Palästina, sondern im Königreich Neapel gelegene Bistum Nazaret, ging an keinen anderen als Domenico Rivarola[213]. Mit dem Titel von Nazaret war keine Residenzpflicht verbunden[214], mit der Diözese Cesena dagegen sehr wohl, und so drohte Tonti nun das Schicksal, das er für Rivarola vorgesehen hatte. Noch stand der Kardinal aus Rimini, der schon als Auditor Borgheses den Nepoten in der Papstaudienz vertreten und die persönliche Akteneinsicht des Pontifex festgehalten hatte[215], bei seinem alten Bekannten auf dem Stuhl Petri hoch im Kurs. Bis der Wind sich drehte und Tonti endgültig ins Gesicht blies, vergingen noch Jahre[216]. Doch auch wenn die Intrige des Prodatars weder Rivarola gestürzt noch ihn selbst um die Gunst seines Herrn gebracht hatte, weist die kuriale Kabale das Auditorenamt im Dienst des Nepoten als Vertrauensstellung ersten Ranges aus.

Daß mit dieser Vertrauensstellung nicht nur in Tontis Fall, sondern offenbar grundsätzlich die Aufgabe verbunden war, Borghese bei der Bearbeitung der Patronagekorrespondenz zur Hand zu gehen, zeigt ein Blick auf die Schreiben des

---

[212] Vgl. HC IV, S. 76, und Cardella, Bd. 6, S. 156 f., der nach der Schilderung des ruhmreichen Auftritts Rivarolas in der Audienz des Papstes fortfährt: « Vacato intanto il Vescovado d'Aleria nella Corsica, il Cardinale Tonti, come Prodatario, sotto pretesto di onore, ma in verità per motivo di segreta gelosia, come alcuni anno scritto, ... propose al Pontefice per quella Chiesa il Rivarola, per allontanarlo da Roma, e toglierselo dinanzi agli occhi ... e chi sa, che non fosse questo pel Tonti, come pensarono alcuni, il principio di sua disgrazia». Rivarola erhielt das Bistum, mußte aber die Residenzpflicht fürchten, «se non che il Cardinal Borghese, trasceltolo coll'oracolo del Papa a suo Uditore, lo liberò da qualunque timore».

[213] Vgl. HC IV, S. 127 (Cesena), S. 254 (Nazaret).

[214] Laut HC IV, S. 254, Anm. 1, war der Sitz des Erzbistums nach der Zerstörung der Kirche von Nazaret in Palästina nach Barletta in der Provinz Bari verlegt worden. Da dort nur eine Kollegiatkirche zu finden und diese lediglich für die Betreuung einer Handvoll Menschen zuständig war, entfiel die Residenzpflicht (vgl. Urb. lat. 1076,769vf.). Auch Cardella, Bd. 6, S. 157, betont im Blick auf «l'Arcivescovado di Nazaret nel regno di Napoli, che non esige ... personale residenza». Vgl. auch Anm. 209.

[215] «Nostro Signore l'ha vista», notierte Tonti nach seinem Verweis an Margotti auf dem Schreiben Spinolas vom 5. November 1608, in dem der Legat über den Verlauf einer in Rom aufmerksam verfolgten privaten Angelegenheit des Ferrareser Kardinals Pio berichtet hatte (FB II 320,127rv; dors. 132v).

[216] Zu Tontis Sturz vgl. die Andeutung Cardellas, zit. in Anm. 212, sowie Anm. 226.

Ferrareser Legaten aus der Zeit ab Ende November 1608. Nun war es Rivarola, der einen Teil der Bittbriefe Spinolas in eigener Sache und einige seiner Antworten auf die Empfehlungsschreiben des Nepoten an Lanfranco Margotti verwies und zuweilen mit einem Vermerk versah, dem der Chefsekretär die Anweisungen seines Behördenleiters entnehmen konnte[217]. Borghese selbst griff ebenfalls zur Feder, um die privaten Briefe des Legaten weiterzuleiten und die gewünschten Antworten zu bestellen: massiv, als in der Auseinandersetzung um die Abtei Vangadizza seine eigenen ökonomischen Interessen zur Debatte standen, weniger häufig, aber doch mit einer gewissen Regelmäßigkeit, wenn es um Spinolas persönliche Belange ging[218]. Die Handschrift des Chefsekretärs, die auf den politischen Berichten des Legaten immer öfter zu finden ist, sucht man auf den Schreiben privaten Charakters indes vergebens. Warum auch hätte er sich um die Briefe kümmern sollen, derer sich bereits der Nepot und sein Auditor angenommen hatten? Schließlich konnte er den Vermerken der beiden entnehmen, was zu antworten war, und so blieb ihm und seinen Gehilfen nicht mehr zu tun, als die in Auftrag gegebenen Schreiben zu erstellen.

Wie die Antwort an den Legaten auszusehen hatte, war jedoch nicht immer allein dem Belieben Scipione Borgheses anheimgestellt. Er möge sein Anliegen Paul V. vortragen, hatte Spinola den Nepoten in seinem von Tonti zusammengefaßten Brief vom April 1606 gebeten[219], und nichts anderes wünschte der Legat, wann immer er um Abberufung aus dem ungeliebten Ferrara ersuchte oder den Schutz seiner Rechte als Erzbischof von Genua erbat[220]. Offensichtlich wußte der Verwaltungschef, daß sowohl die Besetzung des Legatenamtes am Po als auch die kirchenrecht-

---

[217] FB II 320: 158v (Spinola an Borghese über die gewünschte Exportlizenz für das Getreide eines Ferraresen), 169v (über Probleme mit einer Exportlizenz); FB II 318: 10v (über Borgheses Abtei Vangadizza), 28v (wegen der Eportlizenz für das Ferrareser Korn des Herzogs von Modena), 37v (über die Besetzung einer Stelle im Rat der Stadt; die Antwortanweisung Rivarolas lautet: «ch' il Signore Cardinale Legato dica il parer suo circa l'ammettere il Silvestri nel numero delli 27»; dieser zwar nicht namentlich, aber zweifellos an Lanfranco Margotti gerichtete Verweis von der Hand Rivarolas ist als Schriftprobe 5 am Ende der Arbeit abgebildet), 47v (auf eine Empfehlung Borgheses), 118v (dass.), 145v (Spinola empfiehlt einen Mönch aus Genua, der nach Rom kommt). Typisch für Rivarolas Verweise an den Signore Cardinale Lanfranco ist die Abkürzung «s.c.L.»

[218] Zu Vangadizza vgl. Anm. 177. Weitere eigenhändige Notizen Borgheses finden sich für die Amtszeit Rivarolas auf folgenden privaten Briefen Spinolas: FB II 39: 146v (auf eine Empfehlung für ein Militäramt); FB II 321,56 (wegen der Bestätigung im Legatenamt), 66v (ein Problem in der Diözese Genua), 68v (Spinolas Amtsbestätigung), 98v (wegen der Bestätigung des Vizelegaten Massimi im Amt); FB II 318: 103v (auf Mitteilung vom Tod der Mutter des Kardinals Este; Borgheses Anweisung lautet: «Nostro Signore vuol ch'io mi condoglio co'l Cardinale d'Este per la morte della madre in nome di Sua Santità); FB II 319: 47v (Dank für complimenti), 76v (eine Empfehlung Spinolas).

[219] Vgl. Anm. 201.

[220] Die Fundstellen solcher Briefe sind in den Anm. 192 und 193 angegeben.

lichen Konflikte mit der Republik Genua nicht frei von politischen Implikationen und daher Themen waren, derer sich der Papst als weltlicher wie geistlicher Herrscher höchstpersönlich annahm. Tatsächlich ähneln die Vermerke auf den Schreiben Spinolas über die Verlängerung seiner Amtszeit und die Belange der Diözese Genua den Notizen auf den Legationsberichten aus den ersten Jahren des Pontifikats: Paul V. diktierte seinem Neffen in die Feder, was zu antworten sei, und der Nepot reichte die Post mit den Befehlen des Papstes an den Chefsekretär der Behörde weiter. Dort trug man der bescheidenen Rolle des Kardinals Rechnung, denn wie sich Borghese bei Fragen, die zwar auch die persönlichen Interessen des Legaten berührten, aber doch in erster Linie politischer Natur waren, darauf beschränkte, Spinolas Bitten in der Audienz seines Onkels vorzutragen und dessen Anweisungen zu notieren, trat er in den Entgegnungen des Staatssekretariats auf diese Briefe lediglich als Sprecher Seiner Heiligkeit in Erscheinung[221]. Der größte Teil der privaten Schreiben Spinolas hat jedoch weder Autographen von der Hand des Papstes noch Vista-Vermerke oder andere Hinweise auf die Mitwirkung des Pontifex bei der Bearbeitung dieser Post zu bieten. Dementsprechend fielen die Antworten aus

---

[221] Zu Anliegen der Kirche Genua finden sich Borgheses eigenhändige Antwortanweisungen mit oder ohne Verweis an Margotti auf FB II 431,149v; FB II 322,247v; FB I 958: 339v, 573v; FB II 321,66v. Vista-Vermerke Borgheses stehen auf FB I 958,573v und FB II 39,19v. Bezeichnend, daß das Staatssekretariat auch ohne ausdrücklichen Hinweis im Dorsalvermerk wußte, daß die Anweisungen den Willen Pauls V. und nicht etwa die Entscheidung des Kardinals Borghese beinhalteten. So wurde aus Borgheses Vermerk, «*che sempre si vorrà la sua informatione*» (FB I 958,339v) im Schreiben an Spinola: «*Nostro Signore vorrà sempre la informatione di V.S.Ill.ma*» (SS Bo 184,181v). Die handschriftliche Eintragung Borgheses zur Verlängerung der Amtszeit Spinolas: «*che Nostro Signore desidera che S.S.Ill.ma continui..*» (FB II 321,56v), wurde nahezu wörtlich aufgenommen in SS Bo 186,107v. Selbst wenn Borghese nicht nur der Verkünder päpstlicher Entscheidungen sein wollte und sich selbst als Akteur präsentierte, hinterließ dies im Schreiben des Staatssekretariats keine Spuren. So lautete Borgheses Vermerk auf Spinolas Bitte um Ablösung vom 15. Juli 1609: «*che Nostro Signore havrà molto gusto che S.S.Ill.ma continui la legatione, come io presuppongo sia per fare per sodisfattione di Sua Santità. Io ordinarò al Cobellucci il breve della confirmatione per un'altro triennio, qual V.S.Ill.ma gli potrà mandare*» (FB II 321,68v). Im daraufhin erstellten Schreiben an Spinola vom 22. Juli 1609 hieß es dagegen: «*et si come confida, anzi è certissima Sua Beatitudine ch'ella si conformerà volontieri in ciò con la sua satisfattione, così ha già ordinato che se le mandi il Breve della confirmatione*» (SS Bo 186,121r). Allerdings trug auch das Staatssekretariat der Zuständigkeit Borgheses für Fragen dieser Art Rechnung. So belegt eine zufällig erhaltene Notiz Felicianis an Borghese (E 57,73r; dors.74v: *Poliza di Monsignore al Signore Cardinale*), daß der Chefsekretär die Minuten in einer kirchenrechtlichen Auseinandersetzung zwischen Genua und Spinola, in der sich letzterer an Borghese gewandt hatte (vgl. Borghese an Spinola, Juni/Juli 1615, Ang. 1231: 391r/v, 394vf., 404v, 406r/v, 408vf.), dem Kardinal vorlegte: «*Prima che mostrare à Nostro Signore le minute per la Republica di Genova, et per Monsignor Vescovo di Aiazzo ho pensato esser bene, che sieno vedute da V.S.Ill.ma e corrette in quello, che le parerà.*» Borghese antwortete auf dem gleichen Blatt: «*Le dette minute l'ho viste, e mandate à Nostro Signore, perche così mi commandò hier sera. Hoggi V.S. l'havrà dalla Santità Sua.*»

dem Saatssekretariat aus, deren Wortlaut vielleicht doch mehr Beachtung verdient, als zunächst zu vermuten steht. Er habe sich bei Paul V. für ihn verwandt, lautete die Formel in den Schreiben Borgheses, wenn Spinola um eine der päpstlichen Gewährung vorbehaltene Gunst gebeten hatte, und nicht selten folgte die Mitteilung, zu welcher Zusage der Regent zu bewegen gewesen war[222]. Was in den Briefen stand, die Borghese als Vermittler päpstlicher Gunstbeweise und damit in der klassischen Rolle des Kardinalnepoten zeigen, hing zwar von den Reaktionen seines Onkels auf die Gesuche des Legaten ab. Doch die Korrespondenz in diesen Fragen hat der Neffe des Pontifex den Vermerken zufolge in eigener Regie geführt. In anderen Fällen konnte Borghese jedoch auch den Inhalt seiner Antworten selbst bestimmen. Schließlich ging es nicht immer um schwerwiegende Gnadenakte und lukrative Stellen, die allein der Papst zu besetzen hatte, und so berichtete der Kardinal nicht nur von seinen Auftritten vor dem Pontifex, sondern auch von seinem Einsatz für die Wünsche Spinolas bei Standesgenossen aus dem Heiligen Kollegium oder bei untergeordneten Würdenträgern. «S'è fatto l'uffitio col P. Generale», notierte er eigenhändig auf dem Empfehlungsschreiben des Legaten für einen Mönch, der ein höheres Amt im Orden des besagten Generals im Auge hatte[223], und auf der Bitte Spinolas zugunsten eines Interessenten für einen Posten in Perugia ist zu lesen, dem dortigen Bischof werde das Nötige mitgeteilt[224].

Diese Notiz ist zwar typisch für die Arbeit des Auditors aus dem Stab des Nepoten, doch die Handschrift Rivarolas trägt sie nicht. Blickt man auf das Datum des Schreibens, ist die Erklärung schnell gefunden. Um Rivarola noch im Auditorenamt anzutreffen, hätte Spinolas Brief einige Wochen früher ankommen müssen, denn da der Monsignore aus Genua schon im August 1611 den roten Hut erhalten hatte[225], konnte er sich nicht mehr um des Legaten Bitte vom 7. September 1611 kümmern. Rivarolas Promotion blieb nicht ohne Folgen: nicht für Tonti, der sich nun der Rache seines Kontrahenten ausgeliefert, mit Bestechungsvorwürfen konfrontiert und bald schon in seine Diözese Cesena abgeschoben sah[226], und nicht für

---

[222] «Ho riportato da Nostro Signore», hieß es in den meisten Antworten Borgheses, wenn sich Spinola mit seinen privaten Wünschen und Bitten an den Nepoten in der Rolle des Vermittlers päpstlicher Gnaden gewandt hatte. Diese Formel, hier zitiert aus SS Bo 185,110v, dürfte in den meisten Fällen den tatsächlichen Einsatz Borgheses beschreiben.

[223] FB II 319,76v (20. Februar 1610).

[224] E 13,252v (7. September 1611).

[225] Vgl. HV IV, S. 11.

[226] Pastor, Bd. 12, S. 235, schreibt über den Sturz des Kardinals: «Die Ungnade, in welche Tonti fiel, stand in Zusammenhang mit seiner Eifersucht auf den von Kardinal Borghese und Paul V. gern gesehenen Genuesen Domenico Rivarola», erwähnt aber auch Tontis Zerwürfnis mit Margotti sowie die Feindschaft der Kardinäle Millino, Capponi, Leni und natürlich Rivarola gegenüber Tonti, wegen der Borghese nichts zum Schutz Tontis zu unternehmen gewagt habe. Cardella, der im Zusammenhang mit seinen Äußerungen über Rivarolas Aufstieg bereits die Eifersucht Tontis als An-

Borghese, der abermals einen neuen Auditor brauchte. Die Wahl fiel auf Antonio Maria Franceschini, einen langjährigen Mitarbeiter des Nepoten, der ab Ende August 1611 in Borgheses Auftrag dessen Post durchging und auch den zitierten Vermerk auf Spinolas Schreiben angebracht hat[227]. Mehr als ein knappes Jahr war Franceschini in dieser Position jedoch nicht vergönnt, denn während seine Vorgänger Zeit genug gehabt hatten, sich mit ihren Vermerken und Verweisen den Kardinalstitel zu verdienen, riß der Tod den gerade erst zum Bischof von Amelia ernannten Auditor aus dem Amt[228]. Borghese entschied sich erneut für einen erprobten

---

fang vom Ende des Kardinals ausgemacht hat (vgl. Anm.212), vermutet in seinem Artikel über Tonti (Bd.6, S.145–147; hier: S.146) lediglich, *«che la fortuna si stancasse di favorirlo; poichè decaduto appoco appoco dalla grazia del Papa, non si sa per colpa propria, o per altrui invidia, fu costretto a ritirarsi da Roma, e condursi alla sua Diocesi di Cesena»*. Gaetano Moroni, Dizionario di erudizione storico-ecclesiastica, 103 Bde., Venedig 1840–1861, Bd.19, S.135, führt das Ende der allerdings falsch datierten Amtszeit Tontis als Prodatar auf den Neid zurück, ohne zu sagen, wessen Neid er meint: *«perchè avendogli l'invidia fatto perdere il sommo favore, che godeva presso il Papa, si vide costretto a ritirarsi nel suo vescovato di Cesena»*. Für die Verfasser der Avvisi war der Sturz Tontis ein gefundenes Fressen. Schlecht habe der Kardinal ausgesehen, als er nach fünf Abenden, die er nun schon nicht mehr wie sonst üblich beim Papst gewesen sei, aus der Audienz kam, hieß es am 19.November 1611 in der ersten Meldung über die entsprechenden Gerüchte. Zur Erklärung folgten Mutmaßungen über eine Verschwörung der frisch promovierten Kardinäle unter der Führung Rivarolas, die nicht von Tonti abhängig sein und daher seinen großen Einfluß auf den Papst zerstören wollten (Urb.lat. 1079,777). Am 30.November vermerkten die wie immer aufmerksamen Beobachter, Tonti sei krank und sein bisheriger Sottodatario Maraldi zum Datar ernannt worden (ebd.,804), am 3.Dezember hieß es, Tonti habe die Datarie unter Hinweis auf seine Krankheit resigniert (ebd.,831). Seit dem 24.Dezember 1611 überbot sich die römische Gerüchteküche mit immer neuen Summen, die Tonti kassiert haben soll (vgl. ebd., 860, 878), während dieser auf seine Schulden in Höhe von 12 000 Scudi verwies (ebd.,860). Am 12.Februar 1612 berichtete ein Avvisi-Schreiber, was er *«inteso da buon luogo»* habe: Die von Tonti zusammengerafften 150 000 Scudi seien in den Besitz des Papstes übergegangen, der deswegen nicht weiter gegen Tonti vorgehen wolle und sich mit dem Rückzug des Kardinals von der Kurie zufriedengebe (ebd., 1080,114v). Bereits am nächsten Tag meldeten die Gazetten Tontis Abreise nach Cesena (ebd.,132). Wie Pastor und Cardella übereinstimmend berichten und die erhaltene Korrespondenz zwischen Tonti und Borghese belegt, blieb der tief gestürzte Kardinal bis zum Tod Pauls V. in Cesena (vgl. z.B. Borghese an Tonti, 19.Dezember 1620, FB II 422,366).

[227] Über Franceschini ist kaum mehr bekannt, als daß er in Rom geboren wurde, am 18.Mai 1611 das Bistum Amelia erhielt, zu diesem Zeitpunkt 34 Jahre alt war, die Priesterweihen besaß und der Familia Borgheses angehörte (vgl. HC IV, S.81, v.a. Anm.3). In welcher Position er dem Nepoten bereits Jahre vor seiner Erhebung zum Auditor im August 1611 (vgl. Urb.lat. 1079,572) gedient hatte, wird in Kap.II.3.b zu berichten sein. Neben dem erwähnten Schreiben Spinolas vom 7.September 1611 hat Franceschini auch den Bericht des Legaten über eines seiner zahlreichen Probleme in der Diözese Genua vom 12.September 1611 bearbeitet (E 13,261). Auf der Rückseite notierte er, in guter Auditorentradition wohl nach dem Diktat Borgheses, folgende Anweisung für das Antwortschreiben: *«S.S.Ill.ma sarà servita in tutto quel più che occorrerà»* (ebd.,262v).

[228] Vgl. HC IV, S.81.

Mitarbeiter und ernannte Francesco Cennini zum Nachfolger des Ende August 1611 verstorbenen Franceschini[229]. Dies sollte der Nepot nicht bereuen, denn zum einen war Cennini, der im übrigen auch das Bistum Amelia von Franceschini erbte[230], ein langes Leben beschieden[231], und zum anderen stand Borghese nun ein Auditor zur Seite, der ihm die Arbeit mit der Korrespondenz privaten Inhalts nicht nur erleichterte, sondern nahezu vollständig abnahm. Für die Empfehlungsschreiben, Hilfegesuche und Ergebenheitsadressen des Ferrareser Legaten fühlte sich der Cardinale Padrone zwar weiterhin zuständig. Doch da er es seinem neuen Auditor überließ, die entsprechenden Vermerke auf der Rückseite der Schreiben anzubringen, verschwand die Handschrift des Nepoten mit Cenninis Amtsantritt endgültig aus Spinolas Post. Ansonsten hatte sich wenig verändert: Wie zuvor wurden die Briefe des Legaten in eigener Sache an den mit Ferrara betrauten Chefsekretär verwiesen, so daß es zunächst Perugino und nach ihm Feliciani oblag, die Antworten im Namen Borgheses zu entwerfen. Was dem Legaten mitzuteilen war, konnten die Sekretäre in gewohnter Weise den nun von Cennini angelegten Notizen entnehmen: Er werde seine *uffici* machen, lauteten einige Vermerke, und da der Nepot nicht nur seine, sondern zuweilen auch des Papstes Meinung zu einem Anliegen Spinolas dem Auditor in die Feder diktierte, scheint sich an der Tätigkeit Borgheses ebensowenig geändert zu haben[232]. Wenn nötig, begab er sich zu seinem Onkel,

---

[229] Laut ebd., Anm. 3, ist Franceschini am 25., 28. oder 29. August 1611 gestorben. Die Avvisi nennen den 28. August 1611 als Todestag des Auditors (Urb.lat. 1080,540v) und berichten bereits kurz darauf, Cennini werde sein Nachfolger im Auditorenamt und als Bischof (vgl. ebd., 540vf., und ebd.,550). Informationen zu Cennini bieten die allerdings besorgniserregend hymnische biographische Skizze von Domenico Bandini, Francesco Cennini Cardinale di S.R.Chiesa (A.D. 1566–1645), in: Bullettino Senese di Storia Patria 49=3.Ser. 1 (1942), S.37–50 und 93–116; Gaspare de Caro, Francesco Cennini, in: DBI 23 (1979), S.569–571 HC IV, S.14 und S.81, Anm.4; Cardella, Bd.6, S.198–201. Im Unterschied zu seinen Vorgängern im Auditorenamt taucht Cennini auch in Semmlers Monographie auf. Seine Amtszeit als Auditor datiert Semmler, Staatssekretariat, S.77, Anm.135, und S.112, Anm.1, anhand der von ihm ermittelten handschriftlichen Vermerke Cenninis auf die Zeit vom 1.Mai 1612 bis zum 10.Juli 1618. Dessen erste Notiz auf Post aus Ferrara findet sich auf einem Schreiben vom 20.August 1612 (E 55,80v), seine letzte auf einem Brief vom 30.Juni 1618 (FB I 691,222v). Auf den Rückseiten der in Kap.II.3 zu behandelnden Schreiben anderer Absender taucht Cennini jedoch schon weit früher auf.

[230] Vgl. HC IV, S.81.

[231] Laut den in Anm.229 genannten Quellen starb Cennini 1645.

[232] «*Ne farà ufficio col Signore Cardinale Mellino Protettore*», notierte Cennini auf Spinolas Empfehlung eines Karmelitermönchs (Barb.lat. 8760,275v), «*l'havrà per raccommandato*» auf einer Bitte des Legaten um ein Amt für einen *Dottore* (Barb.lat. 8761,9v), und als Spinola um ein Benefizium für seinen Bruder bat, ließ ihn Borghese über Cennini und Perugino wissen, er «*havrà particolar cura che'l Signore Leonardo sia quanto prima provisto*» (Barb.lat. 8761,45v). Spinolas Versicherung, solange in Ferrara zu bleiben, wie es Paul V. wünsche, verwies Cennini ebenfalls an Perugino, «*che se li pare accusi la ricevuta*» (Barb.lat. 8760,296v). Der Sekretär schien die Sache für wichtiger

wenn dessen Entscheidung nicht gefragt war, ließ er Cennini sofort notieren, was der Sekretär dem Legaten antworten sollte. Auf den eigentlichen Legationsberichten Spinolas fanden die Mitarbeiter des Staatssekretariats indes keine Weisungen dieser Art. Ihr Vorgesetzter versah die Amtskorrespondenz aus Ferrara schon lange nicht mehr mit Kommentaren, und sein Auditor beließ es bei gelegentlichen Aufforderungen an den Chefsekretär, den Inhalt des Schreibens mit dem Papst zu besprechen[233]. Wie weit sich der Nepot von seiner Behörde entfernt hatte, wird nirgends deutlicher als in einem Vermerk Cenninis von 1615. Feliciani möge sich an den Kardinal wenden, notierte der Auditor auf Spinolas Bitte um die Testiererlaubnis für seinen Bruder[234], und da diese Notiz nicht nur einen Einzelfall in der Post des Legaten darstellt, sondern bei regelmäßigen Treffen zwischen Borghese und dem Chefsekretär überflüssig gewesen wäre, dürfte der angeordnete Besuch Felicianis bei dem Leiter seines Amtes Seltenheitswert gehabt haben.

Daß Cennini mit seinen Dorsalvermerken als Vermittler zwischen Kardinal Borghese und der politischen Behörde fungierte, zeigen die Spuren der Bearbeitung auf der Legatenpost aus Ferrara eindrucksvoll. Und doch erschöpften sich die Aufgaben des Auditors keineswegs darin, die Anordnungen seines Herrn weiterzuleiten. Dies illustriert ein weiteres aktenkundliches Phänomen, das bei Spinolas Schreiben zwar selten zu beobachten ist, aber nichtsdestotrotz wertvolle Informationen über die Rolle Cenninis und wohl auch seiner Vorgänger im Auditorenamt liefert: die Ausrisse. Was damit gemeint ist, erklärt ein Blick auf das Erscheinungsbild der eingelaufenen Schreiben. Wie die Behörde selbst, benutzten auch ihre Korrespondenzpartner in der Mitte gefaltete Doppelbögen, deren beide Blätter jeweils in etwa dem Format Din A4 entsprechen. Der Text des Schreibens beginnt auf der Vorderseite des ersten Blattes (1r), die in der Regel genug Platz für die meist kurzen Mitteilungen bot. Hatte der Absender mehr zu berichten, nutzte er zunächst die Rückseite des ersten Blattes (1v), dann die Vorderseite des zweiten (2r). Reichte auch dies nicht aus, was bei den amtlichen Meldungen der Nuntien und Legaten

---

gehalten zu haben als Borghese und sein Auditor, trug das Schreiben Spinolas dem Papst vor und notierte dessen Anweisung, sehr herzlich zu danken, mit Bleistift unterhalb des Cennini-Vermerks. Auch den Dank für *avvisi* hatte Perugino im Auftrag Cenninis zu verfassen (Barb.lat. 8761,63v): *«Ringratiarlo degl'avisi i quali sono stati grati»*. *«Nostro Signore ha la medesima buona opinione di Monsignore di Massimi»*, ließ Borghese seinen Auditor auf der Lobeshymne Spinolas auf seinen Vizelegaten vom 23. März 1613 notieren (Barb.lat. 8761,102v).

[233] *«Al Signore Perugino che la riferisca à Nostro Signore»*, vermerkte Cennini z.B. auf Spinolas Brief vom 19. August 1612 mit außenpolitischen Informationen und Meldungen zum Stand des Festungsbaus. Da Perugino den Rest der Rückseite mit seinem Bleistiftkommentar füllte (Barb.lat. 8760,289v), ist jedoch klar ersichtlich, wer die Arbeit mit dieser Post und wohl auch die Verantwortung für die politische Korrespondenz hatte.

[234] *«A Monsignore di Foligno che ne parli con S.S.Ill.ma»*, lautet Cenninis Vermerk auf Spinolas Schreiben vom 7. Oktober 1615 in FB III 60 FG,349; dors.354v.

häufig vorkam, wurde ein weiterer Doppelbogen eingelegt und von der Vorderseite des ersten bis zur Rückseite des zweiten Blattes beschrieben. Die letzte Seite des zuunterst liegenden Doppelbogens (2v) blieb indes frei von Text, so daß man die derart beschriebenen Briefe nur noch mehrmals zusammenfalten, mit der Adresse des Kardinalnepoten versehen und versiegeln mußte, um sie ohne Furcht vor neugierigen Postboten nach Rom schicken zu können. Von Vorteil war diese Art der Versendung auch für die Auditoren Borgheses und die Sekretäre der politischen Behörde, denn die Anschrift auf der Rückseite der eingelaufenen Schreiben ließ immer genug Platz für Bearbeitungsvermerke jeder Art. Gemeinhin brachten sowohl der Auditor des Nepoten als auch die Mitarbeiter des Staatssekretariats ihre Notizen oberhalb der Adresse an, doch genau diese Stelle wurde bei manchen Schreiben abgerissen. Auch in der Post aus Ferrara begegnen Briefe, bei denen die für Einlaufvermerk und Estratto vorgesehene Stelle auf der Rückseite der üblichen Doppelbögen Schaden genommen hat. Mal fehlt nur eine kleine Ecke, mal die gesamte Spalte von einem Blattrand zum anderen, stets aber ein sofort einleuchtender Grund für diese Ausrisse. Schriftreste an den Rändern der Ausrisse deuten an, daß auf den entfernten Stellen eine Notiz zu finden gewesen war, die in einigen Fällen nicht sauber abgetrennt wurde und über die entstandene Lücke hinausragt. Wann die später ausgerissenen Zeilen niedergeschrieben wurden, läßt sich aus den Orten schließen, an denen die von ihrem angestammten Platz verdrängten Vermerke angebracht sind. Denn da der Auditor seine Anweisungen direkt unterhalb des Ausrisses notierte, während der Einlaufvermerk des Staatssekretariats auf der erst durch die Entfernung der Ecke sichtbar gewordenen Rückseite des ersten Blattes (1v) zu finden ist, müssen die Briefe ihrer Ecken verlustig gegangen sein, noch bevor der Auditor die Meinung des Nepoten eingeholt, notiert und das derart vorbereitete Schreiben an das Staatssekretariat überstellt hat. Bleibt zu klären, was auf den fehlenden Stellen festgehalten war, doch wie soll das gelingen? Helfen kann hier ein Brief des Legaten an Borghese vom November 1612, auf dessen Rückseite zwar kein Ausriß, aber ein Estratto von der Hand Francesco Cenninis zu sehen ist. Es handele sich um einen Bericht Spinolas über den in Ferrara eingetroffenen Bischof von Bamberg, lautete der Vermerk des Auditors, dem dessen Aufforderung an Perugino folgt, sich in dieser Sache an Paul V. zu wenden[235]. Hätte Cennini seinen

---

[235] Auf der Stelle, die bei den Briefen einzelner an Borghese häufig, bei Spinolas Post dagegen sehr selten fehlt, notierte Cennini: «*Signore Cardinale Spinola. Avviso dell'arrivo in Ferrara, costumi, e pretendenze di Monsignore Vescovo di Bamberga.*» Darunter ein kleiner Querstrich, der den Estratto von folgendem Verweis abtrennt: «*Al Signore Giovanni Battista Perugino che pigli ordine da Nostro Signore per le risposte alli Signori Cardinali Spinola, e Barberini.*» Der Notiz Cenninis folgt ein Einlaufvermerk in anderer Handschrift, die wohl einem Sostituto des Staatssekretariats gehörte. Dieser dürfte den Brief an Perugino weitergereicht haben, denn dessen Bleistiftvermerk füllt die untere Hälfte der Briefrückseite (Barb.lat. 8760,338v).

Estratto entfernt, würde der Brief die gleichen Bearbeitungsspuren wie die Schreiben mit Ausriß aufweisen, und so darf man annehmen, daß auch bei den anderen Briefen auf der fehlenden Ecke nichts anderes als eine Inhaltsangabe aus der Feder des Auditors stand. Warum er einige Schreiben mit Estratti versah, ist nicht schwer zu erraten. Der Mitarbeiter aus dem Stab des Nepoten wollte entweder seinem Herrn die Durchsicht der eingelaufenen Post oder sich selbst den Vortrag der Briefe erleichtern. Für diese Vermutung spricht, daß die im Staatssekretariat bearbeiteten Legationsberichte in der Regel weder Inhaltsangaben noch Ausrisse aufweisen, denn da sich Borghese um Schreiben dieser Art ohnehin nicht kümmerte, mußten sie ihm weder vorgelegt noch referiert werden. Was aber hat Cennini davon abgehalten, die Notiz über den Bischof von Bamberg später abzureißen? Vielleicht verdankte der Bericht den Erhalt seiner Ecke dem von Cennini überschätzten geringen Interesse Borgheses, der die Angelegenheit lieber seinem Onkel und dem Chefsekretär überließ und folglich mit dem ausgerissenen Estratto nichts hätte anfangen können. Umgekehrt befaßten sich die Schreiben Spinolas ohne Ecke, die für die Zeit nach Cenninis Amtsantritt erhalten sind, ausnahmslos mit privaten Anliegen des Legaten, und da es in den Vermerken des Auditors auf diesen Briefen stets um Borgheses *uffici* ging, dürften die ausgerissenen Estratti dem Nepoten als Gedächtnisstütze für seine zugesagten Gefälligkeiten gedient haben[236].

Wenn aber Cennini die Estratti nicht nur anlegte, sondern darüber entschied, wann dies zu tun war, scheint der Auditor und nicht Borghese die Briefe geöffnet, gelesen und sortiert zu haben[237]. Fielen sie in den Zuständigkeitsbereich des Ne-

---

[236] Bei den derart bearbeiteten Schreiben Spinolas aus Cenninis Amtszeit handelt es sich um seine Empfehlung eines Genuesen für ein geistliches Amt (24. August 1612, Barb.lat. 8760, 274/275v), seine Information über das ungewohnt wohlwollende Verhalten des Kardinals Bevilacqua ihm gegenüber (18. September 1613, E 14,285/286v) und seine Empfehlung eines Doktors, der auf dem Weg nach Rom war (31. Oktober 1613, E 14,335/336v). Stets fehlt etwa ein Drittel der ansonsten für Estratti genutzten Spalte, so daß die Sostituti des Staatssekretariats den Einlaufvermerk auf der sichtbar gewordenen Stelle vermerkten. Cenninis Notizen finden sich hier wie bei den anderen Ausrissen stets unterhalb der Lücke. Auch vor der Ernennung Cenninis zum Auditor des Nepoten haben Spinolas Briefe nicht oft und im Laufe der Jahre immer seltener ihre Ecken verloren. Daß dies ein weiterer Beleg für das geringe Interesse Borgheses an der Post des Legaten ist, wird bei einem Blick auf die zahllosen Ausrisse bei den Schreiben der *diversi* (vgl. Kap. II.3.b) besonders deutlich. Wie eine Briefrückseite mit Ausriß aussieht, verdeutlicht Schriftprobe 5 am Ende dieser Arbeit. Daß die Notiz auf diesem Schreiben, bei dem es sich um eine personalpolitische Anfrage Spinolas handelt (vgl. Anm. 217), wie bei Cennini unterhalb des Ausrisses steht, aber von der Hand Rivarolas stammt, belegt im übrigen, daß auch andere Auditoren das hier für Cennini geschilderte Verfahren anwandten.

[237] Auch Semmler, Staatssekretariat, S. 105, weist Cennini die Aufgabe zu, die an Borghese gerichteten Schreiben zu öffnen, stützt sich dabei aber nur auf die Verweise und Antwortanweisungen des Auditors, nicht auf die Estratti und Ausrisse, die er unerwähnt läßt. Bandini berichtet sogar, daß Paul V. selbst Cennini nicht nur gefördert und zum Auditor seines Neffen gemacht (S. 41), sondern ihn auch mit der Öffnung aller Schreiben an den Papst und an Borghese betraut habe. Cenninis

poten, versah er sie mit einer Zusammenfassung und brachte sie seinem Herrn zur Kenntnis, behandelten sie Probleme des Verwaltungsalltags in Ferrara oder außenpolitische Informationen, verzichtete er mindestens auf die Estratti und wohl auch auf den Vortrag vor dem Kardinal. Daß selbst Cennini sich zuweilen irrte und das Interesse seines Vorgesetzten an Informationen über das römische Personal überschätzte, zeigt seine Notiz auf Spinolas Bericht über den Bischof von Bamberg und der folgende Verweis des Schreibens an den Chefsekretär. Allerdings konnte der Papstneffe froh sein, wenn ihm sein Mitarbeiter lieber einen Brief zu viel als einen zu wenig vorlegte, denn die Schreiben, die Cennini nicht der Kenntnisnahme durch seinen Chef für würdig befand, gingen an Borghese vorbei direkt in die politische Behörde. Schließlich stellte der Auditor, nicht der Nepot, die Weichen für die Post aus Ferrara.

Daß sich jedoch auch der Auditor des Kardinals nicht um jeden Brief an Borghese kümmern mußte und die Aufgabenverteilung zwischen Kardinalnepot und Staatssekretariat bereits bei der Zustellung der Post berücksichtigt wurde, ist einer eigenhändigen Notiz Cenninis zu entnehmen. «Wenn die Dokumente mit der üblichen Post gekommen sind, können sie nicht bei mir gelandet sein, denn wie Sie wissen, werden die Nuntiaturberichte aus Venedig direkt in Ihrem Sekretariat abgegeben», schrieb Borgheses Auditor im April 1614 an Feliciani, der ihn offenbar nach dem Verbleib einiger Schriftstücke aus Venedig gefragt hatte. Überdies, so fuhr Cennini mit leicht entrüstetem Unterton fort, habe der Sekretär in der Zeit seit seinem Dienstantritt als Auditor ja wohl feststellen können, daß er die Briefe und Schriften, die bei ihm eintrafen, ihn aber nichts angingen, sofort weiterleite. Am Ende seiner Mitteilung wurde Cennini zwar etwas versöhnlicher und versprach, auch in seinen Unterlagen nach den verschwundenen Dokumenten zu suchen[238],

---

Aufgabe sei es gewesen, die Post zu lesen, an die Sekretäre weiterzuleiten und deren Minuten zu kontrollieren und zu korrigieren (S. 42). Woher er das wissen will, verschweigt der Biograph leider. Auch de Caro, Cennini, S. 569, berichtet, Cennini sei «la supervisione della corrispondenza del pontefice e del cardinal nepote» übertragen worden, was er jedoch dem Beitrag Bandinis entnommen zu haben scheint. Daß Cennini die Post Pauls V. tatsächlich geöffnet und bearbeitet hat, ist angesichts der in der folgenden Anm. zitierten Notiz des Auditors allerdings auszuschließen.

[238] Der vollständige Text der Notiz Cenninis an Feliciani vom 14. April 1614 lautet: «*Ò ch'il processo di Nixia che V.S.R.ma scrive è venuto per il Corriero, e come sà non può esser' venuto in mie mani, poiche per ordinario le lettere di Monsignore Nuntio di Venetia vengono immediatamente nella Segretaria di V.S.R.ma ò che è stato portato dà chi faceva quà per la parte, e mi par' cosa difficile che non faccia quà à chi l'hà consignato l'istessa e maggior' instanza, che, come V.S.R.ma scrive, fù fatta à Monsignore Nuntio in Venetia; questo è vero, e V.S.R.ma l'havrà potuto conoscer' in tutto questo tempo ch'io servo, che le lettere, e scritture che mi capitano, e che non toccano à mè, le mando subito, il che havrei fatto tanto maggiormente in questo caso, essendovi lettera diretta à Nostro Signore. Hò nondimeno guardato trà le scritture c'hò quà, e non v'hò trovato niente, e come potrò arrivarò à S.Pietro, e guardarò trà quelle c'hò là, poiche del tempo che V.S.R.ma scrive la Corte stava là, ch'è quanto m'occorre dirle per hora, et le baccio riverentemente le mani*» (E 55,115r).

doch gefreut haben dürfte sich Feliciani über die Belehrungen des Auditors wohl kaum. Spätere Leser dieser Notiz können dem verärgerten Cennini indes dankbar sein, denn ein besserer Beleg für die getrennten Wege der Post als diese Versicherung aus berufener Feder läßt sich nicht finden.

Ob nur der Bote aus Venedig seine Briefpakete im Staatssekretariat abgab oder auch andere Postwege dort endeten, läßt Cenninis Notiz allerdings offen[239]. Für die Schreiben des Ferrareser Legaten gilt dies wenigstens nicht, und so sei kurz zusammengefaßt, was mit Spinolas Briefen von ihrem Eintreffen in der Hauptstadt bis zur Absendung der Antwort geschah. In Rom angelangt, ging das Päckchen mit den Schreiben des Ferrareser Legaten an Borghese, der die Post mit Hilfe seines Auditors durchsah und die Meldungen zur politischen Lage am Po aussortierte. Um diese Amtskorrespondenz im engeren Sinne kümmerte sich der Nepot nur in den ersten Jahren des Pontifikats: Einen Teil der Legationsberichte nahm er in seine Audienz bei Paul V. mit, dem er die Briefe zur eigenen Lektüre aushändigte oder vortrug und als Protokollant diente. Den anderen Teil der amtlichen Mitteilungen reichte er an den Chefsekretär Margotti weiter, der seinerseits einige Schreiben vor dem Papst zur Sprache brachte und sämtliche Entgegnungen an Spinola zu erstellen hatte. Ab etwa 1610 zog sich der Nepot jedoch von der Bearbeitung der Legationsberichte zurück. Als Referent stand er nicht mehr zur Verfügung, als Protokollant erst recht nicht, und selbst wenn er der Meinung war, ein bestimmter Brief Spinolas müßte unbedingt dem Papst zur Kenntnis gelangen, beschränkte er sich darauf, dem Chefsekretär dies durch einen Vermerk seines Auditors ausrichten zu lassen. Daran sollte sich bis zum Tod Pauls V. nichts ändern, und so wurde die Amtskorrespondenz aus Ferrara in der längsten Zeit des Borghese-Pontifikats vom Papst und seinem ersten Sekretär, nicht aber vom nominellen Leiter der politischen Behörde bearbeitet. Gänzlich anders verfuhr der Kardinalnepot mit den Briefen Spinolas, die die persönlichen Anliegen des Legaten oder die Empfehlungsschreiben des römischen Klientelchefs betrafen. Zwar ist auch hier die Handschrift des Papstneffen schon wenige Jahre nach dem Regierungsantritt seines Onkels nicht mehr zu finden, aber anders als bei der politischen Korrespondenz lag dies keineswegs am nachlassenden Interesse des Kardinals. Denn auch wenn die wechselnden Auditoren des Nepoten dessen Post sortierten, die Briefe aus seinem Zuständigkeitsbereich als Cardinale Padrone mit Estratti versahen und ihrem Herrn die derart vorbereitete Patronagekorrespondenz vorlegten, war es doch Kardinal Borghese, der die Anliegen

---

[239] Daß die offizielle Post aus Venedig direkt an das Staatssekretariat ging, bestätigt auch der langjährige Mitarbeiter der Behörde Caetano in seiner Denkschrift von 1623, vgl. Kraus, Denkschrift, S. 117. Caetanos Ausführungen legen zwar nahe, daß dies nur für die Nuntiaturberichte aus Venedig galt. Endgültige Klarheit in dieser Frage schafft indes auch er nicht.

Spinolas mit dem Papst besprach oder sie anderen Würdenträgern ans Herz legte und seinem Mitarbeiter im Auditorenamt diktierte, was dem Legaten zu antworten war. Die gewünschten Briefe zu Papier zu bringen blieb dem Staatssekretariat überlassen, doch mehr als eine Schreibstube zur Ausfertigung der bestellten Post war die politische Behörde in diesen Fällen nicht.

Betrachtet man das Ganze aus der Sicht des Papstes, ohne dessen Einverständis Borghese wohl weder die eine Korrespondenz an sich gezogen noch die andere vernachlässigt hätte, wird die Arbeitsteilung zwischen der Behörde und ihrem Leiter noch offenkundiger. Sobald der Chefsekretär vor ihm stand, konnte sich der Pontifex auf einen Bericht zur politischen Lage gefaßt machen, ergriff sein Neffe das Wort, war Paul V. als gnädiger Herr seiner Diener gefragt. Seinen beiden Gesprächspartnern dürfte dies entgegengekommen sein, denn dank der klaren Abtrennung ihrer Zuständigkeitsbereiche konnte sich der Chefsekretär ganz den politisch relevanten Meldungen des römischen Personals widmen, während der Nepot sämtliche Vergünstigungen im Blick hatte, die den Klienten der Borghese im Dienst des Apostolischen Stuhls zuteil geworden waren. Daß die Gesuche der Amtsträger in eigener Sache bei Borghese landeten, war dank der Durchsicht der Post durch den Nepoten und seinen Auditor gewährleistet, daß die politischen Implikationen klientelärer Fragen übersehen wurden, verhinderte die Konsultation des Papstes. «Unser Herr hat den Brief gesehen und gesagt, Sie sollen ihn lesen und mit ihm besprechen», lautete die an Margotti gerichtete Notiz des Papstneffen auf einem Schreiben Spinolas, für das sich der Kardinal wohl fälschlicherweise zuständig gehalten hatte[240], und so scheint die Verteilung der Aufgaben keine Probleme nach sich gezogen zu haben.

---

[240] «*Nostro Signore ha vista la lettera la quale dice V.S. veda e gliene parli à Sua Santità*», hatte Borghese eigenhändig auf dem Schreiben Spinolas vom 26. Dezember 1607 notiert, in dem es um den Wunsch einiger Ferraresen ging, auf Einladung des Herzogs von Mantua in dessen neu gegründeten Ritterorden einzutreten (FBI 958,577r–578r; dors.578v). Daß der geplante Eintritt päpstlicher Untertanen in den prestigeträchtigen Orden eines Nachbarstaates in der politischen Behörde besser aufgehoben war als bei Borghese, zeigt dessen optimistische Einschätzung der päpstlichen Großzügigkeit. So heißt es am Ende des Vermerks: «*credo che condiscenderà a concedergli licenza*», was Paul V. laut dem Antwortschreiben Margottis vom 2. Januar 1608 zwar tatsächlich zu tun bereit war, aber nur, wenn ihn der Herzog von Mantua darum bitten würde. Mit dieser von Borghese offensichtlich nicht in Erwägung gezogenen Klausel war sichergestellt, «*che Sua Altezza medesima la riconosca in gratia*» (SS Bo 185,1r) und sich bei Gelegenheit für die erteilte Lizenz revanchieren würde.

c. Andere Amtsträger, gleiche Befunde:
Ein Blick nach Bologna und Ravenna

Nach der langen Beschäftigung mit dem Ferrareser Material sei wenigstens ein kurzer Blick auf die Schreiben anderer Amtsträger geworfen. Dies könnte man für überflüssig halten, denn da Josef Semmler nach der Durchsicht der von ihm ermittelten Bestände des Staatssekretariats für die Nuntiaturen und Legationen nicht nur den Rückzug des Nepoten aus den laufenden Geschäften konstatiert, sondern auch die Ernennung Cenninis zum Auditor des Kardinals mit dessen Verschwinden aus den Akten in Verbindung gebracht hat[241], scheinen die Ferrareser Ergebnisse den auf ungleich breiterer Quellenbasis gewonnenen Befunden Semmlers zu entsprechen. Allerdings sind bei Semmler keineswegs alle Resultate zu finden, die die Untersuchung der Ferrareser Akten erbracht hat. So fehlt in der 1969 veröffentlichten Arbeit jeder Hinweis auf die Tätigkeit Borgheses als Haupt der Klientel und auf den Inhalt der von Cennini bearbeiteten Schreiben, was angesichts des erst später erwachten Interesses an den verschiedenen Rollen des Kardinalnepoten verständlich ist und bei einem erneuten Blick auf die Quellen leicht nachzutragen wäre. Alarmierender ist indes, daß Tonti, Rivarola und Franceschini bei Semmler keine Erwähnung finden[242]. Schließlich könnte das anhand der Schreiben Spinolas entworfene Bild keine weitere Gültigkeit beanspruchen, wenn Kardinal Borghese und seine Auditoren nicht auch die persönlichen Briefe anderer Amtsträger bearbeitet hätten. Daher wird abschließend zu prüfen sein, ob sich der Stab des Nepoten vielleicht doch nur um die privaten Schreiben des Ferrareser Legaten gekümmert hat.

Einige Bündel mit Schreiben der Kollegen Spinolas in Bologna und Ravenna reichen aus, um diesen Verdacht zu widerlegen. So zeigt ein Blick auf die Briefe Giustinianis, der im September 1606 den Marschbefehl nach Bologna erhalten hatte[243] und wie Spinola in Ferrara seine amtlichen Meldungen eigenhändig zu Papier brachte[244], daß der Papst sehr häufig die Berichte über die politische Lage in und um Bologna las, während Borgheses Auditor Tonti Schreiben privater Art an

---

[241] Vgl. Semmler, Staatssekretariat, S. 50.

[242] Daß man einige Schriftzüge zunächst verschiedenen Händen, nach längerer Beschäftigung mit den Handschriften aber ein und derselben Person zuschreibt, scheint mir nicht verwunderlich. Doch daß von den mindestens 44 namentlich unbekannten Schreibern, deren Handschrift Semmler laut seinem Zwischenbericht von 1959 in den Akten des Staatssekretariats ermittelt hat (vgl. die Nennung von PV 44 bei Semmler, Beiträge, S. 70), nur 15 PVs den Weg in seine Monographie gefunden haben, legt den Verdacht nahe, unter den verschwundenen PVs könnten auch die drei ersten Auditoren Borgheses gewesen sein. Dies würde erklären, warum die nach meinem Eindruck allseits präsenten Herren, deren Handschriften Semmler gewiß gesehen hat, in der Arbeit von 1969 nicht auftauchen.

[243] Vgl. Sec.Brev. 593,266–270v und 277–279v.

[244] Vgl. Anm. 196.

Margotti verwies und der Nepot außer seinem üblichen *«a Monsignore Lanfran-co»* zuweilen auch notierte, welche *uffici* er für Giustiniani gemacht hatte oder zu machen gedachte[245]. Nach Tontis Promotion im November 1608 oblag es Rivarola, gemeinsam mit Borghese die Briefe des Legaten zu bearbeiten, und da von seiner Hand auch Vista-Vermerke erhalten sind, dürfte er den Nepoten sogar in der Audienz bei Paul V. vertreten haben[246]. Als Giustinianis Nachfolger Kardinal Maffeo Barberini im Spätsommer 1611 von seiner Betrauung mit dem Legatenamt erfuhr und den Umzug von seiner Diözese Spoleto nach Bologna vorbereitete, hatte Franceschini gerade seinen Dienst als Auditor des Papstneffen angetreten. Seine Handschrift ist daher auf den Schreiben zu sehen, in denen Barberini für den Posten dankte, auf die ersten Empfehlungen Borgheses für die nun neu zu besetzenden Stellen in der Provinzverwaltung antwortete und die Mitarbeiter aus den Tagen in Spoleto, die nicht nach Bologna mitkommen wollten, der Protektion des Nepoten unterstellte[247]. Wenige Monate später begann die Zeit Cenninis, und so tragen die Briefe, die Barberini und seine Nachfolger auf dem Stuhl des Verwaltungschefs an den Papstneffen schickten, die Vermerke des eifrigsten der Auditoren Borgheses[248].

Daß Cennini mit der Post der verschiedenen Amtsträger keineswegs die gleiche Arbeit hatte, illustrieren seine Notizen auf den Briefen des im Juni 1612 als Legat nach Ravenna entsandten Kardinals Domenico Rivarola. Sieben Schreiben nur sind von Borgheses ehemaligem Auditor und engem Vertrauten für die Zeit zwischen Juli und Dezember 1613 zu finden, doch von diesen sieben haben sechs einen Vermerk Cenninis und fünf auch noch einen Ausriß zu bieten[249]. Von den 47 Briefen Spinolas dagegen, die für diesen Zeitraum erhalten und im gleichen Band

---

[245] Vista-Vermerke finden sich v. a. auf Giustinianis Berichten aus der Zeit der Spannungen zwischen Rom und Venedig in FB I 957 (Juni-Dezember 1606) und FB II 325 (1607). Verweise an Lanfranco und z. T. Antwortanweisungen Borgheses und Tontis tragen z. B. Giustinianis Briefe in FB II 325: 197, 217, 277; FB I 835: 88, 327; FB I 955: 48, 74, 113. Typisch für Borgheses Antwortanweisungen auf Giustinianis Schreiben in eigener Sache ist der Vermerk des Nepoten auf einer Empfehlung des Legaten vom 1. Dezember 1607 (FB II 325,277): *«A Monsignore Lanfranco. Potrà V.S. risponderli ch'io hò parlato all'ambasciatore per la lettura di filosofia per quel dottor Mauritio».*

[246] Um Rivarolas Handschrift in der Legatenpost aus Bologna zu finden, genügt ein Blick auf das dünne Bündel mit Schreiben vom Oktober 1610 in FB III 60 FG,32–48. *«Nostro Signore l'ha vista»,* notierte Rivarola z. B. auf Giustinianis Meldung vom 30. Oktober 1610, Kardinal Gonzaga habe auf seinem Weg nach Mantua kurz in Bologna Station gemacht (FB III 60 FG,43; dors.44v).

[247] Auf dem von Barberinis Auditor präsentierten Schreiben vom 2. September 1611 mit dem Dank für die Legation und Überlegungen über den Reiseweg nach Bologna vermerkte Franceschini: *«S'è ascoltato l'auditore. Tenga la via che più le piace ... »* (E 13,212; dors.213v). Weitere Vermerke Franceschinis auf Schreiben mit den genannten Themen finden sich auf ebd.: 217v, 221v.

[248] Auch dies zeigen bereits wenige Bündel mit der Post aus Bologna, z. B. Barberini an Borghese, September bis Dezember 1613, FB III 62 C-G,278–320 (321–341: Schreiben Barberinis aus Spoleto bis Oktober 1614); Capponi an Borghese, Oktober 1615 bis Dezember 1616, ebd.,3–51.

[249] E 14,383–401, 31. Juli 1613–30. Dezember 1613.

gelandet sind, tragen lediglich drei einen Verweis des Auditors an den Chefsekretär, der in zwei Fällen mit einer Antwortanweisung und dem Ausriß des Estratto einherging[250]. Wie dieses eklatante Ungleichgewicht zu erklären ist, zeigt ein näherer Blick auf die Briefe. Da er sich an Borgheses Interesse für das Buch erinnere, das ihm zufällig in die Hände gefallen sei, schicke er ihm das Werk, schrieb etwa Rivarola an seinen Patron, und so sicher, wie bei einem solchen Präsent der Dank des Nepoten war, so sicher war dem Begleitschreiben des Legaten die Aufmerksamkeit Cenninis[251]. Spinola hingegen wußte wohl wenig über den Geschmack des ihm persönlich nicht bekannten Papstneffen[252], und noch weniger hätte der in seiner Korrespondenz überaus spröde wirkende Legat gewußt, was er mit Scherzen dieser Art anfangen sollte: Der im Brief erwähnten Signora werde er selbstverständlich helfen, ließ Borghese seinen Auditor auf einem Schreiben Rivarolas notieren, denn schließlich stehe fest, daß der Herr Kardinal keine Damen empfehlen würde, die es nicht verdienten[253].

In der Korrespondenz hoher geistlicher Würdenträger mögen solche Bemerkungen irritieren[254], zu den Aufgaben des Nepoten und seiner Auditoren passen sie jedoch um so besser. Denn ob es um die Schreiben des Ferrareser Legaten oder um die Post anderer Amtsträger ging, stets zeigt sich, daß Scipione Borghese die ihm zugefallene Doppelrolle als Behördenchef und Haupt der Klientel in höchst unterschiedlichem Maße ausfüllte. Als Leiter des Staatssekretariats beließ er es nach anfänglicher Beteiligung an der Arbeit schon bald dabei, mit seiner Unterschrift unter der diplomatischen Korrespondenz die Fiktion des regierenden Nepoten aufrechtzuerhalten, doch seinen Pflichten als Cardinale Padrone kam er mit Eifer und der Hilfe seines eigenen Stabes nach. Folglich hingen nicht nur die Wege, die die Schreiben der Amtsträger zu durchlaufen hatten, sondern auch Borgheses Verhält-

---

[250] Ebd.,267–380, 10. Juli 1613–28. Dezember 1613. Die beiden Briefe mit Ausriß und Antwortanweisung wurden bereits in Anm. 236 beschrieben; nur einen Verweis an Perugino trägt der Brief Spinolas vom 9. Oktober 1613 (E 14, 307r–308r; dors.308v), der auschließlich politische Meldungen enthält.

[251] Unter dem Verweis an Perugino schrieb Cennini auf der Rückseite des Schreibens vom 8. September 1613: «Ha ricevuto il libro che li è stato carissimo e lo ringratia» (E 14,385r; dors.386v).

[252] Vgl. Kap. V, Anm. 31.

[253] Auf der Empfehlung der Causa einer Ferrareser Marchesa, «ch'è degna della protettione di V.S.Ill.ma» (Rivarola an Borghese, 30. Dezember 1613, E 14,400r), notierte Cennini unter dem Verweis an Feliciani: «Non mancarà di servir'à questa Signora in tutto quello che potrà, restando sicuro che esso Signore Cardinale non raccomandarebbe senon Dame di molto merito» (ebd.,401v).

[254] Wer lange genug die Briefe Scipione Borgheses gelesen hat, wird sich über Scherze dieser Art nicht mehr wundern. Im übrigen scheint mir der stereotype Gebrauch solcher Wendungen eher auf ihren gezielten Einsatz als Zeichen persönlicher Nähe hinzuweisen als auf einen sinnenfrohen Lebenswandel, den ich den Kardinälen nicht absprechen möchte, allein mit solchen Anspielungen aber nicht belegt sehe.

nis zur politischen Behörde und die Rolle ihres Personals vom Inhalt der Briefe ab. Die dienstlichen Mitteilungen überließ der Nepot mehr und mehr dem Chefsekretär, der allein mit Paul V. über die notwendigen Schritte zu beraten hatte und spätestens mit Borgheses Rückzug aus den Amtsgeschäften um 1610 zum eigentlichen Mitgestalter der kurialen Politik werden konnte[255]. Für die Patronagekorrespondenz des Klientelchefs war das Staatssekretariat dagegen nicht mehr als eine Ausfertigungsbehörde, deren Mitarbeiter lediglich das zu Papier zu bringen hatten, was ihnen Borghese und seine Auditoren anordneten[256]. Daß das Sekretariat bald auch noch seine Funktion als Schreibstube des Nepoten verlieren und die Patronagekorrespondenz aus der politischen Behörde ausgegliedert werden sollte, wird noch zu zeigen sein[257]. Zuvor aber verdient die Post anderer Absender Beachtung, denn wenn Borghese bereits für die persönlichen Anliegen der Amtsträger zuständig war, um wieviel mehr mußten ihn dann die Briefe von Leuten beschäftigen, die

---

[255] Wie die Zusammenarbeit zwischen Paul V. und dem Chefsekretär aussehen konnte, illustrieren einige zufällig erhaltene Überreste aus dem Arbeitsalltag Felicianis. So finden sich handschriftliche Anweisungen des Papstes *«al Signore Abbate Porfilio»* für Schreiben, die dieser erstellen sollte (SS Misc.Arm. XI 55, 1–45), von Paul V. eigenhändig kommentierte Vorschläge, die der *«obligatissimo e fidelissimo servo Il Vescovo di Fuligno»* an *«Vostra Beatitudine»* gerichtet hatte (E 57,63–71; SS Misc.Arm. XI 55,46–65; z.B. ebd.54 Felicianis Vorschlag: *«Fo noto à Vostra Beatitudine con l'humiltà, ch'io debbo, essermi sovvenuto, che se alla Santità Vostra paresse, si potrebbe scrivere à Monsignore Nuntio in Francia una Cifra dell'inclusa tenore»*. Die von Paul V. direkt darunter eigenhändig notierte Antwort des gut informierten Papstes auf den nicht mehr vorhandenen Textvorschlag lautete, dies sei bereits geschrieben worden. *«Credemo pero che sia bene di scrivere al Nuntio quel che lei ha notato, con alcune parole che habbiamo aggiunto, e il medesimo si possa scrivere à suo tempo al Nuntio di Spagna.»*). Des weiteren sind einige Audienzmitschriften Felicianis erhalten, in denen er die Anweisungen Pauls V. notiert hat (SS Misc.Arm. XI 55,77–125; z.B. 85v: *«Al Legato di Ferrara. rispondere ... intorno a le cose di Goro pare a Sua Santità il suo giuditio molto prudente..»*). Auch wenn diese Mitschriften später den Titel *«Memorie del Signore Cardinale Borghese di negotij diversi»* erhielten, findet sich nicht der geringste Hinweis auf eine Beteiligung des Nepoten an der Bearbeitung der Post, über deren Beantwortung allein Paul V. und sein Chefsekretär berieten.

[256] Wenn kein eingelaufenes Schreiben zur Verfügung stand, auf dessen Rückseite Cennini die Anweisungen Borgheses hätte notieren können, bediente er sich kleinerer Zettel, von denen einige an Feliciani gerichtete Exemplare ohne Bezug zu Ferrara erhalten sind. Mehr noch als die Dorsalvermerke des Auditors lassen diese Bestellscheine das Staatssekretariat als Schreibstube des Nepoten erscheinen, deren Leiter Feliciani Paul V. zwar Vorschläge für Briefe an Nuntien unterbreiten konnte (vgl. die vorherige Anm.), doch in Borgheses Zuständigkeitsbereich nur noch als Befehlsempfänger ohne Mitsprachemöglichkeiten in Erscheinung trat. Typisch die *«A Monsignore di Foligno»* gerichtete Notiz Cenninis vom 16. März 1616: *«Comanda l'Ill.o Signore Cardinale padrone che V.S.R.ma scriva al Nuntio dell'Imperatore, et à Monsignore Clesellio, in raccommandatione d'un figlio del Mignanello, che và a servir l'Imperador per paggio. E si mandino poi le lettere al Mignanello per questa sera.»* (SS Misc.Arm. XI 55, 143r/v; sehr ähnlich auch ebd.: 146, 149, 179.)

[257] Vgl. Kap. IV.1.

keinen Posten im Dienste Roms besaßen und statt amtlicher Meldungen an den
Behördenchef fast immer nur Bittbriefe an den Cardinale Padrone in der Hauptstadt schickten?

3. Fürsten, Städte, Untertanen:
Die Schreiben verschiedener Absender an Borghese und den Papst

a. Zur Quellenlage

Auf den ersten Blick scheint es, als hätten sich die Mitarbeiter des Staatssekretariats keine Mühe gegeben, als sie ihre nicht für Nuntien oder Legaten bestimmten
Auslaufverzeichnisse mit dem wenig präzisen Titel *Registri a diversi* versahen.
Blättert man in den Bänden, wird die Entscheidung für diesen vagen Begriff jedoch
verständlich. Wie sonst ließen sich Register benennen, in denen Schreiben an gekrönte Häupter, Herzöge und niedere Adlige, an Kommunalpolitiker und die Bewohner ihrer Gemeinden, an Richter, Doktoren und Soldaten, an Mönche, Bischöfe und Kardinäle vermerkt wurden? Ebenso ergebnislos endet die Suche nach
einem aussagekräftigen Titel für die Sammlungen der eingelaufenen Schreiben, auf
die die in den *Registri a diversi* notierten Briefe der Behörde antworteten. So ist
die Überschrift dieses Kapitels nur als Umschreibung zu verstehen und den pars
pro toto genannten Fürsten, Städten und Untertanen des Apostolischen Stuhls eine
ganze Reihe weiterer Absender hinzuzufügen. Daß nicht wenige Zeitgenossen
Pauls V. mit der regierenden Familie am Tiber in Kontakt gestanden haben müssen,
belegen bereits Zahl und Umfang der in der folgenden Tabelle erfaßten Bände.

TABELLE 5: EINGELAUFENE SCHREIBEN EINZELNER BIS SEPTEMBER 1616
(STAATSSEKRETARIAT)

Teil 1: Briefsammlungen des Fondo Borghese, 1605–1610[258]

1605	FB III 131 C: März, Juni, September
	FB III 49 D: Juni/Juli
FB II 431 August–Dezember	FB III 119 A: Oktober

1606	1607
FB I 513 Januar/Februar	FB I 834: Januar
FB I 647: März/April	FB I 695: Februar/März

FB III 47 B: Mai
FB III 59 A: Juni
FB I 857: November
FB III 42 D: Dezember

1608

FB III 43 AB: Januar
FB III 41 B: Januar–März
FB III 132 B: April
FB III 45 A: April
FB III 128 D: Mai
FB I 835: August
FB III 46 C: September

FB I 717: Oktober
FB III 44 A: Oktober

1609

FB I 648: Januar–Juli, September–November
FB III 7 B: Januar/Februar
FB III 47 C: April/Mai, Dezember
FB III 46 D: Juli–September

1610

FB I 855 Februar-Oktober

Teil 2: Briefsammlungen des Fondo Boncompagni-Ludovisi, 1609–1616 (1620)[259]

Lettere de' Sovrani d'Europa

1. E 7: 1609–1612
2. E 8: 1613–1620

Lettere de' Sovrani d'Italia

3. E 9: 1609–1612
4. E 10: 1613/1614
5. E 11: 1615–1618

Lettere di diversi Cardinali

6. E 13: 1611/1612

7. E 14: 1613
8. E 15: 1614/1615
9. E 16: 1616–1619

Lettere de' Vescovi

di Germania
10. E 18: 1609–1611
11. E 19: 1612–1618

di Spagna e Portogallo
12. E 20,1–258: 1610–1620 (meist 1614/1615)

di Francia, Fiandra e Svizzeri
13. E 20,259–313: 1611–1620 (Einzelstücke)

---

[258] Nicht in die Tabelle aufgenommen wurden Bände, die zwar Schreiben der *diversi* an Kardinal Borghese aus der Zeit vor September 1616 enthalten, aber entweder Briefe aus mehreren Jahren ohne deutlichen zeitlichen Schwerpunkt umfassen (so z.B. FB I 693.694, FB II 433, FB III 3 A, FB III 4 A , FB III 43 DE, FB III 51 B) oder nur einige im Staatssekretariat bearbeitete Schreiben an den Nepoten neben vielen anderen enthalten, auf die bei einem Blick auf Borgheses Privatsekretariat (Kap. IV.2) zurückzukommen sein wird (FB II 11, FB III 11 AB, FB IV 217, FB IV 226, FB IV 240 B, CB 103, SS Part 7 und 9).

[259] Die in der Tabelle genannten Bände sind aufgelistet bei Reinhard, Akten, S.97–100. Auch die Briefsammlungen aus Bonc.Lud., die Schreiben der *diversi* aus der Zeit nach September 1616 enthalten, werden in der Tabelle aufgeführt. Es sei jedoch darauf hingewiesen, daß es sich bei diesen Bänden auch für die Jahre 1616 bis 1620 um die Ablage des Staatssekretariats handelt und nicht etwa um eine Sammlung der ab September 1616 im Patronagesekretariat bearbeiteten Post an Borghese, vgl. Kap.IV.1, v.a. Anm.39.

dello Stato Ecclesiastico
14. E 21,1–113: 1609–1615

di Toscana
15. E 21,114–204: 1610–1615

di Lombardia et altri Dominii d'Italia
16. E 21,207–372: 1610–1615

del Regno di Napoli e Sicilia
17. E 22: 1610–1617

dello Stato Veneto, Dalmazia, et Isole dell'Arcipelago
18. E 23: 1609–1613, Einzelstücke 1616/1617

d'oriente, Missionarii, e Christianità in particolare di Constantinopoli, e del Reame di Persia
19. E 24: 1610–1616

Lettere di diversi

Lettere di diversi Personaggi di Germania
20. E 33: 1609–1619

Lettere di diversi Magnati et ecclesiastici di Polonia
21. E 40: 1609–1613

Lettere di diversi Grandi di Spagna
22. E 41,233–446: 1609–1619

Lettere di diversi spettanti agl'interessi di Spagna

23. E 42: 1609–1611, 1614–1617, 1620

Lettere di diversi Personaggi di Napoli
24. E 47,245–468: 1609–1614, 1616/1617

Lettere di diversi spettanti agl'interessi del Regno di Napoli
25. E 48: 1610/1611, 1613
26. E 49: 1614–1617

Lettere di diversi di tutta la Lombardia
27. E 56,75–138: 1610–1616, 1618

Lettere di diversi toccanti agl'Interessi dello Stato Veneto
28. E 46: 1609–1614, 1616/1617

Lettere di diversi Cavalieri et altri dello Stato Ecclesiastico
29. E 55,33–199: 1610–1617 (darunter verschiedene Vizelegaten)

Lettere del Vicelegato di Ferrara
30. E 52: 1610–1617

Lettere di diversi spettanti agl'interessi di Ferrara
31. E 53: 1609–1617 (darin v.a. Schreiben Enzo Bentivoglios und Federico Savellis)

Lettere di diversi spettanti agl'interessi di Bologna
32. E 54: 1609–1615

Wie die Tabelle zeigt, zerfallen die vorhandenen Sammlungen der Briefe verschiedener Absender an Kardinal Borghese und seinen Onkel in zwei Gruppen. Für die ersten Jahre des Pontifikats hat der Fondo Borghese eine fast lückenlose Reihe von Bänden zu bieten, deren Aufbewahrung im ehemaligen Privatarchiv der Papstfamilie auf das große Interesse des Nepoten an der Korrespondenz mit den *diversi* schließen läßt. Allerdings hatte sich Borghese mit dem Abtransport der später in den aufgeführten Bänden verwahrten Dokumente keineswegs aller Briefe dieser Art bemächtigt. So sind im Blick auf die Vollständigkeit der Sammlungen zwei Einschränkungen zu machen: Zum einen enthalten die angegebenen Bände fast ausschließlich Schreiben, die in das Ressort Lanfranco Margottis fielen[260], und

---

[260] Die noch an Valenti adressierten Avvisi Giulio della Torres aus Como vom 31.Aug.1605 (FB II 431,7) sowie den bereits erwähnten Brief des besagten Valenti über die finanziellen Forderungen des polnischen Nuntius (Valenti aus Faenza an Borghese, 6.Dezember 1605, ebd.,310; vgl. Anm.27),

zum anderen sind die Briefe der Fürsten Italiens und Europas an den Papst und seinen Neffen in den genannten Beständen nur sporadisch vertreten. Schwerwiegende Verluste bedeuten diese Einschränkungen indes nicht. Denn während Malacrida den Registern *a diversi* zufolge weit weniger Schreiben dieser Kategorie bearbeitet hat als Margotti[261] und der Umfang des verschwundenen Materials aus seiner Abteilung im Vergleich zu den vorhandenen Dokumenten daher gering sein dürfte, ist der Großteil der Fürstenbriefe nicht etwa abhanden gekommen, sondern in eigenen Bänden gelandet und dank der entsprechenden Listen Josef Semmlers leicht aufzufinden[262]. Um den Umgang der römischen Sekretäre mit der Post des europäischen Hochadels zu rekonstruieren, reichen die Schreiben in den Bänden des Fondo Borghese jedoch aus, und so kann man sich bei der Suche nach aktenkundlichen Hinweisen auf die Bearbeitung der Korrespondenz für die Jahre bis 1610 getrost auf die genannten Briefsammlungen beschränken.

Äußerst dünn ist hingegen die Quellenlage im Archiv der Borghese für die Zeit ab 1610[263]. Zwar setzt die Überlieferung im September 1616 ebenso schlagartig

---

verwies der Nepot zwar eigenhändig an Malacrida (FB II 431: 12v, 321v; Borgheses «*Al Signore Malacrida*» folgen in beiden Fällen Einlaufvermerk und Estratto von der Hand Malacridas und auf 321v des weiteren der für diesen Sekretär typische Antwortvermerk: «*Risposta à di 17 di dicembre 1605*»). Von Ausnahmen wie diesen abgesehen, richteten sich jedoch fast alle der namentlichen Verweise in den in Tab. 5 genannten Bänden aus dem Fondo Borghese an Lanfranco Margotti. Die in Malacridas Ressort bearbeiteten Schreiben der *diversi* an den Nepoten sind mir nicht begegnet.

[261] Vgl. Tab. 2.

[262] Vgl. die bei Semmler, Staatssekretariat, S. 24 f., genannten Bände. Hinzu kommen die von dems., Beiträge, S. 50, Anm. 71–75 und 77, sowie S. 71, Anm. 106–111 und 113, erwähnten Sammlungen mit Briefen der italienischen Fürsten, von denen allein der Großherzog der Toskana und seine Post den Weg in die Monographie von 1969 gefunden haben. Zu ergänzen ist überdies der Band FB II 70 mit Schreiben des Hauses Habsburg, den Semmler in seinen Beiträgen, S. 51, Anm. 90, und S. 70, Anm. 86, nicht aber in der entsprechenden Rubrik in Staatssekretariat, S. 24, erwähnt hat. Da Semmler «nur solche Aktenbände der päpstlichen Korrespondenz mit den Fürsten des Abendlandes» in seine Listen aufgenommen hat, «die zeitlich geordnete, geschlossene Reihen ergeben» (Staatssekretariat, S. 24, Anm. 7), sind die in den in Tab. 5 genannten Bänden vorhandenen Fürstenbriefe als wenn auch bescheidene Ergänzung zu dem von ihm erfaßten Material anzusehen. Auf die Fürstenbriefe und ihre Bearbeitung wird in Kap. II.3.c einzugehen sein.

[263] Schreiben, die verschiedene Absender aus dem Kreis der *diversi* in der Zeit zwischen 1610 und September 1616 an den Nepoten und seinen Onkel geschickt haben, sind zwar auch im Fondo Borghese zu finden, so z. B. in FB I 855 (1610: Februar-Oktober); FB III 43 DE (ab 1605; 1610: Januar-April, August-Oktober, Dezember; 1611: Februar-August, Oktober, November); FB I 705 B (1614: Juli, September-Dezember); FB III 42 AC (1616: Februar-April, Juni, Juli), FB III 60 FG (1610: Oktober, Dezember; 1612: Februar, Juli, September, November, Dezember; 1614: August, September; 1615: Juni, August-Oktober; 1616: Februar, Mai); FB III 62 C-G (1611: März, September; 1612: März; 1613: April, Mai, August-Dezember; 1614: März, Mai, Juni, November, Dezember; 1615: April, August; 1616: Februar, März); FB II 430 (1613: Oktober-Dezember; 1614: März, Juni, Juli, Oktober; 1615: Februar, März, Mai, Juli, Oktober-Dezember). Allerdings reichen diese verstreuten Funde bei weitem nicht aus, um die Bearbeitung der Post zuverlässig zu rekonstruieren.

wieder ein, wie sie Jahre zuvor abgebrochen war. Doch da die Briefe der *diversi* ab diesem Zeitpunkt nur noch in seltenen Fällen vom Staatssekretariat beantwortet wurden, sind sie für die Tätigkeit der politischen Behörde nur bedingt von Bedeutung und folglich an anderer Stelle zu behandeln[264]. Schließen läßt sich die Lücke des Fondo Borghese für die Phase zwischen 1610 und September 1616 mit Hilfe einiger Bände aus dem Fondo Boncompagni-Ludovisi[265]. Daß das dortige Material im Unterschied zu den Briefen aus der Zeit bis 1610 nicht rein chronologisch angeordnet, sondern entweder nach dem Rang der Absender oder nach der geographischen Herkunft der Post sortiert wurde[266], ist aus aktenkundlicher Sicht zu begrüßen. So kann anhand der Sammlungen für die Fürsten, Kardinäle bzw. Bischöfe aus aller Welt leicht überprüft werden, ob die Bearbeitung der Post mit dem Stand der Absender zusammenhing, während die nach Regionen geordneten Bände für die restlichen Schreiben einen schnellen Einblick in die Tätigkeit der verschiedenen Ressorts ermöglichen. Insgesamt bieten die Bestände der Fondi Borghese und Boncompagni-Ludovisi somit eine solide Quellenbasis, um die Bearbeitung der Briefe der *diversi* an Papst und Nepot zu rekonstruieren. Welche Ergebnisse ein solches Unterfangen zutage fördert, wird zunächst für die an Borghese gerichtete Post, danach für die an Paul V. adressierten Schreiben zu berichten sein.

b. Politische Meldungen, private Wünsche:
Die Schreiben der *diversi* an Borghese und ihre Bearbeitung

Was mit der Post der *diversi* an den Nepoten von ihrem Eintreffen in Rom bis zur Versendung der Antwort geschah, ist nach dem Blick auf die Korrespondenz der Amtsträger mit Kardinal Borghese weder erstaunlich noch schwer zu ermitteln. Nicht anders als die Schreiben Spinolas und der meisten seiner Kollegen in den Nuntiaturen und Legationen wurden auch die Briefe der *diversi* vom Nepoten und seinem Stab geöffnet[267], zuweilen mit Anweisungen versehen und an den zuständigen Chefsekretär der politischen Behörde weitergeleitet[268]. Im Staatssekretariat

---

[264] Vgl. Kap. IV.1.

[265] Daß in der Reihe Boncompagni-Ludovisi E 7–65 neben den in Tab. 5 erfaßten Briefen der *diversi* auch Originalschreiben einiger Nuntien an Borghese sowie Minuten aus dem Staatssekretariat Pauls V. zu finden sind, ist der Beschreibung der Bände bei Reinhard, Akten, S. 97–101, zu entnehmen.

[266] Da die Bände sowohl des Fondo Borghese als auch des Fondo Boncompagni-Ludovisi erst im Rahmen späterer Systematisierungsarbeiten in den jeweiligen Archiven zusammengestellt und gebunden wurden, läßt die Anordnung dieser Schreiben keine Rückschlüsse auf das Ablageverfahren im Staatssekretariat Pauls V. zu.

[267] Daß mindestens der Bote aus Venedig die Schreiben des dortigen Nuntius direkt im Staatssekretariat ablieferte, wurde in Anm. 238 berichtet.

[268] Belege hierfür bieten die folgenden Anm.

angelangt, erhielten die Schreiben zunächst den üblichen Einlaufvermerk, den jene Sostituti anzubringen hatten, die auch mit der Post der Amtsträger in den jeweiligen Gebieten befaßt waren[269]. Den Entwurf für das gewünschte Antwortschreiben erstellte entweder der Chefsekretär oder ein Gehilfe unter seinem Kommando, die Reinschrift der Minute und die Registrierung des Briefs im einschlägigen Auslaufverzeichnis oblag hingegen ebenfalls den Sostituti[270]. Dies war der Weg, den die Schreiben der *diversi* an Borghese zu durchlaufen hatten, vor 1610 wie danach und unabhängig von Herkunft und Rang ihrer Absender. Variieren konnte indes der Eifer, den der Nepot und sein Auditor bei der Bearbeitung der Post an den Tag legten, und da dieser Eifer allein vom Inhalt der Schreiben abhing, sei im folgenden ein Blick auf die Briefe geworfen, derer sich der Kardinal persönlich oder mit Hilfe seines Stabes annahm.

Um die bei ihm eingegangene Post an das Staatssekretariat zu überstellen, hatte Borghese drei Möglichkeiten. Zum einen konnte er seine Verweise und Anordnungen an den Chefsekretär eigenhändig notieren, zum anderen stand der Auditor bereit, um die Wünsche des Kardinals auf den Schreiben festzuhalten, und schließlich kam die Post auch ohne einen Vemerk des Nepoten oder seines Helfers in der politischen Behörde an. Gerade letzteres scheint Borghese besonders geschätzt zu haben, denn dicht gefolgt von den zahlreichen Schreiben, die er lediglich mit dem Namen des zuständigen Ressortchefs versah, stellen die kommentarlos weitergereichten Briefe wie schon bei den Amtsträgern auch bei den *diversi* die Mehrheit[271]. Allerdings sind die Schriftzüge des Papstneffen und seiner wechselnden Auditoren auf dieser Art der Korrespondenz weit häufiger anzutreffen als bei den Briefen des römischen Personals. So liefern die Bearbeitungsspuren auf den Schreiben einzelner nicht nur zahlreiche Hinweise auf die Aktivitäten des Nepoten, sondern auch

---

[269] Überprüfen läßt sich dies etwa durch einen Vergleich der in E 53 gesammelten Schreiben einzelner Ferraresen an Borghese mit den zur gleichen Zeit abgefaßten Briefen des Legaten Spinola in Barb.lat. 8760 und 8761.

[270] Die Minuten für die Antwortschreiben an die *diversi* aus dem Ressort Margottis sind in den bei Semmler, Staatssekretariat, S. 31, aufgeführten Bänden *private miste* gesammelt. Minuten aus der Abteilung Felicianis finden sich in SS Part 171, 172, 174, 175 und in SS Ppi 184, 185, 187–194. Daß die Sostituti der Behörde in erster Linie weniger verantwortungsvolle Aufgaben wie die Reinschrift der Schreiben und ihre Registrierung zu erledigen hatten, wurde bereits erwähnt.

[271] Möglicherweise brachte Borghese sein *«à Monsignore Lanfranco»*, das schon beim ersten Blick in die Bände bis 1610 ins Auge fällt, nur auf dem zuoberst liegenden Schreiben eines Stapels an, so daß sich weitere Notizen auf dem Rest der Briefe erübrigten und die große Zahl der Schreiben ohne Vermerk keineswegs als Hinweis auf das Desinteresse des Nepoten an der Post zu verstehen ist. Einige Antwortanweisungen Borgheses richteten sich nicht ausdrücklich an Lanfranco Margotti, sondern an einen *« V.S. »*. Daß es sich bei diesem nicht mit Namen angesprochenen Adressaten ebenfalls um Margotti gehandelt haben dürfte, legen die stets unterhalb der Verweise angebrachten Einlaufvermerke des Staatssekretariats nahe.

neue Informationen über die Mitarbeiter aus seinem Stab, deren Amtszeiten und Aufgaben es daher etwas genauer als bisher in den Blick zu nehmen gilt[272]. Wie der Papstneffe mit der Post verfuhr, ist schnell berichtet. War das Antwortschreiben kaum mehr als eine Formsache, bestimmte der Nepot den Inhalt der Replik ohne Rücksprache mit seinem Onkel. Die Stelle sei bereits vergeben, notierte er auf zu spät eingetroffenen Bewerbungen um ein Amt oder ein Benefizium[273], Lanfranco solle dem Bischof von Capo d'Istria für das Buch oder dem Konstanzer Hirten für die schönen Pferde danken, konnten die Anweisungen des Kardinals auf den Begleitschreiben solcher Präsente lauten[274]. Ob der häufig geäußerten Bitte um ein Empfehlungsschreiben an Dritte stattgegeben worden war und an wen die politische Behörde den Brief Borgheses zu schicken hatte, vermerkte der Nepot ebenfalls ohne Bezugnahme auf die Entscheidung des Papstes[275], und auch wenn

---

[272] Die Belege für die folgenden Ausführungen über die Bearbeitung der Schreiben der *diversi* in den Jahren bis 1610 stammen vorrangig aus den zu Stichproben herangezogenen Bänden FB II 431 (August-Dezember 1605); FB I 647 (März/April 1606); FB III 47 B (Mai 1607); FB III 59 A (Juni 1607); FB III 3 A (September 1607); FB I 857 (November 1607); FB III 41 B (Februar/März 1608); FB III 7 B (Januar 1609). Daß die allein in diesen Bänden auffindbaren Dorsalnotizen ausreichen würden, um die auf wenige Beispiele beschränkten Fußnoten der nächsten Seiten um ein Vielfaches zu verlängern, sei hier wenigstens angemerkt.

[273] Sowohl die Abtei als auch die Nuntiatur seien bereits vergeben, notierte Borghese nach seinem Verweis des Schreibens an Lanfranco auf FB III 7 B,38v. Ebd.,66v, findet sich ein ähnlicher Vermerk des Nepoten. Auf der Bitte des auf der Rückreise von seiner Weihe befindlichen Kardinals S.Cecilia (Paolo Camillo Sfondrato) vom 18.September 1607, dem Gouverneur von Perugia Monsignore Sarego eines der unlängst frei gewordenen Benefizien zu verleihen, notierte der Nepot: «V.S. *che sà la distributione ancor sà quelche se li può rispondere, se ben credo che sia per viaggio*» (FB III 3 A,58; dors.67v). Andere Wünsche wie etwa die Anfrage der *Savi* (Stadträte) Ravennas beschied Borghese mit den Worten, «*che si havrà in consideratione quelche desiderano*» (FB III 7 B,112v). Daß sich der Papstneffe mitunter gründlich über die Bitten seiner Korrespondenzpartner informierte, belegt Borgheses Autograph auf einem Schreiben des Kardinals Montalto vom 12.November 1607, der sich im Namen Dritter um das Erbe eines Geistlichen bemüht hatte: «*à Monsignore Lanfranco. lo spoglio gli fù concesso, ma non l'offitio qual è stato venduto*» (FB I 857,127; dors.130v).

[274] «*Accusarli la ricevuta ringratiarlo*», vermerkte Borghese auf dem Schreiben vom 8.März 1608, das der Bischof von Capo d'Istria seiner Büchersendung an den Nepoten beigelegt hatte (FB III 41 B,277r; dors.294v). Auf dem Brief des *Vescovo di Costanza* aus Meersburg vom 25.September 1607 notierte der Nepot: «*Desidero V.S. dia risposta à questa lettera. li cavalli si sono havuti ... sono belli*» (FB III 3 A,91; dors.98v). Eine weitere Aufforderung Borgheses an die politische Behörde, für ein Geschenk zu danken, findet sich auf FB I 857,146v.

[275] Auf der Bitte des Matteo Sula aus Valladolid vom 30.Oktober 1605 um ein Empfehlungsschreiben Borgheses an den Duca di Lerma trug der Nepot Lanfranco auf, den gewünschten Brief zu erstellen (FB II 431,98; dors.109v). Die Bitte des Ferrareser Vizelegaten Massimi vom 27.Juni 1607 um eine Empfehlung für den Ferrareser Conte Mosti an den neuen Nuntius in Flandern Guido Bentivoglio, den die Reise nach Brüssel zunächst in seine Heimatstadt am Po geführt hatte, überstellte der Nepot

der französische Botschafter Mutmaßungen über eine angeblich bevorstehende Promotion anstellte, mußte der Kardinal nicht erst nach der passenden Antwort fragen[276]. Sobald es jedoch um Gnadenakte ging, die der Gewährung des Pontifex vorbehalten waren, begab sich Borghese seinen Vermerken zufolge zu Paul V. Den Wunsch des Herzogs von Lerma erfülle Seine Heiligkeit gerne, hieß es auf einer Bitte des spanischen Ministers[277], der Papst habe die Resignation des Benefiziums erlaubt, notierte Borghese auf einem weiteren Schreiben aus Spanien[278]. Daß Paul V. die Ehedispens genehmigt hatte, ohne die das heiratswillige Paar nach Einschätzung des Turiner Erzbischofs vom Glauben abfallen würde, konnte Margotti einer anderen Notiz des Nepoten entnehmen; daß Kardinal Doria die beantragte *Facultas testandi* erhielt, ein Geistlicher aus Amelia aber vergebens um die Bestellung eines Koadjutors gebeten hatte, erfuhr der Chefsekretär ebenfalls aus den Audienzmitschriften des Papstneffen[279]. Um jede Bitte dieser Art kümmerte sich Borghese keineswegs. So reichte er ein Gesuch um Aufnahme in den Malteserorden an Lanfranco Margotti weiter, obwohl der Absender des Schreibens ausdrücklich

---

mit den Worten an Lanfranco: «*V.S. puo mandar la lettera in mano di Monsignore Massimi*» (FB III 59 A,268; dors.271v). Die gleichlautende Bitte des Conte Mosti vom 28. Juni 1607 verwies Borghese ebenfalls eigenhändig an den Chefsekretär (ebd.,293v). Den Brief des Tomaso Alano vom 26. März 1608, der vor seiner Abreise aus Neapel eine Pension im Königreich erhalten wollte und aus diesem Grund Borghese um seine Fürsprache u. a. beim Vizekönig bat, versah der Nepot mit dem Kommentar: «*V.S. potrà scrivere queste lettere per l'Abbate, et a lui rispondere*» (FB III 41 B,47; dors.56v).

[276] Auf dem Schreiben des französischen Botschafters vom 29. September 1607 aus Frascati notierte Borghese: «*V.S. può rispondere alchente che non ci sarà promotione domattina ma che se ci fosse stata, non havrei manchato di farglielo sapere in tempo, come gli havevo promesso senza che me l'havesse di novo commandato ... la lettera la passerò subbito ch'io l'habbia*» (FB III 3 A,149; dors.150v).

[277] Als wichtigster Minister Philipps III. wird der in Kap.I.1 bereits als Vertreter der Gattung Günstling-Minister erwähnte Francisco Gómez de Sandoval, Herzog von Lerma, bezeichnet bei A.W.Lovett, Early Habsburg Spain 1517–1598, Oxford 1986, S.274.

[278] Vgl. das Schreiben des Duca di Lerma an Borghese vom 30. Oktober 1605 (FB II 431,99) und den eigenhändigen Vermerk des Nepoten auf ebd.,108v. Einen Brief aus Valladolid verwies Borghese zunächst an Lanfranco, «*che credo saria bene parlasse co'l Ambasciatore*», fügte dann aber hinzu, «*che Nostro Signore ha concesso volentieri la rissegnatione del beneficio semplice*» (ebd.,147v).

[279] Im Estratto auf der Bitte des Erzbischofs von Turin vom 20. November 1605 um die Ehedispens für ein Paar, dessen Namen im Text unterstrichen sind (FB II 431,123r), heißt es: «*Rapresenta che non si facendo sia pericolo che gli sudetti non passino à gl'heretici*» (ebd.,127v). In einer darunter angebrachten Notiz ließ Borghese Lanfranco wissen, «*che Nostro Signore si contenta*». Auf der Bitte des Kardinals Doria vom 28. März 1608 um die Facultas testandi notierte Borghese: «*Nostro Signore si contenta*» (FB III 41 B,23; dors.32v). Auf dem Brief des Bernardino Mandoz aus Amelia vom 30. Juni 1607 mußte er dagegen vermerken: «*Nostro Signore non ha animo di dar coadiutore, e particolarmente costui*» (FB III 59 A,280; dors.281v).

um die Fürsprache des Kardinals bei Paul V. gebeten hatte[280]. Doch in der Regel war den persönlichen Anliegen der *diversi* die Aufmerksamkeit des Nepoten gewiß. Mit Schreiben politischen Inhalts sah der Papst dagegen eher den Chefsekretär der politischen Behörde als seinen Neffen. Zwar fand sich auch Borghese zuweilen bereit, seinem Onkel die Meldungen der römischen Informanten aus Neapel oder Venedig vorzulegen. Aber da der Pontifex dem jungen Kardinal kaum mehr zu sagen hatte, als daß Lanfranco die entsprechenden Mitteilungen gut aufbewahren solle, scheint Paul V. keinen großen Wert auf die Meinung seines Neffen gelegt zu haben[281]. Folglich nahm sich der Nepot nur noch jener Fragen an, bei denen die politische Dimension nicht von der klientelären zu trennen war. Wenn Kardinal Farnese um die Auslieferung eines Gefangenen gebeten hatte, der ehemalige Botschafter Ferraras in den Dienst Modenas wechseln wollte oder eine Empfehlung für die vom Papst zu besetzenden Ratsstellen der Stadt am Po eingetroffen war, erschien der Cardinale Padrone vor dem Regenten[282]. Die Unruhen, die die Suche der Franziskaner nach dem Leichnam ihres Ordenspatrons in Assisi ausgelöst hatten, waren hingegen ein Fall für den Chefsekretär, und auch die

---

[280] Auf einem Schreiben von 1605, mit dem laut dem Estratto *«Pietro Camerino supplica che V.S.Ill.ma interveda gratia da Nostro Signore dell'habito di S.Giovanni di Malta»*, vermerkte Borghese lediglich: *«À Monsignore Lanfranco»* (FB II 431,316v).

[281] In den ersten Wochen nach seiner Ernennung zum Chef der politischen Behörde legte Borghese einen erstaunlichen Eifer an den Tag. So versah er das Schreiben des römischen Agenten in Mailand vom 21. September 1605 eigenhändig mit einem Estratto (*«Il Todeschino scrive che è confirmato per 3. altri anni il Governatore di Milano»*), verwies es dann aber doch lieber *«à Monsignore Lanfranco»* (FB II 431,34r; dors.43v). Auf einem der ersten Schreiben mit Avvisi aus Neapel, die ihn erreichten, findet sich ein *«Mostrato»* in der Handschrift des Nepoten, wohl ein Vorläufer des später von Borghese bevorzugten Vista-Vermerks. Allerdings folgt auch hier ein Verweis an Margotti (ebd.,21v), so daß der Gedanke naheliegt, Paul V. habe seinem Neffen auf die Vorlage des Berichts lediglich geantwortet, er solle ihn dem Chefsekretär übergeben. Einen ähnlichen Eindruck vermittelt Borgheses Vermerk auf den Informationen eines venezianischen Mönches namens Agostino Bettini vom 30. Mai 1607. Zwar notierte er auch, was Lanfranco nach dem Willen des Papstes *«à questa lettera potrà rispondere»*, doch der Beginn der Notiz lautet: *«Nostro Signore dice, che V.S. riparti questa lettera con le cose di Venetia»* (FB III 47 B,342; dors.345v).

[282] Auf dem Auslieferungsgesuch des Kardinals Farnese aus Parma vom 20. November 1607 notierte Borghese: *«Nostro Signore non inclina a darlo»* (FB I 857,170r; dors.175v). Das Schreiben des ehemaligen Botschafters Girolamo Giglioli vom 3. Januar 1609 versah er mit den Worten: *«al Signore Cardinale Lanfranco. Ho riferito il tutto à Nostro Signore. si può rispondere che di lui si resta sodisfatto..»* (FB III 7 B,33v). Und auf einer Empfehlung Enzo Bentivoglios für eine Ratsstelle in Ferrara vermerkte er: *«à Monsignore Lanfranco. Se Sua Santità si risolverà d'aggiungere al numero altri, haverà in considerazione questo soggetto, che viene da lui raccomandato»* (FB III 132 B,110v). Auch die Wahlmitteilung des zum neuen Magistratschef der Stadt Ferrara gekürten Annibale Turco vom 21. Juni 1608 scheint Borghese seinem Onkel vorgelegt zu haben, denn auf der Rückseite steht von der Hand des Nepoten: *«a Monsignore Lanfranco. Nostro Signore l'ha vista»* (FB III 45 A,195v).

Probleme des Kardinals Pio in einem komplizierten Rechtsstreit mit den Este mochte Margotti dem Pontifex vortragen[283]. Welchem der beiden Referenten Paul V. aufmerksamer folgte, illustrieren die päpstlichen Autographen auf den Schreiben der *diversi*: Briefe über die persönlichen Anliegen einzelner versah der Pontifex so gut wie nie mit eigenhändigen Notizen, außenpolitisch und vor allem militärisch relevante Informationen ließ er sich dagegen nicht selten aushändigen, um sie selbst zu lesen und mit seinen Anweisungen zu versehen[284]. Das Bild, das die Bearbeitungsvermerke vom Umgang der zuständigen Stellen mit den Schreiben der *diversi* an Kardinal Borghese zeichnen, entspricht somit in weiten Teilen den Befunden, die der Blick auf die Post der Amtsträger zutage gefördert hat. Der privaten Wünsche seiner Korrespondenzpartner nahm sich der Kardinalnepot an, um politisch bedeutsame Schreiben der Absender ohne Posten im Dienste des Apostolischen Stuhls kümmerten sich der zuständige Ressortleiter des Staatssekretariats und der Papst persönlich. Stand diese Rollenverteilung angesichts der Bearbeitungsspuren auf der Post der Legaten zu erwarten, liefern einige weitere Notizen auf den Schreiben der *diversi* neue Informationen. So finden sich gerade in der ersten Zeit des Borghese-Pontifikats Briefe einzelner, die der Nepot nicht etwa an Lanfranco Margotti, sondern an Mitarbeiter seines eigenen Stabes verwies. Ein

---

[283] Als die Prioren von Assisi am 4. September 1607 von den Grabungen der Franziskaner nach dem Leichnam des Hl. Franziskus, den Gerüchten, daß sie ihn gefunden hätten, und der großen Unruhe in Assisi berichteten, beschränkte sich Borghese noch auf folgende Anweisung an den Chefsekretär: «*Al Generale V.S. glielo potrà far intendere, ovvero darmene memoria, che glielo farò intendere*» (FB III 3 A,30r; dors.39v). Auf dem drei Tage später abgefaßten Schreiben des Gouverneurs in der gleichen Sache notierte er hingegen «*Nostro Signore*» (ebd.,102r; dors.107v), was mangels weiterer Vermerke des Nepoten wohl als Aufforderung an Margotti zu verstehen ist. Auf Pios Bericht vom Oktober 1608 über die Schwierigkeiten in seiner Causa um das seit der Devolution Ferraras zwischen der Familie des Kardinals und den Este umstrittene Lehen Sassuolo schrieb Borghese: «*Monsignore Lanfranco. potrà riferire à Nostro Signore*» (FB III 44 A,55v).

[284] Autographen Pauls V. tragen z. B. folgende Schreiben: die Nachrichten des Gouverneurs von Ascoli vom 18. Juni 1607 über seine Maßnahmen zur Bekämpfung der Banditen (FB III 59 A,167; dors.186v: «*Al signore Mario*»); die Avvisi eines Horatio Quarant'Otto aus Padua vom 8. Juni 1607 (ebd.,41; dors.52v: «*se gli risponda che ci è stato caro saper questo particolare*»); die Mitteilung des in Ferrara stationierten Generals der drei nördlichen Provinzen Paolo Savelli vom 29. September 1607, er werde demnächst nach Bologna reisen und dort «*alcuni ordini necessarij al mantenimento della buona disciplina di quelle militie*» erteilen (FB III 3 A,161; marginal notierte der Papst, Savelli solle sich zwar mit dem Legaten und dem Regimento Bolognas verständigen, «*ma non lasci di dar gl'ordini necessarij*»); ein weiteres Schreiben Savellis vom 29. November 1607, dessen Berichte trotz seines hohen Amtes bei den Briefen der *diversi* abgelegt wurden (ebd.,262; dors.263v: «*al Signor Mario*»); die Klagen des Ferrareser Magistratschefs Muzzarelli vom 7. November 1607 über die Probleme mit den in einem Hospital der Stadt untergebrachten Soldaten (FB I 857,55rv/60r; dors.60v: «*al signor Mario Farnese*»); das Begleitschreiben eines Mönches vom 7. November 1607 zu einer ebenfalls nach Rom gesandten Predigt, die dem Dominikaner Ärger in Venedig eingetragen hatte (ebd.,65r–66r; dors.66v).

Blick auf diese Briefe erweckt den Eindruck, als habe der frischgebackene Kardinal mehrere Monate gebraucht, um den Umgang mit der Post in den Griff zu bekommen und die Helfer auszuwählen, die ihm dabei zur Hand gehen sollten. Seinem *Segretario dei memoriali*[285] Vincenzo Bilotta etwa überstellte er nur einige wenige Schreiben, und da der letzte der raren Verweise an Bilotta vom Oktober 1605 datiert, scheint sich der Nepot schon bald für eine andere Lösung entschieden zu haben[286]. Als Hinweis auf das geringe Vertrauen Borgheses in die Zuverlässigkeit und fachliche Eignung Vincenzos ist dies wohl nicht zu deuten, denn zum einen wurde Vincenzo wenige Monate später zum Chiffrensekretär der politischen Behörde ernannt, und zum anderen sprechen die privaten Aufzeichnungen, die der Sekretär hinterlassen hat, für ein enges Verhältnis zwischen ihm und dem Papstneffen[287]. Warum Bilotta, der Anfang 1609 in Ungnade fallen und nach Jahren am päpstlichen Hof in seine Heimat Benevent zurückkehren sollte, die Post des Nepoten einem anderen überlassen mußte, bleibt zwar im dunkeln[288]. Doch um so

---

[285] Bei der Schreibweise der italienischen Bezeichnung für diesen und noch folgende Sekretäre habe ich mich für die heute korrekte Form *Segretario dei memoriali* entschieden, doch sei darauf hingewiesen, daß in den Quellen die Variante *Secretario de memoriali* dominiert.

[286] Daß Bilotta dem Nepoten bis zum Juni 1606 als *Segretario dei memoriali* diente, berichteten die Avvisi aus diesen Tagen (vgl. Urb.lat.1074,305); was es mit diesem Posten auf sich hat, wird im Zusammenhang mit Bilottas Nachfolger Franceschini zu erläutern sein. «Al Bilotta» überwies Borghese merkwürdigerweise vor allem die Avvisi eines römischen Informanten aus Neapel, der seine Berichte bevorzugt mit «*ille qui solet*» oder mit «*Il solito*» unterzeichnete und es den kundigen Mitarbeitern des Staatssekretariats überließ, seinen richtigen Namen – Alessandro dell'Effetti – im Einlaufvermerk festzuhalten. Bei den Meldungen dell'Effettis, die Borghese an Bilotta überstellte, handelt es sich um die Schreiben vom 21. September 1605 (FB II 431,55r–56v; wie in Schriftprobe 1 am Ende dieser Arbeit zu sehen ist, brachte dors.56v nicht nur der Nepot sein «*Al Bilotta*» an (links oben quer zu Bilottas Estratto), sondern auch dieser eine ausführliche Inhaltsangabe des Schreibens, die sich eindeutig an Borghese richtete (vgl. den Schlußsatz: «*Accusa la ricevuta delle lettere di V.S.Ill.ma*») und als Schriftprobe zur Identifizierung Bilottas dienen kann), vom 4. Oktober 1605 (ebd.,62r–63r; dors.63v) und vom 18. Oktober 1605 (ebd.,72r–73r; dors.73v). Daß an Bilotta auch Schreiben anderer Absender verwiesen wurden, legt der (später allerdings durchgestrichene) Vermerk Borgheses auf einem Brief des Bischofs von Larino von Anfang Oktober 1605 nahe (ebd.,61rv/64r; dors.64v). Wie die erwähnten Einlaufvermerke der politischen Behörde zeigen, muß Bilotta die Post an das Staatssekretariat weitergereicht haben.

[287] Zur im Juni 1606 erfolgten Berufung Bilottas ins Chiffrensekretariat vgl. Anm. 28. Mit den privaten Aufzeichnungen Vincenzo Bilottas ist dessen bereits mehrfach erwähntes Tagebuch über die Personalpolitik der Borghese gemeint, das Wolfgang Reinhard in Barb.lat. 4810 aufgespürt hat (vgl. ders., Ämterlaufbahn, S. 400, Anm. 82; ders., Amici, S. 318, Anm. 42) und demnächst in einem Aufsatz vorstellen wird.

[288] Auf den Sturz Bilottas, der den Avvisi vom 11. Februar 1609 zufolge in dieser Zeit um seine Entlassung gebeten hatte, um sich um die Angelegenheiten seiner Familie in Benevent kümmern zu können (vgl. Urb.lat. 1077,71v), sowie auf die Rolle des Sekretärs im Stab Borgheses wird in Kap. IV.2.c zurückzukommen sein.

klarer geben die Quellen zu erkennen, daß diese Aufgabe seit Dezember 1605 von Borgheses Auditor Michele Angelo Tonti wahrgenommen wurde. Kennt man dessen Namen, ist leicht zu erraten, wer der *Signore M.A.* war, dem der Kardinal die Antwort des Vizekönigs von Neapel auf eines seiner Empfehlungsschreiben und ähnliche Briefe aus seinem Zuständigkeitsbereich überstellte[289]. Aber auch die Post selbst birgt Hinweise auf seine Identität. Die Initialen lassen sich mit Hilfe eines Briefs vom Juni 1607 entschlüsseln, den der Papstneffe in einem seltenen Anflug von Schreibfreude an «*Signore Michelangelo*» weiterreichte[290], den Nachnamen liefert ein Schreiben des Duca di Cesarino vom 15. Oktober 1608: «Signor Michele Angelo Tonti hat mir ausgerichtet, was Sie mir im Auftrag Seiner Heiligkeit bestellen sollen», schrieb der Duca über den Besuch des Auditors, der wie viele seiner Amtskollegen offensichtlich auch Botengänge für seinen Herrn zu erledigen hatte[291]. Daß die Borghese ihn wenige Jahre später auf seinen schwersten Gang schickten und nach Cesena abschoben[292], dürfte Tonti nicht erfreut haben. In aktenkundlicher Hinsicht ist der tiefe Sturz des ehemaligen Auditors indes ein Glücksfall, denn erst nach seiner Abreise aus Rom war Tonti auf Papier und Tinte angewiesen, um den Kontakt zu seinen früheren Förderern in der Hauptstadt aufrechtzuerhalten. Als Zeichen seiner Verbundenheit schrieb er die in seiner Lage notwendigen Ergebenheitsadressen an Borghese nicht selten eigenhändig, und so

---

[289] Ein Verweis Borgheses an M.A., wie er in Schriftprobe 3 am Ende dieser Arbeit zu erkennen ist, findet sich z. B. auf FB II 431: 197v, 320v; FB I 513,165v; FB I 647: 31v (allerdings später durchgestrichen), 141v, 146v, 221v (ebenfalls später gestrichen), 232v (dors. zur Antwort des Vizekönigs von Neapel vom 18. April 1606 auf Borgheses Empfehlungsschreiben für Massimiliano Caffarelli), 244v. Daß sämtliche Schreiben von 1605 und einige von 1606, die Borghese an Tonti verwies, die Abteien des Nepoten und dessen Einnahmen betrafen, wird in Kap. IV, Anm. 165 wiederaufzugreifen sein.

[290] Auf einer Empfehlung für das griechische Kolleg in Rom aus Neapel vom 9. Juni 1607 vermerkte Borghese: «*col signore Michelangelo*» (FB III 59 A, 53; dors.60v). «*Signore Michelangelo*» steht auch auf der Rückseite eines Schreibens vom September 1607 (FB III 3 A,73v), doch bin ich mir nicht sicher, ob dieser Vermerk von Borghese oder einer anderen Hand stammt.

[291] Im Schreiben des Duca an Borghese vom 15. Oktober 1608 heißt es: «*e venuto da me il Signor M.Angelo Tonti il quale me ha esposto che d'ordine di Nostro Signore V.S.Ill.ma me faceva intendere*», er müsse seinem Bruder dem Marchese 2000 Scudi im Jahr zahlen, was der entsetzte Duca nicht zu glauben bereit war (FB III 44 A,128r). Vielleicht war die Empörung des Duca der Grund, warum der Nepot einen äußerst selten anzutreffenden Vermerk auf der Rückseite des Briefs anbrachte: «*à Monsignore Lanfranco che ce ne parliamo*» (ebd.,133v). Daß auch die Auditoren anderer Kardinäle eingesetzt wurden, um ranghohen Gesprächspartnern die Botschaften ihrer Vorgesetzten zu überbringen, belegt etwa die Mitteilung Barberinis an Borghese vom 2. September 1611, sein Auditor werde dem Nepoten im Namen des frischgebackenen Legaten für die Entsendung nach Bologna danken (E 13,212; dors.213v findet sich die Notiz Franceschinis: «*S'è ascoltato l'Auditore*»).

[292] Zu Tontis Sturz vgl. Kap. II.2.b.

gleichen Tontis Briefe aus der Zeit ab 1611 handsignierten Schriftproben[293]. Allerdings würden auch diese Dokumente nicht ausreichen, um den zunächst geheimnisvollen M.A. als Michele Angelo Tonti zu identifizieren, hätte der Auditor nicht die ihm von Borghese überstellten Briefe seinerseits mit Notizen versehen. Dies aber tat er regelmäßig: «An Monsignore Lanfranco. Wenn Sie wollen, können Sie dem Absender des Schreibens antworten», lautete die freundliche Umschreibung des Auditors für die Befehle seines Herrn, der meistens nähere Angaben zum Inhalt der gewünschten Replik folgten[294]. Daß es sich bei dem Autor dieser Vermerke tatsächlich um Tonti handelt, ergibt der Vergleich der Handschriften zweifelsfrei. Gleichzeitig werfen diese Notizen neue Fragen auf, denn wenn Borghese einen Teil seiner Post an den Auditor überstellte, scheint dieser an der Öffnung und Durchsicht der eingegangenen Schreiben nicht beteiligt gewesen zu sein. Andere Briefe dürfte hingegen der Helfer des Papstneffen geöffnet haben, finden sich doch bereits für die Monate, in denen der Kardinal die Verweise an Tonti notierte, auch Einlaufvermerke von dessen Hand[295]. Überdies verschwinden die an M.A. gerichteten Mitteilungen des Nepoten schon bald gänzlich aus der Korrespondenz, und da die Handschrift des Auditors immer häufiger zu sehen ist, präsentieren die Rückseiten der Schreiben einzelner nach anfänglichen Abweichungen das aus Spinolas Post

---

[293] Neben dem Brief vom 2. Juni 1613 in E 14,238, der als Schriftprobe 2 am Ende dieser Arbeit abgebildet ist, finden sich eigenhändig zu Papier gebrachte Schreiben Tontis an Borghese aus den Jahren ab 1611 z. B. in E 15,233; FB III 8 B,5; FB III 3 A: 194, 229, 257; FB III 44 B,74; FB III 50 C,185; FB III 41 C,317.

[294] Als Beispiele für Schreiben, die sowohl einen Verweis Borgheses an Tonti als auch eine an Lanfranco gerichtete Antwortanweisung des Auditors tragen, mögen einige Briefe aus dem Band FB I 647 genügen: die (an Paul V. gerichtete) Bitte des Angelo Spanocchi aus Bologna vom 29. März 1606 um eine Aufforderung an den Senat der Stadt, ihm das noch ausstehende Gehalt für seine Tätigkeit an der örtlichen Universität zu zahlen (FB I 647,136; dors.141v notierte Borghese: «*Signore M.A. far poi rispondere da Monsignore Lanfranco*»; Tontis Vermerk lautet: «*Monsignore Lanfranco. piacendole V.S.R.ma potrà scriver per questa sera al Regimento la detta lettera di raccomandatione*»); der Bericht des Mönchs Pompeo Malvicino aus Turin vom 20. April 1606 über die Reparaturarbeiten an Borgheses Abtei in Caramagna (ebd.,238; dors.244v schrieb Borghese: «*al Signor M.A. che la dia poi à Monsignore Lanfranco*»; Tonti notierte: «*Monsignore Lanfranco. parendole potrà scriverli che faccia quello giudica esser necessario conferendo il tutto con Monsignore Nuncio*»); die bereits erwähnte Entgegnung des Vizekönigs von Neapel vom 18. April 1606 auf die Empfehlung für Massimiliano Caffarelli (ebd.,227; dors.232v findet sich Borgheses Verweis «*Al Signor M.A.*» und dessen Auftrag an «*Monsignore Lanfranco. parendole potrà ringratiar..*»); das Begleitschreiben des Conte Moroni Stampa aus Mailand vom 4. April 1606 zu Beweisunterlagen in der Auseinandersetzung um ein Benefizium (ebd.,145; dors.146v steht, wie in Schriftprobe 3 am Ende dieser Arbeit zu erkennen ist, Borgheses üblicher Verweis «*al Signor M.A.*» und Tontis Notiz an «*Monsignore Lanfranco. potrà accusar la ricevuta e ringratiarlo*»).

[295] So z. B. auf FB I 647: 235v (17. April 1606), 281v (26. April 1606); FB III 59 A,195v (20. Juni 1607); FB III 41 B,208v (17. März 1608).

bekannte Bild. Erst mußte Borghese einsehen, daß er seine Korrespondenz ohne die Hilfe eines persönlichen Mitarbeiters nicht bewältigen konnte, doch seit er dies festgestellt hatte und Tonti zunächst nur manchmal, dann dauerhaft an der Durchsicht der Post mitwirken ließ, trugen die Schreiben die üblichen Verweise aus den Federn des Kardinals und seines Auditors. Nach dem Vorbild seines Dienstherrn beschränkte sich Tonti nicht selten darauf, die Briefe lediglich mit dem Namen Margottis zu versehen, doch auch Vermerke über die Akteneinsicht des Papstes und seines Neffen sowie Antwortanweisungen an den Chefsekretär von der Hand des Auditors sind zu finden[296]. Der Herr Kardinal wolle dem Bittsteller helfen, lautete eine dieser Mitteilungen an Lanfranco, die Tonti stets im Auftrag und wohl nach dem Diktat des Nepoten zu Papier brachte, und an anderer Stelle vermerkte der Auditor, das gewünschte *ufficio* werde gemacht[297]. Wem die Aufgabe zufiel, die von Borghese versprochenen Gespräche im Interesse der Absender zu führen, geben Tontis Notizen ebenfalls zu erkennen. So verwies der Auditor, der zwar dem Duca di Cesarino die Nachricht des Kardinals übermittelt hatte, aber offensichtlich nicht für alle Botengänge dieser Art zuständig war, eine schriftliche Bitte um die Fürsprache Borgheses an keinen anderen als Antonio Maria Franceschini. Er solle das *ufficio* erledigen und den Brief danach bei Margotti abgeben, hieß es in Tontis Verweis an Franceschini, und da der spätere Auditor immer wieder solche Aufträge erhielt, wird verständlich, warum ihn die Avvisi-Schreiber jener Jahre als des Nepoten *Segretario d'Ambasciate* bezeichneten[298]. Einen Mitarbeiter eigens

---

[296] Für die genannten Vermerke Tontis mögen Belege aus dem Band FB III 44 A (Oktober 1608) genügen. Verweise Tontis an Lanfranco ohne weiteren Kommentar, denen in der Regel der Einlaufvermerk des Staatssekretariats folgt, finden sich auf ebd.: 16v, 37v, 39v, 40v, 71v, 76v, 85v, 97v, 172v, 185v, 205v, 211v, 212v, 213v, 233v. Auf Schreiben im gleichen Band notierte Tonti: «*Il Signore Cardinale non l'ha vista*» (19v); «*Nostro Signore l'ha vista*» (69v); «*Nostro Signore non l'ha vista ne il Signore Cardinale*» (196v); «*Nostro Signore le ha viste*» (226v). Zu den Antwortanweisungen des Auditors vgl. die folgende Anm.

[297] Ein Empfehlungsschreiben des Kardinals Gonzaga aus Mantua vom 20. März 1608 verwies Tonti an Lanfranco und fügte hinzu: «*Il Signor Cardinale dice che all'oratore l'agiutera, et che sara bene risponder con parole generali*» (FB III 41 B,159; dors.180v). Auf einer Bitte des nach Ferrara gereisten Kongregationssekretärs Santarelli vom Oktober 1608 in Sachen Benefizien notierte Tonti, «*che si farà offitio col Datario*» (FB III 44 A,153v). Welcher Art die Anfrage war, auf die sich der folgende Vermerk des Auditors bezog, kann man sich denken: «*Spoleto è dato e Chieti non vaca*» (ebd.,160v).

[298] Als «*Secretario d'Ambasciate*» bzw. «*de memoriali*» Borgheses begegnet Franceschini in den Avvisi vom März 1611, die seine Ernennung zum Bischof von Amelia melden (Urb.lat. 1079,245). Obwohl die Vergabe von Benefizien an Franceschini, die in seinem wie in vielen anderen Fällen als Lohn für die Mühen im Dienst der regierenden Familie zu verstehen und daher als Hinweis auf eine entsprechende Stellung geeignet ist, erst 1608 einsetzte (vgl. z.B. Sec.Brev. 611: 351, 448), dürfte er bereits nach der im Juni 1606 erfolgten Ernennung des ersten Sekretärs für die *ambasciate* und *memoriali* zum Chiffrensekretär (vgl. Anm.28) die bisherige Position Vincenzo Bilottas eingenommen haben.

mit den allenthalben anfallenden *uffici* zu betrauen war nicht allein die Idee Scipione Borgheses. Wie selbstverständlich redeten die Autoren der römischen Gazetten über den *Segretario d'Ambasciate ò dei Memoriali,* den zu ernennen der anonyme Verfasser einer Denkschrift von 1623 jedem Kardinalnepoten empfahl, und auch Francesco Barberini fand in Celio Bichi einen Helfer, der zwar nicht den Titel eines Sekretärs für die Gesandtschaften und Bittschriften führte, wohl aber dessen Aufgaben erfüllte[299]. Vincenzo Bilotta mochte in der Rolle des Segretario d'Ambasciate kaum in Erscheinung getreten sein, Franceschinis Nachfolger Pasquale de Magistris sollte ebenfalls nur sehr wenige Spuren in den Akten hinterlassen[300]. Doch daß im Stab des kardinalizischen Papstneffen nicht nur des Borghese-Pontifikats ein eigens dafür bestimmter Mitarbeiter bereitstand, die Bitten und Wünsche aus der Korrespondenz des Nepoten weiterzuleiten, zeigt nachdrücklich, in welchem Maße die Patronagepolitik an der römischen Kurie auf die Person des Cardinale Padrone konzentriert und dieser zur Institution mit dem dazugehörigen Apparat geworden war.

Als offizieller Ansprechpartner der Bittsteller, die um einen Gnadenakt des Papstes oder eine Gefälligkeit des Nepoten nachsuchten, präsentiert sich Kardinal Borghese auch in einer weiteren Notiz auf den Schreiben der *diversi.* Seine Heilig-

---

So vermerkte Tonti auf einem Brief aus Brescia vom 23. Mai 1607: «*Signor Franceschino. V.S. potrà far l'offitio, e poi dar la lettera à Monsignore Lanfranco*» (FB III 47 B,285; dors.294v). Auch das Empfehlungsschreiben des Vizekönigs von Neapel vom 25. Mai 1607 verwies Tonti an Franceschini, «*che la riporta à Monsignore Lanfranco*» (ebd.,313; dors.316v).

[299] Zur Verwendung dieses Begriffs in den Avvisi vgl. das Beispiel in der vorherigen Anm. In der 1623 abgefaßten und Francesco Barberini gewidmeten Schrift mit dem Titel *Cardinale Nipote Di Papa* in Barb.lat. 5672, die Kraus, Amt und Stellung, in Auszügen ediert hat, findet sich ein Abschnitt über den «*Agente, ò Secretario d'Ambasciate, ò de Memoriali*». Dort heißt es: «*Di più doverà il Cardinale havere un'Agente, ò Secretario d'Ambasciate, il quale vada in volta à far' gli offitij et Ambasciate, che alla giornata occorrano ... Et à questo si può dar' ancora cura di riferire le memoriali, et rendere le risposte, et rimetterli alli Officiali, secondo che il Cardinale ordinarà*» (zit. nach Kraus, ebd., S.242). Daß Franceschini tatsächlich schon vor seiner Ernennung zum Auditor Borgheses als Referent der Post tätig wurde, wie es die Schrift empfiehlt, wird noch zu berichten sein. Zur Rolle Bichis im Stab Barberinis vgl. Kraus, Staatssekretariat, S.32–35, v.a. S.33. Der «Sekretär für die (Auslands-)Korrespondenz in Volgare», wie Völkel, S.405, die Rolle des «Segretario d'ambasciate» definiert, war der Inhaber dieses Amtes wenigstens im Borghese-Pontifikat keineswegs.

[300] Zu den wenigen Hinweisen auf die Rolle Bilottas bei der Bearbeitung der Schreiben einzelner an Borghese vgl. Anm. 286. Daß Pasquale de Magistris das Amt des Sekretärs für die *ambasciate* erhalten würde, wußten die Avvisi-Schreiber schon im Juli 1611 und somit noch vor der Kardinalspromotion Rivarolas und der Erhebung Franceschinis zum Auditor des Nepoten (Urb.lat. 1079,526v). Im Oktober 1611 folgte die Meldung, «*Pasquale de Magistris segretario del Imbasciata di S.S.Ill.ma*» habe die Benefizien des soeben verstorbenen Bilotta erhalten (ebd.,721v, zu dessen Todesjahr vgl. aber auch Kap.IV, Anm.124). Auf die Spuren des neuen *Segretario d'Ambasciate* in den Dokumenten des Borghese-Pontifikats wird in Kap.IV, Anm.111, zurückzukommen sein.

keit habe die Facultas testandi für den Kardinal Doria genehmigt, notierte der Papstneffe auf dem entsprechenden Antrag, und so könne Franceschini dem Monsignore Roberti ausrichten, er solle sich um die Ausfertigung des Breves kümmern[301]. Wer dieser Monsignore Roberti war, von dem Borghese wie von einem alten Bekannten sprach, ist unschwer zu erraten. Schließlich gehörte es zu den klassischen Aufgaben der in Rom tätigen Agenten, die Expedition solcher Urkunden zu beschleunigen[302]. Zunächst jedoch mußten die für ihren Einsatz bezahlten Interessenvertreter, die sich fast jeder abwesende Kardinal und nicht wenige lokale Magnaten des Kirchenstaats an der Kurie leisteten, die Zustimmung des Papstes oder seines Neffen zu den Wünschen ihrer Auftraggeber einholen. Dies aber führte sie auf direktem Wege in die Audienz Scipione Borgheses, und so wird verständlich, warum der Nepot und sein *Segretario d'Ambasciate* auch ohne Hinweis auf die Position Robertis wußten, daß der Monsignore der Agent des Kardinals Doria war. Glaubt man den Dorsalnotizen und Antwortschreiben mit ihren zahllosen Verweisen auf das, was der Nepot mit den Überbringern der Post besprochen hatte, dürfte der Andrang vor der Tür des Papstneffen enorm gewesen sein[303]. Daß er mitunter

---

[301] Die Notiz des Nepoten auf der Bitte des Kardinals Doria vom 28. März 1608 lautet: «*Nostro Signore si contenta, però si potrà far intendere dal Franceschini à Monsignore Roberti, che facci far la speditione*» (FB III 41 B,23r; dors.32v).

[302] Welche Bedeutung den Agenten als Antreibern der zuständigen Sachbearbeiter zukam, zeigte sich vor allem dann, wenn sie nicht aktiv wurden. Besonders schön illustriert dies ein Schreiben Borgheses an den Ferrareser Kardinal Pio, der sich offenkundig beim Nepoten über die Kammerbeamten und deren Verzögerung bei der Ausstellung seiner *tratta* (Exportlizenz für Agrarprodukte) beschwert hatte. In Borgheses Antwort heißt es: «*M'affermo il Commissario della Camera, non essere stato qui alcuno, c'habbia sollecitato, come bisognava, il negotio della Tratta per V.S.Ill.ma et a me non era nota la tardanza della speditione.*» Eigenhändig fügte der Papstneffe hinzu: «*Io havrei procurato di servir V.S.Ill.ma prima se ci fosse stata persona, che m'havesse ricordato il suo desiderio*» (FB II 419,50v).

[303] Als Belege für diese Hinweise mögen einige Beispiele aus Borgheses Korrespondenz mit verschiedenen Ferraresen genügen. Der Brief des Nepoten an den Ferrareser Kardinal Bevilacqua vom 9. August 1606 beginnt mit den Worten: «*Mi hà resa la lettera di V.S.Ill.ma il Martinelli suo Agente et esposto le commissioni che teneva da lei; Alla quale dovendo dar conto il Martinelli medesimo di quello che habbiamo passato insieme*» (SS Ppi 155,326r). Kardinal Pio schrieb am 29. Dezember 1612 an Borghese: «*Rappresentarà à V.S.Ill.ma il Dottor Nigrelli mio Auditore una gratia, che sommamente mi preme*» (FB III 60 FB,82r). Sehr ähnlich hatte bereits Pios Ankündigung vom 16. Februar 1610 gelautet: «*Il Nigrelli dirà qualche cosa di più a V.S.Ill.ma in questo proposito*» (FB III 44 D,226r). Als Beispiel für eine der zahlreichen Dorsalnotizen, die sich auf das Gespräch des Nepoten mit einem Agenten beziehen, sei Cenninis Vermerk auf einem Schreiben Enzo Bentivoglios zitiert, dessen römischer Vertreter Vincenzo Landinelli in der Korrespondenz zwischen Borghese und dem Ferraresen immer wieder auftaucht: «*Al Signore Perugino. Hà detto al Landinelli quanto li occorre in risposta à cui si rimette*» (E 53,84v). Daß selbst der Ferrareser Legat Orazio Spinola seinen Agenten an der Kurie in die Audienz des Papstneffen schickte, wenn seine privaten Interessen zur Debatte standen, belegt Borgheses eigenhändige Notiz auf einem Schreiben des Legaten vom 5. September 1607. Auf Spinolas Dank für eine fette Pension in Jaén, die ihm der Nepot beschafft

in den Garten fliehen mußte, um nicht auch noch an seinen freien Tagen behelligt zu werden[304], war daher der Preis, den Borghese für seine Funktion als Anlaufstelle für schriftlich wie mündlich vorgetragene Bitten jeder Art zu zahlen hatte.

Wie viele der Verweise, die er in seiner dreijährigen Dienstzeit als Auditor des Nepoten auf dessen Post angebracht hat, ist auch eine der letzten Notizen Tontis sehr aufschlußreich. «An Monsignore Rivarola: Zeigen Sie diesen Brief dem Cardinale Padrone», vermerkte der unlängst zum Kardinal und Prodatar beförderte Tonti wohl als Hilfestellung für seinen noch unerfahrenen Nachfolger auf einem Schreiben vom Januar 1609[305]. Dank dieses Hinweises muß man nur noch die eigenhändig abgefaßten Meldungen des Jahre später nach Ravenna entsandten Legaten Domenico Rivarola mit den Rückseiten der Nepotenkorrespondenz vergleichen, um in dem Monsignore aus Genua Borgheses neuen Auditor zu erkennen[306]. So häufig wie

---

hatte, vermerkte dieser ein Problem, von dem im Brief selbst nicht die Rede ist: *«Dice l'Agente, che lui non ha la naturalezza, nè per se stesso è mai per domandarla ... e lascierà far a me»* (FB I 958,449v). Weitere Belege für den Kontakt zwischen dem Agenten Spinolas und Borghese bieten dessen Mitteilung vom 13. März 1608, er habe dem Legaten bei Paul V. eine Pension von 1000 Scudi auf das Erzbistum Consa besorgt und bereits *«dati gl'avvertimenti opportuni all'Agente suo per la speditione della gratia»* (SS Bo 185,29v), sowie das Schreiben des Nepoten vom 30. August 1608 über einen Rechtsstreits, in den der Bruder Spinolas verwickelt war, *«all'Agente della quale si dirà perciò che ricorra alla solita via della segnatura»* (ebd.,110v).

[304] In einem Schreiben vom 1. August 1612 an seinen Landsmann Enzo Bentivoglio, in dessen Interesse er immer wieder aktiv wurde, berichtete der Ferrareser Botschafter Annibale Manfredi zunächst von seiner Befürchtung, *«che hoggi non potessi haver udienza dal Cardinale Borghese, per essere un giorno assai privilegiato, e nemico de' negozi»*. Daß sich dies bewahrheitet hatte, ist dem Nachtrag des Diplomaten zu entnehmen. Vier Stunden habe er in der *Anticamera* des Nepoten verbracht, derweil dieser mit den Kardinälen Capponi und Leni sowie seinem Mitarbeiter Pignatelli Karten gespielt habe; *«e intanto è venuto l'Ambasciatore di Venezia ... onde il Cardinale per non essere trattenuto, è uscito fuori per la porta del giardino, ne il Cardinale Serra, che mi haveva promesso di parlargli, ha voluto pigliar l'udienza per non suiarlo dal giuoco»* (ABent.Corr. 10/66: 497r, 495r). Daß es der nahende Botschafter Venedigs gewesen war, der den Nepoten zur Flucht durch die Hintertür veranlaßt hatte, könnte man in Übereinstimmung mit den aktenkundlichen Befunden als weiteren Beweis für das geringe Interesse Borgheses an politischen Fragen auslegen. Allerdings wollte der venezianische Diplomat laut dem Bericht Manfredis lediglich die Wahl des neuen Dogen anzeigen, und so wäre der Papstneffe bei der dem Kartenspiel zum Opfer gefallenen Audienz nicht als Chef der politischen Behörde, sondern als Adressat von *complimenti* dieser Art gefragt gewesen.

[305] Auf FB III 7 B,36v, schrieb Tonti: *«Monsignore Rivarola. V.S.R.ma la mostri al Signore Cardinale padrone».* Ebd.,214v, notierte er: *«Signore Cardinale Lanfranco. s'è ordinato a Bologna, che sia ammesso all'esamine».* Doch da sich dieser Vermerk auf den Wunsch des Kardinals Este vom 17. Januar 1609 bezieht, daß sein Theologe, der Dominikaner Fra Basilio Spinola, am *Studio* dieses Ordens in Bologna zum Examen zugelassen werde und den Grad eines *Mastro in Theologia* erwerben könne (ebd.,207r), dürfte Tonti in diesem Fall als Datar tätig geworden sein.

[306] Eigenhändig zu Papier gebrachte und unterzeichnete Schreiben Rivarolas an Borghese finden sich z. B. in E 14: 387, 396, 400. Rivarolas Autograph in E 14,396, datiert vom 29. November 1613 und ist als Schriftprobe 4 am Ende dieser Arbeit zu besichtigen.

sein Vorgänger scheint Rivarola indes nicht zur Feder gegriffen zu haben. Zwar überstellte er Briefe aus aller Welt an den seit Juli 1609 alleinigen Chefsekretär Margotti, der den Vermerken zuweilen entnehmen konnte, was zu antworten war[307]. Mitunter schickte er jedoch Franceschini zu Borghese, und da der *Segretario d'Ambasciate* nicht nur die *uffici* vermerkte, die er im Auftrag des Nepoten erledigt hatte, sondern auch dessen Anweisungen protokollierte und Schreiben an das Staatssekretariat verwies, dürfte der Auditor jener Jahre einen Teil seiner Aufgaben bei der Bearbeitung der Post an Franceschini abgetreten haben[308]. Dies sollte sich auszahlen, denn als Paul V. den von ihm sehr geschätzten Monsignore aus Genua

---

[307] Als Beleg für die Aktivitäten Rivarolas kurz nach seiner Ernennung zum Auditor des Nepoten seien seine Notizen auf dessen in Band FB III 7 B gesammelter Post vom Januar 1609 angeführt. Auf 6v vermerkte Rivarola, dessen Notizen sich stets oberhalb des für das Staatssekretariat typischen Einlaufvermerks finden und somit offenkundig vor diesem angebracht worden waren: «*si è fatto l'offitio*». Angaben über den Absender und den Inhalt des Schreibens notierte er auf 68v und 340v. Ein Verweis an Lanfranco Margotti, wie häufig bei Rivarola als «*s.c.L.*» bezeichnet, steht auf: 125v, 127v, 163v, 184v, 190v, 249v, 264v. Ein weiteres Schreiben versah er mit dem eigentümlichen Vermerk «*a chi va*», doch da auch hier der Einlaufvermerk der politischen Behörde folgt (236v), scheint sich Margotti angesprochen gefühlt zu haben. Notizen Rivarolas aus den nächsten Monaten finden sich z. B. auf den Briefen des Erzbischofs von Bologna (E 21,10v: «*s.c.L.*») und des Bischofs von Bagnarea (ebd.,14v: «*in quanto alla Renunzia Nostro Signore non vuole ma e ben rimettersi al suo Agente*») vom 30. März 1610.

[308] Da Franceschini gestorben ist, bevor er in Ungnade fallen oder zum Legaten befördert werden konnte, stellt sich die Suche nach einer eindeutig ihm zuzuschreibenden Schriftprobe schwieriger dar als bei Tonti und Rivarola. Daß man dennoch fündig wird, belegt die Schriftprobe 6 am Ende dieser Arbeit. Die dort abgebildete Briefrückseite gehört zu der Bitte des Felice Bonfiglio aus Gualdo vom 20. Dezember 1610, Borghese möge mit dem General seines Ordens über die «*vessationi*» und «*disgusti*» reden, die ihm dessen «*ministri*» zufügten. Dieses Schreiben wurde von Rivarola weitergeleitet «*al Signore Franceschini che ne parli con l'Ill.mo padrone*» (SS Part 9,624; dors.625v). Unter diesem Vermerk steht eine Notiz, die man nicht nur aufgrund des vorherigen Verweises, sondern auch angesichts ihres Inhalts dem amtierenden Sekretär für die Botengänge zuschreiben kann: «*si sono raccomandati caldamente li interessi suoi al Padre Generale com' intenderà da lui*» (ebd.,625v). Daß diese Zeilen tatsächlich von Franceschinis Hand stammen, belegt ein weiterer Brief in diesem Band, der ebenfalls zunächst von Rivarola an Franceschini verwiesen und dann von diesem mit einem zweiten Vermerk versehen wurde (ebd.,471v). Endgültige Gewißheit schafft ein Vergleich dieser Handschriften mit dem eindeutig dem Bischof von Amelia, Antonio Maria Franceschini, zuzuschreibenden Vermerk auf dem Dank der dortigen Kanoniker vom 2. Juli 1612 für die Entsendung ihres Hirten (E 21,38; dors.39v; zit. in Anm. 323). Als Beispiele für Briefe aus der Zeit zwischen Rivarolas Ernennung zum Auditor und seiner Abreise nach Frankreich (vgl. die folgende Anm.), die Vermerke Franceschinis tragen, seien genannt: das Hilfegesuch des Kardinals di Vicenza (Giovanni Delfino) vom 13. Februar 1609 (E 12,3; dors.4v steht die Notiz Franceschinis: «*che ha fatto l'offitio ma che difficilmente si può dar satisfattione a S.S.Ill.ma in questa occorrenza*») und ein Schreiben des gleichen Absenders vom 3. August 1609 (ebd.,8; auf dors.9v verwies Franceschini den Brief zunächst an Kardinal Lanfranco und fügte als Anweisung für die Antwort hinzu: «*verba generalia*»). Weitere Beispiele für die Verweise Franceschinis folgen.

im April 1610 als Sondergesandten nach Frankreich schickte, stand der mit den Geschäften des Auditors bestens vertraute Franceschini bereit, die Vertretung zu übernehmen[309]. Die beiden nutzten die Chance, die ihre wenn auch sehr unterschiedlichen Einsatzfelder zu bieten hatten: Rivarola zeichnete sich in den Wirren nach der Ermordung Heinrichs IV. als verläßlicher Diplomat aus[310], Franceschini bewies mit seinen zahlreichen Notizen auf den eingegangenen Schreiben an den just in diesen Monaten schwer erkrankten Borghese, daß man ihm dessen Post bedenkenlos überlassen konnte[311]. Der Lohn für ihre Mühen folgte schon bald. Im August

---

[309] Da die letzten Schreiben an Borghese, die Rivarola vor seiner Abreise nach Frankreich mit Dorsalnotizen versah, vom 30. März 1610 datieren (vgl. Anm. 307), kann er frühestens Anfang April 1610 aufgebrochen sein. Daß Franceschini seine Vertretung übernahm, belegen sowohl die Avvisi vom Mai 1610, auch wenn sie ihn fälschlicherweise gleich zum neuen Auditor erheben (Urb.lat.1078,312), als auch die in Anm. 311 angeführten Bearbeitungsvermerke von der Hand Franceschinis, die sich ab Mai 1610 auf zahlreichen Schreiben Borgheses finden. Ab Mitte Oktober 1610 war Rivarola wohl wieder in Rom, denn während sein Bruder Stefano noch am 30. September 1610 eine Depesche Domenicos aus Avignon von Genua an die Kurie weiterleitete (vgl. FB I 855,186), war in den Avvisi der Hauptstadt vom 20. Oktober zu lesen, Rivarola sei zurückgekehrt und wieder als Auditor Borgheses tätig (Urb.lat.1078,715). Tatsächlich hat er bereits das am 15. Oktober 1610 in Innsbruck abgeschickte Dankesschreiben der Erzherzogin Anna Katherina für die von Borghese besorgte Dispens *per questi miei Corteggiani* mit einem Vermerk versehen (E 7,99r; dors.100v: *A chi ha scritto*). Als weitere Belege für die Tätigkeit des Auditors bis zu seiner Promotion im August 1611 sind zu nennen: das an *S.C.Lanfranco* verwiesene Schreiben des Kardinals Este vom 24. November 1610 (E 12,94;dors.95v), die Entgegnung des Bischofs von Acqui vom 14. April 1611 auf eine Personalempfehlung Borgheses (E 21,248; dors.249v: *a chi hà scritto*) sowie einige weitere Schreiben, auf die in Kap. IV.2.c zurückzukommen sein wird.

[310] Über Rivarolas Mission schreibt Cardella, Bd. 6, S. 157: Paul V. *lo spedì Nunzio straordinario a Errico IV. Re di Francia, il quale, fatte numerose leve di soldati, meditava, come allora si diceva, d'invadere l'Italia, a fine di supplicarlo, a nome del Pontefice, a non voler turbare la pace con nuova importuna guerra. Avvuta per istrada contezza della violenta morte di quel Monarca, si avanzò non per tanto fino a Parigi, d'onde non era distante che una sola giornata, dove trovò il Nunzio Ubaldino gravemente infermo; e in quelle turbolenze, che agitarono la città di Parigi, dovette soffrire disagi, e fatiche incredibili, per supplire alle veci dell'Ubaldino, come eseguì con tanta soddisfazione del Pontefice, che non si saziava di commendare la prudenza, e l'industria del Rivarola*. Bei dem Konflikt, den Cardella anspricht, handelt es sich im übrigen um die Auseinandersetzungen zwischen Spanien und Frankreich im Zusammenhang mit der Jülicher Erbfolgefrage. Zur Entsendung Rivarolas vgl. auch Pastor, Bd. 12, S. 292.

[311] Zu Borgheses Erkrankung vgl. Kap. IV.3.a, v.a. Anm. 171 und 172. Um zu illustrieren, welche Rolle Franceschini als Vertreter Rivarolas bei der Bearbeitung der Schreiben einzelner an Borghese spielte, seien einige der von ihm mit Vermerken versehenen Briefe vom Mai 1610 aufgeführt: die Bitte des Erzbischofs von Pisa vom 2. Mai, Borghese möge dem Nuntius wegen seiner Causa schreiben (E 21,131; dors.132v: *Al Signore Cardinale Lanfranco che scriverà al Nuntio, e risponderà a questo*); das Anliegen des Kardinals Este aus Modena vom 5. Mai (E 12,78; dors.79: *s'è fatto caldamente officio*); die Personalempfehlung desselben vom 7. Mai (ebd.,81; dors.82v: *verba generalia*); die Mitteilung des Kardinals Cesi vom 7. Mai, er sei in seiner Diözese Consa angekommen (ebd.,214; dors.215v: *Signore Cardinale Lanfranco*); die Empfehlung des Kardinals Pio für eine

1611 erhielt Rivarola den roten Hut, und das damit frei gewordene Auditorenamt ging nun auch offiziell an Franceschini[312].

Abgesehen von individuellen Eigenheiten wie Franceschinis Hang zu *verba generalia*, die zu antworten er dem Chefsekretär immer wieder auftrug[313], glichen die Vermerke des neuen Auditors den Anweisungen aus der Feder seiner Vorgänger.

Stelle in Ferrara vom 8. Mai 1610 (ebd.,216; dors.217v: *«verba generalia»*); die Kredenz des Bischofs von Reggio vom 13. Mai für einen zu Borghese geschickten Vertreter (E 21,209; dors.210v: *«All'Ill.mo Signore Cardinale Lanfranco»*); die *complimenti* des Kardinals Acquaviva vom 14. Mai 1610 (E 12,188; dors.189v: *«All'Ill.mo Signore Cardinale Lanfranco che risponderà, et darli conto d'haver goduto la sua villa a Frascati, e la ringratiarà»*); die Bitte des Kardinals Conti vom 20. Mai 1610 (ebd.,238; dors.239v: *«All'Ill.mo Signore Cardinale Lanfranco che risponderà negativo»*); die Antwort desselben vom gleichen Tag auf eine Personalempfehlung Borgheses (ebd.,240; dors.241v: *«A chi ha scritto»*); der Bericht von Francesco Baldi aus Neapel vom 21. Mai über Probleme bei der Eintreibung von Zinsen für die Borghese-Vertrauten Nappi (E 48,99; dors.100v: *«Scrivere ... per l'esattione delli frutti di quelli lochi di Monte del Signore Giovanni Nappi, riportandosi à quello dirà il Signore Baldi che la presentarà»*). Daß Franceschini in Vertretung Rivarolas auch die Akteneinsicht des Papstes vermerkte, belegt seine Notiz auf der Mitteilung des Kardinals Sforza vom 13. Juli 1610, er sei in seiner Diözese angekommen: *«Ringratiarlo ... Nostro Signore l'ha vista»* (E 12,257; dors.258v).

[312] Zu Rivarolas Promotion am 17. August 1611 vgl. HC IV, S. 11. Daß Franceschini auch nach Rivarolas Rückkehr aus Frankreich mit der Post des Nepoten befaßt war, belegen z.B. seine Vermerke auf dem Schreiben des Kardinals Acquaviva vom 24. Oktober 1610 (E 12,198; dors.199v: *«verba generalia»*), auf der Bitte des französischen Kardinals Givry vom 25. November 1610 um ein Kanonikat für seinen *«secretario da molt'anni»* (E 12,279; dors.280v: *«è stato conferito da Nostro Signore ad instanza della Regina»*), auf dem Empfehlungsschreiben der Ferrareser Magistratsherren für einen Sohn der Stadt vom 1. Januar 1611 (E 53,34; dors.35v: *«confirmarsi con la risposta di Sua Santità»*) und auf der von Pios Vertreter Denalio vorgetragenen Empfehlung des Ferrareser Kardinals vom 2. März 1611 (E 13,107; dors.108v: *«Rimettersi al medesimo Denalio»*). Da die Avvisi vom März 1611 bereits die Verleihung des Bistums Amelia an Franceschini auf seine erfolgreiche Tätigkeit als Vertreter Rivarolas zurückführten (Urb.lat.1079,245), dürften seine in dieser Rolle erworbenen Verdienste auch den Ausschlag für die im August 1611 erfolgte Berufung ins Auditorenamt (vgl. ebd.,572) gegeben haben.

[313] Den Vermerk *«verba generalia»* notierte Franceschini in seiner Amtszeit als Auditor z.B. auf der Bitte des Kardinals Este vom 10. Dezember 1611 um Hilfe für einen Mönch (E 13,194; dors.195v) und auf der Empfehlung des Bischofs von Mantua für seinen Nepoten vom 18. November 1611 (E 21,240; dors.241v). Belege für diesen Verweis Franceschinis aus den Jahren 1609 und 1610 finden sich in den Anm. 308 und 311. Als weitere Besonderheit Franceschinis kann die Aufmerksamkeit gelten, mit der der Auditor darüber wachte, daß die Entgegnung auf ein Schreiben des Nepoten nicht abermals beantwortet und der Schriftverkehr somit unnötig verlängert wurde. Deutlich wird dies z.B. in seiner Notiz auf dem Brief des Kardinals Doria vom 13. Februar 1612: *«se non sia responsiva risponderli»* (E 13,346v) oder in Franceschinis Vermerk *«è risponsivo»* auf den Schreiben vom 4. bzw. 20. September 1611, in denen sich der Erzbischof von Pisa (E 21,151v) bzw. Kardinal Barberini (E 13,219v) für eine Lizenz bedankten. Erst im Lichte dieser Verweise wird verständlich, warum Franceschini zuweilen auf den ersten Blick merkwürdig anmutende Notizen wie das *«Risponderli»* auf dem Schreiben des Erzbischofs von Siena vom 1. Juli 1612 (E 21,169v) oder die an Perugino gerichtete Aufforderung *«rispondere»* auf der Empfehlung Barberinis vom 21. September 1611 für

Schreiben politischen Inhalts reichte er unkommentiert an den zuständigen Ressortleiter im Staatssekretariat weiter, so daß etwa die Berichte des gegenreformatori-
schen Modellkardinals Dietrichstein aus Wien und Prag nicht anders als in den
Jahren zuvor allein die Handschrift Confalonieris aufweisen[314]. Den Gesuchen an
Borghese in seiner Rolle als Cardinale Padrone widmete sich der Auditor dagegen
um so gründlicher. Die gewünschte Stelle sei bereits vergeben, notierte er auf erfolg-
losen Bewerbungen, der Nepot werde seine *uffici* machen, versicherte er auf anderen
Bitten[315]. Empfehlungsschreiben gab er ebenso in Auftrag wie den Dank des Kardinals für die üblichen *complimenti*[316], und nicht selten forderte er die Sekretäre der

---

einen verdienten Mitarbeiter (E 13 220; dors. 221v) anbrachte. Daß Borghese selbst zuweilen darauf
achtete, kein Schreiben zuviel zu beantworten, belegt ein Vermerk aus der Feder von Franceschinis
Nachfolger im Auditorenamt. Eine Danksagung Enzo Bentivoglios vom 27. August 1613 für die
uffici des Nepoten verwies Cennini an Perugino und fügte hinzu: «*Dice S.S.Ill.ma che questa li pare
ò risposta ò replica, e quando sia tale non occorre altro. quando non sia tale che V.S. li risponda in
forma*» (E 53,113; dors.114v).

[314] «Dietrichstein war einer der wenigen Bischöfe, die regelmäßig nach Rom berichteten», schreibt
Robert John Weston Evans, Rudolf II. Ohnmacht und Einsamkeit, Graz 1980, S. 208, Anm. 33, über
den Bischof von Olmütz, den er ebd., S. 191, zu «den Repräsentanten einer neuen Konformität und
des Geistes von Trient» zählt. Evans bezieht sich zwar auf die Diözesanberichte Dietrichsteins, doch
auch den Nepoten hielt der Sproß einer der wichtigsten Familien des katholischen Adels in Böhmen
und Mähren regelmäßig auf dem laufenden. Für ein gesteigertes Interesse des Papstneffen an diesen
Meldungen sprechen die Bearbeitungsspuren auf den Briefen Dietrichsteins in E 12,33–55 (1609),
ebd., 108–157 (1610) und E 13,38–91 (1611) indes nicht. So finden sich zwar die für das Staatssekretariat typischen Spuren wie etwa Confalonieris Ricevuta-Vermerke (z.B. auf E 12,39v) oder
Estrattozettel mit den Notizen des jeweiligen Chefsekretärs auf den meisten dieser Schreiben, doch
nach Hinweisen auf Borghese und seinen Stab sucht man vergeblich.

[315] Für diese und die im folgenden zu belegenden Notizen Franceschinis aus seiner Amtszeit als Auditor
Borgheses mögen einige wenige Beispiele genügen. Auf Empfehlungen für die Vergabe von Benefizien beziehen sich die Vermerke Franceschinis auf dem Brief des Kardinals Joyeuse vom 10. September 1611 (E 13,289; dors.290v: «*Quando il luogo vacherà*», werde man seinen Vorschlag bedenken-
ken), auf dem Schreiben des Erzbischofs von Pisa vom 7. Juli 1612 (E 21,176; dors.177v: «*Nostro
Signore ha voluto dar' il Canonicato ad un nipote del Signore Cardinale Bellarmino*»). Von den *uffici*
des Nepoten ist die Rede in den Vermerken des Auditors auf der Bitte des Kapitels und der Kanoniker von Ferrara um Vermittlung in einem Streit mit ihrem Bischof Kardinal Leni (E 21,30;
dors.31v: «*che ne passerà offitio col Signore Cardinale Leni, il quale in questo negotio non farà se
non quello, che sarà giusto, et ragionevole*»).

[316] Auf die Bewilligung eines Empfehlungsschreibens des Nepoten bezieht sich Franceschinis Vermerk
auf der Bitte des Erzbischofs von Siena um einen solchen Brief für seine Verwandten vom 8. Juli
1612 (E 21,170; dors.171v: «*S.S.Ill.ma si contenta si scriva*»). Um den Austausch von *complimenti*
ging es in seiner Notiz auf der Gratulation des Bischofs von Reggio vom 3. Juli 1612 zum Abschluß
des Vertrags über die zukünftige Verheiratung des jungen Marcantonio Borghese mit Camilla Orsini, die sich offensichtlich auf eine ganze Reihe solcher Glückwünsche bezog (E 21,282; dors.283v:
«*Rispondere à tutti gratamente*»). Zu dieser Ehe, den Verhandlungen bis zur Bekanntgabe des
Vertrags am 11. Juni 1612 und den Geschehnissen bis zur Trauung des Paars durch Paul V. am

politischen Behörde auf, die Empfänger der Antworten für nähere Informationen an ihre Vertreter an der Kurie zu verweisen[317]. Briefe, die kaum mehr enthielten als die üblichen Wünsche zu Weihnachten oder andere Höflichkeiten, konnten die Agenten auch bei Franceschini abliefern[318]. Doch wenn es um Anliegen ging, die der Förderung des Nepoten bedurften, empfahl sich ein Besuch bei diesem, und so hatte sich am Andrang in den Audienzen des Papstneffen wohl nichts geändert[319]. Geringer geworden als in den Jahren zuvor war indes Borgheses Engagement bei der Bearbeitung der Post. Daß er sich über das baldige Wiedersehen mit Kardinal Joyeuse freue, die von Kardinal Delfino erbetenen Benefizien schon vergeben seien und Paul V. nichts gegen den Verkauf seiner einstigen Villa in der Toskana an einen Bekannten des Sieneser Erzbischofs einzuwenden habe, brachte der Nepot zwar eigenhändig zu Papier[320]. Oft bekamen die Mitarbeiter der politischen Behörde solche Antwortanweisungen aus der Feder ihres Behördenleiters allerdings nicht

20. Oktober 1619 vgl. Reinhard, Ämterlaufbahn, S. 410–423. Laut ebd., S. 415, Anm. 182, finden sich weitere Glückwünsche aus der gesamten katholischen Welt in E 9, E 22, E 23, E 48, Barb.lat. 7787, 7938, 7940, 8596.

[317] So z. B. auf dem Schreiben des Kardinals Este vom 1. Februar 1612, auf dessen Rückseite Franceschini notierte: «*Rimettersi a quanto*» Borghese mit dem Auditor des Kardinals besprochen habe. Ansonsten sei diesem mit «*parole generali*» zu antworten (E 13,316v). Ein weiterer Vermerk ist auch in der Amtszeit Franceschinis zu finden: das schon von Tonti und Rivarola bekannte, aber unverändert rätselhafte «*A chi ha scritto*», das Franceschini z. B. auf dem Dank des Kardinals Este vom 10. September 1611 für einen *favore* Borgheses (E 13,190; dors.191v) und auf einer Empfehlung Barberinis vom 17. September 1611 (ebd.,216; dors.217v) notierte.

[318] Wenigstens hat sich der Agent des Kardinals Doria, der uns bereits in der Audienz des Nepoten begegnet ist, mit den am 16. Dezember 1611 in Palermo abgefaßten Weihnachtswünschen seines Herrn für Borghese an Franceschini gewandt. Dieser vermerkte auf der Rückseite des Schreibens: «*Questa mattina l'hà presentata Monsignore Roberti scusando il tardo arrivo perche la tramontanza ritarda il viaggio per mare alle volte nostre*» (FB III 60 FG,75; dors.80v).

[319] Daß der im folgenden zu schildernde Rückzug des Nepoten von der Bearbeitung seiner eigenen Post keine Auswirkungen auf den Andrang in seinen Audienzen hatte, legt wenigstens der Bericht des Ferrareser Botschafters über die Flucht des Nepoten in den Garten nahe (vgl. Anm. 304), der vom August 1612 und somit aus einer Zeit datiert, in der Cennini bereits seines Amtes als Auditor waltete und Borghese nur noch in Ausnahmefällen eigenhändige Notizen auf seiner Korrespondenz anbrachte.

[320] Auf einer Empfehlung des Kardinals di Vicenza (Giovanni Delfino) vom 5. Januar 1610 vermerkte Borghese: «*se li potrà rispondere ch'era gia dato*» (E 12,96; dors.97v). Die Anfrage des Erzbischofs von Siena, ob Bedenken gegen den Kauf der von Paul V. in seiner Zeit als Kardinal genutzten Villa der Borghese durch einen seiner Bekannten bestünden, datiert vom 28. März 1610 und trägt den eigenhändigen Vermerk des Nepoten, Paul V. habe nichts dagegen einzuwenden (E 21,123; dors.124v). Die Nachricht des Kardinals Joyeuse von seiner Rückkehr nach Rom vom September 1611, die Borghese in Frascati erreicht hatte, versah er eigenhändig mit der Versicherung, «*ch'io m'rallegro del suo ritorno à Roma dove domani spero di essere per poter presentialmente servir S.S.Ill.ma*» (E 13,291; dors.292v).

mehr zu sehen. Überdies waren die Vermerke des Kardinals über die Akteneinsicht seines Onkels zur Ausnahme geworden, und da er sogar die persönlichen Bitten seiner Korrespondenzpartner verstärkt an den Chefsekretär überstellen ließ, dürfte Borghese seit Franceschinis Amtsantritt mit seiner eigenen Post weit weniger zu tun gehabt haben als zuvor[321].

Seinen Abschluß fand der schrittweise Rückzug des Nepoten von der Bearbeitung der Post jedoch erst, als Francesco Cennini das Auditorenamt übernahm. Die mit diesem Posten verbundenen Aufgaben müßten ihm vertraut gewesen sein, denn zum einen hatte er seinem früheren Herrn, dem 1611 verstorbenen Kardinal Bernerio, lange Jahre als Auditor gedient, und zum anderen läßt Cenninis charakteristische Handschrift in den Akten darauf schließen, daß er schon ab Ende 1610 zuweilen mit der Post des Nepoten befaßt war[322]. So lag es nahe, ihm die Leitung der Geschäfte zu übertragen, als Franceschini im April 1612 zu einem Antrittsbesuch in seine Diözese Amelia aufbrach. Nach der Rückkehr aus Amelia sollte der amtierende Auditor seine alte Rolle wieder übernehmen, doch da Franceschini

---

[321] Vista-Vermerke des Nepoten, die auf den Vortrag der Schreiben durch Borghese schließen lassen, finden sich auf der Ankündigung des Kardinals Acquaviva vom 18. Mai 1610, wen er auf seiner Reise zu treffen gedenke (E 12,190; dors.191v: «Al Cardinale Lanfranco. Nostro Signore l'ha vista. Non occorre rispondere»), und auf dem Bericht des Kardinals Sforza vom 5. Dezember 1610 über sein Gespräch mit dem Herzog von Savoyen über die aktuellen negozi (E 12,265; dors.266v: «Nostro Signore l'ha vista»). Daß sich für die Monate zwischen diesen beiden Schreiben kaum Notizen dieser Art finden lassen, dürfte mit Borgheses Erkrankung zusammenhängen. Daß die Vista-Vermerke aber auch nach der Genesung des Nepoten nicht mehr so häufig begegnen wie in den Jahren zuvor, ist allein mit dem nachlassenden Eifer des Kardinals bei der Bearbeitung der Post und ihrem Vortrag vor Paul V. zu erklären. Ein frühes Beispiel für die Überstellung privater Gesuche an den Chefsekretär ist die Bitte des Kardinals Este vom 22. Mai 1610 um die Lizenz zum Betreten eines Frauenklosters für seine Schwester. Auf der Rückseite notierte Franceschini: «L'Ill.mo Signore Cardinale Lanfranco ne parlerà con Nostro Signore» (E 12,83; dors.85v). Weitere Belege für solche Verweise werden folgen.

[322] Wann genau Cennini in den Dienst Borgheses getreten ist, muß offenbleiben, denn während die vorliegenden biographischen Angaben zu seiner Person zwar einhellig, aber wohl auch in Abhängigkeit voneinander das bereits von Cardella, Bd. 6, S. 198, angebotene Datum übernehmen und Cennini erst seit dem Tod seines bisherigen Dienstherrn Kardinal Bernerio im August 1611 in der Familia des Nepoten ausmachen (vgl. Bandini, S. 41, De Caro, Cennini, S. 569), stammt die erste Dorsalnotiz auf der Post Borgheses, die m. E. eindeutig Cennini zugeschrieben werden kann, vom Ende des Jahres 1610. Auf einem Brief des Kardinals Sforza vom 22. November 1610, den Sforzas Gentilhuomo Marretti überbrachte, vermerkte Cennini: «Signore Cardinale Lanfranco. Potrà V.S.Ill.ma accusar la ricevuta e nel resto rimettersi a quanto si è risposto all'istesso Marretti» (E 12,261; dors.262v). Ein weiterer Verweis Cenninis aus der Zeit vor seiner Indienstnahme als Vertreter Franceschinis ist auf einer Empfehlung des Kardinals Borromeo aus Mailand vom 25. September 1611 zu sehen (FB III 62 C-G,174; dors.179v: «Dove potrà far piacere al Dottor Mamurio lo farà volontieri, per la buona attestatione che gliene fà S.S.Ill.ma»). Welche Position Cennini zu dieser Zeit bekleidete, ist unklar.

kurz nach seiner Ankunft am Tiber im Juli 1612 tödlich erkrankte, konnte auch
Cennini wie einst sein Vorgänger in der Zeit Rivarolas vom Vertreter des Auditors
zum Inhaber dieser wichtigen Position im Stab des Nepoten aufsteigen[323]. Damit
aber war die Zeit angebrochen, in der die Mitarbeiter des Staatssekretariats die
Handschrift ihres Vorgesetzten nur noch in Ausnahmefällen auf den Akten er-
blickten. Als der Kardinal-Herzog von Mantua ein bereits von Paul V. vergebenes
Benefizium besetzt hatte und den Rückzug des päpstlichen Kandidaten zur besten
Lösung erklärte, hielt zwar selbst Borghese ein Gespräch mit dem Chefsekretär für
geraten, und um die Wünsche des Virginio Orsini, dem als zukünftigem Schwie-
gervater des jungen Marcantonio Borghese eine besonders zuvorkommende Behandlung zustand, kümmerte sich der Nepot persönlich[324]. Die große Masse der

---

[323] Wie die römischen Avvisi berichteten, war Franceschini im April 1612 nach Amelia abgereist,
Anfang Juli 1612 von dort zurückgekehrt und in der Zwischenzeit von Cennini vertreten worden
(Urb.lat.1080: 286, 438v). Bestätigt wird dies durch die Beobachtungen Semmlers, der die Hand
Cenninis erstmals auf Briefen vom 1.Mai 1612, ab diesem Tag aber sehr häufig und «in allen von
Nuntien, Legaten und fürstlichen Persönlichkeiten eingelaufenen Schreiben sowie in den Lettere
decifrate» angetroffen hat (ders., Staatssekretariat, S.77, Anm.135). Allerdings ist auch die Schrift
des bei Semmler nicht erwähnten Franceschini in den ersten Tagen nach seiner Rückkehr aus Amelia
Anfang Juli 1612 wieder in den Akten zu finden. So durfte er selbst den wohl im Blick auf sein enges
Verhältnis zu Borghese hymnisch geratenen Dank der Kanoniker von Amelia vom 2.Juli für die
Entsendung ihres neuen Bischofs in die Diözese mit dem Vermerk versehen: «Signore Perugino.
S.S.Ill.ma si contenta per favorirmi li risponda gratamente» (E 21,38; dors.39v). Bereits Mitte Juli
1612 muß ihn eine Krankheit, auf die der Tod des noch nicht vierzigjährigen Auditors Ende August
1612 hinweist, an der Arbeit gehindert haben. So konnte er zwar noch die wohl etwa zeitgleich in
Rom eingetroffenen Schreiben des Kardinals Madruzzi aus Trient vom 10.Juli (s.u.) und des Kardinals Sforza aus Frascati vom 14.Juli 1612 (FB III 60 FG,9; dors.15v) mit Vermerken versehen.
Doch unter Franceschinis «con Monsignore Datario», an den er den Brief Madruzzis verwiesen
hatte (ebd.,11; dors.13v), notierte Cennini im Auftrag des Nepoten, «che li dispiace che la lettera
non è giunta a tempo» (ebd.), und so dürfte der bisherige Auditor nicht mehr in der Lage gewesen
sein, die angeforderte Entgegnung des Datars selbst einzuholen. Offiziell zum Auditor ernannt
wurde Cennini allerdings erst nach dem Tod des bisherigen Amtsinhabers Ende August 1612
(Urb.lat. 1080,540vf.).

[324] In einem Schreiben vom 24.Mai 1613 berichtete der Kardinal-Herzog von Mantua dem Nepoten,
daß er ein durch den Tod seines Auditors im letzten Monat frei gewordenes «beneficio semplice» in
der Diözese Cremona «di valore di cinquanta ducati di Camera» an einen «parente del morto»
gegeben, nun jedoch gehört habe, «che per essere io assente dalla Corte il beneficio è stato libero
alla collatione di Nostro Signore». Daß Paul V. die Stelle bereits an Monsignore Ricordati vergeben
hatte, schien den Herzog nicht zu stören, denn wie er ankündigte, wollte er Ricordati um den
Verzicht auf das Benefizium oder dessen Resignation bitten. Borghese sollte ihm hierbei helfen:
«Prego V.S.Ill.ma à rappresentare questo mio desiderio à Nostro Signore et à favorirmi in modo che
venga in effetto». Auf der Rückseite des Briefs vermerkte der Nepot: «Al Signore Perugino che ce
ne parliamo» (E 14,21; dors.22v). Der gleiche Vermerk von der Hand Borgheses, nun aber an
Feliciani gerichtet, findet sich auf der Bitte Virginio Orsinis (zu diesem vgl. Reinhard, Ämterlaufbahn, S.414) vom 7.September 1614 (E 55,127; dors.128v).

Post zierte indes allein der Schriftzug Francesco Cenninis, der im Unterschied zu seinen Vorgängern im Auditorenamt von Tonti bis Franceschini nicht nur zur Feder griff, wenn es der Kardinal befahl, sondern grundsätzlich für die Verweise auf den Schreiben an Borghese zuständig und damit das eigentliche Bindeglied zwischen dem Nepoten und dem Staatssekretariat war. Was Cennini als im wahrsten Sinne des Wortes rechte Hand seines Dienstherrn auf den Briefrückseiten vermerkte, bestimmte unverändert der Neffe des Papstes. Warum sonst hätte bei zahllosen Schreiben der *diversi* an Borghese die für den Estratto vorgesehene Ecke fehlen sollen? Schließlich sind diese Ausrisse als Hinweis auf eine später entfernte Inhaltsangabe des Auditors zu verstehen, und so dürfte Cennini den Großteil der Briefe einzelner zusammengefaßt, dem Nepoten vorgelegt und nach dessen Diktat mit der Antwortanweisung an den Chefsekretär versehen haben[325]. Unkommentiert an die Behörde überstellen konnte er hingegen Meldungen rein politischer Art, denn für Nachrichten über das Weltgeschehen, wie sie etwa der Wiener Erzbischof und spätere Kardinal Melchior Klesl regelmäßig nach Rom sandte, war das Staatssekretariat, nicht der Klientelchef zuständig. Erst wenn Klesl ein Benefizium für einen Bekannten wünschte oder gar den roten Hut für den langjährigen Nuntius am Kaiserhof erbat, wurde der Cardinale Padrone und mit ihm sein Auditor aktiv[326]. Folglich decken Cenninis Notizen das gesamte Spektrum ab, in

---

[325] Was es mit den Ausrissen auf sich hat und warum sie als Hinweise auf Estratti des Auditors zu deuten sind, wurde in Kap. II.2.b geschildert. Daß die Ausrisse bei den Schreiben der *diversi* weit häufiger auftreten als in der Korrespondenz Borgheses mit den Amtsträgern und daher schon beim ersten Blick in die entsprechenden Bände ins Auge fallen, ist kein Zufall, sondern ein weiteres Zeichen für die intensivere Bearbeitung der Briefe einzelner durch den Nepoten und seinen Stab, als sie den meist mit politischen Fragen befaßten Schreiben der Nuntien und Legaten zuteil geworden ist.

[326] Exemplarisch belegen läßt sich dies an den 19 Schreiben Klesls an Borghese aus dem Jahre 1616, die sich in E 16,3–45, finden. Von diesen 19 Briefen tragen fünf einen Vermerk Cenninis: Zwei Schreiben hat er ohne weiteren Kommentar an Feliciani überwiesen (38/39v; 40/41v), Klesls Empfehlung für ein Benefizium vom 18. Juli 1616 überstellte er «*A Monsignore Datario per la risposta*», der seinerseits vermerkte, Paul V. wolle wissen, woher der Empfohlene komme, und hinzufügte: «*In occasione di vacanza Sua Santità ne havrà consideratione*» (16; dors.17v), die erneute Empfehlung dieses offensichtlich noch nicht versorgten Bewerbers vom 24. Oktober 1616 versah Cennini mit dem an Feliciani gerichteten Vermerk «*Risposta in forma*» (34; dors.35v), und auf dem entsprechenden Schreiben Klesls vom Jahresende notierte der Auditor: «*Intorno alla persona di Monsignore di Melfi per il Cardinalato*» (44; dors.45v). Alle anderen Schreiben Klesls zeigen die für das Staatssekretariat (und nur für dieses) typischen Spuren der Bearbeitung: entweder nur den Einlaufvermerk der Behörde auf der Briefrückseite oder einen dort angeklebten Estrattozettel, der neben dem besagten Einlaufvermerk in einigen Fällen Bleistiftnotizen von der Hand des Chefsekretärs aufweist. Daß Cennini politisch relevante Schreiben von Absendern, die weniger auf diese Themen spezialisiert waren, zuweilen mit der Aufforderung an den Chefsekretär versah, die Nachrichten dem Papst vorzutragen, belegen einige Beispiele aus Borgheses Ferrareser Korrespondenz. So notierte der Auditor sowohl auf den *avvisi* Enzo Bentivoglios aus Bergamo vom 30. Oktober

dem sich die Aufträge des Nepoten und seiner Mitarbeiter an die politische Behörde vom Beginn des Borghese-Pontifikats bis zu seinem Ende bewegten. Dankesbriefe für Geschenke und *complimenti* bestellte er ebenso wie Empfehlungsschreiben und Absagen auf Bewerbungen[327], und immer wieder ließ er den Chefsekretär versichern, der Nepot werde die gewünschten *uffici* machen[328]. Zuweilen ist den Vermerken des Auditors zu entnehmen, wie Borghese seine Hilfsbereitschaft in die Tat umzusetzen gedachte: Mit dem Protektor des Ordens wolle er reden, hieß es in den Anweisungen, mit dem Datar, den Mitgliedern der zuständigen Kongregation oder dem Gouverneur der Stadt Rom[329]. Nicht minder häufig

---

1613 (E 53,117–120; dors.120v) als auch auf der Empfehlung des Kardinals Bevilacqua für eine Ratsstelle in Ferrara vom 23. Juli 1613 (E 14,182; dors.184v) «*Al Signore Perugino che la riferisca à Nostro Signore*». Mit Bentivoglios Bericht vom 14. Oktober 1615 über sein Entwässerungsprojekt im Norden der Provinz, das die benachbarten Venezianer mißtrauisch beäugten, schickte er Feliciani zu Paul V. (E 53,182; dors.184v). Daß sich Borghese für andere Aspekte der Bonifikation Bentivoglios dagegen um so mehr interessierte, wird noch zu schildern sein.

[327] Um zu illustrieren, in welcher Dichte die vielfältigen Vermerke Cenninis zu finden sind, werden in den folgenden Anm. ausschließlich Beispiele aus der Korrespondenz des Nepoten mit einer sehr kleinen Gruppe von Briefpartnern – den Ferraresen – genannt. Bereits ein Blick in Borgheses Briefwechsel mit dem wichtigsten Klienten der Papstfamilie in Ferrara, Enzo Bentivoglio, bietet eine Fülle von Belegen. So verwies Cennini das Begleitschreiben des Ferraresen vom 21. Mai 1614 zu einem dem Kardinal verehrten indischen Tierchen an Feliciani, «*che lo ringratii*», und fügte hinzu: «*per mercordi 4 corrente in ogni modo* (E 53,141; dors.142v). Bentivoglios Bitte vom 23. November 1613 um die Empfehlung eines Bekannten an den Legaten versah der Auditor mit dem Auftrag an Perugino, »*che scriva al Signore Cardinale Legato in raccomandatione … e ne dica una parola nella lettera del Signore Enzo d'haver scritto*« (ebd.,123; dors.124v). Auf Enzos Empfehlung für ein kirchliches Amt vom 22. November 1614 notierte Cennini: »*A Monsignore di Foligno. dispiace che quando ha ricevuta la sua l'uffitio di procuratore era già dato*« (ebd.,145; dors.146v).

[328] Auch hier reichen die Schreiben Enzos aus, um zahlreiche Beispiele zu finden. So notierte Cennini auf Bentivoglios Bitte vom 1. August 1613 um Hilfe für eine Ferrareser Marchesa: «*Al Signore Giovanni Battista Perugino. Farà quanto potrà per servitio della Signora Marchesa. nè vi è Dama che lo possa più muovere che esso Signore Enzo. per domani in ogni modo*» (E 53,107; dors.108v). Auf einem anderen Hilfegesuch des Ferraresen vom 10. Oktober 1613 vermerkte der Auditor, ebenfalls an Perugino gerichtet: «*Havrà per raccommandato questo negotio per suo amore*» (ebd.,115; dors.116v). Enzos Bitte in eigener Sache vom 30. Oktober 1613 verwies er mit den Worten an Perugino: «*Nel negotio di Lugo farà quel che potrà*» (ebd.,117–120; dors.120v), und Feliciani sollte laut dem Befehl des Auditors auf Enzos Bitte vom 22. April 1615 um Hilfe bei der Eintreibung verliehener Gelder in Parma antworten: «*Desidera farli ogni piacere … aiuterà i negotii dell'esattione*» (ebd.,170; dors.171v).

[329] «*Se n'è fatto l'uffitio col Signore Cardinale Verallo Protettore e se n'è havuta buona intentione*», lautete Cenninis Vermerk auf einem Schreiben nicht Enzo Bentivoglios, sondern seiner Mutter (FB I 693 694,282; dors.285v). Von Enzo selbst stammte hingegen der Brief vom 14. Dezember 1615, auf dem der Auditor notierte: «*A Monsignore di Foligno. S'è parlato con Monsignore Datario col quale il Fontana potrà far' trattare. e spera ne sia per riportar' ogni giusto piacere*» (E 53,191; dors.192v). Eine Bitte des Ferrareser Kardinals Bevilacqua vom 24. September 1615 verwies Cen-

berichteten Cenninis Zeilen von der Fürsprache des Kardinals bei seinem Onkel[330], aber daß Borghese tatsächlich vor dem Papst erschienen war, darf man den entsprechenden Meldungen wohl nicht immer glauben. Fürst Battori wenigstens hätte einer solchen Erklärung nicht trauen können, war die Bitte des Edelmannes vom Dezember 1612, der Nepot möge Paul V. sein Problem schildern, doch von Cennini zum Vortrag vor dem Pontifex an Perugino überwiesen worden. Den gleichen Weg ging das Hilfegesuch des Bischofs von Larino, der seinen fälligen *ad limina*-Besuch in Rom verschieben wollte, und so scheint es, als habe der Kardinal neben den politischen Meldungen auch einige Anliegen privater Natur der Sorge des Chefsekretärs überlassen[331]. Bei einer anderen Aufgabe half ihm hingegen sein Auditor. Er solle mit Monsignore Cennini über seine Wünsche reden, beschied Borghese einen Bittsteller aus Perugia, der 1616 in seiner Audienz erschienen war

---

nini an Feliciani: «*Tratterà volentieri in Congregatione la confirmatione della Concordia, e v'impiegherà ogni suo potere ... per servir S.S.Ill.ma*» (E 15,307; dors.308v), während Enzos Gesuch vom 13. Oktober 1612 um Terminaufschub in einer in Rom anhängigen Causa von Cennini verwiesen wurde an «*Signore Perugino. Monsignore Governatore prorogerà il termine*» (E 53,79; dors.80v). Wer im Auftrag Borgheses Amtsträger wie den Datar oder den Gouverneur von Rom aufsuchte und die angekündigten *uffici* erledigte, geben die Quellen nicht zu erkennen. Vermutlich war es Franceschinis Nachfolger als Sekretär der *Ambasciate*, Pasquale de Magistris, doch daß auch der neue Auditor wie einst Tonti im Namen des Nepoten Gespräche führte, belegt die Meldung des in Rom tätigen Agenten Alderano Belatti vom 17. Dezember 1616 an seinen Autraggeber Enzo Bentivoglio, Cennini habe auf Borgheses Weisung mit dem Kammerkommissar geredet und diesem ein Anliegen Enzos empfohlen (ABent.Corr. 11/88++,337r).

330 Auf einer Empfehlung des Kardinals Bevilacqua vom 24. September 1615 für eine Konsistorialadvokatenstelle in Rom vermerkte Cennini etwa: «*A Monsignore di Foligno. Ne farà ufficio con Nostro Signore perche S.S.Ill.ma resti servita*» (E 15,305; dors.306v), was er auf einer Empfehlung Enzo Bentivoglios vom 12. August 1615 für ein geistliches Amt fast wörtlich wiederholte (E 53,166; dors.167v). «*Hà dato conto à Nostro Signore del desiderio*», hielt Cennini auf dem Angebot Enzos vom 24. Mai 1613 fest, der sich angesichts der *rumori* in Italien 1613 den Truppen des Kirchenstaats zur Verfügung stellte (ebd.,101; dors.102v), und als den Bruder des Kardinals Pio ebenfalls der Wunsch nach einem Militäramt überkam, vermerkte Cennini auf dem entsprechenden Schreiben des Purpurträgers vom 15. Juni 1613: «*Hà riferito à Nostro Signore la presente*» (E 14,202; dors.203v).

331 Das Schreiben vom 30. November 1612, in dem der Principe Battori aus Prag über seine «*travagli*» berichtete, verwies Cennini an Perugino, «*che la riferisca à Nostro Signore*» (E 7,237; dors.238v). Dem Bischof von Larino erging es trotz seiner verwandtschaftlichen Beziehungen zu Mitgliedern der päpstlichen Familia nicht anders. Seine Bitte vom 23. Februar 1613 um einen weiteren Aufschub überstellte Cennini «*al Signore Giovanni Battista Perugino che riferisca questa lettera a Nostro Signore dicendo a Sua Santità che'l vescovo di Larino è fratello del signore Lucantonio nuovo Cameraro di Sua Beatitudine e che si supplica Sua Santità per nuova proroga per altri sei mesi*» (E 22,275). Selbst den Vorschlag des Kapitels von Loreto vom 10. Februar 1613 zur Besetzung des Bistums überstellte der Auditor mit der üblichen Aufforderung zum Vortrag vor dem Papst dem Chefsekretär (E 21,48; dors.49v). Die Reihe der Beispiele für Cenninis Verweise in dieser wie in den vorherigen Anm. ließe sich problemlos fortsetzen.

und nach dieser Abfertigung gewußt haben dürfte, daß die rechte Hand des Nepoten nicht nur bei der Bearbeitung schriftlicher Bitten mitwirkte[332]. Als Ansprechpartner für Fragen, die in den Zuständigkeitsbereich des Cardinale Padrone fielen, war Cennini aufmerksamen Beobachtern des kurialen Geschehens schon lange bekannt. Monsignore Roberti etwa hatte sich bereits im März 1613 an den Auditor gewandt, damit das befürchtete Nein des Papstes zu einer Bitte des Kardinals Doria in freundliche Worte gehüllt werde[333]. Cennini half gern: dem Vertreter des Kardinals, dessen Mißerfolg in der schriftlichen Absage an Doria kaum noch zu erkennen war, und dem Nepoten, der mit der Patronagekorrespondenz seit spätestens 1612 weit weniger Arbeit hatte als sein Auditor.

Für die in Rom tätigen Agenten war es zweifellos wichtig, die Rollenverteilung im Stab des Nepoten zu kennen, an den Grundzügen des Bildes, das die Dorsalnotizen auf der Post des Borghese-Pontifikats ergeben, ändert Cenninis Einfluß auf die Formulierung der Schreiben indes nichts. Ob der Auditor wie zu Beginn der Ära Tontis nur als Aushilfe zum Einsatz kam oder wie Cennini die gesamte Korrespondenz des Nepoten durchsah und weiterleitete, ob die Schreiben von Amtsträgern stammten oder von den *diversi* gleich welchen Ranges, ob die Absender ihre Post in Lissabon, Frascati oder Konstantinopel verfaßt hatten – die Funktion Borgheses und seiner Helfer und die zwischen ihnen und den Chefsekretären praktizierte Arbeitsteilung blieb stets die gleiche: Der Kardinalnepot war für die persönlichen Anliegen seiner Briefpartner zuständig, das Staatssekretariat für alle politisch relevanten Informationen.

c. Papstbriefe, Fürstenbreven, Nepotenschreiben: Paul V. und seine Post

Blättert man in den Bänden mit den Schreiben der *diversi* an Kardinal Borghese, fallen immer wieder Briefe ins Auge, die zwar bei der Nepotenkorrespondenz gelandet, nichtsdestotrotz aber an den Papst persönlich gerichtet sind. Daß die Antworten auf die an den Pontifex adressierte Post im Staatssekretariat erstellt

---

[332] Von diesem Erlebnis berichtete Gaspare Boncambi aus Perugia in einem bei Stader, S.213, Anm.151, zitierten Schreiben an Borghese vom 17.November 1617. Der Brief in FB IV 240 B,98, beginnt mit den Worten: «*Fu particolar gratia di V.S.Ill.ma et Rev.ma che le piacesse ordinarmi, che io facessi parola con Monsignore Cennini per l'offitialato della Piazza di Perugia mentre fui a Roma nel 1616 a farle debita riverenza et humilissimamente di questo ne la pregai*».

[333] Die Bitte des Kardinals Doria vom 18.März 1613 um eine Lizenz für seine Schwägerin, die ein Frauenkloster in Genua besuchen wollte, verwies Cennini zunächst an Perugino (E 14,71; dors.71v), fügte aber einen später wohl vom Chefsekretär an dem Schreiben befestigten Zettel mit folgender Notiz hinzu: «*Monsignore Ruberti che tratta il negotio mi dice che se Nostro Signore non vuol far' la gratia, desidera si risponda, che Sua Santità non la vuol concedere à veruno, mà che se si concederà, questa sarà la prima*» (ebd.,72).

wurden, legt bereits die Aufbewahrung dieser Schreiben in den Bänden der Behörde nahe, und tatsächlich tragen die Briefe an Paul V. neben dem typischen Einlaufvermerk der Sostituti zuweilen auch Verweise an die Chefsekretäre von Margotti bis Feliciani. Da jedoch ein Teil der päpstlichen Post an Kardinal Borghese überstellt wurde, während andere Schreiben dieser Art an einen bislang nicht erwähnten Mitarbeiter der politischen Behörde gingen, dürfte der nun folgende Blick auf den Weg der Briefe an Paul V. von ihrem Eintreffen in Rom bis zur Expedition der Antwort nicht nur den Nepoten in einer weiteren Rolle zeigen, sondern auch neue Befunde zur Tätigkeit des Staatssekretariats zutage fördern.

Wer die Post Pauls V. in Empfang nahm, war wohl jedem der an der Kurie tätigen Agenten und Botschafter bekannt. So wußte auch der Ferrareser Diplomat Annibale Manfredi, an wen er sich wenden mußte, als er im September 1612 zwei eilige Schreiben zu übergeben, mangels Audienzen aber nicht die dafür vorgesehene Gelegenheit hatte. Mit dem Brief an Borghese sei er zu Monsignore Cennini gegangen, berichtete der Vertreter der Stadt nach Ferrara, die für den Papst bestimmte Schrift habe er Monsignore Pavoni überreicht[334]. Kundige Postboten hätten sich ebenso entschieden, denn wie die Notizen auf den Rückseiten der Schreiben an Paul V. zeigen, kümmerte sich Pietro Pavoni aus Rimini kraft seines Amtes als *Segretario dei memoriali* sowohl um die Eingaben an den Regenten (*memoriali*) als auch um die formlosen Briefe an die Adresse des Pontifex[335]. Nicht anders als die Sostituti der politischen Behörde oder der Auditor des Nepoten versahen Pavoni und seine Mitarbeiter die Post zunächst mit Einlaufvermerken und kurzen

---

[334] Vgl. das Schreiben Manfredis vom 1. September 1612 an Enzo Bentivoglio in ABent.Corr. 10/67,25r.

[335] Pietro Pavoni aus Rimini hatte Camillo Borghese bereits vor der Wahl zum Papst gedient und wurde am 28. Mai 1605 zum Sekretär der Memoriali Pauls V. ernannt (vgl. Urb.lat. 1073,304v; Sec.Brev. 396,534). Daß Pavoni unter Beibehaltung des Sekretariats auch noch Maestro di Camera Pauls V. werden sollte, berichtete der Agent Landinelli am 29. Juni 1607 an seinen Herrn Enzo Bentivoglio nach Ferrara (vgl. ABent.Corr. 9/40,702r). Als Maestro di Camera ist Pavoni noch 1620 nachzuweisen (FB I 714,5v). Daß er die Stellung des Memoriali-Sekretärs bis zum Ende des Borghese-Pontifikats innehatte, legen sowohl seine Bitten um Stellungnahme nahe, mit denen er dem Präfekten mehrerer Kongregationen Kardinal Millino verschiedene Supliken zukommen ließ (FB I,2, Sammlung von *Ordini* oder *Biglietti di Palazzo* an Millino, 1608–1626), als auch seine Verweise auf den Schreiben an Paul V., die im folgenden genannt werden. Daß nicht nur der Kardinalnepot, sondern auch der Papst einen Sekretär für die Memoriali beschäftigte, liegt angesichts der großen Zahl der Eingaben an den Pontifex nahe. Wer unter Clemens VIII. als *«Secretario Nostro intimo et libellorum supplicum sive Memorialium Relatore»* fungierte, wie der Inhaber dieses Amtes in einem bei Jaschke, S. 136, zitierten Breve vom Juli 1592 genannt wurde, berichtet Jaitner, Hauptinstruktionen, Bd. 1, S. XLV. Zu den Memoriali-Sekretären Urbans VIII. vgl. Kraus, Staatssekretariat, S. 42. Daß es sich nicht nur um eine gelegentlich besetzte Position, sondern um ein fest etabliertes Amt handelt, belegen die bis 1897 reichenden Quellen des Fondo Memoriali im Vatikanischen Archiv, die allerdings erst 1636 einsetzen (vgl. Fink, Archiv, S. 80; Pásztor, Guida, S. 122–124), sowie die Erwähnung des Memoriali-Sekretariats als noch immer bestehende Einrichtung bei Bangen, S. 429 f.

Inhaltsangaben, die dem Sekretär den Vortrag und dem Papst die Lektüre der Schreiben erleichtern sollten[336]. Daß Paul V. alle Schriftstücke persönlich studierte, darf man bezweifeln, daß er sich manche von ihnen aushändigen ließ, belegen jedoch die Notizen des Papstes auf einem Teil der Dokumente[337]. Auf der großen Mehrheit der Memoriali und Briefe brachte indes Pavoni den *rescritto* genannten Verweis an die zuständigen Stellen an[338]. Dieser Rescritto richtete sich vorrangig

---

[336] Daß Pavoni die Memoriali allein bearbeitet hat, ist angesichts der Masse der Eingaben unwahrscheinlich, doch war über seine Mitarbeiter kaum mehr zu ermitteln als der Name seines Sekretärs, der den Avvisi zufolge im August 1612 ein Kanonikat an S.Maria in Cosmedin erhielt: Ottavio Placidi (vgl. Urb.lat. 1080,510r). Daß bereits der Sekretär der Memoriali oder seine Gehilfen die Post an den Papst mit Estratti versahen, legen die Ausrisse nahe, die die große Mehrheit der Schreiben an Paul V. aufzuweisen hat. Da dem zweiten Blatt der üblichen Doppelbögen in der Regel das gesamte obere Viertel fehlt, mußte Pavoni die Befehle des Pontifex neben der im zweiten Viertel angebrachten Adresse der Schreiben notieren. Die Sostituti des Staatssekretariats wichen mit dem behördlichen Einlaufvermerk nicht anders als bei den Schreiben an Borghese mit Ausriß (vgl. Kap. II.2.b) auf die Rückseite des ersten Blattes aus, die durch die Entfernung des Estratto erst sichtbar geworden war. Folglich muß Pavoni die Schreiben erhalten und bearbeitet haben, bevor sie an die politische Behörde gingen. Für das hier und im folgenden gezeichnete Bild von der Tätigkeit des *Segretario dei memoriali* sprechen im übrigen auch: Cenninis in Anm.238 zitierte Beteuerung gegenüber Feliciani, er habe die ihm irrtümlich zugestellten Schreiben, allen voran jene an den Papst, stets sofort an die zuständigen Stellen weitergeleitet; die Beobachtung, daß sich zahlreiche Verweise an verschiedene Personen aus der Feder Pavonis finden, aber kein einziges Schreiben an diesen überstellt wurde; der Vermerk Borgheses auf einem an ihn adressierten Schreiben des Kardinals Sauli vom 6.Juni 1607, das sich offensichtlich in die Post an Paul V. verirrt hatte und dem Nepoten daher *«dal Signore Pavonij»* (FB III 59 A,6; dors.13v) übergeben wurde; und schließlich der eindeutig von Pavoni persönlich angebrachte Estratto auf einem Brief an den Papst vom 24.April 1606, der sich in der üblicherweise, aber nicht in diesem Fall ausgerissenen obersten Spalte der Briefrückseite befindet (FB I 647,252; dors.256v).

[337] Autographen Pauls V. finden sich z.B. auf folgenden Schreiben an den Papst: auf dem Bericht des Kardinals Bevilacqua über seinen Bruder Luigi vom 1.April 1606 (FB I 647,144; dors.147v: *«Al Cardinale Borghese»*); auf der Meldung von Lorenzo Paolij vom 29.September 1607, er habe den fraglichen Brief dem Ordensgeneral gezeigt und dieser werde morgen dem Papst die von ihm entworfene Minute vorlegen (FB III 3 A,169; marg.: *«scriva al Padre Lorenzo...»*); auf einer Nachricht der Gemeinde Montegranaro vom 29.November 1607 (FB I 857,270; dors.275v); auf einem Schreiben des Duca di Lerma aus Madrid vom 8.März 1608 (FB III 41 B,266r; dors.267v: *«a Monsignore Lanfranco che ce ne parli»*).

[338] Wenigstens hat Caetano diese Bezeichnung für die Verweise auf der Post des Papstes gewählt, deren mögliche Formen er in seiner Schrift von 1623 aufzählt (vgl. Kraus, Denkschrift, S.111). Daß der Chefsekretär der politischen Behörde diese Vermerke anbrachte, wie Caetano, ebd., berichtet, trifft für das Pontifikat Pauls V. nicht zu, wohl aber für die Zeit Urbans VIII. mit Ausnahme der ersten Jahre. Daß der erste Sekretär der Memoriali Urbans VIII., der spätere Staatssekretär Ceva, «häufig auf der Rückseite der dem Papst vorgelegten Schreiben päpstliche Anweisungen für das Staatssekretariat übermittelte», dies aber unter seinen Nachfolgern nicht mehr vorgekommen sei, deutet Kraus, Staatssekretariat, S.42, als Hinweis auf die Ausnahmestellung Cevas beim Barberini-Papst. Gemessen an der Tätigkeit der Memoriali-Sekretäre Urbans VIII. nach Ceva muß auch Pietro Pavoni eine

nach dem Inhalt der Post. Sachfragen aus dem innerstaatlichen Verwaltungsalltag, die fast immer in Form eines Memoriale angesprochen wurden[339], überstellte Pavoni im Auftrag des Papstes an den Sekretär der Kongregation, in deren Ressort das erörterte Problem fiel, Benefizialangelegenheiten gingen nicht selten zur weiteren Prüfung an den Datar, und umstandslos gewährte Bitten um einen päpstlichen Gnadenakt konnten direkt an den mit der Ausfertigung der notwendigen Urkunde befaßten Sekretär für die Gratialbreven verwiesen werden[340]. Für alle anderen Schreiben von den obligatorischen *complimenti* aus aller Welt bis hin zu Nachrichten höchster politischer Brisanz war hingegen das Staatssekretariat zuständig. Allerdings genügte es keineswegs, die Post des Papstes an den Chefsekretär zu schicken, denn im Unterschied zu seinem Neffen, dessen Briefe stets die gleiche äußere Form hatten, standen dem Pontifex drei verschiedene Arten von Antwortschreiben zur Auswahl.

Die erste Möglichkeit kam nur selten in Betracht, war aber gerade deswegen um so aussagekräftiger. So wußte der Ferrareser Vizelegat Spinola zweifellos, welche Verantwortung auf ihm lastete, als er neben dem entsprechenden Schreiben Borgheses eine von Paul V. höchstpersönlich zu Papier gebrachte Ermahnung zur Vorsicht gegenüber den venezianischen Nachbarn erhielt, und auch die Vermittler in der Krise zwischen Rom und der Lagunenrepublik konnten an den Briefen von der Hand des Papstes erkennen, wie sehr diesem an einer Lösung des Konflikts gelegen war[341].

Sonderrolle gespielt haben, denn wie zu zeigen sein wird, gehörte es zu seinen täglichen Aufgaben, Schreiben an Paul V. mit Anweisungen für das Staatssekretariat zu versehen.

[339] Pásztor, Guida, S. 122, betont zu Recht, daß die Memoriali nicht nur an den Papst als weltlichem Regenten gerichtet waren, sondern auch kirchliche und religiöse Fragen behandeln konnten. Die Mehrheit der Eingaben, namentlich jene aus dem Kirchenstaat, betrafen jedoch weltliche Probleme.

[340] Belege für diese Rescritti werden in Kap. III folgen, das sich näher mit der Arbeit der genannten Einrichtungen befaßt.

[341] Zu den eigenhändigen Schreiben Pauls V. an Spinola vom Mai und August 1606, auf die Borghese den Legaten in seinem beiliegenden Schreiben ausdrücklich hingewiesen hat, vgl. Anm. 95. Die Briefe des Papstes wurden wenigstens für das Jahr 1607 in einem eigenen Register verzeichnet. Einen ersten Hinweis auf dieses Verzeichnis (und einen Beleg für die Begleitbriefe Borgheses zu den Autographen seines Onkels, s.u.) liefert die Notiz zu einem Schreiben des Nepoten an Kardinal Joyeuse vom 19. Mai 1607, in dem es heißt: «*le risponde così pienamente Nostro Signore con la lettera qui aggiunta*» (SS Ppi 156,92). Am Ende dieses Briefes steht der Vermerk: «*La lettera del Papa è registrata nel registro delle lettere scritte da Nostro Signore*» (ebd.,92v). Zu finden ist dieses mehrfach kopierte Register in SS Ppi 156,98–118v; FB I 927,122–140; SS Div 147,379–405; Pio 174,70–90; Barb.lat. 5952, S. 228–260 (erst ab 18. Juni 1607). Verzeichnet sind hier insgesamt 23 Handschreiben Pauls V. von Januar bis Dezember 1607, von denen sich die ersten sechs mit der Venedig-Krise befassen (an die Herzöge von Urbino, Savoyen (2), Mantua, an Kardinal Joyeuse, an den König von Frankreich). Die folgenden Briefe stammen aus den Monaten nach dem Kompromiß mit Venedig vom Mai 1607 und richten sich (sieht man vom Beichtvater des spanischen Königs ab, der die Post des Papstes allein seinem Einfluß verdankt haben dürfte) ausschließlich an Kardinäle,

Registriert wurden die Autographen[342] des Pontifex in den Verzeichnissen des Staatssekretariats, dessen Ressortleiter überdies die entsprechenden Minuten verfaßt haben dürften[343]. Oft standen sie nicht vor dieser Aufgabe, denn da die

---

gekrönte Häupter und italienische Regenten. Unter diesen Schreiben sind zwar auch einige *complimenti* zu finden, doch in der Regel scheint Paul V. nur in wichtigen (kirchen-)politischen Angelegenheiten selbst zur Feder gegriffen zu haben. So befassen sich vier Schreiben (alle nach Spanien) mit der «*opportunissima occasione, che Dio ci offerisce di fare imprese notabili per mare contro il Turco*» (zit. aus dem Brief an den spanischen König vom 5. Juli 1607 nach FB I 927,129r–130v), ebenfalls vier Schreiben beziehen sich auf die Bitten italienischer Fürsten um den roten Hut für ihre Söhne, ein Schreiben enthält die Aufforderung Pauls V. an den Herzog von Savoyen, die Behinderung der örtlichen Inquisition abzustellen, und in einem weiteren Brief verteidigte der Papst gegenüber Kardinal Farnese den grundsätzlichen Anspruch Roms auf die Besetzung der Benefizien in Parma.

[342] Es sei darauf hingewiesen, daß der Papst ein Schreiben keineswegs vollständig mit der eigenen Hand zu Papier bringen mußte, damit es von den Zeitgenossen zu den «*lettere scritte di pugno di Sua Santità*» (Barb.lat. 5952, S.228) gezählt wurde. Um diese Bezeichnung zu erlangen, genügte es, wenn der Pontifex lediglich die Kopfzeile, d. h. im Borghese-Pontifikat das «*Paulus PP. V.*» persönlich notierte. Dies belegt z. B. das Register mit dem oben zitierten Vermerk, in dem Briefe des Papstes von 1607 verzeichnet sind (Barb.lat. 5952, S.228–260 sowie zahlreiche Kopien (vgl. die vorherige Anm.), u. a. im Band FB I 927,122–140, nach dem hier zitiert wird), die im Original entweder komplett die Handschrift Pauls V. oder eben nur die Kopfzeile aus der Feder des Papstes aufweisen. So hat Paul V. die Briefe an den Herzog von Savoyen aus diesem Register z. T. vollständig selbst geschrieben (z. B. die Aufforderung an den Herzog vom 4. August 1607, die Behinderung des Inquisitors in Turin endlich abzustellen, reg. in FB I 927,131r–132v, das Original in Archivio di Stato Torino (AST) Materie Ecclesiastiche, cat. 9 = Inquisizione, mazzo 1, nicht foliiert), z. T. aber nur mit «*Paulus PP. V.*» versehen und den Text einem Schreiber überlassen (z. B. die beiden Venedig betreffenden Briefe nach Turin vom 27. Januar und 18. März 1607 in FB I 927,122vf. und 124r, die Originale in AST Corti, Estere, Venezia, mazzo 1 (da ordinare), nicht foliiert). Für diese Hinweise habe ich Tobias Mörschel zu danken, der die Originale in Turin bearbeitet und mich auf diese unterschiedlichen Gestaltungsmöglichkeiten hingewiesen hat. Daß beide Formen der Papstbriefe sogar von den Mitarbeitern des Staatssekretariats als «von der Hand Seiner Heiligkeit» bezeichnet wurden, belegt die Denkschrift des Sekretärs Caetano, der im Zusammenhang mit den «*lettere, ch'l Papa scrive di sua mano*» ausführlich darlegt, wie ein Sekretär (!) solche vom Pontifex nur mit der Kopfzeile zu versehenden Briefe zu gestalten hatte (vgl. Kraus, Denkschrift, S. 112 f.). Daher erscheint es zulässig, ohne Rücksicht auf den ohnehin nur anhand der ausgelaufenen Originale und damit der Empfängerüberlieferung feststellbaren unterschiedlichen Anteil der päpstlichen Handschrift alle Briefe mit dem Schriftzug Pauls V. als päpstliche Handschreiben zu bezeichnen, ob er nun den ganzen Text selbst zu Papier gebracht hatte oder nur die Kopfzeile.

[343] Laut Caetano oblag dem Chefsekretär «*il fare le minute de' lettere, ch'l Papa scrive di sua mano*» (zit. nach Kraus, Denkschrift, S. 112). Ob dies für die Handschreiben Pauls V. von 1607 (zu deren Registrierung in den Bänden der Behörde vgl. Anm. 341) gilt, konnte ich nicht klären. Für die seltenen Schreiben Pauls V. aus späterer Zeit dürfte dies zutreffen, wurden sie doch in den üblicherweise anhand der Minuten der Behörde erstellten Registern *a diversi* verzeichnet. Zu erkennen sind sie dort an dem Zusatz «*per Nostro Signore*» und dem Pluralis majestatis, vgl. z. B. die Briefe Pauls V. an den Conte di Lemos vom 5. Juni 1616 in SS Part 152,184v (auf dessen Kredenz für einen Vertreter), an den Kardinal von Savoyen vom 30. Oktober 1616, ebd.,219r/v (Kredenz für Kardinal

päpstlichen Handschreiben mit dem Privatsiegel des Regenten[344] nur in politischen Angelegenheiten von besonderer Bedeutung ergingen[345], wurden die meisten Briefe an Paul V. auf anderen Wegen beantwortet. Schließlich enthielt ein nicht geringer Teil dieser Post kaum mehr als die üblichen Wünsche zu Weihnachten und Ostern, Gratulationen zur jüngsten Kardinalspromotion oder Nachrichten über Reisepläne, Eheschließungen und Todesfälle[346]. Stammten diese *complimenti* von Mitgliedern des europäischen Hochadels oder von den kardinalizischen Fürsten der Kirche[347], trat ein Sekretär in Aktion, der zwar dem Staatssekretariat im weiteren Sinne angehörte, aber nur für Fälle dieser Art zuständig war und daher eine Sonderrolle innerhalb der politischen Behörde bekleidete: der *Segretario dei Brevi ai Principi*. Um den Mißverständnissen vorzubeugen, zu denen dieser Titel einlädt, sei zweierlei betont. Zum einen sind die Breven an die Fürsten aus dem Ressort dieses Sekretärs trotz ihrer formalen Ähnlichkeit mit den Gratialbreven nicht mit diesen zu verwechseln, denn während die Dokumente aus der Segreteria dei Brevi Gnadenakte des Papstes rechtskräftig machten, waren die lateinischen Fürstenbreven im Blick auf ihren Inhalt nicht mehr als eine feierliche Form des schlichten Briefs[348]. Zum anderen sollte die Nennung der Fürsten als Adressaten solcher Schreiben nicht zu der von Semmler und Samerski vertretenen Annahme verleiten, der Segretario dei Brevi ai Principi sei für die gesamte Korrespondenz der Kurie

---

Ludovisi und den Turiner Nuntius für Verhandlungen in außenpolitischen Angelegenheiten) oder an den König von Spanien vom 20. Dezember 1616 in SS Ppi 162,525vf. (über die *«presenti moti d'arme di Italia»*). Semmler, Staatssekretariat, S. 48, Anm. 8, nennt mit FB II 73 zwar einen «Band meist undatierter Handschreiben und Minuten von der Hand Pauls V.», geht aber nicht näher auf erstere ein. Daß die eigenhändigen Schreiben Urbans VIII. im Staatssekretariat entworfen wurden, berichtet Kraus, Staatssekretariat, S. 180, Anm. 118.

[344] Caetano beschreibt das Siegel unter den päpstlichen Autographen als *«piccolo d'acciaio coll'arme del Papa, ne è l'anulo Piscatorio»* (zit. nach Kraus, Denkschrift, S. 113). Dies unterscheidet sie deutlich von den Fürstenbreven, die laut Lunadoro, S. 13, *«sigillati col detto Anello»* wurden (d. h. mit dem zuvor erwähnten *«Anello del Pescatore»*; dies bestätigt Francois-Charles Uginet, Secrétairerie des Brefs aux Princes, in: Philippe Levillain (Hg.), Dictionnaire historique de la papauté, Paris 1994, S. 1558 f., hier: S. 1559), mit denen sie Kraus, Denkschrift, S. 113, Anm. 70, seinen eigenen Ausführungen über die päpstlichen Handschreiben Urbans VIII. zum Trotz (vgl. ders., Staatssekretariat, S. 180) gleichzusetzen scheint.

[345] Dies legen wenigstens die genannten Belege aus dem Borghese-Pontifikat sowie die Ausführungen Caetanos von 1623 nahe, dem zufolge der Papst nur *«in occorrenze gravi, et urgenti»* (zit. nach Kraus, Denkschrift, S. 112) Briefe eigenhändig zu Papier brachte.

[346] Belege werden im Zusammenhang mit den Dorsalnotizen auf diesen Schreiben folgen.

[347] Dies war die Regel, kamen doch nur wenige Zeitgenossen Pauls V. außerhalb dieses Kreises auf die Idee, dem Papst frohe Ostern zu wünschen oder den Tod der Schwiegermutter anzuzeigen.

[348] Zu den Gratialbreven aus der Segreteria dei Brevi und der Segreteria Apostolica sowie zu deren unterschiedlichen Zuständigkeitsbereichen vgl. Kap. I.1. Ebd. wurde bereits auf die gemeinsame Wurzel des Brevensekretariats und des Sekretariats für die Fürstenbreven hingewiesen.

mit dem Hochadel Europas zuständig gewesen[349]. Daß dem mitnichten so war, belegt bereits die Wortwahl Caetanos in seinem Bericht über die Arbeit der Behörde, der er selbst lange Jahre angehört hatte. Den Chefsekretär, der die in Briefform geführte Korrespondenz mit den Fürsten betreute, bezeichnete er als «*Segretario di stato et de lettere de' Principi*»[350], den Sekretär für die Breven, mit denen der Papst zwar auch gekrönte Häupter zum Kampf für die Sache des Glaubens aufrief, in der Regel aber lediglich auf die Höflichkeitsbekundungen der Regenten, Fürsten

---

[349] Daß dieses Amt in der Literatur zuweilen als Sekretariat für die Fürstenbriefe verstanden wird, das sich um sämtliche Schreiben dieser Absender zu kümmern hatte, dürfte auf die in den Quellen zwar gebräuchliche, aber äußerst mißverständliche Formulierung Segretario dei Brevi *dei* Principi zurückzuführen sein (vgl. z. B. Hammermayer, S. 190, Semmler, Beiträge, S. 49). Nimmt man diesen Titel wörtlich, könnte man sich folgender Deutung anschließen: Laut Semmler, Staatssekretariat, S. 96, wurde in dem von ihm in Anschluß an Caetano als *Segretaria de complimenti* bezeichneten Sekretariat für die Fürstenbreven «der politische Schriftverkehr mit den ausländischen Regierungen, den abendländischen Fürsten, erledigt, der die Korrespondenz mit den Nuntien und Legaten ergänzte». Aufgrund dieser m. E. falschen Zuschreibung entsteht für ihn «das eigenartige Bild, daß der offiziell mit diesem Amt betraute Sekretär gerade am wenigsten an der behördlichen Bearbeitung der betreffenden Schreiben beteiligt war. Diese Aufgabe wurde – wenigstens unter Paul V. – von den Schreibern des Staatssekretariats miterledigt, wobei dieselbe Scheidung in »Ressorts« auftritt», die Semmler anhand der übrigen Korrespondenz erarbeitet hat (ebd., S. 97). Samerski, Provinzprinzip, S. 81 f., übernimmt diesen Befund Semmlers und erklärt ihn zu einem weiteren Sieg des Provinzprinzips. Sollte der Segretario dei Brevi ai Principi, den Semmler und Samerski in ihren Ausführungen zweifellos im Blick haben, gemäß seiner Bezeichnung in den Ernennungsbreven Urbans VIII. nur als «*secretarius noster domesticus litterarum in forma Brevis quae Principibus scribuntur*» (zit. nach Kraus, Staatssekretariat, S. 169, Anm. 1) gedient haben, wäre er ausschließlich für die Breven an die Fürsten zuständig gewesen, mit denen ein Teil ihrer Schreiben an den Papst beantwortet wurde, nicht aber für die parallel geführte Briefkorrespondenz des Nepoten mit den *Principi* (vgl. auch die folgende Anm.). Da ich dies auch für die Zeit Pauls V. für die zutreffende Deutung halte, erscheint mir das Bild weder eigenartig noch ein Beleg für ein «Ausgreifen des Provinzprinzips in den Geschäftsbereich der »segretaria de' complimenti«» (Samerski, Provinzprinzip, S. 82) zu sein, denn wo sonst als in dem für die jeweiligen Gebiete zuständigen Ressort der politischen Behörde hätte die in Briefform geführte Nepotenkorrespondenz mit den Fürsten bearbeiten werden sollen?

[350] Zit. nach Kraus, Denkschrift, S. 109. In einer anderen Quelle heißt es über Perugino, er sei *ad literas Principum similiter cum D. Feliciano deputatus*» (FB II 379,271v). Semmler, Staatssekretariat, S. 38, Anm. 1, erwähnt zwar selbst, daß «die Fürstenschreiben teils an den Kardinal, teils an den Papst» gerichtet waren, läßt dies bei der Deutung der aktenkundlichen Befunde aber unberücksichtigt. Daher kann er sich nicht erklären, warum sowohl die Dorsalnotizen auf den eingelaufenen Originalschreiben (vgl. die Liste derselben ebd., S. 24 f., sowie die Erläuterungen auf S. 102 f.) als auch die Minuten (vgl. ebd., S. 32, S. 101 f; zu ergänzen ist der Band SS Ppi 184 mit Entwürfen aus den Jahren 1609 bis 1613 für Borgheses Fürstenbriefe aus dem Ressort Felicianis) fast ausschließlich von der Hand des jeweiligen Chefsekretärs stammen, während der Sekretär für die Breven an die Fürsten kaum Spuren hinterlassen hat. Bei genauerem Hinsehen müßte sich m. E. zeigen, daß der Sekretär für die Brevi ai Principi, die im Namen des Papstes ergingen und allein von diesem erlassen werden konnten, nur Schreiben beantwortet hat, die an Paul V. gerichtet waren und von diesem mit einem Breve bedacht wurden. Die an Borghese adressierten Briefe der Fürsten sowie deren Post an den

und Kardinäle antwortete, versah er hingegen mit dem treffenden Titel eines «*Secretario de complimenti*»[351]. Dieses Amt sei angesehen, doch keine Vertrauensstellung, heißt es in Caetanos Schrift, und in der Tat dürfte Paul V. von seinen Sekretären für die Fürstenbreven eher sprachliche Leistungen als politisches Geschick erwartet haben[352]. So mußten weder der bis 1618 in dieser Position anzutreffende Pietro Strozzi aus Florenz noch sein Nachfolger Gaspare Pallonio[353] entscheiden,

---

Papst, die nicht mit einem Breve beantwortet wurde, dürfte dagegen jenen weit größeren Teil der Quellen ausmachen, der den Handschriften zufolge vom üblichen Personal der Behörde bearbeitet worden ist. Im übrigen wäre damit auch geklärt, wie Cenninis Vermerke auf einige Briefe der Fürsten gelangten (vgl. ebd., S. 103).

[351] Caetano schreibt über die beiden für Gratial- bzw. Fürstenbreven zuständigen Sekretäre: «*Uno de quali è quello de complimenti, et in quella Segretaria si risponde all'Imperatore, alli Rè, Cardinali, Duchi, et altri Principi, che scrivono al Papa, ò in congratulatione, ò in raccomandare le cose della Religione, ò gli Ecclesiastici del Regno, òvero in condoglienza de morti di Principi ò d'altro. ... L'altro Secretario de' Brevi è quello ch'essercita hoggi il Signore Cardinale di S.Susanna, il quale non s'ingerisce in detto carico, se non in caso d'infermità, et in quindic'anni ch'io hò servito, non hò visto mai, che'l Segretario sudetto, ch'è hoggi il Signore Ciampoli, s'ingerisca nel carico di S.Susanna.*» (Zit. nach Kraus, Denkschrift, S. 107 f.). Später scheinen die Grenzen zwischen den beiden Brevensekretariaten jedoch etwas verwischt worden zu sein, denn wie Kraus, Staatssekretariat, S. 183, berichtet, findet sich ein Minutenband des Sekretärs für die Gratialbreven, der «eine ganze Reihe von Breven, die man eher bei Ciampoli suchen würde, darunter auch Brevia Adhortatoria für die Fürsten der Liga», enthält. Der Bestand des Sekretariats für die Fürstenbreven ist für die meisten Pontifikate des 16. und 17. Jahrhunderts nicht allein im einschlägigen Fondo Epistulae ad Principes zu suchen, sondern auch in den Armarien XLIV und XLV (vgl. Pásztor, Guida, S. 121, sowie 18 f.) und in anderen Beständen. Dies gilt auch für die Zeit Pauls V., für dessen Fürstenbreven folgende Registerbände vorhanden sind: Ep. ad Princ. 32–34, 245–247; Arm. XLV 1–14; Confal. 23+24, Fondo Rospigliosi 1174–1179, 1260, 1270, 1272 (wobei sich in diesen Bänden stets auch Dokumente aus anderen Pontifikaten finden). Sollte die von Luigi Nanni betreute Herausgabe von Regesten für die Fürstenbriefe fortgesetzt werden, dürfte demnächst der Band für das Borghese-Pontifikat vorliegen. Bisher erschienen sind drei Bände, die die Zeit von Leo X. bis zum Tod Clemens' VIII. abdecken (vgl. die näheren Angaben im Literaturverzeichnis).

[352] «*E carico di molta stima, mà non già di molta confidenza.*» (Zit. nach Kraus, Denkschrift, S. 108). Zu den Sekretären für die Fürstenbreven im Borghese-Pontifikat vgl. die folgende Anm. Auch Urban VIII. besetzte des Amt des Sekretärs, «dessen Schreiben die uralte kuriale Tradition vollendeter Stilkunst fortführten» (ders., Staatssekretariat, S. 170), mit einer ganzen Reihe bekannter Dichter und Gelehrter, vgl. ebd., S. 171–176.

[353] Zu Strozzi, dessen Name laut Kraus, Denkschrift, S. 108, Anm. 55, «in der italienischen Literatur ... nicht unbekannt» ist, vgl. ebd., sowie Semmler, Staatssekretariat, S. 96 f., 121 f. Zu Pallonio oder Palone, über den hingegen fast nichts bekannt ist, vgl. ebd., S. 97, sowie Kraus, Denkschrift, S. 108, Anm. 56. Auch Caetano nennt die Namen der beiden unter Paul V. tätigen Sekretäre für die Fürstenbreven (vgl. ebd., S. 108), was im übrigen belegt, daß er mit dem *Secretario de complimenti* tatsächlich den Sekretär für die Fürstenbreven meint. Lunadoro, der seinen Bericht über die *Corte di Roma* laut Kraus, Denkschrift, S. 103, Anm. 38, zwischen 1611 und 1616 verfaßt hat, erwähnt auf S. 13 nur den zu dieser Zeit tätigen Sekretär, «*essercitando hoggi questa carica il Signor Pietro della nobilissima famiglia de gli Strozzi, persona insigne sì per nascita, come per litteratura*».

ob die Briefe der *Principi* mit einem Breve zu beantworten waren oder nicht, denn wenn der Papst eine Entgegnung in feierlicher Form für angebracht hielt, ließ er seinen Segretario dei memoriali einen entsprechenden Vermerk auf der eingegangenen Post anbringen. Zuweilen überstellte Pavoni solche Schreiben direkt an den Sekretär für die Fürstenbreven, und in seltenen Fällen ordnete er diesem sogar an, die gewünschte Replik mit dem Pontifex zu besprechen[354]. Weit häufiger zu finden ist jedoch die Aufforderung Pavonis an den zuständigen Ressortleiter der Behörde, er möge den Brief mit einem Breve beantworten lassen[355]. Diese Zwischenschaltung des Chefsekretärs zerstreut zwar jeden Zweifel an der untergeordneten Stellung des Segretario dei complimenti in der politischen Behörde, entsprang aber wohl weniger dem Bedürfnis nach einer klaren Hierarchie als vielmehr praktischen Erwägungen. Schließlich traf mit den Schreiben an Paul V. gemeinhin ein Brief

---

[354] Pavoni vermerkte z. B. auf den Weihnachtswünschen des Kardinals Doria an Paul V. vom 13. Dezember 1613: «*Allo Strozzi che gli si risponda*» (E 14,88; dors.89v). Das an den Papst adressierte lateinische Schreiben der Republik Genua vom 16. März 1606 verwies er ebenfalls an Strozzi, «*che ne parli à Nostro Signore quanto prima*» (FB I 647,38; dors.43v), was im übrigen darauf hinweist, daß unter den Empfängern der *Brevi ai Principi* auch Städte sein konnten. Laut Caetano hatte der *Secretario de complimenti* nur «*alle volte audienza dal Papa*» (zit. nach Kraus, Denkschrift, S. 108).

[355] «*A Monsignore Lanfranco che se li faccia rispondere con un breve*», verwies Pavoni z. B. die Mitteilung des Don Carlo Gesualdo Principe di Venosa vom 22. September 1607 an Paul V., sein Sohn Emanuelle habe die Contessa Donna Marta Polizena von Fürstenberg geehelicht (FB III 3 A,160; dors.165v). Wörtlich gleiche oder ähnliche Vermerke Pavonis an Lanfranco finden sich auf dem Brief des Kardinals Farnese vom 26. September 1607, in dem er den Papst über seine Reisepläne informierte und um dessen Segen bat (ebd.,168; dors.175v); auf einem Schreiben des Kardinals von Lothringen an Paul V. vom 4. Juni 1607 (FB III 59 A,107; dors.108v, hier folgt eine Anweisung Pavonis für den Inhalt des Breves); auf einem Brief des Kardinals Dietrichstein vom 7. April 1611 (E 13,44; dors.45v; ebd. findet sich ein später angebrachter Vermerk, der auf eine hohe Arbeitsbelastung des Sekretärs für die Fürstenbreven schließen läßt: «*Data i XXV d'Aprile 1611. Risposta per breve i 30 detto*»). Perugino verwies einige Schreiben selbst an Strozzi, so die Gratulationen zur Kardinalspromotion vom August 1611 von den Kardinälen Spinelli und Lante (E 13, 99; dors.100v bzw. 238; dors.240v); das Schreiben vom 14. September 1613, das der Botschafter des soeben zum Herzog von Mantua aufgestiegenen Kardinals Gonzaga bei Paul V. abgeben sollte (E 14,28; Estrattozettel 30), sowie die Kredenz des gleichen Absenders für seinen neuen Vertreter in Rom vom 14. Oktober 1613 (ebd.,46; dors.47v). Da allerdings auch diese Schreiben zunächst von Pavoni «*al Secretario Perugino*» (z. B. E 14,29v) überstellt oder von diesem mit Paul V. besprochen worden waren (was etwa Peruginos Anweisung an Strozzi auf E 13,100v belegt: «*Dice Nostro Signore che si risponda amorevolmente a tutto*»), dürfte der Ressortleiter die Breven nicht eigenmächtig in Auftrag gegeben haben. Einem Verweis Pavonis an Feliciani, «*che si risponda per breve*», fügte der angesprochene Chefsekretär hinzu: «*Al Signor Strozzi che risponda*» (FB III 42 AC,357v). Daß Strozzi offensichtlich nicht eigens mitgeteilt werden mußte, welcher Art das von ihm erwartete Dokument sein sollte, ist im übrigen ein weiterer Beleg für die Annahme, der Sekretär für die Fürstenbreven sei ausschließlich für selbige zuständig gewesen.

gleichen Inhalts an seinen Neffen ein[356], und da die Entgegnungen der beiden Borghese aufeinander abgestimmt sein wollten, empfahl es sich, den mit den Antworten im Namen des Kardinals befaßten Chefsekretär auch an der Erstellung der päpstlichen Breven zu beteiligen[357]. Die Mitarbeit des Nepoten war hingegen nicht gefragt: weder bei den Breven, die vom Segretario dei complimenti unterzeichnet und dem Papstneffen wohl gar nicht erst vorgelegt wurden[358], noch bei den Begleitschreiben des Kardinals, denen beim Austausch von Höflichkeiten lediglich ein Hinweis auf das beiliegende Dokument, bei Breven von politischer Bedeutung aber der Hintergrund der päpstlichen Entscheidung zu entnehmen war[359]. Um

---

[356] Im Blick auf die Korrespondenz der Kurie mit geistlichen und weltlichen Fürsten, aber auch mit Privatpersonen, schreibt Reinhard, Albergati, Bd. 1, S.XLI, «daß in den meisten Fällen aus Deutschland parallele Schreiben unter demselben Datum und mit demselben Inhalt an den Papst und an den Kardinalnepoten Borghese gerichtet wurden». Der Einlauf dieser Korrespondenz verteilt sich laut ebd. auf SS Lettere, Fondo Borghese, Fondo Barberini, Fondo Boncompagni-Ludovisi. Die Reste des römischen Auslaufs für Deutschland sind laut ebd., Anm. 137 und 138, zu finden in Arm. XLV 6–10 und Ep. ad Princ. 246–247 (Register für die Fürstenbreven Pauls V.) sowie in Arm. XLV 16 (Minuten für die Antworten Borgheses von 1609 bis 1614). Daß diese Parallelkorrespondenz allgemein üblich war, wird in den folgenden Anm. zu belegen und in den Kap. III und IV am Beispiel der Schreiben der Stadt Ferrara an Paul V. und Kardinal Borghese zu vertiefen sein. Hingewiesen sei an dieser Stelle auf die zuweilen und bevorzugt beim Austausch von Höflichkeiten auftretende Verdreifachung der Korrespondenz, die auf die Gewohnheit einiger Fürsten zurückging, dem Principe di Sulmona, Marcantonio Borghese, ein weiteres Parallelschreiben zu schicken (vgl. z. B. die Schreiben an Paul V., Kardinal Borghese und Marcantonio vom Großherzog der Toskana in E 11: 125, 127, 129, der dortigen Großherzogin in ebd.,72–74, oder des Kardinals Medici in E 15,323 ff.). Infolgedessen mußte auch für Marcantonio ein Antwortschreiben erstellt werden, und da diese Aufgabe ebenfalls dem Staatssekretariat übertragen wurde, finden sich in dessen Registri a diversi auch einige Schreiben im Namen des Principe di Sulmona (vgl. z. B. dessen Glückwunsch vom 31. August 1613 zur Vermählung einer Orsini in FB I 943,122–124, oder seinen Dank vom 19. April 1614 an Ludwig XIII. und Maria de' Medici für die von einem Botschafter überbrachten Briefe in Ang. 1228,188).

[357] Daß die Chefsekretäre die mit Breve zu beantwortenden Briefe nicht immer nur weiterreichten, sondern zuweilen auch den Text der Dokumente konzipierten und vom Sekretär für die Fürstenbreven nur noch in gepflegtes Latein übersetzen ließen, war laut Pásztor, Guida, S. 120, und Uginet, Secrétairerie des Brefs aux Princes, S. 1558 f., üblich.

[358] Laut Lunadoro, S. 13, wurden die Breven an die Fürsten vom Sekretär gleichen Titels, der bei ihm zwar als «Segretario de Brevi Segreti» bezeichnet wird, durch die Nennung Strozzis als aktuellem Amtsinhaber aber als Sekretär für die Fürstenbreven zu identifizieren ist, «sigillati ... collationati con le minute, e poi di suo pugno sottoscritti». Dies bestätigt auch Uginet, Secrétairerie des Brefs aux Princes, S. 1559.

[359] Nach Lunadoros Bericht über das Sekretariat für die Fürstenbreven wurde jedes «di questi Brevi del Papa ... accompagnato con una lettera del Signor Cardinale Nipote» (ebd., S. 13 f.). Wie unterschiedlich diese Begleitschreiben ausfallen konnten, verdeutlicht einerseits der Brief Borgheses an Kardinal Pio vom 10. Mai 1608, der sich auf dessen dem Papst mitgeteilte Ankunft in Ferrara bezog und kaum mehr enthielt als folgende Nachricht: «Il Breve qui aggiunto è la risposta che Nostro Signore fà alla lettera di V.S.Ill.ma» (FB II 434,31v). Am anderen Ende des Spektrums anzusiedeln

Formalia der ersten Art mußte sich der Kardinal nicht kümmern, brisante Schreiben der zweiten Art hatte er dem Chefsekretär der politischen Behörde zu überlassen, und so beschränkten sich Borgheses Aktivitäten in Sachen Fürstenbreven auf die gelegentliche Notiz, die für ihn zu schreibende Antwort sei gemäß der päpstlichen Entgegnung zu gestalten[360]. Daß selbst die Breven, mit denen der Papst zuweilen Amtsträger oder Untertanen an auswärtige Fürsten empfahl[361], ohne

---

ist hingegen das Schreiben Borgheses vom 24. November 1607 an Antonio Caetano, den Nuntius beim Kaiser. Vorausgegangen waren diesem Brief der Auftrag des Papstes vom 6. Oktober 1607 an seinen Nuntius, am bevorstehenden Reichstag in Regensburg teilzunehmen, sowie einige Adhortationsbreven Pauls V. vom gleichen Tage. Die Ermahnungen das Papstes an die katholischen Fürsten des Reiches, den häretischen Reichstagsteilnehmern und ihren Forderungen gegenüber hart zu bleiben, hatten jedoch den Kaiser, der sich von der Versammlung eher Geldhilfen als den Kampf um den wahren Glauben erhoffte, dazu bewogen, den Papst um den Verzicht auf die Entsendung seines Nuntius zu ersuchen. Paul V. lenkte ein und ließ am 24. November 1607 sowohl dem Kaiser in einem Breve als auch dem Nuntius in einem Brief Borgheses mitteilen, daß Caetano nicht zugegen sein werde. Von den Beweggründen des Pontifex, dem für seine Entscheidung wohl maßgeblichen Versprechen des Kaisers, auf dem Reichstag keine Religionsfragen zu behandeln, sowie vom Auftrag an Caetano, seinen Auditor oder einen anderen Informanten zu der Versammlung zu schicken, ist indes allein im Schreiben des Nepoten die Rede. Somit ist der in einem Band des Staatssekretariats (SS Germ 16) verzeichnete und zweifellos dort entworfene Brief Borgheses (zit. bei Anton Pieper, Der Augustiner Felice Milensio als päpstlicher Berichterstatter am Regensburger Reichstag des Jahres 1608, in: RQS 5 (1891), S. 54–61 und 151–158, hier: S. 59, Anm. 2; ebd., S. 58 f. die Vorgeschichte) ein schönes Beispiel für die Beobachtung Wolfgang Reinhards, daß «neben die steifen und häufig fast inhaltsleeren Fürstenbreven ... in der Regel ein paralleles Schreiben des Nepoten (trat), das als eigentlicher Mitteilungsträger nicht als dessen persönliche Meinungsäußerung mißverstanden werden darf» (Reinhard, Nepotismus, S. 174). Weitere Begleitschreiben Borgheses zu den Breven seines Onkels finden sich in zahlreichen Registern des Staatssekretariats (nicht, wie Reinhard, ebd., Anm. 165, annimmt, des Privatsekretariats des Nepoten), so z. B. in FB I 929,556; FB I 938,127v (an den Mailänder Senat, was die Städte abermals in den Kreis der Empfänger eines Fürstenbreves einreiht); Ang. 1228,224; FB II 403: 192v, 229.

[360] Auf dem an ihn gerichteten Schreiben des Erzherzogs Leopold vom 12. November 1609 vermerkte Borghese: «*si può rispondere conforme alla risposta di Sua Santità*» (E 7,31; dors.32v). Sollte das Schreiben des Erzherzogs an den Papst überhaupt mit einem Breve beantwortet worden sein, was ich nicht zu sagen vermag, handelt es sich hier um eine der äußerst seltenen Notizen des Nepoten und seines Stabes, die sich mit den Breven des Pontifex in Verbindung bringen lassen.

[361] In der Regel handelte es sich bei den mit Breve Empfohlenen entweder um Bewohner des Kirchenstaates, die in den Truppen der katholischen Mächte dienen wollten (vgl. die folgende Anm.), oder um Amtsträger des Apostolischen Stuhls. Unter den Breven für letztere dominieren jene Dokumente, in denen der Papst den Regenten Europas die Ernennung eines neuen Nuntius mitteilte und diesen ihrer Protektion empfahl. Daß sich Borghese in seiner Eigenschaft als Klientelchef für diese «amtlichen» Empfehlungsbreven interessiert hat, darf man wohl ebenso bezweifeln wie seine Mitarbeit an den entsprechenden Begleitschreiben, in denen lediglich der Name des neuen Nuntius genannt und der Inhalt des beiliegenden Breve wiederholt wurde. So hieß es in Borgheses Briefen an die Infantin Isabella und Erzherzog Albrecht vom 8. Juli 1606 nach der Nachricht von der Ernennung des Monsignore Carafa zum neuen Vertreter Roms in den Spanischen Niederlanden: «*Dal breve si*

großes Zutun des Cardinale Padrone zustande gekommen sein dürften[362], rundet das Bild ab: In den Breven sprach der Papst, nicht sein Neffe, sowohl in formaler Hinsicht als auch im Blick auf Entstehung und Inhalt dieser Dokumente.

Mehr Arbeit als dem Nepoten bescherten dessen Begleitschreiben zu den Breven einem weiteren Sekretär der Behörde, denn wenn die Fürsten, denen der Papst in feierlicher Form antwortete, ihre Briefe an den Pontifex in lateinischer Sprache verfaßt hatten, mußte die beigefügte Entgegnung des Kardinals ebenfalls in Latein

---

degnerà veder l'affettione che porta Sua Beatitudine a questo prelato, et la speranza, che tiene, che possa servir utilmente in cotesti parti col mezo della protettione di V.A.» (FB I 933,35).

[362] Glaubt man den Versicherungen in Borgheses Schreiben, war er nicht nur bereit, sondern auch in der Lage, bei seinem Onkel eine Empfehlung in Brevenform zu erwirken. So entgegnete er etwa dem Marchese Ippolito Bentivoglio am 3. August 1619: *«Per il Breve, ch'io ho procurato dalla Santità di Nostro Signore in raccomandatione del Signore Ferrante, figliuolo di V.S.Ill.ma non era bisogno ch'ella mi ringratiasse, essendo stata dimostratione picciola in riguardo del molto, ch'io desidero di poter fare per lei medesima, e per la sua Casa»* (Orig. in ABent.Corr. 10/78,494; reg. in FB II 420,118). Ferrante selbst dankte dem Nepoten dessen Antwort vom 7. August 1619 zufolge allerdings nur für die *«lettera scritta da me in occasione del suo passaggio in Germania»* (FB II 420,129). Auch in Borgheses Schreiben vom 20. Juli 1619 an den Nuntius in Graz, der über die römischen Empfehlungen auf dem laufenden gehalten werden mußte, wurde das Breve und seine Entstehung allein dem Papst zugeschrieben: *«La Santità di Nostro Signore si degna d'accompagnare con un suo Breve, diretto alla Maestà del Re Ferdinando, il Signore Marchese Ferrante Bentivoglio, che se ne viene in Germania»*. Es folgt die Versicherung des Nepoten, auch für ihn sei es *«di particolare gusto, che V.S. nelle occasioni lo favorisca in ogni migliore maniera»* (FB II 420,68). Tatsächlich benötigte Borghese kein päpstliches Breve, um seinen Empfehlungen Nachdruck zu verleihen. So hatte er bereits Jahre zuvor Erzherzog Albrecht einen anderen Bentivoglio auf dem Weg nach Norden ans Herz gelegt, und da der Kardinal den Brief vom 7. Juni 1607 komplett eigenhändig zu Papier gebracht hatte, dürfte dem Erzherzog die Dringlichkeit des Wunsches nicht entgangen sein (FB 933,103v; unter der Registrierung findet sich der Vermerk: *«Scritto dall'Ill.mo Signore Cardinale di sua mano»*). Daß Paul V. persönlich über die Ausstellung eines Breves entschied und sein Neffe keineswegs bei jeder Anfrage um eine solche Empfehlung tätig wurde, belegt der Brief des Ferrareser Legaten Spinola vom 14. Oktober 1606 an Borghese: *«Il Cardinale Bevilacqua ha supplicato la Santità di Nostro Signore per un Breve a favore del Conte Cesare Mosti»* an Erzherzog Albrecht, der den in Flandern dienenden Mosti von der Infanterie zu den Berittenen versetzen sollte. Bevilacqua, fuhr Spinola fort, habe jedoch berichtet, *«che Nostro Signore non vuole che scrivere una lettera al Nuntio»*. Es folgt ein Loblied des Legaten auf Mosti, der *«merita essere favorito et protetto dalla Sede Apostolica»* (FB II 322,232rv). Dieses gute Zeugnis scheint den Papst umgestimmt zu haben, denn am 21. Oktober 1606 hieß es in einem sehr sachlichen Brief an den Legaten ohne jeden Hinweis auf die sonst stets erwähnten *uffici* des Nepoten: *«Sì è dato ordine che si spedisca il Breve»* (Orig. FB II 346,113, reg. in SS Fe 238,136vf.). Daß solche Anweisungen ohne Beteiligung Borgheses gegeben werden konnten, zeigt eine Notiz an Lanfranco, die der päpstliche Memoriali-Sekretär Pavoni zu Papier gebracht und einem an Margotti verwiesenen Schreiben des Herzogs von Lerma vom 9. August 1608 beigelegt hat: *«Il Signore Cardinale d'Ascoli desidera che si scriva un breve al Duca di Lerma in raccommandatione di suo nipote per la croce di S.Jacomo come un altro ne fu scritto al Re. Si potra dar ordine al Strozzi che lo scriva, et se gli mandi accio lo possi inviare per questo corriero»* (FB I 717,231).

gehalten sein. Ein erfahrener Autor solcher Episteln wie Martio Malacrida, dessen humanistische Bildung bereits die Aldobrandini genutzt hatten, konnte diese Aufgabe selbst erledigen[363]. Doch auch im Staatssekretariat Pauls V. stand ein *Segretario delle lettere latine* bereit, um die entsprechenden Schreiben des Kardinals zu verfassen. Einfluß auf die Geschäfte der Behörde war Niccolò Alemanni und seinem im Dezember 1614 ernannten Nachfolger Gregorio Portio wohl nicht vergönnt, sollten die lateinischen Briefe des Nepoten doch eher stilistischen Glanz als politische Nachrichten verbreiten[364]. Daß der Segretario delle lettere latine sogar als Estrattoschreiber zum Einsatz kam und dem Ressortleiter die Bearbeitung des lateinischen Posteinlaufs durch kurze Inhaltsangaben erleichterte, weist diesem Sekretär wenigstens keine maßgebliche Rolle in der Behörde zu[365]. Allerdings konnte er auch dann in Erscheinung treten, wenn sich der Papst bei der Beantwortung seiner Post für die letzte der drei Möglichkeiten entschieden hatte, und so wird der Sekretär für die lateinischen Briefe im folgenden erneut begegnen.

---

[363] Laut Jaitner, Hauptinstruktionen, Bd. 1, S. XLVI, Anm. 21, hatte Malacrida nicht nur Cinzio Aldobrandini lange Jahre als Sekretär für dessen lateinische Briefe gedient, sondern ab September 1603 auch das Amt des Sekretärs für die Breven an die Fürsten übernommen. Daß Malacrida Borgheses lateinische Schreiben an die Fürsten aus seinem Ressort selbst entwarf, belegen die in Barb.lat. 2000 gesammelten Minuten aus der Zeit vom 12. September 1605 bis zum 18. Juli 1609 für *«Literae latinae ad diversos Principes Martii Malacridae ... Subscripsit Ill.mus et Rev.mus D.D. Scipio Cardinalis Burghesius»*.

[364] Die Namen der beiden Sekretäre für die lateinischen Briefe in der Zeit Pauls V. nennt Pastor, Bd. 12, S. 46, Anm. 8. Zu ergänzen ist, daß die Avvisi vom 17. Dezember 1614 einen Pietro Acudi als Sekretär für die lateinischen Briefe nennen (vgl. Urb.lat. 1082,618), wofür sich allerdings keine weiteren Belege finden lassen. Semmler stützt sich auf die gleiche Quelle wie Pastor, erwähnt aber in seinen Beiträgen, S. 69, nur Gregorio Portio als Inhaber dieses Amtes. Verweise an Portio hat er laut ebd., S. 69 f., auf Schreiben des bayerischen Herzogshauses, des Hauses Habsburg und auf Fürstenbriefen aus Polen entdeckt. Trotz dieser Belege für Portio haben weder der Sekretär noch sein Amt den Sprung in Semmlers Monographie geschafft. Daß die Position des Segretario delle lettere latine während des gesamten Borghese-Pontifikats besetzt gewesen sein dürfte, legt die Bemerkung Caetanos in seinen Ausführungen über den Sekretär und seine Pflichten nahe: *«e così si è costumato sempre in tempo di Lanfranco, e di Foligno»* (zit. nach Kraus, Denkschrift, S. 114). Laut Kraus, Staatssekretariat, S. 138, kamen für dieses Amt «nur Persönlichkeiten in Betracht, die wegen der Eleganz ihrer Schriften berühmt waren». Den Einfluß der unter Urban VIII. tätigen Sekretäre für die lateinischen Briefe, die er ebd., S. 140–145, vorstellt, auf die Geschäfte der Behörde veranschlagt Kraus, ebd., S. 138, jedoch gering.

[365] Laut Caetano war der *«Secretario delle lettere latine ... un servitore non dal secretario in capite, al quale è subalternato, et al quale manda à rivedere tutte le sue minute, mà dal Signore Cardinale Nepote del Papa, il quale suole anche farlo provedere. Hà questo Segretario peso, e carico particolare di sommariare tutte le lettere, e scritture latine, che si mandano, ... il che facilita molto alli Segretarij di rappresentare à Sua Santità il stato delli negotij, che accadono. È anche obligato questo Segretario di accompagnare con lettere Latine tutti i Brevi, con li quali si risponde à Principi, che hanno scritto Latino»* (zit. nach Kraus, Denkschrift, S. 114).

Eigenhändige Mitteilungen des Pontifex waren Situationen von besonderer politischer Bedeutung vorbehalten, die ohnehin nur für Empfänger aus dem Kreis der *Principi* gedachten feierlichen Breven kamen selbst bei deren Schreiben nicht immer in Frage[366]. Daher bedurfte es in den meisten Fällen einer Alternative zu Autograph und Fürstenbreve, und dies war der schlichte Brief im Namen des Pontifex. Wer solche Entgegnungen zu unterzeichnen hatte, ist nicht schwer zu erraten. *«Il Cardinale Borghese»*, stand unter den Schreiben, mit denen sich zahlreiche Korrespondenzpartner der Kurie als Antwort auf ihre Post an Paul V. begnügen mußten, denn als Sprecher des Borghese-Papstes war niemand besser geeignet als der Kardinal gleichen Namens. «Seine Heiligkeit läßt Ihnen durch mich gratulieren», hieß es etwa im Brief des Nepoten an den Herzog von Mantua, der Paul V. die Geburt eines Sohnes angezeigt hatte, und nichts anderes war der Entgegnung des Kardinals auf die gleiche Nachricht aus dem Hause Este zu entnehmen[367]. Hätten die beiden Herzöge ihren Nachwuchs nicht in Italienisch gemeldet, wäre der Segretario delle lettere latine gefragt gewesen. Schließlich verdiente ein in Latein abgefaßter Brief zwar nicht immer ein Breve, wohl aber eine Replik in der gleichen Sprache, und so mußte der dafür bestellte Sekretär nicht nur die lateinischen Parallelschreiben an den Nepoten beantworten, sondern auch die als eine Art Breven-Ersatz benötigten Entgegnungen des Kardinals im Namen des Papstes anfertigen[368]. Die italienischen Schreiben an die Adresse des Papstes, denen Paul V. kein Breve widmen wollte, wurden hingegen an das Ressort des Staatssekretariats weitergeleitet, das nach dem Provinzprinzip für die Korrespondenz des Nepoten mit den jeweiligen Absendern zuständig war. Damit wäre geklärt, warum sich in den Registern *a diversi* der Behörde zahlreiche Briefe finden, in denen Borghese als Sprecher seines Onkels auftrat und in dessen Namen gratulierte, kondolierte, für Festwünsche dankte, die Hilfe Seiner Heiligkeit zusagte,

---

[366] Daß dem Kreis der Empfänger päpstlicher Breven auch Städte zuzurechnen sind, hat sich z. B. in Anm. 354 und 359 gezeigt.

[367] Typisch für solche Schreiben ist die Formulierung im Brief Borgheses an den Duca di Mantua vom 13. Januar 1607, Paul V. lasse ihm *«per mezzo mio»* zur Geburt eines Sohnes gratulieren (FB I 929,38); ebd.,141, Borgheses Glückwunsch im Namen des Papstes an den Herzog von Modena vom 28. Februar 1607.

[368] Caetano nennt als letzte der Aufgaben aus dem Zuständigkeitsbereich dieses Sekretärs: *«quando il Principe è ordinario suole questo Segretario rispondere per lettere del Nipote del Papa per parte del Papa istesso, quando le lettere sono dirette alla Santità Sua»* (zit. nach Kraus, Denkschrift, S. 114). Da im Pontifikat Pauls V. Fürsten gleich welchen Ranges und auch Städte mit Breven bedacht wurden, während sogar der König von Spanien zuweilen Briefe erhielt, in denen sich der Nepot im Auftrag des Papstes an ihn wandte (z. B. Borghese an Philipp III., 4. August 1612, FB I 954,398; zu diesem Schreiben vgl. auch die folgende Anm.), dürfte der Papst seine Entscheidung für oder gegen ein Breve allerdings nicht allein vom Stand der Korrespondenten abhängig gemacht und der Sekretär für die lateinischen Briefe folglich keineswegs jedes lateinische Schreiben eines Absenders aus der Kategorie *«ordinario»* zur Beantwortung erhalten haben.

den päpstlichen Segen übermittelte und zuweilen auch Empfehlungen aussprach[369].
Wie diese Schreiben zustande gekommen sind, bedarf indes der Prüfung, denn angesichts einiger Vermerke Pavonis könnte man meinen, dem Nepoten habe die Post des
Papstes mehr Arbeit bereitet als die eigene. «*Al Signore Cardinale Borghese che gli
si risponda*», notierte der Segretario dei memoriali gerade in den ersten Jahren des
Pontifikats immer wieder auf den Briefen an Paul V., und da der Papst seinen Neffen
in manchen Fällen sogar zu sich bestellen ließ, scheint ihn die Meinung des Kardinals
wenigstens anfänglich interessiert zu haben[370]. Allerdings beschränkten sich die Gespräche zwischen Onkel und Nepot Pavonis Vermerken zufolge schon bald auf

---

[369] Die Gratulationen wurden bereits erwähnt. Als Beispiele für die Kondolenzen seien die beiden
Schreiben vom 17. Juni 1617 genannt, in denen Borghese dem Kardinal S. Eusebio sein bzw. des
Papstes Beileid zum Tod seines Onkels aussprach (FB I 906: 583, 584v). Für Festwünsche dankte
der Nepot dem Kardinal Doria in zwei Schreiben vom 20. April 1607 für sich bzw. für den Papst
(FB I 929,246). Das Dankesschreiben eines Bolognesen für den ihm verliehenen Sitz im Senat seiner
Heimatstadt beantwortete Borghese am 2. Dezember 1615 im Auftrag seines Onkels (Ang.
1232,317v). Daß der Pontifex die Protektion der beschriebenen Angelegenheit wie gebeten über-
nehmen werde, verkündete sein Neffe in einem Schreiben vom 29. August 1607 (FB I 929,572). Den
päpstlichen Segen übermittelte er dem Marchese von Castelvetri in einem Brief vom 2. Januar 1618
(FB II 432,5v). Bei den Empfehlungen Borgheses im Namen Pauls V. fällt auf, daß sie häufig den
Interessen der römischen Amtsträger galten. So sollte Giulio della Torre, den der Nepot schon am
7. September 1609 über seine durch Breve erfolgte Empfehlung an den spanischen König und dessen
Statthalter in Mailand unterrichtet hatte (FB I 954,20v), laut Borgheses Mitteilung vom 24. Januar
1615 nach dem Wunsch des Papstes und mit ausdrücklichem Hinweis auf seinen Dienst für Rom
die Erträge seiner Mailänder Benefizien auch in Abwesenheit erhalten (Ang. 1232,196). Neben der
Versorgung des eigenen Personals gab es auch andere «sachliche» Gründe für den Papst, seinen
Neffen mit einem Empfehlungsschreiben zu beauftragen: Wenn etwa der Pontifex ein Benefizium
versehentlich besetzt hatte und derjenige, dem die Vergabe eigentlich oblag, ersucht werden mußte,
den bereits eingesetzten Kandidaten seinerseits zu ernennen, schrieb Borghese die entsprechende
Bitte, so z. B. am 18. Juli 1607 an Kardinal Bandini (FB I 929,464). Daß die Empfehlungen Pauls V.
an Philipp III. und den Herzog von Lerma für den Kardinal Caetano, der vom spanischen König das
Erzbistum Tarent erhalten wollte, nicht in Form von Breven übermittelt wurden, sondern in schlichten Briefen durch Borgheses «*privato offitio*» (4. August 1612, FB I 954,398–400), weckt die Vermutung, der Pontifex habe Anfragen mit ungewissem Ausgang lieber nicht in offiziellen Papsturkunden vorgetragen. Zwar hielt es auch sein Neffe für «*più conforme alla mia dignità, che non si
facesse altra diligenza quando non fosse con speranza probabile di conseguire quello che si preten-
de*» (so Borghese am 13. Februar 1608 an den Ferrareser Conte Cesare Mosti, der ihn um eine
weitere Empfehlung in der gleichen schwierigen Sache gebeten hatte, FB II 434,96v). Aber offenbar
sollte sich lieber der Nepot eine Absage einhandeln als der Papst. Im obigen Falle war die Angst
allerdings unbegründet, denn laut HC IV, S. 10, Anm. 9, wurde Caetano am 22. April 1613 zum
Erzbischof von Tarent erhoben.

[370] Um die anfängliche Fülle der Verweise Pavonis an Borghese zu illustrieren, seien hier die Fundstellen
für den zitierten Vermerk aus dem Einlauf der Schreiben der *diversi* eines einzigen Monats (April
1606) genannt (alle in FB I 647): 31v, 42v, 147v (zunächst eigenhändig von Paul V., dann nochmals
von Pavoni an Borghese verwiesen), 148v, 156v, 205v, 233v, 264v. Diese Briefe stammen aus Ma-

Fragen, die Borghese, etwa in seiner Eigenschaft als Legat von Avignon, in besonderer Weise betrafen, und auch die Zahl der an den Nepoten zur Antwort verwiesenen Schreiben nahm bereits nach kurzer Zeit ab[371]. Allein als Quittung für Borgheses Umgang mit der päpstlichen Post wird man dies nicht deuten dürfen, gingen vereinzelte Briefe an Paul V. doch bis zu dessen Tod von Pavoni an den Kardinal[372]. Zu übersehen ist der geringe Eifer des Papstneffen indes nicht. So überließ er die Schreiben aus dem Sekretariat des Pontifex seinen Auditoren von Tonti bis Cennini, die ihren Vermerken zufolge die von Pavoni überstellten Briefe entgegennahmen, und,

---

drid, Neapel, Bordeaux, Genua, Ferrara, Orvieto und anderen Orten. «*Al Signore Cardinale Borghese che ne parli a Nostro Signore*», notierte Pavoni zunächst sogar auf einem Schreiben eindeutig politischen Inhalts: auf dem Bericht des für seine Auseinandersetzungen mit dem Parlament von Bordeaux bekannten (vgl. Kraus; Denkschrift, S. 115, Anm. 72) dortigen Erzbischofs Kardinal de Sourdis vom 9. März 1606 über einen Konflikt und die mit diesem verbundenen Verleumdungen seiner Person. Borghese wollte dieses Schreiben zunächst an Tonti weiterleiten, strich sein «*al Signore M.A.*» aber wieder durch und notierte statt dessen: «*à Monsignore Lanfranco che si rimette à quanto li dirà il Nuntio senza avvisarlo, che si portò male a comportar quella pretesa senza pregiuditio di quelli presidenti del consiglio*» (FB I 647,28; dors.31v). In der folgenden Zeit finden sich solche Aufforderungen Pavonis an Borghese, der offensichtlich nicht zugegen war, wenn sein Onkel mit dem Segretario dei memoriali die Post durchging, fast nur noch auf Empfehlungsschreiben und anderen Briefen patronagerelevanter Art, so etwa auf der Bitte der Prioren von Spoleto vom 6. Januar 1607, der Papst möge ihren Bischof Kardinal Visconti, den geliebten Gründer des Seminars, davon abhalten, sein Bistum zu resignieren (FB I 834,42), oder auf der undatierten Bitte eines Medero Patriarcha um einen besseren Posten für seinen Sohn Alessandro in der Verwaltung des Kirchenstaats (FB IV 240 B,8; dors.9v).

[371] Daß die Verweise Pavonis an Borghese seltener wurden, zeigt etwa der Vergleich des in der vorherigen Anm. erwähnten Bandes FB I 647 (April 1606) mit den Einlaufsammlungen der späteren Zeit, namentlich der Bände im Fondo Bonc.-Lud., die zwar zahlreiche Vermerke Pavonis, aber kaum noch solche an Borghese zu bieten haben. Um so auffälliger wirkt es, daß in den wenigen der an den Nepoten weitergeleiteten Schreiben das Thema Avignon häufig vorkommt, so etwa im Brief des dortigen Kapitels vom Februar 1609 an Paul V. wegen der Besetzung des Bistums (FB I 648,61). Als der in Avignon stationierte Pompeo Catilina dem Papst und dem Nepoten 1613 seinen Schwiegersohn für seine eigene Stelle empfahl, forderte Pavoni in seinem Verweis an Borghese diesen sogar auf, sich über den Betreffenden zu informieren (FB III 134 A,362: an Paul V., 364: an Borghese). Daß der Nepot nur bei jenen Schreiben an Paul V. konsultiert wurde, die ihn in besonderer Weise betrafen, legt auch Pavonis Vermerk auf einem Schreiben von 1616 nahe: «*A Monsignore Il Vescovo di Foligni che si risponda per breve, ma s'intenda prima dal Signore Cardinale Borghese Protettore se questa Chiesa è stata spedita*». Es folgt Felicianis Notiz: «*Al Signore Strozzi che risponda*» (FB III 42 AC,357v).

[372] Als der 1618 in Ungnade gefallene und daraufhin nach Florenz abgereiste langjährige Sekretär für die Fürstenbreven Pietro Strozzi in zwei Schreiben vom März 1619 die Gunst Pauls V. und Borgheses zurückzuerlangen versuchte, ließ der Papst seinen Neffen über Pavoni auffordern, mit ihm über die Sache zu reden (FB III 132 B,319f.). Kurz zuvor hatte der Memoriali-Sekretär des Papstes den Brief des Bischofs von Montalcino vom 26. Februar 1619, der dem Papst Marzipan geschickt hatte, ebenfalls an den Nepoten verwiesen, «*che li ringratij*» (FB I 836,165; dors.178v). Allerdings haben diese Vermerke Seltenheitswert.

wohl für den Vortrag vor dem Kardinal, gelegentlich mit Estratti versahen[373]. Viel hatte Borghese zu diesen Briefen nicht zu sagen, denn wenn er sich überhaupt dazu entschließen konnte, seinem Helfer eine Anweisung an die politische Behörde zu diktieren, lautete diese meist nur, der Chefsekretär solle «*in forma*» antworten. Gewiß, auf einigen Schreiben hatte bereits Pavoni festgehalten, wie die Entgegnung zu gestalten sei, und bei vielen anderen der an den Kardinal weitergereichten Briefen war die Antwort tatsächlich nicht mehr als eine Formsache[374]. Doch auch mit den Schreiben, über deren Erwiderung man reden konnte, begab er sich nur in Ausnahmefällen zu Paul V. Um eine solche Ausnahme handelte es sich bei der Bitte der Stadt Ferrara vom August 1615, der Nepot möge das durch Spinolas endlich erfolgte Abberufung frei werdende Legatenamt am Po übernehmen. «Seine Heiligkeit weiß die Anfrage und das Vertrauen der Ferraresen in mich zu schätzen, wofür auch ich ihnen danke», notierte Borghese eigenhändig auf dem Gesuch des Magistrats an den Papst[375], aber selbst in diesem Fall dürfte er nicht mit der Absicht vor seinem Onkel erschienen sein, dessen Entscheidung zu beeinflussen. Sonst hätte er wohl kaum die gleichlautende Bitte der Stadt an ihn bereits vor seinem Gespräch mit dem Pontifex an Feliciani überstellen und diesem von Cennini ausrichten lassen, er solle gemäß der noch ausstehenden Order des Papstes antworten[376]. Vermerke dieser Art tragen nicht wenige der Schreiben, die einen zweiten Brief an die Adresse Pauls V. begleiteten

---

[373] Vermerke, die auf die Bearbeitung der Post durch Borgheses Auditoren schließen lassen, sind zwar nicht sehr häufig zu finden, m. E. aber ausreichend, um für diese Schreiben die gleiche Behandlung wie bei den an Borghese gerichteten Briefen anzunehmen. Vgl. z. B. den Verweis Pavonis an Borghese auf dem Schreiben der Prioren von Orte an Paul V. vom 2. September 1607, dem ein Verweis an Margotti von der Hand Tontis folgt (FB III 3 A,135; dors.140v); ebd.,55v (Tonti); E 53,35v (Franceschini); FB III 7 B,340v (Rivarola) sowie Cenninis Verweise auf zuvor an Borghese überstellten Schreiben an Perugino (E 14,227v) oder Feliciani (FB III 60 FG,337v).

[374] Was etwa hätte Borghese mit der Bitte der Stadt Ferrara in Sachen Domkapitel vom 25. Januar 1606 anfangen sollen, auf der Pavoni im Auftrag des Papstes notiert hatte: «*Al Signore Cardinale Borghese che risponda, che si havrà consideratione*» (FB I 513,62; dors.63v)? Ähnliches gilt für die Antwortanweisung Pavonis an Borghese, der Papst gewähre den *favore* (auf einer Bitte des Inigo di Cardonas an Paul V. vom 5. Mai 1607, FB III 47 B,58), oder die Mitteilung, Borghese solle dem Bittsteller ausrichten, er dürfe nach Rom kommen (auf der Bitte des Erzbischofs von Siena vom 16. Dezember 1607, FB III 42 D,51). Von Pavoni an Borghese überstellte Schreiben an Paul V. wie die Meldung der neu gewählten Magistratsherren der Stadt Ferrara vom 1. Juli 1615, sie hätten ihr Amt angetreten, leitete vor allem Cennini häufig mit der Aufforderung an den Chefsekretär weiter, «*che risponda in forma*» (FB III 60 FG,336; dors.337v). Weitere Belege werden folgen.

[375] Borgheses Vermerk auf der an Paul V. gerichteten Bitte der Stadt Ferrara vom 1. August 1615 lautet: «*Sua Santità ha aggradito molto questo uffitio et che confidino tanto in me di che anch'io le ringratio..*» (FB III 60 FG,323; dors.326v).

[376] Auf der Bitte Ferraras an Borghese vom 1. August 1615 findet sich Cenninis Verweis an Feliciani, «*che risponda conforme all'ordine che darà Nostro Signore et in somma Ringratiarli della confidenza, che sarà sempre unito con quello che sarà lor' legato ad ogni lor servitio si come hà detto all'Ambasciatore à cui si riferisce*» (FB III 60 FG,324; dors.325v).

und zwar im Namen des Nepoten, doch in Übereinstimmung mit der Replik des Regenten beantwortet werden mußten. Er selbst kenne die Antwort des Papstes nicht, begründete Borghese seinen Verweis auf einem Schreiben vom Oktober 1605 an Lanfranco Margotti, der offensichtlich in Erfahrung bringen sollte, was der Kardinal dem Bischof von Larino zu entgegnen hatte, und auch die Auditoren des Nepoten ließen den Chefsekretär zuweilen wissen, daß der Brief für Borghese der Antwort des Pontifex zu entsprechen habe[377]. Sogar die Hinweise auf das in den Audienzen Besprochene klangen anders, wenn die Agenten und Vertreter der Bittsteller nicht nur den Nepoten, sondern auch dessen Onkel aufgesucht hatten. Sein Auditor werde ihm mitteilen, wie der Papst auf seinen Wunsch reagiert habe, konnte etwa Kardinal Este einem Schreiben Borgheses entnehmen[378], der den Abgesandten zweifellos auch empfangen, aber nichts zu sagen hatte, sobald Paul V. auf den Plan trat.

Ob Scipione Borghese freiwillig auf jeden Versuch der Einflußnahme verzichtete oder vor dem übermächtigen Verwandten auf dem Stuhl Petri kapituliert hatte, geben die Quellen nicht zu erkennen. Fest steht indes, daß er zur Bearbeitung der päpstlichen Post nichts beitrug und seine Beteiligung auf diese Weise selbst überflüssig machte. So lag es nahe, den untätigen Nepoten zu übergehen und auch jene Schreiben, die der Regent mit einem Brief seines Neffen beantworten ließ, direkt an des Staatssekretariat zu überstellen. «A Monsignore Lanfranco», notierte Pavoni daher sehr bald weit öfter auf der Post an den Papst, als er den Namen Borgheses vermerkte[379], und da Margotti und seine Nachfolger keine Einladung brauchten, um die Meinung des Pontifex einzuholen[380], entstanden die Briefe im Namen Pauls

---

[377] Auf dem Brief des Bischofs von Larino vom 22. Oktober 1605 notierte Borghese: «A Monsignore Lanfranco. Nostro Signore che non so li risponda» (FB II 431,92 f.; dors.93v). Ein Empfehlungsschreiben der Stadt Ferrara an Borghese vom 1. Januar 1611 versah Franceschini mit der Notiz: «confirmarsi con la risposta di Sua Santità» (E 53,34; dors.35v).

[378] Wenigstens notierte Franceschini auf dem Brief des Kardinals Este an Borghese vom 15. Februar 1612: «Rimettersi a quello che Nostro Signore ha detto al suo Agente» (E 13,322v). Daß ihn auch der Ferrareser Botschafter in Sachen Spinola-Nachfolge aufgesucht hatte, belegt der Hinweis auf Borgheses Gespräch mit diesem in Cenninis Vermerk auf dem Schreiben der Stadt vom 1. August 1615 (vgl. Anm. 376). Allerdings hatte der Diplomat der Notiz zufolge in Borgheses Audienz nicht etwa die Entscheidung in dieser Frage, sondern nur die üblichen Beteuerungen des Nepoten zu hören bekommen.

[379] Als Beleg für die von Pavoni an Lanfranco verwiesenen Briefe an Paul V. mag eine kleine Auswahl genügen. Schreiben mit dem entsprechenden Vermerk stammten vom Duca di Lerma (18. Mai 1607, FB III 47 B,234v), dem Kardinal Gondi aus Paris (20. Mai 1607, ebd.,261v); dem Conte di Castro aus Gaeta (4. November 1607, FB I 857,34v), dem Herzog von Lothringen (10. September 1609, E 7,46v); aus Ragusa (8. Juni 1607, FB III 59 A,51v) und Udine (15. September 1607, FB III 3 A,15v); vom Herzog von Modena (8. September 1607, ebd.,131v), dem Kardinal Borromeo aus Mailand (29. Dezember 1610, E 12,289v), dem Provinzial der Kapuziner aus Palermo (3. Juni 1607, FB III 59 A,110v), der Stadt Ferrara (E 53: 19v, 21v; beide von 1610) oder einzelner ihrer Bürger (13. Februar 1609, FB I 648,91v). Nach Margottis Tod verwies Pavoni die Schreiben aus Peruginos Ressort

V. auch in den folgenden Jahren zum größten Teil ohne jeden Eingriff des Nepoten. Allein die Sprachregelung wurde eingehalten: «Der Herr Kardinal antworte im Namen Seiner Heiligkeit, daß der Papst den neuen Legaten für den bestmöglichen Nachfolger Spinolas halte», notierte Feliciani auf dem Dank der Stadt Ferrara für die Ernennung Serras zum Verwaltungschef. Doch da Cennini das entsprechende Schreiben des Magistrats an die Adresse des Nepoten bereits dem Chefsekretär übermittelt und lediglich eine Entgegnung *in forma* bestellt hatte, konnten die Ferraresen in der ebenso wortreichen wie huldvollen Antwort auf ihre Briefe eher das Sprachtalent des Sekretärs als die Meinung Scipione Borgheses erkennen[381].

Der Blick auf die Post des Papstes und ihre Beantwortung rundet das Bild ab, das die Dorsalnotizen auf den Schreiben der *diversi* an Kardinal Borghese ergaben.

---

an diesen Sekretär, ob sie von den Fürsten Europas (E 8: 28v, 52v), vom Bischof von Piacenza (E 21,281v) oder von der Stadt Ferrara (SS Part 7,148v) stammten. Für die bereits mehrfach belegten Verweise des Memoriali-Sekretärs an Feliciani mögen als weitere Beispiele die Schreiben des Herzogs und der Herzogin von Lothringen an Paul V. vom März und April 1619 genügen (E 8: 168v, 170v).

[380] Auf einem Schreiben des Duca di Lerma an seine Adresse vermerkte Paul V. eigenhändig: *«a Monsignore Lanfranco che ce ne parli»*, was Pavoni darunter in seinen üblichen Worten wiederholte: *«A Monsignore Lanfranco che ne parli a Nostro Signore»* (8. März 1608, FB III 41 B,267v; wörtlich gleich z. B. auf FB I 857,226v). Daß Lanfranco allerdings auch ohne Aufforderung mit dem Papst über dessen Post sprach, wenn es ihm geraten erschien, belegt das Schreiben vom 10. August 1611, in dem sich der Ferrareser Magistrat für die Erhebung des Kardinals Leni zum Bischof der Stadt bedankte. Pavoni verwies den Brief ohne weitere Anweisungen an Lanfranco (E 53,42; dors.44v), doch da auf dem im Staatssekretariat angehefteten Estrattozettel in Margottis Handschrift zu lesen steht, *«che Sua Santità crede che si rallegreranno più ogni giorno di quella elettione»* (ebd.,43), muß der Chefsekretär mit dem Papst über das Schreiben gesprochen haben. Daß Margotti zuweilen sogar zu anderen kurialen Amtsträgern wie dem Datar Tonti geschickt wurde, wenn es die gewünschte Antwort verlangte, zeigt Pavonis Verweis auf dem Schreiben des Herzogs von Lothringen vom Oktober 1609: *«A Signore Cardinale Lanfranco che ne parli col'Ill.mo Cardinale di Nazaret, e si consideri il negotio perche Nostro Signore inclina a farli la gratia»* (E 7,51v). Eine an Feliciani gerichtete Aufforderung Pavonis, mit dem Papst zu reden, findet sich auf einem Schreiben vom 30. März 1616 (FB III 42 AC,340v).

[381] Der an Paul V. gerichtete Dank der Stadt für Serras Ernennung zum Legaten datiert vom 23. September 1615 und trägt sowohl einen Verweis Pavonis an Feliciani (FB III 60 FG,341; dors.345v) als auch dessen eigenhändige Notiz: *«Il Signore Cardinale risponda in nome di Sua Santità che crede haver dato buon successore al Signore Cardinale Spinola, che si puo»* (ebd. auf dem Estrattozettel, 343). Auf dem Schreiben der Stadt an Borghese vom gleichen Tag notierte Cennini lediglich: *«A Monsignore di Foligno. Risposta in forma»* (ebd.,340; dors.346v). Da das von Borghese unterzeichnete Antwortschreiben des Staatssekretariats an die Stadt Ferrara vom 7. Oktober 1615 ein sehr schönes Beispiel für die huldvollen Mitteilungen ist, die aus den nüchternen Anweisungen hervorgegangen sind, sei es hier wenigstens in Teilen zitiert: *«Ha Nostro Signore honorato volentieri la persona del Signor Cardinale Serra del carico di cotesta Legatione, perche ha pensato di proveder' ottimamente al Governo d'una Città amata da se con causa, et affetto particolare, et spera, che le SS. VV. sieno per riceverne quella compita sodisfattione, che affermano d'haver'havuta del suo*

War der Nepot bei der gesamten Post, die ihn tagtäglich erreichte, nur für die privaten Anliegen seiner Korrespondenzpartner zuständig, trat er gänzlich in den Hintergrund, wenn sich die Absender auch an den Pontifex gewandt hatten. In politisch schwierigen Situationen wie der Venedig-Krise von 1606/07 brachte Paul V. seine Mitteilungen persönlich zu Papier, einem Teil der Briefe von den Fürsten Europas und der Kirche widmete er ein Breve, und die große Masse der an ihn gerichteten Schreiben ließ er mit einem in seinem Namen und Auftrag verfaßten Brief des Nepoten beantworten. Bei den Autographen griff der Papst ausschließlich auf die Hilfe des Staatssekretariats zurück, dessen Mitarbeiter die Handschreiben des Regenten vielleicht zu entwerfen, mit Sicherheit aber zu registrieren hatten, die Breven an die Fürsten wurden vom nicht zufällig so genannten Segretario de Brevi ai Principi angefertigt, und selbst bei den Briefen im Namen des Pontifex lag die Hauptlast der Arbeit bei der politischen Behörde, nicht bei dem Kardinal, der sie unterzeichnete. Ähnlich verhielt es sich mit der Parallelkorrespondenz des Nepoten, der sowohl die handschriftlichen Briefe seines Onkels als auch dessen Breven mit einem eigenen Schreiben begleiten und auch dann für sich selbst antworten mußte, wenn er in einem zweiten Brief an den gleichen Empfänger bereits als Sprecher des Papstes in Erscheinung getreten war. Hatte sich der Absender in seiner Post an Paul V. und dessen Neffen der lateinischen Sprache bedient, oblag es dem Segretario delle lettere latine, die Begleitschreiben für das Breve bzw. die beiden Schreiben des Nepoten in dessen und des Papstes Namen zu erstellen. Waren die Meldungen und Bitten an die Borghese in Italienisch gehalten, verfaßte die Hauptabteilung des Staatssekretariats den Brief des Kardinals im Paket des päpstlichen Dokuments bzw. die doppelte Entgegnung des Papstneffen für sich und seinen Onkel. Scipione Borghese blieb folglich nicht mehr zu tun, als die Schreiben zu unterzeichnen, die den Nepoten zwar zum allgegenwärtigen alter ego des Pontifex stilisieren, bei näherem Hinsehen aber als untätigen Behördenchef ohne Einfluß auf die Entscheidungen Pauls V. ausweisen.

Was dennoch dafür sprach, den Nepoten zum Leiter der politischen Behörde zu bestimmen, ist schnell berichtet. Zum einen stand mit dem Staatssekretariat ein

---

Antecessore, che ne hà dat'anco pienissima alla Santità Sua, Et tanto rispondo loro in nome di Sua Beatitudine. Quanto poi alle gratie, che è piaciuto alle SS.VV. di render a me per questa nuova elettione, seben'io confesso di essermici adoprato in riguardo del publico servitio di cotesta Città, et stato, non è però, ch'io n'aspettasse ringratiamento, non havendo fatto altro, che quello ch'io dovevo». Borghese gratuliere ihnen zu diesem Legaten und versichere, *«che havranno continua occasione di laudarne il prudentissimo giuditio di Sua Beatitudine»* (reg. in Ang. 1232,297, Orig. in CC 156,525). Daß die Schreiben der gleichen Absender an Borghese und Paul V. in ein und demselben Brief beantwortet wurden, wie es in diesem Beispiel der Fall ist, ist wohl als Maßnahme zur Arbeitserleichterung für das Staatssekretariat zu verstehen, aber nicht sehr oft zu beobachten. Vgl. hierzu Kap. IV, Anm. 61.

funktionsfähiges Organ zur Verfügung, dem der unverhofft zu seiner hohen Würde gelangte Kardinal die Patronagekorrespondenz anvertrauen konnte. Zum anderen wachten die erfahrenen Sekretäre der Behörde von Amts wegen und aus eigenem Interesse wohl aufmerksamer als der Nepot über die politischen Implikationen des klientelären Briefwechsels. Vor allem aber war die Zeit für einen anderen Kardinalstaatssekretär als den papstverwandten Purpurträger schlichtweg noch nicht reif. Der von den Botschaftern nicht akzeptierte Kardinal Valenti hatte dies zu spüren bekommen, und da Paul V. unter dem Druck der allgemeinen Erwartung zur traditionellen Lösung zurückgekehrt war, stand das Staatssekretariat wie in den Jahrzehnten zuvor und danach auch in seinem Pontifikat unter der Leitung des Kardinalnepoten.

III. Der Kardinalnepot in Nebenrollen:
Die Verwaltung von Staat und Kirche

Das Staatssekretariat mochte die Herzkammer der kurialen Politik sein, die einzige römische Zentralbehörde war es nicht. Ebensowenig beschränkten sich die Ämter Scipione Borgheses auf die Leitung des Staatssekretariats. Schließlich war er als Sopraintendente dello Stato Ecclesiastico der Präfekt der wichtigsten Kongregationen für das Land der Kirche[1], und da sich seine Unterschrift auch in der Korrespondenz von Behörden unter anderer Leitung findet, ist der aus Interesse am Behördenalltag ohnehin gebotene Blick auf die Verwaltung von Staat und Kirche auch für die Untersuchung der Nepotenrolle unverzichtbar. Gefragt war er in drei verschiedenen Funktionen: zum einen als Präfekt der Consulta, des Buon Governo und der *Congregazione delle acque*, zum anderen als Chef des Staatssekretariats, das immer wieder in die Korrespondenz anderer Ressorts eingriff und sämtliche Themen von politischer Bedeutung an sich zog, und schließlich als Unterzeichner von Schreiben, die weder aus dem Staatssekretariat noch aus einer anderen der ihm unterstellten Behörden stammten. Um Borgheses Rolle in der päpstlichen Administration zu erfassen, soll im folgenden dreierlei geklärt werden: sein Beitrag zur Arbeit der Behörden und zur Erstellung der Schreiben, die seinen Namen trugen, die Gründe, die für die Vergabe nicht weniger Posten an den Nepoten sprachen, sowie die Vorteile, die mit der Unterschrift des Kardinals offenbar auch für ihm nicht zugewiesene Organe verbunden waren. Diese Fragen gilt es im Auge zu behalten, wenn zunächst die Kongregationen des Nepoten, dann die Apostolische Kammer und die kirchenstaatliche Militäradministration als Beispiele für weltliche Ressorts mit anderen Leitern und in einem dritten Schritt einige der Gremien für kirchliche Angelegenheiten zu behandeln sind. Am Ende der Rund-

---

[1] Zu Borgheses Ausstattung mit diesen Titeln und Ämtern vgl. Kap. II, Anm. 25, zu den zu reinen Geldquellen herabgesunkenen Posten des Kardinals an der Spitze von Kammer und Pönitentiarie vgl. Kap. I, Anm. 70.

reise durch die römische Behördenlandschaft, die sich nicht nur, aber vorrangig an den überaus ergiebigen Quellen zur Legation Ferrara orientiert[2], wird der Versuch stehen, die vielfältigen Aufgaben des Nepoten zwischen Behördenalltag und Machtfiktion zusammenzufassen.

1. Die Kongregationen für die Verwaltung des Kirchenstaates

a. Der Papstneffe als Präfekt:
Die Kompetenzen der Kongregationen und die Rolle des Nepoten

Kardinal De Luca hätte sich über das Vorhaben gewundert, die Tätigkeit der Consulta und des Buon Governo ausgerechnet am Beispiel der Legation Ferrara zu untersuchen. Schließlich hat der berühmte Jurist um 1670 notiert, daß sich die Verwaltungsgremien nicht in die Belange der Provinzen unter der Leitung der Kardinallegaten einmischten, und noch heute wird diese Meinung in der Literatur zum Kirchenstaat zuweilen vertreten[3]. Allerdings finden sich gewichtige Argumente gegen De Lucas Einschätzung der Zuständigkeit namentlich der Consulta. So korrespondierte der von Sixtus V. nach Bologna entsandte Legat Caetani mit dem Kardinalnepoten Peretti in dessen Rolle als Präfekt des Gremiums, und in der Romagna taten nicht wenige Gouverneure Dienst, die von der Consulta ernannt worden waren. Überdies tauchen in den von Christoph Weber edierten Geschäftsverteilungsplänen der Consulta und des Buon Governo aus den Jahren zwischen 1677 und 1768 auch die *Legazioni* auf, und da «die Meinung von der Exemption aller Legationen von beiden Kongregationen» im Lichte dieser Befunde «zur Dis-

---

[2] Die Vorzüge der Ferrareser Quellenlage wurden in Kap. I.3 dargelegt.

[3] Vgl. Giovanni Battista De Luca, Theatrum veritatis et iustitiae, sive decisivi discursus per materias, seu titulos distincti, 16 Bände, Venedig 1706, hier: Bd. XV/2, S. 71–75, hier wiedergegeben nach der Zusammenfassung bei Christoph Weber, Die Territorien des Kirchenstaats im 18. Jahrhundert. Vorwiegend nach den Papieren des Kardinals Stefano Borgia dargestellt, Frankfurt am Main 1991, S. 37, Anm. 62, der die venezianische Auflage von 1706 benutzt und S. 36, Anm. 61, betont, «daß die Darstellung De Lucas in seinem Theatrum ... nach wie vor unentbehrlich für das Verständnis besonders der S. Consulta» bleibe. Der Einschätzung De Lucas schloß sich z. B. Del Re, S. 347 und 352 f., an, was auch Weber, ebd., S. 37, Anm. 62 erwähnt. Daß das Buon Governo in den Legationen nicht zuständig gewesen sei, berichtet auch Peter Partner, The Papal State: 1417–1600, in: Mark Greengrass (Hg.), Conquest and Coalescence. The Shaping of the State in Early Modern Europe, London 1991, S. 25–47, hier: S. 30, der ebd. alle Kongregationen als «consulte» anspricht, die eigentliche Sacra Consulta aber nicht erwähnt. Auch Nicole Reinhardt, S. 32, scheint anzunehmen, daß zur Zeit Pauls V. weder das Buon Governo noch die Consulta für die Legation Bologna zuständig waren. Seidler, S. 96 f., geht ebenfalls von der Nicht-Zuständigkeit der beiden Kongregationen für die Legationen aus.

position der Forschung» steht[4], muß vor einem Blick auf Borgheses Rolle bei der Verwaltung Ferraras geklärt werden, ob die ihm als Präfekten unterstellten Kongregationen für die Provinz im Norden zuständig waren oder nicht.

In der Tat sind auch im Falle Ferraras Zweifel an De Lucas These geboten. So war das Gebiet der Legation außerhalb der Hauptstadt und ihres Contado in mehrere Verwaltungsbezirke aufgeteilt, in denen von der Consulta ernannte und mit einem Patent der Kongregation ausgestattete Gouverneure die Zentralgewalt verkörperten[5]. Allerdings unterstanden diese *governatori di Consulta* nicht unmittelbar der Behörde in Rom, sondern dem Ferrareser Legaten, der über sämtliche Vorkommnisse in seiner Provinz an die Hauptstadt berichtete und die dort getroffenen Entscheidungen an die Gouverneure weiterleitete[6]. Ein regelmäßiger Brief-

---

[4] Zu Caetanis Briefwechsel vgl. Anm. 9. Zu den *Governi di Consulta* in der Romagna vgl. Cesarina Casanova, Comunità e governo pontificio in Romagna in età moderna (secoli XVI -XVIII), Bologna 1981. S. 211 f. Die Geschäftsverteilungspläne finden sich bei Weber, Territorien, S. 92–111, ebd., S. 37, Anm. 62, das Zitat.

[5] So weit ich die Literatur zu Ferrara überblicke, waren die *Governi di Consulta* allein Angela De Benedictis, Il Seicento. Politica e società, in: Francesca Bocchi (Hg.), Storia illustrata di Ferrara, Bd. 2, Mailand 1987, S. 481–496, hier: S. 483, der Erwähnung wert. Zur komplizierten Unterscheidung der Gouvernatorate nach dem Grad der Abhängigkeit von Rom und dem persönlichen Rang des Amtsinhabers vgl. Weber, Territorien, S. 38 f., und ders., Legati e governatori dello Stato Pontificio 1550–1809 (Pubblicazioni degli Archivi di Stato, Sussidi 7), Rom 1994, S. 33–36. Zu den *Governatorati di Consulta* in Ferrara vgl. die Liste aus dem 18. Jahrhundert bei Weber, Territorien, S. 391. Daß ihre Ernennung nicht durch ein päpstliches Breve, sondern durch ein Patent der Consulta erfolgte, belegt ihr Fehlen in den Bänden des Brevensekretariats und vor allem der Dank des Ferrareser Legaten Serra an Borghese vom 14. April 1618: «*Rendo à V.S.Ill.ma infinite gratie della Patente che s'è degnata d'inviarmi del Governo d'Argenta in persona del Dottor Berlingueri*» (FB III 44 B,212r).

[6] Da das Auslaufregister der Consulta in FB III 127 A von 1596 und somit aus der Zeit vor der Devolution Ferraras stammt, Dokumente der Behörde für unsere Zeit aber nicht erhalten sind, kann dies nur aus dem Register von 1633 in ASR, Sacra Consulta, Protocolli di Corrispondenza (Archivio Tribunale della Sacra Consulta), b.813 (b.814 stammt bereits von 1676) geschlossen werden, in dem sich keine Schreiben an die Ferrareser Gouverneure (nur 452r: 4. Oktober 1633, an einen Signor Paolo Mangonio in Ferrara wegen dessen Bitte um Amtsentlassung), wohl aber an den Ferrareser Legaten finden. Die dort verzeichneten Schreiben belegen, daß der Legat sowohl über Zwischenfälle in Gouvernatoraten berichtete (z.B. 375r/v: 13. August 1633: «*Il successo à Cento ... rappresentatomi da V.Em.za con sua di 3 corrente...*») als auch von der Consulta mitgeteilte Anordnungen in die *governi* weiterleitete (z.B. 13r: 17. Januar 1633: «*si è compiaciuto Nostro Signore di prorogare il tempo d'altri sei mesi agl' Ebrei di Lugo, Cento, Ariano, e Fusignano. Però ... V.Em.za si degnerà ordinare che ... non venghino molestati*»). Daß der Legat gegenüber den Gouverneuren weisungsbefugt war, geht aus Spinolas Meldung vom 20. Juni 1612 an Borghese hervor, bei dem sich venezianische Postboten über baufällige Brücken und Straßenschäden beschwert hatten: «*ho commesso al Governatore di Codigoro, che facci levare ogni impedimento e ripigliare la detta Strada buona*» (Barb.lat. 8760,214r). Daß besagter Gouverneur nicht selbst mit Borghese korrespondierte, belegt Spinolas Mitteilung in der gleichen Sache, er schicke anbei (nicht erhalten) die an den Legaten gerichtete «*risposta del Governatore di Codigoro, a fin che se di nuovo à V.S.Ill.ma ne fosse dato fastidio, sappi l'essecutione dell'ordine suo*» (27. Juni 1612, ebd.,217r).

wechsel zwischen diesen und der Consulta war somit weder notwendig noch vorgesehen, und da das Staatssekretariat nur in außenpolitischen Krisensituationen
mit den Gouverneuren in direkten Kontakt trat[7], blieben zur Rekonstruktion ihrer
Tätigkeit zwei Hauptquellen, wenn sie denn erhalten wären: die Korrespondenz
der Consulta mit dem Legaten, die die Belange des flachen Landes betraf, und der
Schriftverkehr zwischen dem Ferrareser Verwaltungschef und den Gouverneuren
der Provinz[8]. Daß der Alltag und die Probleme der *governi* aufgrund dieser Überlieferungssituation im dunkeln bleiben, ist zwar bedauerlich, in unserem Zusammenhang aber nicht relevant. Eine andere Frage bedarf aus behördengeschichtlicher Sicht indes dringend der Klärung. Denn auch wenn über die Hälfte des Ferrareser Territoriums von *governatori di Consulta* verwaltet wurde, muß die Stadt
selbst nicht zwangsläufig in den Zuständigkeitsbereich der Kongregation gefallen
sein. Möglicherweise mischte sich die Consulta tatsächlich nicht ein, soweit es um
die Belange der Provinzmetropole und ihres Contado ging: Der Legat hätte in
diesem Fall freie Hand, De Luca aber recht gehabt. Gegen diese Annahme spricht
allerdings der von Andrea Gardi untersuchte Briefwechsel des Bologneser Legaten
Caetani mit dem Kardinalnepoten Peretti als Präfekt der Verwaltungskongrega-
tion, denn anders als in der Romagna und in Ferrara fanden sich in der Legation
Bologna keine Gouverneure, die von der Consulta ernannt worden wären und der
Vermittlung des Legaten bedurft hätten[9]. Ob auch die Ferrareser Kollegen Caeta-

---

[7] So in der Venedig-Krise mit dem Gouverneur von Comacchio, vgl. z.B. SS Ppi 155: 224r, 227v, 573r/v,
621r, 626r/v; z.B. 573v, 29.November 1606, Borghese an den Gouverneur: *«Desidero di più che V.S.
mi avvisi i particolari per i quali si move à dire che i Comacchiesi sieno amici di novità, et perche non
si possa assicurare della fede loro»*. Im Normalfall schickten die Gouverneure und die Podestà ihre
außenpolitischen Avvisi, die zu erstellen sie verpflichtet waren, an den Legaten, vgl. z.B. Spinolas
Einspruch gegen den Verdacht, *«che il Podestà d'Arriano habbi stretta amicitia con alcuni nobili
Venetiani, et sij affettionatissimo verso loro, et per questo conto tardi molte volte à darmi gl'avisi che
si doveriano»* (6.Dezember 1608, FB II 320,165r). In wichtigen Fällen sandte Spinola diese Berichte an
Borghese, vgl. z.B. FB II 318: 52, 54, 59, 60, 62, 63 (Fabbio Boldroni aus Ariano an Spinola, Februar
1609), FB II 321, 141 (Lorenzo Ferruchi Governatore von Trecenta an Spinola, 22.Oktober 1609).

[8] Zu untersuchen wären allerdings die Bestände der in der sogenannten Romagnola oder Romagna
ferrarese gelegenen Governi, die gelandet sind in AS Ravenna, *Governatori di Bagnacavallo, Conse-
lice e Sant'Agata, Lugo, Massa Lombarda* (vgl. Guida Generale degli Archivi di Stato Italiani. Ministero per i beni culturali e ambientali. Ufficio centrale per i beni archivistici, Direttori: Piero D'Angiolini, Claudio Pavone, Bd. 3, Rom 1986, S. 877).

[9] Zur Korrespondenz Caetanis mit Peretti vgl. Andrea Gardi, Il Cardinale legato come rettore provinciale: Enrico Caetani a Bologna, in: Società e Storia 8 (1985), S. 1–36, hier: S.25, der S.29, Anm.137,
schlußfolgert, daß Del Res Äußerung über die Exemption Bolognas von der Consulta *«è semplice-
mente sbagliata, almeno per l'epoca posttridentina»*. Das gesamte Gebiet der Legation Bologna galt
als Contado der Stadt und wurde – von einigen Lehensgütern abgesehen – von Capitani und Podestà
verwaltet, die der Bologneser Senat bestimmte, vgl. die Karte V bei Gardi, Lo Stato in provincia.
L'amministrazione della Legazione di Bologna durante il regno di Sisto V (1585–1590) (Istituto per
la Storia di Bologna, Studi e Ricerche, n.s.2), Bologna 1994.

nis in eigener Sache mit der Behörde korrespondierten, ist schwer zu sagen, sind die privaten Unterlagen, in denen Gardi die einschlägige Post des Bologneser Legaten entdeckte, im Falle Spinolas und seines Nachfolgers Serra doch nicht an ihrem Dienstort verblieben[10], während die Akten der Consulta nahezu komplett verlorengingen. Um so größere Bedeutung kommt den Hinweisen in den Dokumenten des Staatssekretariats zu, die zwar nicht üppig sind, aber ausreichen, um die Beteiligung der Consulta an der Verwaltung der Legation und der Stadt Ferrara eindeutig zu belegen.

Den Auftakt machte die Anweisung an den neuen Vizelegaten Orazio Spinola vom September 1605, über nennenswerte Vorkommnisse in seiner Provinz nicht nur dem noch amtierenden Kardinallegaten Aldobrandini zu berichten, sondern auch der Consulta, deren Leitung seit wenigen Tagen in den Händen Borgheses lag. Diese Order war zweifellos gegen den Nepoten des verstorbenen Papstes gerichtet, nach dessen bald darauf vollzogener Entmachtung und Abschiebung nach Ravenna das Staatssekretariat den Großteil des Briefwechsels mit dem Außenposten in Ferrara übernahm. Um eine Ausnahmeregelung handelte es sich dennoch nicht, denn zum einen konnte sich Borghese auf eine entsprechende Anordnung aus dem Aldobrandini-Pontifikat beziehen[11], und zum anderen unterhielt Spinola auch in den folgenden Jahren eine rege Korrespondenz mit der Kongregation, die parallel zu seinem Briefwechsel mit dem Staatssekretariat lief und in diesem immer wieder Erwähnung fand. *«Mi scrive V.S.Ill.ma per via di Consulta»*, meldete der Vizelegat und spätere Kardinallegat den Erhalt von Schreiben, die Borghese als Präfekt des Verwaltungsgremiums unterzeichnet hatte, und an diesen, nicht an den Leiter des Staatssekretariats, der ebenfalls Borghese hieß, richtete Spinola seine Antwort[12]. Warum er in den Briefen an das Sekretariat auf seinen Schriftwechsel mit der Consulta verwies, scheint verschiedene Gründe gehabt zu haben. Vielleicht wollte Spinola – doppelt genäht hält besser – seinen Entgegnungen die nötige Aufmerksamkeit sichern, denn zuweilen nahm er in den Briefen an beide Behörden zu ein und demselben Problem Stellung. Wenn er seine Antworten je nach Empfänger variierte, könnte es sich aber auch um Themen gehandelt haben, deren unterschiedliche Aspekte sowohl die Consulta als auch das Sekretariat betrafen.

---

[10] Die Archive der Familien Spinola (AS Genua) und Serra (angeblich AS Neapel) konnten im Rahmen dieser Untersuchung nicht bearbeitet werden.

[11] Vgl. Kap. II.1.b, v.a. Anm. 85.

[12] So fuhr er nach der zitierten Mitteilung fort: «vederà quello rispondo» (6. März 1613, Barb.lat. 8761,73v, über die Ausfuhr venezianischen Getreides aus Ferrara; fast wörtlich gleich: 24. September 1611, E 13,28r/v, über das Verbot, Waffen zu tragen). Da sich die derart angekündigten Antworten bei den Unterlagen des Staatssekretariats nicht finden lassen, sind sie wohl beim Bestand der Consulta gelandet, mit dem sie dann verlorengingen. Borgheses Schreiben als Präfekt sind möglicherweise im Archiv der Legation in Ferrara verblieben und mit diesem verbrannt.

Und schließlich dürften einige dieser Hinweise lediglich eine Empfangsbestätigung der Kongregationsschreiben gewesen sein, die zu beantworten der Legat noch keine Gelegenheit gefunden hatte[13].

Schwierigkeiten bei der Bearbeitung der Post aus Ferrara brachten die Verweise des Legaten nicht mit sich. Denn zum einen führte die Consulta eine eigenständige Parallelkorrespondenz zum Staatssekretariat, die in der Regel keiner zwischenbehördlichen Kooperation bedurfte[14], und zum anderen war im Bedarfsfall der Informationsaustausch zwischen den beiden Einrichtungen dank ihrer personellen Verzahnung in Gestalt Borgheses gewährleistet. Daß die Leitung des Staatssekretariats und der Consulta nicht zufällig dem Nepoten in Personalunion oblag, zeigt

---

[13] Auf je nach Empfänger verschiedene Antworten verweist die Fortsetzung seines im Text und in der vorherigen Anm. zitierten Schreibens: «*et con questa dico a V.S.Ill.ma che ..*» (Barb.lat.8761,73v). Bezeichnenderweise erläuterte der Legat dem Staatssekretariat die politische Dimension eines in der Consulta behandelten Problems v.a. in Fragen, die Venedig betrafen (vgl. ebd. und Barb.lat. 8760,30r–31v). Aber auch bei der Beteiligung der Este und Modenas kommentierte er gerne die politische Bedeutung der Sachfragen: «*Vedera V.S.Ill.ma quello rispondo alla Sacra Consulta intorno al memoriale dato ultimamente per conto delle puelle Cagnacine; veramente horamai quei Modenesi sono importuni et col favore de chi gli protege pretendono cosa poca conveniente*» (11. Juli 1612, Barb.lat. 8760,223v).

[14] Zwar war die Consulta laut Kraus, Staatssekretariat, S. 51, «ihrem Geschäftsbereich nach ... in vielfacher Hinsicht auf die Zusammenarbeit mit dem Staatssekretariat angewiesen», doch scheint wenigstens im Falle Ferraras die Arbeitsteilung der Behörden und die Trennung ihrer Briefwechsel gut funktioniert zu haben. Darauf deutet die geringe Zahl an Dorsalverweisen an den Sekretär der Consulta hin: Allein die Schreiben Spinolas und des Kardinals Pio, die sich mit dem in Ferrara inhaftierten Pio-Gegner Giacomo Paesano befaßten, wurden an Fuccioli verwiesen: Spinola an Borghese, ca. 30. Juli 1608, FB II 320,37r, über Pios Klage über den Plan Roms, Paesano zu begnadigen; am Rand vermerkte der Nepot: «*Di questo Iacomo Paesano ne scrive il Signor Fuccioli*», weswegen das Staatssekretariat im Namen Borgheses nur antwortete: «*circa la persona del Paesano rispondo à V.S.Ill.ma quello che vedrà per un'altra mia*» (Borghese an Spinola, 9. August 1608, SS Bo 185,100r). Auch auf dem entsprechenden Schreiben Pios vom 2. August 1608 notierte Borghese: «*di questo gli risponderà il Signor Fuccioli*» (FB I 835,51r). Entsprechend die im Staatssekretariat verfaßte Antwort an Pio: «*Intenderà V.S.Ill.ma dal Signore Cardinale Spinola quello che (à?) S.S.Ill.ma si scrive di qua*» (Borghese an Pio, 9. August 1608, FB II 434,559v). Als Paesano kaum ein Jahr später die Flucht aus dem Gefängnis gelang, verblieb die Korrespondenz Borgheses mit dem Legaten, der für seine Verhaftung sorgen sollte, allerdings im Staatssekretariat (vgl. FB II 321, 61vf. mit eigenhändiger Antwortanweisung Borgheses auf 62v, die in SS Bo 186,119v, wiedergegeben wurde; vgl. auch ebd.,128vf., Ang. 1226,75v). Ebenfalls auf enge Zusammenarbeit mit dem Staatssekretariat angewiesen war laut Kraus, Staatssekretariat, S. 51, die *Congregatio confinium*, die weder bei Fink, Archiv, noch bei Pásztor, Guida, auftaucht. Laut Del Re, S. 370, wurde diese Kongregation erst 1627 gegründet. Ihre Aufgabe sei es gewesen, so Del Re, ebd., die Vergabe kirchenstaatlicher Lehensgüter an andere als die Untertanen des Papstes zu verhindern und im Falle drohender Seuchen die notwendigen Maßnahmen zu ergreifen. Die Unterlagen der *Congregatio confinium* zur Legation Ferrara, die sich in SS Misc.Arm. IX 27 finden, setzen allerdings bereits 1624 ein (bis 1639; vgl. ebd.,29: 1628–1640).

ein Blick auf die Entstehung und Entwicklung dieser Behörden: Das Staatssekretariat war zur Bewältigung des stark angewachsenen diplomatischen Schriftwechsels geschaffen worden, den der kardinalizische Papstneffe als Vertrauter seines Onkels führte, die Consulta hatte sich vom Ersatz für den von Paul IV. aus Rom verbannten Carlo Carafa, dem als Kardinalnepot die *sopraintendenza* des Kirchenstaats zufiel, zum Beratungsgremium seiner Nachfolger entwickelt[15]. Somit war die Kongregation *«sopra le consultazioni dello Stato Ecclesiastico»*, wie Sixtus V. sie nannte[16], nichts anderes als die innerstaatliche Entsprechung des primär für die Außenpolitik zuständigen Staatssekretariats, und da beide der Unterstützung des Kardinalnepoten dienten, lag es nahe, diesen an ihre Spitze zu stellen. Niedergeschlagen hat sich der Entstehungshintergrund der Consulta in ihren Anweisungen, die zur Veröffentlichung in den der Behörde unterstellten Gebieten bestimmt waren und bezeichnenderweise auch an Ferrareser Wänden und Kirchtoren hingen[17]. Denn obschon die sogenannten Bandi *«in Roma nella Sacra Consulta»* beschlossen und vom Sekretär der Kongregation erstellt worden waren, ergingen sie doch stets im Namen des Kardinalnepoten in seiner Funktion als Sopraintendente des Kirchenstaats. So durfte sich auch *«Giovanni Battista Zazzara Secretario»* auf dem Bando verewigen, mit dem *«Noi Scipione ... Cardinale Borghese, di tutto lo Stato Ecclesiastico Generale sopraintendente»* im Juni 1613 die Anwerbung von Soldaten für den Dienst fremder Fürsten im Kirchenstaat verbot[18], und damit waren die beiden wichtigsten Akteure bei sämtlichen schriftlichen Äußerungen der Behörde benannt: der Sekretär, der, wie es nach dem Blick auf die Arbeit im Staatssekretariat zu erwarten stand und von den Zeitgenossen berichtet wird, die Briefe und Anweisungen zu Papier brachte, und der Nepot, der Namen und Unterschrift beisteuerte[19]. Welchen Anteil diese beiden an der inhaltlichen Gestaltung der Texte hatten und welche Rolle die Kardinäle der Kongregation spielten, läßt sich anhand dieser Quellen nicht klären. Doch daß der Ferrareser Legat immer wieder Weisungen von der Consulta erhielt und diese keineswegs

---

[15] So wenigstens schildert De Luca in seinem Werk: Il Cardinale di S.R. Chiesa pratico, Rom 1680, S. 378, zit. bei Elio Lodolini, L'Archivio della S.Congregazione del Buon Governo (1592–1847). Inventario, Rom 1956, S.XIV, Anm. 2, die Entstehung der Consulta.

[16] Nach Lodolini, vgl. ebd.

[17] Sonst wären sie nicht in der Ferrareser Sammlung Bandi dei Cardinali Legati gelandet.

[18] In der Consulta, aber im Namen des *«Pietro Cardinale Aldobrandino ... sopr'intendente»* erlassen worden waren die im September 1600 erneut veröffentlichten Regeln gegen die überhöhten Sporteln-Forderungen der kirchenstaatlichen Amtsträger, vgl. Bandi dei Cardinali Legati, Bd. 1, unter dem Datum; ebd. das Bando Borgheses vom Juni 1613.

[19] Über die Arbeitsteilung in der Consulta schreibt Lunadoro, S. 34: *«il segretario fà poi le lettere d'ordine, et il Signor Cardinal capo sottoscrive»*, auch zitiert bei Lodolini, Buon Governo, S.XXI, Anm. 3, allerdings nach der in Venedig erschienenen Ausgabe von 1664.

darauf verzichtete, sich in die Belange der Legation einzumischen, zeigen die Korrespondenz Spinolas mit dem Staatssekretariat und die Bandi der Kongregation zweifelsfrei.

Ebenso eindeutig scheint sich die Frage nach der Zuständigkeit der Kongregation Del Buon Governo für die Legation Ferrara beantworten zu lassen. Zwar sind die Bestände auch dieses Gremiums für das frühe 17. Jahrhundert nur äußerst fragmentarisch erhalten, doch da es die Aufgabe der im Oktober 1592 von Clemens VIII. geschaffenen Kongregation war, die Einhaltung der kurz zuvor veröffentlichten Bulle *Pro Commissa* zu überwachen, können – so steht zu vermuten – ihre Mitglieder nur für jene Gebiete zuständig gewesen sein, in denen die Bulle Gültigkeit hatte[20]. Laut Artikel 1 der *Pro Commissa* sollte dies im gesamten Kirchenstaat der Fall sein, denn schließlich war das Ziel des auch unter dem bezeichnenden Namen *De Bono Regimine* bekannten Regelwerks eine Neuordnung der allerorten desolaten kommunalen Finanzen, deren Reform sich Clemens VIII. verschrieben hatte. So war fortan jede Gemeinde gehalten, mit der *tabella* einen Haushaltsentwurf für das kommende Finanzjahr nach Rom zu schicken, den zunächst der Camerlengo und der Tesoriere, nach Errichtung der Kongregation Del Buon Governo deren Mitglieder zu prüfen und zu genehmigen hatten. Mit Überschüssen sollten die exorbitanten Schulden der Kommunen getilgt werden, Defizite hatten die städtischen Magistrate dagegen aus eigener Tasche zu begleichen. Überdies mußten die Kommunalpolitiker vor dem Antritt ihres Amtes die Einhaltung der Bulle beschwören und nach dem Ende ihrer Dienstzeit einen Rechenschaftsbericht ablegen. Den Protest der Gemeinden, den diese strikten Regeln zu provozieren versprachen, hatte Clemens VIII. wohl vorhergesehen, aber offensichtlich geringzuhalten versucht, denn ohne die ausdrückliche Genehmigung der Kongregation durften zukünftig keine Botschafter nach Rom entsandt werden.

Allerdings stieß der Wille Clemens' VIII. zur finanzpolitischen Unterwerfung der Kommunen und zur damit verbundenen verschärften Zentralisierung seines Staates auf Grenzen: Kaum hatte er die Bulle erlassen und die Kongregation berufen, mußte der Aldobrandini-Papst die Legation Bologna von den Vorschriften befreien, die für Rom ohnehin nicht galten und einer Stadt von der Größe und

---

[20] Über die erhaltenen Quellen des Buon Governo informiert umfassend und detailliert das Inventar von Elio Lodolini, dessen Einleitung den folgenden Bemerkungen zu Entstehungsgeschichte und Kompetenzen der Kongregation zugrunde liegt. Die *Pro Commissa* ist außer bei Petrus Andreas De Vecchis, Collectio Constitutionum, chirographorum, et brevium. Pro bono Regimine Universitatum, ac Communitatum Status Ecclesiastici, & pro eiusdem Status felici Gubernio promulgatorum, ac specialiter disponentium, Bd. 1, Rom 1732, S. 96–106, ediert in Ministero del Tesoro, Istituzioni finanziarie, contabili e di controllo dello Stato pontificio, dalle origini ad 1870, Rom 1961, S. 501–511.

Bedeutung Bolognas offenbar nicht zuzumuten waren[21]. Die Romagna und andere Provinzen, die gelegentlich unter der Leitung eines Kardinallegaten standen, hatten sich dagegen in ihr Schicksal zu fügen[22], und so boten sich 1598 zwei Modelle an, denen Clemens VIII. bei der Neuordnung der Ferrareser Verhältnisse folgen konnte. Daß er auch bei der Gültigkeit der Bulle Bologna zum Vorbild für die zu schaffende Legation Ferrara nahm, belegen zahlreiche Abweichungen der Provinzverfassung von den Maßgaben der *Pro Commissa*. So durfte Ferrara nicht nur Sonderbotschafter nach Rom schicken, ohne die Genehmigung der Kongregation einzuholen, sondern – wie Bologna auch – einen ständigen Vertreter sowie einen Agenten in der Hauptstadt unterhalten, und von einer Tabella, die die Stadt zur Prüfung vorgelegt hätte, findet sich mindestens bis zum Ende des Borghese-Pontifikats keine Spur[23]. Die Freistellung der Stadt von den Auflagen der Bulle war sicherlich eines der Entgegenkommen, mit denen Clemens VIII. die Gunst der neuen Untertanen zu erwerben suchte, und tatsächlich sahen die Ferraresen darin ein Privileg, das sie mit allen Mitteln zu verteidigen bereit waren. Dies zeigte sich besonders deutlich, als der aus dem Amt scheidende Spinola im Dezember 1615 versuchte, die Magistratsherren nicht nur rechenschaftspflichtig, sondern auch persönlich haftbar zu machen und somit einen zentralen Punkt der *Pro Commissa*,

---

[21] Laut Angela De Benedictis, Politica e amministrazione nel Settecento bolognese, I. La Congregazione del Sollievo (1700–1725), Bologna 1978, S. 7–13, wurde Bologna am 18. November 1592 von Clemens VIII. von der Bulle ausgenommen, was Benedikt XIV. 1749 bestätigte. Die Dokumente sind ediert ebd., S. 101–107.

[22] Daß in der Romagna die Bulle Gültigkeit hatte und die Kongregation zuständig war, erwähnen Casanova, z. B. S. 322, und Giovanni Tocci, Le legazioni di Romagna e di Ferrara dal XVI al XVIII secolo, in: Aldo Berselli (Hg.), Storia della Emilia Romagna, Bd. 2: L'età moderna, Bologna 1977, S. 65–99, hier: S. 68. Bestätigt wird dies im übrigen von den Auslaufregistern des Buon Governo, die für 1605 und 1607 erhalten sind (ASR, Buon Governo, Serie V: Lettere, b. 6 und 7), denn in beiden Bänden finden sich zahlreiche Schreiben der Kongregation an den Presidente bzw. Kardinallegaten der Romagna sowie an die Vizelegaten und Legaten in Perugia, den Marken und dem Patrimonium. Briefe an das römische Verwaltungspersonal in Ferrara und Bologna sind dagegen nicht verzeichnet.

[23] Die von Clemens VIII. am 15. Juni 1598 erlassene Verfassung der Stadt, die einen Großen Rat mit hundert Sitzen vorsah und daher im allgemeinen als *Bulla Centumviralis* bezeichnet wird, ist mehrfach ediert worden, so z. B. in *Privilegia summorum Pontificum Constitutiones, indulta et decreta, urbi Ferrariae concessa*, Bd. 1: 1598–1632, hier: S. 1–16, unter dem Titel *Ferrariae civitatis recte administrandae ratio. A sanctissimo Clemente VIII. Pont. Max. sapientissime instituta*. Am 1. März 1599 folgte das *Breve, quo concedit civitati Ferrariae retinere posse Oratorem apud Pontificem, & in Romana Curia* (ebd., S. 44 f.). Zur Tabella vgl. Anm. 28. Noch 1640 bemerkte ein ehemaliger Legat in seinem Bericht «Delle Cose di Ferrara» zur Verfassung der Stadt und dem Vorbildcharakter Bolognas: «*et entrato in essa il somo Pontefice la costituì Legazione à foggia di quella di Bologna*» (SS Fe 404, nicht fol.). Der Autor dieser in Köln abgefaßten ausführlichen Beschreibung der Legation und ihrer Verwaltung dürfte kein Geringerer gewesen sein als Fabio Chigi, der von 1629 bis 1634 als Vizelegat in Ferrara weilte, 1639 als Nuntius nach Köln entsandt wurde und 1655 als Alexander VII. den Stuhl Petri bestieg.

den sogenannten *sindacato*, durchzusetzen. Niemand werde unter diesen Umständen die ehrenamtlichen Positionen der Savi bekleiden wollen, entgegnete der Magistrat, um daraufhin zum Kern der Auseinandersetzung zu kommen: Eine solche Neuerung käme der Einführung der Bulle *De bono Regimine* gleich, und da diese die Menschen zu Sklaven mache, wäre eine Zustimmung zu Spinolas Plan ein Verrat an der Freiheit der Patria[24]. Beeindruckt haben wird dieses Argument den Legaten wohl kaum, aber da er seinen ehemaligen Amtssitz verlassen mußte, konnte er sein Vorhaben nicht weiter verfolgen. Nicht zum ersten Mal war Spinola, dem die Ferraresen einen großen Eifer bei der Beschneidung kommunaler Freiheiten nachsagten[25], mit seinem Einsatz für die Bulle gescheitert. Es werde zum Nutzen der Menschen sein, wenn er die Orte und *governi* der Legation besuche und in den dortigen Gemeinden – soweit möglich – die Bulle *De Bono Regimine* einführe, hatte der Legat schon 1608 nach Rom geschrieben. Doch der Papst wollte von einer solchen Visitation nichts wissen und notierte eigenhändig auf Spinolas Antrag, er solle seine Rundreise wegen der aktuellen Geschehnisse in den Nachbarregionen verschieben[26]. Ob der Verwaltungsschef sein Vorhaben gegen den offenbar erwarteten Widerstand der Betroffenen hätte durchsetzen können, muß offenbleiben, denn da außenpolitische Aspekte bei der Verwaltung der Grenzregion immer vorgingen und Paul V. den Legaten lieber in der Stadt selbst als auf dem Weg zu einer Landgemeinde wußte, blieben Spinolas Gesuche um die Geneh-

---

[24] Dem Botschafter in Rom schilderte der Magistrat am 5. Dezember 1615: «*avendo veduto il Signore Cardinale Spinola, che dopo la pubblicazione delle relazioni in Consiglio non seguiva in alcuna parte l'esecuzione di esse relationi, ha procurato di ridurre la pratica a strettezza tale, che l'un Maestrato per non pagar del proprio dovesse esser (ne sia lecito così dire) lo sbirro verso dell'altro*» (CA 9,336r). Dies sei v. a. für die neun Savi, die gemeinsam mit dem Giudice de' Savi den zehnköpfigen Magistrat stellten, unmöglich, «*non avendo dal Comune una provisione al mondo*» (ebd.,337r). Anschließend kam der Magistrat zu dem Urteil, «*che questa era la vera, e rigorosa bolla de' bono regimine, la quale facendo schiavi i popoli, noi venivamo a tradir la libertà della Patria*» (ebd.,337v).

[25] Im Bericht über Spinolas Plan erwähnte der Magistrat «*la voglia avvidissima che sempre ha mostrato di levare ogni facoltà al Maestrato e di dare a questo ufficio un soprintendente Ecclesiastico*» (ebd.,338r).

[26] Spinola hatte am 16. April 1608 geschrieben: «*Se bene sono andato provedendo à quello era necessario secondo l'occorrenze alla giornata, stimo tuttavia che non sara che servitio de popoli che visiti i luoghi et Governi della Legatione ... la visita seguira senza altro senza una minima gravezza delle Comunità, nelle quali sara mio pensiero d'introdurre per quanto sara possibile la bolla di bono regimine, et risecare tutte le spese superflue*» (FB II 39,117r/v). Paul V. vermerkte auf dem Schreiben, der Legat solle «*questa visita ... differire sin tanto che siano spediti tutte queste nozze, et ritornati tutti alle case loro* (d.h. bis zum Ende der Hochzeitsfeiern in Modena, bei denen zahlreiche italienische Fürsten samt Truppen zugegen waren, B.E.), *et che il Signore Paolo* (Savelli, der bis zum November 1608 als General in Ferrara residierte und kurzzeitig verreist war, B.E.) *sia gionto, se bene giudicariamo meglio che per quattro o sei mesi si differisce*» (ebd.,117r).

migung einer Visitation erfolglos[27]. Eines aber belegen die Vorstöße des Legaten und seine Korrespondenz mit dem Staatssekretariat eindeutig: Weder die Provinzhauptstadt noch die *governi di Consulta* in der Legation Ferrara waren zur Zeit Pauls V. der ungeliebten Bulle unterworfen, und so könnte man vermuten, daß sich auch die Kongregation Del Buon Governo nicht mit Ferrareser Problemen zu befassen hatte und De Lucas Einschätzung wenigstens in diesem Falle zutrifft.

Doch vor übereilten Schlußfolgerungen sei gewarnt. Denn zum einen finden sich in den wenigen erhaltenen Dokumenten der Kongregation Hinweise auf eine spätere Unterstellung der Legation unter das Buon Governo[28], in dessen Geschäftsverteilungsplänen sie ja – im Unterschied zu Bologna! – ab 1701 nachweislich erfaßt ist[29]. Und zum anderen erweist sich die Annahme, die Zuständigkeit der

---

[27] Die Absage Borgheses vom 23. April 1608 gab die Notiz Pauls V. fast wörtlich wieder (SS Bo 185,50r/v). Spinola antwortete am 30. April 1608: «*la diferiro conforme alla mente di Nostro Signore in altra staggione*» (FB II 39,122r), die allerdings nie kommen sollte.

[28] In den unfoliierten, häufig von jeder chronologischen Ordnung unberührten *Atti per luoghi* des Buon Governo (ASR, Buon Governo, Serie II: Atti per luoghi; zitiert als: BG II), die in der Regel aus der Zeit nach 1630 stammen, findet sich z. B. ein Memoriale der Gemeinde Bagnacavallo (BG II 356) an den Kardinalnepoten Barberini von 1634 mit der Bitte, «*che siano approvate le spese necessarie per l'adempimento de' voti fatti nel tempo del Contaggio, e data facoltà di porle in tabella*». Selbst für die Stadt Ferrara (BG II 1614) liegen aus den 1660er Jahren Dokumente vor, die die Tabella betreffen, z. B. Änderungswünsche der Stadt oder Begründungen für die Verzögerung der Vorlage. Daß die Stadt selbst vor 1670 dem Buon Governo unterstellt wurde, belegt der Rat eines im Pontifikat Alexanders VII. in Rom tätigen Ferrareser Agenten in seiner in der zweiten Hälfte der 1660er Jahre entstandenen Schrift *Pratica per li Signori Ambasciatori della Città di Ferrara à Nostro Signore del Dottore Agostino Martinelli Agente per detta Città in Roma* (Ms.Cl.I 308, nicht foliiert), sich stets des Wohlwollens des Tesoriere, der Sekretäre des Buon Governo und der Memoriali sowie des Kammerkommissars zu versichern, durch deren Hände die Mehrzahl der Fälle gehe. Der Legat fungierte wie bei der Consulta als Vermittler zwischen Kongregation und Gouverneuren. So wurde z. B. den Quellen zur Gemeinde Argenta (BG II 251) zufolge die Entscheidung des Papstes vom Kardinalnepoten dem Legaten übermittelt, der sie den Gouverneuren mitzuteilen und diese mit der *facoltà* für die Ausführung der Maßnahmen auszustatten hatte. Auf den Punkt gebracht hat es die Gemeinde Argenta in einem Memoriale von 1668, in dem sie sich selbst als «*comunità ... soggetta al legato di Ferrara*» bezeichnet. Da sich im Archiv des Buon Governo keine Unterlagen über die Orte aus dem Ferrareser Contado finden, dürften diese allein der Stadt unterstellt geblieben sein. Wann, wie und warum das Buon Governo für Ferrara und seine *Governi* zuständig wurde, konnte nicht geklärt werden.

[29] Weber selbst merkt in seiner Edition dieser Pläne an, «daß die nördlichen Legationen Bologna, Ferrara, Romagna und Urbino ... mit dem einzigen Begriff »Legazioni« zusammengefaßt werden» (Territorien, S. 36 f.). Unter dieser Sammelbezeichnung tauchen sie auch tatsächlich in den Geschäftsverteilungsplänen der Consulta auf, die er S. 92–100 ediert. In den entsprechenden Plänen des Buon Governo dagegen (ed. S. 101–111) werden die Legationen stets einzeln aufgeführt, z. B. «*Legationi di Ferrara, Romagna, & Urbino*» (S. 101–103 = 1701 und 1702), «*Legationi di Ferrara, Romagna, Urbino e Tivoli*» (S. 106 = 1706) usw. Diese Ausführlichkeit läßt sich m. E. allein mit dem grundsätzlichen Fehlen der Legation Bologna erklären, die von der Sammelbezeichnung umfaßt worden wäre, aber offensichtlich gerade nicht in den Zuständigkeitsbereich des Buon Governo fiel.

Kongregation habe sich allein auf die Gültigkeit der Bulle gegründet, im Lichte einiger verstreuter Aktenfunde als mindestens fragwürdig. Zwar liefert die Korrespondenz des Staatssekretariats anders als im Falle der Consulta keine Hinweise auf den Schriftverkehr zwischen dem Buon Governo und dem Ferrareser Legaten, denn zu klar ließen sich die Zuständigkeitsbereiche des politischen Sekretariats und der auf die kommunale Finanzverwaltung spezialisierten Behörde trennen[30]. Dennoch reichen die Quellen aus, um festzustellen, daß auch Angelegenheiten aus der Legation Ferrara in diesem Gremium zur Sprache kamen. So bedurfte etwa die vertragliche Vereinbarung über die Kostenaufteilung bei Wasserbauarbeiten, die der Ferrareser Privatmann Enzo Bentivoglio mit dem im Territorium der Legation gelegenen Consulta-Gouvernatorat Lugo abgeschlossen hatte, der Bestätigung des Buon Governo[31], das – und dies ist weit aufschlußreicher – selbst mit Fällen befaßt war, die die eindeutig und dauerhaft der Bulle entzogene Legation Bologna betrafen[32]. Offensichtlich hielt ihr heftiger und erfolgreicher Protest gegen die Einführung der *Pro Commissa* und deren strenge Regelungen weder die Ferraresen noch die Bolognesen davon ab, einzelne Fragen aus ihren Provinzen vor dem Buon Governo verhandeln zu lassen, und so dürfte die Indienstnahme dieses Gremiums mit der Gültigkeit der Bulle nichts zu tun gehabt haben.

Dies gilt auch für die Tätigkeit der *Congregazione degli Sgravi*, die nach dem Willen ihres Gründers Sixtus V. Wege zur steuerlichen Entlastung der Gemeinden finden sollte. Denn auch wenn sie als selbständige Behörde in Erscheinung trat und als solche über Anträge aus Ferrara zu beraten hatte, war sie in ihrer personellen Besetzung vom Sekretär bis zum Präfekten mit dem Buon Governo identisch. So trafen sich die gleichen Mitglieder, die in der einen Woche als Buon Governo zusammentraten, in der nächsten Woche als *Congregazione degli Sgravi*[33], und wenn die Post der Behörden erstellt wurde, waren zur Zeit Pauls V. in beiden Fällen Odoardo Santarelli als Sekretär und Kardinal Borghese als Präfekt

---

[30] Auch laut Kraus, Staatssekretariat, S. 54 f., standen die Kongregationen degli Sgravi und Buon Governo «in keinem engen Verhältnis zum Staatssekretariat, es gab zu wenige Berührungspunkte».

[31] Die Auseinandersetzungen um die Güter bei Lugo wird in Kap. V.3.b ausführlich behandelt.

[32] Auch laut Gardi, Cardinale legato, S. 29, war die Kongregation Del Buon Governo für Bologna nicht zuständig. Daß sie nichtsdestotrotz mit Belangen der Legation befaßt sein konnte, legt das Schreiben vom 3. Oktober 1615 nahe, in dem der Ferrareser Magistrat seinen Botschafter über einen Vorstoß Bolognas gegen die Abgabenbefreiungen der Geistlichen unterrichtete und daraus den Schluß zog: «*Se la consuetudine è di tanta forza contro all'esenzioni Ecclesiastiche, che'l Reggimento di Bologna si pretendesse d'aver la sentenza favorevole dalla Congregatione De bono regimine infin contro alla dignità Cardinalicia, chiara cosa è, che le ragioni nostre divengono le medesime con quelle di Bologna*» (CA 9,262r, vgl. auch ebd.,231r/v). Natürlich könnten sich die Ferraresen schlichtweg getäuscht haben, was allerdings beweisen würde, wie wenig sie sich daran gestört hätten, wenn das Buon Governo Angelegenheiten aus Legationen an sich gezogen hätte, für die es an sich nicht zuständig war.

[33] Vgl. Lunadoro, S. 35.

gefragt[34]. Was für die personelle Verschmelzung der Einrichtungen zu einer Art Doppelkongregation mit dem Namen *Sacra Congregazione degli Sgravi e Buon Governo* sprach, zeigt ein Blick auf die Entstehungsgeschichte dieser Gremien: 1587 errichtet, mußte die Kongregation degli Sgravi schon 1592 einige ihrer Kompetenzen an das neu gegründete Buon Governo abgeben, doch da Beschwerden über Steuerlasten und andere Fragen, die sich nicht säuberlich von den Themen des Buon Governo trennen ließen, weiterhin in der Kongregation degli Sgravi behandelt wurden, war die Kooperation der beiden Gremien notwendig und durch die Personalunion ihrer Mitglieder am leichtesten zu sichern. Behörden mit verwandten Zuständigkeitsbereichen auf der personellen Ebene zu verzahnen und auf diese Weise für den nötigen Informationsaustausch zu sorgen bot sich allerdings nicht nur bei der Doppelkongregation degli Sgravi e Buon Governo an. Schließlich war die gemeinsame Wurzel beider Einrichtungen die Consulta gewesen, die sich zunächst um sämtliche Belange der kirchenstaatlichen Verwaltung zu kümmern hatte, im Zuge der kurialen Behördendifferenzierung aber 1587 zunächst die Kongregation degli Sgravi zur Seite gestellt bekam und 1592 schließlich die finanzpo-

---

[34] Wie bei allen Kongregationen, sind auch im Falle der *Congregazione degli Sgravi* weder Memoriali noch Anweisungen, die in das Ressort der Behörde fielen, in großer Zahl erhalten, denn während die Eingaben in der Regel bei den von ihnen gewünschten Breven und somit nur im Erfolgsfall zu finden sind, landeten die Anweisungen, deren Herkunft aus einer Kongregation sich meist nur aus ihrer fehlenden Verzeichnung in den Auslaufregistern des Staatssekretariats ergibt, lediglich dann bei den Papieren der Stadt, wenn der Legat sie dem Magistrat überließ. Dennoch reichen die Quellen aus, um die Zuständigkeit der Kongregation für Ferrara belegen und die Namen sowohl des Sekretärs als auch des Präfekten ermitteln zu können. So wurde das Memoriale, in dem die Stadt Ferrara Paul V. um die Einführung einer weiteren Gabella gebeten hatte, um ihre Schulden an einem römischen Monte begleichen zu können, verwiesen «*Al Santarelli, che si faccia spedire un breve conforme alla resolutione della Congregatione*» (Sec.Brev. 436,224v). Eigenhändig notierte der Sekretär, was die «*Sacra Congregatio super gravaminibus*» am 23. August 1608 beschloß (ebd.,223r). Das Breve, um dessen Erstellung sich Santarelli daraufhin zu kümmern hatte, findet sich ebd.,221 f. Daß auch die Schreiben der Kongregation degli Sgravi e Buon Governo vom Kardinalnepoten als Präfekt lediglich unterzeichnet wurden, berichtet Lunadoro, S. 35. Ein Beispiel für solche Briefe ist Borgheses Bericht vom 7. April 1609 an Spinola über die Klagen eines Einnahmepächters der Stadt Ferrara vor der Kongregation degli Sgravi, der in den Bänden des Staatssekretariats nicht registriert wurde und somit nur im Original in Ferrara vorliegt (CC 156,291). Spinola hatte das Schreiben an den Magistrat weitergereicht, damit sich die Stadt um die Sache kümmerte. Am 25. April 1609 nahm Ferrara zu den Vorwürfen des Pächters Valerio Stellung (CC 156,295 f.); vom 9. Mai 1609 datiert die Antwort Borgheses an den Magistrat, die wiederum vom Staatssekretariat nicht registriert und daher wohl von Santarelli verfaßt worden war (CC 156,297). Tatsächlich lobte sich der damalige Botschafter, der die Schreiben bei Borghese zu überreichen und die Interessen der Stadt in dieser Frage zu vertreten gehabt hatte, in seinem Rechenschaftsbericht nach Ende seiner Amtszeit: «*Hò passati offitij efficacissimi col Ill.mo Borghese, e con Monsignore Santarelli, acciò le pretensioni del Valeri restino vane, e n'ho riportata la gratia non ostante che da altri, che meno dovevano si sia operato diversamente*» (SP 61/2, Punkt 10).

litischen Aspekte der kommunalen Verwaltung dem neuen Doppelgremium über-lassen mußte[35]. Geblieben war der Consulta die Zuständigkeit für allgemeinere und vor allem jurisdiktionelle Probleme der Gemeinden und *governi*, doch da diese häufig eng verwoben waren mit fiskalischen Fragen, bedurfte es eines Mindest-maßes an behördlicher Zusammenarbeit mit der Kongregation degli Sgravi e Buon Governo. Genau diese Notwendigkeit dürfte für die Bündelung der Präfekturen in der Person des Kardinalnepoten gesprochen haben, denn wenn der Neffe des Pap-stes, der als Leiter des Staatssekretariats überdies die Berichte der Legaten an die politische Behörde einsehen konnte, sowohl der Consulta als auch der Kongrega-tion degli Sgravi e Buon Governo vorstand, liefen sämtliche Informationen aus dem Staat der Kirche beim Nepoten zusammen. Daß er als Sopraintendente dello Stato Ecclesiastico eine Art Superminister für das Land der Päpste war, demon-striert diese Ämterhäufung eindrucksvoll. Doch daß der Kardinal den Ansprüchen einer solchen Position tatsächlich gerecht wurde, ist wenigstens für die Zeit Pauls V. zu bezweifeln. Schließlich hat sich die außenpolitische Machtrolle des Nepoten als Chef der politischen Behörde in Scipiones Fall bereits als Attrappe entpuppt, und wenn ihn schon die Korrespondenz mit gekrönten Häuptern nicht zu fesseln vermochte, dürfte er sich um die immer gleichen Fragen der Staatsverwaltung erst recht nicht gekümmert haben. Einen Vorteil hatte die Besetzung der Präfekturen mit dem Nepoten dennoch: Wer auch immer die Arbeit hinter den Kulissen leistete – die Post aus allen Ressorts trug die Adresse des Kardinals. Formal war damit allein der Nepot im Zentrum der Kommunikationswege für die Verwaltung des Kirchenstaats verantwortlich, und so konnte die Ausdifferenzierung der römi-schen Behörden voranschreiten, ohne das Bild eines zentralisierten Herrschaftsap-parats zu gefährden.

Auf der Suche nach weiteren Gründen für die Ernennung des Papstneffen zum Leiter zahlreicher Gremien fällt der Blick auf eine dritte Einrichtung, der Scipione Borghese als Präfekt vorstand: die Wasserkongregation. Für den Kirchenstaat im allgemeinen weit unwichtiger als Consulta und Buon Governo und daher in der einschlägigen Literatur nahezu unberücksichtigt, war die *Congregazione delle ac-que* wenigstens für die in der Poebene gelegenen und stets von Überschwemmun-gen bedrohten Legationen Bologna, Ferrara und Romagna von zentraler Bedeu-tung[36]. Entsprechend gut ist die Ferrareser Quellenlage zur Tätigkeit der Behörde,

---

[35] Diese Entwicklung der Gremien und die Aufteilung ihrer Kompetenzen beschreibt Lodolini, Buon Governo, S.XXIIIf.

[36] Bei Del Re findet die für die nördlichen Provinzen zuständige Wasserkongregation keine Erwähnung, bei Kraus, Staatssekretariat, S. 38, taucht sie zwar als Kongregation «super acquis» auf, wird aber bei den unbedeutenden Behörden eingereiht. Diesem Urteil hätten sich die Ferraresen zur Zeit Pauls V. wohl kaum angeschlossen, gab es für ihre Legation nicht nur, aber auch im Borghese-Pontifikat doch keine wichtigere Frage als die hydrologische.

und da diese Dokumente nicht nur die Zusammenarbeit mit anderen kurialen Gremien beleuchten, sondern tatsächlich auch zusätzliche Argumente für die Besetzung der Präfektenrolle mit dem Kardinalnepoten zutage fördern, sei der Wasserkongregation an dieser Stelle mehr Beachtung geschenkt, als ihr gemeinhin zukommt[37]. Zuständig war die von Clemens VIII. 1604 ins Leben gerufene Kongregation für die Prüfung aller Einwände, die gegen das vom Aldobrandini-Papst verordnete und von Paul V. bestätigte wasserbauliche Gesamtkonzept für die drei Provinzen Bologna, Ferrara und Romagna erhoben wurden. Die Beratungen waren mühsam, denn keiner der drei Legationen konnte man es in Rom recht machen, und nicht weniger Mühe hatte der sogenannte *Presidente della Bonificazione Generale*, der vor Ort die angeordneten Maßnahmen durchführen sollte. Mal verhinderte der Protest der Betroffenen in Rom den Beginn der bereits beschlossenen Arbeiten, was dem Presidente möglichst schnell mitgeteilt werden mußte, mal machte ein Dammbruch die zögerlichen Anfänge zunichte, wovon Rom zu unterrichten war. Und da auch die Legaten der beteiligten Provinzen Überschwemmungen im eigenen Gebiet meldeten, über die Stimmung ihrer Untertanen berichteten und – allen voran Spinola aus Ferrara – wasserbauliche Aktivitäten im venezianischen Grenzgebiet, die nicht zum ersten Mal gegen den Kirchenstaat gerichtet gewesen wären, minutiös vermerkten, entspann sich in der Wasserfrage eine ansehnliche Korrrespondenz. Politisch relevante Themen wie der drohende Aufruhr der wegen einer Flußumleitung um Hab und Gut fürchtenden Ferraresen oder der abermalige Versuch Venedigs, den Nachbarn durch einen Dammbau das für die Schiffahrt nötige Wasser abzugraben, wurden im Staatssekretariat behandelt, interne Angelegenheiten der Bonifikation in der Wasserkongregation. So schrieb Spinola je nach Dimension des Wasserproblems an das Staatssekretariat oder an die Kongregation, und da auch deren Präfekt Borghese hieß, war ein weiterer Weg für dessen Briefwechsel mit dem Legaten eröffnet. «Zur Bonifikation verweise ich auf das, was ich Ihnen in meinem von anderer Hand erstellten Schreiben antworte», konnte Spinola einem Brief des Staatssekretariats entnehmen, und die andere Hand, die bei den Wasserinterna aktiv wurde, gehörte Odo-

---

[37] Die folgenden kurzen Notizen zur Wasserfrage basieren vor allem auf dem Schriftwechsel zwischen der Stadt Ferrara und ihren Sonderbotschaftern für die hydrologische Debatte Luigi Montecuccoli (1605/1606, CA 139,509–667) und dem später auch zum regulären Botschafter gewählten Annibale Manfredi (1606–1617, CA 7–9). Für die Korrespondenz zwischen Rom und dem Legaten vor Ort werden im folgenden einige Beispiele genannt.

[38] Borghese an Spinola, 18. April 1609, SS Bo 186,62v: «*Nel particolare ... della bonificatione mi riporto à quello che ne rispondo con lettera che spedisco per altra mano.*» Daß Santarelli die Briefe der Kongregation entwarf, belegt seine Verfügungsgewalt über die entsprechenden Minuten, die er dem Ferrareser Botschafter des öfteren zeigte. So berichtete der Diplomat z.B. im Dezember 1609 über Santarelli, der «*mi fece vedere la minuta delle lettere*» (CA 137,873v). Im April 1608 meldete

ardo Santarelli[38]. Als Sekretär der Wasserkongregation hatte er deren Amtskorrespondenz zu Papier zu bringen, in den Auslaufregistern zu verzeichnen und Borghese als Präfekt zur Unterschrift vorzulegen, wie Fuccioli und nach ihm Zazzara in der Consulta, Santarelli selbst in der Kongregation degli Sgravi e Buon Governo und ihre zahlreichen Kollegen im Staatssekretariat dies taten. Erhalten sind die derart entstandenen Schreiben der Kongregationen an den Ferrareser Legaten nur, wenn dieser sie, wohl um die Dringlichkeit der römischen Anweisungen zu verdeutlichen, dem Magistrat überließ oder zur Abschrift vorlegte[39]. Auch wenn das nicht oft geschah, muß man dem Legaten für diese Maßnahme dankbar sein, denn da sowohl die Auslaufregister als auch der Einlauf wie die meisten anderen Dokumente der Wasserkongregation für die Zeit Pauls V. verlorengingen, sind die heute in der Korrespondenz der Stadt mit Borghese befindlichen Schreiben des Gremiums an den Ferrareser Verwaltungschef die einzigen überlieferten Exemplare ihrer Art[40]. Allen gemein ist die große Detailgenauigkeit der Anweisungen und die konsequente Beschränkung auf die hydrologischen Aspekte der Wasserfrage. Für deren politische Dimension war schließlich das Staatssekretariat zuständig, das seinerseits keinen Wert auf technische Fragen legte. Aufgrund dieser unterschiedlichen Schwerpunkte war die Post für die jeweilige Behörde gut zu erkennen, und wenn Wasserbau und Politik auch in der Praxis so einfach zu trennen gewesen wären, hätten Kongregation und Staatssekretariat völlig unabhängig voneinander arbeiten können. Doch da dem nicht so war, bedurfte es der zwischenbehördlichen Kooperation, die zunächst nur durch die Beteiligung des über alle Aspekte der Wasserfrage informierten Papstes gesichert werden konnte. Erst als Paul V. im Juli 1606 seinen Neffen zum Präfekten auch dieser Verwaltungs-

---

der Vertreter der Stadt in einer Wasserangelegenheit, «*che per questa sera il Signore Santarelli debba scrivere, come farà al Signore Cardinale Legato*» (CA 6,322r).

[39] Auf diese Weise sind wenigstens einige Originale oder – weit häufiger – Kopien der Schreiben an die Amtsträger vor Ort, die Borghese als Präfekt der Wasserkongregation unterzeichnet hat, bei der Korrespondenz der Stadt mit dem Nepoten gelandet (CC 156: 117, 119, 136, 141, 173, 204, 505 f., 566). Weitere Kopien finden sich im Familienarchiv der von den Anordnungen zuweilen betroffenen Bentivoglio: ABent.Corr. 10/75: 159, 281, 203; ebd.,10/78: 315 f., 356.

[40] Unter den Dokumenten der Wasserkongregation, die sich heute als *Archivio della Congregazione delle acque* in ASR befinden, finden sich lediglich zwei Sitzungsprotokolle aus dem Borghese-Pontifikat (Acque 1, Bd. 1,4: 27. Mai 1611; ebd.,7: 30. Januar 1619), während die Auslaufregister erst ab 1623 erhalten sind (Acque 1, Bd. 2: *Registro di lettere* 1623–1637; Bd. 3: 1638–1652). Die über 250 Bände der Unterserie *Acque e paesi* enthalten chronologisch kaum geordnetes Material nicht nur zu den im jeweiligen Bandtitel angegebenen Orten und Flüssen, das von wenigen Ausnahmen abgesehen ebenfalls aus der Zeit nach Paul V. stammt. Aus der Unterserie *Legazioni di Bologna, Ferrara e Ravenna* betrifft nur Bd. 284 die Jahre vor 1621. Auch die wenigen einschlägigen Dokumente im Fondo des ASR *Fondo Miscellanea Cybo, Congregazione delle Acque*, setzen entgegen der Ankündigung im Katalog (b.81: 1612–1657) erst in den 1620er Jahren ein.

kongregation erhob[41], war die bei Consulta und Buon Governo stets übliche personelle Verzahnung der Behörden hergestellt.

Daß die Ernennung Borgheses so spät erfolgte, ist ein aktenkundlicher Glücksfall, offenbart sich doch in der Quellenlage aus der Zeit vor diesem Schritt ein gewichtiges Argument für die Besetzung so zahlreicher Präfekturen mit dem Kardinalnepoten, das durch seinen sofortigen Diensteintritt in Consulta und Buon Governo nicht zu erkennen ist. Denn bis zum Juli 1606 war der Kardinal von Camerino der Präfekt der Wasserkongregation und als solcher, wie nach ihm Borghese, der Adressat für die Meldungen über die internen Probleme der Generalbonifikation, die die Amtsträger vor Ort zu Papier brachten. Borghese aber trug schon seit Monaten den roten Hut und den Titel eines Sopraintendente, und was wäre von einem Superintendenten zu erwarten gewesen, dem nicht alle Informationen über den Staat in seiner Obhut zur Verfügung gestanden hätten? So wenigstens scheinen es seine Zeitgenossen gesehen zu haben, denn bis zur Ernennung Borgheses zum Wasserpräfekten hielten sie es für nötig, sowohl di Camerino als Chef der Kongregation als auch den Kardinalnepoten als Sopraintendente mit den gleichen Nachrichten zu versorgen[42]. Wie die beiden mit diesen Schreiben verfuhren, belegt ein von Borghese unterzeichneter Brief des Staatssekretariats an den Presidente vom September 1605, genauer: ein Satz aus diesem Brief, dessen Aufbau so kompliziert ist, wie es das Verfahren war: «Ihre letzten Meldungen habe ich Seiner Heiligkeit vorgetragen, aber da Sie das gleiche an den Kardinal von Camerino schrieben, der Ihre Briefe dem Papst durch mich zur Kenntnis bringen wollte und sie mir daher geschickt hat, verweise ich auf dessen Antwort.»[43] Borghese suchte seinen Onkel auf, doch di Camerino mußte für das Antwortschreiben sorgen, und dies dem Presidente mitzuteilen wurde dem Staatssekretariat überlas-

---

[41] Der Botschafter berichtete dem Magistrat am 19. Juli 1606 von einem Gespräch mit Santarelli, *«il quale ha però voluto dirmi in somma confidenza, che questo negozio d'acque e stato levato di mano al Signore Cardinale di Camerino e transferito nell'Ill.mo Borghese, al quale nell'avvenire si appoggieranno le risolutioni e gli ordini da darsi»* (CA 4,525).

[42] Dies belegen die Berichte des kurzzeitigen Presidente Centurione von August/September 1605 an Borghese (FB II 431: 19, 44, 45, 46, 47, 48, 50) und Borgheses Entgegnungen an diesen (Pio 169: 72vf., 78vf., 79r) sowie die in dieser Phase ebenfalls noch vom Staatssekretariat registrierten ausführlichen Wasserschreiben Borgheses an Spinola (Originale in FB II 364: 122f., 131f., 141f.; reg. in Pio 169: 94r–95r, 101r–102r, 109r/v). Beim Kardinal von Camerino handelte es sich in dieser Zeit um Mariano Pierbenedetti, der in den Quellen allerdings nie bei seinem eigentlichen Namen genannt wird und daher auch im folgenden als Kardinal von Camerino oder di Camerino auftreten wird.

[43] Borghese an Centurione, 24. September 1605, Pio 169,79r: *«Posso dire à V.S. d'haver ricevute, et riferito à Nostro Signore le lettere sue delli 9, 13 et 14 dell'instante; mà essendo uniforme questo e quello, che ella scrive al Signore Cardinale di Camerino, che pur le hà communicate con Sua Beatitudine per mio mezzo, e però mandate in mia mano; devo riportarmi alla risposta, che ella ne havrà havuta da S.S.Ill.ma.»*

sen. Zwei gleichlautende Briefe des Presidente beschäftigten somit zwei Kardinäle und zwei Sekretäre unterschiedlicher Behörden, und wäre Borghese nicht sofort zum Präfekten der Consulta und der Kongregation degli Sgravi e Buon Governo ernannt worden, hätten deren Korrespondenzen eine ähnliche Verdoppelung erlebt. So war es ein Gebot der administrativen Straffung, den Sopraintendente des Kirchenstaats gleichzeitig zum Präfekten wenigstens der wichtigsten Verwaltungskongregationen zu machen, und als dieser Schritt im Juli 1606 auch für das Wassergremium erfolgte, wird es höchstens den abgelösten di Camerino nicht erfreut haben.

In Ferrara dagegen war der Jubel groß, denn schon seit längerem hielt man dort den Kardinal von Camerino für einen der schlimmsten wasserbaulichen Gegner der Stadt. Mehr Zorn als er hatte allein der Presidente Caetano auf sich gezogen, doch diesen auf den wiederholten Antrag Ferraras hin abzusetzen war Paul V. nicht bereit. Zu wichtig war der verläßliche Caetano in seiner Funktion als Legat der Romagna, als daß ihn der Papst ausgerechnet auf dem Höhepunkt der Auseinandersetzung mit Venedig hätte opfern können. Aber entgegenkommen mußte er den Ferraresen, deren politische Verläßlichkeit in der Venedig-Krise um so zweifelhafter wurde, je mehr ihr Unmut über die römische Wasserpolitik wuchs[44]. Als Paul V. in dieser Situation seinen Neffen an die Stelle di Camerinos setzte, hatte er zwei Fliegen mit einer Klappe geschlagen: Zum einen war der verhaßte Präfekt als Zugeständnis an die Ferraresen seines Amtes enthoben worden, ohne eine unüberwindliche persönliche Schmach zu erleiden, denn schließlich konnte die Ablösung durch den ranghöchsten Kardinal nicht als soziale Degradierung begriffen werden. Und zum anderen zierte nun der Familienname des Papstes jede Anweisung in der Wasserpolitik, die so heftig wie bisher zu kritisieren die Ferraresen schlecht beraten gewesen wären[45]. Daher diente das personalpolitische Manöver vom Juli 1606

---

[44] Welche Rolle die Venedig-Krise in der Wasserpolitik spielte, illustriert die kaum verhohlene Drohung, die als Argument in der Debatte einzusetzen die Stadt ihrem Botschafter am 11. Januar 1606 empfahl: «si mette a manifestissimo pericolo di sommergere la Città di Ferrara, la quale è pure la fronte dello stato Ecclesiastico, Città di tanta nobiltà e di tanta consequenza alla Santa Sede» (CA 4,260v). Daß auch der Legat Spinola die politischen Folgen hydrologischer Entscheidungen vor Augen hatte, belegt seine am 17. Juni 1606 gegenüber Borghese wiederholte Versicherung, «che non stimo etiam che fossero giovevoli trattarne per questo anno ... essendo materia che fa far delle pazzie a questa Città tanto e negotio giudicato rovinoso per essa» (FB II 322,51r). Selbstverständlich wiesen die Ferraresen den von ihren wasserpolitischen Erzfeinden aus Bologna geäußerten Vorwurf, «che noi valendoci della congiuntura de rumori di Venezia diciamo francamente di non voler» den römischen Anweisungen gehorchen, als frei erfunden zurück (CA 4,516v).

[45] Daß die Ferraresen den Papst selbst nicht kritisieren konnten, belegt sowohl ihre Ende Dezember 1605 in einem Schreiben an den Botschafter geäußerte Vermutung, Paul V. «sia stato ingannato dal Signore Cardinale di Camerino» (CA 4,251v), als auch ihre Kritik am Presidente Caetano, der, «ingannando il Papa e la congregazione», die Stadt ruiniere (dass., 24. Februar 1606, CA 139,576v).

nicht nur dem Abbau überflüssiger Doppelkorrespondenzen, sondern auch der Besänftigung der Untertanen in einer außenpolitischen Krisensituation sowie der dauerhaft wirksamen Immunisierung römischer Entscheidungen gegen zu laute Proteste. Da es gar nicht erst zu parallelen Briefwechseln gekommen wäre, wenn es keinen Kardinalnepoten und Superintendenten des Kirchenstaats gegeben hätte, wird man die Vermeidung bürokratischer Doppelbelastungen ihrem eigenen Urheber nicht als Erfolg anrechnen dürfen. Die römischen Entschlüsse allein durch seine Unterschrift vor zu heftigem Widerspruch schützen zu können war indes eine Fähigkeit, die nur der Kardinal mit dem päpstlichen Onkel besaß. So mochte das Bedürfnis der regierenden Familie, mit den Ämtern des Nepoten eine Rechtfertigung für dessen üppige Einnahmen zur Hand zu haben, eine wichtige Rolle bei der Vergabe der Präfekturen an den Papstneffen spielen. Doch daß der Name dieses Präfekten unter den Anordnungen der Behörden nicht nur der Kritik an der ökonomischen Dimension des Nepotismus begegnete, sondern gleichzeitig die Autorität der römischen Direktiven stärkte und den Willen der Kongregationen zum unmißverständlichen Befehl des Papstes erhob, war ein weiteres Argument für die Besetzung der Präfekturen mit dem Neffen des Regenten. Im Falle der Wasserbehörde hatte Paul V. geglaubt, ohne seinen Neffen und dessen Unterschrift auskommen zu können. Doch nachdem ihm seine eigenen Untertanen demonstriert hatten, in welchem Maße die Kongregationen auf die Autorität des Papstnamens angewiesen waren, lenkte der Pontifex ein und machte sich auch bei diesem Gremium die Vorteile zunutze, die der Kardinalnepot in seiner Rolle als Präfekt noch immer zu bieten hatte: Als Adressat aller Anfragen in Sachen Staatsverwaltung verkörperte er die monokratische Struktur des römischen Apparats, als Unterzeichner der Amtspost verhalf er den im Zuge der kurialen Behördenentwicklung entstandenen Fachausschüssen zu einer Autorität, die die noch jungen Gremien ohne seine Unterschrift nicht hätten beanspruchen können.

Eine weitere Funktion des Nepoten zeigt sich indes weniger im dienstlichen Schriftverkehr der Amtsträger als vielmehr in der Korrespondenz der Stadt Ferrara mit der Kurie. Daß Borghese im Briefwechsel zwischen Rom und Ferrara eine zentrale Rolle zufiel, ist nicht erstaunlich. Schließlich war er als Superintendent und Präfekt der wichtigsten Verwaltungskongregationen für alles zuständig, was den

---

Daß es dennoch um das Ansehen des Papstes ging, zeigt das zwar nur intern geäußerte, angesichts der tatsächlichen Konfusion in der Wasserpolitik aber wohl nicht nur in Ferrara verbreitete Urteil, Paul V. habe *«di gia confessato l'incapacità sua in questo negozio»* (CA 4,251v; Ende Dezember 1605). Mit Borgheses Ernennung zum Präfekten verschwanden solche Klagen und Urteile schlagartig aus der Korrespondenz der Stadt. Als der Botschafter Ferraras dem Nepoten zu diesem neuen Amt gratulierte und ihm dabei versicherte, *«che se da principio ella havesse havuto il presente carico, non ci sarebbero stati tante contesi»* (Giglioli an Ferrara, 22. Juli 1606, CA 4,533), mochte er dies als Kompliment gemeint haben, den Kern der Sache hatte er gleichwohl getroffen.

Ferraresen am Herzen lag. Um so merkwürdiger wirkt das Verhalten der Stadt. So hatte der Botschafter Paul V. bereits Wochen vor der Erhebung seines Neffen zum Sopraintendente gebeten, diesem die Anliegen Ferraras vortragen zu dürfen, und auch in der Wasserfrage wartete der Magistrat keineswegs die Verleihung der Präfektur an Borghese ab, um ihn über die hydrologischen Wünsche der Stadt zu informieren[46]. Der ohnehin erwarteten Ernennung vorauseilende Vertrauensbeweise Ferraras waren dies mitnichten, denn selbst wenn die formale Betrauung des Nepoten mit einem Ressort wie der Kammerverwaltung ausblieb, wandten sich die Ferraresen mit Problemen aus diesem Bereich unverdrossen an Borghese[47]. Wie wenig die Attraktivität des Kardinalnepoten in ihren Augen von dessen Ämtern abhing, zeigt sich indes nirgends deutlicher als im andauernden Verzicht des Magistrats, die Präfektenrolle Borgheses auch nur zu erwähnen. Offensichtlich verdankte der Nepot die Schreiben der Stadt allein seiner Eigenschaft als Neffe des Papstes, als dessen alter ego er für die Betreuung der Klientel zuständig war. Tatsächlich unterscheidet sich der Briefwechsel Ferraras mit Borghese kaum von den Bitten des Legaten in eigener Sache und den entsprechenden Antworten des Nepoten: Die Stadt bat um seine *protettione* und *intercessione*, Borghese versicherte, die gewünschten *uffici* gemacht zu haben und Ferrara auch zukünftig zu Diensten zu stehen[48]. Argumente dagegen sucht man in diesen Schreiben nahezu vergebens, denn ihre Position und deren Begründung schilderten die Ferraresen allein Paul V[49]. Schließlich war auch

---

[46] So wurde der Botschafter Giglioli am 13. August 1605 von seinem Magistrat gelobt: «*Ha fatto prudentemente a supplicare la Santità Sua, di poter conferire i negoci col Signore Cardinale Nipote, non potendo essere senon d'utile, e riputazione*» (CA 4,131). Bereits am 13. Mai 1606 berichtete der Sonderbotschafter für Wasserfragen Montecuccoli nach Ferrara: «*Di tutto s'informò al solito il Signore Cardinale Borghesi*» (CA 139,652).

[47] So z. B. im Falle der umstrittenen Genehmigung für Ferrara, *stracci*, d. h. Lumpen zur Papierherstellung, aus dem Kirchenstaat auszuführen, vgl. z. B. CC 156: 26, 29, 37.

[48] Einige Beispiele aus wasserpolitischen Schreiben Ferraras an Borghese mögen genügen. Schon im Januar 1606 bat die Stadt den Kardinal, «*a volerci essere in cosa tanto importante clementissimo protettore, e ad intercedere da Nostro Signore favorita spedizione alla nostra giustissima instanza*» (o. D., aber Januar 1606, CC 156,30), was in einem Brief vom September 1606 fast wörtlich wiederholt wurde (ebd.,105). Vom April 1609 datiert die Bitte um Borgheses «*intercessione*» und «*protezione*» für den Sonderbotschafter Luigi Montecuccoli (CP 171/A,36v). Stets appellierte die Stadt «*alla potente protezione di V.S.Ill.ma in lei sola come nostro unico e principalissimo protettore confidando tanto la nostra afflita patria, quanto in alcun' altro Signore si facesse mai*» (o. D., aber Juni 1606, CC 156,49). Als Beispiele für Borgheses Antworten auf solche Schreiben sei auf CC 156,133 (zit. in Anm. 51) und ebd.,79 (zit. in Anm. 53) verwiesen.

[49] Der eklatante Unterschied in den Formulierungen der Stadt wird besonders deutlich, wenn die gleichzeitigen Schreiben Ferraras an Paul V. und an Borghese in der gleichen Sache vorhanden sind. Briefpärchen dieser Art finden sich v. a. bei den *Suppliche al Papa* in CP 171/A, z. B. 23 f; 36r/v; 37r/v; 39 f; 41 f; 47 f; 61r/v. Daß der Magistrat seine Formulierungen bis hin zur Unterschrift auf die Rolle des jeweiligen Empfängers abstellte, wird in Kap. IV.2.a, v. a. Anm. 52, zu berichten sein.

den neuen Untertanen bereits wenige Jahre nach ihrer Einverleibung in den Kirchenstaat klar, was die in Rom übliche Rollenverteilung von den beiden Borghese verlangte: Paul V. hatte als Padre comune allen Untertanen zu gleichen Teilen ein liebender Vater zu sein, dessen Entscheidungen stets sachdienlich, gerecht und auf das
Wohl aller orientiert waren[50], Kardinal Borghese dagegen mußte als alter ego seines
Onkels dafür sorgen, daß sich die Begünstigten nicht nur dem Papsttum als abstrakter Größe, sondern dem Borghese auf dem Stuhl Petri in Dankbarkeit verbunden
und zur Treue verpflichtet fühlten[51]. Da ihm dies nicht gelingen konnte, wenn er als
Präfekt einer Kongregation auftrat, die wie der Papst selbst über den Parteien zu
stehen und allein nach der besten Lösung für alle Beteiligten zu suchen hatte, mußte
er sich den Ferraresen als Vermittler päpstlicher Gnadenakte präsentieren, dessen
Fürsprache sie eine günstige Entscheidung Roms ebenso verdankten wie der Gerechtigkeit des Papstes[52].

Daß es sich hierbei um zwei verschiedene und bewußt getrennte Ebenen der
Politik handelte, wird in den Antworten Borgheses auf die Schreiben der Stadt an
Paul V. deutlich: Im Ton distanzierter, inhaltlich konkret und ohne jeden Hinweis
auf seine *uffici* verkündete der Nepot die Entscheidungen seines Onkels, als dessen

---

[50] Zum Bild des Papstes als Padre comune vgl. Kap. I, Anm. 61. Wie selbstverständlich den Zeitgenossen diese Vorstellung war, die ihren deutlichsten Ausdruck in der allgegenwärtigen Bezeichnung des
Papstes als *Nostro Signore* fand, belegt die Äußerung des Ferrareser Magistrats in einem Schreiben
an den Botschafter im Vorfeld des Konklave nach dem Tod Pauls V. Über den Bologneser Kardinal
Ludovisi heißt es dort: «*e fatto che fosse Papa divenisse padre di tutti*» (Ferrara an Ippolito Giglioli,
3. Februar 1621, CA 12,23v). Daß eine solche Mutation vorrangig auf dem Papier stattfand und
nicht für die Objektivität des Papstes garantierte, wußten auch die Ferraresen. So fuhren sie im Blick
auf die Folgen einer Wahl Ludovisis für die Wasserpolitik fort: «*tuttavia l'amor della patria, che mai
non si perde, e la sollicitudine de' Bolognesi ci durebbono un gran che fare a diffenderci, e perciò per
non correre si gran pericolo, stimiamo bene, che V.S.Ill.ma il metta in consideratione alli Signori
Cardinali Bevilacqua, e Pio, non potendo se non giovare l'esserne essi avvertiti*» (ebd.). Der Ausgang
des Unternehmens ist bekannt. Daß sich der Papst wenigstens hinter vorgehaltener Hand auch an
die Pflichten erinnern lassen mußte, die er als liebender Vater seiner Untertanen hatte, belegt das
Schreiben des Ferrareser Magistrats an den Botschafter in Rom vom 29. August 1615, in denen es
um die untragbaren Folgen der Befreiungen einiger weniger von Abgaben und Lasten für die Masse
der Bevölkerung ging: «*Sua Beatitudine è Padre Comune, e se ha da riguardar con occhio pietoso
alcuno, di ciò sono degni singolarmente i più deboli, e bisognosi, e tali sono per lo più i non esenti*»
(CA 9,224r).

[51] Daß Borghese mit dieser Arbeitsteilung einverstanden war, belegt seine Versicherung vom 28. Juli
1607, Paul V. «*haverà quella consideratione che conviene, et io farò sempre ogni amorevole offitio
appresso Sua Santità*» (CC 156,133).

[52] Am 18. Januar 1606 schrieb der Magistrat an Borghese, man habe «*dalla somma giustizia di Sua
Beatitudine*» zwar nichts anderes erwartet als die getroffene Entscheidung, fuhr aber fort: «*Et si
come la riconosciamo principalmente dall'intercessione di V.S.Ill.ma*», wolle man ihm die «*umilissi-
me grazie*» übermitteln (CC 156,37).

weisungsgebundener Sprecher er auftrat[53]. Angefertigt wurden die Briefe im Namen des Papstes ebenso wie die Dienstversicherungen Borgheses und seine Direktiven an das römische Personal vor Ort vom Sekretär der zuständigen Kongregation[54], der den Kern der Anweisungen stets wiederholen konnte, die Rolle des Nepoten aber je nach Adressat der Post deutlich variieren mußte: Amtsträgern wie den Legaten gegenüber präsentierte sich Borghese als kurialer Funktionär und Sprecher der ihm unterstellten Gremien, Untertanen wie der Stadt Ferrara entweder als Protektor und Vermittler päpstlicher Gnaden oder als Sprachrohr seines Onkels. Dessen Herrschaft war absolut, sollten diese Sprachregelungen sagen, und wer mit diesem Herrscher in Kontakt kommen wollte, bedurfte der Vermittlung und Hilfe seines Neffen. So offenbaren die Schreiben, die den Namen Borgheses trugen, je nach Adressat zwei höchst verschiedene Stilisierungen der Nepotenrolle. Als detailkundiger Behördenchef erteilte er dem römischen Verwaltungsapparat Anweisungen, als Freund und Helfer versicherte er den Bittstellern seine Dienstbereitschaft. Was diese Inszenierungen mit der Realität zu tun hatten, wird nun zu klären sein.

---

[53] Ein Beispiel mag genügen: Daß Borghese den Brief vom 10. Juni 1606 *«a nome di Nostro Signore»* geschrieben hatte, wie die Ferraresen auf der Rückseite vermerkten, war bereits seinem strengen Ton zu entnehmen. Im Auftrag Pauls V. teilte er hier mit, es bleibe bei *«tutte quelle provissioni, che stima di essere di utile à cotesta Città, così e necessario ch'elle vadano facilitando di costà l'essecution di quelche si è risoluto per servitio universale, com'io m'assicuro, che faranno»* (CC 156,73). Wie anders klang dagegen das wenige Tage später verfaßte Schreiben Borgheses, in dem er als der Protektor Ferraras auftrat: *«Ho voluto dirle, che si come per corrispondere alla confidenza che hanno in me, ho fatto, et farò sempre ogni amorevol uffitio con Nostro Signore per quelche concerna gl'interessi publici, et particolari di cotesta Città»* (17. Juni 1606, ebd.,79).

[54] Den erhaltenen Auslaufregistern zufolge wurden dort zwar nur Schreiben an die Amtsträger vor Ort verzeichnet, doch da z. B. die Wasserbriefe Borgheses an die Stadt in seinem und in seines Onkels Namen sämtlich in den Bänden des Staatssekretariats nicht zu finden und überdies ausnahmslos mit *«Affettionatissimo Il Cardinale Borghese»* unterzeichnet sind, kann ihre Abfassung durch das Sekretariat ausgeschlossen werden. Woraus dies zu schließen ist, wird in Kap. IV.2.a erläutert. Daß sie der Sekretär der Kongregation entworfen hat, kann nicht eindeutig belegt werden, ist aber im Falle der im Namen des Papstes verfaßten Schreiben angesichts ihrer Detailkundigkeit sehr wahrscheinlich und steht für die Schreiben Borgheses im eigenen Namen zu vermuten. Entsprechendes gilt für Borgheses Schreiben zu wirtschafts- und finanzpolitischen Fragen, mit denen sich die römische Kammerverwaltung zu befassen hatte: In den Bänden des Staatssekretariats nicht registriert und mit der für die Behörde völlig untypischen Formel *«Al piacer delle SS. VV. Il Cardinale Borghese»* unterzeichnet, scheinen sie von den zuständigen Fachleuten verfaßt worden zu sein, vgl. z. B. Borgheses Antworten in der *Stracci*-Frage (vgl. Anm. 47) in CC 156: 33, 182, vgl. auch ebd.: 46, 55, 131. Zur Entstehung dieser Schreiben vgl. Kap. III.2.a.

b. Arbeitslast und Sachverstand: Die Sekretäre der Kongregationen

Ob sich der Nepot als pflichtbewußter Amtsleiter oder als hilfsbereiter Protektor betätigen wollte – über die Geschäfte der Behörde und den Verlauf der Beratungen mußte er sich so oder so informieren. Dies scheint Borghese tatsächlich getan zu haben, finden sich in den Berichten der Zeitzeugen wie in den erhaltenen Unterlagen der Behörden doch immer wieder Hinweise auf seine Teilnahme an den Sitzungen der Kongregationen[55]. Wer bei diesen Treffen das Sagen und den größten Einfluß auf den Verlauf der Gespräche hatte, geben die Quellen allerdings nicht zu erkennen. So war der Stimme des Papstneffen auf dem Präfektensessel zweifellos das Gehör der anderen Gremienmitglieder gewiß, doch ob er sie erhob und was er sagte, ist nicht zu rekonstruieren[56]. Fest steht dagegen die zentrale Rolle der Kongregationssekretäre bei der Bewältigung der alltäglichen Arbeit. Sie entwarfen und registrierten die auslaufenden Schreiben, sie führten die Sitzungsprotokolle, und wenn die Parteien ihre Stellungnahmen und die Sachverständigen ihre Gutachten einreichten, waren es die Sekretäre, die die Schriften studierten und den Mitgliedern des Gremiums zur Lektüre vorlegten[57].

---

[55] Daß der Kardinalnepot an den Sitzungen der Consulta und der Kongregation Del Buon Governo e Sgravi teilnahm, die *«alle stanze di Sua Signoria Eminentissima in Palazzo»* stattfanden, legt Lunadoros Darstellung nahe, der den römischen Hof zur Zeit Pauls V. erlebt hat, vgl. Lunadoro, S. 34 (dort das Zitat zur Consulta) und S. 35 (zum Buon Governo). Die Namen der Teilnehmer an den Sitzungen der Wasserkongregation sind zwar nur für eine geringe Zahl der Zusammenkünfte überliefert, doch stets findet sich Borghese unter ihnen, vgl. CA 139,285v (Dezember 1608); Acque 1: 4 und 7 (Mai 1611, Januar 1619); CA 9,491 (Februar 1616). Daß Borgheses Fernbleiben eine Ausnahme war, legt sein Brief an Spinola nahe, dem er am 10. Oktober 1607 aus Frascati schrieb: *«Si è ricevuta la informatione ... in materia delle acque della quale si tratterà nella solita Congregatione anco nella nostra absenza»* (SS Bo 184,249r/v).

[56] Daß das Eingreifen Borgheses in den Kongregationssitzungen äußerst gering zu veranschlagen ist, legt eine der raren Quellen zu dieser Frage nahe. In einem Brief vom 21. Juni 1608 berichtete Mario Farnese dem Ferrareser General Paolo Savelli von einer Zusammenkunft wenn nicht der Wasserkongregation, so doch eines mit deren Mitgliedern besetzten Sondergremiums, bei der die hydrologischen Aspekte des Festungsbaus in Ferrara erörtert wurden: *«Domenica a mattina fu fatta la congregatione di quattro Cardinali cioe Camerino Bandino Cesis et Arigoni. il Signore Cardinale Borghese non ve lo numero perche non da voto ne parla et fu fatta avanti Sua Beatitudine dove intervennero anco Monsignore Tesoriero Monsignore Serra, Monsignore Verospi, il Signore Pompeo Targoni et io»* (Giust. 99).

[57] Daß die Sekretäre die Korrespondenz ihrer Kongregation führten, wurde bereits mehrfach erwähnt und belegt; daß sie die Sitzungsprotokolle führten, dokumentiert eines der beiden in Abschrift erhaltenen Protokolle der Wasserkongregation aus der Zeit Pauls V.: *«In Congregatione habita super acquis ... sub die XXVII mensis Maij M.D.C.XI ... in qua interfuerunt* (die Kardinäle der Kongregation, B.E.) *.. et ego Secretarius ... fuit risolutum»*, was im folgenden ausgeführt wird (Acque 1,4r). Daß sie die an Paul V. gerichteten und von diesem an die Kongregationen verwiesenen Gutachten den kardinalizischen Mitgliedern zur Lektüre vorlegten, belegt der Bearbeitungsvermerk auf einer an

Vor allem aber fungierten die Sekretäre, nicht etwa die Präfekten oder andere Kardinäle aus den Reihen der Behörden, als Vermittler zwischen dem Papst und ihren Kongregationen. Notwendig war eine solche Vermittlung aus zwei Gründen: Zum einen richteten sich die Memoriali, mit denen die Objekte der römischen Verwaltungsbemühungen den Apparat der Zentrale häufig erst in Gang brachten[58], stets an den Regenten, so daß Paul V. und sein Sekretär Pietro Pavoni die Eingaben erst durchsehen und an die zuständigen Stellen weiterleiten mußten[59]. Und zum anderen bedurften die Entscheidungen, die die Kongregationen nach der Beratung der Anträge getroffen hatten, wenigstens in wichtigen Fällen der Zustimmung des Papstes[60]. Ging es in den Memoriali um Wünsche der Bittsteller, die nur in Form eines Breves gewährt werden konnten, hatten die Sekretäre mehr zu tun, als die Eingabe in Empfang zu nehmen, in ihrer Behörde zur Sprache zu bringen und den Beschluß des Gremiums vom Papst absegnen zu lassen. Schließlich waren die Breven Dokumente von hoher Rechtskraft, deren Formulierung wohlüberlegt sein wollte, und so oblag es den sachkundigen Sekretären, nicht ihrem Kollegen im Brevensekretariat, die entsprechenden Mi-

---

den Papst gerichteten Schrift eines Wasserbauexperten von 1607: *«Per manus Illustrissimorum et Reverendissimorum Dominorum Cardinalium de Camerino, Bandini, Arrigonj, Caetani, et Cesj nec non RR.PP.DD. Thesaurij generalis, Verospi, et Serra qui postea remittat ad Secretarium»* (Vallic. G 64,356r).

[58] Welche Bedeutung die Memoriali hatten, wenn ein Thema aus dem Verwaltungsalltag des Kirchenstaates auf die römische Tagesordnung gesetzt werden sollte, hat der Ferrareser Botschafter Manfredi in einem Schreiben an die Stadt vom 23. Januar 1616 auf den Punkt gebracht: *«senza memoriale non si può fare»* (CA 9,439r).

[59] Zu Pavonis *rescritti* vgl. Kap. II.3.c, v. a. Anm. 338. Beispiele werden folgen.

[60] Wie die Suppliken in Sachfragen von Paul V. zu den Sekretären gelangten, schilderte der in Rom tätige Agent Landinelli in seinem Bericht von 1612 über ein Memoriale, das *«la Santità Sua ... l'ha rimesso alla Congregatione sopra l'acque»* und daher *«venuto nelle mani di Monsignore Santarello»* sei (an Enzo Bentivoglio, 8. August 1612, ABent.Corr. 10/66,631r). Die Vermittlerfunktion der Sekretäre zwischen dem Papst und den Kongregationen belegen die eigenhändigen Vermerke Santarellis auf einigen Memoriali Ferraras. So wurde z. B. die Bitte der Stadt um eine neue Einnahmequelle von Paul V. verwiesen *«Al Santarelli, che si faccia spedire un breve conforme alla resolutione della Congregatione»* degli Sgravi, deren Entscheidung er zunächst notierte; darunter vermerkte er: *«fuit approbatum per Sanctissimum D.N.»* (Sec.Brev. 436,223r). Bezüglich der Aufteilung der Kosten wasserbaulicher Maßnahmen teilte Santarelli dem Brevensekretär mit: *«li Signori Cardinali della Congregatione hanno fatto l'accluso ripartimento ... sopra il quale Nostro Signore hà ordinato, che si spedisca un breve»* (ebd., 410,60r). Daß sich analog zu den Sekretären die zuständigen Fachleute aus anderen Bereichen um die Memoriali, die in ihr Ressort fielen, zu kümmern hatten, belegt z. B. der Verweis auf einer Supplik aus Ferrara über die Gültigkeit eines städtischen Statuts: *«Al Commissario della Camera che ne parli à Nostro Signore»* (ebd., 404,156v; vgl. auch ebd., 400,626v); die Eingabe Ferraras zu Fragen der städtischen Steuern wurde dagegen vom Tesoriere Serra bearbeitet (vgl. ebd., 471,450v).

nuten zu erstellen und die Ausfertigung der Urkunde zu überwachen[61]. Dies lenkt den Blick abermals auf den Nepoten, genauer: auf eine weitere Rolle, die Borghese besetzte, aber nicht ausfüllte. Schließlich trug er seit 1612 den Titel eines Präfekten des Brevensekretariats, und als solcher hätte er die Entwürfe für diese Dokumente überprüfen und abzeichnen müssen[62]. Sein Amtsvorgänger, Kardinal Pietro Aldobrandini, war dieser Aufgabe in den ersten Monaten des Borghese-Pontifikats nachgekommen, doch da er im Mai 1606 den Rückzug nach Ravenna angetreten hatte, blieb die Kontrolle und Signatur der Minuten dem Brevensekretär Cobellucci überlassen. Daran änderte sich nichts, als der entmachtete Aldobrandini-Nepot das Amt an Scipione Borghese abtrat. Die hundert Kammerdukaten, die die Stelle im Monat abgeworfen haben soll[63], kassierte Scipione wohl gerne. Die Aufsicht über die Expedition der Breven wollte er jedoch nicht übernehmen, und so blieb es dem Segretario dei Brevi überlassen, mit seinen Kollegen aus den Kongregationen über den Text der Dokumente zu verhandeln[64].

Vom Auftreten eines Problems bis zur abschließenden Entscheidung erfolgte somit kein Schritt ohne die Beteiligung der Sekretäre, die besser als alle anderen informiert waren, dem Papst als Referenten und Berater dienten, die Tagesordnung der Kongregationssitzungen gestalteten und deren Verlauf durch ihre eigenen Wortbeiträge nicht unmaßgeblich beeinflußten[65]. Nur wenn eine Sachfrage

---

[61] Dies belegen die Anweisungen der zuständigen Fachleute an den Brevensekretär Cobellucci, die vielen Breven beiliegen, vgl. z.B. die Notizen von Santarelli in Sec.Brev. 410,60r (zit. in der vorhergehenden Anm.) oder in ebd., 422,451v sowie die Anordnung des Monsignore Vulpio in einer kirchlichen Frage auf ebd., 540,80r (vgl. Anm. 143). Daß kein Breve ohne die doppelte Zustimmung des Papstes entstand, belegen die allgegenwärtigen Dorsalvermerke: «Sanctissimus annuit» wurde notiert, wenn der Papst die gewünschte Gnade gewährt hatte, «Sanctissimus placuit» bedeutete, daß er mit der daraufhin erstellten Minute für das Breve einverstanden war.

[62] Vgl. Lunadoro, S. 30, zit. in Kap. I, Anm. 57.

[63] Vgl. ebd.

[64] Die Aktivitäten Aldobrandinis und die Weigerung Borgheses, seine Amtspflichten zu erfüllen, belegen die (fehlenden) Unterschriften in Sec.Brev.

[65] Daß die Sekretäre Einfluß auf Termin und Tagesordnung der Sitzungen hatten, ist Landinellis Schreiben an Enzo Bentivoglio vom 8. August 1612 zu entnehmen: Wegen des an ihn verwiesenen Memoriales «Monsignore Santarello stava in pensiero di trattare di questo negotio ... lunedi con l'occasione del Concistoro» (ABent.Corr. 10/66,631r). Ihren Einfluß auf den Verlauf der Beratungen illustriert der Bericht des Ferrareser Botschafter vom 17. Dezember 1608 über eine Sitzung der Wasserkongregation, in der ihm Santarelli widersprochen hatte, damit der unerfahrene Diplomat die vom Sekretär geförderte Position Ferraras so klar darlegte, daß auch die restlichen Kongregationsmitglieder folgen konnten: «Finita la Congregatione mi dolsi con Monsignore Santarello dell'oppositione fattami, quale mi rispose, che ciò fece a fine ch'io mi dichiarasse» (CA 137,65v/66r).

zur Abstimmung gelangte, wurden die Sekretäre nicht gefragt[66], doch daß sie
deren Ergebnis nicht schon im Vorfeld maßgeblich mitbestimmt hätten, ist im
Lichte ihrer umfassenden Beteiligung am Prozeß der Entscheidungsfindung mehr
als unwahrscheinlich. Diesem Befund entspricht die Wahrnehmung der römischen
Arbeits- und Rollenverteilung durch die Zeitgenossen: Vor allem an die Sekretäre
müsse sich wenden, wer die Arbeit einer Kongregation zu seinen Gunsten beeinflussen wolle, riet eine um 1610 entstandene Schrift über die kurialen Gremien[67],
und dies schienen auch die Ferraresen begriffen zu haben. So erhielt Santarelli
immer wieder Besuch vom Botschafter und ein Schreiben der Stadt, in dem er über
die Position Ferraras in der aktuellen Wasserfrage informiert wurde[68], doch allein
auf die Überzeugungskraft seiner Argumente wollte sich der Magistrat dem Sekretär gegenüber nicht verlassen. Festgrüße, Genesungswünsche, Bittbriefe und
Danksagungen, eine Salami zu Weihnachten und die in Rom üblichen Trinkgelder,
aber auch ein Geschenk als Zeichen der Dankbarkeit und die beste Unterbringung
während einer Visitationsreise durch die Legation – sämtliche Mittel aus dem
Repertoire der frühneuzeitlichen Beziehungspflege brachte die Stadt zum Einsatz,
um sich mit Santarellis Gunst und Hilfsbereitschaft die Voraussetzung für einen
Sieg in der Wasserfrage zu sichern[69]. Der Botschafter zeigte ihm zum Beweis seines

---

[66] Nur die Kardinäle, nicht aber die Sekretäre oder die rangniederen Prälaten, die den Kongregationen
angehörten und in einer Schrift über das Buon Governo als *«Prelati Consultori»* bezeichnet werden
(Chig. H II 36,5r), besaßen Stimmrecht, was auch Santarellis Notiz auf Sec.Brev. 410,60r, zit. in
Anm. 60, belegt.

[67] Wenn man etwas von der Kongregation wolle, *«bisogna far capo à i Cardinali capi delle Congregationi, et sopratutto anco à i secretarj di esse Congregationi»* (Barb.lat. 4592,243r).

[68] Welche Bedeutung die Ferraresen Santarelli in der Wasserfrage beimaßen, bringt folgender Briefwechsel schön zum Ausdruck: Der Botschafter schrieb am 9. November 1608 nach Ferrara: *«talche
è necessario se vogliono sperar bene di questo si importante negozio che cerchino di guadagnarsi il
Signore Santarelli»* (CA 135,581), worauf der Magistrat am 15. November 1608 leicht pikiert antwortete: *«E quanto al procacciarsi il favore di Monsignore Santarelli, V.S.Ill.ma sia pur certa, che
non si tralasciranno quegli ufici, che sono giudicati a proposito, e che gia abbiamo tra di noi piu
d'una volta tenuto ragionamento delle deliberazioni da pigliarsi»* (ebd.,596).

[69] Statt des Nachweises jedes einzelnen dieser Gruß- und Dankesschreiben sei die Reaktion der Ferraresen auf eine Erkrankung ihres Fürsprechers zitiert: *«La indisposizione grave e pericolosa del Signore Santarelli ne affligge fuor di modo, poichè morendo lui perderessimo appunto la nostra tra-
montana ne' i negozi importantissimi della bonificazione»*, weswegen man für seine Genesung bete.
Die Mitteilung seiner Genesung *«ci ha propriamente ravvivati, e ritornato lo spirito»*, denn *«il
dubbio, che a cotesto carico non fosse portato soggetto troppo amorevole (com'è proprio della
nostra disgrazia) accresceva in infinito il nostro dolore»* (Ferrara an den Botschafter, 24. bzw. 28. Mai
1608, CA 6,357 bzw.362r/v). Alljährlich schickte die Stadt *«due casse di salame da distribuire
secondo il solito a cotesti ministri Pontefici»* (Ferrara an den Botschafter, 16. Dezember 1609, CA
137,868v) im Wert von dreihundert Ferrareser Lire (vgl. CA 9,324r), vgl. auch CA 7: 270r, 285r;
CA 140: 32, 378; CA 9: 282r/v, 297v, 344r, 1011v. Ebenfalls verteilt wurden *«le solite mancie»*
(Ferrara an den Botschafter, 24. Dezember 1616, CA 9,1011v) gemäß der *«lista delle mancie ... che*

Vertrauens die interne Korrespondenz mit dem Magistrat, der Sekretär revanchierte sich mit nützlichen Insiderinformationen, und wenn eine Entscheidung nach dem Geschmack der Ferraresen getroffen worden war, konnte sich Santarelli deren Versicherung, dies in erster Linie seinem Einsatz zu verdanken, gewiß sein[70]. Tatsächlich nutzte er seine Einflußmöglichkeiten auf den Papst, dessen Neffen und die Kardinäle der Kongregation des öfteren im Sinne der Stadt[71], die im

---

sempre si è usata» (dass., 1. Januar 1611, CA 7,278). Daß Santarelli unter den Empfängern dieser Gaben war, ist nicht belegt, aber mit Sicherheit anzunehmen. Belegt dagegen ist, daß die Stadt dem Sekretär entgegen dem ausdrücklichen Verbot in Art. 14 der Bulle *Pro Commissa* (vgl. Lodolini, Buon Governo, S. XVII) ein Geschenk überreichte. So wies die Stadt ihren Botschafter am 23. Juni 1606 an: «*Al Signore Santarelli, ne sarà ben caro, ch'ella faccia larghissima testimonianza dell'obbligo, che ci conserva a S.S.R.ma, anzi le darà un motto, che tra pochi giorni, la Città le darà qualche picciol segno della sua gratitudine verso di lui, e noi l'averessimo fatto, se quello, che si procura fosse stato perfezionato.*» (CA 4,465.) Am 29. Juli 1606 bedankte sich Santarelli in einem eigenhändigen Schreiben bei den Ferraresen für die «*cortesissima loro delli 2. e dell'amorevole officio*» durch den Botschafter und beteuerte seine Dienstbereitschaft, «*perche conoscesse il publico e tutti li particolari questo mio desiderio e la memoria, che io tengo degli honori, e cortesie fattemi mentre mi è stato concesso di trovarmi costì*» (CP 171/H,3). Für die Ankündigung seines Kommens im Rahmen einer wasserbaulichen Visitation dankte Ferrara Santarelli am 1. November 1608 (CP 171/H,5). Der Magistrat hatte bereits am 25. Oktober 1608 einstimmig der Anfrage zugestimmt, «*se si dovevano far tutte quelle spese, ch'avessero fatto mistieri per la venuta del prefatto Monsignore Santarelli.*» Das Protokoll fährt fort: «*Essendosi poi trattato il luogo dove alloggiarlo tutta la Congregatione pregò instantissimamente il Signore Conte Manfredi* (der die Stadt seit Jahren in der Wasserfrage vertrat und somit ein alter Bekannter Santarellis war, B.E.) *ad accettarlo in casa sua provvedendosi però di tutte quelle cose faranno di bisogno*» (Reg. C,228v).

[70] So berichtete der Botschafter dem Magistrat am 27. Januar 1610 von der Reaktion des Sekretärs, nachdem er ihm von einem Gespräch mit Borghese und vom Schreiben der Stadt erzählt hatte: «*Mostrò d'aggradare questa confidenza, che professiamo seco, e m'assicurò che Nostro Signore, il Signore Cardinale Borghese, Camerino e si può dire tutta la Congregatione inclinano al punto dell'Introduttione del Pò, e ch'al presente non sia per trattarsi d'altro.*» (CA 138,46). Daß mit solchen Vertrauensbeweisen die Hoffnung auf intensivere oder schnellere Hilfe verbunden war, belegt die Anweisung des Magistrats an Enzo Bentivoglio vom 10. Dezember 1608: «*V.S.Ill.ma legge tutta la presente lettera a Monsignore Santarelli, mostrando però di fargliele vedere con molta confidenza, acciò Monsignore pensi tanto più all'uficio, che vuol fare con Nostro Signore*» (CA 137,52). Daß Santarelli dem Botschafter «*per farmi piu pienamente capace di quello si scrisse ... mi fece vedere la minuta delle lettere*» (der Botschafter an Ferrara, 16. Dezember 1609, ebd., 873v), war eine andere Art, sich für die Ferrareser Vertrauensbeweise zu revanchieren. Ein Beispiel für die Dankesschreiben Ferraras an den Sekretär: «*È venuta la revocazione dell'ordine d'aprire la Chiavica d'Argenta cosa da noi sperata principalmente per mezzo degli ufici, ch'eravamo certi che sarebbono stati fatti dall'ottima volontà, che V.S.R.ma degna di portare a i nostri interessi*» (15. Mai 1608, Ferrara an Santarelli, CP 171/H,21).

[71] So schrieb ein Vertreter der Stadt am 13. Dezember 1608 nach Ferrara: «*Il Signore Santarelli ebbi poi l'audienza da Nostro Signore con gli disegni in mano et hebbe longisima et mi dice che resta molto apagio in materia del Lamone, et che vol certo che si gli piglia provigione, et à ordinato una congregatione accio si conferma la introdutione del pò, di gia decretato*» (CA 139,287). Santarelli

übrigen auch Glück hatte, wenn ihre Memoriali in anderen Angelegenheiten als der Wasserfrage an Santarelli verwiesen wurden. Diesem Glück konnte man auf die Sprünge helfen: Er möge die Eingaben Ferraras in der gleichen Sache nicht immer wieder an den überarbeiteten Commissario della Camera verweisen, bat der Botschafter den Memoriali-Sekretär des Papstes im April 1616, und da Pietro Pavoni offenbar nicht nur großen Einfluß auf die Behandlung der Anträge, sondern auch ein Einsehen hatte, gelangte die Schrift der Stadt an Santarelli. Der Sekretär enttäuschte des Diplomaten Hoffnung nicht. Wie von Manfredi vorhergesagt, nahm sich Santarelli der Sache sofort an, und so war dank Pavonis Entgegenkommen binnen weniger Tage mehr erreicht, als der Commissario in Monaten zustande gebracht hatte[72]. Die Bemühungen der Ferraresen um die Gunst des Sekretärs und seinen Einsatz bestätigen somit den Eindruck, den die Bearbeitungsvermerke auf den erhaltenen Dokumenten erweckt haben: Auch wenn die Entscheidungen der kurialen Verwaltungsgremien von mehreren Kardinälen getroffen und vom Nepoten als Präfekt unterzeichnet wurden, waren es doch die Sekretäre, die den Großteil der alltäglichen Arbeit leisteten und dank ihrer permanenten Beteiligung auf allen Ebenen der Beratungen die römische Politik nicht unmaßgeblich beeinflußten.

Daß dies nicht nur für Santarelli galt, zeigt das große Interesse Ferraras an der Auswahl seines Nachfolgers als Sekretär der Wasserkongregation, dessen Gunst

---

selbst berichtete den Ferraresen am 12. Dezember 1609: «*Intesi al primo cenno loro il pericolo che portava seco l'apertura della Chiavica e però trovando Nostro Signore e l'Ill.mo Signore Cardinale Padrone dispostissimi hebbi ventura di poterle sodisfare*» (CP 171/H,32).

[72] Das erste Memoriale Ferraras über die Weigerung der Bewohner eines Golene genannten Gebiets, sich an den gemeinsamen Wasserbauarbeiten zu beteiligen, wurde Anfang Februar 1616 an den Commissario della Camera verwiesen, «*che scriva per informazione*» (CA 9,466v). Bei diesem wurde der Botschafter in den folgenden Wochen immer wieder vorstellig (vgl. dessen diesbezügliche Korrespondenz mit dem Magistrat, ebd.: 481r, 540r/v, 551r, 567r, 585r, 603r, 638r). Da trotz weiterer Eingaben an den Papst bis Ende April 1616 noch immer nichts geschehen war, sah sich der Diplomat zu folgendem Schritt veranlaßt (CA 9,652r): «*Pregai Monsignore Pavoni segretario de' Memoriali à procurar, che l'ultimo, ch'io diedi a Nostro Signore sopra le Golene, fosse rimesso ad altri, che al commissario, il quale hà bonissima volontà di servire alle SS. VV. Ill.me, ma non può mai metterla ad effetto con prestezza per la moltiplicità de' suoi affari. Hora il memoriale sudetto è stato rimesso à Monsignore Santarelli, al quale hò data l'informazion necessaria di questo fatto, onde spero di ottenere in una settimana da lui quell'ordine, che in tanti mesi non s'è potuto havere per altro mezzo.*» Bereits drei Tage später unterzeichnete Borghese das von Santarelli aufgesetzte Schreiben an den Kardinallegaten (30. April 1616, Borghese an Serra, CC 156,540). Daß die seit langem gewünschte Aufforderung an den Legaten, seine Stellungnahme zu dem anstehenden Problem einzureichen, Santarelli in seiner Funktion als Sekretär der Kongregation degli Sgravi e Buon Governo zu verdanken war, mußte die Ferraresen nicht stören, denn schließlich hatte dessen Indienstnahme nichts mit der Gültigkeit der Bulle *Pro Commissa* zu tun.

man sich rechtzeitig sichern wollte[73], aber auch ein Blick auf die Arbeit anderer Behörden. So hatte Paul V. den Antrag Ferraras auf Einhaltung der städtischen Statuten, die den Regularklerikern den Besitz weltlicher Güter und deren Vererbung an ihr Kloster verboten, an Kardinal Tosco verwiesen, der sich von den Argumenten des Magistrats überzeugen ließ. Doch den Widerstand Fucciolis, der als Sekretär der Consulta an sich nur ausführen sollte, was Tosco anordnete, konnte auch der Kardinal nicht überwinden, und so blieb die Bitte der Stadt unerfüllt[74]. Zweifellos stand es nicht immer in der Macht der Sekretäre, die Anordnungen kardinalizischer Sonderbeauftragter oder der Kongregationsmitglieder und ihrer Präfekten zu blockieren, doch wie gering die Erfolgsaussichten einer Eingabe waren, deren Umsetzung dem zuständigen Sekretär nicht geraten erschien, zeigt das Scheitern Toscos und Ferraras an Fuccioli deutlich.

So eindeutig die Aktennotizen und die Bemühungen der interessierten Zeitgenossen die Sekretäre als jene Funktionäre ausweisen, die die Arbeit in den Kongregationen erledigten und deren Entscheidungen maßgeblich mitbestimmten, so selten ist in diesen Quellen ein anderer Amtsträger anzutreffen: der Präfekt Kar-

---

[73] So schrieb die Stadt am 24. Februar 1621 an ihren Vertreter: «*Se la Segretaria della Bonificatione generale sarà transferita in quel tale Zecchini, come da lei ne viene scritto, desideriamo d'esser raguagliati di sua condizione, dipendenze, e patria, lodando in tanto il pensiero di far' ogni opera per guadagnarsi la sua confidenza*» (CA 12,38r), und, nachdem ein neuer Kandidat bekannt geworden war: «*Se a Monsignore Varesi hanno da essere appoggiate li negozi della bonificatione generale, non ha dubbio, che prudentemente V.S.Ill.ma gli ha raccomandati gl'interessi nostri*» (27. Februar 1621, Ferrara an den Botschafter, CA 12,39r). Varesi erhielt die Stelle tatsächlich, wie sein Name in den Protokollen der Wasserkongregation in Acque 1 belegt.

[74] Zum zur Debatte stehenden Problem und dem diesbezüglichen Breve Clemens' VIII. von 1599 vgl. Frizzi, S. 41 f. Ende Juni 1607 hatte Paul V. das Memoriale Ferraras an Tosco überwiesen (vgl. Ferrara an Tosco, 4. Juli 1607, CC 169/7,3), trotz dessen positiver Stellungnahme das Schreiben Borgheses an den Legaten (nicht erhalten, nicht registriert, wohl weil es in der Consulta angefertigt wurde) «*in tutto contraria alla richiesta della Città*» war (Ferrara an Tosco, 1. August 1607, CC 169/7,1). Wem sie dies zu verdanken hatten, wußten die Ferraresen bald: «*Monsignore Fuccioli, che doveva essere semplice esecutore del voto di V.S.Ill.ma*», aber «*è partialissimo protettore della parte contraria*» (dass., 15. September 1607, ebd.,5). Nach weiteren gescheiterten Versuchen und dem Rat Toscos, die Sache ruhen zu lassen (vgl. den Rechenschaftsbericht des Botschafters Bentivoglio in SP 61/2, Punkt 3) unternahm Ferrara im Februar 1614 den nächsten Anlauf, doch nachdem die Angelegenheit erst bei Fuccioli, «*che gli fu nemico capitale*», gelandet war, sollte sie nun von dessen Nachfolger als Sekretär der Consulta, Zazzara, bearbeitet werden, der ebenfalls anderer Meinung als die Ferraresen war. Diese wußten nur zu gut, daß «*non può esser di vantaggio alcuno, che chi ha da trattar con Nostro Signore abbia diversa credenza alla nostra*» (Ferrara an den Botschafter, 26. Februar 1614, CA 8,323). Erst als der Botschafter Paul V. bewegen konnte «*di valersi nel negotio de' bonis del voto di due Auditori*» (dass., 31. Mai 1614, ebd.,395) und die Stadt an die beauftragten Rota-Richter Coccino und Verospi geschrieben hatte (31. Mai 1614, CP 192/3,61r/v), erhielt die Debatte eine positive Wendung und wurde mit der *Declaratio Brevis Clementis Papae VIII. super bonis ingredientium Monasteria* vom 4. April 1615 (ed. in Privilegia, Bd. 1, S. 174–178) beendet.

dinal Borghese. Gewiß, auch der Nepot wurde regelmäßig über die Probleme aus dem Verwaltungsalltag des Kirchenstaats informiert. Schließlich gehörte es zu den Gepflogenheiten der in Rom akkreditierten Diplomaten, nach jeder Audienz beim Papst dessen Neffen aufzusuchen und diesen über das Anliegen ihrer Auftraggeber in Kenntnis zu setzen[75]. Daß er ihnen zur Hilfe geeilt sei und seine *uffici* gemacht habe, war die übliche Antwort des Kardinals an die Bittsteller, denen er überdies in einem zweiten Schreiben die Entscheidung seines Onkels mitteilte. Doch sowohl als Vermittler päpstlicher Gnadenakte als auch als Sprecher Pauls V., dessen Willen er in Erfahrung und zu Papier brachte, begegnet Borghese allein in seiner Korrespondenz. Alle anderen Dokumente, die Unterlagen der Behörden wie der Briefwechsel des Ferrareser Magistrats mit den Diplomaten in Rom, bezeugen eher das Gegenteil: Seinen Namen trugen zwar alle Schreiben der ihm unterstellten Kongregationen, aber mit der Entstehung und dem Inhalt dieser Amtspost hatte der Kardinal nichts zu tun. Er war weder der regierende Nepot und sachkundige kuriale Funktionär, als der er in den Anweisungen an das römische Personal in Erscheinung trat, noch der dienstfertige Beistand der Untertanen bei Paul V., zu dem ihn seine Korrespondenz mit Ferrara stilisierte. Dies aber hatte auch der mit allen diplomatischen Wassern gewaschene Manfredi in den langen Jahren seiner Tätigkeit in Rom erkannt: Es genüge voll und ganz, urteilte der Botschafter im März 1616, Borghese über den Kern der Anfragen zu informieren, die dem Papst ausführlich dargelegt worden waren, und ihn um Unterstützung bei Seiner Heiligkeit zu bitten. Schließlich sei die Präsentation der Memoriali vor dem Nepoten in der Mehrzahl der Fälle eher ein Zeichen der gebührenden Ehrerbietung, als daß es der Sache nütze[76].

---

[75] So berichtete Manfredi am 20. Februar 1616 den Ferraresen vom Verlauf einer Audienz bei Paul V. und fuhr fort: «*Diede anche parte di tutto questo al Signore Cardinale Borghese, presentandogli il memoriale ... e ciò mi parve di fare ... perchè tale è il costume di tutti gli Ambasciatori in qualsivoglia negozio*» (CA 9,508r).

[76] Annibale Manfredi schrieb am 19. März 1616 nach Ferrara (CA 9,555r): «*Io non hò mai costumato di dar al Signore Cardinale Borghese le copie precise de' memoriali, che si presentano à Nostro Signore, poiche basta dar parte à S.S.Ill.ma della sostanza della dimanda, che si fà, e supplicarlo à favoreggiarla con Sua Beatitudine, essendoche nella maggior parte de' negozi, il presentargli i memoriali serve più tosto per segno della dovuta riverenza, che per molto profitto delle cose, che si desiderano da Nostro Signore.*»

2. Kammerverwaltung und Militär

Bei den im Staatssekretariat bearbeiteten Schreiben fanden allein die Gesuche in eigener Sache und andere patronagerelevanten Briefe das Interesse des Nepoten, die Schreiben, die die Tätigkeit der ihm unterstellten Kongregationen betrafen, scheint er gänzlich den Sekretären der Behörden überlassen zu haben. So stellt sich die Frage, warum der Kardinal zuweilen auch dienstliche Mitteilungen aus Ressorts mit seinem Namen versah, mit denen er von Amts wegen nichts zu tun hatte. Dies soll im folgenden an zwei unterschiedlichen Bereichen der römischen Administration und ihrer Korrespondenz geklärt werden: am Schriftwechsel der Apostolischen Kammer und an der Post des päpstlichen Militärapparats.

a. Die Apostolische Kammer:
Die Klauseln der Experten und die Rechtskraft der Nepotenbriefe

Wer für die römische Wirtschafts- und Finanzpolitik zuständig war, haben die Dorsalnotizen auf den im Staatssekretariat eingetroffenen Schreiben des Ferrareser Legaten gezeigt: Der Tesoriere Generale solle die Meldung mit dem Papst besprechen, wurde auf den Berichten des Legaten gelegentlich notiert, der Pontifex wolle mit dem Commissario della Camera reden, hieß es auf anderen Briefen[77]. Angebracht wurden diese Vermerke von den Mitarbeitern der politischen Behörde, und so sei zunächst ein Blick auf die Kooperation und Arbeitsteilung zwischen Kammer, Tesoriere und Staatssekretariat geworfen, auch wenn sie aufgrund der Quellenlage nicht in jeder Hinsicht exakt zu rekonstruieren ist. Kaum beantwortet werden kann etwa die Frage, in welchem Maße Kammerkommissar und Schatzmeister, deren Ansprechpartner in einer Legation wie Ferrara in erster Linie der örtliche Commissario und der Pächter der Kammereinnahmen in der Provinz waren, im eigenen Namen mit dem Legaten korrespondierten. Doch den Hinweisen in den Schreiben des Staatssekretariats auf Briefe dieser Amtsträger zufolge wandten sie sich nur dann an den Ferrareser Verwaltungschef, wenn ihnen der Papst oder sein Neffe dies ausdrücklich aufgetragen hatten[78]. Eine solche Parallelkor-

---

[77] Vgl. Kap. II, Anm. 162.

[78] Schreiben des Tesoriere oder der Kammer an den Legaten sind höchstens zufällig erhalten, so z. B. der Brief des Tesoriere Serra an Spinola vom 3. Oktober 1609 über die Geldbeschaffung für den Festungsbau (FB III 51 B,88), der im übrigen ein interessantes Detail erkennen läßt: Der wohl von Spinolas Sekretär angelegte Einlaufvermerk (94v) nennt Serra als Absender, während bei Borgheses Briefen der Absender nie notiert wurde. Offensichtlich verstand es sich von selbst, wessen Unterschrift die Schreiben aus Rom in der Regel trugen, so daß nur Abweichungen von dieser Regel notiert werden mußten. Zu belegen ist der Briefwechsel zwischen Legat und Tesoriere bzw. Commissario

respondenz zu beginnen bot sich vor allem bei komplexen ökonomischen Problemen an, die die Generalisten im Staatssekretariat überfordert hätten, aber stets wußten die Mitarbeiter der Behörde über die Briefe Bescheid, die ihre Kollegen aus der Finanzverwaltung nach Ferrara schickten[79]. Im Normalfall wurden die Angelegenheiten der Apostolischen Kammer jedoch in den Schreiben des Staatssekretariats behandelt, dessen Mitarbeiter die Fachleute aus dem Wirtschaftsressort bei Bedarf jederzeit konsultieren konnten und für die politischen Implikationen der ökonomischen Fragen ohnehin zuständig waren. Wenn etwa die gefährdete Getreideversorgung der Provinz für Unruhe zu sorgen drohte, die in einem Verfahren

---

ansonsten nur durch die Hinweise in der Korrespondenz des Staatssekretariats. So kündigte Borghese in einigen dieser Schreiben an: «*Quello che qui occorre ... l'intenderà V.S.Ill.ma per lettere di Monsignore Tesoriero, al quale vuole Nostro Signore che io mi riporti*» (Borghese an Spinola, 8. April 1609, SS Bo 186,55r); «*Dal Commissario della Camera intenderà V.S.Ill.ma quanto passa*» (19. September 1609, ebd.,114r, beide Schreiben über geplante, von Rom nicht gewünschte Landverpachtungen im Ferraresischen). Auch Spinola erwähnte seine Antworten an diese Herren gegenüber Borghese: «*circa la prohibitione di vendere beni stabili à forastieri ho già scritto al Signore Cardinale Serra quello mi occorreva*» (17. August 1613, Barb.lat. 8761,290). Daß Borghese mit Details der Festungsfinanzierung nicht unnötig belastet werden sollte, belegt Spinolas Brief an ihn vom 11. Mai 1613 (Barb.lat. 8761,153v): «*Ho veduto dalle lettere del Signore Cardinale Serra quanto ha risoluto Nostro Signore per la buona custodia di questa Citta, et perche ho risposto al medesimo quanto mi occorreva in questo particolare non ne daro altro travaglio a V.S.Ill.ma solo l'assicuro che si usa ogni possibile diligenza.*» Allerdings blieb Borghese – oder dem, der diesen Brief für ihn schrieb – nicht alles erspart: «*Hò dato parte alla Santità di Nostro Signore di quanto V.S.Ill.ma mi hà scritto ... intorno al Mercante che offerisce d'introdurre costì l'Arte di fare Panni bassi.., mi hà detto la Santità Sua che io ne pigli informatione dal Commissario della Camera dal quale mi sono state messe in consideratione tre particolari i quali mi hà ordinato Sua Beatitudine che io scriva à V.S.Ill.ma*» (Borghese an Spinola, 23. Januar 1608, SS Bo 185,9r).

[79] Ohne die Beteiligung des Tesoriere und des Commissario wäre das Staatssekretariat z. B. im Jahre 1608 nicht ausgekommen, als die allgemein und v. a. in Ferrara schlechte Ernte die Versorgung der Provinz mit Getreide aus den Marken und der Romagna notwendig machte, denn ein solcher Gütertransfer und die hierzu erforderlichen *tratte* mußten von den Fachleuten organisiert und koordiniert werden. So kündigte Spinola seit Wochen die bevorstehende Mißernte an (vgl. z. B. FB II 39,198r/v; FB II 320: 2v, 17r, 22v, 25r), doch erst als er Getreideimporte als einzige Lösung forderte, verwies Borghese das Schreiben «*à Monsignore Tesoriere, che ne parli hoggi à Nostro Signore*» (Spinola an Borghese, 30. Juli 1608, FB II 320,36; dors.41v). Darunter wurde notiert: «*A tutto è provisto ... Monsignore Thesoriere così scrive*» (ebd.). So konnte Borghese in den folgenden Monaten immer wieder schreiben: «*Nella materia delle tratte mi riporto à quello che scriveranno à V.S.Ill.ma Monsignore Tesoriere ò il Commissario della Camera ò tutti due*» (23. August 1608, SS Bo 185,107r), «*essendosi communicata di nuovo con l'uno et con l'altro la nuova instanza ch'ella fà di essere sovvenuta*» (30. August 1608, ebd.,110r). Zahlreiche Schreiben zu diesem Thema wurden von Borghese (FB II 320,69v) und v. a. von Paul V. persönlich (FB II 320: 50v, 101v, 107v, 115v, 121v, 122v) an diese beiden verwiesen, was Borghese Spinola häufig mitteilte (SS Bo 185: 126r, 135vf., 146r). Auch Spinola meldete dem Staatssekretariat, wenn und was er an die Fachleute geschrieben hatte (z. B. FB II 320,82vf.).

mit der Apostolischen Kammer verhandelten Rechtsansprüche der ehemaligen Herzöge d'Este auf die Stadt Comacchio militärische Übergriffe befürchten ließen oder der Schießpulverlieferant ausgerechnet im Krisenjahr 1606 seine heiße Ware aus dem Kirchenstaat ausführen wollte, mußte das Staatssekretariat tätig werden, und so lag es nahe, die wirtschaftspolitischen Themen allgemeiner Art gleich in der politischen Behörde abzuwickeln[80].

Daß Borghese als Leiter des Staatssekretariats dessen Schreiben unterzeichnete, verstand sich von selbst, doch waren dies nicht die einzigen wirtschaftspolitischen Anweisungen an den Ferrareser Legaten, die der Name des Kardinalnepoten zierte. Andere Briefe dieser Art, die zwar die Unterschrift Borgheses tragen, in den Registern des Staatssekretariats jedoch nicht verzeichnet wurden, scheinen von den Mitarbeitern der kurialen Finanz- und Wirtschaftsverwaltung entworfen worden zu sein. Warum sie diese Post nicht in ihrem eigenen Namen verschickten, sondern dem Nepoten vorlegen mußten, zeigt ein Beispiel aus den ersten

---

[80] Bezeichnenderweise wurden die Details der Getreidelieferungen 1608 zwar v. a. mit dem Tesoriere diskutiert, das Staatssekretariat aber stets auf dem laufenden gehalten (vgl. die vorherige Anm.). Mit dem Verlauf und den rechtlichen Aspekten der Causa zwischen Modena und der Apostolischen Kammer beschäftigte sich zwar letztere (vgl. z.B. die Dokumente zu diesem Jahrhundertprozeß in Cam. III Ferrara 1063), doch auch über das Staatssekretariat wurden Informationen über den Stand des Verfahrens ausgetauscht (vgl. z.B. Ang. 1219,254; Barb.lat. 8761: 12, 14–16r, darauf dors.16v der Verweis *«Al Signore Commissario della Camera»*, 17/18r; dors.18v dasselbe; Ang. 1231: 350r, 379r, 381r). Was Rom in diesem Zusammenhang eigentlich befürchtete, zeigen die wenigen erhaltenen Chiffren: Aus Ferrara, d. h. von Spinola, am 4. Juni 1608 über die Gefährdung Comacchios durch die Ansprüche der Este: *«Discorrerò co'l Signore Paolo Savello* (dem General in Ferrara, B.E.) *di assicurar Comacchio da sorpresa, ... ma essendo Comacchio separato affatto dallo stato del Duca di Modena, non stimo debba mai tentare questa impresa, ma più presto vendere le sue ragioni ad altro prencipe»* (FB II 319,3r). Klarschrift von Spinolas Chiffre vom 30. Januar 1610: *«Essendo le ragioni della Sede Apostolica in Comacchio tanto buone, come sono, il motivo del Duca di Modena servirà più per scoprire il suo animo, che per altro mal'effetto. Circa la violenza, l'Imperatore non è stato d'usarla; Modena dovrà guardarsene, havendo troppo da perdere; li Venetiani soli potrebbono dare qualche disturbo, ma ancor essi mirevanno à non disturbare la loro quiete, nè l'Imperatore suole ordinariamente concedere feudi alle Republiche, come che venga poi difficilmente la devolutione. Io starò su l'avviso»* (FB II 319,27r). Ein gutes Beispiel für die Zuständigkeit des Staatssekretariats für alle politisch relevanten Fragen ist die Korrespondenz über die Schießpulverlieferanten. Details ihrer Bezahlung verhandelte Spinola zwar mit der Kammer und dem Tesoriere, doch je größer die Gefahr der Ausfuhr des Schießpulvers wurde, um so stärker schaltete sich das Staatssekretariat ein. So schrieb Borghese am 18. Juli 1607 an Spinola (SS Bo 184,194v): *«Fù communicata con questi Camerali la lettera di V.S.Ill.ma ... nella materia del salnitro, intorno al quale si è poi risoluto ultimamente che si compri tutto per la Camera e si faccia mettere e conservare costì in Fortezza. Et se bene quest'ordine di Nostro Signore devrà significare à V.S.Ill.ma il Tesoriero generale hò voluto nondimeno avvisarnela anch'io.»* Vgl. auch FB II 322: 411, 423r; FB I 958: 358, 398 (dors.407v: *«Al Monsignore Tesoriere che ne parli à Nostro Signore»*), 423 (dors.432v: *«Al Signore Mario»*, d.h. an Mario Farnese, den Generalleutnant in Rom); SS Bo 184: 206vf., 219r.

Monaten nach der Wahl Camillo Borgheses. Wie viele seiner Nachfolger hielt es auch Paul V. für angebracht, sein Pontifikat mit einem Paukenschlag zu beginnen und sämtliche Befreiungen von den Kammerabgaben zu widerrufen. Heftig war der Protest der Ferraresen, groß das Gewicht ihrer Einwände und der Papst bald bereit, die Stadt Ferrara von dieser Bestimmung auszunehmen. Den Widerruf zu widerrufen hätte jedoch dem Herrscher des Kirchenstaats nicht gut zu Gesicht gestanden, Ferrara mittels eines päpstlichen Motuproprio auszuklammern einen Rattenschwanz an Protesten der anderen Städte nach sich gezogen. So bedurfte es einer Möglichkeit, die grundsätzliche Anordnung für Ferrara außer Kraft zu setzen, ohne sie in ihrer Substanz zu gefährden. Beides zugleich vermochte allein ein Schreiben des Nepoten, in dem der Neffe im Namen und im Auftrag seines Onkels dem Legaten als Stellvertreter des Papstes vor Ort den Willen Seiner Heiligkeit mitteilte. Der Wille das Papstes war Befehl, Autorität und Autorisierung des Nepoten nicht zu bezweifeln und die Kompetenzen des Legaten in der Provinz ausreichend, um Anordnungen durchzusetzen, selbst wenn ein päpstliches Breve anderes bestimmt hatte[81]. Daß sich in Ferrareser Archiven ein ganzer Stapel solcher Erklärungen aus der Feder jener Kardinalnepoten findet, deren päpstliche Onkel Paul V. sowohl im Widerruf aller Befreiungen als auch in der Ausklammerung der Stadt Ferrara von dieser Regelung folgten, spricht deutlich für die Eignung der Nepotenbriefe für Zwecke dieser Art[82]. Als wäre es ein Breve,

---

[81] In Ferrara erfuhr man Mitte Januar 1606 von diesem Widerruf und ließ zunächst die rechtlichen Folgen für die Stadt prüfen (vgl. CA 4: 265r, 267v, 268), um sich daraufhin am 1. Februar und erneut am 9. Februar 1606 an Paul V. (CP 171 A: 16, 17f.) sowie am 10. Februar an Borghese zu wenden (CC 156,39). Tatsächlich entschied sich Paul V. für die Ausklammerung Ferraras von dieser Regelung, deren Einhaltung bislang nur in einem Schreiben des Tesoriere Generale aus Rom an den Pächter der Kammereinnahmen in Ferrara angeordnet worden war (eine Kopie des Schreibens vom 25. Januar 1606 in CP 170/1,1). Den Beschluß des Papstes, «che quei che per il passato hanno havuto l'esentioni, le godano ancora nell'avenire», teilte Borghese dem Vizelegaten Spinola am 15. Februar 1606 mit (das Original in FB II 364,162, eine Abschrift in CC 156,42, keine Registrierung in den Bänden des Staatssekretariats). Die Stadt wollte jedoch diese schwerwiegende Entscheidung in Form eines Breves festgehalten haben und schickte ihre Vertreter in Rom zu Paul V., «alli quali Sua Beatitudine rispose, che'l fare un Motuproprio sarebbe stato un far muovere tutte l'altre Città, e che però a cauzione nostra» habe er Borghese angewiesen, ein Duplikat seines Schreibens an Spinola vom 15. Februar 1606 an den Magistrat zu schicken, damit dieser es in den Büchern der Stadt registrieren könne. Die entsprechende Abschrift dieses Briefs sowie des gleichlautenden Schreibens Borgheses an die Stadt vom 18. Februar 1606 (das Original in CC 156,46, nicht registriert in den Bänden des Staatssekretariats) findet sich in den Ratsprotokollen (Reg. C,45vf., dort auch obiges Zitat). Die Rechtsgültigkeit dieser Befreiung Ferraras wurde im gesamten Borghese-Pontifikat nicht angezweifelt.

[82] Eine umfassende Sammlung enthält M.F. 229/30 Lettere d'ordine de Sommi Pontefici scritte dalli Cardinali Nepoti alli Cardinali Legati di Ferrara, Vicelegati, e Giudici de Savij in dichiarazione delli Editti revocatorij di tutti li Privilegi, nelli quali vengono eccettuati, e confirmati quelli de Ferraresi; darin Schreiben an den jeweiligen Ferrareser Legaten von den Kardinälen Borghese (15. Februar

in dem der Papst seinen Willen kundtue, könne ein Schreiben Borgheses an den Legaten eingesetzt werden, urteilte der Ferrareser Kardinal Pio, der dies dank seines jahrelangen Aufenthalts an der Kurie wissen mußte[83], und wie ein Breve behandelte die Stadt solche Dokumente. Nicht anders als die Fakultäten der Legaten, die im Namen des Papstes verliehen wurden und dessen eigenhändige Unterschrift trugen, ließ der Magistrat wichtige Anordnungen des Kardinalnepoten in den Büchern der Stadt registrieren, denn die Legaten wechselten, die Päpste starben, und wer nichts vorzuweisen hatte, könne – so die Einschätzung der Ferraresen – niemanden von der Rechtmäßigkeit der Erlasse seiner Vorgänger überzeugen[84]. Diesen Zweck aber erfüllten die Schreiben des Nepoten voll und ganz, und da sie ohnehin nicht nur leichter zu haben, sondern auch billiger waren, hatte ihr Einsatz Vorteile für beide Seiten: Der Papst mußte nicht fürch-

---

1606, auch: Borghese an Ferrara, 18. Februar 1606), Barberini (4. Januar 1625), Sforza (21. November 1645) für Innozenz X. Pamphili, dessen Nepot Camillo Pamphili eine äußerst schwache Stellung an der Kurie hatte und im Januar 1647 von seinen Ämtern zurücktrat (vgl. Hammermayer, S. 171 f.), Rospigliosi (21. April 1668), Altieri (4. Oktober 1674), Cibo (23. Juni 1677) als Staatssekretär Innozenz' XI. Odescalchi (vgl. Samerski, Akten, S. 303), Ottoboni (April 1690). Noch vor der offiziellen Abschaffung des Nepotenamtes unterschrieb Kardinal Spada (10. November 1691) für Innozenz XII. Pamphili, danach Banchieri (12. März 1732) für Clemens XII. Corsini. Schreiben aus den Pontifikaten Clemens' XI, Innozenz' XIII. und Benedikts XIII. fehlen *«per non essere mai uscite le Bolle revocatorie»* (ebd., S. 1). Warum kein Brief aus dem Pontifikat Alexanders VII. Chigi verzeichnet ist, wird nicht erwähnt.

[83] Pio, der sich gemeinsam mit Enzo Bentivoglio um die Stillegung einer Mühle bemühte, die ihren eigenen Mühlen Konkurrenz machte, schrieb am 1. September 1607 aus Rom an Enzo: *«Il Motu proprio non ha voluto concedere Sua Beatitudine chi dice esser pur troppo scottata del Breve delle Chiaviche* (d. h. in einem Wasserproblem mit der Stadt Ferrara, B.E.), *ma ha fatto scrivere dal Signore Cardinale Borghese al Signore Cardinale Legato ... Ond'io lodo, che si procuri d'haver la lettera diretta all'Ill.mo Legato e si conservi frà le scritture della Città, che servirà, come si fosse un Breve per declaratoria della mente di Sua Santità»* (ABent.Corr. 8/18,62r).

[84] Sein Bemühen um eine schriftliche Anweisung des Kardinalnepoten an den Legaten begründete der Magistrat gegenüber dem Botschafter im September 1615 so (CA 9,248v): *«E mutando i Legati, e morendo i Pontefici, come si potrà persuadere all'uno l'onestà della concessione con l'esempio dell'antecessore, se non s'avrà cosa alcuna da mostrare!»* Registriert wurden daher nicht nur das Patent Aldobrandinis vom 26. Juli 1605, mit dem er Spinola zu seinem Vizelegaten ernannte (Reg. C,31r/v), das Ernennungsbreve Pauls V. für den Wasserpresidente Centurione (ebd.,34r–35r) oder das Patent Aldobrandinis für den *Luogotenente criminale* Abate vom 6. August 1605 (ebd.,35r), sondern auch Borgheses Schreiben zum Widerruf der Privilegien (vgl. Anm. 81), sein Brief vom 11. Januar 1606 mit der im Namen Pauls V. gewährten *«facoltà di poterli estrarre fuor' dello Stato Ecclesiastico»*, mit dem die Debatte um die zuvor von Spinola eingeschränkte Genehmigung zum Export von Lumpen für die Papierherstellung zugunsten Ferraras entschieden wurde (Orig. in CC 156,33, reg. in Reg. C,45r), sowie Borgheses Anordnung an Spinola vom März 1615, in der er im Namen des Papstes die endgültige Zerstörung der von Pio und Enzo schon 1607 bekämpften Mühle (vgl. die vorhergehende Anm.) befahl (Reg. D,251v, die Vorlage für diese Registrierung in CC 156,506).

ten, mit seinen Anordnungen die Forderung seiner restlichen Untertanen auf
Gleichbehandlung zu provozieren oder anderen Fürsten, etwa bei der im Kirchenstaat tolerierten, jenseits der Grenzen aber von allen Pontifices bekämpften
Besteuerung des Klerus, ein schlechtes Beispiel zu geben[85]; die Ferraresen hatten
den Willen ihres Herrn schwarz auf weiß in der Hand, ohne den zeitlichen und
finanziellen Aufwand treiben zu müssen, den die Ausstellung eines Breves in der
Regel verlangte. Daß sie besser geheimzuhalten und im Notfall mit einem weiteren Schreiben dieser Art zu widerrufen waren und somit anderen weniger leicht
als Grundlage für ihre Ansprüche dienen konnten, gleichzeitig aber eine Rechtskraft besaßen, die genügte, Breven einzuschränken oder gar zu ersetzen, machte
die Briefe des Kardinalnepoten zu flexibel einsetzbaren Mitteln, die die Verwal-
tungsarbeit in Rom und im Kirchenstaat spürbar vereinfachten[86]. Seinen Namen
täglich unter ungezählte Schreiben setzen zu müssen war der Preis, den der
Papstneffe für den Wert seiner Unterschrift zu zahlen hatte, ihn auf so vielen
Präfektenstühlen sitzen zu sehen nicht zuletzt die Folge dieses Umstands.

Allerdings war die Unterschrift Borgheses unter der Post der Apostolischen

---

[85] Ein Breve gegen die Abgabenbefreiungen der privilegierten Laien sowie der Geistlichen lehnten die
Zuständigen in Rom ab, denn «*non gustano di mettere alcuna cosa in iscritto, per l'esempio, che ne
pigliano i Principi secolari*» (Ferrara an den Botschafter, 23. September 1615, CA 9,248r). Die Ferraresen schlugen dagegen vor «*per assicurarsi, che la speditione non pervenga in mano de' Principi,
ci proibisca lo stampare il Breve che si spedirà. E se questo non basta, non si faccia Breve. Ma quel
non voler neanche scrivere una lettera è troppa superstizione*» (ebd.,248v). Auch ihr Legat «*è di
parere, che'l far contro gli Esenti non abbia contrasto. ma quanto agli Ecclesiastici biasma il Breve,
ma l'ordine della lettera al Legato non sa perchè debba dispiacere. dicendo, che questo è stato suo
parere in altre occasioni d'aggravar Ecclesiastici cio è di non far speditioni pubbliche, ma di darne
ordini a parte*» (ebd.,249r).

[86] Daß «die entstehende neuzeitliche Verwaltung ... beweglichere, ohne die Möglichkeit gerichtlicher
Einwände jederzeit korrigierbare Erlasse vom Genus der Akten brauchte», weil den Bullen und
Breven mit ihrem «Formzwang» der «Verdacht auf Irreversibilität» anhaftete und so allein die Ne-
potenschreiben die Möglichkeit boten, «Verfügungen ... in einer zwar rechtsverbindlichen, aber
doch verhältnismäßig formlosen Weise zu treffen», betont auch Reinhard, Nepotismus, S. 174. Allerdings illustriert er dies an den «fast täglich notwendigen Ergänzungen» der Vollmachten der
Nuntien, die «häufig nicht mehr durch ein eigentlich dafür vorgesehenes Gratialbreve, sondern durch
ein Schreiben des Nepoten» ergingen (ebd.), während es hier um die Eignung dieser Schreiben als
Ersatz und Korrektiv für Breven aus dem Bereich der staatlichen Verwaltung geht. Daß nur Nepotenbriefe ausreichende Rechtskraft besaßen, um in anderen Nepotenbriefen mitgeteilte Anordnungen zu widerrufen, belegt die Auseinandersetzung um das Ferrareser Hospital Sant'Anna, vgl.
Anm. 145. Daß selbst Juristen nichts gegen die normsetzende Kraft der Nepotenbriefe einzuwenden
hatten, belegt das Schreiben der *lettori legisti dello studio di Perugia* an Borghese vom 24. Oktober
1620. Entgegen «*diversi ordini confermati da Sommi Pontefici per lettere de Signori Cardinali Nipoti
fra quali ve n'è uno che non si possa assegnare a qualsivoglia Dottore salario vacaturo*» sei genau
dies geschehen, was zu «*disturbo universale*» geführt habe und von Rom nun bitte nicht bestätigt
werden solle (FB I 858,71).

Kammer noch lange kein Beweis für seine Mitarbeit an der Abfassung dieser Briefe. Schließlich mußte gerade in ökonomischen Fragen und bei dem stets heiklen Problem der Privilegien und ihrer Einschränkung jede Klausel stimmen, und so lag es nahe, die entsprechende Korrespondenz den Experten zu überlassen. Daher kam auch in Ferrara niemand auf die Idee, die Schuld bei Borghese zu suchen, wenn in einem seiner Schreiben eine Formel fehlte, die der Stadt versprochen worden war. Dem, der den Brief geschrieben habe, werde dies wohl entfallen sein, befand der Magistrat und beauftragte den Botschafter, für eine möglichst präzise und wirkungsvolle Anordnung zu sorgen, die die Schwierigkeiten ein für alle Mal aus dem Weg zu räumen imstande war[87]. Den Namen des Nepoten mußte ein solches Schreiben zwar tragen, sollte es gegen den Protest der Betroffenen bestehen können, doch daß Borghese selbst den Text entwarf, verlangte niemand. Im Gegenteil: Lieber stritt man mit den Fachleuten über jedes Wort, um in zähen Verhandlungen für die rechtlich wie inhaltlich korrekte Form des Briefs zu sorgen, als ein Dokument zu erhalten, das zwar die Unterschrift des Kardinals aufwies, doch nicht alle Klauseln umfaßte, der Stadt im Kampf gegen die Privilegierten kaum half und eine erneute Belästigung des Papstes mit den immer gleichen Bitten notwendig machte[88]. So wurde der Ferrareser Botschafter Annibale Manfredi im Frühjahr 1616 regelmäßig beim Kammerkommissar und dem Rotaauditor Verospi vorstellig, denen Paul V. den Antrag der Stadt auf eine grundlegende Neuregelung der Privilegienfrage zur Bearbeitung übertragen hatte. Unermüdlich erläuterte er ihnen, welche Punkte der Brief beinhalten mußte, den sie im Auftrag des Papstes an den Legaten schreiben sollten, doch da die beiden Monsignori die Situation in Ferrara und die Wünsche der Stadt nicht recht begreifen wollten, entwarf der Diplomat die Minute für den Brief Borgheses eben selbst. Daß sie den Entwurf wörtlich übernehmen würden, glaubte auch Manfredi nicht, aber wenigstens konnte den Beauftragten auf diese Weise klargemacht werden, wie sich die

---

[87] Zur Debatte stand das Problem mit den Befreiungen von Abgaben und Pflichten gegenüber der Kommune, die zahlreiche Ferraresen genossen. Nachdem die angekündigte Antwort aus Rom auf den Antrag der Stadt, sämtliche Privilegierte, Geistliche wie Laien, zur gemeinsamen Finanzierung der Kanalreinigung zu verpflichten, beim Ferrareser Legaten angekommen war, teilte der Magistrat dem Botschafter am 17. Oktober 1612 mit: «E però d'avvertire, che la lettera del Signore Cardinale Borghese scritta a detto Signore in tal materia non gli da facoltà di determinare senon sopra gli Ecclesiastici e degli Esenti secolari non si dice pure una parola nella lettera, forse per difetto di memoria di chi l'ha scritta; ... crediamo dunque, che sia necessario procurare un'ordine particolare sopra gli esenti», wobei der Diplomat dafür sorgen sollte, «che sia molto preciso, ed efficace, per levar le malagevolezze, e perche possa servir per sempre» (CA 8,186r/v).

[88] Eine Anweisung an den Legaten sollte «almeno le più necessarie (condizioni)» enthalten, «per non aver occasione d'esser fra pochi dì a fastidire Sua Beatitudine» (Ferrara an den Botschafter, 3. Februar 1616, CA 9,586r).

Ferraresen ein solches Schreiben vorstellten[89]. Allerdings störten sich Verospi und der Commissario an jeder Kleinigkeit, denn groß war ihre Angst, in dieser ebenso schwierigen wie schwerwiegenden Sache Fehler zu machen. Doch auch hier hatte der Diplomat eine Lösung parat, die es den Zuständigen ermöglichte, Irrtümer auszuschließen oder – man konnte nie wissen – die Schuld auf andere zu schieben. Eine Minute im Stile seiner eigenen sollten sie an den Legaten schicken, der den Entwurf mit dem Magistrat beraten, die notwendigen Änderungsvorschläge ausarbeiten und den Monsignori in Rom somit Arbeit und Verantwortung abnehmen werde[90]. Natürlich war auch die Rohfassung so zu formulieren, als stamme sie aus der Feder des Nepoten, doch unterschreiben und damit zum rechtsverbindlichen Dokument erheben mußte Borghese allein die überarbeitete Version[91]. Verospi sei «*dispostissimo*», die Minute an den Legaten Serra zu schicken, konnte Manfredi wenige Tage später melden, aber der Commissario, der in Ferrara ohnehin nicht als Freund der Stadt galt und kaum zu einem Gespräch mit Verospi zu bewegen war, verhinderte schließlich die Ausführung des Vorhabens[92]. Überdies befand sich der Botschafter im Aufbruch, um die schon vor Monaten gewährte *licenza* des Magistrats endlich zu nutzen und sich für einige Wochen um seine jahrelang ver-

---

[89] Am 3. März 1616 lobte der Magistrat die «*diligenza*» Manfredis, dank derer sich Verospi und der Commissario besprochen hatten «*sopra il negozio dell'esenzioni, e si sono indotti a scriver d'ordine di Nostro Signore al Signore Cardinale Legato*», und fuhr fort: «*prudentissimo è il suo pensiero di formar una minuta della lettera*» (CA 9,586r). Da der Kommissar und der Rotaauditor kaum gemeinsame Termine fanden, verzögerten sich die Verhandlungen, so daß Manfredi noch am 23. März 1616 ankündigte: «*formerò una minuta della lettera, che desidero, che sia scritta in questa materia d'ordine di Nostro Signore al Signore Cardinale Legato, e vi comprenderò tutte quelle particolarità, che VV.SS.Ill.me intendono, che si dichiarino contra gli esenti, perche, seben sò, che molti ne leveranno, e che non faran la lettera conforme alla minuta, ch'io gli darò, nondimeno l'havergliele data, e posto loro innanzi tutto quello, che si desidera, non potrà se non giovare notabilmente al negozio, et alla relazione, che, doppo lo stabilmento di questa lettera, dovran fare à Sua Beatitudine*» (Manfredi an Ferrara, CA 9,569r).

[90] Am 6. April 1616 meldete Manfredi nach Ferrara: «*Hora ... li sudetti Monsignori come poco prattici della necessità, e della forma di cotesti lavori* (d.h. der in Ferrara üblichen, wegen der zahlreichen Befreiungen aber kaum durchführbaren gemeinsamen Wasserbauarbeiten aller Betroffenen, B.E.), *fanno difficultà sopra ciascun particolare dell'annessa minuta, per tema di errare*». Daraufhin berichtete er von seinem Vorschlag, für den er vor den Beauftragten mit dem Argument geworben hatte, «*che in questa maniera eglino s'assicurerebbono, ò di non errare, ò di poter scaricar la colpa de gl'errori addosso all'altrui relazione*» (CA 9,597r/v).

[91] Daß die Minute ohne Borgheses Unterschrift nach Ferrara geschickt werden sollte, betonte Manfredi am 6. April 1616 gegenüber Ferrara und wohl auch vor seinen römischen Gesprächspartnern ausdrücklich, vgl. ebd.

[92] Über Verospis große Hilfs- und des Kommissars geringe Gesprächsbereitschaft berichtete Manfredi am 13. April 1616 (CA 9,613r/v). Der Magistrat legte ihm die Sache am 20. April 1616 erneut ans Herz, «*conoscendo noi molto bene, che'l Signore Commissario non inclina troppo a favorirlo, ove per il contrario Monsignore Verospi è dispostissimo a farlo*» (ebd.,632v).

nachlässigten privaten Angelegenheiten in Ferrara zu kümmern. Derart knapp an Zeit und Eifer, lehnte Manfredi den Vorschlag ab, den ihm der Commissario und Verospi unmittelbar vor seiner Abreise unterbreiteten, und so verschwand das Thema der Privilegienbeschränkungen von der römischen Tagesordnung, auf die es auch in den nächsten Jahren nicht zurückkehren sollte[93]. Dieser letzte Anlauf aber macht endgültig deutlich, wie gering der Anteil Borgheses an der Entstehung der Schreiben sein konnte, die er stapelweise unterzeichnete. Endlich hatten die beiden Beauftragten einen Brief an den Legaten entworfen, und wenn der Text auf Manfredis Zustimmung gestoßen wäre, hätten sie ihn dem Nepoten zum Unterschreiben geschickt[94]. Daß die Formulierung dieses Briefes einen der führenden Juristen Roms, einen hochrangigen Experten der Apostolischen Kammer und den Botschafter der Stadt Ferrara wochenlang beschäftigt hatte, wäre dem Papstneffen wohl kaum aufgefallen. Doch da Manfredi sein Einverständnis nicht gab, blieb Borghese in diesem Falle sogar die Unterschrift erspart, auf die sich sein Beitrag zur Arbeit der römischen Wirtschafts- und Finanzverwaltung in aller Regel beschränkt haben dürfte.

b. Die Truppen des Papstes und ihre Post: Der Kardinalnepot als Koordinator

Daß er die wichtigeren Schreiben der Apostolischen Kammer unterzeichnen mußte, hatte Borghese der Rechtskraft seines Namenszuges zu verdanken, daß die Korrespondenz in militärischen Fragen wenigstens zum Teil über seinen Schreibtisch ging, lag indes an seiner Rolle als Chef der politischen Behörde. Schließlich haben Soldatenaushebungen und Truppenbewegungen meist außenpolitische Gründe und Folgen, und so mußte die «Herzkammer»[95] der kurialen Politik stets über den Stand der Dinge im kirchenstaatlichen Militärapparat informiert sein. Ausschließlich im Staatssekretariat betreut wurde die einschlägige Korrespondenz allerdings nicht, unterhielt doch auch der *Luogotenente* in Rom, der an Stelle des nur der

---

[93] Bereits am 23. Januar 1616 hatte sich Manfredi für die *licenza* bedankt *«di poter venir à stare venti giorni a Ferrara, per soccorrere à miei interessi»* (CA 9,435r). Sein Brief vom 27. April 1616 zur Frage der Privilegien (vgl. die nächste Anm.) war tatsächlich der letzte vor seiner Abreise. Am 8. Juni 1616 war Manfredi wieder zurück in Rom (vgl. CA 9,658), doch nachdem *«Monsignore Verospi m'ha ricercato à non dargli fastidio, finchè non sien passate le Rote di questa Terzaria»* (Manfredi an Ferrara, 15. Juni 1616, ebd.,669v), kam die Angelegenheit nicht mehr zur Sprache.

[94] Verospi und der Commissario hatten Manfredi dessen Bericht vom 27. April 1616 zufolge ihren Entwurf vorgelegt und angeboten, *«se mi fosse piacciuta, l'havrieno mandata à sottoscrivere dall'- Ill.mo Padrone; ma io non me ne sono compiacciuto; e però questo negozio è rimasto sospeso»* (CA 9,649v).

[95] Hammermayer, S. 162.

Form und der Einnahmen halber zum General der Kirche ernannten Papstbruders Francesco Borghese die Geschäfte führte[96], einen regen Briefwechsel mit den Kommandanten vor Ort. An diesen eigentlichen Oberbefehlshaber des päpstlichen Militärs wandte sich folglich auch der in Ferrara stationierte General für die Einheiten in den drei Legationen, deren Sonderstellung die von den restlichen Provinzen des Kirchenstaats abweichende Militärverfassung im übrigen abermals unterstreicht[97]. Detailliert berichtete er diesem über Rekrutierung, Zustand und Einsatz der Truppen, die das nördliche Staatsgebiet nach innen wie nach außen sicherten, und vom Luogotenente, nicht vom Staatssekretariat, erhielt der General die entsprechenden Anweisungen[98]. Welchem politischen Ziel solche militärischen Befehle dienten, war indes ein Thema für das Staatssekretariat, und da dort auch die Informationen der Legaten und Nuntien über die Entwicklung in Italien und Europa eintrafen, ohne deren Kenntnis keine Frage aus dem Zuständigkeitsbereich der Generäle entschie-

---

[96] Als Generäle in Ferrara amtierten zunächst der von Clemens VIII. ernannte Mario Farnese, über dessen Ablösung durch Flaminio Delfino Ende Juli 1605 in Rom spekuliert wurde (vgl. Urb.lat. 1073,416v). Tatsächlich wurde Delfino mit Breve vom 20. August 1605 (Sec.Brev. 398,548–552r) ernannt, starb aber schon Ende Oktober 1605 (vgl. Urb.lat. 1073: 577v, 594). Paul V. berief daraufhin Anfang November 1605 Paolo Savelli (Sec.Brev. 401,269–272+274v), der sich im November 1608 aus gesundheitlichen Gründen von seinem Bruder Federico Savelli ablösen ließ (Sec.Brev. 437,502 f.+508). Francesco Borghese, Camillos älterer Bruder, hatte bereits am 2. Juni 1605 zahlreiche militärische Ämter erhalten, denen am 23. November 1605 das Generalat der Kirche folgte (vgl. Reinhard, Ämterlaufbahn, S. 389 f.). Gleichzeitig ernannte Paul V. Mario Farnese zum «luogotenente dell'Ecc.mo Signore Francesco suo fratello» (Farnese aus Rom an P.Savelli in Ferrara, 20. Dezember 1605, Giust.99), der kurz vor November 1611 als Luogotenente in den Dienst des Herzogs von Parma, Ranuccio Farnese, wechselte (vgl. Mario Farnese aus Parma an P.Savelli, 25. November 1611, Giust.99). Mit Paolo Savelli berief Paul V. erneut einen Kenner Ferraras in diese Position (M.Farnese aus Parma an P.Savelli, 3. November 1611: «Quand'io rissolsi di rinuntiare la carica, alla quale hora è stata eletta V.Em.za ..», ebd.). Als Francesco Borghese im Juli 1620 starb, erbte sein Neffe Marcantonio das Generalat (vgl. Reinhard, Ämterlaufbahn, S. 406), doch sowohl Federico in Ferrara als auch Paolo in Rom behielten bis zum Ende des Borghese-Pontifikats ihre Ämter.

[97] Die noch immer grundlegende Arbeit über das kirchenstaatliche Militär stammt von Andrea Da Mosto, Milizie dello Stato Romano (1600–1797), in: Memorie storiche militari 10 (1914), S.193–580. Vgl. auch ders., Ordinamenti militari delle soldatesche dello Stato Romano nel secolo XVI, in: QFIAB 6 (1904), S.72–133.

[98] Im Archiv der Familie Giustiniani und mit diesem in ASR gelandet sind ein Band mit Schreiben Mario Farneses an Paolo Savelli (der dickere Band in Giust.99, angeblich 1603–1613, tatsächlich 1601–1613, im folgenden zitiert als Giust.99 A), die von Amts wegen zwischen November 1605 und November 1608 miteinander korrespondierten; überdies zahlreiche Schreiben über militärische Angelegenheiten von Farnese an Federico Savelli sowie von Federico an Paolo Savelli (alle im gleichen der zwei Bände in Giust. 100, im folgenden zit. als Giust.100 B, beide mit dem Wappen der Borghese und der Schrift «L.ntato G.nale» auf der Rückseite versehen). Weitere Amtsdokumente enthalten die beiden anderen Bände in Giust.99 (=B) und 100 (=A) sowie die drei Bände mit Memoriali in Militärfragen in Giust.101.

den werden konnte, bedurfte es der steten Kooperation zwischen politischem und militärischem Apparat und der engen Vernetzung ihrer parallelen Korrespondenzen. Eine Form der Zusammenarbeit haben bereits die Dorsalvermerke auf den Schreiben des Ferrareser Legaten gezeigt: «*Al Signore Mario*», notierte nicht selten Paul V. persönlich auf den Meldungen Spinolas, die für den bis Ende 1611 amtierenden Luogotenente Mario Farnese von Belang sein konnten, und auch dessen Nachfolger, der Principe Paolo Savelli, erhielt zuweilen die Legationsberichte aus Ferrara zur Einsichtnahme[99]. Doch gerade in Zeiten außenpolitischer Spannungen mußten nicht nur Informationen ausgetauscht, sondern auch die Anweisungen des Generals mit den Briefen der Behörde abgestimmt werden: «*La lettera per il Signore Duca d'Urbino si trova gia fatta, et segnata dal'Ill.mo Padrone et io la ritengo per quelche V.E. mi ha scritto del'ordine dato a' i soldati*», schrieb Perugino im Juni 1613 an Paolo Savelli, denn wenn beide Schreiben zugleich abgeschickt worden wären, hätte dies zu unüberschaubaren «*disordini*» geführt[100]. Verhindert werden konnten solche Verwirrungen überdies im Chiffrensekretariat, das zwar dem Staatssekretariat angegliedert war, doch auch dem Generalleutnant zur Verfügung stand und somit beider Geheimschreiben zu ver- und entschlüsseln hatte[101]. Und da sich der Papst selbst der schwerwiegenden Fälle annahm, den Chefsekretär und wohl auch den Luogotenente zu Rate zog und ihnen mitteilte, was sie ihren Briefpartnern zu schreiben hatten[102], war die Gefahr widersprüchlicher Anweisungen

---

[99] Eigenhändige Verweise Pauls V. an Farnese finden sich auf Spinolas Berichten in FB I 958 zwischen fol.40v und 542v insgesamt vierundzwanzigmal; FB II 39: 106v, 107v; Verweise Borgheses an Farnese auf FB II 322,82v; FB I 958,249v; FB II 320,60v. An Paolo Savelli überwies Feliciani das Schreiben Serras vom 25. Oktober 1617 in FB III 60 FG,191; dors.192v. In Giust.100 finden sich einige wenige Schreiben des Legaten Serra aus Ferrara an Borghese, die militärische Fragen betreffen und wohl Savelli zur Beantwortung überlassen wurden, z.B. Serra an Borghese, 2. Dezember 1617 (Giust.100 A), 17. März 1618 (ebd.,100 B).

[100] Perugino an Paolo Savelli, 22. Juni 1613, Giust.100 A.

[101] Laut Kraus, Staatssekretariat, S. 59, und Hammermayer, S. 195, wurden die Chiffren aller Ressorts in der entsprechenden Abteilung des Staatssekretariats bearbeitet. Dort «wußte man also Bescheid über die Politik der anderen kurialen Behörden, und man konnte sich entsprechend anpassen» (Hammermayer, S. 196). Daß dies auch für die militärische Korrespondenz gilt, belegt die Mitteilung des Chiffrensekretärs Mario d'Ilio an Paolo Savelli, Di Palazzo, 2. November 1614: «*Questa mattina non ho potuto fare la contracifra, che V.E. desiderava*», aber morgen werde er sie ganz sicher erstellen (Giust.100 A).

[102] Für den Chefsekretär belegen dies die entsprechenden Vermerke auf der Ferrareser Legatenpost zur Genüge, vgl. Kap. II.2.a, für den Generalleutnant ist dies anzunehmen. Schließlich findet sich auf den politisch weit weniger relevanten Memoriali in Giust.101, die Paul V. im Namen unzufriedener oder aufstiegswilliger Soldaten vorgelegt wurden, sehr häufig die Notiz: «*Al Signore Paolo Savelli che ne parli à Nostro Signore*». Einen weiteren Beleg liefert Federico Savellis Schreiben vom 1. Juni 1613 an Borghese: «*Ho veduto per le lettere del Signore Prencipe mio fratello quanto la Santità di Nostro Signore ... commanda e giudica espediente*» (SS Part 7,538r).

wenn nicht gebannt, so doch äußerst gering. Ähnlich eng war die Zusammenarbeit zwischen dem Ferrareser Legaten und dem dortigen General, deren Geschäftsbereiche sich ohnehin nicht strikt trennen ließen. Denn zum einen oblag beiden gemeinsam die Sicherheit der Provinz, und zum anderen gehörte es zu den Amtspflichten des Verwaltungschefs, neben den Bauarbeiten an der Festung auch die Entlohnung der Soldaten und deren Verhalten nicht nur gegenüber der Zivilbevölkerung zu überwachen[103]. Die Hierarchie zwischen den beiden war eindeutig: Wie alle anderen Amtsträger Roms in der Legation unterstand auch der General dem Legaten, dem er seine Fakultäten vorweisen und den Treueid schwören mußte[104]. Dennoch scheint ihr Verhältnis eher von gemeinsamer und gegenseitiger Beratung geprägt gewesen zu sein als von Befehl und Gehorsam. Dies aber war nicht zuletzt die Folge der parallelen Korrespondenz, denn was der römische Generalleutnant zu sagen hatte, erfuhr sein Untergebener in Ferrara, was das Staatssekretariat mitteilte, der Legat. Welches Maß an Zusammenarbeit dies notwendig machte, wird nirgends deutlicher als in der einzigen Querverbindung zwischen den Dienstwegen: in der Korrespondenz des Kardinalnepoten mit dem Ferrareser Kommandanten. So konnte Borghese den General Federico Savelli sowohl auf die an ihn selbst gerichteten Briefe seines Bruders, des Principe Paolo Savelli, als auch auf die Schreiben des Staatssekretariats an Spinola verweisen, deren Inhalt er vom Legaten er-

---

[103] Daß beide gemeinsam für die Sicherheit Ferraras zuständig waren, wird besonders deutlich, wenn der General für kurze Zeit die Stadt verlassen durfte und dem Legaten vom Staatssekretariat eingeschärft wurde, bis zu seiner Rückkehr doppelt wachsam zu sein, vgl. z. B. Borghese an Spinola, 19. Januar 1608: «*Il Signore Paolo Savelli hà chiesta licenza di venire à Roma per due mesi et Nostro Signore glie l'hà concessa ... L'absenza di esso Signore darà maggiore occasione à V.S.Ill.ma di esercitare la solita sua vigilanza*»; 2. Februar 1608: «*Il Signore Paolo Savelli dovrà già essere partito di costà dove è ben certa la Santità Sua che la vigilanza di V.S.Ill.ma supplirà al difetto della sua absenza*» (SS Bo 185, 8r bzw. 13v). Fortschritte und Schwierigkeiten beim Festungsbau waren ein Standardthema des Legaten, der sich auch um die Verläßlichkeit der Arbeiter und Architekten (vgl. z. B. SS Bo 185: 88r, 98v, 103r; FB II 320,24r) und um Materialdiebstähle (vgl. SS Bo 185,152r/v) zu kümmern hatte. Auch das Fehlverhalten einzelner Soldaten fiel in seinen Zuständigkeitsbereich (vgl. z. B. FB II 346,92 f., über einen Capitano, der eine Spielhölle unterhielt).

[104] Am 11. Januar 1606 teilte Borghese Spinola mit: «*S'è di quà inclinato al Signore Paolo Savello, che nelle occorrenze che succederanno, nelle quali ella havesse bisogno della persona sua, faccia prontamente tutto quelche da lei gli verrà ordinato, si come non dovrà mancare d'esseguire*» (FB II 364,147r). Als er dem Legaten am 22. November 1608 die Ernennung Federicos zum Nachfolger seines Bruders Paolo mitteilte, fügte er hinzu, «*ch'ella dovrà ricevere il giuramento che il Signore Federico è tenuto di prestare nelle sue mani secondo la mente di Sua Beatitudine et secondo la forma del breve il quale le sarà perciò esibito da lui prima che pigli il possesso del generalato*» (SS Bo 185,153vf.). Daß Federico dies getan habe, meldete Spinola am 3. Dezember 1608 (FB II 320,160r).

fahren werde[105]. Und da der Papst des öfteren wünschte, daß sie gemeinsam tun sollten, was sie für richtig hielten, mußten sich beide mit ihren jeweiligen Briefen zusammensetzen und nach der besten Lösung suchen[106]. Ebenso knapp fielen die Schreiben des Generals an den Nepoten aus, denn die Berichte des Legaten lagen dem Staatssekretariat vor, seine eigenen militärischen Informationen aber dem Luogotenente: Um Borghese nicht zu belästigen, schreibe er ausführlich an seinen Bruder, den Principe, der den Nepoten pflichtgemäß über alles unterrichten werde, lautete die eine der beiden Formeln, die sich immer wieder in den Briefen Federicos finden, sich wie befohlen mit dem Legaten beraten zu haben, die andere[107]. Daß sich die Schreiben Borgheses an den Ferrareser General zwar relativ zahlreich, doch in den Registern *a diversi* und somit in den Bänden des Staatssekretariats für unregelmäßige Korrespondenzpartner finden, verwundert nicht, dienten sie doch eher der Ermahnung zur Kooperation vor Ort denn der amtlichen Mitteilung von Beschlüssen. Dennoch machten sie den Nepoten zum Bindeglied zwischen dem politischen und dem militärischen Briefverkehr: Der Legat berichtete dem Staatssekretariat, nicht aber dem Generalleutnant, der seinerseits allein mit dem Kommandeur der Ferrareser Truppen in Kontakt stand. Nur Borghese korrespondierte sowohl mit dem Legaten als auch mit dem General, über dessen militärische Meldungen

---

[105] Ein Beispiel mag für diese häufig begegnenden Verweise Borgheses genügen. Am 17. September 1614 berichtete er Federico Savelli von der Anweisung Pauls V., «*ch'io mi rimetta à quanto scriverà à V.S. il Signore Principe suo fratello, et à quelche si scrive da me in queste materie al Signore Cardinale Spinola, il quale ha ordine di communicarle quanto se gli dice*» (Ang. 1228,69v).

[106] So fuhr Borghese im Schreiben vom 17. September 1614 (vgl. die vorhergehende Anm.) fort: «*Et circa l'accrescere il Presidio vole Sua Santità che trà loro risolvano quanto giudicheranno che sia bene*» (Ang. 1228,69vf.). Sehr schön zusammengefaßt wurde die Notwendigkeit der Kooperation bereits in einem Schreiben Borgheses an Paolo Savelli vom 9. August 1606: «*À Monsignore Vicelegato si darà conto di quello che occorre con intentione che nella notizia commune delle cose, sia commune il loro studio nel servitio di Sua Santità*» (SS Ppi 155,326v; ähnlich auch ebd.: 482r, 537v). Auch der Legat erhielt regelmäßige Aufforderungen zur Zusammenarbeit mit dem General, vgl. z.B. SS Bo 185,69v; Ang. 1235: 380r, 381v, 385r.

[107] Typisch für die Schreiben Federico Savellis an Borghese, von denen sich ein ganzes Bündel in E 53 findet, ist etwa diese Formulierung: «*Il principio delle novità succedute nel Monferrato furono da me avvisate al Signore Prencipe fratello, con fermo presuposto di darne raguaglio a V.S.Ill.ma secondo il debito suo*». Er habe «*gl'ordini necessarij à tutti gl'offitiali*» gegeben, «*sopra che per non tediare V.S.Ill.ma scrivo distintamente al Signore Prencipe sudetto*» (8. Mai 1613, E 53, 89r). Ihre Zusammenarbeit meldeten sowohl Paolo («*ho tenuto proposito col Signore Cardinale Legato qui più volte*», 17. September 1608, FB III 46 C,139r, sehr ähnlich: ebd.,200r/v) als auch Federico Savelli an Borghese («*hò preso per espediente con participatione anco di questo Ill.mo Legato di licentiar' parte della soldatesca*» (29. Juli 1615, E 53,157r). Besonders intensiv war der Kontakt zwischen Ferrareser und römischem Kommandanten, als sich die Savelli-Brüder diese Ämter teilten (November 1611 bis Pontifikatsende), doch daß auch in den Jahren zuvor die gleichen Kommunikationswege vorgesehen waren und eingehalten wurden, steht im Lichte der vorhandenen Quellen außer Zweifel.

ihn überdies der Luogotenente in Rom informierte[108]. Formal stand der Papstneffe mit dem roten Hut auch hier im Zentrum der Kommunikationswege, doch daß er die an ihn adressierte und in seinem Namen beantwortete Post des Ferrareser Kommandanten selbst bearbeitete, ist nach den bisherigen Befunden nicht anzunehmen.

Tatsächlich weisen die Dorsalvermerke auf den Schreiben des Ferrareser Generals an Borghese, die zum größten Teil von seinen Untergebenen im Staatssekretariat stammen, den Nepoten als nicht gerade eifrigen Bearbeiter dieser Post aus. Wie bei der Korrespondenz mit dem Ferrareser Legaten kümmerte sich der Cardinale Padrone persönlich oder mit der Hilfe seiner Auditoren zwar um die Empfehlungen und *complimenti* des Generals[109], doch mit dessen militärischen Informationen scheint er sich nicht sehr intensiv befaßt zu haben. So trägt allein ein Schreiben Federico Savellis vom Oktober 1611 eine handschriftliche Notiz Borgheses: Wohl nach dem Diktat Pauls V. teilte er Kardinal Lanfranco Margotti darin mit, daß er selbst an Savelli schreiben und diesen auffordern werde, sich wegen der Probleme beim Bau der Festung in Ferrara an Mario Farnese in Parma zu wenden[110]. Offenbar hielt man in Rom viel von der Meinung des langjährigen Generalleutnants, der erst wenige Monate zuvor das Ferrareser Bollwerk eingehend besichtigt hatte[111]. Nun aber war Farnese aus dem Amt geschieden, sein Nachfolger noch nicht ernannt und der Posten des römischen Luogotenente vorübergehend verwaist[112], und genau dies dürfte der Grund für den ungewöhnlichen

---

[108] Wie notwendig die Vorträge des Luogotenente vor den römischen Entscheidungsträgern waren, zeigen überdies die in Giust.100 A befindlichen Schreiben von Giulio Monterentio, Giovanni Battista Zazzara und Kardinal Serra an Paolo Savelli, denn wenn auch der Commissario della Camera, der Sekretär der Consulta und der Tesoriere an den Geschäften des Generalleutnants beteiligt waren, mußte die Zusammenarbeit dieser Leute auf der Ebene oberhalb der einzelnen Behörden und somit durch Borghese oder Paul V. koordiniert werden.

[109] Beispiele aus dem Band mit der größten Anzahl an Schreiben Federico Savellis an Borghese (E 53) mögen genügen. Borghese selbst verwies die Empfehlung Savellis für ein Benefizium vom 20. Juli 1617 an «*Monsignore Datario*», dessen eigenhändiger Kommentar darunter bezeichnenderweise lautet: «*Il Signore Cardinale vi hà ottenuta la gratia*» (197; dors.198v). Verweise Cenninis an Feliciani finden sich auf 161v und 163v.

[110] Der Vermerk Borgheses auf dem Schreiben Federicos vom 12. Oktober 1611 (E 53,53r–54v) findet sich auf ebd.,55v: «*Signore Cardinale Lanfranco*». Darunter notierte er mit Blei und daher wohl nach päpstlichem Diktat: «*in materia della fortezza scriverò che scriva al Signore Mario à Parma*».

[111] Am 12. April 1611 schrieb Mario Farnese aus Ferrara an Paolo Savelli, «*che io son venuto quà solo per l'occorrenza della fortezza*» (Giust.99 A). Daß sich Federico tatsächlich an Farnese wandte, belegt die Kopie eines aus sechs Blättern bestehenden Schriftstücks in Giust.99 B, das in zwei Spalten aufgeteilt ist. Über der ersten steht: «*A dì 16. Giugno 1612. Dimande fatte dall'Ill.mo et Ecc.mo Signore Federico Savelli all'Ill.mo et Ecc.mo Signore Mario Farnese*», über der zweiten Spalte: «*A dì 25. Giugno 1612. Risposte dell'Ill.mo et Ecc.mo Signore Mario Farnese alle dette dimande*».

[112] Zu den Amtszeiten der Militärs vgl. Anm. 96.

Einsatz Borgheses gewesen sein. Denn nachdem Paolo Savelli seinen Dienst angetreten hatte, kehrte der Kardinal zu dem bewährten Verfahren zurück und überließ
dem Generalleutnant die militärische Korrespondenz mit dem Ferrareser Kommandanten, dessen an Borghese gerichtete Meldungen wieder von den Angehörigen des Staatssekretariats bearbeitet wurden[113]. In außenpolitischen Krisensituationen wie im Juni 1613, als toskanische Truppen kurzerhand durch das Gebiet
des Kirchenstaats marschiert waren und die Lage zu eskalieren drohte, konnte es
zwar vorkommen, daß der Nepot den Chefsekretär beauftragte, sich bei Paolo
Savelli nach den notwendigen Maßnahmen zu erkundigen, doch zeugt diese Anweisung ebensowenig von großer Einsatzbereitschaft Borgheses wie sein Ausflug
nach Frascati, auf den er trotz der gespannten Situation offenbar nicht verzichten
wollte[114]. Überdies blieben solche Spuren einer Beteiligung des Kardinals die Ausnahme. Kaum ermitteln läßt sich dagegen, was er mit dem Generalleutnant besprach, der ihn wohl tatsächlich regelmäßig aufsuchte[115]. Doch da die einschlägige

---

[113] So zeigen die Schreiben Federico Savellis aus den Jahren 1610 bis 1617 in E 53 die von Spinolas
Post bekannten Spuren: Estrattozettel, wie sie v.a. Perugino bevorzugte (57, 62, 73/74, 91, 94, 97,
100, 159), Reste des Lacks, mit dem diese später abgerissenen Zettel befestigt worden waren (52v,
66v), lange Bleistiftkommentare erst von Perugino (73v/74r, 78v, 91, 97), nach Dezember 1613 von
Feliciani (159), und nahezu auf jedem Schreiben die für das Staatssekretariat typischen Einlaufvermerke.

[114] Zum Durchzug toskanischer Truppen, den ein Eilbote aus Bologna am 1. Juni 1613 in Ferrara
meldete, war es wegen der Auseinandersetzung um Monferrat gekommen, das zwar zu Mantua
gehörte, doch vom Herzog von Savoyen aufgrund erbrechtlicher Ansprüche besetzt worden war
(vgl. Pastor, Bd. 12, S. 297 f.). Über die Besetzung Monferrats hatte Federico Savelli bereits im Mai
1613 berichtet (vgl. E 53: 89, 92, 95, bearbeitet von Perugino). Spinolas Meldung des Durchzugs
vom 1. Juni 1613 wurde «Al Signore Paolo» verwiesen (Barb.lat. 8761,182v), der im folgenden an
der Gestaltung der römischen Politik in weit höherem Maße beteiligt war als Borghese. Dessen
Aufenthalt in Frascati belegt die Minute des Staatssekretariats an Federico Savelli in SS Part
172,238: Frascati, 14. Juni 1613 (weitere Minuten aus Rom vom Mai und Juni 1613 an F.Savelli
ebd.: 192, 234, 243, 244, 252). Überdies stammt der erwähnte Beleg für Borgheses Anordnung an
den Chefsekretär aus den Tagen nach der Entschärfung der Krise, als es bereits nicht mehr notwendig erschien, den Herzog von Urbino um Erlaubnis für den Durchzug kirchenstaatlicher Truppen
durch sein Territorium zu bitten. So schrieb Perugino am 22. Juni 1613 an Paolo Savelli: «Essendo
già finiti i rumori di guerra, come V.E. havrà inteso, si resta in dubio, se si debbia scrivere al Signore
Duca d'Urbino per il passo de mille fanti, et il Signore Cardinale padrone mi hà commandato, ch'io
intenda da V.E. quelche si debbia fare» (Giust. 100 A). Zu den Geschehnissen im Juni 1613 vgl.
auch die Berichte Federico Savellis an Borghese in SS Part 7 (538, 544–557).

[115] Ebenso unklar bleibt, ob Paolo Savelli allein mit Borghese sprach oder dieser bei der Papstaudienz
des Generalleutnants zugegen war. Überdies kamen bei den Treffen des Nepoten mit Savelli auch
andere Themen zur Sprache, denn schließlich stand auch der zweite Bruder Paolos, der im Dezember 1615 zum Kardinal promovierte Giulio Savelli, im diplomatischen Dienst der Kirche. Auf
dessen Angelegenheiten bezog sich die handschriftliche Mitteilung des rücksichtsvollen Borghese
(ohne Datum, aber vor Dezember 1615, ohne Anrede, aber wohl an den Chefsekretär, E 57,56r):

Korrespondenz keineswegs die Handschrift des Nepoten trug, dürfte dies auch bei der römischen Militärpolitik nicht der Fall gewesen sein.

Ob es um die Post der Apostolischen Kammer ging oder um die Korrespondenz in Militärfragen – hier wie dort spielte der Kardinalnepot eine wichtige Rolle: Den Schreiben der römischen Wirtschafts- und Finanzverwaltung in juristisch umstrittenen Angelegenheiten mußte er mit seiner Unterschrift die nötige Rechtskraft verleihen, der interne Briefwechsel des kirchenstaatlichen Militärapparats war dank der Einbindung des Papstneffen als Chef der Behörde mit dem Staatssekretariat und seiner Korrespondenz vernetzt. In die behördliche Arbeit einbringen mußte der Kardinal jedoch in beiden Fällen nur seinen Namen: als Unterzeichner der Post aus Behörden, deren Anweisungen sich ohne die ausdrückliche Autorisierung durch den Papst oder sein alter ego noch nicht gegen bestehende Regelungen durchzusetzen vermochten, und als Adressat von Informationen, die der Chefsekretär zwar kennen mußte, aber erst weit später selbständig anfordern konnte[116]. So präsentiert sich der Neffe Pauls V. in den Schreiben der ihm nicht unterstellten kurialen Gremien als Kardinalnepot des Übergangs. Im Arbeitsalltag der römischen Behörden war er nicht mehr gefragt, als Inhaber einer zur Fiktion gewordenen Machtrolle wurde er noch gebraucht. Ob dies auch für die Organe zur Verwaltung der Kirche zutrifft, wird nun zu überprüfen sein.

3. Die kirchlichen Kongregationen

Hielt sich Borgheses Arbeitseifer bereits in seinen eigenen Kongregationen und in den übrigen Ressorts der Staatsverwaltung in Grenzen, dürfte das Interesse des Nepoten an kirchlichen Fragen und den für ihre Behandlung zuständigen Behörden noch geringer gewesen sein. Als Großpönitentiar, der er nach dem Tod des bisherigen Amtsinhabers Cinzio Aldobrandini 1610 geworden war, soll Borghese zwar den alle drei Wochen stattfindenden Vollversammlungen des Personals in seinem Haus beigewohnt und in der Karwoche pflichtgemäß die Beichte gehört

---

«Mi pare, che le minute stiano benissimo. Io parlerò al Signore Principe Savello domattina, non parendomi che sia bene incommodarlo questa sera à quest'hora senza proposito, contuttociò se V.S. ha occasione da spedir questa sera a Monsignore Savello, mandarò à chiamar il Principe adesso, però desidero, che V.S. me l'avvisi. Rimando a V.S. il foglio decifrato, perche ho cavato quelche ho da dire al Principe.»

[116] Der langsame Aufstieg des Chefsekretärs zum Adressaten und Unterzeichner der politischen Korrespondenz wird in Kap. VI.3 zu schildern sein.

haben[117]. Doch wenn man den wenigen Hinweisen auf das Innenleben dieser verschlossenen Einrichtung glauben darf, hatte der Nepot mit der Tätigkeit der Pönitentiarie nur wenig zu tun. Die Suppliken der Bittsteller wurden vom Regens der Behörde signiert und nur in besonders schweren Fällen dem Papst vorgelegt, die Expedition der gewährten Gnadenakte erfolgte durch die von Pius V. der Kanzlei eingegliederten Pönitentiarieschreiber oder durch die Brevenschreiber der Segreteria Apostolica, und selbst das Siegel des Großpönitentiars, das die in seinem Namen verfaßten Dokumente zierte, wurde nicht von Borghese, sondern vom Sigillator der Behörde verwahrt und benutzt[118]. Ein engeres Verhältnis als zu der ihm unterstellten Pönitentiarie hatte Borghese zum Datar, der schließlich für benefizialrechtliche Fragen und damit für Pfründenprovisionen, Pensionen, Lizenzen zur Transferierung derselben und zahlreiche andere Vergünstigungen zuständig war, um die der Cardinale Padrone fast täglich gebeten wurde[119]. Allerdings scheint sich der Nepot nicht mit dem traditionellen Supplikenwesen und den dazugehörigen Bullen und Breven befaßt zu haben, die noch immer den größten Teil der Arbeit

---

[117] Vgl. Pastor, Bd. 12, S. 47, Anm. 6, und Reinhard, Papstfinanz und Nepotismus, Bd. 1, S. 99.

[118] Zu den Aufgaben der Pönitentiarie, ihrem Geschäftsgang und ihrem Personal vgl. Bangen, S. 418–426. Weitere Literatur nennt Del Re, S. 596 f. Daß die Reform von 1569 die Pönitentiarie «vom Gebührenwesen mit seinen anstoßerregenden Finanzoperationen getrennt» hatte, der Großpönitentiar die Einnahmen aus dem nun der Kammer unterstellten *Officium minoris gratiae* aber weiterhin kassierte und die Maßnahmen Pius' V. daher eher eine administrative Modernisierung in den Grenzen des alten Systems als eine spirituell zu verstehende Reform darstellten, betont Reinhard, Reformpapsttum, S. 49. Zu den späteren Reformen der Pönitentiarie vgl. Pásztor, Giuda, S. 349–351. Zu den Ehedispensen in Form eines Breve, die das Kolleg der den Apostolischen Sekretären unterstellten *scriptores brevium* expedierte und daher in deren Registern (Brev.Lat.) zu finden sind, vgl. Frenz, Computi, v. a. S. 251, 255, 259 f. Bemerkenswert ist die Meldung der Avvisi vom September 1612, nach dem Tod Canaulis, bei dem es sich wohl um den bisherigen Sigillator gehandelt haben dürfte, habe Cennini das Siegel der Pönitentiarie von Borghese erhalten (Urb.lat. 1080: 579v, 587). Im Oktober 1612 erhielt Cennini in einem Breve Pauls V. die Erlaubnis, seine Funktionen in Sachen Siegel in Abwesenheit durch einen von Borghese zu ernennenden Vertreter ausüben zu lassen (Sec.Brev. 484,568).

[119] Für die Konsultierung des Datars bei der Bearbeitung der Nepotenkorrespondenz mögen drei Beispiele aus ein und demselben Band (E 53) genügen. Auf einer Empfehlung des Ferrareser Generals Federico Savelli vom 29. Januar 1611 für die Besetzung eines Bistums, auf dessen Vergabe die Venezianer Anspruch erhoben, notierte Marcanselmo Maraldi, der bisherige Subdatar und baldige Chef der Behörde, anstelle des noch amtierenden, aber wohl schon mit seiner Abreise befaßten Datars Tonti: «è stata vista da Nostro Signore e se gli puo rispondere generalmente» (47; dors.48v). Eine andere Empfehlung Savellis vom 20. Juli 1617 für ein Benefizium verwies Borghese persönlich an «Monsignore Datario», der zweifellos die Arbeit mit dem Schreiben hatte, aber dennoch unter dem Vermerk des Nepoten notierte: «Il Signore Cardinale vi hà ottenuta la gratia» (197; dors.198v). Die Empfehlung Enzo Bentivoglios für ein angeblich vakantes Amt vom 2. Oktober 1615 verwies Cennini «A Monsignore Datario per la risposta». Auch hier folgt eine Notiz Maraldis, der sich der Sache offensichtlich angenommen hatte: «non ci è nuova di tal vacanza» (ebd.,180; dors.181v).

in der Datarie ausmachten, und so dürfte der Papstneffe auch dieser Behörde keine Hilfe gewesen sein[120].

Nichts anderes steht bei den Kongregationen zu erwarten, die sich mit kirchlichen Problemen befaßten, denn wie die meisten Kardinalnepoten vor und nach ihm gehörte auch Scipione Borghese keinem dieser Gremien an[121]. Nichtsdestotrotz hatte er immer wieder Schreiben zu kirchlichen Fragen zu unterzeichnen: als Leiter des Staatssekretariats, über das Kongregationen wie die Inquisition einen Teil ihrer Korrespondenz abwickelten, und als Kardinal mit dem Papstnamen, dessen Briefe eine zuweilen höchst willkommene Alternative zu den Gratialbreven darstellten. Wann die Unterschrift des Nepoten in kirchlichen Angelegenheiten gefragt war und was er mit der Entstehung der Dokumente zu tun hatte, wird daher zunächst im Blick auf das Staatssekretariat und anschließend für die Gnadenakte und Bewilligungen zu klären sein.

a. Jagd auf Dr. Marta: Die kirchlichen Gremien und das Staatssekretariat

In einer Zeit, in der die Kirche ein Machtfaktor erster Ordnung war, lassen sich kirchliche Fragen nicht säuberlich von politischen Angelegenheiten trennen. Dies gilt um so mehr für die römische Doppelmonarchie, deren weltlicher Regent zugleich als Oberhaupt der katholischen Kirche fungierte. Daß sich in den Bänden des Staatssekretariats auch Briefe zu kirchlichen Themen finden, kann daher nicht

---

[120] Wieviel Arbeit die Datarie mit den Suppliken hatte, verdeutlicht bereits ein Blick in die Listen bei Bruno Katterbach, Inventario dei Registri delle Suppliche, Vatikanstadt 1932. Dem Inventar zufolge füllen die während des Pontifikats Pauls V. in der Datarie bearbeiteten Eingaben 371 Bände (Reg.Suppl. 3952–4322). Daß sich Borghese in Angelegenheiten aus dem Zuständigkeitsbereich der Datarie zwar bei seinem Onkel verwandte, aber nicht in die internen Geschäfte der Behörde eingriff, legt seine Antwort an den Marchese Ippolito Bentivoglio vom 12. September 1607 nahe. Bentivoglio, der Lehensherr des im Herzogtum Modena gelegenen Gualtieri, hatte Borghese laut dessen Entgegnung gebeten, *«che sieno ridotti à cento scudi i frutti della Parocchiale di Saliceto, e trasferito il sopravanzo alla collegiata di Gualtieri ... Et se bene non si è risoluta Sua Beatitudine alla gratia essendosi in materia che per non partire dalla consuetitudine si hà da ventilare in Dataria, non meno hà tuttavia escluso et seguiterò in quelle diligenze che saranno necessarie per condurre il negotio alla sua perfettione. Avvertirò in tanto l'Agente di V.S. à sollecitarlo nella Dataria medesima dove è rimesso»* (FB I 929,607vf.). Für einen gewissen Einfluß des Datars auf die Entscheidungen aus seinem Geschäftsbereich spricht auch das Verhalten des Ferrareser Magistrats, der wegen *«una pensione di cento scudi sopra la prima vacanza, ch'accaderà in questo Stato»* für den Agenten der Stadt Roddi am 15. April 1609 zwar wie gewöhnlich an Borghese (CC 156,23r), am gleichen Tag aber auch an den Datar geschrieben hatte, *«sapiendo ottimamente ch'infine tutta la somma del negotio dipende affatto dalla mano di V.S.Ill.ma»* (ebd.,294r).

[121] Daß die Kardinalnepoten «in eigentlich kirchlichen Fragen in der Regel keine führende Rolle spielten», schließt Reinhard, Nepotismus, S. 172, aus ihrer «(Nicht-)Mitgliedschaft in Kongregationen» (ebd., Anm. 153).

überraschen, zumal, wenn es sich um Fälle handelte, bei denen die Behörde ohne die Konsultierung der Experten auskam. So erfuhren die drei Legaten im Norden des Staates von der Bitte der Franziskaneroberen, die Prediger der Provinzen zu verstärkten Spendenaufrufen für die Bauarbeiten an der Grabeskirche und für Bethlehem aufzufordern, aus einem Schreiben des päpstlichen Sekretariats. Denn da dieser Auftrag im Namen Pauls V. erging, an den sich die Ordensleitung gewandt hatte, und die entsprechenden Gelder überdies von den Legaten gesammelt und an den Kardinalprotektor der Franziskaner geschickt werden sollten, handelte es sich bei dieser Angelegenheit um eine der üblichen Anordnungen des Staatssekretariats an den Verwaltungchef vor Ort[122]. Auch die Beschwerde der streitbaren Jesuiten über den Plan der Theatiner, sich ausgerechnet neben ihrem Kolleg in Ferrara niederzulassen, fiel in den Zuständigkeitsbereich der Behörde: Ungute Folgen für Frieden und Ruhe in der Stadt hatten die Jesuiten Paul V. angekündigt, und so erhielt der Legat Serra den Auftrag, sich der Sache anzunehmen. Erst als Serra meldete, die Ferrareser Theatiner hätten sich bereits mit ihrem Ordensgeneral in Verbindung gesetzt, schien ein Gespräch mit diesem und die Delegation der Sache an eine Kongregation für kirchliche Fragen geraten. Der Sekretär des Gremiums wurde konsultiert, der entsprechende Briefwechsel mit dem Legaten jedoch weiterhin vom Staatssekretariat geführt[123].

Um jede kirchliche Angelegenheit hatte sich das Staatssekretariat keineswegs zu kümmern, kamen doch zahlreiche Fälle, die an Kongregationen wie jene für die Bischöfe und Regularkleriker, für die Durchsetzung der Trienter Beschlüsse oder für die Riten verwiesen wurden, ohne die Beteiligung der politischen Behörde aus[124]. Eng dagegen waren Kontakt und Zusammenarbeit zwischen Staatssekreta-

---

[122] Die Aufforderung an die Legaten vom 30. November 1616 ist registriert in Ang. 1235,397, Serras Antwort an Borghese vom 7. Dezember 1616 befindet sich in FB III 60 FG,142.

[123] Borghese hatte zwar die von seinem Vertrauten Kardinal Leni, dem Ferrareser Bischof, geförderten Theatiner unterstützt und sie am 30. Juli 1616 an Serra empfohlen (Ang. 1235,376r). Doch nachdem sich die Jesuiten bei Paul V. beschwert und mitgeteilt hatten, «che questa vicinanza sia per partorire non buoni effetti circa alla pace, et quiete» (Borghese an Serra, 11. Januar 1617, FB I 906,63r), wurde Serra mit der Sache beauftragt, «accioche le cose passino d'accordo» (ebd.,63v). Auf Serras Vorschlag vom 21. Januar 1617, die Ratifizierung des Kaufvertrags über das umstrittene Gebäude in Rom zu verhindern, auch wenn die meisten der Ferrareser Theatiner von der Idee ohnehin nicht begeistert waren, findet sich der Vermerk eines Schreibers, der nicht dem Staatssekretariat und daher wohl einer Kongregation angehörte: «Il Generale de Teatini s'aspetta di corto, ma per quello che hanno detto questi Padri facilmente desisteranno, et non occorrerà di far altro» (FB III 60 FG,175v). Diese Einschätzung findet sich fast wörtlich im Schreiben Borgheses an Serra vom 28. Januar 1617 (FB I 906,68r/v), nach dem die Sache wohl eingeschlafen ist.

[124] So wenigstens legen es die Ferrareser Quellen nahe. Starke Verbindungen des Staatssekretariats sieht Kraus, Staatssekretariat, S.50–53, zur 1622 gegründeten Propaganda-Kongregation, was auch Hammermayer, S.196–198, betont, zur Inquisition (s.u.) und zur Congregazione dei vescovi e regolari, nur ein geringes Maß an Zusammenarbeit konnte er mit der Congregazione dei riti feststellen.

riat und Inquisition, denn die Mitglieder des Hl. Offiziums konnten zwar entscheiden, wer fortan als Häretiker zu gelten hatte, doch solche Leute einzufangen mußten sie anderen überlassen. Wie die Arbeit der Behörden ineinandergriff, illustriert mustergültig die von Wolfgang Reinhard minutiös rekonstruierte jahrelange Jagd der Kurie auf den neapolitanischen Juristen Dr. Giacomo Antonio Marta, der es in seiner 1613 in London erschienenen Schrift *Supplicatio ad Imperatorem* gewagt hatte, die Legitimität Pauls V. in Zweifel zu ziehen[125]. Entdeckt und nach Rom gesandt hatte der Nuntius in Brüssel, Guido Bentivoglio, das infame Werk, dessen Unterdrückung den Nuntien und Inquisitoren in Europa und Italien vom Staatssekretariat sofort aufgetragen wurde und durch den Einsatz mehrerer Amtskollegen Bentivoglios tatsächlich gelang: Der Pariser Nuntius stellte einen französischen Drucker vor Gericht, der Vertreter in Prag beauftragte den Kaiserlichen und Apostolischen Bücherkommissar mit dem Kampf gegen die Schrift, und der Kölner Nuntius setzte deren Verbreitung ein Ende, indem er die gesamte Auflage auf der Frankfurter Buchmesse kurzerhand aufkaufte. Die Bücher hatte man, den Autor nicht, und um seiner habhaft zu werden, wurde ein Plan nach dem anderen in Rom diskutiert. Dies geschah unter maßgeblicher Beteiligung des Kardinals Millino, der nicht nur mit den Borghese verwandt und ein geschätzter Berater Pauls V. war, sondern sämtlichen Gremien für kirchliche Fragen vorstand oder zumindest angehörte[126]. Als Mitglied der Kongregationen *dei Vescovi e Regolari* und *dei Riti*, als Sekretär, d.h. in diesem Falle als Leiter, des Hl. Offiziums sowie als Präfekt der Konzils- und der Indexkongregation kam Millino eine Funktion zu, die jener Borgheses im Bereich der kirchenstaatlichen Verwaltung und Politik entsprach: Dank ihrer zahlreichen Ämter waren beide über alle Vorkommnisse und Probleme unterrichtet, mit denen sich die Behörden unter ihrer Leitung zu befassen hatten, und wenn es notwendig war, konnte Borghese in weltlichen und Millino in kirchlichen Fragen für den Austausch von Informationen sorgen und die Arbeit der Gremien koordinieren. Im Falle Martas bedurfte es jedoch nicht nur der Kooperation der

---

[125] Die folgenden Notizen zum Fall Marta gründen auf Wolfgang Reinhard, Papst Paul V. und seine Nuntien im Kampf gegen die «Supplicatio ad Imperatorem» und ihren Verfasser Giacomo Antonio Marta 1613–1620, in: ARG 60 (1969), S. 190–238.

[126] In der Schrift über die Kongregationen von ca. 1610 in Barb.lat. 4592 ist Millino belegt als Sekretär der Inquisition bei Abwesenheit Arrigonis (243v, vgl. die folgende Anm.) und als Präfekt der Kongregation *del Concilio* (245r) sowie als Mitglied der Kongregationen *dei Vescovi e Regolari* (245r), für die Riten und den Index (245v) und der *Signatura di gratia* (249r). In den Verwaltungsgremien taucht er jedoch weder als Mitglied noch als Präfekt auf. Die verwandtschaftlichen Beziehungen zwischen Gian Garzia Millino und den Borghese beschreibt Weber, Senatus Divinus, S. 114, Anm. 323, und S. 453, Nr. 322, dessen Beobachtung, gerade die Inquisition sei in hohem Maße mit papstverwandten Kardinälen besetzt und von diesen beherrscht worden (vgl. ebd., S. 140 f.), in Millino einen weiteren Beleg findet.

Behörden für kirchliche Belange, sondern auch der Zusammenarbeit der kirchlichen und staatlichen Verwaltung[127]. So kam es hier wie in anderen Angelegenheiten immer wieder vor, daß sowohl Millino für das Hl. Offizium als auch das Staatssekretariat an Kardinäle, Nuntien, Gouverneure und Inquisitoren schrieben. «Ich habe dem Nuntius beim Kaiser die Entscheidung des Papstes in der Frage, die im Hl. Offizium beraten wurde, mitgeteilt, und so genügt es, wenn sich der *Cardinale Padrone* auf das bezieht, was bereits geschrieben wurde», lautete eine der wenigen erhaltenen Notizen Millinos an Feliciani, mit deren Hilfe die parallelen Korrespondenzen der Gremien koordiniert werden sollten[128]. Offensichtlich war der Chef der Inquisition, nicht der Staatssekretär, der Ansprechpartner Pauls V., wenn es um Probleme aus dem Zuständigkeitsbereich seiner Kongregation ging. Tatsächlich überwies Feliciani die einschlägigen Schreiben, die im Staatssekretariat einliefen, an Millino, der sie bei Bedarf kopieren ließ, dem Papst vortrug und dessen Entscheidungen notierte[129]. Welche Antwort Paul V. angemessen erschien,

---

[127] Zur Beteiligung Millinos an der Verfolgung Martas vgl. Reinhard, Marta, S.219, 222, Anm.216, S.228 f., 231. Zum Vorsitz Millinos in der Inquisition vgl. ebd., S.219, und die in der vorhergehenden Anm. erwähnte Auflistung der Kongregationen und ihrer Mitglieder in Barb.lat. 4592,243–256. Über Arrigoni heißt es dort: «*Il quale tiene, come secretario, il sigillo di detto Santo Ufficio, et si scrivono le lettere sotto suo nome, et in sua absenza ha questo carico il Cardinale Millino*» (243v). Laut Gaspare de Caro, Pompeo Arrigoni, in: DBI 4 (1962), S.320 f, hier: S.320, fiel Arrigoni Ende 1607 in Ungnade und wurde in sein Erzbistum Benevent abgeschoben, so daß er nur noch äußerst selten an den Sitzungen der Inquisition teilnahm (etwa im Mai 1611, als über Galileo verhandelt wurde). Millino war also de facto der Leiter der Behörde.

[128] Gering an Zahl sind die «*Biglietti diversi del Signore Cardinale Millino seniore dall'anno 1612 all'1613. In ordine à diverse materie per la Segretaria di Stato*» in SS Misc.Arm. XI 55, 126–275, keineswegs, doch nahezu die einzigen ihrer Art. Daß diese häufig undatierten Notizen an Feliciani gerichtet waren, belegt der allgegenwärtige Einlaufvermerk auf der Rückseite, der auch auf der eindeutig an den «*Monsignore Il Vescovo di Foligno*» gerichteten Mitteilung Millinos (175v) zu finden ist. Das Zitat findet sich auf ebd.,166, Millino an Feliciani, 25.November 1616: «*Hò già significato à Monsignore Visconti Nuntio al Imperatore la risolutione di Nostro Signore intorno al negotio della dispensa ... del quale si tratto nella Congregatione del Santo Offitio, pero bastara, che il Signore Cardinale Padrone si rimetta a quello, che di già e stato scritto.*» Umgekehrt erhielt auch Millino immer wieder «*Biglietti di palazzo*» und andere «*ordini*» von Borghese, dem Brevensekretär Cobellucci, dem Sekretär für die Memoriali Pavoni und eben auch von Feliciani, wie die Sammlung dieser Mitteilungen aus den Jahren 1608–1626 in FB I,2 belegt.

[129] Daß Millino Briefe von Feliciani überwiesen erhielt, belegt das Begleitschreiben vom 1.April 1613 (SS Misc.Arm. XI 55,130r), mit dem der Kardinal die von ihm eingesehene Post an den Chefsekretär zurückschickte: «*Rimando a V.S. la lettera del Arcivescovo di Salzburg, havendola letta con molto mio contento.. Mi ritengo la lettera del Vescovo di Venafro per parlarne a Nostro Signore.. Rimando anco la lettera del Vescovo di Settia..*». Eigenhändig abgeschrieben hat Millino das «*Capitolo di lettera del Vescovo di Policastro al Signore Cardinale Padrone, la quale fu rimandata in secretaria*» (ebd.,273r). Die Registrierung der mit Millinos Beteiligung entstandenen Schreiben oblag dem Staatssekretariat, dessen Unterlagen der Kardinal zuweilen anforderte: «*Prego V.S.R.ma à favorirmi*

erfuhr Feliciani daher aus den Notizen Millinos, und so hatte der Chefsekretär nichts anderes zu tun, als die Genehmigung des Papstes einzuholen und Millinos Vorgaben in die übliche Minutenform zu bringen[130].

Ähnlich gering war der Einfluß des Staatssekretariats auf den Inhalt der Schreiben, wenn Millino dem Papst die eingereichten Memoriali referierte und zu Papier brachte, was Feliciani im Auftrag Pauls V., doch im Namen Borgheses antworten sollte[131]. Als Anweisung (*ordine*), nicht als Vorschlag, betrachtete man im Staatssekretariat die Entwürfe des Kardinals, dessen Meinung in kirchlichen Angelegenheiten bei Paul V. ebenso viel Beachtung fand wie sein Rat in Fragen zur deutschen Politik[132]. Dennoch gründete die Weisungsbefugnis Millinos gegenüber dem Chefsekretär nicht allein in seiner Sachkenntnis, sondern in den Ämtern und Sonderaufgaben, die ihm der Papst zugewiesen hatte. So erhielt Feliciani auch von anderen Kardinälen Aufträge und Entwürfe für Antwortschreiben zu Themen, deren Bearbeitung ihnen von Paul V. überlassen worden

---

di farmi havere copia del ultima lettera, che si scrisse al Vescovo di Mantova ... che io me ne possi servire questa mattina con Nostro Signore» (18. Mai 1617, ebd.,196r). Die Entscheidungen Pauls V. teilte Millino häufig mit solchen Formulierungen mit: *«Pare bene à Nostro Signore, che ... si risponda ..»* (17. März 1617, ebd.,225r); *«vole Nostro Signore, che si scriva al Nuntio di Svizzeri, che..»* (E 61,51r).

[130] Die Entwürfe Millinos mußten häufig in direkte Anrede umgeschrieben werden, z.B. Millinos Vorlage *«Al Nuntio del Imperatore che in questo negotio ... sara caro a Nostro Signore che lui ne tratti..»* (SS Misc.Arm. XI 55,239r). Allerdings scheint es, als habe Feliciani stets die ausdrückliche Order Pauls V. einholen müssen, bevor er Millinos Entwürfe bearbeiten und abschicken konnte, vgl. z.B. Millino an Feliciani, 19. September 1617: *«Sua Santità ordinò, che si scrivesse nella forma, che io ho notato per capi ... l'invio a V.S.R.ma, accio che si contenti di parlarne a Sua Santità per potergli poi dare l'ultima mano»* (ebd.,231r).; vgl. auch ebd.188, oder dass. am 26. Juli 1616: *«V.S. si contentara di farne parola con Sua Beatitudine et pigliare l'ordine di scrivere»* (ebd.,160r; sehr ähnlich: dass., 15. Dezember 1616, ebd.,138r).

[131] An der Bearbeitung der Memoriali war auch Kardinal Filonardi beteiligt. So teilte Millino Feliciani am 26. Juli 1616 mit (SS Misc.Arm. XI 55,160r): *«Havendo il Signore Cardinale Filonardo, et io lunedi fatta relatione à Nostro Signore del contenuto nel presente memoriale, Sua Santità ha havuto per bene di fare gratia al Signore Duca di Mantova, che il Signore Cardinale padrone scriva una lettera simile à quella che fù scritta al Nuntio di Fiorenza nella istesa materia la lettera credo, che dovera essere diretta al Vescovo di Mantova, V.S.R.ma si contentara di farne parola con Sua Beatitudine et pigliare l'ordine di scrivere»*.

[132] *«Ordine del Signore Cardinale Millino in conformità del quale si scrisse à 31 di Gennaio 1615 al Nuntio à Svizzeri»* ist auf der Rückseite des entsprechenden Entwurfs vom gleichen Tag vermerkt (E 61,51r/52v). Zur Beraterrolle Millinos, die zweifellos als weiterer Beweis für die Bemerkung bei Hammermayer, S. 199, gelten kann, *«daß die kuriale Politik wohl zu allen Zeiten auch von Persönlichkeiten außerhalb des Staatssekretariats beeinflußt wurde»*, vgl. Wolfgang Reinhard, Kardinal Millino als Sachverständiger der Kurie für Fragen der deutschen Politik. Ein Gutachten zur Gefangennahme des Salzburger Erzbischofs Wolf Dietrich von Raitenau 1611, in: RQS 62 (1967), S. 232–239.

war[133], denn schließlich fungierte das Staatssekretariat als Schreibstube des Papstes, und wer den Sekretären den Willen Seiner Heiligkeit übermittelte, war letztlich gleichgültig.

Eines aber hatten alle derart entstandenen Briefe gemein: die Unterschrift des Nepoten. Möglicherweise liegt hier der Grund, warum Millino so zahlreiche Schreiben für das Staatssekretariat entwarf, anstatt sie als Leiter der Inquisition in deren Namen zu verschicken. Ein Blick auf das Schicksal des Dr. Marta und die Versuche Roms, es ins schlechtere zu wenden, kann diesen Verdacht erhärten. So mochte das Vorgehen der Kurie zwar in hohem Maße von Millino bestimmt worden sein, doch sobald es auf die Mithilfe ausländischer Fürsten bei der Verhaftung des Juristen ankam, bedurfte es eines Schreibens des Papstneffen[134]. Seine Autorität war größer als die jedes anderen Kardinals, und wer den Bitten des Nepoten entsprach, konnte sicher sein, dessen päpstlichem Onkel gedient zu haben. Daß dies nicht nur für die Fürsten galt, zeigt sich in der Auflistung der Adressaten, an die sowohl Millino als auch Borghese im August 1614 schrieben. Da fast alle Empfänger dieser Briefe in Diensten Roms standen, hätte ihnen zweifellos der Auftrag Millinos und der Inquisition gereicht, um sich des durchreisenden Häretikers anzunehmen. Nichts anderes ordnete Borghese in seinen Briefen an, und doch erfuhren deren Leser etwas Neues, das ihnen Millino nicht hätte mitteilen können: «Für Kardinal Borghese empfehle man im Auftrag Seiner Heiligkeit die Angelegenheit», stand über der Adressenliste, und wer ein solches Schreiben erhielt, wußte, wie sehr dem Papst am Erfolg des Vorhabens gelegen war[135].

[133] Dies belegt der Auftrag des Kardinals Verallo vom 16. Februar 1617 an Feliciani mustergültig: «*Tengo duoi negotij rimessimi dalla Santità di Nostro Signore uno in compagnia delli Signori Cardinali Filonardo, et Lancellotto, et l'altro con il Signore Cardinale Santa Susanna. Quanto al primo è di rispondere à Monsignore Nunzio dell'Imperatore.. Circa poi al negotio con il Signore Cardinale Santa Susanna mando qui inclusa un poco di nota come si dovra formar la lettera*» (SS Misc. Arm. XI 55,181r). Sollte Monsignore Vulpio, Erzbischof von Chieti, schon 1615 der Sekretär der Kongregation *dei Vescovi e Regolari* gewesen sein, als welcher er im Rolo der Familia Pauls V. von 1620 in FB I 714, hier: 3v, belegt ist, wäre seine Notiz an Feliciani vom 23. März 1615 ein Beleg für die ohnehin naheliegende Annahme, daß der Staatssekretär auch von anderen kirchlichen Gremien als der Inquisition Anweisungen für gewünschte Schreiben erhielt: «*Rimetto a V.S.R.ma la lettera scritta dalla Maestà Cesarea alla Santità di Nostro Signore alla quale la Santità Sua hà ordinato, che si risponda, che..*» (Vulpio an Feliciani, 23. März 1615, E 61,55r).

[134] Vgl. Reinhard, Marta, S. 219f.

[135] Die «*Nota dello spaccio, che si manda per il negotio del Dottor Marta*» (E 61,25, hier: dors.28v) datiert vom 2. August 1614: «*Per la cattura del Dottor Marta Neapolitano si scrive dal Signore Cardinale Millino*» an die Kardinäle Borromeo und Madruzzi, die Nuntien in Flandern und in der Schweiz, den Gouverneur, den Inquisitor und den päpstlichen Agenten Giulio della Torre in Mailand. «*Dal Signore Cardinale Borghese si scrive per ordine di Nostro Signore in raccomandatione di questo negotio*» an Borromeo, den Gouverneur, Inquisitor und Agenten in Mailand sowie an den Beichtvater der Großherzogin der Toskana «*Padre Leonardo Coqueo, al quale s'invia tutto lo spaccio*» (E 61,25r). Zu dieser Anweisung vgl. Reinhard, Marta, S. 222, Anm. 216.

Das Staatssekretariat und sein Leiter waren somit aus mehreren Gründen an den Geschäften der Inquisition beteiligt: Zum einen wickelte die Behörde den Schriftwechsel mit den Nuntien ab, die über häretische Bücher berichteten und an der Verfolgung ihrer Verfasser beteiligt waren, wie auch die Anweisungen an den Ferrareser Legaten, sich um den durchreisenden venezianischen Botschaftssekretär und den Stapel ketzerischer Werke in seinem Gepäck zu kümmern, aus der Feder des Chefsekretärs stammte[136]. Zum anderen bedurfte es häufig der Unterschrift des Nepoten, um den Anordnungen seines Onkels die nötige Autorität zu verleihen oder um ihre Dringlichkeit zu unterstreichen, und so fand sich der Neffe des Papstes zwar nicht unter den Mitgliedern der kirchlichen Kongregationen, doch immer wieder im Mittelpunkt ihrer Korrespondenz.

Daß Borghese die im Staatssekretariat erstellten Schreiben in kirchlichen Angelegenheiten zwar mit seinem Namen versah, an der Erstellung dieser Post aber nicht beteiligt war, geben die Überreste des römischen Behördenalltags, allen voran Millinos Entwürfe für solche Briefe, zweifelsfrei zu erkennen. «Seine Heiligkeit wünscht, daß der *Cardinale padrone* an den Bischof von Ventimiglia schreibe», notierte Millino, der mit Paul V. über die anstehende Frage gesprochen hatte, und da dieser an Feliciani gerichteten Aufforderung vom Juli 1616 genaue Vorgaben für den Inhalt des Briefs folgten, mußte sich der Chefsekretär lediglich um die Formulierung der bestellten Minute kümmern[137]. Allein Borghese hatte noch we-

---

[136] Wie heikel die Angelegenheit war, die schnell zu einem ernsten Konflikt mit Venedig hätte führen können, zeigt Borgheses Schreiben an Spinola vom 12. April 1608 (SS Bo 185,43v f.): «*Da Francia habbiamo l'avviso che V.S.Ill.ma riceverà qui incluso* (nicht erhalten, B.E.) *che il Secretario che serviva appresso il Cavaliere Priuli Ambasciatore della Republica di Venetia in quella Corte havesse congregato in gran numero di libri heretici per portarli à Venetia. Quando sia vero che vengano in balle particolari sotto nome di mercanti il che sarà facile à i Gabellieri di chiarire con l'usare le diligenze proprie dell'offitio loro, vedrà V.S.Ill.ma che sieno ritenuti per farne poi quello che parerà à Sua Santità di ordinare presupposto che vengano per la via di Ferrara; ma se i libri venissero in lane ò come di robbe dell'Ambasciatore anzi del semplice Secretario permetterà che si lascino passare à loro viaggio*» (vgl. auch ebd.,52r). Umgekehrt leitete auch der Ferrareser Legat Gerüchte und Meldungen über Vorfälle, für die sich die Inquisition interessiert haben dürfte, an das Staatssekretariat weiter; vgl. z.B. das Schreiben Serras an Borghese vom 11. Januar 1617 mit der Nachricht aus Venedig, «*ch'in casa dell'Ambasciatore d'Inghilterra si leggono palese et publice a porta aperta lettioni di Calvino*» (SS Card 5,203r).

[137] «*Vole Nostro Signore che il Signore Cardinale padrone scriva al Vescovo di Ventimiglia Visitatore Apostolico in Corsica, che invij quanto prima il processo contro Giovanni Battista Nova già Vicario di Aiazzo, et che avvisi tutto quello di più che gli occorrerà, acciò si possi attendere alla speditione della sua causa dopoi essere stato trattenuto quì tanto tempo*» (Millino an Feliciani, 7. Juli 1616, SS Misc.Arm. XI 55,156r). Ein ähnliche Anweisung Millinos an den Chefsekretär für ein Schreiben Borgheses datiert vom 1. April 1613: «*Rimando anco la lettera del Vescovo di Settia, l'opera del quale Nostro Signore hà già ordinato, che si veda, et il Signore Cardinale Padrone gli potria rispondere, che faccia usare ogni diligentia, acciò l'opera sia vista quanto prima*» (ebd.,130).

niger mit der Entstehung der Post zu tun, die in seinem Namen und mit seiner Unterschrift hinausging, und wenn sich der Empfänger eines derart entstandenen Schreibens an juristisch relevanten Klauseln störte, berieten Paul V. und Millino, ob Feliciani die strittigen Worte aus dem Brief des Nepoten streichen sollte[138]. Selbst die Schilderungen der *uffici* Borgheses, die sich in einigen Schreiben zu kirchlichen Fragen finden, entsprachen wohl eher der Notwendigkeit, den Nepoten als tatkräftigen Protektor in Szene zu setzen, als der Realität, denn auch sie wurden von Millino entworfen und von Feliciani in Briefform gebracht[139]. Offensichtlich glich Borgheses Anteil an der Behandlung kirchlicher Themen im Staatssekretariat seinem Beitrag zur Bearbeitung der Legationsberichte und der politischen Informationen der Nuntien: Seine Unterschrift zierte alle Schreiben, doch was darin zu lesen stand, bestimmten andere.

b. Kirchliche Gnaden und Bewilligungen: Der Nepot und die Gratialbreven

Noch geringer scheint die Beteiligung des Papstneffen allein an der Korrespondenz gewesen zu sein, die die für die Kirche zuständigen Kongregationen im eigenen Namen führten[140]. Denn da Borghese auf deren Entwürfe selbst dann keinen Einfluß nahm, wenn sie im Staatssekretariat ausgefertigt wurden und seine Unterschrift trugen, er bei den Sitzungen der Gremien aber wie alle Kardinalnepoten vor ihm nicht zugegen war, dürfte der Nepot am behördlichen Briefwechsel über kirch-

---

[138] «*Il Vescovo* (den in diesem Band folgenden Dokumenten zufolge wohl eher der Vicario, B.E.) *di Albenga ha fatto instanza che si levino dalla alligata lettera del Signore Cardinale padrone le parole, che ho lineate, et havendone parlato alcuni giorni sono con Nostro Signore parve a Sua Santità che si dovessero levare*», weil ansonsten rechtliche Probleme entstehen würden. «*V.S.R.ma si contentara di parlarne con Sua Santità*» (Millino an Feliciani, 15. Dezember 1616, SS Misc.Arm. XI 55,138r).

[139] Wohl um der Rolle Borgheses als Protektor des Reiches Rechnung zu tragen, ließ Millino dem Nuntius beim Kaiser über das Staatssekretariat anordnen, «*che rapresenti a Sua Maestà la protettione, et cura particolare, che ha havuta in questo negotio il Signore Cardinale Borghese acciò si havesse il debito risguardo a i concordi, et à i statuti delle chiese conforme al ricordo et desiderio di Sua Maestà*» (o.D., SS Misc.Arm. XI 55,271r). In einer anderen, ebenfalls undatierten Notiz bestellte Millino zunächst ein Breve an den Kaiser, in dem diesem die Position des Papstes «*sopra il particolare della Università di Vienna*» mitgeteilt wurde, und fuhr fort: «*per il Signore Cardinale Borghese si può rispondere nel istesso senso, esprimendosi prima, che ha fatto l'offitio con Nostro Signore*» (ebd.,244r).

[140] Als Beispiele für die erhaltenen Auslaufregister kirchlicher Gremien aus der Zeit Pauls V. seien über den allgemeinen Hinweis auf die mittlerweile im Archiv der Glaubenskongregation zugänglichen Bestände der Inquisition hinaus folgende Bände genannt: die Auslaufregister der Konzilskongregation (Congreg. Concilio, Libri Litter. 9–11) sowie die teils aus Minutensammlungen, teils aus Auslaufregistern bestehenden Unterlagen der Kongregation für die Bischöfe und Regulargeistlichen in Registra Episcoporum 38–62 und Registra Regularium 6–26 (dort auch die erst seit 1646 in getrennten Registra Monialium vermerkte Korrespondenz in Fragen der Frauenklöster).

liche Probleme nicht mitgewirkt haben[141]. Ebenso wenig beteiligte er sich an der
Expedition der Gratialbreven und der im Vorfeld notwendigen Beratung. So sind
die Breven, die die Stadt Ferrara in kirchlichen Fragen von Paul V. erwirkt hat,
zwar unter Mitarbeit der Kongregationen und vor allem ihrer Sekretäre, aber ohne
jedes belegbare Eingreifen Borgheses zustande gekommen. Die Bitte der Ferraresen
um die Genehmigung, im Palast der städtischen Rotaauditoren die Messe lesen zu
lassen, hatte Kardinal Bevilacqua seinen Kollegen in der *Congregazione dei Ves-*
covi e Regolari vorgetragen, und da diese nach der Prüfung des Antrags zu einem
positiven Votum gelangt waren, verkündete Paul V. im Konsistorium, dem Kardinal und seiner Stadt die gewünschte Lizenz zu gewähren[142]. Der Memoriali Ferraras über die Errichtung eines Hospitals zur Betreuung der Bettler und die Zuwei-
sung bestimmter Almosen an diese Einrichtung scheint sich Bevilacqua nicht angenommen zu haben, denn wie die Vermerke zeigen, gingen diese den üblichen
Weg: Die erste Eingabe wurde an den Sekretär der zuständigen Kongregation,
Monsignore Vulpio, verwiesen, der die Entscheidung des Papstes einholte und
notierte, die zweite sollte Vulpio gemeinsam mit Cobellucci bearbeiten. Doch da
er dem Chef des Brevensekretariats den Inhalt des vom Papst genehmigten Dokuments bis ins Detail vorschrieb, hatte der Sekretär der Kongregation auch hier den
größten Teil der Arbeit zu leisten[143]. Ohne die Hilfe der sachkundigen Sekretäre

---

[141] Wer die Hauptlast der alltäglichen Arbeit in den kirchlichen Kongregationen trug, deutet der Vermerk auf Registra Regularium 7 an: «*Regularium 1606. Berlinguerius Gypsius, Secretarius*». Daß
Monsignore Gessi nicht nur dieses Auslaufregister führte, sondern auch Briefe zur Bearbeitung
überstellt erhielt, belegt z. B. das Schreiben des Kardinals Acquaviva an Borghese vom 21. Juli 1606,
das eine Jurisdiktionsfrage in Neapel betraf und an Gessi mit der Bitte um einen Vorschlag für die
Antwort überwiesen wurde (FB III 49 D,301v).

[142] Auf der «*Per il Magistrato della Città di Ferrara*» eingereichten Supplik «*Agl'Ill.mi e R.mi Signori*
li Signori Cardinali della Congregatione sopra Vescovij» ist zwischen diesen beiden Eintragungen
notiert: «*Bevilacqua*» (Sec.Brev. 450,540v), wohl weil dieser die Schrift vor der Kongregation (oder
vor Paul V.?) vorgetragen hat. Es folgt der Vermerk: «*Die 15. Dic. 1609. Sanctissimus placuit*»
(ebd.). Bereits am 14. Dezember 1609 hatte Bevilacqua nach Ferrara geschrieben, im heutigen Konsistorium «*Nostro Signore mi ha conceduta la gratia per li SS.VV. del poter far dir la messa nelle*
stanze della Ruota», und dies «*benignissimamente*» (CC 155,443). Das Breve in Sec.Brev. 450,538
datiert vom 30. Dezember 1609. Daß Bevilacqua Mitglied in der Kongregation war, belegt die um
1610 entstandene Liste in Barb.lat.4592, hier: 243v.

[143] Die Supplik Ferraras an Paul V. über die Errichtung des Bettlerhospitals wurde verwiesen «*A Mon-*
signore Vulpio», (Sec.Brev. 533,493v, das Breve vom 23. Februar 1616 ebd.,491), d. h. an Vulpiano
Vulpi, der für 1620 als Sekretär der Kongregation für die *Vescovi e Regolari* belegt ist, dieses Amt
aber wohl schon Jahre zuvor erhalten hatte (vgl. Anm. 133). Seinen lateinischen Vermerk über die
Zustimmung des Papstes zum Wunsch der Stadt, über den der Sekretär offensichtlich mit Paul V.
geredet hatte, unterschrieb Vulpio mit «*V. Theatin. secretario*». Das «*V.*» steht für seinen Vornamen
Vulpiano, mit «Theatin.» ist das Erzbistum Chieti gemeint, das Vulpi laut HC IV, S. 332, am
11. März 1609 erhalten und vor dem 16. Dezember 1615 resigniert hatte, in zeitüblicher Manier

kam Cobellucci hingegen bei einem Routineakt wie der päpstlichen Generalabsolution aus, und so konnte die entsprechende Bitte der Stadt direkt an den Sekretär für die Gratialbreven weitergeleitet werden[144]. Die Mitarbeit Borgheses, genauer: die Unterschrift des Kardinalnepoten, war indes nur in einer einzigen der kirchlichen Angelegenheiten, in denen sich die Stadt Ferrara an Rom gewandt hatte, gefragt: in der Auseinandersetzung über die Kompetenzen des Magistrats bei der Verwaltung des Hospitals Sant'Anna, mit der sich die *Congregazione del Concilio* befaßte. Zwar hatten sich die Ferraresen stets an den Papst, den Präfekten der Konzilskongregation Millino und vor allem an ihren Bischof Kardinal Leni gewandt, dessen Vikar gegen die Rechte des Magistrats verstoßen und die Sache ins Rollen gebracht hatte. Doch als das umstrittene Dekret, das auf einem Schreiben des damaligen Kardinalnepoten Aldobrandini gründete, widerrufen werden sollte, bedurfte es der Unterschrift des aktuellen Papstneffen, die allein dem Namenszug seines Amtsvorgängers an Rechtskraft ebenbürtig war. Ein Brief Millinos oder Lenis hätte diesen Zweck nicht erfüllt, und so setzte auch Borghese seinen Namen neben die Unterschriften des Präfekten und des Bischofs, die sich seit Jahren mit der Angelegenheit befaßt und wohl auch für die Ausfertigung des Widerrufs gesorgt hatten[145].

---

aber auch noch danach zur Kennzeichnung seiner Person angab. Die Supplik Ferraras über die Almosenzuweisung wurde verwiesen «*Alli Monsignori Ulpio, e Cobellucci che s'intendano e riferiscano à Nostro Signore*» (Sec.Brev. 540,90v). Daß Vulpio die Bearbeitung der Sache übernahm und Cobelluccis Rolle sich auf die Ausfertigung des am 16. August 1616 erstellten Breves (ebd.,79/92r) beschränkte, belegt die Notiz vom 21. Mai 1616, die die Unterschrift «*Ulpiano Arcivescovo di Chieti*» trägt und mit den Worten beginnt: «*Ho di nuovo riferito alla Santità di Nostro Signore la gratia, che desidera la Città di Ferrara ... et la Santità Sua si è contentata che si spedisca*» das gewünschte Dokument (ebd.,80r). Auch die lateinische Stellungnahme vom 25. Juni 1616, die sich mit einem strittigen Detail des bereits bewilligten Breves befaßt, trägt Vulpios Unterschrift, allerdings in der lateinischen Variante (ebd.,90v).

[144] Die Bitte Ferraras um ein «*breve d'assolutione generale*» (Sec.Brev. 482,9r) wurde verwiesen «*Al Cobeluccij, che si faccia*» (ebd., zwischen 9 und 10, unfoliiert v), das Breve vom 28. Juli 1612 ebd.,7/8r. Daß es sich um Routineakte handelt, belegen die zahlreichen Absolutionen in den Breven-Bänden, z. B. Sec.Brev. 559,101–142, für verschiedene Orte.

[145] Daß sich die Kongregation *del Concilio* um die seit Lenis Ernennung zum Ferrareser Bischof 1611 schwelende Auseinandersetzung kümmerte, legt die Bitte Ferraras vom 13. April 1613 an den in Rom weilenden Vizelegaten Massimi nahe, sich um einen wohlwollenden Nachfolger für den erkrankten Monsignore Fagnano (laut Barb.lat. 4592,245v Sekretär der Konzilskongregation), der die Sache betreibe, zu bemühen (vgl. CA 140,186r). Bereits am 14. November 1612 hatte der Magistrat seinen Vertreter zu Leni, Millino (Präfekt laut Barb.lat. 4592,245r) und Paul V. geschickt (vgl. CA 140,5/6). Die Beteiligung des Vikars belegt der Brief Ferraras an Leni vom 31. August 1611 in CC 163/10,1v. Am 11. Juni 1613 schrieb Ferrara an den Vertreter in Rom: «*Non ha dubbio, che la spedizione del negotio di S.Anna havrà molto più vigore da una lettera del Signore Cardinale Borghese, che da una del Signore Cardinale Vescovo, perchè il decreto che ci tien fuori dell'amministrazione del detto Spedale è fondato sopra una lettera del Cardinale Aldobrandino Nipote di quel*

Allerdings war die Unterschrift des Papstneffen in kirchlichen Fragen keineswegs nur dann vonnöten, wenn die Briefe aus dem ihm unterstellten Staatssekretariat stammten oder die Anordnungen entmachteter Kardinalnepoten außer Kraft setzen sollten. Daß selbst geistliche Vollmachten und Gnadenakte in Form schlichter Briefe gewährt und mit dem Namen des Kardinals zur verbindlichen Willensäußerung des Papstes erhoben werden konnten, war für die Zeitgenossen selbstverständlich. Falls ihm ein Breve zu riskant erscheine, reiche ein Schreiben Borgheses, hieß es etwa in der an Paul V. gerichteten Bitte des Kardinals S.Cecilia um eine Vollmacht für seinen Prozeß gegen einige Kanoniker[146], doch auch ohne solche Hinweise wußte der Papst um die Vorteile der Briefvariante. Obwohl der Pfarrer von Tignale dieser Gnade nicht würdig sei, erteile ihm Paul V. kraft dieses Schreibens die Vollmacht zur Absolution des Sünders, teilte Borghese dem Kardinal Madruzzo im Juni 1607 mit, und als der Neffe des Churer Bischofs seinem Onkel zum Lohn einen Platz im Germanicum erhalten sollte, der ihm von Rechts wegen nicht zustand, war abermals ein Brief des Nepoten gefragt[147]. Mit Hilfe solcher Schreiben ließen sich indes nicht nur Präzedenzfälle vermeiden und Diskretion bewahren, sondern auch Gerüchte entkräften. Das habe das Papst nur

---

Pontefice, e però ogni raggion vuole, ch'l Nipote di Sua Beatitudine sia quegli, che revochi quell'ordine, e ci restituisca il possesso» (CA 140,265r). Daß der Brief von Borghese, Leni, Millino und -warum, konnte ich nicht klären – Lancellotti unterzeichnet werde, berichtete der Vertreter am 19.Juni 1613 nach Ferrara (ebd.,275r), Dankesschreiben der Stadt an Paul V., Borghese, Leni und Lancellotti belegt der – leere – Umschlag vom 29.Juni 1613 in ebd.,296. Die Versicherung Borgheses, er habe geholfen *«a cotesta Città, la quale ... non hà in questa Corte chi ami gl'interessi suoi più di quello che faccio io»* (CC 156,458), datiert vom 17.Juli 1613 und entstammt wohl nicht dem Staatssekretariat. Leider enthüllt Borghese nicht, wie er geholfen haben will.

[146] Vgl. Kardinal S.Cecilia (= Kardinal Paolo Camillo Sfondrato) an Paul V., 18.Dezember 1607, FB III 43 AB,210.

[147] Vgl. Borghese an Madruzzo, 16.Juni 1607, FB I 933,104. Am 6.Dezember 1608 schrieb Borghese an Giulio della Torre und Kardinal Borromeo, die offenbar den Wunsch des Bischofs von Chur unterstützt hatten, die dem Neffen des Bischofs im Wege stehende *«constitutione deroga Sua Santità in virtù della presente per questa sola volta»* (FB II 434: 880vf., 881vf., das Zitat: 881v). Laut Borgheses Schreiben an Don Pietro Orsini vom 3.Dezember 1614 ließ Paul V. Pietros Bruder Antonio Orsini zwar gerne mit einem Brief seines Neffen an den Großmeister des Malteserordens für die vorzeitige Ablegung der Gelübde empfehlen (reg. im für Malta zuständigen Band FB II 369,16), was seine Wirkung nicht verfehlt haben dürfte, aber *«perche l'esser ammesso alla professione senza aspettar il fine dell'anno del Novitiato non è solito di concedersene il Breve, non è parso à Sua Santità di farlo particolarmente per rispetto dell'essempio»* (FB I 946,295vf.). Daß der Nepot in diesen Fällen in seiner Rolle als Protektor tätig geworden ist, kann man ausschließen, denn zum Protektor Deutschlands, als welcher er sich für das Germanicum hätte interessieren können, wurde er erst 1611 (vgl. Reinhard, Papstfinanz und Nepotismus, Bd.1, S.101), und in der erwähnten Empfehlung an den Großmeister des unter seiner Protektion stehenden Malteserordens (vgl. Kap.II, Anm.27) war ausdrücklich vom Befehl des Papstes die Rede, aber nicht von Borgheses Einsatz, der bei seinen Auftritten als Protektor nie zu erwähnen vergessen wurde.

getan, um sein Brevensekretariat zu bereichern, war von den Spaniern am römischen Hof verbreitet worden, nachdem Paul V. aus Sorge um die Kirche im Lande sämtliche Genehmigungen für Privatoratorien in Spanien widerrufen hatte, und da der Pontifex diesen Verdacht nicht auf sich sitzen lassen wollte, erhielten die Opfer der Reform ihre neu beantragten Lizenzen fortan nur noch in Form der kostenfreien Nepotenbriefe[148]. Mit der Erstellung solcher Schreiben, die in der Regel aus dem Staatssekretariat stammten, dürfte Borghese so wenig zu tun gehabt haben wie mit der Expedition der Breven. Damit die Nuntien bei der Vergabe der gewährten Gnadenakte den hilfreichen Einsatz des Nepoten ins rechte Licht rükken könnten, würden den Diplomaten Roms nicht nur die Gratialbreven für die Empfänger im Ausland zugeschickt, sondern auch die Hindernisse auf dem Weg zur Erfüllung der Bitte geschildert, erläuterte Caetano 1623 das im Staatssekretariat übliche Verfahren. Doch da sein Bericht über die Entstehung der entsprechenden Breven einen Auftritt des Papstneffen nicht vorsah[149], dürften die Standardbriefe an die Nuntien zwar die Rolle des Cardinale Padrone, nicht aber das tatsächliche Handeln des Nepoten beschrieben haben.

Am Ende der Rundreise durch die kuriale Behördenlandschaft angelangt, bleibt zweierlei festzuhalten: die äußerst geringe Beteiligung Scipione Borgheses an der alltäglichen Arbeit der kurialen Gremien, und der Nutzen, den die Besetzung der Nepotenrolle nichtsdestotrotz zu bieten hatte. Einem Kardinal, der den wichtigsten Verwaltungskongregationen für das Land der Kirche vorstand, als Chef des Staatssekretariats die politisch relevante Korrespondenz anderer Ressorts unterzeichnete, deren Entscheidungen in rechtlich umstrittenen Fragen mit seinem Namen die notwendige Verbindlichkeit verschaffen mußte, die Minuten für die Gratialbreven in weltlichen und kirchlichen Angelegenheiten hätte kontrollieren können und nicht zuletzt in seiner Eigenschaft als Cardinale Padrone immer wieder um die Hilfe der Antragsteller gebeten wurde, einem solchen Purpurträger mangelte es gewiß nicht an Betätigungs- und Einflußmöglichkeiten[150]. Beides konnte

---

[148] Vgl. den entsprechenden Bericht in Caetanos Denkschrift von 1623, ed. bei Kraus, Denkschrift, S.119f.

[149] Vgl. ebd., S.111.

[150] Angesichts dieser Fülle von Ämtern und Kompetenzen, die der Kardinalnepot auf sich vereinigte, verwundert die Einschätzung Menniti Ippolitos, die dem Kardinalstaatssekretär mit der Abschaffung des Nepotenamtes 1692 zugefallene Koordination zwischen seiner eigenen Behörde und den Kongregationen sei «quel qualcosa in più che il nuovo uomo forte della Curia portò nella carica» (Il tramonto, S.56) und damit der Grund gewesen, warum der Staatssekretär ab 1692 «poté fungere da grimaldello per sovvertire un equilibrio istituzionale fondato sul ruolo del nipote» (ebd., S.55). Offenbar unterschätzt Menniti Ippolito die Rolle, die der Nepot wenigstens nominell in den Kongregationen spielte. Es paßt ins Bild, daß er lediglich die Präfekturen des Papstneffen in der Consulta und dem Buon Governo erwähnt und selbst diesen kurzen Hinweis in die Anmerkungen verbannt (vgl. ebd., S.69, Anm.92 und 95).

Scipione Borghese nicht locken. Da er die Arbeit den Fachleuten überließ, entzogen sich die Entscheidungen nicht selten seiner Kenntnis, und so mußten die Gremien ohne die Hilfe des formal übermächtigen Nepoten auskommen.

Seine Bedeutung für die Entwicklung der Behörden ist dennoch nicht zu unterschätzen. Die Koordination zwischen den Organen unter seiner Leitung mochte in der Praxis anders aussehen, als es die personelle Verzahnung auf der Führungsebene vermuten läßt. Die Verklammerung der Behörden war indes unerläßlich, gewährleistete doch allein die Personalunion an der Spitze den Freiraum, den die Gremien brauchten. Weil der Neffe des Papstes mit seiner Unterschrift das monokratische Gepräge der päpstlichen Administration sicherte, konnte die römische Behördenlandschaft den wachsenden Anforderungen mit ihrer Aufgliederung in spezialisierte Fachausschüsse begegnen und die faktische Leitung der Geschäfte innerhalb der einzelnen Organe an die sachkundigen Sekretäre übergehen[151]. Gleichzeitig verhalf der Nepot seinen jungen Kongregationen zu einer Autorität, über die sie – das Schicksal des Kardinals von Camerino als Präfekt der Wasserbehörde hat es gezeigt – ohne den Papstneffen auf dem Chefsessel nicht verfügt hätten. Daß diese Autorität delegiert und ihre einzige Quelle der Regent auf dem Stuhl Petri war, stand dennoch nicht zu bezweifeln. Schließlich war der allgegenwärtige Name des Nepoten der Name der regierenden Familie, deren Angehöriger auf dem Thron, so die Botschaft, alle Fäden der römischen Politik und Verwaltung in der Hand hielt.

Doch nicht nur die Macht des Monarchen, auch seine Gnade fand im Nepoten ihren Ausdruck: Der Papst mußte der Rolle des Padre comune über den Parteien entsprechen, sein Neffe konnte Verwaltungsakte als Gunstbeweise präsentieren. Daß der klienteläre Diskurs in der Post des Nepoten nicht viel mit der Realität in den Behörden zu tun hatte, ist nicht zu übersehen. Doch daß ein Cardinale Padrone mehr für seine Gunst verlangen konnte, wenn er zugleich den Gremien vorstand, die zu beeinflussen er gebeten wurde, ist ebenfalls nicht von der Hand zu weisen. Der Nepot mochte im römischen Behördenalltag nicht mehr gefragt und seine Machtrolle zur Fiktion geworden sein. Aber selbst als Attrappen der Macht erwiesen sich die Ämter, die der Klientelchef auf sich vereinigte, als Hilfe bei seinen patronagepolitischen Aufgaben, denn wer seine Interessen an der Kurie wahren wollte, kam an dem Kardinal im Zentrum der Kommunikationswege nicht vorbei.

Eng verbunden mit der Kraft seiner Unterschrift war ein weiterer Vorteil, den der Nepot der Herrschaft seines Onkels bescherte. Da seine Briefe die Rechtskraft eines Breves besaßen, aber in der Herstellung weniger aufwendig, besser geheimzuhalten und als Argument für die Ansprüche Dritter nicht geeignet waren, boten

---

[151] Daß dem Aufstieg der Sekretäre im Falle der kardinalizischen Kongregationen Grenzen gesetzt waren, wird in Kap. VI.3 zu berichten sein.

sie den römischen Behörden eine Alternative zu den traditionellen Urkunden. Nicht von ungefähr erinnert dies an die Ablösung der Bullen durch die Breven, hatten doch auch die nun von den Nepotenbriefen zwar nicht verdrängten, aber ergänzten Breven den administrativen Alltag spürbar erleichtert. Die etwa bei problematischen Gnadenakten kirchlicher Art überaus hilfreiche Möglichkeit, päpstliche Entscheidungen zwar in verbindlicher Weise, aber durch das alter ego des Pontifex und daher in größerer Distanz zu seiner entrückten Person zu veröffentlichen, brachten jedoch erst die Schreiben des Kardinals mit sich.

Modernisierende Impulse für die Behördenentwicklung, Repräsentation der päpstlichen Macht und Gnade, Arbeitserleichterung im kurialen Behördenalltag – die Bilanz der Nepotenrolle bei der Verwaltung von Staat und Kirche fällt unerwartet gut aus. Als tatkräftigen Mitarbeiter brauchten ihn weder sein Onkel noch die Gremien, als alter ego des Papstes war er für die Behörden und den Regenten jedoch von großem Nutzen. Allerdings hatten die Vorteile des institutionalisierten Nepotenamtes auch einen Preis, und da dessen Höhe erst nach dem Blick auf die außerplanmäßigen Eingriffe des Kardinals in die Arbeit der kurialen Verwaltung zu ermessen ist, kann dies noch nicht die Endabrechnung gewesen sein.

IV. Die Sekretariate des Nepoten

Ob im Staatssekretariat oder in den Kongregationen, ob in Fragen der Politik oder bei der Verwaltung von Staat und Kirche – das Interesse Scipione Borgheses an den Geschäften des Apostolischen Stuhls scheint gering gewesen zu sein. Doch je länger man nach den Aktivitäten des Kardinals fragt und sie nicht findet, um so stärker wird der Verdacht, an der falschen Stelle zu suchen. Schließlich unterstanden ihm nicht nur die wichtigsten Behörden Roms, sondern auch mehrere eigene Abteilungen, und so könnte ein Blick auf diese Büros die eigentlichen Interessen Scipione Borgheses zutage fördern. Überraschen würde dies nicht, erinnert die wenn auch nicht immer gleichzeitige Existenz eines Patronagesekretariats, eines Privatsekretariats und eines Stabes für die Güterverwaltung doch wohl nicht zufällig an die Versorgungsfunktion des Nepoten und seine familienpolitischen Ziele bei der Betreuung der Klientel. Doch bevor erörtert werden kann, ob die Sekretariate des Papstneffen eine Konkurrenz für die Behörden der Kurie darstellten, wollen die Organe selbst ermittelt und beschrieben sein. Manches wird dabei im dunkeln bleiben, ist die Quellenlage für das Privatsekretariat und die Güterverwaltung der Borghese doch nicht sehr gut. Das Patronagesekretariat hingegen hat einen reichen Bestand hinterlassen, und so sei diese erst 1616 geschaffene Stelle der Chronologie zum Trotz an den Anfang gerückt.

1. Das Patronagesekretariat des Klientelchefs

a. Baccis Bände: Personal und Bestände des Patronagesekretariats

Als Cennini Anfang September 1616 «Al Signore Bacci» auf einem Brief an Borghese notierte, war die Zeit vorbei, in der das Staatssekretariat nicht nur die amtlichen Berichte der Nuntien und Legaten und andere Schreiben politischen

Inhalts zu bearbeiten, sondern auch die zahllosen Bittbriefe, Personalempfehlungen und *complimenti* an die Adresse des Nepoten zu erstellen hatte[1]. Denn dies war fortan die Aufgabe Baccis, dessen Amtsantritt die letzte Phase in einem Prozeß einläutete, der als schrittweise Ausgliederung der Patronagepolitik aus dem Staatssekretariat beschrieben werden kann. So stand Borghese, der zunächst nur auf die Hilfe seines Auditors zurückgreifen konnte, um seine Anweisungen zu Papier zu bringen, nun auch ein Mitarbeiter zur Verfügung, der die in Auftrag gegebenen Minuten entwarf und somit die Mannschaft komplettierte, derer es bedurfte, um die Korrespondenz des Kardinalnepoten ohne die Inanspruchnahme des Staatssekretariats abzuwickeln[2]. Denn daß Bacci wie Cennini der Behörde nicht angehörte, belegt bereits das vergebliche Bemühen Semmlers, seine Zuständigkeit und Stellung innerhalb des Staatssekretariats zu bestimmen[3]. In welcher Position der neue Mann tatsächlich tätig wurde, berichtet Borghese persönlich: Da er gerade einen

---

[1] Der erste dieser Verweise Cenninis findet sich auf einem Schreiben des Bischofs von Sarzana an Borghese vom 25. Juni 1616 und lautet: «*Al Signore Bacci. Hà inteso lo Sturione circa'l negotio che desidera, Nostro Signore non è anco risoluto, farà con tutto ciò l'ufficio per lui, per l'amor che li porta*» *(FB III 42 AC,382r, dors.385v; vgl. auch Cenninis Vermerk «Al Signore Bacci che lo ringratij»* auf dem Brief des Bischofs von Barcelona vom 2. Juli 1616, ebd.,420v). Allerdings scheint sich Borghese erst einige Wochen später endgültig für Bacci entschieden zu haben, stammt die in Anm. 4 zitierte Antwort des Kardinals auf ein Dankesschreiben zu dieser Wahl doch erst vom 7. September 1616. Diese späte Datierung bestätigen die Avvisi, die am 27. August 1616 berichteten, Bacci habe sich bei Borghese in dessen Audienz für seine Anstellung bedankt. Daß die Wahl auf Bacci fiel, wird mit dessen Eignung begründet, «*concorrendo in lui quelle qualità che si ricercano in un buon secretario della lingua Italiana oltre havere talmente di esprimere anco bene il suo concetto in Latino, Spagnolo, Francese e Tedesco*» (Urb.lat. 1084,327). Einen weiteren Beleg liefern Baccis Register (s.u.), dank derer sich die Amtszeit des Sekretärs im Dienst Borgheses leicht umreißen läßt: Seine erste Minute datiert vom 13. September 1616 (FB II 416), seine letzte vom 13. Februar 1621 (FB II 422). Angaben zur Person Ottavio Baccis finden sich kaum; eine Familie Bacci ist belegt für Arezzo, vgl. V. Simoncelli de' Carvajal, La stirpe dei Bacci di Arezzo, in: Rivista del Collegio araldico 35 (1937), S. 441–445; vgl. auch N. Vian in DBI 5 (1963), S. 30 f., über Giacomo Pietro Bacci, einen Oratorianer aus Arezzo.

[2] Zu klären wäre allerdings noch die Frage, wer die Minuten ins reine schrieb, denn daß diese Aufgabe den Sostituti des Staatssekretariats überlassen wurde, kann beim derzeitigen Stand der Untersuchung nicht ausgeschlossen werden. Das zur Überprüfung notwendige Material liefern die Reinschriften sowohl von Bacci als auch vom Staatssekretariat entworfener Schreiben Borgheses an die Stadt Ferrara in CC 156.

[3] In seinem Zwischenbericht von 1959 versuchte Semmler zunächst, Bacci die Nuntiaturen Florenz und Frankreich zuzuschreiben (vgl. Semmler, Beiträge, S. 68 und 71), fügte aber hinzu, es sei «im Augenblick nicht möglich», dessen «genaue Stellung zu umreißen» (ebd., S. 68 f). Warum ihm Cennini seit Oktober 1616 mit einer gewissen Regelmäßigkeit Schreiben aus Gebieten überwies, für die auch Feliciani «gelegentlich die Antworten formulierte» (S. 71, zur Nuntiatur Frankreich), läßt sich ohne die Auslaufregister und Einlaufbände Baccis, die in Tab. 6 aufgelistet werden, sowie ohne die Kenntnisnahme der inhaltlichen Unterschiede zwischen den beiden Korrespondenzen tatsächlich nicht klären. Wie sehr die Konzentration auf das Provinzprinzip den Blick auf andere Kriterien verstellt, wird in Semmlers Monographie endgültig deutlich: Bacci, in dessen Hand Semmler m. E. zu Recht jene von

neuen Sekretär gesucht und über Bacci so viel Gutes gehört habe, sei seine Wahl auf diesen gefallen, auch wenn er es sehr bedauere, den Nuntius von Frankreich kurz vor seiner Abreise dieses verdienten Mitarbeiters beraubt zu haben[4]. Offensichtlich hätte Bacci dem Nuntius Guido Bentivoglio wie in den Jahren zuvor in Flandern[5] auch in seiner neuen Position in Paris dienen sollen, wäre da nicht der Personalbedarf des Kardinalnepoten dazwischen gekommen. So aber mußte Monsignore Bentivoglio ohne seinen langjährigen Begleiter nach Frankreich aufbrechen, während Bacci als Sekretär Borgheses in Rom blieb und bis zum Ende des Pontifikats die Post des Papstneffen zu bearbeiten hatte. Zur Hand ging ihm dabei ein weiterer neuer Mitarbeiter des Nepoten, Lodovico Tartaglioni. Auch dessen Handschrift hat Semmler ab Juni 1616 in den Akten des Staatssekretariats entdeckt, doch da er dort nur als Estrattoschreiber in Erscheinung trat, was selbst für einen Sostituto der Behörde ungewöhnlich ist, für die Korrespondenz, die Borghese an Bacci überweisen ließ, aber unzählige Minuten verfaßte, darf man ihn wohl eher im Stab des Kardinals suchen als in den Reihen der Helfer Felicianis[6]. Außer Frage steht dagegen seine untergeordnete Stellung gegenüber Bacci, der

---

PV 15 erkennt, taucht namentlich nur noch in einer Fußnote auf (Semmler, Staatssekretariat, S. 80, Anm. 64), während im Text die Tätigkeit von PV 15 beschrieben wird, als handele es sich um einen Sostituto von vielen. Die Abweichungen, die Semmler noch in seinem Aufsatz irritiert haben, werden nun nicht mehr erwähnt.

[4] Am 7. September 1616 schrieb Borghese an Enzo Bentivoglio, den Bruder des Nuntius: «*Il bisogno in che mi trovavo d'haver un' nuovo secretario, et la confidenza grande che ho con Monsignore Arcivescovo di Rhodi* (Guido Bentivoglio, B.E.), *congionti con l'informatione che ho havuta della bontà, et valore del Bacci, sono stati causa ch'io habbi preferito questo soggetto à molti altri che m'erano proposti, non ostante, che mi sia rincresciuto assai di privarne il medesimo Monsignore in questa congiuntura dell'andata sua alla Nuntiatura di Francia*», und eigenhändig fügte er hinzu: «*Io credevo che Vostra Signoria non fosse per ringratiarmi del Bacci, ma più tosto per dolersi che gli havessi tolto il segretario adesso che ha da partir per Francia*» (ABent.Corr. 10/78,101).

[5] Daß Bacci den Nuntius bereits nach Flandern begleitet hatte, belegt sein am 26. März 1608 in Brüssel abgefaßtes Schreiben an die Mutter Bentivoglios (ABent.Corr. 9/43,702).

[6] Ob die Estratti aus Tartaglionis Feder, die Semmler, Staatssekretariat, S. 80 und 122, auf der Post aus den Nuntiaturen Flandern, Florenz, Neapel, Spanien und Frankreich entdeckt hat, nur auf Briefen zu finden sind, die in Baccis Ressort fielen, wäre zu überprüfen. In welcher Stellung auch immer Tartaglioni mit der Behördenkorrespondenz in Berührung gekommen sein mag – viel Zeit konnte er mit ihrer Bearbeitung nicht verbracht haben, wollten die über zweihundert Minuten im Monat, die in den ersten Jahren ab September 1616 als Antworten auf die an Bacci verwiesenen Schreiben nahezu ausnahmslos von ihm verfaßt wurden, doch zu Papier gebracht sein. So scheint er schon lange vor der Ausstellung des «*Indultum percipiendi fructus in absentia … pro secretario Illustrissimi Cardinalis Burghisij*» (Sec.Brev. 696,418/421r) vom 8. November 1624 ein Sekretär des Kardinals gewesen zu sein, in dessen Dienst er bis zu Scipiones Tod im Jahre 1633 blieb (vgl. Anm. 15). Die beiliegende Supplik Tartaglionis, die Semmler, Staatssekretariat, als dessen Schriftprobe (Tafel 38) wiedergibt, wurde im übrigen «*raccommandato dal Signore Cardinale Borghese*» (Sec.Brev. 696,420v). Ebenso zu überprüfen wäre der Charakter der Schreiben des Staatssekretariats, deren Estratti, Reinschriften

nicht nur sämtliche Anweisungen Cenninis erhielt, sondern auch die Minuten Tartaglionis kontrollierte und somit als Leiter des neu entstandenen Büros für die Post aus dem Zuständigkeitsbereich Borgheses anzusehen ist[7].

An Beschäftigung scheint es den beiden nicht gemangelt zu haben, denn wie die folgende Tabelle zeigt, füllen die ab September 1616 von Bacci und seinem Büro bearbeiteten Briefe eine ganze Reihe von Bänden.

TABELLE 6: EINGELAUFENE SCHREIBEN EINZELNER AB SEPTEMBER 1616 (PATRONAGESEKRETARIAT)[8]

1616

FB III 45 B: **September**, Oktober
FB III 42 AC: September
FB I 716: September, **Oktober**
FB III 8 B: Oktober, **November**
FB I 510: September, **Dezember**
FB III 50 A1: Dezember
FB III 50 A2: Dezember

1617

FB III 50 A1: **Januar**
FB III 50 A2: Januar, **Februar**

FB III 4 A: Januar–Mai, Juli, August, Oktober, November
FB III 128 D: Februar–April, August, Dezember
FB III 3 A: September, **November, Dezember**

1618

FB III 45 D: **Januar, Februar**
FB III 44 B: Januar, **Februar–April**
FB I 693.694: März–Mai
FB I 691: **Mai, Juni**
FB I 514: **Juli,** August
FB III 49 ABC: Juni, Juli, **August**
FB III 42 B: September
FB III 47 A: **September, Oktober**

---

und Minuten Bacci laut Semmler, Staatssekretariat, S. 80–86, verfaßt hat. Einen Hinweis liefert die Schriftprobe, die Semmler für Bacci, genannt PV 15, ausgewählt hat (ebd., Tafel 39): Die Minute an den Nuntius in Spanien hat zwar Bacci entworfen, doch da sie dem Randkommentar zufolge («*Questa fù mandata da Monsignore di Foligno*») Feliciani überstellt wurde, ist sie in einem Band des Staatssekretariats gelandet. Bezeichnend ist überdies, daß die Zeile oberhalb des Textbeginns «*Di Roma li 22.Aprile 1619*», wohl das Ende der vorhergehenden Minute, von Tartaglionis Hand stammt. Offensichtlich haben Bacci und er zuweilen das gleiche Blatt für ihre Minuten benutzt, was ihre enge Zusammenarbeit nachhaltig belegt.

[7] Den zahlreichen Streichungen und Ergänzungen in seinen Entwürfen zufolge war Tartaglioni als Minutant weit unsicherer als Bacci, dessen Texte meist im ersten Anlauf standen. Daß Bacci die Minuten Tartaglionis nach deren Abfassung in die Hand bekam, wird im Zusammenhang mit den Autographen Borgheses zu belegen sein (vgl. Kap. V.1.a), deutet sich aber bereits in Semmlers Schriftprobe für Bacci an (vgl. die vorhergehende Anm.), denn wenn er Tartaglionis Minute auf dem gleichen Blatt eine eigene hinzufügen konnte, muß ihm sein Kollege die Minute vorgelegt haben. Aufgrund dieser eindeutigen Hierarchie wird im folgenden v.a. von Bacci die Rede sein, was Tartaglionis Beteiligung jedoch nicht vergessen machen sollte.

[8] In der Tabelle fett gedruckt sind die Monate, für die die Bände die eigentliche Sammlung darstellen, nicht fett gedruckt die Monate, aus denen zwar Briefe im jeweiligen Band vorliegen, aber zu wenige, um von einer Sammlung für diesen Monat zu sprechen.

1619

FB III 45 D: Januar

FB III 42 B: Januar, März, April

FB III 132 B: **Januar, Februar,** März, April

FB I 836: Februar, **März, April**

FB III 10 B: **Mai, Juni,** Juli

FB III 59 B: Juli **(nur 21.–31.), August**

FB III 50 C: **September, Oktober**

FB I 514: September

FB III 42 AC: Januar, Oktober, **November, Dezember**

1620

FB III 128 D: Januar

FB III 41 C: Januar, Februar, **März**

FB III 41 D: **April**

FB III 3,3: April, Mai

FB III 46 A: **Mai, Juni**

FB III 49 ABC: Februar–April, Juni, **Juli**

FB I 692: **August,** September

FB III 50 B: August, **September,** Oktober

FB I 858: Oktober, **November, Dezember**

1621

FB I 858: **Januar**

Überblickt man die Bearbeitungsspuren in den Bänden für die Zeit bis Mitte 1618, ergibt sich ein vertrautes Bild. Gewiß, Bacci war vor September 1616 nicht in Erscheinung getreten, doch an Cenninis Rolle hatte sich nichts geändert. Weiterhin fertigte er Estratti an, die, wohl nachdem der Auditor seinem Herrn das Schreiben referiert hatte, in aller Regel ausgerissen wurden, und wie bisher notierte er unterhalb der so entstandenen Lücke den Namen des zuständigen Sekretärs. «*Al Signore Bacci*», lautete seit September 1616 sein Standardvermerk, und meist folgte die Anweisung, was dieser im Namen Borgheses zu antworten hatte[9]. Bacci selbst legte zunächst einen neuen Einlaufvermerk und eine kurze Zusammenfassung der Schreiben an, wobei er nicht anders als vor ihm die Sostituti des Staatssekretariats die durch den Ausriß sichtbar gewordene Stelle des Briefbogens nutzte. Allerdings bevorzugte er den Platz direkt links neben der Lücke, was die Briefe, die durch seine Hände gingen, auf den ersten Blick von der Korrespondenz des Staatssekretariats unterscheidet. Sonstige eigenhändige Vermerke des Patronagesekretärs finden sich dagegen nicht, denn schließlich bedurfte es dank der präzisen Anweisungen Cenninis keiner weiteren Überlegungen oder Rückfragen.

Bacci und Cennini waren somit die wichtigsten Helfer Borgheses bei der Nepotenkorrespondenz, und die Benefizien, die sie für ihren Einsatz erhielten, der verdiente Lohn für ihre Mühen. Cennini hatte bekanntlich bereits im Oktober 1612 das Bistum Amelia des verstorbenen Auditors Franceschini erhalten, und auch die Kanonikate und Pensionen, die auf Bacci herabregneten, werden Borghese, der seinen Teil zu den Gnadenakten Pauls V. beigetragen haben dürfte,

---

[9] Da nahezu alle Schreiben aus der gemeinsamen Amtszeit Cenninis und Baccis auf diese Weise bearbeitet wurden, mußte Borghese jahrelang kein einziges Mal selbst zur Feder greifen.

gefreut haben[10]. Eine Ehrung aber konnte er nur mit gemischten Gefühlen betrachten, denn als der Papst den eifrigen Auditor im Juli 1618 zum Apostolischen Nuntius in Spanien ernannte, waren die Tage der Zusammenarbeit zwischen Borghese und Cennini gezählt[11]. Cennini nützte seine Chance: Spätestens mit der geschickten Vermittlung des Tauschgeschäfts, das Marcantonio Borghese die spanische Grandenwürde und dem zehnjährigen Infanten den roten Hut brachte, hatte er sich für Höheres empfohlen, und tatsächlich wurde er im Januar 1621 mit dem letzten Aufgebot der Borghese-Getreuen wenige Tage vor dem Tod Pauls V. zum Kardinal befördert[12]. Borghese aber, der seinen Auditor nur ungern hatte gehen lassen[13], mußte die Aufgaben in seinem persönlichen Stab neu verteilen. Zunächst ernannte er seinen Gentilhuomo Marsilio Peruzzi zum neuen Auditor, der zwar weit seltener als Cennini zur Feder griff, doch wenn er es tat, im Stile seines Vorgängers stets «Al Signore Bacci» notierte. Aber auch Peruzzi wurde kaum ein Jahr später nach Spanien entsandt: als Sondernuntius, der den von Cennini so gewinnbringend eingesetzten Kardinalshut zu übergeben hatte[14]. Nun

---

[10] Schon im Dezember 1616 konnte Bacci Enzo Bentivoglio, dem Bruder seines früheren Herrn, melden, Borghese habe ihm ein weiteres «benefitio semplice» in der Diözese Piacenza «procurato, ch'-intendo che s'affitta 70. scudi d'oro» (ABent.Corr. 11/88++,251v). Allein die Zahl der Breven für Bacci – hier in chronologischer Ordnung – ist beeindruckend: Sec.Brev. 623: 9/10r; 101–103r nennt Bacci einen Familiaren des Kardinals Borghese; 624: 473–475r; 626: 125–126r; 352–355r; 605,480/481r; 625: 125–128r (14.Mai 1619: Kanonikat Sankt Peter); 573,377ff. (Entbindung von der Residenzpflicht); 584,39 (29.April 1620: Kanonikat Santa Maria Maggiore); 585,89–90v (auch hier folgt dem Kanonikat das Indultum percipiendi fructus in absentia auf dem Fuße, das der hochbeschäftigte Bacci ja auch benötigte); 625,465–466r. Daß Bacci zu den Konklavisten Borgheses bei der Papstwahl von 1621 gehörte, berichtet Semmler, S.80, Anm.64, der ebd. einen Teil der hier aufgelisteten Breven angibt. Zu Cenninis Laufbahn vgl. Bandini und de Caro, Cennini.

[11] Das Ernennungsbreve vom 17.Juli 1618 gibt Bandini als Dokument 2 seines Anhangs wieder. Im Dezember 1618 erfolgte die Erhebung zum Patriarchen von Jerusalem, vgl. ebd., S.43, und HC IV, S.14.

[12] Von diesem Tauschgeschäft berichten Bandini, S.43–45 und Dokument 3, S.100f., de Caro, Cennini, S.370, und Reinhard, Ämterlaufbahn, S.424–426, der hinzufügt, dieses Ziel sei der eigentliche Grund für die Abberufung des bisherigen Nuntius Caetani und die Ernennung des Borghese-Vertrauten Cennini gewesen, was auch der römischen Öffentlichkeit nicht verborgen geblieben sei. Die den Handel betreffenden Schreiben Borgheses an Cennini, auf die sich Reinhard stützt, finden sich keineswegs in den Auslaufregistern an den Nuntius in Spanien, denn für Fragen dieser Art waren Bacci und seine Bände zuständig. Zur Kardinalspromotion Cenninis vgl. Bandini, S.45, und HC IV, S.14.

[13] So wenigstens Bandini, S.43, was jedoch sicherlich nur die halbe Wahrheit ist, lag es doch angesichts der familienpolitischen Mission des Nuntius zweifellos gerade im Interesse Borgheses, einen ebenso fähigen wie verläßlichen Mitarbeiter nach Spanien zu schicken.

[14] Den Avvisi zufolge hatte Borghese Marsilio Peruzzi aus Mandolfo (Urbino) im Februar 1615 in seinen Dienst genommen (vgl. Urb.lat. 1083,99v) und ihn im Juli 1616 zu seinem Mastro di Camera gemacht (vgl. ebd., 1084,291). Die Ernennung Peruzzis, den Borghese in einem Schreiben vom 6.Mai 1617 als seinen «gentilhuomo» bezeichnete (FB II 401,306v), zum Nachfolger Cenninis meldeten

endlich konnten Bacci und Tartaglioni beweisen, daß sie die Post des Nepoten auch ohne die Anleitung eines Auditors zu bearbeiten imstande waren. Tartaglioni kümmerte sich weiterhin um den Entwurf der Briefe, wobei ihm der pünktlich zu Peruzzis Abreise vom Staats- ins Patronagesekretariat gewechselte Annibale Conti unterstützte[15], Bacci übernahm die Führung der Geschäfte. Verweise an ihn finden sich in den folgenden Monaten nicht mehr, Anordnungen von seiner Hand dagegen sehr wohl. Wenn eine Auskunft des Datars eingeholt werden mußte, überstellte er diesem die Post, wenn es ihm notwendig erschien, reichte er die Schreiben an Borgheses Maggiordomo Pignatelli weiter[16]. Überdies nahm er die

---

die Avvisi vom 18. Juli und 4. August 1618 (Urb.lat.1086: 280, 298v). Belegt ist sie auch in einem Schreiben des Nepoten vom 21. September 1618, in dem von *«Peruzzi mio Auditore»* die Rede ist. Ein eigenhändig verfaßtes und unterzeichnetes Schreiben Peruzzis an Borghese vom 15. April 1619 (einer der für die Auditoren typischen Berichte über die Geschehnisse in Rom an ihren Herrn in der Villeggiatura), das als Schriftprobe dienen kann und dient (vgl. Schriftprobe 7 am Ende dieser Arbeit), findet sich praktischerweise in einem Band, in dem auch die relativ raren Verweise des Auditors begegnen: FB I 836,409r (Peruzzi an Borghese). Als Beispiele für seine Verweise vgl. ebd.,193v: *«Signore Bacci. potrà rispondere»* sowie ebd., 428v, der als Schriftprobe 8 abgebildete Vermerk Peruzzis *«Signore Bacci. risponda in forma».* Die frühesten Verweise Peruzzis an Bacci datieren vom August 1618 und finden sich in FB III 49 ABC, z. B. 79v, 126v, 184v, 186v, 187v, 204v, 205v, 206v (Verweise an Bacci ohne Kommentar), 244v: *«Signore Bacci. si doverà ringratiare».* Es scheint, als habe sich Borghese nach Cenninis Abreise zunächst verstärkt um seine Post gekümmert, denn auch er brachte im August und September 1618 Notizen auf einigen Schreiben an, z. B. *«Nostro Signore. saper quel che ho da rispondere»* (ebd.,142v); *«Bacci. la risposta in mano del Conte Castelli per la Duchessa»* (ebd.,242v). Zu Peruzzis Entsendung nach Spanien Ende Juli 1619 vgl. Urb.lat. 1087: 422v, 456.

[15] Laut Semmler, Staatssekretariat, S. 115, ist Annibale Contis Handschrift (vgl. ebd., Schrifttafel 32) vom 11. Februar 1611 bis zum 26. Dezember 1620 in den Akten der Behörde zu belegen. Seine ersten Minuten für das Patronagesekretariat (FB II 420,90r–92v) datieren vom 29. Juli 1619 und behandeln wohl nicht zufällig die Promotion des spanischen Infanten sowie die bevorstehende Abreise Peruzzis, der *«parta quanto prima ... destinato à portare al Cardinale Infante la berretta»* (an den Nuntius in Spanien, ebd.,92r), die schließlich der Grund für den Wechsel Contis in das durch Baccis Aufstieg an die Stelle Peruzzis unterbesetzte Büro gewesen sein dürfte. Angesichts der zahllosen Entwürfe, die Conti in den folgenden Monaten für das Patronagesekretariat schrieb, kann er kaum noch Zeit für die Arbeit in der politischen Behörde gehabt haben, und so ist er wohl eher zum privaten Stab des Nepoten zu zählen. Dafür spricht auch, daß er nach dem Tod Pauls V. zwar aus dem Staatssekretariat ausschied (vgl. Semmler, Staatssekretariat, S. 115), nicht aber aus dem Dienst Borgheses, dessen Post er gemeinsam mit Tartaglioni bis an das Lebensende des Kardinals bearbeitete. So tragen die an Borghese gerichteten Schreiben aus der Zeit von 1621 bis 1633 in SS Part 11, FB III 4 D, FB IV 231, CB 68,1, CB 78,3 Estratti aus der Feder Contis und Tartaglionis, die den an verschiedene Barberini gerichteten Schreiben Scipiones aus diesen Jahren in Barb.lat. 8690 zufolge auch die Reinschriften erstellten.

[16] Ein Verweis Baccis an den Datar findet sich z. B. auf FB III 59 B,108v, eine Notiz für Pignatelli steht auf ebd.,336v, und lautet: *«A Monsignore Pignatelli, che ne parli all'Ill.mo Signore Cardinale Padrone. S.S.Ill.ma ha un'altra lettera totalmente dell'istesso tenore»,* was Baccis Überblick über den

Hilfe Cesare Gherardis in Anspruch, der im August 1618 zwar als zweiter Auditor neben Peruzzi eingestellt worden war, dem Chef des Patronagesekretariats aber offenkundig untergeordnet blieb[17]. Allerdings mußte Bacci seine neue Rolle schon bald wieder aufgeben, denn wie es scheint, kehrte Marsilio Peruzzi 1620 nicht nur nach Rom, sondern auch auf seinen alten Posten zurück[18]. Aber auch

---

Einlauf belegt und ihn als zentrale Figur des Bearbeitungsverfahrens ausweist. Da es in den erwähnten gleichlautenden Schreiben vom August 1619 um die Bitte der Stadt Novara und ihres Domkapitels um Campori als Bischof geht (ebd.,332 f.), dürfte Pignatelli hier allerdings weniger als Maggiordomo denn als Kontaktperson zu Campori gefragt gewesen sein. Zu diesen beiden und ihren Ämtern vgl. Kap. IV.3.

[17] Am 4. August 1618 meldeten die Avvisi, der am *Studio* von Fermo tätige Jurist Cesare Gherardi aus Perugia sei von Borghese zu seinem zweiten Auditor neben Peruzzi berufen worden (Urb.lat. 1086, 298v). Dies und die Meldung, er solle vor allem *«nelle materie de giurisdittione»* tätig werden (ebd.,306), spricht ebenso gegen die von Stader, S. 77 und 226, gewählte Bezeichnung Gherardis als Generalauditor wie gegen die Darstellung bei Semmler, Staatssekretariat, S. 81, Anm. 87, der in Gherardi statt in dem von ihm nicht erwähnten Peruzzi den Nachfolger Cenninis sieht. Es steht zu vermuten, daß Borghese den Juristen aus gemeinsamen Peruginer Studientagen kannte. Wenigstens hatte Gherardi schon vor seiner Berufung in den Dienst des Nepoten Gelegenheit, sich für Borgheses Unterstützung in einer Auseinandersetzung mit seinen Arbeitgebern in Fermo zu bedanken (vgl. das eigenhändige und daher als Schriftprobe geeignete Schreiben Gherardis an Borghese vom 12. Januar 1618 in FB III 45 D,133). In seiner Antwort auf den Dank der Prioren Perugias für Gherardis Berufung erklärte der Kardinal seine Entscheidung mit der *«notitia, c'ho verso delle buone qualità sue»*, aber auch mit *«il rispetto di cotesta patria»* (18. August 1618, FB II 488,176v). Ein Verweis Baccis *«a Monsignore Gherardi, che ne tratti co' i Superiori dell'Ordine»* findet sich auf einem Brief vom 2. August 1619 (FB III 59 B,118; dors.125v) in einer Ordensangelegenheit. Daß Gherardi in Baccis Auftrag auch bei Borghese selbst vorstellig wurde, belegen die als Schriftprobe 9 am Ende dieser Arbeit abgebildeten Notizen auf einer Bitte um einen Gouverneursposten vom 8. Dezember 1619 (FB III 42 AC,227; dors.242v). Bacci schrieb: *«a Monsignore Gherardi, che ne parli a Sua Sig.a Ill.a»*. Es folgt der eigenhändige Vermerk Gherardis, der zunächst eilig und daher wohl nach dem Diktat des Nepoten notierte: *«Monsignore Zazzara* (der Sekretär der Consulta, B.E.) *lo proveda. è parente del Signore Curtio medico»*. Später fügte er hinzu: *«si può rispondere che si vedrà di consolarlo, mà veramente non è possibile così presto»*. Praktischerweise saß Gherardi seit Mai oder Juni 1619 selbst in der Consulta (vgl. Borgheses Absage an einen weiteren Bewerber um diesen Posten vom 4. Juni 1619 in FB II 419,513r). Laut Stader, S. 77 und 226, war er überdies Mitglied der Wasserkongregation und des Buon Governo.

[18] Wie sein am 2. Oktober 1620 eigenhändig abgefaßtes Schreiben *«di Roma»* an den wohl mit Borghese in der Villeggiatura weilenden Bacci belegt, war Peruzzi spätestens im Herbst 1620 wieder in Rom. Daß er Bacci mit diesem Brief einige Unterlagen schickte, *«perche V.S. intenda dall'Ill.mo Signore Cardinale Padrone quelche comanda»* (FB III 50 B,330), spricht ebenso für Peruzzis Rückkehr in die Auditorenrolle wie seine Dorsalnotizen auf der Post aus diesen Monaten (vgl. z. B. seinen Verweis an Bacci auf FB III 10 B,25v, oder die in Anm. 193 zitierte Notiz auf FB III 50 B,527, für den Maestro di Casa). Allerdings scheint Peruzzi kurz vor dem Ende des Pontifikats Pauls V. in seine Erzdiözese Chieti (verliehen am 26. November 1618, vgl. HC IV, S. 332) abgereist zu sein, denn in einem Schreiben vom 22. Januar 1621 bat Borghese den offensichtlich nicht in Rom weilenden Erzbischof von Chieti *«da terminar per via d'amichevole accordo la differenza, che passa tra V.S. e*

wenn es der verdiente Sekretär nicht selbst zum Auditoren des Nepoten gebracht hatte, war er doch die zentrale Figur der Patronageabteilung, und so wird man diese Einrichtung mit gutem Grund als Baccis Büro bezeichnen dürfen.

Unberührt von den Personalwechseln auf dem Auditorenposten blieb nicht nur Baccis Bedeutung, sondern auch der Zuständigkeitsbereich seiner Abteilung. So veränderten sich mit den Umbesetzungen von Cenninis Abreise bis Peruzzis Wiederkehr zwar die Handschriften auf der Rückseite der Nepotenkorrespondenz, nicht aber die Grundzüge der seit September 1616 praktizierten Arbeitsteilung zwischen Staats- und Patronagesekretariat. Greifbar wird dies in den von Bacci und seinen Mitarbeitern geführten Auslaufregistern. Acht dicke Volumina, genauer: die in Tab. 2 bereits genannten Bände FB II 416, 401, 432, 488, 419, 420, 417 und 422 hat Baccis Büro hervorgebracht, und da dieser ansehnliche Bestand nähere Auskünfte über die Kompetenzen des Patronagesekretariats verspricht, sei nun ein Blick in diese Bände geworfen.

b. Politik oder Patronage?
Die Arbeitsteilung zwischen Baccis Büro und dem Staatssekretariat

Blättert man in den als Auslaufregister angelegten Minutenbänden des Patronagesekretariats, fällt zunächst die bunte Schar der Adressaten ins Auge. Gekrönte Häupter und kirchliche Würdenträger zählen zu den Empfängern dieser Briefe, Privatpersonen aus dem gesamten katholischen Europa finden sich neben den Angehörigen des römischen Verwaltungsapparats. Nach den Hinweisen auf den Umgang mit der eingelaufenen Post kann dies nicht verwundern. Denn wie allein der Inhalt eines Schreibens darüber entschied, ob es die Aufmerksamkeit des Nepoten und seines Auditors und somit den Weg zu Bacci fand, mußten auch dessen Auslaufregister weder auf die geographische Herkunft noch auf Amt und Würden der Adressaten Rücksicht nehmen. Für das Staatssekretariat, dem mit der politischen Korrespondenz auch nach der Ausgliederung der Patronagepolitik gerade mit den Schreiben an die Nuntien und Legaten genug zu tun blieb, empfahl es sich dagegen, das Provinzprinzip und die Unterscheidung von kontinuierlichen und gelegentlichen Briefpartnern weiterhin zu beherzigen. Borgheses Briefe verteilten sich ab September 1616 somit auf drei verschiedene Arten von Registerbänden: Die Antworten auf die dienstlichen Berichte der Nuntien und Legaten wurden in den Registern für das römische Personal verzeichnet, Stellungnahmen zu sachlichen Problemen oder po-

---

questi Padri della Congregatione dell'Oratorio sopra l'Abbatia di San Giovanni in Venere». Es folgt ein freundlicher Hinweis: *«Ricordo a V.S. la continovata mia ottima volontà verso la sua persona»* (FB II 422,477r). Warum Peruzzi Rom wieder verlassen hat und wer in den Tagen bis zum Tod Pauls V. die Nepotenkorrespondenz bearbeitete, ist unklar.

litischen Informationen von Privatpersonen und nicht regelmäßig korrespondieren-
den Amtsträgern sind in den Staatssekretariatsregistern *a diversi* zu finden, und die
Entgegnungen Borgheses auf patronagerelevante Schreiben sowohl des Personals als
auch der Autoren ohne Amt stehen in Baccis Bänden. Diese parallele Registrierung
erlaubt es erstmals, die bereits grob skizzierten Grenzen zwischen den Zuständigkeitsbereichen näher zu betrachten. Denn auch wenn die eingelaufenen Originale
und mit ihnen die bislang betrachteten Bearbeitungsvermerke fehlen, die ja ohnehin
keineswegs jedes der erhaltenen Schreiben zieren, kann dank der getrennten Verzeichnung der auslaufenden Post ab Baccis Amtsantritt stets eindeutig entschieden
werden, wer über den Inhalt der Schreiben bestimmte. Nach welchen Kriterien sich
Staats- und Patronagesekretariat Post und Arbeit teilten, dürfte daher anhand der
Korrespondenz des Nepoten mit Adressaten in Ferrara präzise zu bestimmen sein.

Wie zu erwarten stand, wurden von den Schreiben des Ferrareser Legaten Serra,
der Ende 1615 die Nachfolge Spinolas angetreten hatte, all jene vom Staatssekretariat beantwortet, in denen der Verwaltungschef über Ereignisse und Entwicklun-
gen im benachbarten Ausland berichtete, zu militärischen Fragen Stellung nahm
oder Aspekte der inneren Sicherheit Ferraras ansprach[19]. Ebensowenig überrascht
es, in Baccis Registern die Briefe Borgheses an den Legaten zu finden, die sich mit
Pensionen, Ausfuhrlizenzen und Dispensen für Serra und seine Brüder befassen
oder auf Personalempfehlungen des Legaten antworten[20]. Doch nicht nur für die
Bitten des Verwaltungschefs an Borghese, auch für dessen Empfehlungen an Serra
war Bacci zuständig. So hatte er die Schreiben zu erstellen, in denen der Kardinalnepot die Wünsche Dritter an den Legaten weiterleitete, die dieser, etwa durch die

---

[19] Wenigstens einige der zahlreichen Belegstellen seien hier genannt. Auf außenpolitische Informationen
Serras antworten FB I 906: 62r, 64, 81r, 82, 84r, 101v, 111vf., 115vf., 151r; SS Nap 326: 446r, 448v,
466vf., 484v; SS Ven 272: 352v, 366v, 374r, 375r; SS Bo 186: 207v, 208v, 209r, 211, 224, 225r, 227v,
228vf., 245vf., 247, 247vf., 248v, 249r. Daß wichtige außenpolitische Mitteilungen auch in chiffrierter Form ausgetauscht wurden, läßt sich nur aus der Erwähnung der nicht mehr vorhandenen Chiffren in den Briefen in Klarschrift schließen, vgl. z.B. FB I 906: 123v, 124v. Mit militärischen Fragen
wie der Reduzierung der Truppenstärke in Ferrara befassen sich etwa SS Nap 326: 447, 459v, 464v.
Wenn es jedoch um die Inschrift auf dem Sockel der Papststatue ging, die vor der Festung in Ferrara
zur Ehre ihrer Bauherren aufgestellt werden sollte, lief die Korrespondenz bezeichnenderweise über
Bacci, vgl. FB II 419: 294r, 326v. Unter die Rubrik «Innere Sicherheit» fallen die Schreiben zum
alljährlichen und stets mit Skepsis verfolgten *Carnevale* (z.B. FB I 906, 74v; SS Bo 186, 205r, 247v)
oder die Kommentare zu den geplanten Besuchen des Kardinals d'Este in Ferrara, die etwa im
September 1618 die Korrespondenz beherrschten (SS Nap 326, 478–483), sowie gelegentliche Warnungen, wenn in Rom wieder einmal Gerüchte über Verschwörungen in Ferrara bekannt wurden
(z.B. FB I 906, 146r–148r).

[20] Persönliche Vergünstigungen für Serra und seine Brüder behandeln FB II 401, 799v; FB II 419: 144v,
180v; FB II 420: 488v, 555v. Auf Serras Empfehlungen antworten FB II 401: 358r, 486v, 935v, 1002v,
1049r; FB II 432, 124r; FB II 488: 459v, 582v; FB II 419: 43v, 511v; FB II 420: 5v, 15v, 193r; FB II
417, 229v; FB II 422: 380v, 474r.

Vergabe eines Postens in Ferrara oder die beschleunigte Bearbeitung eines anhängigen Verfahrens, Borghese zuliebe erfüllen sollte²¹. Regelmäßig fällige Höflichkeitsschreiben an Serra wie der Dank für Weihnachts- oder Osterwünsche und die stets an alle höherrangigen Amtsträger außerhalb Roms gesandte Mitteilung einer erfolgten Kardinalspromotion blieben dagegen dem Staatssekretariat überlassen, so daß sich Bacci auf außergewöhnliche Formschreiben wie die Kondolenz zum Tod von Serras Mutter beschränken konnte²².

---

²¹ Empfehlungen Borgheses für Anwärter auf eines der Auditorate an der Ferrareser Rota, deren Besetzung zwar dem Magistrat zustand, doch von Serra beinflußt werden konnte: FB II 416,211v; FB II 401: 120r, 123r, 143v, 177r, 266v, 426r, 469v, 676r, 881r; FB II 432: 461r, 569v, 661v; FB II 419, 400r; zur Korrespondenz Borgheses in Sachen Rota vgl. auch Kap. IV.2.b. Für sonstige Posten in Ferrara: FB II 401: 445v, 516v; FB II 432,661r; FB II 488: 393v, 464r. Interessant ist der Briefwechsel, der die *licenza* für den Universitätsdozenten Acchillini betrifft, die Ferrara auf Bitten Borgheses gewähren sollte (FB II 401: 38v, 75r), denn sobald der Grund für Acchillinis Freistellung – er sollte Kardinal Ludovisi bei seinen politischen Verhandlungen in Oberitalien unterstützen – zur Sprache kam, behandelte das Staatssekretariat die Schreiben (FB I 906: 83vf., 88r; vgl. auch Anm. 93). Empfehlungen in laufenden Verfahren: FB II 401: 102r, 164r, 336v, 348r, 517r, 519r, 769v; FB II 488: 107r, 117r, 406r, 587r; FB II 432: 88v, 96r, 254v, 733r; FB II 419: 46v, 147v; FB II 420: 209v, 211v, 231v, 551r; FB II 417: 392v, 486v; FB II 422: 13v, 62v, 151v, 274v, 294v. Bezeichnend, daß in Ferrara anhängige Rechtsfälle vom Staatssekretariat behandelt wurden, wenn nicht Borghese um seine Hilfe, sondern Paul V. in einem Memoriale um Gerechtigkeit gebeten worden war und die Bittsteller überdies keine Ferrareser Adligen, sondern zwei *zitelle* waren. Im entsprechenden Schreiben Borgheses aus dem Staatssekretariat heißt es: «*onde Sua Santità mi ha commesso che scriva à V.S.Ill.ma acciò si faccia esseguire la detta citatione, et inhibitione rotale, affinche la Rota possa procedere avanti nella causa per giustitia*» (SS Ven 272,378v). Die Empfehlungen, die Bacci für Borghese entwarf, baten zwar auch stets um das, was mit der *giustitia* zu vereinbaren war, klangen aber völlig anders: «*All'instanza fattami dal Signore Cardinale Bevilacqua, non ho saputo negar' il presente ufficio, co'l qual prego V.S.Ill.ma a voler favorir con l'auttorità sua la speditione, che per giustitia si desidera delle liti*», die anschließend näher benannt werden (Borghese an Serra, 20. Mai 1617, FB II 401,336v).

²² Dankesbriefe für Festwünsche: FB I 906,168; SS Ven 272,356vf.; SS Bo 186: 213v, 245. Daß das Staatssekretariat auf die meisten *complimenti* Serras antwortete, während die unzähligen Danksagungen Borgheses für die Weihnachtswünsche von Privatpersonen von Bacci erstellt wurden (und die letzten Seiten der im Dezember endenden Registerbände füllen), bot sich wohl aus praktischen Gründen an, denn Serra konnte man einfach mit einem weiteren Satz in der Legationskorrespondenz danken, ohne daß ein gesondertes Schreiben notwendig gewesen wäre, was Baccis Einsatz aber nicht grundsätzlich ausschloß (z. B. der Dank auf die Wünsche zu Weihnachten 1619: FB II 420,580v). Kardinalspromotionen werden Serra mitgeteilt in Ang. 1235,388v; SS Nap 326,458r. Auch zu Spinolas Zeiten waren solche Mitteilungen eine reine Fleißarbeit der Sostituti, und wenn diese einen Amtsträger wie Spinolas Kollegen Caetano zu benachrichtigen vergaßen, war es natürlich nicht die Schuld des Nepoten: «*Fù difetto dei Secretarij et non mio che V.S.Ill.ma non fosse avvisata da me proprio col precedente ordinario della promotione*», mußte einer von diesen am 29. November 1608 in Borgheses Namen an Caetano schreiben, um die Nachlässigkeit auszubügeln, die möglicherweise dem frischgebackenen Kardinal Margotti in seiner Freude unterlaufen war (SS Bo 185,156r). Die Kondolenz Borgheses an Serra zum Tode seiner Mutter in FB II 488,550r trägt einen handschriftlichen Nachsatz des Nepoten als Zeichen seiner besonderen Anteilnahme.

Stimmen diese Einsatzfelder Baccis noch mit den Interessengebieten des Kardinalnepoten überein, sind zwei Themen, denen die Aufmerksamkeit Pauls V. in den Jahren zuvor gewiß gewesen war, wider Erwarten an den Sekretär Borgheses übergegangen: die Bestätigung des Legaten im Amt und die dem Pontifex vorbehaltene Berufung neuer Mitglieder in die Adelsklasse des Ferrareser Rates. Zwar oblag beides weiterhin allein der Entscheidung des Papstes, ohne dessen Konsultierung Borghese seinen Schreiben zufolge keinen Schritt unternahm. Doch daß Paul V. die einschlägige Korrespondenz nach Baccis Amtsantritt nicht mehr mit dem Chefsekretär, sondern allein mit Borghese besprach, der die Ausfertigung der gewünschten Antworten seinem eigenen Sekretär überließ, scheint auf eine veränderte Einschätzung dieser Fragen hinzuweisen. Im Falle der Legationsverlängerung präsentierte sich die Lage tatsächlich völlig anders, nachdem Serra den amtsmüden Spinola abgelöst hatte. Denn Spinola, der schon nach Ablauf des ersten Trienniums die Koffer packen wollte, auf denen er in den folgenden Jahren im Geiste saß, und es sogar wagte, den Papst an seine Residenzpflicht als Erzbischof von Genua zu erinnern, mußte mit Zuckerbrot und Peitsche in seinem ungeliebten Amt gehalten werden[23]. Serra dagegen hatte wohl aus freien Stücken seine Position als Tesoriere Generale gegen das Legatenamt in Ferrara getauscht, und als 1618 seine Bestätigung anstand, bat er sogar selbst darum. So gingen den Legationsverlängerungen Spinolas stets ausführliche Briefwechsel voraus, während die Bestätigung Serras im Amt ein von allen Seiten begrüßter und entsprechend komplikationsfreier Akt war, der eher einer kleinen Gefälligkeit Borgheses als einem diplomatischen Tauziehen glich und daher ohne weiteres dem auf Gunstbeweise spezialisierten Kardinalnepoten und seinem Sekretär überlassen werden konnte[24]. Eine ähnliche Ent-

---

[23] Spinolas Bemühungen um seine Ablösung wurden in Kap. II.2.b geschildert. Mit welchen Mitteln Spinola zum Bleiben bewegt werden sollte, zeigen einige Schreiben Borgheses vom August/September 1612 an den Vizelegaten Massimi (E 52: 74, 84f., 111r), der seinen Vorgesetzten bearbeiten und nicht zuletzt aushorchen sollte. Wie die Bleistiftnotizen Peruginos (ebd.,75v) und der Verweis an diesen (ebd.,85v) zeigen, lief dieser Briefwechsel über das Staatssekretariat.

[24] Daß Borghese, von Serra selbst gebeten, die Amtsbestätigung erwirkte, teilte er dem Legaten in einem Brief vom 28. April 1618 mit, den zwar Bacci entworfen, der Nepot aber zur Feier des Anlasses eigenhändig ins reine geschrieben hatte, wie der Vermerk «andò di mano di S.S.Ill.ma» am Rand der Minute in FB II 432,473r belegt: «Quando i giorni a dietro cotesto Magistrato significò il desiderio, che la Città haveva di vedere confermata V.S.Ill.ma in cotesta Legatione parve à Nostro Signore di non dover pigliare alcuna risolutione prima d'intendere il senso da lei stessa, il qual'essendosi hora saputo per la lettera, ch'ella hora mi scrive, io non ho tralasciato di servirla come ho reputato mio debito, e come farò sempre, con haverle ottenuta da Sua Santità la riferma in cotesto carico.» In seiner Antwort auf den Dank Serras beließ er es bei einem handschriftlichen Nachtrag (Borghese an Serra, 12. Mai 1618, FB II 432,536v). Zu den Aufgaben Borgheses in diesem Zusammenhang gehörte es, das Verlängerungsbreve zum gegebenen Zeitpunkt ausstellen zu lassen. Daß er diese Sorge von Frascati aus an den Sekretär der Kongregation der Consulta Zazzara delegierte (Borghese aus Fras-

wicklung vom hochpolitischen Problem zur Frage guter persönlicher Beziehungen läßt sich beim Umgang Roms mit den Neuberufungen in den Ferrareser Rat beobachten. Denn da bereits in den Monaten vor September 1616 die Gewohnheit, vor einer Ernennung den Legaten um eine Stellungnahme zur Person des Kandidaten zu bitten, außer Übung gekommen war, konnte über solche Anträge nur noch in Rom und ausschließlich auf der Grundlage der eingegangenen Bewerbungen und Empfehlungsschreiben entschieden werden[25]. Wenn aber sachliche Argumente für oder gegen einen Anwärter weniger zählten als die Empfehlungen, die sich dieser beschaffen konnte, war das Thema Ratsberufungen bei Bacci in der Tat besser aufgehoben als im Staatssekretariat. Meldungen des Legaten über Verlauf und Ausgang der Magistratswahlen dagegen, die nicht selten von der Ruhe Ferra-

---

cati an Zazzara, 9. Oktober 1618, FB II 488,372v), hinderte Borghese nicht daran, im Begleitbrief, mit dem er dem Legaten das Breve schickte, seinen Einsatz für die zügige Expedition als Beweis seiner Dienstbereitschaft gegenüber Serra darzustellen, *«pregandola a credere, che dove si tratta di servirla io procurerò sempre, ch'ella conosca di non haver servitore più affettuoso di quel, ch'io le sono»* (Borghese aus Frascati an Serra, 13. Oktober 1618, FB II 488,390r, mit eigenhändiger Beteuerung des Zitierten).

[25] Über die Kriterien, nach denen über die Berufung in den Rat entschieden werden sollte, war man sich zunächst einig gewesen: *«La Santità di Nostro Signore approva l'oppinione di V.S.Ill.ma di non admettere nel Consiglio il Vincenti per le ragioni che dice; et approva anco tanto più l'haver l'occhio di mettere nel Consiglio huomini dependenti in tutto et per tutto dalla Sede Apostolica»* (Borghese an Spinola, 25. Oktober 1606, FB II 346,118r). Anfragen bezüglich einzelner Bewerber erreichten Spinola in den ersten Jahren häufig: FB II 346: 50r, 172r, 183r; SS Bo 186: 15r, 20v, 57v; Ang. 1226: 23r, 89r, 94v f.; Antworten auf Spinolas nicht mehr vorhandene Stellungnahmen: FB IV 12,154r; Barb.lat. 8761: 189r, 274r; CC 156,491r. Im Oktober 1615 berichtete Borghese Spinola jedoch nur noch von einer Bewerbung, *«a che inclinarebbe* (Paul V., B.E.) *quando V.S.Ill.ma non havesse cosa in contrario»* (Ang. 1231,439v), was dieser nicht hatte (Spinola an Borghese, 24. Oktober 1615, FB III 60 FG,358r). Bereits das erste einschlägige Schreiben an Serra klingt anders: *«Del luogo vacante nel conseglio di cotesta Città per morte del Conte Ercole Romei Nostro Signore ne ha fatta gratia à mia intercessione al Conte Annibale Romei suo nipote, del quale si ha ottima relatione. Hò voluto dar parte à V.S.Ill.ma dell'elettione, et inviare à lei la lettera, che ne scrivo a lui medesimo acciò che dalla sua mano ancora riconosca il favore»* (Borghese an Serra, 2. April 1616, Ang. 1235,356r/v; die Meldung an Romei in FB I 944,496r). Die *«ottima relatione»* stammte im übrigen von Kardinal Bevilacqua, dem Borghese am gleichen Tag mitteilen konnte, *«che ... mi sia successo di riportare da Sua Santità la gratia ch'egli desiderava del luogo vacante»* (FB I 944,495vf.). Eine Anfrage erhielt Serra dennoch, aber mehr als das *parere* des Legaten über den Kandidaten interessierte Borghese *«quelche si potesse fare per lui, poiche premo nella sua sodisfattione, che venga favorita da lei»* (Borghese an Serra, 14. Mai 1616, Ang. 1235,363r). Die Einschränkung *«ogni volta che V.S.Ill.ma non habbia cosa alcuna in contrario»* (FB II 401,503v) kam letztmals am 8. Juli 1617 zum Einsatz, so daß Serra in den folgenden Jahren nur noch über die bereits befaßten Beschlüsse unterrichtet wurde: FB II 401,730; FB II 432,357v; FB II 488,607v. FB II 420: 219r, 470v; FB II 417,205; FB II 422,410v. Die bürokratische Pflichtübung, Serra die alle drei Jahre fällige Bestätigung der bereits berufenen Ratsherren aufzutragen, vollzog dagegen das Staatssekretariat (SS Ven 272,363vf.), denn dies war ein Routineakt, der mit Gunstbeweisen nichts zu tun hatte.

ras wenig bekömmlichen Intrigen begleitet wurden, hatte unverändert das Staatssekretariat zu beantworten[26].

Auch andere Angelegenheiten, die die Interessen einzelner betrafen, fielen keineswegs vollständig in den Zuständigkeitsbereich des Kardinalnepoten. So waren Heiratspläne, Umzugsgedanken oder der Wunsch, in den Dienst einer fremden Macht zu treten, niemals nur Fragen der individuellen Lebensgestaltung, weckte doch jede Verbindung, die Ferrareser Familien mit Gegnern der Borghese eingehen wollten, Zweifel an ihrer Loyalität. Informationen des Legaten über Vorhaben dieser Art wurden folglich vom Staatssekretariat behandelt, und wenn unsicheren Kantonisten solche Wechselpläne nur mit dem Angebot lukrativer Stellen im Kirchenstaat ausgetrieben werden konnten, hatte die Behörde, nicht aber der ansonsten für personalpolitische Entscheidungen zuständige Kardinalnepot das Sagen[27]. Zwar besaß gerade in Zeiten patrimonialer Herrschaft jeder Gunstbeweis auch eine politische Dimension, doch war das Staatssekretariat offensichtlich erst dann zuständig, wenn Bedeutung und Folgen einer Entscheidung das übliche Maß überschritten. Welche Konsequenzen diesbezügliche Fehlentscheidungen haben konnten, zeigt ein Beispiel aus dem September 1618. Auf Wunsch des Kardinals Bevilacqua hatte Borghese bei Paul V. die Genehmigung für einen jungen Ferrareser Adligen erwirkt, als Page in den Dienst der Este in Modena einzutreten. Sich solcher Bitten einzelner anzunehmen war schließlich die Aufgabe des Nepoten und nicht des Chefsekretärs, und so erhielt Bacci den Auftrag, die entsprechende Anweisung an den Legaten zu formulieren[28]. Daß dies ohne die Beteiligung des Staatssekretariats geschehen war, dessen Mitarbeiter anders als Borghese nicht die Person des Bittstellers, sondern die Folgen der Gewährung im Auge zu behalten hatten und in solchen Fällen zunächst die Meinung des Legaten einzuholen pflegten[29], sollte sich jedoch rächen. Denn die Bedenken, die Serra auf die Mitteilung aus der Feder Baccis äußerte, kamen zu spät: Die Entscheidung war den Betroffenen be-

---

[26] Wahlmitteilungen Serras aus der Zeit nach Baccis Amtsantritt: FB I 906,107r; SS Ven 272,367r; SS Bo 186,220r. Die *«pratiche»*, die der Wahl von 1620 vorausgingen, behandelt SS Bo 186,219r.

[27] Vgl. die Korrespondenz des Staatssekretariats mit Serra von April/Mai 1619 über die Vergabe eines hohen Militärpostens im Kirchenstaat an den Marchese Villa, der in den Dienst Venedigs wechseln wollte, in SS Ven 272: 357r/v, 359r, 360r/v, 362v.

[28] In Baccis Band FB II 488,254v, findet sich Borgheses Brief an Serra vom 8. September 1618: *«Essendosi compiaciuta la Santità di Nostro Signore di consentir, ch'il Conte Vincenzo Tassoni, di cotesta Città di Ferrara, vada a servir di Paggio il Signore Duca di Modena, io d'ordine di Sua Beatitudine dò conto di questo particolare a V.S.Ill.ma»*.

[29] Vgl. z. B. den Brief des Staatssekretariats an Serra vom 12. Februar 1620: *«Del Conte Cesare Mosti sin quì non è stato fatto parola per haver licenza d'andar à servir il Duca di Modena, et s'havrà caro d'intendere se stà di stanza continua costì in Ferrara»* (SS Bo 186,207r/v). Der Dank auf Serras Information datiert vom 29. Februar 1620: *«Con la relatione ... del Conte Cesare Mosti hà ella pienamente sodisfatto al desiderio, che qui se ne haveva»* (ebd.,209r).

reits mitgeteilt worden, und dem Staatssekretariat, das nun sofort die Korrespondenz in dieser Angelegenheit übernahm, blieb nichts anderes übrig, als im Namen Borgheses zu beteuern, in Zukunft keine Lizenzen ohne die vorherige Befragung des Legaten zu erteilen[30].

Daß es Borghese nicht für notwendig befunden hatte, die wohl mündlich vorgetragene Bitte des im September 1618 in Rom weilenden Kardinals Bevilacqua um die Lizenz für seinen Ferrareser Landsmann an das für Fragen solcher Art zuständige Staatssekretariat weiterzuleiten, mochte ein Fehler gewesen sein, lag aber nahe. Denn wie die Behörde den größten Teil der Korrespondenz mit dem Legaten führte und Borghese sich nur solcher Themen annahm, die eindeutig in seinen Aufgabenbereich fielen, war der Kardinalnepot in der großen Mehrheit der Fälle für die Anfragen einzelner Ferraresen zuständig, ohne daß es der Konsultierung des Staatssekretariats bedurft hätte. Dies brachte der Inhalt der Schreiben mit sich, die all jene Korrespondenzpartner, die sich vor Baccis Amtsantritt in den *Registri a diversi* des Staatssekretariats versammelt fanden, an den Kardinalpadrone Borghese richteten: Fast immer suchten sie den Kontakt zu ihm, um Höflichkeiten auszutauschen oder Wünsche zu äußern, und so füllten sich Baccis Register mit zahllosen Danksagungen für Festwünsche, Geschenke und Gratulationen zu verschiedenen Anlässen, Glückwunschschreiben zu – gelegentlich vom Staatssekretariat im Vorfeld hintertriebenen – Eheschließungen und zu Geburten und vor allem mit Antworten auf Bitten um die Protektion des Kardinalnepoten sowie mit dessen eigenen Empfehlungsschreiben. Im zeitgleichen *Registro a diversi* des Staatssekretariats dagegen landeten die Schreiben nur dann, wenn politisch relevante Angelegenheiten betroffen waren. Ein schönes Beispiel für diese Trennung liefern die Briefe Borgheses an Guido Bentivoglio, der im Herbst 1616 auf dem Weg nach Paris war, nachdem er in Rom eine neue Nuntiatur erhalten und seinen Sekretär verloren hatte. Auf Berichte des Nuntius über den Verlauf der Reise und seine angeschlagene Gesundheit antwortete stets Bacci, doch sobald es um die Lage ging, die Bentivoglio in Frankreich erwartete, wurden die Schreiben an ihn im Staatssekretariat verfaßt[31]. Mit den Briefen des Ferrareser Vizelegaten verfuhr man ähnlich: Bis September 1616 in den Registern *a diversi* des Staatssekretariats verzeichnet, gingen die Antworten an ihn nach Baccis Amtsantritt na-

---

[30] So im Brief des Staatssekretariats an Serra vom 22. September 1618: *«Diede Nostro Signore licenza al Conte Vincenzo Tassone ad istanza del Signore Cardinale Bevilacqua di poter andar à servir di paggio a Modena, ma quando gli la diede non si sapevano i particolari che V.S.Ill.ma scrive. I quali però serviranno per avvertimento che in altri casi non si habbia à deliberar senz'haver prima informatione da lei»* (SS Nap 326,481vf.).

[31] Mit dem Reiseverlauf und v. a. mit der Erkrankung und Genesung Bentivoglios befassen sich FB II 416: 22v, 50r, 51r, 72v, 85r/v, 85v, 90r, 203r. Auf die politische Lage beziehen sich FB I 944: 544r/v, 547r/v. Vgl. auch Anm. 41.

hezu völlig in dessen Aufgabenbereich über, denn mehr als gelegentliche Bekundungen seines Dienstwillens waren die Berichte des Vizelegaten über Ereignisse, von denen man in Rom bereits aus den Briefen des Legaten wußte, tatsächlich nicht. Nur wenn er Vorfälle melden konnte, die der Legat unerwähnt gelassen hatte, erhielt er Antwort von den Mitarbeitern des Staatssekretariats, die solche Schreiben im Unterschied zu den anderen bearbeiteten[32].

Somit folgte die Arbeitsteilung zwischen Staatssekretariat und Kardinalnepot bei der Korrespondenz sowohl des Legaten und Vizelegaten als auch der Privatleute aus Ferrara den gleichen Regeln, die sich schon in der Zeit vor September 1616 angedeutet hatten: Sachfragen und politische Probleme oblagen der Behörde, um die Vergabe individueller Vergünstigungen sowie die Pflege persönlicher Beziehungen und damit um all das, was man unter dem Begriff Patronage zusammenfassen könnte, kümmerte sich der Nepot. Doch anders als zuvor kam Borghese seit Baccis Amtsantritt seinen Pflichten mit der Hilfe eines eigenen kleinen Apparats nach, der aus dem Auditor, dem Sekretär und seinem Helfer bestand, die Inanspruchnahme des Staatssekretariats unnötig machte und sich mit den Tausenden von Schreiben, die aus dieser Zusammenarbeit erwuchsen, den Namen Patronagesekretariat verdient hat.

c. Geteilte Post als halbe Wahrheit:
Die Folgen der Trennung für Borghese, seine Behörden und die
Überlieferungssituation

So wenig sich im September 1616 an den Grundlinien der schon seit Jahren praktizierten Arbeitsteilung zwischen der politischen Behörde und dem Stab des Nepoten geändert haben mag, so unwahrscheinlich ist es, daß trotz der Errichtung eines neuen Büros alles beim alten geblieben wäre. Daher ist zu fragen, welche Folgen die Etablierung des Patronagesekretariats für die politische Behörde und ihren nominellen Leiter hatte und was die nun auch institutionell greifbare Trennung von Amts- und Patronagekorrespondenz für die Quellenlage bedeutet.

---

[32] Während die Briefe an Massimi, Vizelegat von 1606 bis Ende 1615, in den Registern *a diversi* verzeichnet wurden, finden sich die Schreiben an seinen Amtsnachfolger Carafa vor September 1616 im Staatssekretariatsband FB I 944 (z. B. 477vf., 488v), danach zum größten Teil in Baccis Registern, so z. B. das Dankesschreiben Borgheses vom 26. Juni 1618 (FB II 432,723r) auf Carafas Mitteilung der gerade erfolgten Ratswahlen in Ferrara vom 21. Juni 1618 (FB I 691,230), auf dessen Rückseite Cennini vermerkt hat: «*Al Signore Bacci. Ringratiarlo dell'avviso*» (231v). Das entsprechende Briefpaar für 1619: FB III 10 B,196, und FB II 419,570v. Sein Bericht über den Zwischenfall während des Besuchs der Vittoria Cibo in einem Ferrareser Kloster, den Serra nicht gemeldet hatte, wurde dagegen vom Staatssekretariat beantwortet (21. Dezember 1616, FB I 944,557r). Warum deswegen das Original Carafas nicht zu finden ist, wird noch zu klären sein.

Für das Staatssekretariat war mit Baccis Amtsantritt vor allem eines verbunden: Entlastung. Im September 1616 ging die Zeit zu Ende, in der der Chefsekretär nicht nur gelegentlich angewiesen wurde, Paul V. die Wünsche einzelner Bittsteller vorzutragen, sondern tagtäglich zahlreiche Schreiben verfassen oder verfassen lassen mußte, die nichts anderes enthielten als die zeitüblichen Höflichkeitsfloskeln. Nicht länger gehörte es zu den Aufgaben der politischen Behörde, die immerhin die Korrespondenz Roms mit Kaisern, Königen und Nuntien abzuwickeln hatte, einem großzügigen Ferraresen für das exotische Tierchen zu danken, das dieser dem Kardinalnepoten verehrt hatte[33]. Zwar wären Fehlentscheidungen wie die ungeprüfte Erteilung einer *licenza* wohl nicht vorgekommen, solange Patronagepolitik und Sachfragen vom gleichen Sekretär bearbeitet wurden. Doch die Arbeitserleichterung für das Staatssekretariat, die sich an den deutlich abgespeckten Auslaufregistern für die Jahre nach 1616 mit Händen greifen läßt, scheint Nachteile dieser Art mehr als wettgemacht zu haben.

Für Borghese hingegen bedeutete die Ausgliederung der Patronagepolitik aus dem Staatssekretariat die endgültige Entfernung von der Behörde, die ihm weiterhin, aber nun tatsächlich nur noch nominell unterstand. Dem Chefsekretär als eigentlichem Behördenleiter stand er eher als Kollege denn als Vorgesetzter gegenüber, denn wie es Felicianis Aufgabe war, dem Papst die politischen Angelegenheiten in seinen täglichen Audienzen vorzutragen und dessen Anordnungen in Briefform zu bringen, erschien der Kardinalnepot vor Paul V., um patronagerelevante Fragen von Bedeutung mit seinem Onkel zu besprechen. Da ihm dies weder sein Auditor abnahm noch Bacci je zum Papst geschickt wurde, zahlreiche der Briefe Borgheses aus den Registern seines Patronagesekretärs aber die Entscheidung Seiner Heiligkeit verkündeten, scheint der Kardinal tatsächlich sehr häufig bei Paul V. vorstellig geworden zu sein, um die Empfehlungen und Wünsche der Bittsteller vorzutragen[34]. Paul V. gab sich wohl mit den Referaten seines Neffen zufrieden,

---

[33] Auf der Rückseite des Schreibens vom 21. Mai 1614, in dem Enzo Bentivoglio sein Geschenk angekündigt hatte (E 53,141), vermerkte Cennini «A Monsignore di Foligno che lo ringratij», und setzte den armen Feliciani noch zusätzlich unter Druck: «per Mercordi 4 corrente in ogni modo». Felicianis Dankesschreiben im Namen Borgheses ist registriert in Ang. 1228,15r unter dem 7. Juni 1614, das Original (ABent.Corr. 10/57, 353) trägt aber wie gewünscht das Datum vom 4. Juni 1614. Vgl. auch Kap. V, Anm. 23.

[34] Außer bei Ratsberufungen und Legationsverlängerungen verwies Borghese bei folgenden Themen stets auf die Entscheidung Pauls V.: Bei der Gewährung einer *licenza* für reiselustige Kardinäle (an Bevilacqua: FB II 419,459r; FB II 417,339v; FB II 422,123v, an Pio: FB II 419: 238r, 471v. War es Zufall, daß die Antwort auf die einzige Anfrage, bei der der Papst das Reiseziel des Kardinals wissen wollte, bevor er seine Erlaubnis gab, vom Staatssekretariat erstellt wurde? Vgl. Borghese an Pio, FB I 944,542). Bei der Genehmigung von *tratte* (z.B. für Pio: FB II 416,107v; FB II 432,52r; FB II 419,50v; FB II 422,401v). Bei der Vergabe von Bistümern (z.B. FB II 401,358v; FB II 419,43v; FB II 422,474r).

denn wie die Vermerke ex negativo zeigen, befand er es nicht für nötig, Schreiben aus Borgheses Zuständigkeitsbereich persönlich zu lesen oder gar eigenhändig zu kommentieren. Vorträge und *uffici* bei seinem Onkel waren jedoch keineswegs die einzigen Betätigungsfelder des Kardinalnepoten. So ließ er Bacci auf Wunsch Dritter Empfehlungsschreiben verfassen, leitete Bitten an andere Kuriale wie Ordensprotektoren oder den Datar weiter und empfing immer wieder die Agenten einzelner Privatleute, um sich deren Anliegen persönlich anzuhören[35]. Dies hatte der Papstneffe auch in den Jahren zuvor getan, doch da ihm seit Baccis Dienstantritt ein eigenes Büro für die entsprechende Post zur Verfügung stand, konzentrieren sich die Belege für den Einsatz des Kardinals ab September 1616 in den Bänden des Patronagesekretariats.

Dementsprechend fällt das Bild von Borgheses Aktivitäten aus, das die Vermerke auf den im Staatssekretariat bearbeiteten Briefen aus der Zeit ab September 1616 ergeben. Als Beispiel sei abermals die Post aus Ferrara herangezogen, genauer: die mit Sachfragen befaßten und daher von der politischen Behörde beantworteten Meldungen des Legaten Serra. Wer für die Bearbeitung dieser Schreiben zuständig war, steht außer Zweifel, auch wenn der Großteil der 36 erhaltenen Briefe dieser Art lediglich Einlaufvermerke von der Hand der Sostituti trägt. Es war der Chefsekretär Feliciani, der die Berichte mit seinen Kommentaren versah, einzelne Abschnitte kopieren ließ, um sie oder gleich das ganze Schreiben an die zuständigen Fachleute weiterzuleiten, und gelegentlich notierte, wer eine bestimm-

---

[35] Auf Bitten der Lavinia Tassona schrieb Borghese an Serra, wobei er das gewünschte Schreiben wie üblich an Lavinia schickte, damit diese es selbst dem Legaten überreichen konnte (Borghese an Lavinia: FB II 401,524r, an Serra: ebd.,524v). Aber auch an andere als den Legaten wandte sich Borghese auf Wunsch einzelner Ferraresen: an den Nuntius in Spanien (so Cenninis Dorsalvermerk an Bacci auf Alessandro Fiaschi an Borghese, FB III 50 A2,40), an den Mailänder Senator Corio (FB II 422,64v), der im übrigen eine nicht unwichtige Rolle bei der Verwaltung der Mailänder Kommendatarabteien Borgheses spielte (vgl. Volker Reinhardt, Scipione Borghese, S. 399), an den Postmeister in Ferrara (FB II 401,42v). Empfehlungen der Extraklasse wie das Breve an Kaiser Ferdinand für Ferrante Bentivoglio mußte er natürlich bei Paul V. bewirken (vgl. FB II 420: 68r, 118r, 129r). Häufig bedurfte es keiner schriftlichen Verwendung Borgheses, da jene, bei denen er seine *uffici* machte, in Rom weilten, so der Datar und viele Ordensprotektoren, so daß sein Einsatz nur in den Antworten an die Bittsteller greifbar wird (z. B. in FB II 432,341v; FB II 420,186v). Empfehlungen für Olivetanermönche mußte er nicht weiterleiten, denn deren Protektor war Borghese ab 1618 selbst, entsprechend zahlreich daher die einschlägigen Schreiben (z. B. die Antworten Borgheses an Lavinia Tassona: FB II 420,85v; FB II 417: 275v, 463v; an Pio: FB II 401,1027v; FB II 432,372r; FB II 420,219v). Hinweise auf Borgheses Gespräche mit den Agenten einzelner Ferraresen liefern nicht nur seine Antworten, in denen er auf das verweist, was er den Agenten gesagt hatte, sondern auch die Schreiben der Auftraggeber, die ihre Interessenvertreter nicht zuletzt zum Nachweis ihrer Autorisierung übergaben. Typisch z. B. Pio an Borghese, 31. Dezember 1616: «*Questa mia sarà presentata à V.S.Ill.ma del mio Agente al quale hò comandato in oltre di parlarle di un negotio il quale mi preme infinitamente*» (FB I 510,346r).

te Angelegenheit mit Paul V. besprechen sollte[36]. Geöffnet wurde die Post aus Ferrara, der man im gefalteten Zustand weder Absender noch Inhalt ansehen konnte, jedoch weiterhin von Borgheses Auditor, und wenn es ihm oder dem Nepoten nötig erschien, konnten sie zunächst eine Anweisung an Feliciani anbringen, bevor sie das Schreiben an diesen weiterleiteten. Dies aber war äußerst selten der Fall. So notierte Cennini, aus dessen Amtszeit die erhaltenen Legationsberichte Serras ausnahmslos stammen, nur auf einem einzigen der Briefe, was Feliciani dem Legaten antworten sollte, während er drei weitere Schreiben lediglich mit dem Namen des ohnehin zuständigen Chefsekretärs versah[37]. Beweise für das Interesse Borgheses an den Verwaltungsgeschäften der Legation Ferrara sind indes auch diese Vermerke nicht, denn stets waren es außenpolitische Informationen Serras, die Cennini zur Feder greifen ließen. Und da überdies nur auf dem Schreiben mit Antwortanweisung an Feliciani ein Ausriß zu finden ist, der auf einen Estratto des Auditors und auf dessen Vortrag vor Borghese hinweisen könnte, dürfte sich der Superintendent des Kirchenstaats auch nach September 1616 kaum um die Probleme seiner nördlichsten Provinz gekümmert haben.

Zweifel an diesem Befund könnte die mit 36 Schreiben des Legaten überaus dünne Quellenbasis wecken. Die dicken Stapel mit Briefen Spinolas vor Augen, mag der Einwand berechtigt erscheinen, doch da von Serras Post ohnehin nur ca. 160 Schreiben aufzufinden waren, wird aus der kleinen Zahl 36 der erkleckliche Anteil von 22,5 %, auf dem sich aufbauen läßt. Bedenken sollten angesichts der Quellenlage aber dennoch entstehen. Zwar verdeutlicht ein Blick auf die Fundstellen der einge-

---

[36] Die 36 erhaltenen Schreiben Serras entstammen der Zeit vom 2. Dezember 1616 bis zum 29. November 1617 und finden sich ausnahmslos in FB III 60 FG,139–211. Die Antworten auf alle diese Briefe wurden für 1616 in Ang.1235, für 1617 in FB I 906 registriert. Handschriftliche Kommentare Felicianis unterhalb des Einlaufvermerks finden sich auf 155v, 193v, 198v, 210v, Randbemerkungen auf dem Schreiben vom 28. Januar 1617 (172–174r), in dem Serra über einen Konflikt mit Venedig wegen der Schiffahrt berichtete: «*copia al Commissario della Camera che ne parli domani con Nostro Signore*», ordnete Feliciani auf 172r an, «*copia al Nuntio di Venetia*» auf 172v. Serras Brief vom 25. Oktober 1617, der Fragen der Truppen in Ferrara berührte (191), verwies der Chefsekretär an den Generalleutnant Paolo Savelli (192v). Ein weiteres Schreiben wurde Handschrift und Inhalt des Bearbeitungsvermerks zufolge in der Kongregation bearbeitet, die für den Streit zwischen den Jesuiten und den Theatinern in Ferrara zuständig war, über den Serra berichtete (21. Januar 1617 (171/175v), aber vom Staatssekretariat beantwortet (28. Januar 1617, FB I 906,68r/v), vgl. hierzu auch Kap. III.3.a.

[37] Unkommentierte Verweise Cenninis an Feliciani finden sich auf FB III 60 FG: 176v, 193v, 198v. Daß Feliciani die letzten beiden Schreiben ebenfalls mit Notizen versah, könnte auf die Bedeutung hinweisen, die diesen Mitteilungen Serras beigemessen wurde und wohl auch Cenninis Einsatz erklärt. Die einzige Antwortanweisung, die überdies mit dem einzigen Ausriß kombiniert ist, notierte Cennini auf 166v: Feliciani sollte Serra für dessen Brief vom 14. Januar 1617 danken und dem Legaten mitteilen, man warte auf den Bericht des zu diesem Zweck ausgesandten Informanten über ein venezianisches Projekt, das die stets umstrittene Schiffahrt betraf.

laufenen Schreiben Serras zunächst nur die Mühen der Suche, denn während die über 1200 erhaltenen Berichte Spinolas schön geordnet und gebündelt in 16 Bänden vorliegen, verteilen sich die ca. 160 Schreiben seines Nachfolgers auf immerhin 31 Bände. Setzt man jedoch die Fundstellen der Schreiben mit ihrer Bearbeitung in Beziehung, werden die Auswirkungen greifbar, die die Existenz des Patronagesekretariats auf die Überlieferungssituation hatte und bis heute hat. Das Verfahren ist aufwendig, denn da eindeutige Dorsalvermerke nicht selten fehlen, müssen die Antwortschreiben auf die erhaltenen Briefe Serras in den Auslaufregistern sowohl Baccis als auch des Staatssekretariats gesucht und ihre Verfasser auf diese Weise ermittelt werden. Der Befund ist hingegen schnell genannt: Sämtliche Schreiben Serras, die das Staatssekretariat beantwortet hat, konzentrieren sich in einem einzigen Band[38], die zum Teil gleichzeitig eingegangenen Briefe, um die sich Bacci kümmerte, verteilen sich dagegen über dreißig der in Tab. 6 genannten Bände. Offensichtlich wurde die Legatenpost von dem abgelegt, der sie bearbeitet hat, und somit, anders als in der Zeit vor Bacci, nach Themen getrennt gelagert. Dies aber bestätigt den naheliegenden Verdacht, jene Bände, in denen sich von Bacci beantwortete Schreiben finden, seien die Ablage des Patronagesekretariats. Hierfür spricht bereits das veränderte Bild, das die für das Pontifikat Pauls V. in stark schwankender Fülle vorhandenen Einlaufbände ab September 1616 abgeben. Daß die zuweilen große Unordnung der eingegangenen Schreiben pünktlich mit Baccis Dienstbeginn von der chronologischen Ordnung in den für die einzelnen Monate der nächsten Jahre angelegten Bänden abgelöst wird, könnte zwar noch auf die Bemühungen späterer Archivare zurückzuführen sein. Doch daß die zuvor stets gemeinsam mit seinen amtlichen Berichten abgelegten Briefe des Legaten in eigener Sache ab September 1616 bei jenen von Privatpersonen nicht nur aus Ferrara gelandet sind, kann kein Zufall sein. Die letzten Zweifel beseitigt ein Blick auf die anderen Schreiben in diesen Bänden, denn auch deren Antworten sind samt und sonders in den Registern Baccis verzeichnet. Nach jenen Originalen aus der Legation, die das Staatssekretariat bearbeitet hat, kann man dagegen lange suchen: Da sie in Baccis Ablage verständlicherweise nicht zu finden sind, eine systematische Einlaufsammlung außerhalb dieser Bände aber nicht ermittelt werden konnte, scheint der Behördeneingang aus Ferrara, von Ausnahmen wie dem dünnen Bündel mit den 36 Schreiben Serras abgesehen, für die Zeit nach September 1616 nicht mehr vorhanden zu sein[39]. Diese unterschiedliche Überliefe-

---

[38] In dem bereits erwähnten Band FB III 60 FG,139–211, vgl. Anm. 36.

[39] Wohlgemerkt: Dies gilt für die Schreiben aus Ferrara. Daß die Quellenlage nicht für alle Amtsträger derart schlecht ist, wird noch zu erwähnen sein. Für die Schreiben der *diversi*, die in der Zeit nach September 1616 im Staatssekretariat bearbeitet wurden, sei auf die in Tab. 5, Teil 2, genannten Briefsammlungen des Fondo Boncompagni-Ludovisi hingewiesen. Den Bearbeitungsvermerken zufolge handelt es sich bei diesen Bänden auch für die Zeit nach Baccis Amtsantritt eindeutig und ausschließlich um die Ablage der politischen Behörde.

rungssituation zu kennen ist für den kritischen Umgang mit den erhaltenen Quellen von entscheidender Bedeutung, denn wenn man die große Menge von Schreiben patronagerelevanten Inhalts, der Briefe aus dem Arbeitsbereich des Staatssekretariats in weit geringerer Zahl gegenüberstehen, für einen repräsentativen Querschnitt der Post aus Ferrara hielte, entstünde ein völlig verzerrtes Bild. Daß sich die Tätigkeit des Legaten keineswegs darauf beschränkte, die Kandidaten Borgheses in Ferrareser Ämter zu hieven und die Klienten des Kardinalnepoten mit Vergünstigungen jeder Art einzudecken, läßt sich nur mit Hilfe der gleichzeitigen Auslaufregister des Staatssekretariats belegen. Deren Quellenwert ist daher weit höher zu veranschlagen, als Semmlers Verzicht auf ihre Erwähnung vermuten läßt.

Andere Amtsträger mochten mit ihren dienstlichen Schreiben mehr Glück gehabt haben als Serra. So sind etwa die Nuntiaturberichte des nach Frankreich entsandten Guido Bentivoglio, um die sich das Staatssekretariat seinen Auslaufregistern zufolge kümmerte, zwar nicht lückenlos überliefert, doch noch heute zahlreich vorhanden[40]. Aber auch für Bentivoglios Briefe gilt das Prinzip der doppelten Ablage, denn die Nachrichten des Diplomaten über seine Reise nach Paris, das Wetter oder den für Borghese stets interessanten Kunstmarkt der französischen Metropole landeten bei seinem ehemaligen Sekretär Ottavio Bacci[41]. Wer wissen will, was Amtsträger wie Guido Bentivoglio, aber auch Untertanen aus dem Land der Kirche und Briefpartner aus allen Teilen der Welt nach Rom meldeten, muß für die Zeit ab September 1616 daher beide Einlaufablagen bearbeiten, und wen die Antworten der Kurie auf alle diese Schreiben interessieren, der wird neben den Auslaufbänden des Staatssekretariats auch Baccis Register zu Rate ziehen.

---

[40] Vgl. die Auflistung der entsprechenden Bände bei Semmler, Staatssekretariat, S. 15.

[41] Auf Bentivoglios Schreiben vom 21. September 1616 (FB III 45 B,81) findet sich ein Verweis Cenninis an Bacci (82v), der die Antwort am 28. September 1616 verfaßte (FB II 416,22v) und das Original Bentivoglios aufbewahrte. Den gleichen Weg gegangen sein dürften, auch wenn der Verweis an Bacci fehlt, die anderen Reiseberichte des Nuntius in FB I 716: 136, 374, 422 und in FB I 510,4 sowie die entsprechenden Briefe seines Bruders Enzo an Borghese in FB I 716: 30, 72, 138, 357. Die Antworten Baccis auf diese Post in FB II 416: 22v, 50r, 51r, 72v, 85r/v, 85v, 90r, 203r. Daß jene Briefe Borgheses an Bentivoglio, in denen dieser eher als Kunsthändler denn als Diplomat erscheint, von Bacci verfaßt wurden (z. B. FB II 488: 438v, 592r), vermag nicht zu überraschen.

2. Das Privatsekretariat Scipione Borgheses

a. Der Befund: Warum es ein Privatsekretariat gegeben haben muß

Im Falle des Patronagesekretariats und seiner Bestände wird sich kaum die Frage stellen, ob es eine solche Einrichtung tatsächlich gegeben habe, doch im Blick auf das Privatsekretariat muß genau dies erst bewiesen werden. Wie so oft kann hier die Empfängerüberlieferung helfen, genauer: der Band im Staatsarchiv Ferrara, in dem sich die wohl schon von den Zeitgenossen mit großer Sorgfalt gesammelten Schreiben des Kardinals Borghese an den Magistrat befinden[42]. Welchen Wert die etwa 230 Originalbriefe Borgheses an Ferrara haben, die zwischen den Minuten des Stadtsekretärs für die ausgelaufenen Schreiben der Magistratsherren an den Nepoten lagern, hat sich bereits bei dem Versuch gezeigt, dessen Rolle im römischen Verwaltungsalltag zu rekonstruieren. Denn obwohl der Kardinal in der Korrespondenz der ihm unterstellten Kongregationen und anderer Ressorts mit der Stadt nicht als Behördenchef, sondern als Papstneffe auftrat, wurden diese Schreiben von den Sekretären und Fachleuten der zuständigen Gremien verfaßt, und da deren Bestände nahezu komplett verlorengegangen sind, stellen die Originale in Ferrara die einzigen Exemplare dieser Amtspost dar[43]. Daß man die Schreiben anderer Gremien in den Registern des Staatssekretariats vergebens sucht, liegt auf der Hand, warum sich für einen beachtlichen Teil der Originale keine Eintragung in den Bänden der Behörde finden läßt, scheint geklärt: Briefe Borgheses, die dort nicht verzeichnet wurden, stammten aus den Kongregationen, der Kammerverwaltung oder – ab September 1616 – dem Patronagesekretariat Baccis. Was also könnte in der Korrespondenz zwischen Borghese und Ferrara auf die Existenz eines Privatsekretariats hinweisen, wenn sich sämtliche Schreiben des Nepoten einem der bereits bekannten Gremien zuordnen lassen?

Die Antwort liefern einige Briefpärchen, die jeweils vom gleichen Tag datieren, beide die Unterschrift Borgheses tragen und sich mit ein und demselben Thema beschäftigen. «Mit Ihrer kindlichen Ergebenheit haben Sie der väterlichen Zuneigung, die Unser Herr für Sie und Ihre Stadt empfindet, sehr gut entsprochen», begann das Schreiben vom 13. Januar 1610, in dem Borghese den Magistratsherren im Namen seines Onkels für die besten Wünsche zu Weihnachten 1609 dankte, während er in der am gleichen Tag verfaßten Entgegnung auf die Festwünsche der Stadt für ihn selbst seine Dienstbereitschaft in den Mittelpunkt

---

[42] Es handelt sich um den mit 768 fol. gefüllten Band CC 156. Fol. 1–737 stammen aus dem Pontifikat Pauls V., das letzte Schreiben Borgheses an die Stadt datiert vom 30. Dezember 1632.

[43] Vgl. Kap. III, Anm. 39.

[44] Im Auftrag seines Onkels schrieb Borghese an Ferrara: «*È molto ben corrisposto dalle SS. VV. con filiale osservanza alla paterna dilettione, che porta loro, et alla Città tutta Nostro Signore*». Paul V.

stellte[44]. Als Sprecher des Papstes beantwortete der Nepot die Schreiben aus Ferrara an diesen, als hilfsbereiter Vermittler der päpstlichen Gnade präsentierte er sich in den Repliken auf die an ihn persönlich gerichteten Briefe. Neu ist dieser Befund nicht, hat sich doch bereits bei den Schreiben zu Sachfragen aus dem Zuständigkeitsbereich der Kongregationen gezeigt, wie die unterschiedlichen Rollen des Papstes als Padre comune bzw. seines Neffen als Cardinale Padrone in den Formulierungen der Kongregationssekretäre zum Ausdruck gebracht wurden[45]. So könnte der zitierte doppelte Dank Borgheses auf die Weihnachtswünsche Ferraras lediglich beweisen, daß auch die Mitarbeiter des Staatssekretariats diese römische Rollenverteilung auszudrücken imstande waren, fänden sich beide Schreiben in den Registern der politischen Behörde. Dies jedoch ist keineswegs der Fall. Zwar wurde der Brief Borgheses im Namen Pauls V. in das Auslaufregister Ang.1216 eingetragen und daher von Feliciani oder einem seiner Untergebenen erstellt und registriert[46]. Den Dank Borgheses im eigenen Namen aber sucht man in den Bänden der vor September 1616 für *complimenti* wie diese Festwünsche zweifelsfrei zuständigen Behörde vergeblich. War dies Zufall, oder keimt hier zu Recht erstmals der Verdacht auf, solche Schreiben des Nepoten seien grundsätzlich nicht im Staatssekretariat entstanden? Ob auch bei anderen Briefpärchen dieser Art allein das Schreiben für Paul V. verzeichnet worden ist, läßt sich für die Amtszeit Peruginos, dessen Register verschollen sind, zwar nicht kontrollieren. Trotzdem liefern die im April 1613 erstellten Entgegnungen der beiden Borghese auf das Lob der Ferraresen für ihren Vizelegaten Massimi sowie die im Oktober 1613 entstandenen Antworten im Namen des Papstes bzw. seines Neffen auf den Protest der Stadt gegen die Verletzung eines ihrer Privilegien wertvolle Hinweise: Die Briefe, die am gleichen Tag zum gleichen Thema verfaßt wurden, weisen nicht nur unterschiedliche Formulierungen und Stilisierungen desjenigen auf, in dessen Namen sie zu Papier gebracht wurden, sondern auch unterschiedliche Schreiberhände und Grußformeln[47]. Den Ferraresen mochte dies

---

habe sich sehr gefreut und wolle, *«che ne sieno ringratiate per sua parte, si come di suo ordine io fò per questa»* (CC 156,315). Seine Dienstbereitschaft versicherte er ebenfalls am 13.Januar 1610, ebd.,318.

[45] Vgl. Kap.III.1.a.

[46] Das Originalschreiben in CC 156,315, ist registriert in Ang. 1216,90r/v.

[47] Am 17.April 1613 dankte Borghese im Namen seines Onkels für die *«attestatione fatta dali SS.VV. de le qualità di Monsignore de Massimi»* (CC 156,436), für sich am gleichen Tag, aber durch einen anderen Schreiber (ebd.,438). Am 26.Oktober 1613 versicherte er den Ferraresen als Antwort auf ihr Hilfegesuch, er werde sich wunschgemäß für die *«conservatione dei privilegij»* einsetzen (ebd.,470), während er sich im von anderer Hand ins reine geschriebenen Brief vom gleichen Tag auf den Auftrag Pauls V. bezog, der *«ha voluto, che da sua parte io replichi ... in risposta de la lettera loro ... che non è sua volontà, che si faccia pregiuditio a li ragioni di nessuno»* (ebd.,472). Zu den Schlußgrüßen vgl. die folgenden Anmerkungen.

die Entscheidung erleichtern, ob ihnen Borghese für sich selbst oder *«per Nostro Signore»* antwortete, was sie nicht selten auf der Rückseite der Briefe vermerkten[48]. Aus heutiger Sicht aber nähren diese Abweichungen den Verdacht, die Antworten Borgheses auf die Schreiben Ferraras, die ihrem Inhalt nach in den Zuständigkeitsbereich des Staatssekretariats fielen, seien nur dann von dieser Behörde erstellt worden, wenn der Nepot als weisungsgebundener Sprecher seines Onkels auftrat. *Come fratello* setzten die Schreiber solcher Briefe über die Stelle, die für die Unterschrift des Kardinals vorgesehen war[49]: «Wie Ihr Bruder» grüßte der sonst so mächtige Nepot die Empfänger, wenn er lediglich die Anordnungen des Papstes ausführte und in dieser Rolle, nicht anders als die Adressaten, zu den Untertanen des Heiligen Vaters zählte[50]. *Affettionatissimo delle SS.VV.* – «Ihnen äußerst verbunden» verabschiedete sich Borghese dagegen in jenen Briefen an die Magistratsherren, in denen er von seinen *uffici* berichtete und seine Dienstbereitschaft beteuerte, mit anderen Worten: als hilfsbereiter Vermittler päpstlicher Gnaden, als Kardinalnepot in Erscheinung trat[51]. Sprachlich war dies die adäquate Reaktion auf die der römischen Rollenverteilung angepaßten Unterschriften der Magistratsherren, die den Papst stets als *«Fedelissimi e devotissimi servi, sudditi, e vassalli»* grüßten, während sie sich Borghese als *«Umilissi-*

---

[48] So findet sich auf der Rückseite der Antwort Borgheses auf das Ferrareser Lob für Massimi der Vermerk *«risposta intorno a Monsignore Massimi»* (CC 156,439v), auf dem entsprechenden Schreiben Borgheses im Auftrag Pauls V. dagegen *«risposta per Nostro Signore intorno a Monsignore Massimi»* (ebd.,437v).

[49] In der Regel fügten die Schreiber bei der Erstellung von Reinschriften auch die Schlußformel hinzu, so daß Borghese nur noch sein *«Il Cardinale Borghese»* daruntersetzen mußte und ein Bild entstand, wie es die Tafel 20 der Schriftproben bei Semmler, Staatssekretariat, wiedergibt. Als *Come fratello*-Schreiben werden im folgenden die Briefe Borgheses an Ferrara bezeichnet, die entweder exakt diese Formel oder den erweiterten Gruß *Come fratello affettionatissimo* tragen. Beide Varianten stammen eindeutig aus dem Staatssekretariat. Welche der beiden gewählt wurde, scheint dem Geschmack des jeweiligen Schreibers überlassen gewesen und unabhängig von Art und Inhalt der Briefe entschieden worden zu sein.

[50] Überzeugen kann diese Deutung der Grußformel nur in der Gegenüberstellung mit Borgheses Alternative *Affettionatissimo*, wurden Kombinationen mit *Come Fratello* doch auch von Kardinälen – merkwürdigerweise fast nur von ehemaligen Kardinalnepoten – benutzt, die sich in ihren Schreiben an die Ferraresen sicherlich nicht auf deren Stufe herabbegeben wollten, so von Kardinal S.Giorgio (=Cinzio Aldobrandini): *Come fratello per servirli*, vgl. CC 162/10A: 17, 21, 23 (1606/1607), und Montalto: *Come fratello affettionatissimo*, vgl. CC 164/12A: 7 (1618), 9 (1621).

[51] Neben dem weit häufigeren *Affettionatissimo delle SS.VV.* findet sich in den ersten Monaten des Jahres 1606 gelegentlich die Variante *Affettionatissimo sempre*, später in zunehmendem Maße ein schlichtes *Affettionatissimo*. Alle drei Möglichkeiten werden im folgenden als *Affettionatissimo*-Schreiben zusammengefaßt. Auch diese Formel begegnet nicht nur in Borgheses Schreiben an Ferrara, sondern auch im größten Teil der Briefe anderer Kardinäle an die Stadt. So grüßten neben vielen anderen mit einer *Affettionatissimo*-Kombination: Pietro Aldobrandini (CC 153, z.B. 256); Bevilacqua (CC 155, z.B. 323); Leni (CC 163/10, z.B. 54); Pio (CC 166/6, z.B. 4).

mi, e devotissimi servitori» präsentierten[52]. Formal aber stellen die abweichenden Grußformeln des Nepoten das signifikanteste Merkmal dar, um seine Briefe im eigenen Namen von jenen zu unterscheiden, die er im Auftrag seines Onkels unterzeichnete[53]. So lassen sich anhand dieser Formeln auch jene der in Ferrara befindlichen Originalschreiben Borgheses, in denen die Rolle des Nepoten weniger eindeutig ist, einer der beiden Gruppen zuordnen: auf der einen Seite die ca. 77 *Come fratello*-Briefe, die – sollte sich der Verdacht bestätigen – sämtlich in den Registern des Staatssekretariats zu finden sein müßten, auf der anderen Seite die ca. 135 *Affettionatissimo*-Schreiben, von denen in diesen Bänden jede Spur fehlen dürfte[54]. Der Befund ist eindeutig, denn von den weit mehr als 200 Briefen des Nepoten an die Stadt Ferrara wollen lediglich vier nicht in dieses Schema passen. Diese vier Schreiben sind zwar mit *Affettonatissimo* unterzeichnet, aber dennoch in den Staatssekretariatsbänden Ang.1219 bzw. 1228 registriert, während sich für die restlichen über 130 Briefe mit besagter Formel kein Eintrag in den Bänden der Behörde ermitteln ließ[55]. Umgekehrt sind die *Come fratello*-Schreiben aus den Jahren, für die sich die Register *a diversi* erhalten haben, dort auch zu finden[56]. Und da überdies aus den wenigen in den Unterlagen der Behörde auffindbaren Minuten an Ferrara Briefe geworden sind, die die Formel *Come*

---

[52] So z.B. in den Schreiben Ferraras vom 1. August 1615 in FB III 60 FG,323 (an Paul V.) und 324 (an Borghese). Weitere Briefpärchen dieser Art wurden in Kap. III, Anm. 49, genannt. Während in den Briefen an Borghese der amtierende Giudice de' Savi eigenhändig seinen Namen und seinen Amtstitel unter die zitierte Formel setzte und der Stadtsekretär Ottavio Magnanini, der diese Schreiben entworfen hatte, sich mit «O.M.Seg.rio» rechts unten ebenfalls verewigen durfte, fehlen bei den Briefen der Stadt an den Papst diese beide Namen. Dies ist wohl als Beitrag Ferraras zur Entpersonalisierung des Herrschers und der Korrespondenz mit ihm zu deuten: Hier standen sich nicht Paul V. und der aktuelle Giudice gegenüber, sondern der Papst und der Magistrat der Stadt.

[53] So wurden von den in den vorhergehenden Anm. erwähnten Schreiben Borgheses an Ferrara in CC 156 mit *Come fratello* unterschrieben: 315, 436, 472; mit *Affettionatissimo*: 318, 438, 470. Aus der Zeit nach Baccis Amtsantrit stammen die Pärchen 618/620 (Juli 1617) und 644/646 (April 1618).

[54] Die Addition der *Come*- und *Affettionatissimo*-Briefe ergibt nicht die Gesamtzahl der Schreiben Borgheses an Ferrara, weil in den ersten Monaten des Pontifikats die Formel *Per servirli sempre* oder *Per servirli* bevorzugt wurde. Das erste *Affettionatissimo* datiert vom 15. Februar 1606 (CC 156,44), das erste *Come fratello* vom 9. März 1606 (ebd.,52). Überdies wurden die Schreiben der Apostolischen Kammer stets mit *Al piacer delle SS.VV.* abgeschlossen, vgl. Kap. III, Anm. 54.

[55] Die Ausnahmen sind: 1. Juni 1611: Empfehlung Borgheses für die Vergabe der Ratskonsultorenstelle, CC 156,347, reg. in Ang. 1219,69r/v; 1. Juni 1611: auf die Mitteilung von der Wahl Manfredis zum Botschafter, CC 156,349, reg. in Ang. 1219,68r/v; 16. Juli 1614: Borghese dankt im Namen Pauls V. und im eigenen für ein *ufficio* des Botschafters, CC 156,493, reg. in Ang. 1228,39r/v; 3. Dezember 1614: auf eine Empfehlung der Ferraresen für eine Stelle, die Paul V. bereits vergeben hatte, CC 156,501, reg. in Ang. 1228,126vf.

[56] Da in diesem und dem folgenden Abschnitt zahlreiche Beispiele für solche Registrierungen genannt werden, verzichte ich auf einen kompletten Nachweis aller Fundstellen.

fratello tragen[57], darf man diese Wendung als typisches und eindeutiges Merkmal der Staatssekretariats-Korrespondenz mit der Stadt betrachten[58].

So praktisch es ist, Hilfen zur Ermittlung der für einzelne Briefe verantwortlichen Stellen an die Hand zu bekommen, so alarmierend ist die Kehrseite des Befundes, d. h. die fehlende Registrierung der *Affettionatissimo*-Briefe in den Bänden des Staatssekretariats. Denn wenn die Behörde, die für das behandelte Problem zuständig gewesen wäre und die Parallelschreiben Borgheses im Auftrag Pauls V. ja auch tatsächlich erstellte und verzeichnete, die Briefe nicht zu Papier brachte, in denen der Nepot für sich selbst sprach, wer tat dies dann? Und vor allem: Was bedeutet diese Registrierungslücke für die Quellenlage? Schließlich scheint der Anteil, den diese aus heutiger Sicht verlorenen Briefe am gesamten Schriftwechsel Borgheses ausmachten, erschreckend hoch gewesen zu sein, tragen doch über die Hälfte seiner im Original erhaltenen Schreiben an die Stadt Ferrara die Formel *Affettionatissimo*. Allerdings warnen zwei Umstände vor Übertreibungen: Zum einen setzten auch die Sekretäre der Kongregationen diesen Gruß unter ihre Mitteilungen an den Magistrat, die der Kardinal zu unterzeichnen hatte, wodurch sich die Zahl jener Briefe, deren Registrierung in den Bänden des Staatssekretariats zu vermuten gewesen wäre, aber dort nicht zu finden ist, deutlich verringert[59]. Und zum anderen ist die Zeit der lückenhaften Überlieferung im September 1616 schlagartig vorbei. Fortan waren es Bacci und Tartaglioni, die die *Affettionatissimo*-Schreiben Borgheses entwarfen, und da sie die entsprechenden Minuten sorgfältig aufbewahrten, findet sich für nahezu jeden der ab diesem Datum für Borghese verfaßten Briefe ein Eintrag in den römischen Beständen[60]. Es ergibt sich folgendes Bild: Die nicht in einer Kongregation angefertigten, aber dennoch mit *Affettionatissimo* unterzeichneten Schreiben Borgheses entstanden zunächst an einer bislang unbekannten Stelle, die keine Register hinterlassen hat, fielen aber nach dem Dienstantritt Baccis in dessen Ressort und sind somit ab September 1616 in den Bänden des Patronagesekretariats zu finden. Die Briefe mit der Gruß-

---

[57] Aus der Minute in E 59,129, wurde das *Come fratello*-Schreiben Borgheses vom 13. Juli 1611 in CC 156,352, aus der Minute in SS Part 171,34, der *Come*-Brief vom 24. Juli 1619 in CC 156,692.

[58] Als Erkennungszeichen des Staatssekretariats kann das *Come fratello* nur für die Korrespondenz mit dem Ferrareser Magistrat gelten. Unter den Schreiben der Behörde an Spinola stand zwar zunächst auch *Come fratello affettionatissimo* (vgl. die Originale in FB II 364 und 346), doch nach seiner Kardinalspromotion wurde er stets mit *Humilissimo et affettionatissimo Servitore Il Cardinale Borghese* gegrüßt, so erstmals auf Borgheses Mitteilung der Promotion vom 12. September 1606, FB II 346,54.

[59] Beeindruckend ist bereits die lange Reihe der *Affettionatissimo*-Schreiben in CC 156, die ihrem Inhalt nach aus der Wasserkongregation stammen dürften: 73, 75, 77, 79, 91, 94, 103, 133, 152, 168, 178, 320, 395.

[60] Auch hier scheint eine komplette Auflistung aller Originale und ihrer Registrierungen dank der noch folgenden Beispiele nicht notwendig.

formel *Come fratello* dagegen wurden während des gesamten Pontifikats Pauls V. im Staatssekretariat erstellt und registriert.

Daß Borghese die Schreiben, in denen er als dienstbereiter Nepot in Erscheinung trat, von seiner *Affettionatissimo*-Abteilung erstellen ließ, trifft auf die Korrespondenz mit der Stadt Ferrara zwar ohne Zweifel zu[61]. Die Regel kann dies jedoch nicht gewesen sein. Schließlich hätte das Staatssekretariat dann weder die patronagerelevanten Briefe des römischen Personals noch die Post der *diversi* an den Nepoten als Klientelchef bearbeiten dürfen. Doch wie sich gezeigt hat, gehörte beides zu den Aufgaben der politischen Behörde[62]. Allerdings mußte das Staatssekretariat auch bei diesen Schriftwechseln einen Teil der Post an jene Einrichtung abtreten, die Borgheses Schreiben mit dem Gruß *Affettionatissimo* versah. Dies beweist ein Blick in die Bände des Bentivoglio-Archivs mit der Korrespondenz zwischen dem Nepoten und seinem wichtigsten Ferrareser Klienten: Auch unter Borgheses Briefen an Enzo Bentivoglio finden sich Originale mit dem *Affettionatissimo* über dem Namen des Kardinals, nach deren Registrierung man in den Verzeichnissen des Staatssekretariats vergeblich sucht[63], und so steht auch in jenen Fällen, in denen sich dies mangels Empfängerüberlieferung weder kontrollieren noch kompensieren läßt, zu befürchten, daß weit mehr Schreiben im Namen des

---

[61] Daß in Kap. II.3.b im Zusammenhang mit den vom Staatssekretariat beantworteten Schreiben der *diversi* an Borghese auch Briefe der Stadt Ferrara erwähnt wurden, widerspricht dem nicht. Denn wie sich bei näherem Hinsehen zeigt, antwortete Borghese in diesen Fällen in ein und demselben Schreiben wohl der Einfachheit halber sowohl im Auftrag Pauls V. als auch im eigenen Namen auf die parallelen Briefe an ihn und seinen Onkel. Dies gilt etwa für die Antwort im Namen beider Borghese an die Stadt vom 7. Oktober 1615 (CC 156,525, reg. in Ang. 1232,297), die die Ernennung Serras zum neuen Legaten betrifft und in Kap. II, Anm. 381, zitiert ist. Ein weiteres Beispiel ist Borgheses Dank für den Dank der Stadt auf die Ernennung Guido Bentivoglios zum Nuntius in Frankreich. Nachdem er die Entscheidung Pauls V. mit den Qualitäten Bentivoglios begründet hatte, fuhr Borghese fort: «*Et tanto rispondo loro in nome di Sua Beatitudine*», fügte aber hinzu, was er «*per quel poi, ch'appartiene à me*» zu sagen hatte. Der Brief vom 13. Juli 1616 trägt dem Original in CC 156,546, zufolge den Gruß *Come fratello* und ist daher erwartungsgemäß in einem Band des Staatssekretariats registriert: in FB I 944,526vf. Warum der Nepot seine eigene Korrespondenz mit dem Ferrareser Magistrat im Privatsekretariat abwickeln ließ, bleibt unklar. Man könnte vermuten, Borghese sei der Protektor der Stadt und daher am entsprechenden Briefwechsel besonders interessiert gewesen. Allerdings bieten die Quellen nicht den geringsten Beleg für diese Annahme.

[62] Vgl. Kap. II.2.b und II.2.c für das Personal und II.3.b für die *diversi*.

[63] Als Beispiele mögen die entsprechenden Schreiben Borgheses an Enzo Bentivoglio aus dem Jahr 1614 genügen: Insgesamt, d. h. mit Hilfe von Originalen, Registereintragungen und Minuten, lassen sich für dieses Jahr 25 Briefe des Nepoten an Enzo belegen. Von diesen stammen der fehlenden Registrierung in dem für 1614 vorhandenen Register *a diversi* zufolge sechs aus dem Privatsekretariat. Drei davon behandeln das Entwässerungsunternehmen des Ferraresen, auf das zurückzukommen sein wird (ABent.Corr. 10/57: 285, 347, 379), mit den drei anderen Schreiben antwortete Borghese auf Personalempfehlungen Enzos (ebd.: 303, 367, 401).

Nepoten verschickt wurden, als sich in den Bänden der Behörde belegen lassen. Angesichts dieser Überlieferungslücke stellt sich eine Frage: Welcher Art waren die Briefe, die in der im folgenden als Privatsekretariat bezeichneten *Affettionatissi-mo*-Abteilung entstanden und heute wenn überhaupt, dann nur mit Mühe zu ermitteln sind? Um den Charakter der in weiten Teilen verlorenen Post und damit die Tragweite des Quellenproblems einschätzen zu können, müßte man die Kriterien entdecken, die bei der Indienstnahme von Staats- bzw. Privatsekretariat den Ausschlag gaben. Genau dies soll nun versucht werden.

b. *A chi ha scritto*: Die Aufteilung der Patronagekorrespondenz zwischen Privat- und Staatssekretariat bis September 1616

Einen ersten Hinweis auf die Kriterien, nach denen sich Staats- und Privatsekretariat die Arbeit teilten, lieferte bereits der Blick auf die Parallelschreiben an die Stadt Ferrara, mit denen Borghese die *complimenti* und Anfragen des Magistrats im Namen seines Onkels bzw. in seinem eigenen beantwortete. Wenn er für den Papst sprach, wurde das Staatssekretariat tätig, trat er als Klientelchef in Erscheinung, stammte die Post aus dem Privatsekretariat. Letzteres bestätigen die Schreiben Borgheses, die sich auf die allein an ihn gerichteten Bitten der Stadt bezogen. Denn wenn sich der Magistrat nicht auch an Paul V. gewandt hatte, war dessen Neffe nur als dienstbereiter Helfer gefragt, und da seine Antworten in diesen Fällen nahezu ausnahmslos ein *Affettionatissimo* auf dem Original, aber keinen Eintrag in den Bänden des Staatssekretariats zu bieten haben[64], scheint der Zusammenhang zwischen Schlußgruß, Registrierung und Nepotenrolle wenigstens im Briefwechsel des Kardinals mit der Stadt Ferrara eindeutig. Um so mehr erstaunt es, ausgerechnet einige der Personalempfehlungen Borgheses, die eindeutiger als alle anderen Schreiben an den Magistrat zur Patronagekorrespondenz zählten, mit dem Gruß *Come fratello* versehen und in den Registern der politischen Behörde verzeichnet zu finden. Möglicherweise können gerade diese Ausreißer erklären helfen, nach welchen Kriterien die Post verteilt wurde, und so soll im folgenden anhand der Empfehlungsschreiben versucht werden, den Charakter des Privatsekretariats zu bestimmen.

Wenn es aktenkundliche Fragen zur Personalpolitik der Borghese zu klären oder typische Beispiele für die Patronagekorrespondenz des Nepoten zu finden gilt, kommt man an jenen Schreiben des Kardinals nicht vorbei, mit denen er den

---

[64] Möglicherweise war die einzige Ausnahme, Borgheses mit *Come fratello* unterzeichneter Dank vom 13. April 1616 für den Dank der Stadt für *«quelche m'è occorso far nelle differenze, che havevano con Bolognesi»* (Borghese aus Mondragone an Ferrara, CC 156,538, reg. in FB I 944,498v) die Folge seines Aufenthalts in den Bergen, da nicht alle Sekretäre mit zur Villeggiatura durften und der für die *Afettionatissimo*-Schreiben zuständige gefehlt haben könnte.

Ferrareser Magistrat in regelmäßigen Abständen eindeckte: seine Empfehlungen für die alle fünf Jahre anstehende Besetzung der fünf Richterstellen am höchsten Gericht der Stadt, der Rota[65]. Kandidieren konnte zwar jeder Jurist, der über dreißig Jahre alt, promoviert, mit ausreichender Berufserfahrung ausgestattet und weder in Ferrara noch außerhalb des Kirchenstaats geboren war. Doch Hoffnungen auf die Wahl durch den Großen Rat durften sich allein solche Bewerber machen, die neben diesen Qualifikationen über die Unterstützung eines einflußreichen Protektors verfügten, und so trafen im Vorfeld der entscheidenden Ratssitzung nicht nur die Lebensläufe und Zeugnisse der Aspiranten ein, sondern auch zahllose Empfehlungsschreiben. Von den Vätern der Juristen bis zu Herzögen und Fürsten, deren Untertanen nicht im Kirchenstaat geboren waren und nur mit päpstlicher Genehmigung kandidieren durften, von römischen Beamten bis zu den namhaftesten Kardinälen reichte die Palette der Autoren, doch ob man ihre Namen nach der Häufigkeit ordnet, mit der sie in den nahezu vollständig erhaltenen Dokumenten der Stadt zu diesen Wahlen auftauchen, oder nach ihrem Einfluß auf das Abstimmungsverhalten der Ferraresen, stets findet sich der Kardinalnepot an erster Stelle. Etwa 50 der insgesamt ca. 230 Briefe Borgheses an den Ferrareser Magistrat hatten nichts anderes zum Inhalt als die mehr oder minder dringende Bitte, einen bestimmten Kandidaten mit einem Richterposten auszustatten[66]. Welche Grußformel sämtliche dieser ca. 50 Schreiben tragen müßten, liegt auf der Hand, trat der Papstneffe hier doch ausnahmslos als Haupt der Klientel in Erscheinung, das den vermutlich dienstbereiten Ferraresen zutiefst verbunden – *affettionatissimo* - war. Mit Registereintragungen ist folglich für die Zeit vor September 1616 nicht, ab Baccis Amtsantritt dagegen sicher zu rechnen.

---

[65] Über Rechtsgrundlagen, Bedeutung und Kompetenzen der Ferrareser Rota sowie über die Zulassungsbedingungen und die Zusammensetzung der Auditoren genannten Richter im 17. und 18. Jahrhundert informiert Carla Penuti, La Rota di Ferrara: Funzioni e organico degli Uditori fra Sei e Settecento, in: Mario Sbriccoli, Antonella Bettoni (Hgg.), Grandi Tribunali e Rote nell'Italia di Antico Regime, Mailand 1993, S. 461–489.

[66] Da die 50 Originalempfehlungen Borgheses in Sachen Rota in CC 156 nicht die einzigen Belege für solche Schreiben sind, läßt sich am Beispiel der Rotawahlen die Vollständigkeit der Überlieferung originaler Borghese-Briefe gut überprüfen. So beziehen sich von den zahlreichen in Minutenform erhaltenen Antworten des Magistrats auf Empfehlungen Borgheses lediglich drei auf nicht auffindbare Originale (CC 156: 240=7. Mai 1608, auf Empfehlung Ambrogini; 360=23. Juli 1611, Felici; 657=23. Mai 1618, Mascardi), während in den Wahlunterlagen, in denen für jeden Kandidaten die Absender der für ihn eingegangenen Empfehlungen aufgelistet sind (1608: SP 50/60; 1613: SP 62/31; 1618: SP 72/41), lediglich ein Schreiben Borgheses genannt wird, dessen Original nicht zu finden ist (erwähnt in SP 62/31: für Leonardi, 19. Januar 1613). Somit sind die Schreiben Borgheses an Ferrara mindestens zum Thema Rota nahezu vollständig im Original erhalten. Weit mehr Briefe als die, die in CC 156 gesammelt wurden, scheint Borghese nicht an die Stadt geschrieben zu haben, was die Bedeutung dieses Bandes nachhaltig unterstreicht.

43 der erhaltenen Originale entsprechen dieser Erwartung, sieben geben Rätsel auf[67]. Warum wurden sie mit *Come fratello* unterschrieben, in den Bänden des Staatssekretariats verzeichnet und somit eindeutig von der politischen Behörde erstellt? Was unterscheidet diese sieben Rota-Empfehlungen von den andernorts abgefaßten Schreiben Borgheses? Das Datum ist es nicht, denn für alle drei Wahlen, die während des Pontifikats Pauls V. in Ferrara abgehalten wurden (1608, 1613, 1618), finden sich Briefe mit beiden Formeln[68]. An den Personen, die empfohlen wurden, lag es ebensowenig, trugen doch auch die Briefe Borgheses für ein und denselben Kandidaten, der sich mehrere Empfehlungen beschaffen konnte, zuweilen unterschiedliche Schlußgrüße[69]. Auch der Grund, den der Nepot für seinen Einsatz angab, scheint nichts mit der Zuordnung der Schreiben zu Staats- bzw. Privatsekretariat zu tun gehabt zu haben, denn ob er einen Juristen empfahl, weil ihn ein in der Regel nicht namentlich genannter Bittsteller darum ersucht hatte, oder auf jede Erläuterung verzichtete und lediglich die Eignung des Bewerbers ins Feld führte, blieb ohne Folgen für die Unterschrift[70]. Was also außer dem freundlichen *Come fratello* am Textende verband das Schreiben Borgheses von 1608 für den Römer Pietro Paolo Ferratino, der die Fürsprache des Nepoten der Verwandtschaft mit dem bereits verstorbenen Kardinal Ferratino verdankte, auch wenn dies keine Erwähnung fand; die Empfehlung für Durante Minio aus Urbino, dessen Qualitäten Borghese in seinem mit *Come fratello* unterzeichneten Brief von 1613 in den Vordergrund stellte, um 1618 in einem *Affettionatissimo*-Schreiben an den Legaten zu enthüllen, daß Kardinal Montalto an der Wahl Minios sehr interessiert war; und schließlich die schriftliche Bitte für den Romagnolen Pandolfo Cavallo, die Borghese 1616 einem «*Signore di molta authorità*», im Klartext: Kardinal Caetano zuliebe ver-

---

[67] CC 156: 159=21. November 1607, Empfehlung für Vignatoli, reg. in FB I 929,802v; 201=12. Februar 1608, Ambrogini, FB I 434,97vf.; 221=12. April 1608, Ferratino, ebd.,253vf.; 401=27. Oktober 1612, Minio, Registerlücke im römischen Bestand; 432=27. März 1613, Uffreducci, dto.; 555=10. August 1616, Cavallo, FB I 944,532v; 639=3. Februar 1618, Giusti, Registerlücke. Im folgenden werden für diese Briefe lediglich die Fundstellen der Originale in CC 156 angegeben.

[68] Die *Come fratello*-Empfehlungen sind der Auflistung in der vorhergehenden Anm. zu entnehmen, für die *Affettionatissimo*-Briefe werden Belege folgen.

[69] Vgl. z. B. Borgheses Empfehlungen für Ambrogini: 12. Februar 1608, *Come fratello*, CC 156,201; 16. Juli 1611, *Affettionatissimo*, ebd.,354. Für Giusti: 23. Januar 1613, *Affettionatissimo*, ebd.,422; 3. Februar 1618 *Come fratello*, ebd.,639.

[70] Vignatoli etwa empfahl Borghese am 21. November 1607, «*perche credo che ogni favore che piacerà alle SS. VV. di farle debba essere ben collocato*» (CC 156,159), während er im Schreiben vom 10. Oktober 1616 für Cavallo zwar auch dessen «*valore*» erwähnte, seinen Einsatz aber begründete mit «*quel che debbo à Signore di molta authorità, che m'induce à passare il presente uffitio*» (ebd.,555). Beide Briefe sind mit *Come fratello* unterzeichnet und registriert.

faßte?[71] Übereinstimmende Kriterien, aufgrund derer diese Briefe im Staatssekretariat erstellt wurden, lassen sich nicht erkennen, und so scheint die große Frage eine bescheidene Antwort zu finden: Möglicherweise waren die abweichenden Formeln nichts anderes als das zufällige Resultat einer willkürlich vorgenommenen zwischenbehördlichen Arbeitsteilung, die keinen Prinzipien folgte und nicht den geringsten Hinweis auf den Charakter des Privatsekretariats und dessen Kompetenzen liefert.

Ein gewichtiges Argument für diese Annahme liefert die Antwort der Ferraresen auf ein Empfehlungsschreiben Borgheses vom 23. Januar 1613, in dem er ihnen die Bestätigung des amtierenden Richters Paolo Locarni aus Amelia nahegelegt hatte. Man werde sich darum bemühen, ließen die Ratsherren den Nepoten wissen, dessen Auditor Cennini auf der Rückseite des Schreibens vermerkte: «*A chi hà scritto*»[72]. Wer die Empfehlung im Namen Borgheses verfaßt hat, möge nun auch die Antwort Ferraras an sich nehmen, bedeutete dieser Verweis Cenninis, der offenkundig ebensowenig wie der Nepot wußte, ob das Staats- oder das Privatsekretariat zugunsten Locarnis tätig geworden war. Wenn sich aber selbst Borghese und sein auf Patronagefragen spezialisierter Mitarbeiter nicht immer erinnern konnten, welchem der beiden Büros sie die Ausfertigung eines Empfehlungsschreibens aufgetragen hatten, dürfte die Suche nach eindeutigen Kriterien für diese Aufgabenverteilung aussichtslos sein. Überdies stellt Cenninis «*A chi ha scritto*» keineswegs eine einmalige Ausnahme dar, denn ein gleichlautender Vermerk findet sich auch auf der Entgegnung der Stadt auf die Fürsprache des Kardinals für den Juristen Vignatoli und somit auf immerhin zwei der äußerst selten

---

[71] Laut der Empfehlung Kardinal Pios für Ferratino, den Borghese mit einem *Come*-Schreiben vom 12. April 1608 unterstützte (CC 156,221), war der Jurist ein «*gentilhuomo romano et parente del già Signore Cardinale Ferratino*» (Pio an Ferrara, 29. August 1607, CC 166/6,62). Minio empfahl Borghese dem Magistrat am 27. Oktober 1612 wegen der guten Berichte über diesen (CC 156,401), während er den Legaten Serra zwischen 1616 und 1618 viermal zu dessen Förderung aufrief, «*perche la sua sodisfattione sarebbe di gusto al Signore Cardinale Montalto al qual'io grandemente desidero di servire*» (30. Januar 1618, FB II 432,120v; vgl. auch Borghese an Serra, 3. Dezember 1616, FB II 416,211v; 22. Februar 1617, FB II 401,123r: «*perche al Signore Cardinale Montalto premono gli interessi del medesimo Dottore*»; 22. April 1617, FB II 401,266v: «*vien desiderato da molti*»). Da Pandolfo Cavallo nicht nur seinen Bewerbungsunterlagen für die Wahl von 1618 zufolge zahlreiche Ämter in seiner romagnolischen Heimat innegehabt hatte, sondern auch von dem langjährigen Legaten in Ravenna Kardinal Caetano und von dessen Bruder, dem Duca Caetano, empfohlen wurde (vgl. die Angaben für Cavallo in SP 72/41), dürfte Kardinal Caetano den Nepoten um dessen vier Tage nach Caetanos eigener Empfehlung abgefaßtes Schreiben vom 10. August 1616 (CC 156,555) gebeten haben.

[72] Borgheses Empfehlung ist mit *Affettionatissimo* unterzeichnet und daher nur in CC 156,420, erhalten. Die Antwort der Ferraresen stammt vom 13. März 1613 und findet sich in FB IV 226,9, dors.10v.

im Original erhaltenen Antworten Ferraras in Sachen Rota[73]. Daß die unterschied-
lichen Grußformeln ein Zufallsprodukt ohne weitere Aussagekraft seien, könnte
somit als bewiesen gelten, hätte der Nepot Ende 1607 nur dem Magistrat nahegelegt, den amtierenden Richter Vignatoli im Amt zu bestätigen. Doch eine solche
Aufforderung war auch an Spinola ergangen, und dessen Antwort trägt einen
Vermerk, der den bisherigen Eindruck nachhaltig zu erschüttern imstande ist:
«*Sapere ad instanza di chi fosse scritto*», ließ der Papstneffe auf dem Schreiben des
Legaten notieren, der offenbar auf eine Empfehlung reagiert hatte, an deren Entstehung sich Borghese nicht erinnerte[74]. Natürlich könnte dies dem Nepoten
schlicht entfallen sein, doch da er bei seiner doppelten Fürsprache für Vignatoli
weder wußte, wer das Schreiben an den Magistrat zu Papier gebracht hatte, noch
auf wessen Wunsch ein entsprechender Brief an Spinola verfaßt worden war,
drängt sich der Verdacht auf, ein anderer als Borghese habe diese Empfehlungen
in Auftrag gegeben. Es paßt ins Bild, die Formel *Come fratello* unter der Aufforderung an den Magistrat und diese wie die Anweisung an Spinola in den Registern
des Staatssekretariats zu finden, denn während das Privatsekretariat Borgheses
allein auf dessen Befehl aktiv geworden sein dürfte, waren es die Mitarbeiter der
politischen Behörde gewöhnt, ihre Instruktionen vom Chefsekretär und durch
diesen vom Papst selbst zu erhalten. Sollte das *Come fratello* unter den sieben
Rota-Empfehlungen Borgheses somit ein Hinweis sein, daß Paul V. oder Leute wie
Lanfranco Margotti und Porfirio Feliciani hinter den angepriesenen Kandidaten
und den Schreiben zu ihren Gunsten standen, der Nepot aber lediglich seine Unterschrift beisteuerte? In den bisher betrachteten vier Fällen ist dies weder zu
beweisen noch zu widerlegen, doch noch bleiben zur Überprüfung dieser Vermutung drei Empfehlungen aus dem Staatssekretariat. Diese aber sprechen Bände,
denn wenn die Ferraresen sämtlichen der darin unterbreiteten Vorschlägen gefolgt
wären, hätten sie einen Verwandten Felicianis, einen Herrn, der dem späteren Paul
V. 1593/94 während seiner Sondernuntiatur in Spanien gedient hatte, sowie den
Neffen eines päpstlichen Geheimkämmerers in ihrer Rota wiedergefunden[75].

---

[73] Auf Borgheses *Come*-Empfehlung vom 21. November 1607 (CC 156,159) antworteten die Ferraresen am 8. Dezember 1607, das Original in FB III 42 D,275, dors.278v. Neben dieser und der Entgegnung Ferraras auf die Locarni-Empfehlung (vgl. die vorhergehende Anm.) finden sich folgende Antworten der Stadt im Original, alle ohne Dorsalvermerk: SS Part 7,488: 20. Mai 1613, auf Empfehlung für Umani; FB III 50 A2,167: 8. Februar 1617, Pasi; FB I 691,44: 19. Mai 1618, Compagnoni.

[74] Borgheses Empfehlung vom 8. Dezember 1607 ist in SS Bo 184,279r/v registriert, die Antwort des
Legaten vom 19. Januar 1608 findet sich in FB II 39,15, dors.18v. Unter dem zitierten Vermerk wurde
notiert: «*D'un Teatino*».

[75] Die Wirkung der *Come*-Empfehlungen für Alessandro Giusti, Alessandro Ambrogini und Giuseppe
Uffreducci war gering: Keiner der drei Kandidaten, deren Fälle im folgenden ausführlicher geschildert werden, wurde in dem Jahr, in dem sich Borghese mit einem *Come*-Schreiben für sie verwandte,
in die Rota gewählt.

Den Urbinaten Alessandro Giusti, dessen Qualifikation in erster Linie in seiner
«parentela» mit *«Monsignore di Foligno secretario di Nostro Signore»* bestanden
haben dürfte, hatte Borghese den Ferraresen für die Rotawahl von 1613 zwar
mit einem *Affettionatissimo*-Schreiben empfohlen[76]. Doch als Felicianis Verwandter – wahrscheinlich kann man auch sagen: Feliciani für seinen Verwandten – 1618 ein neues Schreiben des Nepoten wünschte, erhielt keineswegs Bacci
und sein seit Jahren bestehendes Patronagesekretariat den entsprechenden Auftrag. Einer *«persona, alla quale porto particolare affettione»* zuliebe empfehle er
ihnen den Juristen, konnte Borghese dem in seinem Namen verfaßten Brief entnehmen, und da dieser aus dem Staatssekretariat Felicianis stammte, hat wohl
niemand anderes als besagte *persona* für die Abfassung des Schreibens gesorgt[77].
Bescheidener noch als sein Nachfolger war Lanfranco Margotti ein knappes
Jahrzehnt zuvor gewesen, als er sich selbst in einem Brief an den Ferrareser
Legaten, den er für Borghese zu Papier gebracht hatte, lediglich als *«persona che
merita con me»* bezeichnete, deretwegen Spinola die Interessen einer mit Margotti befreundeten Familie aus der Legation empfohlen wurden[78]. Täglich kam
es gewiß nicht vor, daß Staatssekretäre ihre Freunde und Verwandten mit Schreiben des Nepoten unterstützten, doch wenn sie einen solchen Wunsch äußerten,
konnten sie offensichtlich auch nach Baccis Amtsantritt damit rechnen, sich

---

[76] Am 23. Januar 1613 empfahl Borghese den Ferraresen die Wahl Giustis wegen der guten Berichte
über ihn, *«mà aggiongendosi à questo la parentela ch'egli tiene con Monsignore di Foligno secretario
di Nostro Signore, son'in obbligo di procurarglila sempre che me se n'offerisce l'occasione»* (CC
156,422r). Den Wahlunterlagen in SP 62/31 zufolge trat Giusti bei der Ferrareser Rotawahl des
Jahres 1613 allerdings nicht an, und so sorgte Feliciani dafür, daß Borghese den wohl noch immer
nicht mit einem Richterposten versehenen Juristen zwei Jahre später dem Legaten von Bologna für
die dort anstehende Rotawahl empfahl. In dem vom Nepoten unterzeichneten, aber von Feliciani
entworfenen Schreiben vom 24. Juni 1615 an den Legaten Capponi heißt es, der empfohlene Giusti
«è amico et parente del Vescovo di Fuligno mio Segretario» (FB I 940,406vf.).

[77] Borgheses *Come*-Empfehlung vom 3. Februar 1618 findet sich in CC 156,639. Leider liegt für
1618 kein Register *a diversi* vor, so daß nicht überprüft werden kann, ob der eigenhändige Nachtrag nicht mitregistriert wurde und daher wohl eine Idee des Nepoten war, oder ob der Text des
Autographen, der die Dringlichkeit des Wunsches unterstreicht, von Feliciani stammte und von
Borghese nur abgeschrieben wurde. Die Ferraresen wenigstens entnahmen der wie auch immer
entstandenen Empfehlung *«il particolare premore che ha V.S.Ill.ma»* (Ferrara an Borghese,
3. März 1618, CC 156,641), doch war Giusti laut SP 72/41 auch 1618 nicht unter den Kandidaten
zu finden.

[78] Das Empfehlungsschreiben an Spinola vom 28. März 1609 ist bei der regulären Legationskorrespondenz in SS Bo 186,47r/v, verzeichnet und wurde daher wohl von Borghese unterschrieben, auch wenn
keine Antwort des Legaten an diesen vorliegt, wohl aber Spinolas Antwort vom 15. April 1609 an
Lanfranco Margotti (FB III 51 B,106), der die Familie offensichtlich auch im eigenen Namen an den
Legaten empfohlen hatte.

selbst für Arbeit gesorgt zu haben[79]. Möglicherweise erschöpfte sich der Beitrag Borgheses zur Entstehung dieser Empfehlungen tatsächlich in der Unterzeichnung der im Staatssekretariat angefertigten Briefe, denn da die Chefsekretäre den Papst weit öfter zu Gesicht bekamen als seinen Neffen, könnten sie ihr Anliegen Paul V. persönlich vorgetragen und von diesem, nicht vom Nepoten, die Erlaubnis erhalten haben, das entsprechende Schreiben zu erstellen.

Keine Erlaubnis, sondern ein Befehl des Papstes an den Staatssekretär scheint indes der Rota-Empfehlung für Alessandro Ambrogini vorausgegangen zu sein, der Camillo Borghese noch aus der Zeit vor seiner Papstwahl bekannt und verbunden war und wohl eher diesen als seinen Neffen um Hilfe bat[80]. Wie eine solche Empfehlung unter Umgehung Borgheses zustande kommen konnte, illustriert eine interne Anweisung an Feliciani vom Januar 1613. Man wünsche ein Schreiben des Nepoten an den Nuntius in Spanien, der Borghese zuliebe einem mallorquinischen Monsignore zu einer anständigen Pfründe verhelfen solle. Der Grund für diese Hilfestellung waren die Dienste des Spaniers für Camillo Borghese in seiner Zeit als Kardinal, der Autor dieser Zeilen der päpstliche Zeremonienmeister und Geheimkämmerer Pauls V., Paolo Alaleoni[81]. Offensichtlich mußte sich nicht jeder an Borghese wenden, der ein Empfehlungsschreiben begehrte, denn wenn es ihm geraten erschien, konnte Paul V. solche Briefe beim Staatssekretariat bestellen, ohne die Mitarbeit seines Neffen in Anspruch zu nehmen. Dies aber ist ein weiterer Beleg für die Vermutung, die Personalempfehlungen der politischen Behörde seien weniger der Initiative des Nepoten entsprungen als dem Auftrag des Papstes, der

---

[79] Daß das Staatssekretariat auch nach dem Tod seiner Mitarbeiter für deren Verwandte sorgte, belegt das Schreiben Borgheses vom 2. Februar 1613 (FB I 943,41r/v), in dem er Spinola die Anliegen «*del Signore Ottavio Margotti Fratello della bona memoria del Signore Cardinale Lanfranco*» ans Herz legte. Auch Spinolas Entgegnung vom 13. Februar 1613 verblieb bei den Unterlagen der Behörde (Barb.lat. 8761,55).

[80] Am 12. Februar 1608 empfahl Borghese den Ferraresen in einem *Come*-Schreiben die Wahl Ambroginis, weil dieser eine «*persona di valore et di esperienza ... conosciuta da Nostro Signore per quel tempo che lo servì quando passò in Spagna*» sei (CC 156,201). Am nächsten Tag empfahl ihn auch Giovanni Battista Borghese «*per la servitù c'hà con questa casa*» (CP 183/40,40).

[81] Paolo Alaleoni, laut einem Schreiben Ferraras an den Botschafter vom 30. März 1611 «*Mastro delle Ceremonie e Cameriero secreto di Nostro Signore*» (CA 7,450v), an Monsignore di Foligno, o.D., aber Januar 1613: «*Si desidera una lettera dell'Ill.mo Signore Cardinale Borghese nostro Patrone à Monsignore Ill.mo Nuntio di Spagna in raccomandatione di Monsignore Giovanni Stelrich Vescovo titulare di Dragone* (laut HV IV, S. 177, der im Mai 1610 zum Bischof von Drago ernannte Giovanni Stelrich oder Estelrich aus Mallorca, B.E.), *che lo voglia per amor di S.S.Ill.ma haver per raccomandato in occasione di qualche chiesa vacatura nel Regno d'Aragone, per esser Monsignore Vescovo di buonissime lettere, Dottore, Gentilhuomo Maiorchino Sacrestario della cathedrale di Maiorca Dignità, e Canonicato che vacariano à Sua Maestà, e servitore di Nostro Signore mentre era Cardinale*» (FB I 705 B,224r). Der Dorsalvermerk belegt sowohl die Ausführung des Auftrags als auch die Datierung: «*Spedito a dì 18. Gennaro 1613*» (231v).

seine ehemaligen und aktuellen Diener und Getreuen auch ohne die Beteiligung des Klientelchefs zu entlohnen wußte.

Gewarnt werden muß indes vor dem voreiligen Schluß, Paul V. habe mit Hilfe von päpstlichen Familiaren wie Alaleoni seine eigene Personalpolitik betrieben und über das Staatssekretariat abgewickelt, während Borghese nur an jenen Empfehlungen beteiligt gewesen sei, die seinem Privatsekretariat entstammten und folglich den Gruß *Affettionatissimo* trugen. Denn zum einen läßt sich die Entstehung keineswegs aller *Come fratello*-Briefe mit einem besonderen Interesse oder Auftrag des Papstes erklären, und zum anderen wurden die meisten der mit solchen Schreiben geförderten Kandidaten in anderen Jahren mit Empfehlungen aus dem Privatsekretariat des Nepoten bedacht[82]. So könnte Paul V. durchaus auch seinen Neffen mit der Förderung eines Kandidaten beauftragt haben, der über gute Beziehungen zum Papst verfügte und sich folglich an diesen gewandt hatte. Umgekehrt ist nicht auszuschließen, daß Borghese nicht nur bei seinem Privatsekretariat, sondern auch bei der politischen Behörde Empfehlungen bestellte, um die er, nicht sein Onkel, gebeten worden war[83]. Vor allem aber war der Anteil der Patronagekorrespondenz am Schriftverkehr der politischen Behörde mit dem Legaten Spinola und einzelnen Ferraresen zu groß und die zentrale Rolle Borgheses bei der Abwicklung dieser Post zu eindeutig, als daß man ein Eingreifen oder besonderes Interesse des Papstes für ihre Delegation an das Staatssekretariat verantwortlich machen könnte[84]. Und doch muß es Kriterien gegeben haben, die einige der Empfehlungsschreiben an Spinola oder an einzelne Ferraresen in den Zuständigkeitsbereich des Privatsekretariats fallen ließen, denn daß nicht alle patronagerelevanten Briefe Borgheses an diese Adressaten in den Bänden des Staatssekretariats registriert wurden, belegt ein Blick auf die Originale bei den Empfängern ebenso klar wie das Bemühen des Nepoten, den letzten der hier zu behandelnden Juristen in die Ferrareser Rota zu hieven.

Giuseppe Uffreducci aus Fano verdankte die zahlreichen Empfehlungsschreiben, die der Ferrareser Magistrat im Vorfeld der Rotawahl von 1608 aus Rom erhielt, ohne Zweifel der Fürsprache seines Onkels Galeatto, und da dieser als päpstlicher Geheimkämmerer Paul V. mühelos um Unterstützung für den jungen Juristen bitten konnte, wäre ein Brief Borgheses mit der Formel *Come fratello* zu erwarten gewesen[85]. Doch auch der Nepot schien sich für Giuseppes und Galeattos Wunsch er-

---

[82] Vgl. Anm. 69.

[83] Daß Borghese bei der Behörde tatsächlich Empfehlungen bestellte, belegen die in Kap. II, Anm. 256, beschriebenen Aufträge Cenninis an Feliciani.

[84] Vgl. den Hinweis in Anm. 62 auf die Kap. II.2.b, II.2.c, II.3.b.

[85] Die Liste der Empfehlungen für Uffreducci in SP 50/60, der 1608 trotz seines geringen Alters in die Ferrareser Rota gewählt wurde, ist rekordverdächtig. Für ihn verwandten sich: Giovanni Battista Borghese am 23. Februar 1608 (erhalten ist nur die Antwort Ferraras vom 5. März 1608, CP

wärmt zu haben, denn ungewöhnlich herzlich und überdies mit eigenhändigem Nachsatz legte er den Ferraresen die Wahl des Bewerbers ans Herz[86]. Dies war durchaus geraten, hatte Giuseppe doch kaum andere Qualifikationen zu bieten als die Verwandtschaft mit dem Geheimkämmerer, die aber die geringe Eignung des Kandidaten mehr als wettmachte[87]. So schrieb Borghese Galeatto zuliebe nicht nur an den Magistrat, sondern auch an einige andere Herren, die kraft ihres Amtes oder dank ihres Einflusses vor Ort die Wahl Uffreduccis sicherstellen konnten: an den Legaten Spinola, an den amtierenden Magistratsvorsitzenden Battista Muzzarelli sowie an den über eine große Gefolgschaft in der Stadt gebietenden Ferrareser Kardinal Pio[88]. Für keinen anderen Kandidaten hat Borghese derart viele Briefe

---

183/40,47, doch war das Schreiben Giovanni Battistas laut SP 50/60 *«molto efficace e di sua propria mano»*); Francesco Borghese am 5. März 1608 (CP 183/40,44); Kardinal Bevilacqua (laut SP 50/60 am 8. März 1608 und *«di sua mano»*, belegt auch in der Antwort Ferraras vom 29. März 1608 in CC 156,218); Kardinal Pio am 13. Februar 1608 (CC 166/6,103); sowie der Tesoriere Generale Capponi am 19. März 1608 (CP 192/3,20), der in einem Schreiben an Enzo Bentivoglio vom gleichen Tag Galeatto Uffreducci als Urheber der Briefschwemme beschrieb, als er eigenhändig hinzufügte: *«Oltre che il Signore Galeatto Offreducci e grandissimo amico mio, io gli sono obbligato perche mi favorisce di raccomandare una mia causa di grande importanza ad un suo parente giudice in Firenze»* (ABent.Corr. 9/43,649r). Bezeichnend für die in allen Schreiben betonte Dringlichkeit des Wunsches ist der Brief Francesco Borgheses vom 5. März 1608: *«Se hò raccommandati altri soggetti alle SS.VV. per cotesta Rota, l'hò fatto per termine di cortesia, et per sodisfar' ad altri, ma hora che le raccommando il Dottore Giuseppe Offerducci da Fano, lo faccio per sodisfar à me medesimo et à quella gratitudine, che devo ad un parente stretto dell'Offerducci, ch'è Cameriero di Nostro Signore, et benemerito di Sua Santità, et dalla Casa; Mi faranno però piacere le SS.VV. di favorire più questo, che nessun'altro delli raccommandati da me»* (CP 183/40,44r).

[86] Am 5. März 1608 empfahl Borghese den Ferraresen in einem nicht registrierten *Affettionatissimo*-Schreiben Uffreducci, *«che già sei anni attende alla professione legale molto honoratamente in questa Corte, al quale desidero tanto maggiore sodisfattione, quanto che l'esser' egli stretto parente del Signore Galeatto Ufferducci Cameriero secreto participante di Nostro Signore me lo rende grandemente caro …»*. Eigenhändig ergänzte er: *«Avrò molto caro, che il sopradetto Dottor Uffreducci ottenga un loco di cotesta Rota, dove son sicuro che l'essercitarà con loro intiera sodisfattione»* (CC 156,209). Auch den Ferraresen war Borgheses Eifer aufgefallen: Auf der Rückseite seiner Empfehlung vermerkten sie: *«raccomanda di propria mano il Dottor Giuseppe Ufferducci per la Rota»* (ebd,210v), in ihren Wahlunterlagen notierten sie, Uffreducci sei von Borghese *«con lettera affettuosissimamente di suo proprio pugno»* empfohlen worden (SP 50/60). Warum sie ihn gewählt hatten, teilten sie Uffreducci am 5. Juli 1608 mit: *«per servire a tanti Signori, ed in ispezie all'Ill.mo Signore Cardinal Borghese»* (CP 192/3,33).

[87] Als Borghese 1611 die durch den Tod eines Auditors freigewordene Stelle an der Ferrareser Rota mit Lodovico Trovio besetzt haben wollte, der den Ferraresen ungeeignet erschien, erinnerten sie ihren Botschafter an die schlechten Erfahrungen, die sie mit den Favoriten und Empfehlungen des Nepoten gemacht hatten: *«la raccomandazione, ch'egli fece tanto ardentemente per l'Ufferduccio, fà aver sospetta questa per lo Trovio»* (CA 138,627r).

[88] Die Schreiben Borgheses an Spinola, Muzzarelli und Pio sind weder registriert noch im Original erhalten, aber in deren Antworten an den Nepoten vom 21. Juni 1608 belegt (Spinola: FB II 433,239; Muzzarelli: FB III 45 A,186f.; Pio: FB III 45 A,201r).

verfassen lassen wie für Uffreducci, dessen Erfolg er offensichtlich persönlich wünschte, und so scheint geklärt, warum sich nicht eines dieser Schreiben in den Bänden des Staatssekretariats findet: Der Jurist war zwar der Neffe eines päpstlichen Geheimkämmerers, doch zugleich der Favorit des Nepoten, dessen Privatsekretär folglich mit der Ausfertigung der notwendigen Empfehlungen beauftragt wurde. Gefragt war die politische Behörde erst, als die Siegesmeldungen eintrafen: *«a Monsignore Lanfranco che lo ringratij»*, notierte Borghese persönlich auf dem Schreiben Muzzarellis, während Spinolas Mitteilung zwar in einem ungewöhnlichen Band, doch in den Beständen des Staatssekretariats gelandet ist[89]. Was dem Papstneffen wichtig war, erledigte er selbst, Routinearbeiten überließ er seiner Behörde, könnte man schlußfolgern, hätte Uffreducci nicht 1613 seine Bestätigung im Amt angestrebt. Denn nun erfuhr der Magistrat von der anhaltenden Sympathie der Borghese für den Neffen des päpstlichen Kämmerers aus einem Schreiben des Staatssekretariats[90]. Hatte der Nepot das Interesse verloren, Paul V. die Behörde auf Wunsch Galeattos mit der Erstellung der Empfehlung beauftragt oder jeder von ihnen schlicht unterschätzt, wie gering die Bereitschaft der Ferraresen war, ihre Rechtsstreitigkeiten einem nun erwiesenermaßen ungeeigneten Juristen für fünf weitere Jahre anzuvertrauen? Letzteres scheint der Fall gewesen zu sein, wurde doch sofort das Privatsekretariat Borgheses aktiv, als der wohl schon zuvor mit der Sache beauftragte Ferrareser General Federico Savelli dringend ein weiteres Empfehlungsschreiben für Giuseppe anforderte[91]. *«Assai più efficacemente»* habe sich der Papstneffe in seinem zweiten Brief für Uffreducci eingesetzt, vermerkten die Ferraresen in ihren Wahlunterlagen, und tatsächlich war die erneute Aufforderung an den Magistrat, der Borghese mit einer eigenhändigen Ergänzung Nachdruck zu verleihen suchte, weit eindringlicher formuliert als das Schreiben der Behörde[92]. Die wenn

---

[89] Der zitierte Dorsalvermerk findet sich auf FB III 45 A,197v. Die Antwort des Staatssekretariats an Muzzarelli datiert vom 2. Juli 1608 und ist registriert in FB II 434,465vf. Ebd.,458v, ist auch der Dank Borgheses an Pio zu finden, dessen Schreiben zweifellos ebenfalls von der Behörde bearbeitet wurde. Was Spinolas Erfolgsmeldung in den Band FB II 433 zu einer bunten Mischung von Schreiben aus den Jahren 1605 bis 1610 gebracht hat (fol.239), ist unklar.

[90] Der Brief Borgheses an Ferrara vom 27. März 1613 in CC 156,432, ist mit *Come fratello* unterzeichnet, aufgrund der Registerlücke für 1613 aber in den römischen Beständen nicht zu finden.

[91] Federico Savelli schrieb am 8. Mai 1613 an Borghese, die Ferraresen seien zwar *«assai disposti ad aiutar il negotio, ma perche mi dicono esservi altre persone raccomandate per lettere di V.S.Ill.ma, in volerla servire, potrebbono forse stare in dubio, in quale fussero per meglio incontrare la sua sodisfattione. Onde a questo potrebbe molto giovare per il sudetto Signore Uffreducci il favore di una reiterata lettera di lei»* (SS Part 7,258r).

[92] In dem nicht registrierten *Affettionatissimo*-Schreiben vom 18. Mai 1613 (CC 156,446) versicherte Borghese den Ferraresen, *«che si come non è ordinaria l'affettione che porto à cotesto soggetto, così anche sarà da me ricevuto à molto grado ogni favore che à mia contemplatione si compiaceranno fargli»*, und fügte einen eigenhändigen Nachsatz gleichen Inhalts hinzu. Die zitierte Einschätzung der Ferraresen stammt aus SP 62/31.

auch erstaunlich knappe Niederlage Uffreduccis konnte der Einsatz des Kardinals zwar nicht abwenden, doch bestätigt die einschlägige Korrespondenz Borgheses von 1613 den schon zuvor entstandenen Eindruck: So wie nicht alle Themen, mit denen sich die Briefe aus dem Privatsekretariat des Nepoten befaßten, dessen gesteigerte Aufmerksamkeit geweckt haben müssen, konnte sich keineswegs jeder, der eine Empfehlung mit der Formel *Affettionatissimo* erhalten hatte, der Sympathie Borgheses gewiß sein. Aber wenn der Papstneffe mehr Interesse an einer Angelegenheit oder Person entwickelte, als es von ihm als Haupt der Klientel erwartet wurde, ließ er die zur Förderung der Sache notwendigen Schreiben stets in seinem Privatsekretariat erstellen und mit dem Gruß *Affettionatissimo* versehen.

Entsprechendes gilt für die Arbeit des im September 1616 vereinigten Privat- und Patronagesekretariats unter Baccis Leitung. Daß sich in dessen Bänden die Empfehlungen Borgheses für die Vergabe der Lehrstühle an der Ferrareser Universität finden, die vor September 1616 nirgends registriert wurden, spricht nicht zwangsläufig für eine besondere Anteilnahme des Nepoten an den Berufungen, denn solange es weder politische Implikationen zu bedenken galt noch der Sondergenehmigung Pauls V. für Hochschulwechsler bedurfte, war der Nepot und mit ihm sein Privat- und Patronagesekretariat für die entsprechende Korrespondenz mit Ferrara zuständig[93]. Zweifellos groß war dagegen das persönliche Interesse des Kardinals an der Verleihung der Ferrareser Konsistorialadvokatenstelle an seinen Verwandten Fausto Caffarelli, und so wären die überaus eindringlichen Formulierungen der mehrmals wiederholten Empfehlungen Borgheses an den Magistrat, an den Legaten sowie an einzelne einflußreiche Ferraresen wohl nicht in den römischen Beständen verzeichnet worden, wenn Scipione Borghese-Caffarelli den karrierefördernden Posten in der Hauptstadt schon vor Baccis Amtsantritt für den jungen Fausto zu erobern versucht hätte[94]. Ob Routineakt oder Herzenswunsch –

---

[93] Nicht registrierte Empfehlungen in Sachen *Studio* aus der Zeit vor September 1616 finden sich in CC 156: 3, 50, 64, 82, 149. Über das Staatssekretariat wurde dagegen im Juni und Juli 1609 die Korrespondenz abgewickelt, die die päpstliche *licenza* für Claudio Acchillini betraf, der nur nach Ferrara kommen wollte, wenn er dadurch nicht seine Ansprüche gegenüber der Bologneser Universität verlöre, vgl. z.B. Borghese an Acchillini, FB II 432,532v; an Ferrara: die *Come*-Schreiben in CC 156: 300, 307; an Spinola: zahlreich unter Juli 1609 in SS Bo 186. Da sich Borghese 1616/1617 auf Bitten Kardinal Ludovisis bei den Ferraresen um die Freigabe Acchillinis bemühte, findet sich die entsprechende Korrespondenz bei Bacci: an Ludovisi: FB II 416,65v, FB II 401: 75r,112r; an Ferrara: FB II 416: 65v, 288r, FB II 401: 38r, 75r; an die *Riformatori di studio* Bevilacqua und Gualengo: FB II 416,65r; an Acchillini: FB II 401,82v; an Serra: FB II 401: 38v, 75r. Erst als *«per servitio de negotij publici di questa Santa Sede si mosse Nostro Signore ad ordinare alle SS. VV., che dessero licenza al Dottor' Claudio Acchillini»* (Borghese an Ferrara, 25.März 1617), übernahm das Staatssekretariat die Sache (daher die Registrierung des Schreibens in FB I 906,483r/v, hier: 483r; vgl. auch Borghese an Serra, ebd.: 83vf., 88r.

[94] Wegen Fausto schrieb Borgheses Patronagesekretariat an Serra: FB II 416: 174r, 226v, FB II 401,28r; an Ferrara: FB II 416,226r; an einzelne Ferraresen: FB II 416: 227r, 240v, 241r, 280r, FB II 401,11r.

allein die Grußformel unter den Schreiben des Kardinals gibt noch keine Auskunft über die Dringlichkeit seiner Empfehlungen. Doch wenn man die Hintergründe wie in diesem Fall die Verwandtschaft zwischen Fausto und Scipione kennt, wird deutlich, wie ernst es dem Nepoten mit seinem *Affettionatissimo* zuweilen war.

Umgekehrt bedeutet die Produktion einiger Empfehlungsschreiben im Staatssekretariat keineswegs, daß der Papst seine eigene Personalpolitik betrieben und den Nepoten samt dessen Privat- bzw. Patronagesekretariat gezielt übergangen hätte. Borghese jedoch war gerade in personalpolitischen Fragen nicht immer der Meinung seines Onkels und durchaus bereit, einen eigenen Kandidaten gegen den des Papstes ins Feld zu schicken. So hatte Paul V. nichts gegen die im April 1614 anstehende Bestätigung des Ferrareser Botschafters Annibale Manfredi einzuwenden, doch da dieser den Presidente der Generalbonifikation Domenico Rivarola durch seine Renitenz in der Wasserfrage so viele Nerven gekostet hatte, daß sich der Kardinal nichts sehnlicher wünschte als einen anderen Gesprächspartner, setzte Borghese alle Hebel in Bewegung, um seinen ehemaligen Auditor in Ravenna von dem hartnäckigen Ferraresen zu erlösen und die Botschafterwahl durch den Großen Rat der Stadt entsprechend zu beeinflussen[95]. Manfredi, der nicht nur stur, sondern auch gewitzt und überdies an der Verlängerung seiner Amtszeit interessiert war, wußte, was die Stunde geschlagen hatte, und begab sich zum Papst. Er habe seine Stadt doch zur Zufriedenheit des Heiligen Vaters vertreten, erinnerte er Paul V., der dem wohl nicht widersprechen konnte und seinem Neffen befahl, eine entsprechende Bescheinigung an den Ferrareser Legaten zu schicken[96]. Seine Heiligkeit sei dem Botschafter wohlgesonnen und er selbst empfinde eine besondere Zuneigung zu Manfredi, behauptete der folgsame Nepot daraufhin in einem Schreiben des Staatssekretariats an Spinola, während sein Privatsekretariat meh-

---

[95] Rivarola und Borghese koordinierten ihr Vorgehen gegen Manfredi mit Hilfe der Vermittlung von Rivarolas römischem Agenten Gioiosa, der den Verweisen in der Korrespondenz des Staatssekretariats zufolge mit seinem Herrn in Ravenna in regem Briefkontakt stand und Borghese in diesen Wochen sehr häufig aufsuchte, um die nächsten Schritte mit ihm zu besprechen, vgl. z.B. Borghese an Rivarola, 12. Februar 1614, Ang. 1216,24r.: «*Dovendo il Signore Gioiosa riferire a V.S.Ill.ma quanto m'occorso di passar seco in proposito dell'Ambasciaria non accaderà ch'io le ne dichi altro.*»

[96] Der Agent Landinelli berichtete dem wie an allen Intrigen in Ferrara so auch an dieser beteiligten Enzo Bentivoglio am 1. März 1614, Manfredi «*ha anco procurate due lettere una del Papa et l'altra del Signore Cardinale Borghese dirette al Signore Cardinale Legato di Ferrara nelle quali dovevono attestare che restono sodisfatti di lui e del suo servitio. le lettere non sono anco venite in luce*» (ABent.Corr. 10/73,411v), stellte aber am 5. März 1614 klar, daß nicht zwei Schreiben Borgheses an Spinola angefordert wurden (von denen dasjenige im Namen Borgheses sicherlich dem Privatsekretariat aufgetragen worden wäre): «*Il Signore Cardinale padrone non hà potuto far di meno di scrivere al Signore Cardinale Legato di Ferrara e a quello di Romagna attestando il buon servitio del Conte Manfredo, e la sodisfattione ch' hà dato, ... havendo dato quest'ordine Nostro Signore improbenuto dal detto Conte*» (ebd.,453v).

rere Briefe anfertigte, in denen Intrigen gesponnen und aussichtsreiche Konkurrenten zur Gegenkandidatur angestachelt wurden[97]. Annibale aber beschaffte sich das positive Zeugnis Pauls V., schickte Kopien an seine Freunde und Feinde in Ferrara und gewann die Wahl, und so war Borghese mit seinem Versuch, genau dies zu verhindern, an einem Brief gescheitert, den er selbst unterzeichnet hatte[98].

Feststellen läßt sich dies in Ermangelung der entsprechenden Registerbände nur mit Mühe und unter Zuhilfenahme der Empfängerüberlieferung oder anderer Quellen wie etwa der Hintergrundberichte römischer Agenten an Auftraggeber vom Schlage eines Enzo Bentivoglio. Doch auch wenn sich keine Hinweise auf eigeninitiative und zuweilen eigenmächtige Interventionen des Papstneffen finden lassen, sollte man nie vergessen, daß die Patronagekorrespondenz, die bis zum September 1616 im Staatssekretariat abgewickelt wurde, lediglich einen der beiden Stränge des einschlägigen Briefwechsels darstellt. Erst mit Baccis Amtsantritt flossen beide Stränge, d.h. die Patronagekorrespondenz sowohl des Staats- als auch des Privatsekretariats, in ein und derselben Einrichtung zusammen, und nicht zufällig verschwinden just zu diesem Zeitpunkt die Verweise *«a chi ha scritto»* von

---

[97] Am 5. März 1614 schrieb das Staatssekretariat an Spinola: *«È così vana la voce, che s'è sparsa per quel che s'intende che il Signore Conte Anibale Manfredi non sia veduto volentieri da Nostro Signore et da me quanto in contrario è la verità testificata all'occorrenze con gratie, et favori verso la sua persona, alla quale porta Sua Beatitudine ogni buona volontà et io li hò una particolare affettione così per il merito suo proprio come per la carica, che sostiene, et ch'egli essercita laudabilmente. Hà però voluto la Santità Sua che si notifichi questo à V.S.Ill.ma, et che bisognando ella ne faccia anco l'istessa fede al Magistrato»* (Ang. 1226,31r/v, ebd.,32vf., das ähnlich lautende Schreiben an Rivarola vom gleichen Tag). Zwar verhandelte Rivarola, laut Landinelli der eigentliche Drahtzieher (*«toccarà a Rivarola a fare il personaggio»*, an Enzo, 26. Februar 1614, ABent.Corr. 10/73,378r), über Gioiosa mit Borghese und für diesen mit Enzo, den der Nepot gerne als neuen Botschafter gesehen hätte, doch muß auch das Privatsekretariat tätig geworden sein. So ließ Borghese das Staatssekretariat am 26. Februar 1614 an Rivarola schreiben, dieser habe die Meinung des Nepoten *«da un'altra mia»* erfahren, obwohl kein weiterer Brief registriert ist (Ang. 1226,29r). Daß Borghese hinter dem Rücken seines Onkels aktiv wurde und dieser wie wohl auch das Staatssekretariat nichts von seinen Machenschaften erfahren sollten, belegt die Warnung Rivarolas an Enzo: *«ma in tutto doverà seguire senza pericolo che l'amico se ne possa querelare appresso Nostro Signore perche sarebbe di disgusto grave a chi pretendemo servire»* (ABent.Corr. 10/57,376r).

[98] Laut Landinellis Bericht an Enzo vom 5. März 1614 wollte Manfredi *«vedere le lettere haverne il duplicato, del quale ne mandarà facilmente la copia a V.S.Ill.ma et ad altri»* (ABent.Corr. 10/73,453v). Manfredi war nach der Lektüre des Schreibens an Spinola von seinem Sieg überzeugt (vgl. ebd.,494v), und auch Landinelli klagte, daß *«il Cardinale padrone mentre non hà caro che quest'huomo continua doveva farglielo dire fuori de denti, e non scriver' al Cardinale Spinola della forma accennata ... e già ella sà la facilità che si ha col Papa»* (an Enzo, 12. März 1614, ebd.,539v). Auch die Wahlunterlagen Ferraras in SP 64/19 bestätigen mit ihrem ausführlichen Bericht über diesen Brief Landinellis Prognose, *«che il Conte M. sarà confirmato per causa della lettera scritta del Signore Cardinale Padrone d'ordine di Nostro Signore»* (an Enzo, 8. April 1614, ABent.Corr. 10/74,91r).

der Rückseite der entsprechenden Post[99]. Baccis Abteilung kann daher mit Recht und als einziges der römischen Büros als Patronagesekretariat bezeichnet werden.

c. Auf der Suche nach einem Mitarbeiter: Wer war Borgheses Privatsekretär?

Wer aber waren die Mitarbeiter Borgheses, aus deren Federn die Antworten des Nepoten auf die an ihn persönlich gerichteten Schreiben der Stadt Ferrara, der größte Teil seiner Personalempfehlungen an den Magistrat sowie die an den Legaten und einzelne Ferraresen adressierten Bitten des Kardinals um Unterstützung für besonders geschätzte Kandidaten stammten? Wer saß in der Einrichtung, die als Privatsekretariat Borgheses zu bezeichnen sich zur Unterscheidung vom parallel arbeitenden Staats- und dem erst später entstandenen Patronagesekretariat anbietet? Oder besser – die frühneuzeitliche Quellenlage gemahnt zur Bescheidenheit: Wer war der Leiter dieses Büros? Zweierlei läßt sich über den Gesuchten schon jetzt sagen. Zum einen muß er in einem engen Verhältnis zu Borghese gestanden haben, der ihn schließlich auch und gerade jene Post ausfertigen ließ, über die sich der Papst und dessen Sekretäre in der politischen Behörde gewundert hätten. Und zum anderen dürfte seine Zeit im Dienst des Nepoten etwa im September 1616 abgelaufen gewesen sein, da fortan Bacci mit diesen Aufgaben betraut wurde. Dieser aber war nicht nur wegen der Empfehlungen der Bentivoglio-Brüder eingestellt worden. Er habe einen neuen Sekretär gebraucht, hatte Borghese am 7. September 1616 an Enzo geschrieben, und so scheint es, als sei der gesuchte Herr jener Mitarbeiter des Kardinals gewesen, dessen gerade freigewordenen Stelle im September 1616 an Ottavio Bacci ging[100]. Vermutungen, um wen es sich handeln könnte, lassen sich zwar durchaus mit Hilfe dieser Beobachtungen überprüfen, doch den entscheidenden Hinweis liefern auch sie nicht. Mehr Aufschluß verspricht dagegen das Verfahren, das sich bei der Beschäftigung mit Staats- und Patronagesekretariat als maßgebend erwiesen hat und in einer aktenkundlichen Untersuchung ohnehin selbstverständlich ist: die Suche nach Bearbeitungsvermerken auf den eingelaufenen Schreiben. Mit der Aufforderung Federico Savellis vom Mai 1613, Giuseppe Uffreducci nochmals an den Ferrareser Magistrat zu empfehlen, wurde bereits eines dieser seltenen Exemplare erwähnt, und tatsächlich liefert

---

[99] Daß dieser Verweis von der Hand der Auditoren Borgheses auf der in den Bänden des Staatssekretariats gelandeten und daher wohl dort behandelten Post in der Zeit vor September 1616 nicht selten begegnet, belegen die Beispiele in Kap. II, Anm. 307, 309, 311 und 317.

[100] Der Brief Borgheses an Enzo vom 7. September 1616, in dem er von *il bisogno in che mi trovavo d'haver un' nuovo secretario* und seiner Entscheidung für Bacci berichtete, befindet sich in ABent.Corr. 10/78,101, und ist in Anm. 4 zitiert.

dessen Rückseite des Rätsels Lösung: «*A Monsignore Campori. si scriva per questo di novo.*»[101] Pietro Campori also verfaßte die erneute Aufforderung Borgheses an die Ferraresen, Uffreducci im Amt zu bestätigen, und wohl nicht nur diese. Denn da sein Schreiben im Unterschied zum ersten, weit zurückhaltender formulierten Brief des Nepoten in dieser Sache, der aus dem Staatssekretariat stammte, mit dem Gruß *Affettionatissimo* versehen und in keinem Registerband der Behörde zu finden ist[102], darf man in Campori den gesuchten Sekretär Borgheses vermuten. Ein enges Verhältnis zum Kardinal pflegte er zweifellos, war der dank jahrelanger Tätigkeit im Dienst eines Nuntius überaus erfahrene Modenese nach dem Tod seines bisherigen Herrn doch schon im Oktober 1607 zum Sekretär und bald darauf auch noch zu dessen Maggiordomo ernannt worden[103]. Überdies erhielt Campori im September 1616 mit dem roten Hut den Lohn für seine Mühen[104],

---

[101] SS Part 7,259v. Der Verweis an Campori stammt von Cennini, der zitierte Auftrag von Borghese persönlich.

[102] Vgl. Anm. 92.

[103] Laut der kurzen biographischen Skizze von Rotraut Becker, Campori (Campora), Pietro, in: DBI 17 (1974); S.602–604, ist Campori nach langjährigem Dienst als Sekretär des Bischofs von Cremona, dem 1586 bis 1589 in Spanien und 1592 bis 1598 am Kaiserhof akkreditierten Nuntius Cesare Speciano, nach dessen Tod im Jahre 1607 nach Rom zurückgekehrt, um bald darauf zunächst «*segretario personale*», dann Maggiordomo Borgheses zu werden. Campori, der allgemein als die wichtigste Person im Umfeld des Nepoten gegolten habe, sei über die Angelegenheiten der Casa Borghese nicht nur informiert, sondern zum großen Teil für sie verantwortlich gewesen, vgl. ebd., S.602. Ein Schreiben des Nepoten vom 14.September 1607 an Campori belegt, daß, wann und wie dieser den Kontakt zu Borghese gesucht hatte: «*Nessuno hà forse sentita più di me la morte di Monsignore di Cremona che sia in paradiso non solo perche restano inutili tutti gl'offitij che io haveva fatti per la sua persona l'effetto de i quali era cosi propinquo, mà perche resto privo io medesimo del benefitio de i suoi consigli et della consolatione che io era per ricevere dalla sua presenza onde è giustificatissimo il dispiacere che ne riceviamo tutti. In V.S. io esercitirò sempre volentieri l'affettione che io portava al medesimo Monsignore al quale sò ch'ella era carissima, et più volentieri per il proprio merito di lei stessa et per l'obligo ch'ella me n'impone con l'amorevoli dimostrationi della sua voluntà la quale ho riconosciuta spetialmente nella relatione inviata da lei al Signore Ambasciatore Cesareo della Prepositura di San Pietro all'Olmo con intentione che dovesse servire per me come effettivamente è successo havendomene Nostro Signore fatta gratia, ma perche hò per bene di rimettermi à quello che le significheranno in questa parte il Signore Cardinale Lante et il medesimo Signore Ambasciatore resto et me le raccomando*» (FB I 929,614v–615v). Mit seinen Hinweisen in Sachen Kommende hat Campori wohl ins Schwarze getroffen, denn am 3.Oktober 1607 meldeten die Avvisi: «*Il Signore Pietro Campori, che era secretario del vescovo di Cremona hora si trova qua, Persona molto prattica essendo stato col suo Padrone in quasi tutte le nuntiature, et si va dicendo, che il Cardinale Borghese lo pigli per suo segretario*» (Urb.lat. 1075 II, 624). Daß genau dies geschah, belegt das Zitat in Anm.128. Zur Ernennung Camporis zum Maggiordomo Borgheses und deren Datierung vgl. Kap.IV.3.a.

[104] Zur Kardinalspromotion Camporis vom 19.September 1616 vgl. HC IV, S.13. Daß sich Borghese schon geraume Zeit vor diesem Termin nach einem neuen Sekretär umsah, deutet auf seine frühzeitige Kenntnis der Promotionsabsichten seines Onkels hin, bei dem er sich für seinen Vertrauten verwandt haben dürfte.

und da er als Kardinal für seine vorherigen Aufgaben nicht mehr in Frage kam, wäre auch geklärt, warum Borghese in diesen Tagen einen neuen Mitarbeiter verpflichtete. Zwar mag es überraschen, ausgerechnet dem Maggiordomo, der sich von Amts wegen um die Verwaltung der borghesischen Güter und nicht um die Post des Nepoten zu kümmern hatte, in der Rolle des Privatsekretärs zu begegnen[105]. Doch scheint dies keineswegs unüblich gewesen zu sein, denn als Aldobrandini die Leitung des Staatssekretariats bereits abgegeben, den Titel des Ferrareser Legaten aber noch innehatte, war es die Aufgabe seines Maggiordomo Benini gewesen, die Schreiben aus der Legation zu bearbeiten[106]. Daß Borghese diesem Beispiel folgte, legt eine Denkschrift über das Amt des Nepoten aus dem Jahr 1623 nahe. Der Kardinal solle einen Sekretär für seine privaten Schreiben einstellen, riet der anonyme Autor, doch nur, wenn er anders als die Papstneffen der jüngsten Zeit seine Post nicht dem Maggiordomo überlassen wolle[107]. Vor allem aber sprechen die wenigen erhaltenen Quellen, die eindeutig dem Privatsekretariat Borgheses zugeordnet werden können, eine deutliche Sprache. So ließ Borghese im Januar 1610 den Registern des Staatssekretariats zufolge zwar die Glückwünsche des Ferrareser Bischofs und des dortigen Legaten zur Verleihung der Abtei San Bartolo von der politischen Behörde beantworten, aber um die Gratulation des Ferrareser Magistrats, dem er in einem nicht registrierten *Affettionatissimo*-Brief dankte, muß sich sein Privatsekretär gekümmert haben. Tatsächlich finden sich allein die *complimenti* Spinolas und des Bischofs in den Einlaufbänden des Staatssekretariats, während der Brief der Stadt laut Dorsalvermerk an Campori verwiesen wurde und in einem für die Behörde untypischen Band gelandet ist[108]. Keineswegs untypisch für die Post des Nepoten ist indes die Handschrift, die diesen Brief ziert. Kein anderer als Tonti hat das Schreiben an Campori verwiesen, und so ist anzunehmen,

---

[105] Es sei darauf hingewiesen, daß Campori seit 1607 als Privatsekretär des Nepoten, aber erst seit Dezember 1610 auch als dessen Maggiordomo fungierte (vgl. Kap. IV.3.a) und die hier beschriebene Doppelrolle somit nicht von Anfang an innehatte.

[106] Vgl. Kap. II.1.b, v.a. Anm. 83.

[107] In der von Kraus, Amt und Stellung, edierten Schrift (hier: S. 242) heißt es «*Del Secretario di lettere private. Se il Cardinale non vorrà (come hanno costumato alcuni Nipoti di Papi di più fresca memoria, forsi per scarsezza d'huomini) che il Maggiordomo, ò il sopradetto Secretario d'Ambasciate habbia cura anche delle sue lettere private, sarà bene, che habbia un Secretario particolare per dette lettere*». Ob und warum die vom Privatsekretär bearbeiteten Schreiben tatsächlich als «privat» einzustufen sind, wird noch zu erörtern sein.

[108] Die Gratulationen des Bischofs Fontana und Spinolas vom 12. Januar 1608 sind in FB III 43 AB,138 bzw. FB II 39,14 gelandet, die Danksagungen Borgheses vom 23. Januar 1608 (an Fontana) bzw. vom 19. Januar 1608 (an Spinola) wurden registriert in FB II 434,45r/v bzw. SS Bo 185,7v. Das Schreiben Ferraras findet sich dagegen in FB IV 226,7 (dors.12v der Verweis Tontis an Campori), die Antwort Borgheses vom 2. Februar 1608 ist nicht registriert, im Original aber erhalten in CC 156,199.

daß auch der Privatsekretär die ihm zugedachte Post von Borgheses Auditoren erhielt. Überprüfen läßt sich dies mit Hilfe einiger Bündel Schreiben, die – kennt man den Namen, sind sie nicht mehr zu übersehen – an Campori überstellt wurden[109]. So spärlich die Quellenlage ist, so eindeutig fällt der Befund aus. Es war in der Tat die Aufgabe der Auditoren, die für Camporis Sekretariat bestimmte Post mit der entsprechenden Notiz zu versehen und zuweilen hinzuzufügen, welche Antwort der Nepot wünschte. Camporis Einlaufvermerk unterscheidet sich zwar deutlich von dem seiner Kollegen im Staatssekretariat, wodurch auch nicht namentlich an ihn verwiesene Schreiben seinem Büro zugerechnet werden können[110]. Aber insgesamt erinnern die Bearbeitungsspuren auf der Rückseite dieser Briefe an das aus der Korrespondenz der politischen Behörde bekannte Bild: Bis zu seiner Promotion im November 1608 brachte Tonti die Dorsalvermerke für den Privatsekretär an, danach oblag dies Rivarola, der sich vom damaligen Sekretär der Memoriali Franceschini helfen, vertreten und schließlich ablösen ließ, und als Franceschini nach dem Besuch seines Bistums Amelia erkrankte und starb, übernahm Cennini erst die Vertretung und dann mit dem Auditorenamt die alleinige Zuständigkeit für diese Verweise. Im Blick auf die Amtszeiten der Auditoren, die die Post des Nepoten öffneten, mit diesem besprachen und nach seiner Order weiterleiteten, fördern die Überreste des Privatsekretariats somit keine neuen Er-

---

[109] Der erste erhaltene Brief mit einem Verweis an Campori datiert vom 19. Januar 1608. Es handelt sich um die Gratulation Ferraras zur Verleihung San Bartolos an Borghese in FB IV 226,7, dors.12v. Es folgt ein ebenfalls von Tonti an Campori überstellter Brief vom 30. Januar 1608 in FB III 11 AB,91 f., dors.92v. Ein Bündel an Campori überwiesener Schreiben vom August 1608 findet sich in CB 103, nicht foliiert. Einige wenige Schreiben aus den Jahren 1609, 1610 und 1612 bis 1614, die Campori bearbeitet hat, sind in den äußerst bunten Bänden FB IV 217, FB IV 226 und FB IV 240 B gelandet. Im Privatsekretariat beantwortete Briefe aus der Zeit von September bis Dezember 1610 hat SS Part 9, 354–726 (dazwischen aber immer wieder Schreiben an Kardinal Aldobrandini und an den Principe Borghese von 1620) zu bieten, während in FB III 11 AB, 91–194, von Campori bearbeitete Schreiben vor allem aus dem Jahr 1611 gesammelt wurden. In SS Part 7 verstreut findet sich eine ganze Reihe von an Campori weitergeleiteten Briefen aus dem Mai 1613. Der einzige Band, der ausnahmslos aus von Campori bearbeiteter Post besteht, ist FB II 11. Er deckt die Zeitspanne von 1608 bis 1616 ab.

[110] Im Unterschied zu seinen Kollegen nicht nur aus dem Staatssekretariat drehte Campori das Blatt um 90 Grad nach links anstatt nach rechts. Danach brachte er einen dreireihigen Vermerk an, der weit mehr Platz in Anspruch nahm als die entsprechenden Notizen anderer Sekretäre. In der ersten Reihe vermerkte er Absendeort und -datum, in der zweiten den Namen des Absenders, und in der dritten hielt er unter den Worten *R(icevu)ta* bzw. *Risp(ost)a* die entsprechenden Daten fest. Es sei darauf hingewiesen, daß dieser Einlaufvermerk von verschiedenen Händen angefertigt werden konnte und daher – die namentlichen Verweise an Campori auf den derart behandelten Schreiben beweisen es – nicht nur für diesen persönlich, sondern für das gesamte Privatsekretariat unter seiner Leitung typisch ist. Über Camporis Mitarbeiter in diesem Büro war nichts in Erfahrung zu bringen.

gebnisse zutage[111], und auch der Inhalt dieser Schreiben vermag nicht zu überraschen. Wie erwartet, handelt es sich bei den von Campori beantworteten Briefen um Empfehlungen, Stellengesuche und *complimenti* von Amtsträgern, Fürsten und Privatpersonen und damit um einen Teil der üblichen Patronagekorrespondenz[112].

Allerdings fallen zwei Themen ins Auge, bei denen Camporis Einsatz in besonderem Maße gefragt war: die Belange des Erzbistums Bologna und die Anliegen des Kamaldulenserordens. Von der harmlosen Bitte eines Beichtvaters um Bestätigung im Amt bis hin zum Bericht über einen Bologneser Kleriker, der eine Frau vergewaltigt, geschwängert, zur Abtreibung gedrängt und, da dies gescheitert war, zwar geheiratet, aber umgehend sein nächstes Opfer verführt hatte – Schreiben jeder Art, die aus der Erzdiözese eintrafen, sollte Campori den Vermerken zufolge mit Borghese besprechen[113]. Überdies ließ der Nepot seinen Privatsekretär Gesprä-

---

[111] Einen Verweis Tontis an Campori tragen neben den in Anm. 109 genannten Schreiben fast alle der im Privatsekretariat bearbeiteten Briefe vom August 1608 in CB 103. Der entsprechende Vermerk Rivarolas findet sich auf FB IV 240 B,23v; SS Part 9: 384v, 435v, 439v, 488v, 504v, 506v, 521v, 531v, 533v, 549v, 561v, 571v, 575v, 673v, 678v, 698v, 716v; FB III 11 AB: 104v, 130v, 137v, 156v, 161v, 170v, 180v; FB II 11: 15v, 56v. Einen Verweis an den Privatsekretär von der Hand Franceschinis tragen SS Part 9: 364v, 386v, 396v, 400v, 408v (hier z. B. das von ihm so geliebte *verba generalia* mit der Ergänzung *qui non obligant*), 425v, 432v, 471v (zunächst von Rivarola an Franceschini verwiesen), 685v; FB III 11 AB: 110v, 111v, 120v, 142v, 142v, 163v; FB II 11: 68v, 72v, 102v, 110v, 154v. Cennini notierte den Namen des Privatsekretärs auf FB II 11: 27v, 33v, 35v, 37v, 43v (auf diesem Schreiben vom 30. Juli 1616 findet sich der letzte erhaltene Verweis an den wenig später promovierten Campori), 130v, 132v, 134v, 136v, 160v, 172v, 176v, 178v; SS Part 7: 236v, 259v, 300v, 320v, 336v, 489v, 521v. Aufgrund dieser Vermerke ergeben sich für die einzelnen Auditoren Amtszeiten, die in nichts von den anhand der Bestände des Staatssekretariats ermittelten und in Kap. II, Anm. 307, 309, 312 und 323 genannten Daten abweichen. Eine zusätzliche Information haben die von Campori bearbeiteten Schreiben dennoch zu bieten. So trägt ein mit seinem Einlaufvermerk versehener Brief vom 8. August 1612 den einzigen auffindbaren Verweis an «*Signore Pasquale*» (FB II 11,127, dors.128v), d. h. an den wohl im Juli 1611 zum Segretario d'Ambasciate Borgheses ernannten Pasquale de Magistris (vgl. Kap. II, Anm. 300). Zu diesem ungewöhnlichen Vermerk dürfte es gekommen sein, weil Franceschini schwer erkrankt und Cennini noch nicht offiziell im Amt war.

[112] Daß Campori mit Schreiben von jeder der drei genannten Gruppen befaßt war, belegen die Dorsalvermerke auf den Briefen einiger italienischer *Principi* in FB II 11, 8–45 (1609–1616), der Legaten von Bologna und Ravenna aus dem Jahr 1611 in FB III 11 AB,121–180, nur des Bologneser Legaten Barberini in FB II 11,50–186 (Mai 1608 bis September 1614) sowie der unzähligen *diversi*, von denen die übrigen Schreiben in den als Überreste des Privatsekretariats genannten Bänden stammen.

[113] «*A Monsignore Campori che ne parli con l'Ill.mo Padrone*», notierte Rivarola sowohl auf dem Gesuch des *Confessore* vom 8. Dezember 1610 (SS Part 9,532, dors.533v) als auch auf der Mitteilung des Camillo Gozzadini vom 4. Dezember 1610, eine *Citella* im Dienst seiner Frau «*fu sviata, stuprata et ingravidata da un Prete ... et cosi gravida per coprir il delito hebbe ardire di confessarla et comunicarla ben due volte, et quello ch'è peggio cresciuto il ventre tentò farla sconciare, con bevande et altre, et non piache a Dio ch'havesse effetto, et finalmente poi la maritò*». Allerdings, so

che über dortige Rechtshändel führen, und da Campori sogar eine an den Papst gerichtete Klage über eine weitere Vergewaltigung bearbeiten sollte, scheint er für die Probleme des unruhigen Sprengels zuständig gewesen zu sein[114]. Der Grund hierfür ist schnell gefunden: Vom Oktober 1610 bis zu seiner freiwilligen Demission im April 1612 trug Kardinal Borghese den Titel des Erzbischofs von Bologna[115], und auch wenn ihn wohl eher die Einnahmen aus diesem Amt als die Sorgen seiner Schafe interessierten, mußte der absente Hirte die Briefe aus der Diözese beantworten. Daß er diese Aufgabe in weiten Teilen an Campori delegierte, deckt sich mit dem Befund in Sachen Kamaldulenser. Paul V. habe seinen Neffen zum Protektor des Ordens ernannt, stand in den Avvisi vom Februar 1611 zu lesen, doch die Geschäfte werde Campori führen[116]. Die Gazettenschreiber sollten recht behalten: Fortan wurde die einschlägige Post an den Privatsekretär verwiesen und dieser selbst nicht nur mitunter zu Borghese gebeten, sondern bei Ordensfragen mit unübersehbaren politischen Implikationen sogar zum Papst geschickt[117].

---

der Autor, habe er danach die zweite Dienerin seiner Gattin «*sviato ... et posta a mal fine*» (ebd.,505, dors.506v). Die Meldung einer empörten Bolognesin vom 4. Dezember 1610, ihr Gatte «*viva tuttavia publico concubinario d'una levata da lui dalle Monache Convertite quale vivevano sotto il suo governo*», verwies Borghese eigenhändig an seinen Privatsekretär (ebd.,512, dors.513v).

[114] Daß Campori im Auftrag Borgheses Gespräche führte, belegt das Schreiben des Bologneser Legaten Barberini über eine Causa zwischen seinen *ministri* und dem Vikar der Diözese. Der Brief vom 28. Dezember 1611 beginnt mit den Worten: «*Monsignore Campori ha parlato al Signore Carlo mio fratello di modo che hora sò qual sia la mente di V.S.Ill.ma*» (FB II 11,87r). Das an den Papst gerichtete Memoriale eines Priesters aus Modena, dessen Nichte zwei Jahre zuvor von einem Amtsbruder vergewaltigt, geschwängert und in einem Bologneser Kloster versteckt worden war, ließ der um Hilfe gebetene Pontifex von Pavoni an Borghese verweisen, der es eigenhändig an Campori überstellte (SS Part 9,539, dors.540). Dieser blieb offenbar nicht untätig, denn in einem Schreiben vom 8. Dezember 1610 berichtete der Bologneser Vikar Alessandro Bocchi dem Nepoten von den Ergebnissen seiner Ermittlungen in dieser im Memoriale zutreffend beschriebenen Angelegenheit (ebd.,536r–538r).

[115] Vgl. HC IV, S. 118.

[116] Vgl. Urb.lat. 1079: 119v, 153v. Das Breve, mit dem Borghese zum Protektor des Kamaldulenserordens ernannt wurde, datiert vom 7. Februar 1611 und findet sich in Sec.Brev. 464,145. Für diesen Hinweis danke ich Martin Faber.

[117] Die in FB III 11 AB, 139–180, befindlichen Briefe des Legaten Caetano aus Ravenna von 1611 betreffen fast ausnahmslos Angelegenheiten der Kamaldulenser, deren Ordenskapitel in diesem Jahr in Ravenna stattfand, und wurden den Einlaufvermerken zufolge samt und sonders von Campori bearbeitet. Einige wurden nur an den Privatsekretär verwiesen (142v, 148v, 156v 163v, 170v, 172v, 180v), bei manchen finden sich weitere Angaben aus der Feder der Auditoren. So notierte Rivarola auf Caetanos Schreiben vom 25. Juni 1611 über das bevorstehende Ordenskapitel: «*a Monsignore Campori che ne parli con l'Ill.mo Padrone*» (ebd.,152, dors.153v). Dieser Vermerk findet sich bereits auf Caetanos Brief vom 28. Mai 1611 in der gleichen Sache, allerdings mit dem Zusatz «*quanto prima*» (ebd.,160, dors.161v). Als der Legat am 21. Mai 1611 berichtete, der Doge von Venedig wolle die Abreise des Abtes einer dortigen Abtei des Ordens – sollte es sich um Vangadizza

Den Mönchen war dies nicht entgangen, adressierten sie ihre Anfragen doch zuweilen direkt an Campori, und so dürfte der Sekretär mit den Belangen des Ordens bestens vertraut gewesen sein, als er im Februar 1618 selbst zu dessen Protektor aufstieg[118]. Wenn Campori aber nicht nur für den ihm zugewiesenen Strang der Patronagekorrespondenz zuständig war, sondern auch für die Schreiben, die Borghese in seiner Eigenschaft als Erzbischof und Ordensprotektor erhielt[119], dürfte die zunächst nur zur besseren Unterscheidbarkeit vom Staats- bzw. Patronagesekretariat gewählte Bezeichnung seines Büros auch inhaltlich zutreffen: Camporis Abteilung war das Privatsekretariat des Papstneffen, weil dort auch jener Teil der Korrespondenz bearbeitet wurde, die Borghese kraft seiner nicht unmittelbar mit der Nepotenrolle verbundenen Posten und damit wie ein Kardinal unter vielen führte.

Wer die Nachfolge Camporis antrat, als dieser im September 1616 den roten Hut erhielt und aus dem Stab des Nepoten ausschied, ist bekannt: Ottavio Bacci kümmerte sich fortan um die erstmals in einer einzigen Abteilung zusammengefaßte Patronagekorrespondenz des Klientelchefs, und da er gleichzeitig mit dessen Post als Protektor sowie mit den Schreiben über die Ehepläne der Borghese und andere familienpolitische Angelegenheiten befaßt war[120], sollte man

---

handeln? – zum Treffen in Ravenna nutzen, um Don Fulgentio zum neuen Abt zu erheben, schickte Borghese seinen Privatsekretär mit dem Verweis «*Campori con Nostro Signore*» zu Paul V. (ebd.,159, dors.161v). Das Schreiben eines Kamaldulenser-Abtes vom 10. Mai 1613 versah Campori nicht nur mit seinem Einlaufvermerk, sondern auch mit einer Antwortanweisung (SS Part 7,311, dors.312v). Diese Antwortanweisung von der Hand Camporis ist als Schriftprobe 11 am Ende dieser Arbeit abgebildet.

[118] Direkt an «*Monsignore Commendatore di Santo Spirito*», d.h. an den seit Februar 1609 mit diesem Amt versehenen Campori (vgl. Urb.lat. 1077,57), wurde ein Schreiben vom 6. Mai 1613 adressiert, in dem es um die Vergabe einiger dem Orden zustehender Investituren ging, «*riserbando la volunta et beneplacito dell'Ill.ma Signore Cardinale Padrone o di chi haverà cura di concederle*» (SS Part 7,262). Zum Protektor des Kamaldulenserordens wurde Campori mit einem Breve vom 18. Februar 1618 ernannt: Sec.Brev. 545,11.

[119] Es sei allerdings darauf hingewiesen, daß die Angelegenheiten der dem Nepoten als Protektor unterstellten Orden auch in den Bänden des Staatssekretariats zur Sprache kommen. Möglicherweise kann Martin Faber, der Borgheses Protektorate nicht nur, aber auch über die Orden bearbeitet, die Trennlinien und Gründe für diese Teilung der Korrespondenz ermitteln.

[120] Daß Bacci für die Schreiben Borgheses in seiner Eigenschaft als Ordensprotektor zuständig war, belegen etwa die von ihm verfaßten Antworten auf zahlreiche Gratulationsschreiben «*in occasione del carico impostomi da Nostro Signore di Protettor di cotest'ordine Olivetano*» von Anfang März 1618 (zitiert aus Borgheses Brief an den Abt des Ferrareser Olivetaner-Konvents San Giorgio, 3. März 1618, FB II 432,226v, vgl. auch ebd.,225r–228v). Allerdings scheint es, als sei für die Post in den Angelegenheiten des Heiligen Hauses von Loreto, dessen Protektor Borghese im März 1620 wurde, zusätzlich zur Aufbewahrung der Minuten in Baccis Bänden ein eigenes Register geführt worden. Wenigstens findet sich neben zwei Minuten in Sachen Loreto in Baccis Bänden der Vermerk «*questa và nel suo registro separato*» (FB II 417,613r, 31. Juli 1620) bzw. «*questa è nel suo Registro*

ihn wohl mit dem etwas umständlichen Titel eines Privat- und Patronagesekretärs versehen. Mehr als terminologische Probleme wirft indes eine weitere Frage auf, die es im Zusammenhang mit Borgheses Privatsekretariat zu klären gilt. Wer war Camporis Vorgänger in dieser Position, wem überließ Borghese in den ersten Jahren des Pontifikats die Korrespondenz, die im Oktober 1607 an den neuen Mitarbeiter überging? Daß es schon vor diesem Zeitpunkt einen Privatsekretär im Dienst des Nepoten gegeben haben muß, belegen sowohl die nicht registrierten *Affettionatissimo*-Schreiben in der Ferrareser Empfängerüberlieferung als auch die Hinweise der Avvisi auf des Papstneffen «*secretario delle cose sue proprie*»[121]. Nach der Korrespondenz aus dem Zuständigkeitsbereich dieses Sekretärs, die seinen Namen zu erkennen geben könnte, sucht man indes vergebens, und so müssen in diesem Fall Dokumente anderer Art herangezogen werden. Eine dieser Quellen ist das Journal Vincenzo Bilottas, in dem sich der Chiffrensekretär als enger und vor allem einflußreicher Mitarbeiter des Nepoten präsentiert[122]. Gelegentlich unterbrochen von tränenreichen Zweifeln an der Liebe seines Herrn, berichtet Bilotta in diesen Aufzeichnungen von personalpolitischen

---

a parte» (FB II 422,98v, 12. September 1620). Wie mir Martin Faber freundlicherweise mitteilte, existieren mindestens für die Zeit ab Juni 1622 getrennte Register für die Korrespondenz Borgheses mit dem Gouverneur des Gebiets von Loreto, dessen Territorialherr Borghese als Protektor war. Auf die Ehepläne der Borghese und ihre Behandlung in Baccis Bänden wird in Kap. V.2.a zurückzukommen sein. Als Beispiel für eine weitere Angelegenheit der Papstfamilie in Baccis Bänden sei auf die im Namen des Principe di Sulmona ergangene Aufforderung an den spanischen Nuntius vom 28. Mai 1618 hingewiesen, ein Dankesschreiben an den König zu überreichen, der «*si compiaccia di voler, ch'io quest'anno presenti alla Santità di Nostro Signore la Chinea, ch'il giorno di San Pietro suol darsi in nome della Maestà sua*» (FB II 432,611r).

[121] Als Beleg für die nicht registrierten Schreiben Borgheses an die Stadt Ferrara aus dieser Zeit, die ihrem Inhalt nach nicht aus einer Kongregation stammen, aber den Gruß *Affettionatissimo* tragen, mag der Hinweis auf die Fundstellen der entsprechenden Briefe aus dem Jahr 1606 genügen. Sie finden sich in CC 156: 40, 44, 50, 64, 66, 79, 82, 84, 97. Aus dem gleichen Jahr stammen lediglich vier *Come-fratello*-Briefe des Nepoten an den Magistrat (ebd.: 52, 68, 99, 110), für die (und nur für die) eine Registrierung in den Bänden des Staatssekretariats erwartet und auch gefunden werden kann. Sie sind verzeichnet in SS Ppi 155: 54r/v, 179r, 432r/v, 633r. Das Zitat aus den Avvisi stammt aus deren Meldung vom 20. August 1605, wie Kardinal Aldobrandini unter Clemens VIII. habe nun auch Borghese einen solchen Sekretär erhalten, nämlich den ehemaligen Sekretär des Kardinals Deti (Urb.lat. 1073,458v).

[122] Daß Bilotta von Juni 1606 bis Februar 1609 das Amt des Chiffrensekretärs innehatte, wurde bereits in Kap. II, Anm. 28, berichtet und belegt. Da Wolfgang Reinhard das ebd. ebenfalls schon erwähnte tagebuchähnliche Journal Bilottas (Barb.lat. 4810) in einem demnächst erscheinenden Aufsatz vorstellen und mit seiner Hilfe die römische Mikropolitik «dicht beschreiben» wird, verzichte ich im folgenden auf Einzelnachweise für die hier nur kurz angerissenen, bei Reinhard jedoch ausführlich dargelegten Episoden und Mitteilungen aus dem Journal. Nicht verzichten möchte ich auf die Gelegenheit, Herrn Reinhard für die Überlassung des Manuskripts nochmals herzlich und nun auch schriftlich zu danken.

Manövern im Kampf um Stellen und Einkünfte, von den Heiratsplänen der Borghese und ihren Schwierigkeiten, von Neid, Haß und Freundschaft an der Kurie und, selbst das, vom Liebeskummer des nun seinerseits den Tränen nahen Kardinals. Wem er zu welchem Amt verholfen hatte, in wessen Garten welcher Handel eingefädelt wurde, daß Tonti ein Intrigant und Margotti nur mit Hilfe eines gefälschten Stammbaums zum Kardinal geworden war, all dies ist den Notizen des Sekretärs zu entnehmen. Eines haben die Aufzeichnungen des zwischen tiefer Verzweiflung und exaltierter Freude hin- und hergerissenen Autors aber nicht zu bieten: den Beweis, daß Bilotta, wie Wolfgang Reinhard vermutet, ein Privatsekretär Borgheses war. Gewiß, er hat in des Nepoten Auftrag Empfehlungen weitergeleitet, Argumente für und wider die diskutierten Projekte zusammengestellt und den Kardinal, in dessen privatem Stab er als Sekretär der Memoriali bis Juni 1606 Dienst getan hatte[123], so häufig wie regelmäßig aufgesucht. Allerdings steht nicht das persönliche Verhältnis zwischen Borghese und dem Sekretär zur Diskussion, das bis zu Bilottas nicht ganz aufzuklärendem Sturz Anfang 1609 tatsächlich eng gewesen sein dürfte[124], sondern dessen Amt. Viel sagt uns Bilotta nicht über seine Schreibarbeit für Borghese, doch da er zuweilen Briefe erwähnt, die er in des Nepoten Angelegenheiten und Auftrag zu Papier gebracht hatte, könnte man ihn durchaus für dessen Privatsekretär halten[125]. Zweierlei spricht indes gegen diese Annahme. Zum einen gehörten diese Schrei-

---

[123] Zu Bilottas Amtszeit, Funktion und Tätigkeit als Segretario dei Memoriali des Nepoten vgl. Kap. II, Anm. 286.

[124] Bilottas Handschrift ist laut Semmler, Staatssekretariat, S. 95, bis zum 4. Februar 1609 in den Akten der Behörde nachzuweisen, so daß die Avvisi mit ihrer Meldung vom 11. Februar 1609, der Chiffrensekretär habe um seine Entlassung gebeten (Urb.lat. 1077,71v) recht haben könnten. Am 14. März 1609 folgte die Nachricht: «*Il Biliotti Secretario delle Cifre licenciato hora si vuol sforzare a renunciare il suo benefitiato di San Pietro, volendo li Superiori cacciarlo anco di Roma affatto*» (ebd.,122v). Der Autor der Randkommentare in Bilottas Journal vermutet, der Eintrag vom 31. Januar 1610 sei in Benevent und damit nach Bilottas Rückkehr in die Heimat verfaßt worden, vgl. Barb.lat. 4810, S. 112. Wann der Sekretär Rom verlassen hat, bleibt ebenso unklar wie der eigentliche Grund für seinen Sturz. In Frage kommen: lokale Konflikte in Bilottas Heimat Benevent mit Beteiligung seiner Familie, die den nominellen Gouverneur Giovanni Battista Borghese, seinen Vizegouverneur und vor allem den Papst verärgert haben könnten (vgl. ebd., S. 75, 89); eine Intrige, vielleicht von Tonti (vgl. Bilottas Tiraden gegen diesen aus den Tagen seines Sturzes, ebd., S. 110–112); Bilottas von Paul V. wenig geschätzter Umgang mit Literaten (vgl. ebd., S. 93). Bilotta hat sich selbst als Dichter verstanden und versucht, was ihm einen Eintrag bei Alfredo Zazo, Dizionario bio-bibliografico del Sannio, Neapel 1973, S. 308–312, eingebracht hat. Dort (S. 309) wird das Jahr seines Todes mit 1636 angegeben. Die Avvisi meldeten hingegen den Tod des «*Bilotti gia secretario delle Cifre Pontificie*» schon am 26. Oktober 1611 (Urb.lat. 1079,721v).

[125] Für diese Annahme sprechen z. B. die von Bilotta zitierten Aufforderungen Borgheses vom 26. Oktober 1607: «*et in mio nome scrivetegli*» (Barb.lat. 4810, S.6), vom Januar 1608: «*M'ordinò à scriverli* (dem Nuntius in Frankreich, B.E.) *della badia*» (ebd., S.29) und vom Januar 1609: «*mi*

ben wohl in aller Regel zur Korrespondenz in Chiffre und damit von Amts wegen in Bilottas Ressort[126], was im übrigen erklärt, warum er sowohl in den Avvisi als auch in Borgheses Post und selbst in seiner eigenen Darstellung stets und ausschließlich als *secretario delle cifre* firmiert[127]. Und zum anderen war der

---

diede ordine per suoi negotij in Francia» (ebd., S. 88). Als weiteres Argument könnte die Anweisung an den zum neuen Auditor der Nuntiatur in Spanien ernannten Cesare Ventimiglia dienen, *«che nella residenza di Spagna havesse scritto a me del continuo quanto per servitio di Sua Signoria Illustrissima gli era stato imposto»* (ebd., S. 141, Mai 1607). Tatsächlich schickte Ventimiglia nach seiner Ankunft in Spanien Spitzelberichte über den Fiskal der Nuntiatur Benigni, der den Aldobrandini nahestand und daher nicht vertrauenswürdig war, so z.B. das bei Reinhard als Beleg für die Sonderkorrespondenz genannte Schreiben vom 26. Juni 1607 in FB III 59 A,258. Borghese notierte eigenhändig darauf (dors.267v): *«V.S. di novo scriva à Monsignore Carafa che non tenga appresso di se il Benigno»*, doch da die entsprechende Anweisung an den Nuntius Carafa vom 24. Juli 1607 in einem Auslaufregister des Staatssekretariats für die reguläre, nicht chiffrierte Briefkorrespondenz registriert wurde (FB I 928 (=SS Spa 335),137v–138v, hier: 138r/v) und auch der restliche Briefwechsel in dieser Sache im gleichen Band zu finden ist (vgl. ebd., 124r–125r, 140vf., 142v, 144vf.), scheint mit «V.S.» aus der Antwortanweisung Borgheses keineswegs Bilotta gemeint und dieser auch nicht am Rest der Korrespondenz beteiligt gewesen zu sein.

[126] So gibt Bilotta als Grund für seine Gespräche mit Borghese (und für eine seiner wenigen Audienzen bei Paul V.) immer wieder die Bearbeitung chiffrierter Schreiben an, vgl. z.B. Barb.lat. 4810, S. 1: *«Alli 13 di Ottobre 1607 fui chiamato all'alba da Borghese il qual volse che nella cifra»* etwas verändert werde; S. 89: *«Alli 9 di Gennaro 1609 con l'occasione d'una cifra di Fiorenza fui da Nostro Signore»*; S. 90: Ende Januar 1609, Bilotta übergibt Borghese *«la cifra ordinatami»*; S. 104: 29. Januar 1609, *«Mi mandò sù con la cifra»*. Um die Schwierigkeiten bei der Deutung der spärlichen Angaben Bilottas über seine Schreibarbeit für Borghese zu illustrieren, sei folgender Eintrag vom 5. Januar 1608 zitiert (Barb.lat.4810, S. 28 f.): *«Di più mi disse che non havessi disgustato il Nuntio di Francia con scriverli quel ch'era passato circa l'offerta fatta da lui dell'habito di Santo Spirito per il signor Giovanni Battista. Il che mi tornò di morte in vita perche volsi ciò che io gli havea dato il dicifrato del Nuntio di Parigi m'havea parlato con un senso poco gustoso, anzi con tale che m'havea perso in disperatione della fortuna del Nuntio, et più mi confortò poi»*. Kurz darauf Borghese *«mi replicò à guardarmi di scriver al Nuntio cosa, che non gli potesse piacere, et mi disse che nelle lettere publiche si seria tenute il medesimo tenore, et ch'era così l'ordine espresso del Papa, et che à personaggi simili, i quali s'hanno à far grandi, non si deve dar mai disgusto.»* Gestützt auf diese Passage deutet Wolfgang Reinhard, S. 5 des Manuskripts, die Rolle Bilottas folgendermaßen: «Im Normalfall hatte er als Chiffrensekretär offenbar dem Staatssekretär zuzuarbeiten, was er keiner Erwähnung wert fand, in Familien- und privaten Angelegenheiten aber dem Kardinal Borghese, für den er die entsprechenden Stücke aus der Nuntiaturkorrespondenz auswählte, um sie ihm vorzutragen. Umgekehrt verfaßte er die »privaten« Briefe Borgheses an Nuntien, die parallel zu den *lettere publiche* liefen.» M.E. ist hierbei jedoch zu berücksichtigen, daß es auch in diesem Fall um chiffrierte Schreiben ging und diese, nicht etwa die «privaten» Briefe Borgheses, die angesprochene Parallelkorrespondenz zu den *lettere publiche* dargestellt haben dürften. Daher würde ich Reinhards Einschätzung, Bilotta habe Borghese in familienpolitischen und privaten Angelegenheiten zugearbeitet, zwar unterstützen, aber mit der doppelten Einschränkung versehen, daß er dies nicht in der amtlichen Funktion eines Privatsekretärs und nur im Blick auf die Chiffrenkorrespondenz tat.

Posten des Privatsekretärs just in den Tagen, aus denen Bilottas erste Hinweise auf seine Briefe für Borghese stammen, an Pietro Campori vergeben worden[128]. Daß er Campori in der Zeit danach zur Hand ging, ist ebenfalls unwahrscheinlich, hatte Bilotta für den Privatsekretär und seine Tätigkeit doch nur Geringschätzung übrig[129]. Wenn er aber kein Amt im Stab des Nepoten bekleidete, in dessen persönlichen Dienst er sich nach eigenem Bekunden heftig, aber erfolglos

---

[127] Vgl. die Meldung der Avvisi vom 26. Oktober 1611 über den Tod des ehemaligen Sekretärs (Urb.lat.1079,721v) sowie das Empfehlungsschreiben Borgheses vom 20. Juli 1607 für Bilotta, das eine für dessen amtliche wie persönliche Stellung bezeichnende Formulierung liefert: Der Nepot empfehle die Interessen des «*Vincenzo Bilotta Secretario delle Cifre di Nostro Signore ... il quale oltre l'essere Secretario di Sua Beatitudine è amato da me*» (FB I 929,474r). Er selbst benannte das Amt, das er innehatte, in einem Eintrag vom August 1607, in dem er über den angeblichen Haß Borgheses auf ihn und über Gerüchte berichtete, «*che cercava modo di levarmi la cifra*» (Barb.lat. 4810, S.159). Daß sich Bilotta selbst als Privatsekretär Borgheses bezeichnet habe, der zwar nicht der einzige Vertreter dieser Gattung gewesen sei, aber derjenige, den Borghese im Herbst 1607 nach Frascati mitnahm, schließt Reinhard, S.3 des Manuskripts, aus Bilottas Eintrag vom 3. Oktober 1607: «*non havendo il signor Cardinal condotto seco altro secretario privato mi favori di servirsi in questo mestiero dell'opera mia, et così continuò sin all'ultimo giorno*» der Villeggiatura (Barb.lat. 4810, S.1). Nimmt man jedoch Bilottas Bemerkung, er sei «*à Frascati numerato tra i suoi* (d.h. Borgheses, B.E.) *servitori et non tra quelli del Papa*» gewesen (ebd.), sowie seine wenig später notierte Bilanz («*La segretaria del signor Cardinale padrone ... che fù anco in maniera straordinaria m'acquistò reputazione appresso la corte*», ebd., S.2) hinzu, wird der Stolz Bilottas auf diese offenbar unerwartete Ehre deutlich (vgl. auch die folgende Anm.) und Reinhards Interpretation fraglich. Im übrigen dürfte sich die bei Reinhard, ebd., S.4, erwähnte Differenzierung der Sekretäre nach Sprachen auf die Mitarbeiter des Staatssekretariats beziehen (bei dem «*secretario latino*» aus Reinhards Belegstelle Barb.lat. 4810, S.28, handelt es sich eindeutig um Malacrida), nicht auf die Privatsekretäre Borgheses, von denen es m.E. immer nur einen gegeben hat.

[128] So lautet die Fortsetzung der am Ende der letzten Anm. zitierten Bilanz Bilottas: «*Borghese mi disse com'era entrato à servire il Campori*» (Barb.lat. 4810, S.2). Zu dessen Einstellung Anfang Oktober 1607 vgl. auch Anm. 103. Bilottas Aufzeichnungen setzen zwar schon im April 1607 ein, doch den ersten Hinweis auf seine Schreibarbeit für Borghese stellt der erwähnte Bericht über die Villeggiatura dar. Sollte es kein Zufall sein, sondern mit Bilottas Freude über diesen unerwarteten Gunst- und Vertrauensbeweis Borgheses in Frascati zu tun haben, daß diese Episode zwar nicht zeitlich am Anfang, aber auf der ersten Seite seiner nicht strikt chronologisch gebundenen (oder verfaßten?) Aufzeichnungen steht? So gehören Barb.lat. 4810, S.133–163 (16. April 1607 bis 29. September 1607) zeitlich vor ebd., S.1–125 (2. Oktober 1607 bis April 1610).

[129] Bei einem seiner zahlreichen Versuche, seinen Freund Marcello Macedonio, einen Dichter, im Dienst des Nepoten unterzubringen, mußte sich Bilotta laut seinem Eintrag vom 13. November 1607 von Borghese fragen lassen, «*se io veramente lo stimava habile in altro che in lettere di poesia ... et discendendo alla Segretaria gli disse che scriverebbe in Italiano meglio assai di Pietro Cucozza, id est Campora, et il Cardinal si pose à ridere di buonissima voglia repetendo più volte cucozza*» (Barb.lat. 4810, S.9). Im Januar 1609 notierte Bilotta, Campori werde von Tonti gefördert, der «*col'occasione delle sue lettere private cominciò à conoscerlo per huomo da bene, obsequentissimo di mediocrità d'ingegno, et di lettere, et in una parola non supra, nec infra*» (ebd., S.95). Wenig später schrieb er über Campori, dieser sei «*non provato nella fede, non provato nel valore perche*»

zurückwünschte[130], welche Rolle spielte Vincenzo Bilotta dann? Er war ein zeit-weilig eng mit Borghese verbundener und daher vielleicht wirklich einflußreicher Chiffrensekretär, nicht weniger, aber auch nicht mehr[131].

Bilotta ist allerdings nicht nur das aufschlußreiche Selbstporträt eines in Äng-sten und Hoffnungen gefangenen Kurialen zu verdanken, sondern auch der ent-scheidende Hinweis auf den noch immer gesuchten Vorgänger Camporis. Bor-ghese habe ihm mitgeteilt, wie es zur Einstellung Camporis gekommen und warum Corradi das Amt genommen worden sei, notierte Bilotta im Oktober 1607, und da er in einer späteren Eintragung abermals *del Secretario delle lettere dato al Corradi poi cacciato per inhabile* berichtete[132], dürfte es sich bei Borgheses erstem

---

le lettere da lui scritte sono state in materie molto ordinarie, ne quelle sono state mai lette del Cardinal padrone* (ebd., S.106). Vgl. hierzu jedoch die in Anm.136 zitierte Äußerung Tontis über Camporis Amt.

[130] Als sich Bilotta im Januar 1609 vor Paul V. gegen den Vorwurf verteidigen mußte, er habe sich illoyal gegenüber Borghese gezeigt, verwies er auf *l'obligo, ch'io devea al Cardinale del quale nella fortuna privata amato sempre con affetto particolare, era stato favoritissimo nella sua grandezza*, unter anderem mit der Stelle des Sekretärs der Memoriali und der von Borghese erhaltenen *parte sua propria* (ebd., S.92). Auf diese *parte* bezieht sich ein höchst aufschlußreicher Eintrag vom 10.Januar 1608: *La mattina il signor Cardinal di mezo proprio disse al Tonti che havea volontà di rendermi la parte che S.S.II.ma era solita darmi prima del carico della cifra. Tonti rispose che era padrone, ma che si ricordasse il disgusto che ne sentiria il Giovanni Battista Borghese il quale far mi volse, secondo Tonti dicea, un gran male. Et questa fù la ragione potissima con la quale rompette la prattica proponendomi alla segretaria del Malacrida negotio tante volte mosso, et mai non risoluto* (ebd., S.30). Sollte Bilotta 1606 seine Stellung im Dienst Borgheses auf Betreiben des Papstbruders Giovanni Battista verloren haben? Wie sehnlich Bilotta sich zurück in den Stab des Nepoten wünschte, macht nichts deutlicher als seine Notiz über ein Gespräch mit Borghese vom 21.Juni 1607 (ebd., S.147): *Alle 16 hore incirca ando à parlar li per conto mio in proposito della segretaria di Memoriali di surdo cecinit. Il Signor Cardinal volse replicar l'officio, et cecinit surdissimo Laus Deo. L'oppositione unica consistette nella poca persona – Laus Deo, Laus Deo, Laus Deo, Laus Virgini, semel, bis, ter, et amplias.* Wohlgemerkt: Dieser hoffnungsvolle Ausbruch von Freude und Dankbarkeit galt dem bescheidenen Amt des Sekre-tärs der Memoriali, das Bilotta bis Juni 1606 bereits innegehabt hatte! Kein Wunder, daß er die von Borghese für den Fall einer Beförderung Tontis in Aussicht gestellte Betrauung mit dem Auditorenamt für *la mia maggior fortuna, et che altro non potrei desiderar in questa vita* (ebd., S.162) und die Vergabe des Postens an den in seinen Augen weit schlechter geeigneten Rivarola (vgl. ebd., S.79f., 102f.) für *un de' miracoli che suol fare la corte di Roma* (ebd., S.103) hielt.

[131] Gemessen an anderen Inhabern dieses Amtes hielt sich der ohnehin zeitlich und auf Borghese be-schränkte Einfluß Bilottas allerdings in Grenzen. So stellte Antonio Feragalli im Pontifikat Urbans VIII. unter Beweis, daß ein Chiffrensekretär zu einem der mächtigsten Drahtzieher hinter den ku-rialen Kulissen werden konnte, vgl. Kap.V, Anm.48.

[132] Nach der Information über Camporis Einstellung erklärte Borghese der Notiz Bilottas vom 10.Ok-tober 1607 zufolge dem Chiffrensekretär, *perche si levava la carica al Corradi*, was in dem Eintrag auf die in nicht aufzulösender Verschlüsselung genannten klientelären Bindungen Corradis an die falschen Leute zurückgeführt wird (Barb.lat. 4810, S.2). Die zweite, oben zitierte Bemerkung Bilot-tas über Corradi stammt vom Dezember 1608, ebd., S.87.

Privatsekretär um Angelo Corradi aus Amelia gehandelt haben[133]. Den Grund für Corradis Entlassung steuern die Avvisi bei, die ihn zwar nicht beim Namen nannten, aber im Blick auf die Gerüchte über Camporis bevorstehenden Eintritt in Borgheses Dienst meldeten, der Nepot wolle sich von seinem bisherigen Sekretär trennen. Dieser habe sich nicht nur als unfähig erwiesen, sondern schwierigere Briefe gar von einem Außenstehenden, dem Bischof von Borgo San Sepolcro, schreiben lassen[134]. Daß dieser Bischof, es handelte sich um Alessandro Borghi, allseits für seinen gepflegten Stil geschätzt wurde[135], dürfte den Nepoten kaum über Corradis wenig diskreten Umgang mit seiner Post hinweggetröstet haben. Schließlich hielt es kein Geringerer als Tonti, der dies als erfahrener Auditor wissen mußte, für eine alberne Annahme, ein solcher Sekretär sei nur mit *complimenti*, nicht mit ernsthaften Angelegenheiten befaßt und daher von allen Geheimnissen ausgeschlossen[136]. Die Avvisi-Schreiber stießen ins gleiche Horn: Auch ihnen schien die Gefährdung des Dienstgeheimnisses untragbar[137], und so ist Angelo Corradi wohl an seiner eigenen Unzulänglichkeit gescheitert.

Angelo Corradi, Pietro Campori und Ottavio Bacci – dies waren die Privatsekretäre Scipione Borgheses. Der erste wurde entlassen, der zweite Kardinal, und dem dritten blieb das eine erspart und das andere verwehrt. So dürfte ihr persönliches Verhältnis zum Nepoten unterschiedlich gewesen sein, und unterschiedlich

---

[133] Als Kleriker aus Amelia wird Angelo Corradi in einem Breve vom 10. Januar 1608 bezeichnet (Sec.Brev.427,94 f.), mit dem er – als Entschädigung, zum Trost?- eine Pfründe in Salerno erhielt. Einen «*Corradi mio secretario*» hatte Borghese in einem Empfehlungsschreiben vom 3. Februar 1607 in FB I 929,80vf. erwähnt. Bilotta war hingegen bezeichnenderweise stets der *Secretario di Nostro Signore* geblieben, vgl. Anm. 127.

[134] In den Avvisi vom 3. Oktober 1607 hieß es, Borghese werde wohl Campori als neuen Sekretär einstellen, «*privandosi del suo, che non solo dicono non riesca ma che quando haveva da far qualche lettera grave di negotio andava a farsela fare dal vescovo di Borgo S.Sepolchro, il che scoperto gli sia nociuto et veramente il secreto passava per troppe mani et veniva in notitia di Personaggi affetti ad altri Prencipi*» (Urb.lat.1075 II 624r).

[135] Guido Bentivoglio berichtet in seinen *Memorie e lettere*, herausgegeben von C.Punigadia, Bari 1934, S. 75, von einem Abschiedsfest, das Virginio Orsini kurz vor der Abreise des soeben zum Nuntius in Flandern beförderten Guido im Jahr 1607 veranstaltet hatte. Mit dabei war «*monsignor Alessandro Burgi vescovo di Burgo san Sepolcro, uomo pure di stima grande in materia di lettere*». Ebd., S. 88, teilt Guido Bentivoglio mit, er kenne Monsignore Burgi seit dem ersten Besuch des Kardinals Aldobrandini in Ferrara (d. h. seit 1598), zu dessen Sekretären Burgi damals gezählt habe. Sollte dies stimmen und Corradi tatsächlich einen ehemaligen Sekretär Pietro Aldobrandinis um Hilfe bei der Bearbeitung der Post des amtierenden Kardinalnepoten Borghese gebeten haben, wird seine Entlassung mehr als verständlich.

[136] Im Zusammenhang mit Corradis Entlassung berichtet Bilotta: «*et Tonti da se mi disse ch'era sciochezza dir che non sappia segreti perche si dia la carica delli complimenti, poiche tra questi sempre si rischia qualche negotio componente*» (Barb.lat. 4810, S. 2f.).

[137] Vgl. das Zitat in Anm. 134.

ist auch die Quellenlage für ihre Amtszeiten. Von der Post des Privatsekretariats unter Corradis Leitung ist nichts erhalten[138], für Camporis Zeit waren lediglich einige Stapel eingelaufener Schreiben zu finden, und Bacci weiß mit einer nahezu vollständigen Ein- wie Auslaufüberlieferung zu beglücken. An einem hat sich während des gesamten Pontifikats hingegen erstaunlich wenig verändert: an den Wegen, die die Post an Borghese durch die römischen Institutionen nehmen konnte. Was die Kongregationen anging, wurde diesen übergeben, was politische Probleme betraf, überstellten der Kardinal oder sein Auditor an das Staatssekretariat. Patronagerelevante Themen dagegen konnten von Borghese und seinem Stab entweder an den amtierenden Staatssekretär oder an das mit der Post des Nepoten in Protektorats- wie Familienangelegenheiten befaßte Privatsekretariat verwiesen werden. Dies änderte sich erst, als Campori im September 1616 den roten Hut und Bacci seine Stelle erhielt, denn nun wurde die Patronagekorrespondenz erstmals nicht mehr aufgeteilt, sondern komplett an das neue Büro unter Baccis Leitung überstellt. Der Privat- und Patronagesekretär Bacci hatte daher weit mehr einschlägige Post zu bearbeiten als vor ihm der Privatsekretär, doch über mangelnde Beschäftigung dürfte sich auch Campori nicht beklagt haben. Schließlich war er zugleich der Maggiordomo Borgheses und als solcher für die Verwaltung der Güter im Besitz des Nepoten zuständig. Was mit der Korrespondenz geschah, die sich mit den Ländereien und Abteien des Papstneffen befaßte, wird nun zu zeigen sein.

3. Die Güterverwaltung der Borghese

Wenn es eine Funktion gibt, die den Kardinalnepoten am Beginn des 17. Jahrhunderts unzweifelhaft zukam, war es die Bereicherung der eigenen Familie. Den für die Bilanzen des Kardinals zuständigen Mitarbeitern aus seinem Stab dürfte daher eine besondere Bedeutung zugekommen sein, doch bisher sind sie kaum in Erscheinung getreten. So wird es Zeit, die Güterverwaltung Scipione Borgheses in den Blick zu nehmen. Wohlgemerkt: die Güterverwaltung des Nepoten wird zu behandeln sein, und dies bedeutet zweierlei. Zum einen kann die Phase vor dem Sommer 1607 vernachlässigt werden, denn wie der junge Kardinal in den ersten beiden

---

[138] Warum, konnte ich nicht klären. Vielleicht findet sie sich ja noch. Die einzigen Hinweise auf Corradi in der von mir bearbeiteten Nepotenkorrespondenz sind an ihn gerichtete Verweise, vgl. z.B. den allerdings durchgestrichenen Vermerk vom April 1606 auf FB I 647,230v, zit. in Kap. II, Anm. 201, sowie die beiden eigenhändigen Verweise Borgheses «Al Corrado» auf Patronagebriefen vom September und Oktober 1605 in FB II 431: 29v, 97v.

Pontifikatsjahren in die gemeinsame Hofhaltung der Papstbrüder Giovanni Battista und Francesco integriert war, unterstanden auch seine Geschäfte faktisch deren Leitung, und so ist eine eigenständige Wirtschaftsführung Scipiones erst für die Zeit nach seiner schrittweisen Loslösung von den Papstbrüdern zu erwarten[139]. Zum anderen wird es nicht um die Finanzexperten Giovanni Battistas und seines Sohnes Marcantonio gehen, die keineswegs zum Stab des Nepoten gehörten und unabhängig von diesem die vergleichsweise bescheidenen Einnahmen dieser beiden Mitglieder der Papstfamilie verwalteten[140]. Allerdings steuerte Kardinal Scipione den Löwenanteil zu dem Vermögen bei, das die Borghese mit Hilfe ihres Verwandten auf dem Stuhl Petri zusammentrugen, und da überdies das für die Finanzstrategie der gesamten Casa zuständige Gremium vorzustellen sein wird, darf man die folgenden Überlegungen wohl trotz der genannten Einschränkungen als Blick auf die Güterverwaltung der Borghese bezeichnen. Sie gliedern sich in zwei Abschnitte: Zunächst wird anhand nicht nur, aber auch der Ferrareser Post zu ermitteln sein, wer in der Finanzabteilung Scipione Borgheses Dienst tat und wie sich diese Helfer Verantwortung und Arbeit teilten. Anschließend sei der mit Camporis Doppelfunktion als Maggiordomo und Privatsekretär bereits aufgeworfenen Frage nachgegangen, ob und wie die Vermögensverwalter des Nepoten mit dessen Privat- bzw. Patronagesekretariat kooperierten.

a. Schreiber und Finanzstrategen:
Die Mitarbeiter der borghesischen Güterverwaltung

Als die Ferraresen am 19. Januar 1608 das Gratulationsschreiben zur Verleihung der Kommendatarabtei San Bartolo an den Kardinalnepoten zu Papier brachten, war ihr Vizelegat Massimi bereits aufs Pferd gestiegen, um im Namen Borgheses von der Abtei Besitz zu ergreifen[141]. Damit aber war seine Aufgabe noch lange nicht erledigt, denn der neue Kommendatarabt hatte dem Vizelegaten neben dem für den *possesso* nötigen Breve auch die Prokura für die Güter des Klosters geschickt und ihn somit zu deren vorläufigem Verwalter bestimmt[142]. Der derzeitige

---

[139] Zu den Regelungen der Anfangsjahre und der langsamen Verselbständigung Scipiones vgl. Reinhard, Ämterlaufbahn, S. 395–399.

[140] Auf Antonio Drago, den Maggiordomo Giovanni Battistas und Marcantonios, wird in Anm. 189 kurz einzugehen sein.

[141] «*Hora appunto stò per montare à Cavallo per andare à pigliare il possesso dell'Abadia di San Bartolo come V.S.Ill.ma mi commanda*», hatte Massimi am 12. Januar 1608 an Borghese geschrieben (FB III 43 AB,133r).

[142] In seinem Brief vom 12. Januar 1608 fuhr Massimi fort: «*per quest'altro ordinario manderò il detto possesso, e rimanderò il Breve … et manderò a V.S.Ill.ma piena informatione d'ogni cosa … Ringratio V.S.Ill.ma del favore, che fà a commandarmi*» (FB III 43 AB,133r). Besagtes Breve, die

Pächter der Ländereien sei ungeeignet, die Reparatur der Gebäude dringend notwendig und eine Steigerung des Ertrags leicht zu erzielen, erfuhr Borghese in den folgenden Wochen aus den Schreiben des eifrigen Massimi, dessen Berichte einen großen Teil der in äußerst geringem Maße erhaltenen Korrespondenz der borghesischen Finanzabteilung in Sachen San Bartolo ausmachen[143]. Adressiert waren die Meldungen des Vizelegaten zunächst an den Nepoten persönlich, doch da sich dessen Interesse an den Details seiner Besitz- und Vermögensverwaltung in Grenzen hielt, dürfte er die Bearbeitung dieser Post einem Mitglied des zuständigen Stabes überlassen haben[144]. So wäre ein Verweis der Schreiben Massimis an Campori zu erwarten gewesen, hätte der Privatsekretär schon 1608 das Amt des Maggiordomo[145] bekleidet. Dies aber war wohl nicht der Fall. Denn zum einen verkündeten die zwar nicht immer, aber doch häufig zuverlässigen Avvisi erst im November 1610 Camporis bevorstehende Betrauung mit dem zusätzlichen Posten, und zum anderen verwies der Auditor Rivarola, der monatelang nur *«Monsignore Campori»* vermerkt hatte, die für diesen bestimmten Schreiben seit Anfang Dezember 1610 derart ausdrücklich an *«Monsignore Maggiordomo»*, daß man dies kaum anders denn als Hinweis auf die soeben erfolgte Berufung deuten kann[146].

Facultas capiendi possessionem, datiert vom 5. Januar 1608 (Sec.Brev.595,13 f.). Den Pachtvertrag vom 1. September 1609, der in Sec.Brev. 461 zwischen fol.11 und 12 eingelegt und mit einer eigenen Foliierung versehen ist, schloß für Borghese *«Monsignore Innocentio Massimi Vicelegato di Ferrara suo procuratore»* (ebd.,1v) ab. Daß bei der Verwaltung von Borgheses Abteien nicht nur Massimi in Anspruch genommen wurde, sondern zahlreiche römische Amtsträger von Gouverneuren bis zu Nuntien, berichtet Reinhard, Papstfinanz und Nepotismus, Bd. 1, S. 96 f.

[143] Die Fundstellen der Schreiben Massimis nennen zugleich die Bände, in denen die Korrespondenz zu San Bartolo für 1608 und 1609 zu finden ist: SS Part 5: 20, 26–29, 35, 152, 210; SS Part 6: 12, 63, 174, 225–227, 277f., 283, 300, 410f., 548, 573; SS Vesc 1: 160, 279f.

[144] Bis zum Januar 1609 finden sich nur Schreiben Massimis an Borghese. Laut Reinhardt, Scipione Borghese, S. 139, ist «ein Eingreifen des Kardinals in die Einzelheiten der in seinem Namen vorgenommenen Operationen … wenig wahrscheinlich». Allerdings sei Borghese «bei allen wirklich relevanten Entscheidungen» wohl konsultiert worden.

[145] Der Maggiordomo oder Haushofmeister war von Amts wegen mir der Vermögensverwaltung seines Herrn betraut. Er genoß laut Völkel, S. 404, «eine Vertrauensstellung im Haus» und galt «eher als »compagno del padrone« denn als »servitore«». Der Maggiordomo im Dienst Borgheses hatte zweifellos Mitarbeiter, von denen jedoch allein der *Computista* (Buchhalter) in den Quellen begegnet (vgl. Anm. 161 und 164). Bis 1616 hieß der Inhaber dieses Amtes Orazio Tromboni, vgl. Anm. 190.

[146] Bezeichnend an der Meldung der Avvisi vom 3. November 1610 ist, daß Camporis Berufung im Zusammenhang mit der bevorstehenden Abreise Diomede Riccis nach Bologna angekündigt wird (vgl. Urb.lat 1078,740v), was für die noch vorzutragende Annahme spricht, der erste sei die Folge des zweiten Umstands gewesen. Der zitierte Vermerk Rivarolas vom Dezember 1610 findet sich auf drei in SS Part 9 gelandeten Schreiben aus diesem Monat, die sich ausnahmslos auf Abteien des Nepoten beziehen: 487/488v; 503/504v; 672/673. Der erste dieser Briefe (487) datiert vom 1. Dezember 1610. Es fällt ins Auge, daß sich auch die beiden Experten in Sachen Papst- und Nepoten-

Ob Camporis Name aus diesem Grund auf Massimis Informationen über San Bartolo nicht zu finden ist, sei dahingestellt. Fest steht indes, daß die Ferrareser Abtei wie einige andere Kommenden des Kardinals von Diomede Ricci betreut wurde. Obschon als Maestro di Casa für den Haushalt des Nepoten zuständig, bearbeitete Ricci die an den Kardinal gerichteten Schreiben des Vizelegaten und begann bald, unter eigenem Namen mit diesem zu korrespondieren[147]. Als die Erben des verstorbenen Kommendatarabtes gegen Abweichungen von der mit Ricci ausgehandelten Vereinbarung über die Verteilung der Kosten für notwendige Reparaturarbeiten protestierten und zu diesem Zweck ein Memoriale in Rom einreichten, war zwar das Staatssekretariat und Borghese als Chef der Behörde, nicht etwa sein Maestro di Casa gefragt[148]. Doch wenn die schlechte Überlieferungssituation den Blick nicht trübt, fand Massimi kaum ein Jahr nach dem *possesso* die Unterschrift des Nepoten nur noch unter jenen Schreiben, in denen er mit Nachdruck zur schnellstmöglichen Überweisung der fälligen Beträge aufgefordert wurde[149]. Um Sachfragen jeder Art kümmerte sich dagegen Ricci. Aus dessen Feder stammte denn auch der Entwurf des Pachtvertrags sowie die Anweisung an den von seinem Verwalterposten befreiten Vizelegaten, als letzte Amtshandlung einen

---

finanz unter Paul V. nicht auf ein Ernennungsdatum festlegen wollen. So schreibt Volker Reinhardt, Scipione Borghese, S.139, Anm.43, lediglich, Campori habe «bis 1616» das Amt des Nepoten innegehabt, während Wolfgang Reinhard, Papstfinanz und Nepotismus, Bd.1, S.125, Campori im Zusammenhang mit einem Güterkauf vom 15. Dezember 1610, bei dem der Sekretär als Strohmann Borgheses auftrat, zwar als Maggiordomo nennt, aber keine Angaben zu seinen Amtszeiten macht. Es finden sich zwar keine Belege gegen diese späte Datierung der Berufung Camporis zum Maggiordomo, doch wenn meine Vermutung zutreffen sollte, steht die Frage im Raum, wer vor ihm das Amt innehatte. Oder sollte Campori der erste Maggiordomo Borgheses gewesen und dieser Posten folglich erst im Dezember 1610 besetzt worden sein?

[147] Maestro di Casa und somit für den Haushalt des Kardinals zuständig war Diomede Ricci bis 1610 (ab wann, bleibt auch hier unklar) laut Volker Reinhardt, Scipione Borghese, S.15, Anm.13, der Riccis Beteiligung an der Güterverwaltung allerdings gering zu veranschlagen scheint (vgl. ebd., Anm.15). Nach Wolfgang Reinhard, Papstfinanz und Nepotismus, Bd.1, S.96, Anm.162, war Ricci dagegen «besonders wichtig». Während den ersten Schreiben Massimis an Borghese die Rückseite fehlt und somit kein Vermerk zu sehen ist, wurde sein Brief vom 22. Oktober 1608 *«Al Signore Diomede»* (SS Part 5,211, dors.213v) verwiesen. Der erste erhaltene Brief des Vizelegaten an Ricci datiert vom 14. März 1609 (SS Vesc 1,160).

[148] Registriert wurden Borgheses Briefe an Massimi vom 14. Juni 1608 und vom 1. Oktober 1608 in FB II 434: 430r/v und 696r–697r. In beiden bezog er sich auf ein Memoriale (430r) bzw. auf eine *Instanza* der «heredi di Monsignore Dandino» (696r) und forderte Massimi auf, den Streit mit dem Agenten der Erben um *«quelche si era stabilito quì col mio Maestro di Casa»* (430r/v) beizulegen, ohne die Details zu erwähnen.

[149] Für die Zeit nach Januar 1609 finden sich lediglich zwei Schreiben Massimis an Borghese. Am 20. Mai 1609 antwortete er auf dessen *«lettera ... nella quale mi commandava, che dovessi rimettere a Roma la maggior parte delli Danari»* (SS Part 6,277r). Einen Tag später beteuerte er dem Nepoten, *«che li suoi interessi mi sono più a core, che cosa di questo mondo»* (ebd.,300r).

solventen Pächter für die Abtei zu gewinnen[150]. Unterstützt wurde er hierbei von Alessandro Nappi, der als *Appaltatore generale* und Depositar der Legation seit längerem die finanziellen Interessen der Apostolischen Kammer in Ferrara vertrat und von Borghese zum Depositar für die Pachterträge aus San Bartolo ernannt worden war[151]. Nappi sollte die Verhandlungen führen, Massimi als Prokurator den Vertrag abschließen, doch viel Freiheit ließ ihnen Ricci nicht. Immer wieder mußten sich die beiden gegen den Vorwurf verteidigen, sie vernachlässigten die Interessen des Padrone, denn da jeder, wie der Vizelegat mit klagendem Unterton bemerkte, die Worte des Maestro di Casa in diesen Angelegenheiten für bare Münze nahm, konnte ein solcher Ruf fatale Folgen haben[152]. Erst als der Vertrag Anfang September 1609 zustande gekommen und mit Riccis Vermittlung von Borghese ratifiziert worden war, hatten die Mühen Nappis und Massimis und des letzteren Schriftwechsel mit dem Maestro di Casa ein Ende[153].

Daß Nappi als Depositar Borgheses ebenso wie der neue Pächter früher oder später mit Ricci korrespondieren mußten, läßt sich zwar nicht belegen, liegt aber

---

[150] Bereits am 8. April 1609 berichtete Massimi an Ricci, er prüfe die ersten Angebote für die Verpachtung; *«sentirò poi l'altre offerte et ne avviserò V.S.»* (SS Part 6,174r). In einem Schreiben vom 22. Juli 1609 an Ricci ist die Rede von *«li capitoli che ha formati con li quali le parebbe si dovesse fare l'affitto»* (Alessandro Nappi an Ricci, SS Vesc 1,337r).

[151] In einem Schriftstück zu San Bartolo wird *«il Signore Alessandro Nappi Depositario come appare del mandato di Procura»* erwähnt. Borghese *«commandò con sue lettere reiterate, che tutti i danari ... spettanti a S.S.Ill.ma si depositassero in detto banco»* (AB 4100, nicht fol.: *Risposta alle annotationi sopra i conti de capsoldi mandati dall'Ubaldino*). Da der Pachtvertrag vom 1. September 1609 (vgl. Anm. 153) dem Pächter von San Bartolo vorschrieb, daß er die *«pagamenti doverà fare nel banco del Signore Giovanni Rotoli»*, scheint Nappi im Blick auf die Abtei eine Art Filialleiter von Borgheses römischem Hausbankier Rotoli in Ferrara dargestellt zu haben, wie dies Reinhard, Papstfinanz und Nepotismus, Bd. 1, S. 96, für die Finanzen des Nepoten in Neapel beschrieben hat.

[152] Von Nappi sind zu San Bartolo ausschließlich Schreiben an Ricci erhalten (SS Vesc 1: 337f., 370–372; SS Part 6: 416f, 486, 500r, 518, 549, 580). Nappi wurde von Ricci derart gedrängt, die vom Maestro di Casa gewünschte Pachthöhe von 6000 römischen Scudi in den Vetragsverhandlungen durchzusetzen, daß er die Differenz zwischen der unrealistischen Forderung Riccis und dem tatsächlich erzielten Betrag – immerhin gut 200 Scudi – aus eigener Tasche beizusteuern anbot (SS Part 6: 461v, 500r, 549r). Massimi, der in fast jedem Schreiben seinen Eifer beteuerte, hatte am 21. Mai 1609 Ricci direkt auf dessen Klagen angesprochen: *«Sono stato avvisato da piu amici miei di Roma, che V.S. faceva doglianza di me di queste cose dell'Abbadia, et particolarmente de Danari, io non lo credo ne l'ho creduto. Tuttavia sapendo che ognuno crederà à V.S. in questa materia, lo prego à voler disingannare chi havesse opinion nessuna contraria à quella, che comporta la mia Divotione con l'Ill.mo Padrone»* (SS Part 6,283r).

[153] Der Pachtvertrag vom 1. September 1609 liegt der *Confirmatio locationis bonorum* für die Güter der Abtei vom 8. November 1610 in Sec.Brev. 461, zwischen 11 und 12, bei. Abgeschlossen war die Angelegenheit erst, als Nappi am 30. September 1609 an Ricci meldete, das von diesem nach Ferrara geschickte *«instrumento autentico della ratificatione fatta dall'Ill.mo Padrone per l'affitto dell'Abadia»* (SS Part 6,580r) sei angekommen.

nahe, denn da sich der Vikar von San Bartolo mit seinen Anfragen und Problemen bei der Verwaltung der Abtei weiterhin an den Maestro di Casa wandte, scheint sich an dessen Zuständigkeit nichts geändert zu haben[154]. Zu finden sind die Schreiben des Vikars sowie die Briefe Nappis und Massimis in drei Bänden, die mit bezeichnenden Titeln versehen wurden: «*Lettere Originali scritte da diverse Persone per l'Abbatie & interessi domestici del Signore Cardinale Borghese*» für 1608 (SS Part 5) und 1609 (SS Part 6), «*Lettere di diversi a Diomede Ricci maestro di Casa del Cardinale Borghese, simili al Cardinale Borghese*» für Mai 1610 (FB III 44 D)[155]. Hinzu kommt eine Handvoll Schreiben vom September 1610, die an den Maestro di Casa verwiesen wurden und dessen Rolle bei der Verwaltung einiger anderer Kommenden unterstreichen[156]. Mehr, so scheint es, ist von der an Ricci adressierten oder von ihm bearbeiteten Post nicht übriggeblieben, und da sich für seinen Briefauslauf keine Register oder andere Belege finden ließen, muß man in diesen wenigen Bänden und Bündeln wohl die gesamte Korrespondenz erblicken, die aus dem Zuständigkeitsbereich des Maestro di Casa als Mitarbeiter der borghesischen Vermögensverwaltung überliefert ist.

Aus diesem Amt, nicht aber aus dem Dienst Borgheses ausgeschieden war Ricci im Dezember 1610, als er sich nach Bologna begab, um die Güter zu besichtigen und zu verpachten, die dem Nepoten als neuem Erzbischof zugefallen waren[157].

---

[154] In der in Anm. 151 erwähnten *Risposta* in AB 4100 wird berichtet, «*che quando l'Ill.mo Signore Cardinale padrone honorò l'Ubaldino di questo negotio dell'Abbadia di San Bartolo, la prima cosa che S.S.Ill.ma facesse fù di deputarlo Vicario*». Ein Stapel Schreiben von Cesare Ubaldini an Ricci vom Mai 1610, die sich wohl zufällig erhalten haben und am Beispiel eines Monats die Intensität ihrer Korrespondenz über die Verwaltung der Abtei erkennen lassen, findet sich in FB III 44 D: 14, 56, 80 f. Im September 1609 schrieb der Vikar auch an Borghese, aber nur, weil er für die Vergabe der Investituren für einige Güter der Abtei ein erweitertes Patent brauchte (SS Part 6,527) bzw. eine Personalempfehlung des Nepoten erhalten hatte (ebd.,572).

[155] Warum diese Schreiben nicht in das Familienarchiv oder den Fondo Borghese, sondern in die Bände des Staatssekretariats gelangt sind, ist ebenso unklar wie der Zeitpunkt ihrer Zusammenstellung in diesen Bänden. Vermutlich hat Borghese sowohl die Schreiben zu den Abteien als auch die von Campori bearbeiteten Briefe, die sich heute in den Nachbarbänden SS Part 7 und 9 befinden, beim Zusammenpacken im Januar 1621 übersehen, und da sie in keine Serie so recht passen wollten, wurden sie später den ohnehin bunten Bänden der *Lettere di Particolari* des Staatssekretariats zugeordnet.

[156] Gemeint sind die in SS Part 9 gelandeten Briefe mit einem Verweis an Ricci: 354 f./356 v aus einem Augustinerkloster vom 3. September 1610; 397/398 v aus Reggio vom 14. September, 418/419 v aus Neapel vom 17. September; 436/437 v aus Cremona vom 27. September. Keinen Verweis, aber einen für Ricci typischen Einlaufvermerk tragen folgende Schreiben: 371/372 v aus Alessandria vom 6. September; 440/441 v aus Cremona vom 14. September; 452/453 v an Ricci persönlich aus Mailand vom 29. September; 454/455 v aus Brescia vom gleichen Tag. In allen diesen Schreiben geht es um Borgheses Abteien vor Ort.

[157] Vgl. Reinhard, Papstfinanz und Nepotismus, Bd. 1, S. 96, Anm. 162, und die Schreiben Riccis an Borghese aus Bologna vom 8. und 11. Dezember 1610, SS Part 9: 525–529 bzw. 551 f.

Auch in Ferrara schaute er nach dem Rechten: Er besichtigte San Bartolo, redete mit Spinola über Kurie und Welt, mit Massimi und dem Pächter über die Abtei und ihre Erträge, und was er dabei gesehen und gehört hatte, berichtete er ausführlich nach Rom[158]. Wer aber war dort nun für San Bartolo zuständig, wer bearbeitete Riccis Briefe und die Antworten Massimis und Spinolas auf die Schreiben Borgheses, die ihnen der ehemalige Maestro di Casa mitgebracht hatte?[159] Sein Nachfolger in diesem Amt hieß Fabio Palemonio, doch da dessen Name auf keinem der raren Dokumente zu San Bartolo zu finden ist, scheint der neue Maestro di Casa keineswegs alle Aufgaben seines Vorgängers übernommen zu haben[160]. Vielmehr war es der m. E. erst jetzt zum Maggiordomo ernannte Campori, der sich fortan um die Belange der Ferrareser Abtei und die entsprechende Korrespondenz kümmerte. Sein Einlaufvermerk ist auf der Rückseite der Schreiben über den Besuch Riccis in Ferrara zu finden, und «Monsignore Pietro Campori» steht als Adresse auf den Briefen des Vikars Flaminio Sinibaldi, in denen er den Maggiordomo über die Finanzen San Bartolos unterrichtete und zu dessen und des Computista Anfragen Stellung nahm[161]. Zu finden sind die detaillierten Darlegungen des Vikars gemeinsam mit den *Conti* und *Giustificationi* zu San Bartolo, die sie erläutern, in Band 4100 des Archivio Borghese, dessen 8690 Bände und Bündel eine von Wolfgang Reinhard und Volker Reinhardt ausgewertete Fundgrube zur Papstfinanz und zum Familienvermögen der Borghese darstellen[162]. Die Quellenlage zu San Bartolo ist zwar ungewöhnlich schlecht, was Volker Reinhardt dazu bewogen hat, die Ferrareser Abtei in seiner umfassenden Untersuchung der bor-

---

158 Vgl. die Schreiben Riccis an Borghese vom 4. Dezember 1610 aus Ferrara und vom 8. Dezember 1610 aus Bologna in SS Part 9: 507 f. und 525r/v.

159 Spinola schrieb am 4. Dezember 1610 an Borghese, Ricci *«m'hà dato la lettera di V.S.Ill.ma»* (SS Part 9,576r). Massimi berichtete Borghese am 8. Dezember 1610 von Riccis Besuch (ebd.,522), Cesare Ubaldini antwortete am 8. Dezember 1610 (ebd.,554).

160 «Von allen *Maestri di Casa* Borgheses nimmt Palemonio die mit Abstand wichtigste Position im Rahmen der borghesischen Haushalts- und Geschäftsführung ein», befindet dagegen Volker Reinhardt, Scipione Borghese, S.15, Anm.15, in dessen Untersuchung allerdings San Bartolo nur am Rande und die hier benutzten Bände in SS Part überhaupt nicht erwähnt werden. Daß Palemonio Ricci als Maestro di Casa abgelöst habe, meldeten die Avvisi am 4. Dezember 1610, vgl. Urb.lat. 1078,845v.

161 Den Einlaufvermerk Camporis tragen nahezu alle der in Anm.158 und 159 genannten Briefe. Schreiben Flaminio Sinibaldis an Campori vom 6. Juli 1613 und vom 7. März 1615 (*«Ho visto le considerationi che da di nuovo il Signore Computista all'informatione et risposta ch'io mandai»*) und eine *Memoria à Monsignore Maggiordomo per scrivere à Ferrara* von 1613 finden sich in AB 4100.

162 Vgl. Wolfgang Reinhard, Papstfinanz und Nepotismus, und Volker Reinhardt, Scipione Borghese, deren Quellenverzeichnisse jeweils Hunderte von Bänden aus dem Archivio Borghese auflisten. Zu dessen Umfang vgl. Fink, S.128.

ghesischen Kommenden nicht gesondert zu behandeln[163]. Doch daß San Bartolo nach Riccis Ausscheiden zunächst von Campori, nach dessen Promotion im September 1616 vom neuen Maggiordomo Pignatelli und, da auch dieser den roten Hut erhielt, ab Januar 1621 von seinem Amtsnachfolger Altieri betreut wurde, belegen die Dokumente zweifelsfrei[164].

Wohlgemerkt: Diese Befunde gelten für die Korrespondenz über die Abtei des Nepoten in Ferrara, nicht für die borghesische Güterverwaltung im allgemeinen. Deren Leitung oblag laut Wolfgang Reinhard bis 1611 keineswegs Ricci oder Campori, sondern einem Mitarbeiter des Kardinals, der bereits des öfteren begegnet ist: Michele Angelo Tonti. Wohl in seiner Eigenschaft als Auditor hatte sich Tonti in den ersten Jahren des Pontifikats intensiv mit Borgheses Post in Sachen Kommenden befaßt[165], doch als er im November 1608 den roten Hut erhielt, kam er für diesen Posten nicht mehr in Frage. Die Güterverwaltung der Papstfamilie schien mit seiner neuen Würde jedoch durchaus vereinbar, und so mußte Tonti die Leitung der *Congregazione delli uffitiali sopra li affari domestici di Casa Borghese* erst aufgeben, als er im Dezember 1611 mit der Gnade der Borghese die Grundlage seiner exponierten Stellung an der Kurie verlor und Rom bald darauf verließ[166]. An der Verwaltung der borghesischen Güter in Ferrara war er jedoch nicht beteiligt. Zwar überstellte der Nepot persönlich im Februar und März 1609 auch einige Schreiben des Ferrareser Legaten Spinola an den Kardinal Nazaret, der sie lesen und an Margotti weiterleiten sollte[167], doch war Tonti in diesem Fall als Datar, nicht

---

[163] Da San Bartolo für Reinhardt zu den Kommenden zählt, «die für eine eingehende Analyse nicht geeignet sind» (S. 343), stellt er auf S. 100, Anm. 21, lediglich die verfügbaren Angaben zur Verpachtung zusammen. Band FB IV 22 enthält 17 Dokumente, die meisten in Abschrift, die die Kollationsrechte San Bartolos gegenüber Ferrareser Kirchen belegen, für Fragen der Verwaltung und der daran beteiligten Personen aber ohne Bedeutung sind.

[164] So finden sich in AB 4100 Schreiben des Vikars Sinibaldi über die Rechnungsdetails für San Bartolo an «*Signore Pignatelli Maggiordomo*» (vom 21. März 1620, dorsal verwiesen an «*Signore Computista*») und an Altieri (vom 17. April 1621, 5. Mai 1621, 22. Mai 1622). Daß 1621 zunächst Giovanni Battista Costaguti das Amt des Maggiordomo erhielt und Altieri erst 1624 auf diesen Posten nachrückte, wie Volker Reinhardt, Scipione Borghese, S. 139, Anm. 43, berichtet, dürfte angesichts der eindeutigen Adressierung des genannten Briefs Sinibaldis vom 5. Mai 1621 an «*Monsignore R.ma Altieri Maggiordomo*» nicht zutreffen.

[165] Vgl. Kap. II, Anm. 289.

[166] Vgl. Reinhard, Papstfinanz und Nepotismus, Bd. 1, S. 96. Tontis Sturz wurde in Kap. II.2.b bereits behandelt.

[167] Eindeutig «*Al Signore Cardinale Nazaret che le veda et poi le dia al Signore Cardinale Lanfranco*» hat Borghese Spinolas Brief über Don Fulgentio (vgl. die folgende Anm.) vom 25. Februar 1609 verwiesen (FB II 318,83, dors. 90v), während er die folgenden Meldungen zum gleichen Thema zum Teil im Auftrag Pauls V. stets an «*V.S.Ill.ma*» weiterleitete, bei dem es sich jedoch zweifellos um Tonti handelte (FB III 318: 94v, 102v, 116v, 132v, alle Schreiben vom März 1609; vgl. auch Kap. II, Anm. 177).

als Vermögensverwalter gefragt. Wie die Berichte des Legaten über einen venezianischen Franziskaner namens Fulgentio und dessen antirömische Predigten aus dem Krisenjahr 1606 an den damaligen Datar Arrigoni verwiesen worden waren, mußten seinem Nachfolger Tonti nun die Schriften vorgelegt werden, die mit Vangadizza zwar tatsächlich eine Abtei Borgheses betrafen, aber nicht deren Erträge, sondern den hartnäckigen Widerstand eines anderen Fulgentio gegen die Verleihung der Kommende an den Nepoten[168]. Ähnlich verhält es sich mit einem weiteren Auftritt Tontis in der Ferrareser Post: «*Del Signore Cardinale di Nazaret, a nome del Signore Cardinale Borghese. protegerà Don Lodovico*», vermerkte der Sekretär der Stadt auf Tontis Schreiben vom 14. August 1610, in dem er den Ferraresen versicherte, Borghese werde sich des Zisterziensermönchs Lodovico aus San Bartolo annehmen[169]. Don Lodovico aber war nach Rom gekommen, um sich und die anderen Mönche der Abtei gegen die Attacken der toskanischen Ordensbrüder zu verteidigen[170], und so hatte auch dieser Brief nichts mit den Finanzen des Konvents und seines Abtes zu tun und Tontis Einsatz einen anderen Grund als seine Beteiligung an der borghesischen Güterverwaltung. Vielmehr antwortete Tonti dem Magistrat auf dessen Hilfegesuch an Borghese als Stellvertreter des im Sommer 1610 schwer erkrankten Nepoten[171], der monatelang keine Post unterzeichnen konnte

---

[168] Spinolas Meldung vom 5. Juli 1606 über «*un prete Zoccolante nominato fra Fulgentio che predica a Venetia nella Chiesa dove stavano i Padri Giesuiti*», der zu jenen zählte, «*che predicando … biasmano l'interdetto et affermano non esservi obligo d'osservarlo*», war «*Al Signore Cardinale Arigone*» verwiesen worden (FB II 322,76, dors.81v). Merkwürdigerweise hießen die meisten der namentlich bekannten venezianischen Mönche, die sich als Gegner Roms hervortaten, Fulgentio. Der Servit Fulgentio Micanzio etwa hatte Sarpi als Assistent gedient und seine antirömische Agitation auch nach dem Kompromiß zwischen Rom und Venedig nicht eingestellt (vgl. Antonio Menniti Ippolito, Politica e carriere ecclesiastiche nel secolo XVII. I vescovi veneti fra Roma e Venezia, Bologna 1993, S. 64 und 185). Die bereits an Borghese vergebene Abtei Vangadizza wollte der Ordensgeneral der Kamaldulenser einem Mönch namens Fulgentio übertragen (vgl. Spinola an Borghese, FB II 318: 23, 41), und als der reguläre Abt 1611 das venezianische Gebiet verlassen wollte, plante der Doge laut dem Bericht des Legaten in Ravenna angeblich, einen (den gleichen?) Fulgentio zum neuen Abt zu erheben, vgl. Anm. 117. Entscheidend ist in unserem Zusammenhang, daß keines der Schreiben Spinolas über Ertrag und Besitzungen Vangadizzas (vgl. z.B. FB II 318: 9f., 14f.; FB III 7 B,269) an Tonti verwiesen wurde.

[169] CC 167/7,5.

[170] Daß sich Don Lodovico um die Genehmigung Pauls V. für die von den Ferraresen gewünschte Errichtung eines Noviziats bemühen sollte, belegt das Hilfegesuch der Stadt an den Ordensprotektor Kardinal Rochefoucauld vom 8. August 1610 (CC 167/14,3), dessen Text dem nicht erhaltenen Schreiben an Borghese geglichen haben dürfte.

[171] Laut Tontis Schreiben vom 14. August 1610 hatte «*il Signore Cardinale Borghese mio Signore per la sua indispositione*» (CC 167/7,5r) Don Lodovico noch nicht empfangen und aus dem gleichen Grund wohl auch den Brief nicht unterschreiben können. Daß den Nepoten die Krankheit schon vorher niedergestreckt hatte, belegt u. a. die Minute des Staatssekretariats vom 31. Juli 1610 an Spinola: «*Il Signore Cardinale Borghese va tuttavia rihavendosi dal suo male, con speranza, che ne*

und mit seinem Ausfall einen weiteren Beleg für die These von der Aufteilung der Korrespondenz zwischen Staats- und Privatsekretariat liefert. Denn wenn die Schreiben der politischen Behörde nach dem Bericht eines Augenzeugen während der Erkrankung Borgheses von Lanfranco Margotti unterzeichnet wurden, der Brief vom August 1610 aber die Unterschrift Tontis trägt, kann dies nur bedeuten, daß er nicht im Staatssekretariat angefertigt wurde[172]. Wer sich um die Nachricht an die Ferraresen und die restliche Korrespondenz kümmerte, die Tonti anstelle des erkrankten Nepoten führte, ist mit Hilfe der eingegangenen Antworten auf die Schreiben des Kardinals von Nazaret schnell geklärt. Diomede Ricci bearbeitete die Post, die Details der borghesischen Wirtschaftsverwaltung berührte, Pietro Campori nahm sich der Personalempfehlungen und aller anderen Schreiben an, die sich ohne Konsultation der Experten beantworten ließen[173]. Die Verweise an den Mae-

---

sarà presto libero in tutto» (E 58,100r), was jedoch verfrüht war, mußte die Behörde den Inquisitor in Venedig und wohl nicht nur diesen doch am 11. September 1610 beruhigen: *«Il Signore Cardinale Borghese non è stato mai per gratia di Dio nella sua infirmità à termine pericoloso come si era sparsa voce costì»* (FB I 954,202r). Noch am 14. Oktober 1610 schickte Kardinal Del Monte dem in Frascati weilenden Nepoten Wasser, das ihn kurieren sollte, auch wenn er ihn nach eigenem Bekunden gerne mit seinem Blut heilen wollte (vgl. FB I 855,210). Insgesamt dauerte Borgheses Erkrankung von Mitte Juli bis Anfang November 1611, vgl. die folgende Anm.

[172] Caetano berichtete in seiner 1623 verfaßten Denkschrift über den Chefsekretär: *«Questo Segretario se ben non sottoscrive lettere, ... suole nondimeno sottoscrivere (ancorche Prelato) quando il Cardinale Nepote del Papa stà infermo, come succedè in tempo di Papa Paolo, quando s'infermò Borghese, che sottoscrisse Lanfranco, e due altre volte Foligno, che Lanfranco era morto»*, was sich unter Gregor XV. wiederholte. Zitiert nach Kraus, Denkschrift, S. 110; ebenfalls zit. bei Laemmer, Meletematum, S. 256. Der von Caetano beschriebene Sachverhalt findet für das Borghese-Pontifikat seine eindeutige Bestätigung in der Nuntiaturkorrespondenz des Jahres 1610. So trugen die Schreiben des Staatssekretariats an den Kölner Nuntius Albergati vom 17. Juli bis zum 6. November 1610 die Unterschrift Margottis (vgl. Reinhard, Albergati, Bd. 1, Nr. 15, S. 48, und Nr. 147, S. 175 f.). Der erste Brief an Albergati, den Borghese wieder selbst unterzeichnete, datiert vom 13. November 1610 (vgl. ebd., Nr. 156, S. 178 f.). Auffällig ist, daß der Diplomat in all diesen Monaten seine Berichte unverdrossen an Borghese adressierte (vgl. ebd., zwischen den angegebenen Stellen).

[173] Die auffindbaren Antworten an Tonti, der sich im Namen Borgheses an die Absender gewandt hatte, stammen alle vom September 1610 und finden sich in SS Part 9. Den Verweisen oder Einlaufvermerken zufolge wurden von Ricci bearbeitet: 354 f. (dors.356v von Rivarola verwiesen an Ricci): aus einem Augustinerkloster vom 3. September 1610; 371 (dors.372v der für Ricci typische Einlaufvermerk, aber unklar, ob das Schreiben an Borghese oder Tonti gerichtet ist): aus Alessandria vom 6. September; 418 (dors.419v verwiesen von Franceschini an Ricci): aus Neapel vom 17. September. Diese Schreiben beziehen sich ausnahmslos auf Borgheses Abteien. Campori kümmerte sich hingegen um den Brief eines Mönches vom 2. September, der wunschgemäß *«la patente del pulpito»* geschickt hatte (383, dors.384v verwiesen von Rivarola an Campori); um zwei Antworten auf Empfehlungsschreiben (420: aus Macerata vom 17. September, dors.421v der Einlaufvermerk Camporis; 456: der General Pompeo Frangipane aus Avignon auf die Empfehlung eines Soldaten, dors.457v dto.); um die Antwort des Bischofs von Caserta vom 24. September auf Tontis Auftrag, seine und Borgheses *tratte* für dieses Gebiet zu berücksichtigen (442; dors.443v dto.).

stro di Casa und den Privatsekretär stammen indes vom amtierenden Auditor Rivarola und seinem Helfer Franceschini[174], und so scheint Borgheses Abwesenheit seine persönlichen Mitarbeiter weder vor größere Schwierigkeiten gestellt noch vom bewährten Verfahren abgebracht zu haben.

Wie eng das Verhältnis zwischen den beiden war, belegt Tontis Einsatz als Stellvertreter Borgheses zwar durchaus[175]. Doch da der Kardinal von Nazaret auch hier nicht in seiner Funktion als Vermögensverwalter des Nepoten auftrat, verfestigt sich der Eindruck, Tonti habe die Betreuung der Geldquellen seines Herrn Ricci bzw. Campori überlassen. Für Borgheses Kommenden in der Legation Ferrara bestätigte sich dies schon bald nach der Genesung des Papstneffen, denn als dem Nepoten im Dezember 1610 das ferraresische Benediktinerpriorat San Romano verliehen wurde, trat Tonti abermals nur in seiner Eigenschaft als Datar in Erscheinung. Die für die Ausstellung des Breves notwendige Supplik nahm er zwar entgegen, aber den Brevensekretär Cobellucci im Auftrag des Nepoten zur beschleunigten Bearbeitung dieser Sache zu bewegen war die Aufgabe Camporis[176]. Dies muß jedoch nicht bedeuten, daß Tonti mit den Einkünften des Nepoten nichts zu tun gehabt hätte. Vielmehr ist von einer Trennung der Ebenen auszugehen: Auf der obersten Stufe der borghesischen Güterverwaltung standen Direktivengeber wie Tonti, die eine längerfristige Finanzstrategie zu entwickeln hatten, unter ihnen waren der Maestro di Casa und der Maggiordomo angesiedelt, die als ausführende Organe die Quellen, aber nicht zwangsläufig auch die Wirtschaftsabteilung dominierten[177]. Ähnlich verhielt es sich mit den späteren Leitern der *Congregazione delli uffitiali sopra li affari domestici di Casa Borghese*. So waren weder Giacomo

---

[174] Vgl. die Angaben in der vorherigen Anm. zu SS Part 9: 356v, 384v, 419v.

[175] Was der Unterschrift Tontis darüber hinaus zu entnehmen ist, wird in Kap. VI.3 zu überlegen sein.

[176] Dies belegt die Beilage zum Breve in Sec.Brev. 598,465/469: Ebd., 466r, ist die von Campori verfaßte und unterzeichnete Anweisung an (laut Rückseite) Cobellucci (und somit ein eindeutiger Autograph des Maggiordomo, der als Schriftprobe 10 am Ende dieser Arbeit abgebildet ist) vom 27. Dezember 1610 zu finden: «*Per morte di N. Roverella vaca il Priorato di San Romano della Città di Ferrara; Nostro Signore n'hà fatto gratia all'Ill.mo padrone, il quale desidera mandar il Breve solito di pigliarne il possesso mercordi sera, et m'hà comandato che à suo nome io preghi V.S.R.ma per la speditione in tempo debito. Credo che l'istesso giorno sarà segnata la supplicatione (che già si trova in mano dell'Ill.mo Signore Cardinale di Nazaret) et però lo supplico di dar' sopra di ciò l'ordine necessario*». Zu San Romano als Kommende Borgheses vgl. Reinhard, Papstfinanz und Nepotismus, Bd. 1, S.91 f., und Reinhardt, Scipione Borghese, S.101, Anm.39, der auch San Romano aufgrund der schlechten Quellenlage nicht gesondert untersucht.

[177] Zu dieser Rollenverteilung vgl. Wolfgang Reinhard, Papstfinanz und Nepotismus, Bd. 1, S.96, sowie Volker Reinhardt, Scipione Borghese, S.139, der angesichts der Schwierigkeiten, die eigentlichen Direktivengeber zu identifizieren, den Sammelbegriff «borghesische Geschäftsführung» vorzieht. Zum Einfuß Camporis sei jedoch auf das Zitat bei Pastor, Bd. 12, S.228, Anm. 1, aus eine Relazione über den römischen Hof von 1624 hingewiesen: «*il Cardinale Millini governò Papa Paolo, e Pignatelli* (s.u., B.E.) *e Campori governavano Borghese*».

Serra und Domenico Rivarola, die sich in den ersten Monaten nach Tontis Sturz um die Vermögensverwaltung der Papstfamilie kümmerten, noch Francesco Cennini, an den die Leitung der Geschäfte 1612 übergegangen sein soll[178], für die alltägliche Arbeit in Sachen Konten und Kommenden zuständig. Doch auch wenn ihre Handschriften in den entsprechenden Unterlagen nicht begegnen, dürfte ihr Einfluß auf den Nepoten und dessen Finanzgebaren nicht gering gewesen sein.

Aufgehoben wurde die Trennung zwischen Führungsebene und exekutiven Organen erst, als Cennini im Sommer 1618 als Nuntius nach Spanien aufbrach und die Leitung der Güterverwaltung dem seit September 1616 amtierenden Maggiordomo Pignatelli zufiel[179]. Stefano Pignatelli ist ein Musterbeispiel für Personen im Umfeld des Nepoten, die Scipione Borghese ob mit oder ohne Amt eng verbunden waren. Zunächst lediglich als Familiare des Kardinals bezeichnet[180], wurde er im August 1609 zum *coppiere* und drei Jahre später zum *scalco* Borgheses ernannt[181]. Doch daß er dem Nepoten nicht nur Speisen und Getränke servierte, war für die Kenner der römischen Szenerie kein Geheimnis. Geschäftspartner der Papstfamilie überwiesen einen Teil ihrer Zahlungen an ihn, Botschafter fanden keinen Einlaß, wenn der Kardinal mit seinem Studienfreund aus Peruginer Tagen Karten spielte[182]. Daher dürfte der überreich mit Pfründen versorgte und im Januar 1621 mit dem roten Hut versehene Pignatelli[183] schon lange vor seiner Erhebung zum Maggiordomo und Leiter der borghesischen Güterverwaltung über Einflußmöglich-

---

[178] Vgl. Wolfgang Reinhard, Papstfinanz und Nepotismus, Bd. 1, S. 96.

[179] Zur Ernennung Pignatellis vgl. Volker Reinhardt, Scipione Borghese, S. 139, Anm. 43, sowie die entsprechende Meldung der Avvisi vom 21. September 1616 in Urb.lat. 1084,371v. Daß Pignatelli nach Cenninis Erhebung zum Nuntius zum «*sopraintendente degli affari pubblici e privati di Casa Borghese*» aufgestiegen sei, teilten die Gazetten am 18. Juli 1618 mit (vgl. ebd., 1086,280).

[180] Allerdings als «*mio accettissimo familiare*», so Borghese in seinem Schreiben vom 6. März 1607 an den Nuntius in Spanien in einer Angelegenheit Pignatellis (FB I 948,104r).

[181] Vgl. die entsprechenden Meldungen vom August 1609 bzw. vom August 1612 in Urb.lat. 1077,406 bzw. 1080,497v. Was es mit diesen Ämtern im Haushalt des Nepoten auf sich hat, ist gleich zu erwähnen und überdies nachzulesen bei Völkel, S. 402 bzw. 405.

[182] So hieß es in den Avvisi vom 10. Januar 1610 über die Geschäftsbeziehungen zwischen den Borghese und Alessandro Nappi, dieser «*ha nelle mani diversi traffichi et risponde al Pignatelli una buona somma di contanti ogni mese*» (Urb.lat. 1077,19). Zum Kartenspiel vgl. den Bericht des Ferrareser Botschafters vom 1. August 1612, zit. in Kap. II, Anm. 304. Daß der spätere Maggiordomo mit Borghese in Pignatellis Heimatstadt Perugia studiert hatte, melden sowohl die bei Stader, S. 227, Anm. 194, zitierten *Notizie di vari uomini illustri Perugini*, die auch den ebenfalls am Kartenspiel beteiligten Leni unter den Kommilitonen ausmachen, als auch eine panegyrische Schrift *De gloria Pauli V* in FB I 379, hier: 280vf.

[183] Einige Fundstellen der Breven in Sec.Brev., mit denen Pignatelli Pfründen und Privilegien verschiedener Art erhielt, mögen genügen: 430,291; 449,362; 485,52; 490,360; 551,438; 575,19; 603,365; 604,181; 612,777; 614: 170, 505; 615,562; 616,551; 617,182; 618,350; 619,441; 620,83; 621,606; 623,506; 626,117. Zur Promotion Pignatellis vgl. HC IV, S. 15.

keiten auf seinen Freund Scipione verfügt haben, die in seinen Ämtern verspätet und nie vollständig zum Ausdruck kamen[184]. Dies aber unterstreicht nachdrücklich, was sich bereits im Blick auf Tonti, Serra, Rivarola und Cennini angedeutet hat: Wer die Direktivengeber und Drahtzieher im Hintergrund waren, ist gerade für die Wirtschaftsabteilung im Stab des Nepoten schwer zu entscheiden.

Wem die alltägliche Arbeit bei der Verwaltung der Gelder und ihrer Quellen überlassen blieb, zeigen die Dokumente jedoch zweifelsfrei: Zuerst hatte sich der Maestro di Casa Diomede Ricci um die Details der Vermögensverwaltung zu kümmern, danach der Maggiordomo Pietro Campori. Allerdings war Camporis Mitarbeit nicht erst seit der Abreise Riccis im Dezember 1610 gefragt. Schließlich leitete er seit 1607 das Privatsekretariat des Nepoten, und daß auch dieses Büro zuweilen mit den Finanzen des Kardinals und seinen Geschäftspartnern befaßt war, wird nun zu berichten sein.

b. *Conti* und *complimenti*: Die Kooperation zwischen Güterverwaltung und Privat- bzw. Patronagesekretariat

Wäre in der Zeit vor Dezember 1610 einzig und allein Diomede Ricci für die Briefe zuständig gewesen, die sich auf des Nepoten Geldquellen bezogen, hätte keines dieser Schreiben an einen anderen als den Maestro di Casa verwiesen werden dürfen. Genau dies geschah jedoch mit der Gratulation der Stadt Ferrara anläßlich der Verleihung San Bartolos an Kardinal Borghese. Campori solle den Brief beantworten, vermerkte der Auditor Tonti auf der Rückseite, doch da die Danksagungen Borgheses auf die Glückwünsche anderer Gratulanten im Staatssekretariat angefertigt wurden[185], scheint Ricci mit Schreiben dieser Art grundsätzlich nichts zu tun gehabt und Campori den Auftrag Tontis seiner Eigenschaft als Privatsekretär verdankt zu haben. Tatsächlich hatte sich Campori auch in anderen Fällen um solche *complimenti* und ähnliche Briefe zu kümmern, die zwar die Abteien, doch nicht ihre Bilanzen oder andere Details der Verwaltung betrafen und ohne größere Kenntnis der Lage vor Ort beantwortet werden konnten. So erhielt der Vertreter der borghesischen Wirtschaftsinteressen in Perugia, Francesco Torelli, stets von Diomede Ricci Antwort, wenn er diesem Neues über den Zustand der Peruginer Abtei San Benvignato und die Vorbereitungen zur Übergabe der Kommende an den Nepoten berichtete. Doch als Torelli dem Maestro di Casa vorschlug, den Widersachern dieser Verleihung zu schreiben und ihnen zu versichern, Borghese werde allein zum Nutzen des Konvents handeln, strich Ricci die Stelle im Brief Torellis an und übergab ihn Campori, der die gewünschte Beteuerung zu Papier

---

[184] Vgl. das Zitat in Anm. 177 sowie Kap. VI, Anm. 15.
[185] Vgl. Anm. 108.

bringen sollte[186]. Die Gründe für diese Arbeitsteilung liegen auf der Hand, bedurften solche Schreiben doch viel eher der stilistischen Gewandtheit eines Sekretärs als der Sachkenntnis eines Wirtschaftsexperten. Daher überrascht es nicht, selbst in der spärlichen Überlieferung auf nicht wenige Briefe zu stoßen, die zunächst an Ricci verwiesen worden waren, aber auch den für Campori typischen Einlaufvermerk tragen und daher von dessen Privatsekretariat beantwortet worden sein dürften[187]. Nach Dezember 1610 kamen solche Schreiben schneller ans Ziel, denn dank seiner neuen Doppelfunktion als Privatsekretär und Maggiordomo war Campori nun für Detailfragen und allgemeine Schreiben in Sachen Vermögensverwaltung, für *conti* wie *complimenti* im gleichen Maße zuständig. Erst als der multifunktionale Campori im September 1616 den Kardinalshut erhielt und seine beiden Posten an zwei verschiedene Nachfolger vergeben wurden, erlebte die alte Arbeitsteilung eine Neuauflage. Der Maggiordomo hieß nun Stefano Pignatelli, der Privatsekretär aber Ottavio Bacci, und so bleibt zu klären, ob und wie diese beiden miteinander kooperierten.

Ein Mindestmaß an Kooperation zwischen Bacci und Pignatelli war unumgänglich, nahmen Borgheses Geschäftspartner die Überweisungen nach Rom doch nicht ungern zum Anlaß, ihre Zuverlässigkeit in Finanzfragen zu betonen und der wie zufällig damit verbundenen Bitte um die Protektion des Nepoten auf diese Weise Nachdruck zu verleihen. Für die Wechsel war der Maggiordomo zuständig, für die Treueschwüre jedoch Bacci, und dementsprechend sahen die römischen Antwortschreiben aus: Seine Überweisung für die Abtei sei angekommen, erfuhr etwa der Pächter der Abtei San Bartolo im August 1619 aus einem Schreiben des

---

[186] Worum es bei dieser Auseinandersetzung im einzelnen ging, ist den wohl nicht vollständig erhaltenen Schreiben Torellis an Ricci in SS Part 6 (377, 381, 390, 427f., 434, 446, 494, 536, 555f., 557, alle Juni bis September 1609) nicht zu entnehmen. Einigen dieser Briefe fehlt die Rückseite, andere tragen einen Einlaufvermerk und einen Estratto Riccis. Die einzige Ausnahme ist Torellis Schreiben vom 8. August 1609 (ebd., 427f.), das dors.428v den Verweis an «*Monsignore Campori*» trägt und auf 428r eine Markierung an folgender Passage aufweist: «*Agl'huomini si potria rispondere che S.S.Ill.ma non mancara d'oprare in modo che la Chiesa sara benissimo servita.*» Zu San Benvignato als Kommende Borgheses vgl. Reinhardt, Scipione Borghese, S. 101, Anm. 30.

[187] Von Franceschini an Ricci verwiesen, aber von Campori mit einem Einlaufvermerk versehen wurden: SS Part 9: 418/419v an Tonti aus Neapel, 17. September 1610; 436/437v an Borghese aus Cremona, 27. September 1609, beide wegen einer Abtei. Ebd., 371 aus Reggio vom 6. September 1610 wegen eines Pachtvertrags trägt dors.372v den Einlaufvermerk Riccis und eine Antwortanweisung von dessen Hand, aber auch Camporis Einlaufvermerk. Ein schönes Beispiel für Briefe, die besser zu Campori als zu Ricci paßten, ist das Schreiben aus Reggio vom 14. September 1610, dessen Autor seine Pension auf Borgheses Abtei Subiaco gegen ein Benefizium in Reggio tauschen wollte und den Nepoten aus diesem Grund auf eine Vakanz in seiner Heimat aufmerksam machte (ebd., 397). Es trägt dors.398v den Einlaufvermerk Camporis, wurde aber zunächst von Franceschini an Ricci verwiesen. Offenbar überstellte Franceschini jedes Schreiben, in denen der Name einer Abtei des Nepoten vorkam, an den Maestro di Casa.

Patronagesekretariats, in dem der Nepot seine Dienstbereitschaft zwar ausgiebig schilderte, für finanzielle Details aber auf «*Monsignore Pignatelli mio maggiordomo*» verwies[188]. Allerdings genügte der knappe Hinweis auf die getrennte Post des Maggiordomo nicht immer. Er solle die Stellungnahme Dragos einholen und nach dessen Wünschen antworten, notierte Cennini auf einem an Bacci weitergeleiteten Brief aus Spanien, und so dürfte sich der Privatsekretär zum Maggiordomo des jungen Marcantonio Borghese begeben haben[189]. Daß Antonio Drago oder ein anderer Mitarbeiter des Principe di Sulmona zu Rate gezogen wurde, hatte indes Seltenheitswert, und da auch Borgheses eigener Maggiordomo in den Dorsalvermerken der Auditoren nicht oft Erwähnung fand[190], war der amtliche Kontakt zwischen Bacci und Pignatelli nicht sehr intensiv. Solange keiner der potentiellen

---

[188] Alessandro Nappi, der den 1609 unter seiner Beteiligung erstmals abgeschlossenen Pachtvertrag für San Bartolo Jahre später selbst unterschrieben hatte, war dem *Conto generale del Signore Nappi già fituario della badia di San Bartolo di Ferrara* in AB 4100 zufolge der Pächter der Abtei von September 1614 bis September 1618, laut Reinhardt, Scipione Borghese, S. 100, Anm. 21, bereits ab September 1613. Was der eigentliche Zweck seiner nicht erhaltenen Zahlungsmeldung von 1619 war, zeigte sich in Borgheses Antwort vom 3. August 1619: «*S'è ricevuta la rimessa fatta da V.S. ... per la paga di Pasqua passata della mia Abbatia, e sopra questa materia mi rimetto à Monsignore Pignatelli mio maggiordomo. Sento gusto della speranza con ch'ella si trova di poter dar buon sesto alle cose sue, alle quali io ho desiderato sempre, e desidero ogni miglior successo. Nel resto V.S. sà ch'io amo lei medesima e la sua casa, e che porto affettione particolare à Monsignore suo fratello. Ond'ella può credere, che sia per essermi di grandissimo gusto il poter dar loro vivi segni di questa mia disposition d'animo*» (FB II 420,113v).

[189] Von Cennini an Bacci verwiesen und mit dem zitierten Auftrag versehen wurde das eine spanische Kommende betreffende Schreiben aus Madrid vom 15. Oktober 1616 in FB I 717,252. «*Al Signore Antonio Drago*» (SS Part 7,611v) direkt hatte Cennini ein ebenfalls aus Madrid stammendes Schreiben vom 20. Oktober 1613 weitergeleitet. Zu Antonio Drago als Haushofmeister oder Maggiordomo zunächst Giovanni Battista Borgheses, nach dessen Tod 1609 Marcantonio Borgheses und zu seiner Tätigkeit in diesem Amt vgl. Reinhard, Papstfinanz und Nepotismus, Bd. 1, S. 142 f.

[190] Zwei der seltenen Auftritte Pignatellis auf den Briefrückseiten seien genannt. Auf einem Schreiben des Nuntius in Spanien vom 16. November 1616, das die «*gratia del Titolo del Barco per V.S.Ill.ma*», d.h. für Borghese, behandelte, notierte Cennini: «*A Monsignore Pignatelli che ne parli con S.S.Ill.ma*». Dieser vermerkte jedoch seinerseits: «*Signore Bacci ne parli con il Signore Cardinale*» (FB III 8 B,339, dors.344v). Die derart bearbeitete Briefrückseite ist als Schriftprobe 12 am Ende dieser Arbeit zu finden. Die Bitte der Bianca Tromboni aus Bologna, der einzigen Schwester des «*Oratio Tromboni morto in Roma ... ch'era Computista della Rev.a Camera, et di V.S.Ill.ma, ... che quanto si ritrovi in mobili ò danari del già detto Oratio si degni tener benignissima mano, che resti conservato a benefitio di detta sua sorella, et dar insieme ordine, che il tutto come a legitima herede le sia consignato*» (so Biancas Memoriale an Borghese, ebd.253r, das Kardinal Capponi aus Bologna mit einem Schreiben vom 19. November 1616 an den Nepoten schickte, ebd.,252), verwies Cennini an «*Monsignore Pignatelli. Dice il Signore Cardinale Padrone che si può far rispondere, che se n'havrà cura, se così pare à V.S.R.ma*» (auf Capponis Brief, dors.257v). Pignatelli leitete das Schreiben weiter an «*Signore Maestro di Casa e Signore Computista*» (ebd.), die sich wohl auf die Suche nach den Sachen machen sollten.

oder tatsächlichen Klienten ein Geschenk für den Nepoten ankündigte, muß man hinzufügen. Schließlich konnte Bacci das fällige Dankesschreiben erst dann verfassen, wenn das nicht mit der regulären Briefpost beförderte Paket auch angekommen war, und dies zu klären trug Cennini stets Pignatelli auf. Manchmal machte sich der Maggiordomo selbst auf die Suche nach Präsent und Antwort, doch meistens leitete er solche Schreiben an den Maestro di Casa Palemonio weiter[191]. Peruzzi schien dies gewußt zu haben, denn anders als sein Amtsvorgänger überwies der neue Auditor solche Briefe direkt an den Maestro di Casa[192]. Er solle den Verbleib des Geschenks aufklären und danach im Sekretariat Bescheid sagen, lautete eine dieser Aufforderungen Peruzzis an Palemonio. Dessen Suche nach den angekündigten *frutti* war wohl erfolgreich, denn wenig später brachte Bacci den Dank Borgheses an die spendable spanische Priorin zu Papier[193]. Deutlicher als mit diesem Brief und seiner Entstehungsgeschichte läßt sich kaum illustrieren, daß Bacci nicht nur in seiner Eigenschaft als Privatsekretär des Nepoten, sondern auch als Patronagesekretär mit der borghesischen Güterverwaltung zusammenarbeiten mußte. Klienteläre Beziehungen konnten sich eben auch in Sachleistungen ausdrücken, und so ist die Kooperation zwischen Baccis Büro und der Wirtschaftsabteilung der Borghese nichts anderes als der administrative Niederschlag eines für die Nepotenrolle charakteristischen Umstands. Patronage und Bereicherung waren nicht zu trennen, weder in der Praxis noch in der Post des Kardinals und bei ihrer Bearbeitung.

---

[191] Das Schreiben des Gouverneurs von Rieti vom 7. November 1616, der «*per un poco di tributo della mia devota servitù*» ein Dutzend lebendige Rebhühner schicken wollte, gelangte ohne Verweis an Pignatelli, der das Federvieh offenbar gesichtet hatte und daher notierte: «*si sonno ricevute*» (FB III 8 B,180, dors.185v). Der erste Verweis Cenninis an Pignatelli findet sich auf der Ankündigung des Massimiliano Caffarelli vom 11. November 1616, er werde Borghese aus Bari ein Geschenk schicken (ebd.,227). Pignatelli notierte zunächst «*Maestro di Casa*», strich dies aber durch und schrieb sein «*s'è ricevuta*» darunter (ebd.,dors.238v). Von Cennini an Pignatelli verwiesen und von diesem mit einer Empfangsbestätigung versehen wurde auch das bei Stader, S.213, Anm.149, zitierte Schreiben eines Peruginers, der die als Geschenk sehr beliebten *frutti* geschickt hatte (FB III 8 B,163, dors.174v). Vgl. auch die Verweise auf dem Schreiben des Erzbischofs von Avignon in FB I 510,295 (Cennini an Pignatelli) sowie auf dem Brief des Duca della Mirandola vom Januar 1617 in FB III 50 A1,171 (von Cennini an den Maggiordomo und von diesem an «*Signore Maestro di Casa*» weitergeleitet).

[192] «*Signore Maestro di Casa*», notierte Peruzzi auf zwei Schreiben des offenbar sehr großzügigen Duca della Mirandola von 1619 (FB I 836,57, dors.68v; FB III 50 C,216). Diesem Vermerk fügte er auf dem Brief des Persiano Ansidei aus dem gleichen Jahr hinzu: «*per saper se si sono havuti*» (FB III 59 B,100, dors.105v).

[193] Den Brief der Domicilla della Tolfa, Priorin eines Klosters in San Sebastian «*da V.S.Ill.ma protetto*» vom 30. Oktober 1620 in FB III 50 B,527 verwies Peruzzi «*Al Signore Maestro di Casa, che procuri ricuperar queste robbe, e poi avvisi in Segretaria*». Borgheses Dank an die Priorin für die von ihr geschickten *frutti* datiert vom 26. November 1620 und findet sich in Baccis Band FB II 422,297v.

Nach dem langen Aufenthalt in den Büros des Nepoten sei abschließend zusammengefaßt, welche Mitarbeiter Borghese bei der Beantwortung der nicht für die Behörden der Kurie bestimmten Post und bei der Verwaltung seiner Geldquellen unterstützten. Bis zum Dezember 1610 kümmerte sich der Maestro di Casa Diomede Ricci um die Details der Güterverwaltung, während die *complimenti* aus diesem Bereich, aber auch ein Strang der Patronagekorrespondenz und schließlich jene Schreiben, die Borghese in seiner Eigenschaft als Ordensprotektor oder Erzbischof erhielt, dem Privatsekretariat überlassen blieben. Nachdem Ricci Rom und sein Amt verlassen hatte, fungierte Campori zwar weiterhin als Privatsekretär des Nepoten, übernahm aber auch noch die Korrespondenz, die sich mit den ökonomischen Interessen Borgheses beschäftigte. Getrennt wurden diese Briefwechsel erst wieder im September 1616, als der zum Kardinal promovierte Campori aus dem Amt schied. Der neue Maggiordomo Pignatelli beschränkte sich fortan auf die Betreuung der Geldquellen, der als Privat- und Patronagesekretär eingestellte Bacci nahm sich neben der nun in seinem Büro gebündelten Patronagekorrespondenz auch jener Schreiben an, auf die sich Campori in der Zeit vor Dezember 1610 konzentriert hatte.

Die Sekretariate und Abteilungen im Stab des Nepoten wären beschrieben, die Mitarbeiter identifiziert und die Grundzüge der zwischen ihnen praktizierten Arbeitsteilung rekonstruiert. Eines ist damit jedoch noch nicht geklärt: das Verhältnis dieses privaten Stabs zu den kurialen Gremien. So sei nun zu ermitteln versucht, wie sich die Existenz der Nepotensekretariate und der Einsatz ihrer Belegschaft für die Interessen des Kardinals auf die Arbeit der päpstlichen Behörden auswirkten.

V. Konkurrenz oder Arbeitsteilung?
Die Behörden der Kurie und der Stab des Nepoten

Was die Mitarbeiter nicht weniger Behörden an der Kurie mit den Sekretären des Nepoten gemeinsam hatten, liegt auf der Hand: den Vorgesetzten. Was die trennte, ist nicht minder offenkundig: ihre Aufgaben. In den Behörden des Pontifex wurden dessen politische Korrespondenz abgewickelt und Staat wie Kirche verwaltet, die Büros des päpstlichen Neffen hatten sich um die Post der Klientel und die Einnahmen der regierenden Familie zu kümmern. Sollte diese Arbeitsteilung reibungslos funktionieren, durfte keine der Einrichtungen ihren Zuständigkeitsbereich überschreiten, und auch der Nepot hätte weder die Gremien der Kurie mit privaten Wünschen noch seine eigenen Sekretäre mit Amtsgeschäften behelligen können. Daß diese Vorstellung der Realität entsprach, ist jedoch ebenso unwahrscheinlich wie die Annahme, die dominierende Rolle des Kardinalnepoten an der Kurie habe keine dysfunktionalen Folgen gehabt. Daher sei ein Blick auf das Verhältnis der Gremien geworfen, die Scipione Borghese für seine unterschiedlichen Aufgaben und Ziele zur Verfügung standen.

Wie dieses Verhältnis beschaffen sein konnte, illustrieren die Konflikte aus dem Pontifikat Urbans VIII, dessen Neffe Francesco Barberini versucht hatte, die Amtsgeschäfte des Staatssekretariats durch den Ausbau seines privaten Stabes an sich zu ziehen[1]. Scipione Borghese möchte man einen solchen Kampf um die Macht nicht zutrauen, hat er als Leiter des Staatssekretariats doch nur wenig Interesse an der politischen Korrespondenz der Kurie bekundet. Da aber die Warnung der Barberini Grund genug ist, auch diese Möglichkeit nicht auszuschließen, sei sicherheitshalber überprüft, ob der Borghese-Kardinal nicht doch auch politische Ambitionen hegte. Bewerkstelligen läßt sich dies auf zwei Wegen: Zum einen werden Scipiones Autographen zu betrachten sein, die wie alle eigenhändigen Zusätze prominenter Korrespondenzpartner unter der Reinschrift ihrer Schreiber als Zei-

---

[1] Ausführlich hierzu vgl. Kap. V.2.

chen persönlicher Anteilnahme gedeutet und eingesetzt wurden und daher die Interessenschwerpunkte des Nepoten erhellen dürften. Zum anderen bieten die umfangreichen Bestände des Patronagesekretariats ausreichend Material, um zu klären, ob auch Borghese seinen privaten Stab als Konkurrenz zur politischen Behörde in Stellung brachte und über Baccis Büro in die Politik der Kurie einzugreifen versuchte. Allerdings konnten der Nepot und seine Mitarbeiter nicht nur dem Staatssekretariat Konkurrenz machen, sondern auch den Verwaltungsbehörden, und so wird der letzte und nicht zufällig längste Abschnitt nach Versuchen Borgheses Ausschau halten, die Arbeit der Gremien zu seinem oder seiner Klienten Vorteil zu beeinflussen.

1. Die Handschrift des Nepoten:
Borgheses Interessen im Lichte seiner Autographen

Nach allem, was die Quellen bisher zu erkennen gaben, hatte Scipione Borghese weder ausgeprägte politische Interessen noch Machtansprüche gegenüber dem Staatssekretär. Vielmehr scheint er sich freiwillig auf die Post der Klienten konzentriert zu haben, und so könnte man sagen, allein die Patronagekorrespondenz der römischen Kurie trug die Handschrift des Nepoten. Dies aber wäre ein fahrlässiger Umgang mit einem der zentralen Begriffe der Aktenkunde. Nur wenn die Beteiligten selbst zur Feder griffen, sollte man von ihrer Handschrift reden, und daß dies im Falle Borgheses auch bei der Beantwortung der patronagerelevanten Schreiben dank der Hilfe seiner Auditoren kaum vonnöten war, hat sich bereits gezeigt. Allerdings galt das Interesse bisher vor allem den eingelaufenen Schreiben und ihrer Bearbeitung, weniger den Briefen, die in Borgheses Namen verfaßt und in alle Welt geschickt wurden. Doch gerade auf den auslaufenden Schreiben findet sich die Handschrift des Nepoten immer wieder, denn nicht selten setzte Scipione mehr als seinen Namenszug unter die Reinschriften, die ihm vorgelegt wurden. Schließlich galt die eigenhändige Abfassung eines Nachtrags oder gar eines kompletten Schreibens als Zeichen für die Bedeutung des Briefinhalts, und entsprechend aufmerksam wurde von den Adressaten der Post vermerkt, wenn der Kardinalnepot eine Mitteilung *«di propria mano»* zu Papier gebracht hatte[2]. Hätte man also nur dem

---

[2] So findet sich z. B. auf der Rückseite einer am 5. März 1608 abgefaßten Empfehlung Borgheses an den Ferrareser Magistrat für die bevorstehende Rotawahl die wohl vom Stadtsekretär angebrachte Notiz: *«raccommanda di propria mano il Dottore Giuseppe Uffreducci per la Rota»* (CC 156,210v). Zu besagtem Doktor und Borgheses Einsatz für diesen vgl. Kap. IV.2.b.

Beispiel der Empfänger folgen und einen Blick auf die Autographen Borgheses werfen müssen, um die an den Bearbeitungsvermerken so mühsam rekonstruierte Interessenlage des Nepoten zu ermitteln? Dieser Gedanke liegt nahe, birgt aber auch Gefahren. Immerhin ist es dem im römischen Behördenalltag vor allem durch Untätigkeit aufgefallenen Kardinal Borghese durchaus zuzutrauen, daß er sich sogar seine eigenhändigen Zusätze unter der Post von anderen diktieren ließ, und so sei zunächst am Beispiel seiner Korrespondenz mit Adressaten in Ferrara zu ermitteln versucht, wie die Autographen des Nepoten zustande kamen.

a. *Di mano del Cardinale Borghese*: Zur Entstehung der Autographen

Wer die Suche nach eigenhändigen Zusätzen Borgheses in der Post nach Ferrara bei den Schreiben des Nepoten an den dortigen Legaten beginnt, stößt schnell auf eine Warnung, die Aussagekraft der Autographen nicht zu überschätzen: «Aus Zeitnot schreibe ich nicht eigenhändig, doch auch dies würde nicht ausreichen, um meine unendliche Freude über Ihre Erhebung zum Ausdruck zu bringen», lautete Borgheses Notiz unter dem nicht ins reine geschriebenen, aber dennoch abgeschickten Entwurf des Gratulationsschreibens an den frischgebackenen Kardinal Spinola[3]. Offensichtlich hätte der Nepot lediglich eine andernorts entworfene Minute abschreiben sollen, doch da er in Eile war, mußte sich Spinola mit diesem kurzen Zusatz aus seiner Feder begnügen. Daß Borghese auch an den kurzen Nachträgen auf den fertiggestellten Reinschriften an den Legaten und andere Empfänger nur als Kopist beteiligt gewesen sein könnte, legt das Aussehen der im Original erhaltenen Autographen des Kardinals nahe, die anders als die meisten Minuten ohne Streichungen und Ergänzungen auskommen und somit wie die Abschrift einer bereits korrigierten Vorlage wirken[4]. Einen weiteren Hinweis liefern die Auslaufregister des Staatssekretariats: Da nicht nur der Text der Briefe, sondern auch Ergänzungen vermerkt wurden, die Registrierung aber laut Semmler anhand der Minuten erfolgte, muß der Nachsatz des Nepoten bereits im Entwurf des Schreibens vorgesehen gewesen sein[5]. Tatsächlich finden sich einige Minuten

---

[3] «*Per carestia di tempo io non scrivo con mia mano, ma in ogni modo non sara bastante à rappresentarle l'infinita contentezza, ch'io ho sentita della sua essaltatione*», notierte Borghese auf FB II 346,54r.
[4] Außer den noch näher zu behandelnden Originalen Borgheses an Spinola sind vor allem die Reinschriften an die Stadt Ferrara in CC 156 und an den Ferraresen Enzo Bentivoglio in den zahlreichen Korrespondenzbänden des ABent. in ASFe erhalten. Bei den meisten der in diesen Beständen vorhandenen Zusätzen kam Borghese ohne Korrekturen aus.
[5] Zum Registrierverfahren vgl. Semmler, Staatssekretariat, S. 106, zu den Nachsätzen in den Auslaufregistern ist anzumerken, daß die Zusätze zwar zum Teil mit der im Titel dieses Abschnitts zitierten Formel «*Di mano del Cardinale Borghese*» (z. B. FB I 943,41v) überschrieben sind, doch häufiger nur

mit einem Zusatz, der zweifellos als Nachtrag gedacht war und die typischen Merkmale der Autographen Borgheses trägt: inhaltlich die Aussage des Briefs aufgreifend, im Ton dagegen weit persönlicher[6]. Doch nicht nur die Tonlage veränderte sich, sondern auch die Handschrift[7], und dies sollte zu denken geben. Denn wenn der Nachsatz nicht immer von dem Minutanten stammt, der den Brief entworfen hat, könnte dies auf eine spätere Ergänzung des Entwurfs und somit auf eine mögliche Anordnung Borgheses oder einer seiner Mitarbeiter hindeuten.

In welchem Maße und in welcher Form Borghese auf die Passagen Einfluß nahm, die er eigenhändig zu Papier brachte, ist kaum zu klären. Doch daß er keineswegs immer ein willenloser Kopist fremder Vorlagen war, legen auch andere Quellen nahe. So gab Cennini nicht nur die Erstellung von Schreiben im Staatssekretariat in Auftrag, die der Nepot nur noch zu unterzeichnen brauchte[8], sondern, wie im Falle der Antwort an einen ungenannten Herzog, zuweilen auch Minuten. Was Feliciani im einzelnen schrieb, stand ihm frei, denn für Borghese zählte nur der Ton des Briefs: *«affettuosissima»*, so Cennini, sollte die Minute sein, und wohl um diesen Eindruck noch zu verstärken, wollte Borghese den Entwurf eigenhändig abschreiben[9]. Doch nicht nur bei den Minuten für die relativ selten vorkommenden komplett von Borghese zu Papier gebrachten Briefe war Felicianis Einsatz

---

abgesetzt notiert (SS Bo 185 und 186, Ang. 1226 und 1231) oder mit *«Aggiunta»* (SS Fe 238) bezeichnet wurden. Da jedoch solcherart gekennzeichnete Zeilen in den Reinschriften, die für einige dieser Registereintragungen erhalten und für die hier gewählten Beispiele (sämtlich an den Ferrareser Legaten Spinola) in den Bänden FB II 364 und 346 (nach Rom zurückgekehrte Originalschreiben des Nepoten an Spinola) zu finden sind, Borgheses Handschrift aufweisen, darf dies für alle nicht namentlich gekennzeichneten Zusätze in den Registerbänden angenommen werden. Nachträge von der Hand eines Schreibers, die wohl kurz vor der Absendung der Post zur Aktualisierung des Briefs hinzugefügt wurden, sind in den Registern dagegen nicht vermerkt (vgl. den Nachtrag auf FB II 346,5 in gleicher Handschrift wie der Text des Briefs, dessen Registrierung in SS Fe 238,78r der Zusatz fehlt; dies gilt auch für FB II 364,52 und SS Fe 238,20vf.).

[6] So z.B. in der vom 28. Februar 1615 stammenden Minute eines Schreibens an Enzo Bentivoglio in SS Part 172,503r. Der Text lautet: *«Se quel Giovane Sonatore, che si trova costì potesse senza suo molto scommodo arrivar sin qui mi sarebbe molto caro perche col sentirlo, et col riuscire di quell'eccellenza che V.S. dice mi risolverei poi s'io dovessi pigliarlo al mio servitio.»* Es folgt der Dank für das Angebot, dann der Zusatz: *«V.S. mi loda tanto questo Giovane, che sona di Liuto che mi hà fatto venire gran desiderio di sentirlo perche son sicuro che V.S. hà buon gusto, et non pecca per ignoranza. Lo sentirei anco volentieri perche difficilmente m'induco à credere, ch'essendo così ecellente, com'ella scrive se ne voglia privare.»*

[7] Z.B. in der Minute aus der vorherigen Anm. oder in E 58,174 und E 59,201.

[8] Vgl. Kap. II, Anm. 256.

[9] Auf einem kleinen, zweifellos an Feliciani gerichteten Zettel hatte Cennini notiert: *«Comanda l'Ill.mo Signore Cardinale Padrone che V.S.R.ma faccia una minuta di lettera per risposta dell'alligata al Signore Duca, che sia affettuosissima, la quale vuol S.S.Ill.ma rescrivere di propria mano, dicendo del Signore Cardinale Rivarola di Monsignore di Caserta, e del Montaceti quello che pare à lei che convenga per risposta»* (SS Misc.Arm. XI 55,179).

gefragt: Die Antwort auf das an den Nepoten gerichtete Memoriale solle er schreiben, konnte der Chefsekretär einer Anweisung Cenninis entnehmen, und überdies den Kardinal daran erinnern, ein paar Worte von seiner Hand hinzuzufügen[10]. Ein paar Worte hinzufügen klingt indes nicht nach Abschrift einer Vorlage, und tatsächlich scheint Borghese einen Teil der Autographen nach eigenem Gutdünken und ohne jeden Entwurf unter die Briefe gesetzt zu haben. Dies zeigt sich, wenn man die größtenteils in Ferrara befindlichen Originale der Schreiben Borgheses an Adressaten in der Legation mit der Registrierung dieser Briefe in den Bänden des Staatssekretariats vergleicht: Jene Autographen, die der Nepot auf den auslaufenden Schreiben notierte, ohne daß sie zuvor von einem Minutanten oder danach vom Registrator zu Papier gebracht worden wären, verdankten Entstehung und Inhalt allein Borghese[11].

Während der Nepot bei der Post aus dem Staatssekretariat zwar in einigen, doch keineswegs in allen Fällen selbst bestimmte, welche Briefe er mit einem Nachtrag von seiner Hand versah, dürften Borgheses Autographen in der Patronagekorrespondenz aus Baccis Büro ausnahmslos der persönlichen Entscheidung des Kardinals entsprungen sein. Überblickt man die Konzepte und Reinschriften dieser Briefe, fällt zunächst auf, daß sich seit dem Amtsantritt Baccis kaum noch Autographen des Nepoten auf den Originalen finden, die nicht schon in den Minuten vorgesehen gewesen wären[12]. Da die Entwürfe für den Nachsatz Borgheses aber nahezu ausnahmslos von Bacci stammten, selbst wenn der Text des Schreibens von Tartaglioni erstellt worden war[13], ergibt sich folgendes Bild: Nachdem die einge-

---

[10] Auf der Rückseite des Anfang 1613 eingereichten Memoriales notierte Cennini (FB I 705 B,173v): *«A Monsignore di Foligno che scriva. S.S.Ill.ma comanda se li ricordi che vi aggiunga un verso di sua mano.»*

[11] Ein solcher Vergleich ist aufgrund der Überlieferungssituation nur für die Korrespondenz Borgheses mit der Stadt Ferrara und dem Ferraresen Enzo Bentivoglio möglich. Für die Bentivoglio ergibt sich folgendes Bild: Insgesamt, d.h. Originale in Ferrara, Minuten und Registereintragungen in Rom zusammengenommen, ließen sich, die Nuntiaturkorrespondenz mit Guido nicht mitgerechnet, 223 Schreiben Borgheses an Enzo und andere Bentivoglio finden (136 in Ferrara, von denen 78 nicht registriert sind, der Rest nur in Rom). Autographen Borgheses tragen 61 dieser Briefe, von denen für 15 in erster Linie wegen der Lücken im Bestand der Auslaufregister keine Registrierung gefunden werden konnte. Bei den verbleibenden 46 registrierten Schreiben mit Autographen ist in 10 Fällen der Zusatz Borgheses nicht im Auslaufregister eingetragen.

[12] Was aber dennoch vorkommen konnte, wie der Vergleich von ABent.Corr. 10/78,114 mit FB II 416,47r ergibt.

[13] Zwar finden sich einige wenige Entwürfe für Autographen Borgheses in der Post nach Ferrara von der Hand Tartaglionis (z.B. FB II 401: 76r, 85r; FB II 419, 326v, alle an Serra), doch niemals, wenn er nicht selbst die Minute des Briefs geschrieben hatte. Bacci, der anfangs weniger, gegen Ende seiner Amtszeit jedoch nahezu ausnahmslos die Nachsätze notierte, tat dies auch bei den Minuten seines Mitarbeiters, z.B. auf FB II 401: 358r, 445v, 533r, 874r, 908r, 935r; FB II 420,355v; FB II 417,392r (ebenfalls alle an Serra), was seine übergeordnete Stellung Tartaglioni gegenüber beweist.

laufenen Schreiben zu Bacci gelangt waren und dieser die Anweisungen seines Herrn in Erfahrung gebracht hatte, verfaßte er die gewünschte Minute des Antwortschreibens oder ließ sie von Tartaglioni verfassen, begab sich mit dem Entwurf zu Borghese und fügte, falls dem Nepoten ein Nachtrag geraten erschien, die entsprechenden Zeilen hinzu. Ob Borghese seinem Sekretär Wort für Wort diktierte, was er selbst abzuschreiben gedachte, oder nur die grobe Linie vorgab, ist nicht zu klären. Doch daß der Nepot selbst und nur er wenigstens in der Korrespondenz des Patronagesekretariats über seine Autographen entschied, belegt folgende Bitte, die Bacci auf dem Umweg über Ferrara erreichte: Einer, der es wissen mußte, weil er in langen Jahren als Auditor städtischer Roten schon des öfteren auf die Fürsprache Borgheses angewiesen gewesen war, wandte sich zwar an den Sekretär, um einen handschriftlichen Zusatz unter dem gewünschten Empfehlungsschreiben für die nächste Rotawahl zu erhalten. Doch da er ihn ersuchte, Borghese zu diesem Schritt zu bewegen, und überdies mit Argumenten ausstattete, die eindeutig für die Ohren des Nepoten bestimmt waren, lag es offensichtlich an diesem selbst, wen er mit seiner Handschrift zu beglücken gedachte[14].

Bei der Post des Staatssekretariats muß von Fall zu Fall geprüft werden, wer den Nachtrag des Nepoten angeregt und entworfen hatte, bei der Korrespondenz des Patronagesekretariats darf man den Kardinal wohl grundsätzlich als Urheber seiner eigenen Zusätze betrachten. Eines aber gilt für alle Autographen im gleichen Maße: Sie waren ein bewußt eingesetztes Mittel, um die Herzlichkeit eines Schreibens oder die Dringlichkeit eines Wunsches zu unterstreichen, und wessen Initiative sie diese Ehre verdankten, konnten auch die Empfänger der mit Borgheses Handschrift versehenen Briefe nicht entscheiden. So geben seine eigenhändigen Zusätze zwar nicht unbedingt immer die tatsächlichen Interessen des Menschen Scipione Borghese zu erkennen, wohl aber die Themen und Personen, denen gegenüber die besondere Anteilnahme des Kardinalnepoten zum Ausdruck gebracht werden sollte. Was die Autographen des Kardinals über seinen Zuständigkeitsbereich, aber auch über sein Verhältnis zu einzelnen Korrespondenzpartnern zu sagen haben, wird nun zu betrachten sein.

---

[14] Pietro Geri, der ein Auditorat an der Ferrareser Rota anstrebte, wandte sich mit der Bitte an Enzo Bentivoglio, «*ad impetrarmi un'altra lettera dal Signore Cardinale Borghese con due righe affettuose ... di sua mano, scrivendo per questo fine istantemente a S.S.Ill.ma, et al Signore Bacci, che di dette righe ne sia il procuratore*». Was Borghese außer der Fürsprache Enzos dazu bewegen sollte, vergaß Geri nicht hinzuzufügen: «*Io sono pure suo servitore per havere Antonio mio fratello ... servito da Signore Giovan Battista Borghese e da Signora Virginia più di tre anni ... et consequentemente si è servito la casa del Signore Cardinale*» (Geri an Enzo, 27. Juni 1617, ABent.Corr. 11/94,706v und 704r).

b. Schwerpunkte und Sympathien:
Die Botschaft von der Hand des Nepoten

Welche Themen die Schreiben behandelten, die Scipione Borghese bevorzugt mit einem Nachsatz von seiner Hand versah, ist im Lichte der bisherigen Befunde unschwer zu erraten. Der Patronagekorrespondenz des Klientelchefs, nicht der amtlichen Post der Behörden galt der Eifer des Nepoten und damit sein mit Hilfe der Autographen dokumentiertes Interesse. Um dies festzustellen, reicht für die Zeit ab September 1616 ein Blick in die Bände Baccis mit den Minuten der Patronagekorrespondenz und ihren zahlreichen Nachträgen[15]. Für die Jahre zuvor muß man hingegen die Post des Staatssekretariats und ihren Inhalt genauer betrachten, wurde doch sowohl der patronagerelevante als auch der dienstliche Briefwechsel zunächst in der politischen Behörde abgewickelt. Das Ergebnis, das die Lektüre der mit Autographen versehenen Schreiben zutage fördert, ist aber auch hier eindeutig und bereits in Borgheses Briefen an den Ferrareser Legaten Spinola mit Händen zu greifen: Zu außenpolitischen oder militärischen Fragen nahm der Papstneffe sehr selten und überdies nur im Krisenjahr 1606 eigenhändig Stellung, auf Empfehlungen und Schreiben, die die persönlichen Anliegen Spinolas betrafen, lassen sich seine Autographen häufiger und für die gesamte Amtszeit des Legaten belegen[16]. Nicht minder klar dokumentieren die Nachsätze des Nepoten in der Korrespondenz mit anderen Empfängern in der Provinz am Po seine Zuständigkeit für die Patronagepolitik und die entsprechende Post. So tragen die Schreiben des Kardinals an einzelne Ferraresen, die sich ja in erster Linie mit privaten Anliegen an ihn wandten, in Relation zur Gesamtzahl der Briefe weit häufiger einen Zusatz Borgheses als die vorrangig mit Sachfragen befaßten Sendungen an die Legaten[17], und von den Hunderten von Schreiben an die Stadt Ferrara, die der Nepot im

---

[15] Da Baccis Register im Vergleich zu den Bänden des Staatssekretariats ungleich mehr Nachträge Borgheses aufweisen und dies in der Tat bereits beim ersten Blick in die Verzeichnisse auffällt, verzichte ich auf einen weiteren Nachweis. Auf die Autographen, die Borghese nach September 1616 auf einigen Schreiben der politischen Behörde anbrachte, wird weiter unten im Zusammenhang mit seinen eigenhändigen Mitteilungen an den Legaten Serra einzugehen sein.

[16] Politische Themen in der Post an Spinola kommentierte Borghese im Jahr 1606 auf: FB II 364: 108, 147, 190; SS Fe 238,219v. Empfehlungen Dritter und ihrer Anliegen verlieh Borghese eigenhändig Nachdruck auf FB II 364,129r; FB II 346: 27, 28, 42; FB II 66,689; SS Bo 186,114vf.; FB I 943,41v; ABent.Corr. 10/57,240r; Ang. 1226,82vf. Autographen Borgheses an Spinola zu dessen persönlichen Anliegen auf FB II 346,54r; Ang. 1231: 356vf, 391v, 449vf. Die einzige «Aggiunta» Borgheses zu einem innenpolitischen Problem, dem Streit um die Wahl des städtischen Botschafters 1608, findet sich auf SS Bo 185,6vf.

[17] Diesen Eindruck, der sich mit zahllosen Beispielen aus den Registern *a diversi* und aus Baccis Bänden belegen ließe, vermittelt bereits ein kurzer vergleichender Blick in diese und in die Auslaufregister an die Legaten.

Pontifikat seines Onkels unterzeichnete, waren ihm zwar nur neun, aber neun
höchst aufschlußreiche Briefe einen eigenhändigen Nachsatz wert: In einem dieser
Schreiben empfahl Borghese einen Kandidaten für das städtische Amt des Rats-
konsultors, zwei beschäftigen sich mit der Vergabe der Ferrareser Konsistorialadvokatenstelle in Rom an einen Verwandten des Nepoten, und bei den restlichen
sechs Schreiben handelt es sich um Personalempfehlungen für die Rotawahlen in
Ferrara[18]. Bei Sachfragen griff der Superintendent des Kirchenstaats hingegen
nicht ein einziges Mal zur Feder. Daß dies bei allen Themen möglich gewesen wäre,
bei im engeren Sinne politischen Angelegenheiten aber äußerst selten geschah, ist
m. E. der schlagendste Beweis nicht nur für die römische Rollen- und Zuständig-
keitsverteilung, sondern auch für des Nepoten Zufriedenheit mit dem ihm zugewiesenen Bereich.

Doch lassen die Zusätze Borgheses nicht nur erkennen, *was* ihn interessierte,
sondern auch, *wem* seine Aufmerksamkeit in besonderem Maße galt. Die Rangli-
ste für die Legation Ferrara führt unangefochten Enzo Bentivoglio an, der etwa
auf jedem vierten der Schreiben, die ihm sein Padrone aus Rom so zahlreich schickte, die Handschrift des Kardinals erblicken konnte[19]. Mehr noch als dies mußte
ihn der Inhalt der Bemerkungen erfreuen, denn persönlichere Kommentare als auf
der Post für Enzo brachte Borghese nirgends zu Papier. Stets herzlich, häufig iro-
nisch und nicht selten ohne Rücksicht auf die Konventionen der Amtssprache,
scherzte Borghese in zahlreichen Schreiben mit seinem wichtigsten Klienten in
Ferrara, dessen Werben um seine Gunst Kardinal und Galleria Borghese nicht
wenige Kunstwerke zu verdanken hatten. So berichtete er ihm von einem Gespräch
mit seinem Bruder, dem Nuntius Guido Bentivoglio, in dem beide mehr Schlechtes
als Gutes über Enzo hätten sagen müssen, um bei der Wahrheit zu bleiben[20]. Bald
darauf erfuhr Enzo, daß der Nuntius zur Freude Borgheses zwei Tage in Frascati
gewesen war, sich aber nicht an den Spielen beteiligt hatte und so als Schiedsrichter
fungieren mußte[21]. Dem Vorschlag Enzos, er könne doch anstelle seines erkrank-

---

[18] Die Originale in der Reihenfolge ihrer Nennung: CC 156: 615, 575, 583, 209, 252, 356, 446, 513,
    639. Warum lediglich eines dieser Schreiben registriert ist (575 in FB II 416,226r), wurde in Kap. IV.2
    erläutert.

[19] Die Originale der Schreiben Borgheses an Enzo konzentrieren sich in ABent. in den Bänden Corr.
    8/18 (1605–1609), 10/57 (1610–1614), 10/78 (1615–1619), 12/132 (1620–1629). Der Höhepunkt
    der Autographenflut war 1620 erreicht: Von den zwanzig Schreiben des Kardinals, die sich finden
    ließen, tragen nur zwei keinen handschriftlichen Zusatz.

[20] Zusatz Borgheses auf ABent.Corr. 10/78,65, nicht mitregistriert in FB I 944,494r/v: «*Havemo fatto
    Monsignore suo fratello, et io una gran comemoratione di lei, e se n'è detto assai più mal che bene
    per non allontanarci dalla verità.*»

[21] Zusatz Borgheses auf ABent.Corr. 10/78,72, nicht mitregistriert in FB I 944,507vf.: «*Monsignore
    Arcivescovo suo fratello mi ha favorito doi giorni à Frascati con molta mia consolatione, ma non sò
    con quanto suo patimento, et incommodo. Lui non giocava, ma era Giudice delle differenze del gioco.*»

ten Bruders als Nuntius nach Paris gehen, entgegnete Borghese mit einem seiner häufigen Verweise auf Enzos Lieblingsbeschäftigung: Man könne das Amt ja teilen, so daß Guido mit den Männern zu verhandeln habe, Enzo aber mit den Damen des Hofes[22]. Ob das bereits erwähnte Tierchen, das der immer nach ausgefallenen Präsenten suchende Ferrarese dem Kardinal Jahre zuvor verehrt hatte und von diesem kurzerhand Bentivoglio getauft worden war, Borghese bei der Abfassung solcher Zeilen inspirierte, ist ungewiß[23]. Sicher dagegen scheint zu sein, daß die Autographen an Enzo zum größten Teil dem Willen und dem Kopf des Nepoten entsprungen waren[24] und daher zweierlei zum Ausdruck bringen: Dem Ferraresen dürften die persönlichen Zeilen des Kardinals das Interesse seines römischen Patrons an einer engen Bindung und deren Pflege bestätigt haben, dem heutigen Betrachter führen Borgheses Zusätze vor Augen, daß die Autographen ein wichtiges Indiz für das Verhältnis des Nepoten zu einzelnen Korrespondenzpartnern und damit ein wertvolles aktenkundliches Hilfsmittel bei der Rekonstruktion klientelärer Beziehungen sind.

Von welchem Nutzen der Blick auf Borgheses Autographen sein kann, wenn es seine ansonsten schwer faßbaren persönlichen Beziehungen zu bestimmen gilt,

---

[22] Borgheses Zusatz auf ABent.Corr. 277,9, keine Registrierung des Schreibens gefunden: *«La Nuntiatura di Francia è carico molto grande, però credo che si possa, e deva dividere, dando à Monsignore suo fratello il carico di trattar con gl'homini, et a lei con le dame.»* Zwei weitere Beispiele für eigenhändig notierte Anspielungen dieser Art, die Borghese sich selten verkniff: Einer Bitte, ihm Informationen über ein Nonnenkloster zu beschaffen, fügte er hinzu (FB II 417,217v, kein Original erhalten): *«Mi son pentito di raccomandar' a V.S.Ill.ma un Monasterio, perche non vorrei darle occasione di visitar Monache con tutto ciò spero che per questa volta ella sarà huomo da bene.»* Anläßlich des Besuchs des Ferrareser Bischofs Kardinal Leni in seiner Diözese ermahnte Borghese Enzo (FB II 417,231v, kein Original erhalten): *«V.S.Ill.ma vorria, che tutti fossero simili à lei. Il Signore Cardinale Leni è venuto costà per haver cura delle sue pecore, e non per andar' à spasso. La prego à non gli dar simili consegli, perche sarei tenuto in coscienza à farle la spia appresso il Papa.»*

[23] Seinem Dankesschreiben für das *«Animaletto venuto dall'Indie»* (vgl. Kap. IV, Anm. 33) fügte Borghese eigenhändig hinzu (ABent.Corr. 10/57,353, nicht mitregistriert in Ang. 1228,15r): *«Veramente dal Signore Enzo non possono venir senon cose singolari, come è stato quest'Animale che non sapendo io il nome, lo chiamerò il Bentivogli. Regalo più da dame, che da me.»*

[24] Beispiele für Autographen Borgheses auf Briefen an Enzo aus der Zeit vor September 1616, die in den Bänden des Staatssekretariats nicht mitregistriert wurden und daher offensichtlich allein auf Borgheses Initiative zurückzuführen sind, bieten die vorhergehenden Anm. Bei den 15 Autographen, die Borghese auf Briefen an den Ferraresen notierte, deren Registrierung nicht zu finden ist, können zwar nur die Formulierungen des Kardinalnepoten ins Feld geführt werden. Doch da Borghese sogar mehrmals ganze Schreiben an Enzo eigenhändig zu Papier brachte (etwa ABent.Corr. 10/57,30, 16. November 1611: Gratulation zur Geburt des vierten Sohnes mit der für Borghese typischen Wendung: *«V.S. si mostra compitamente valoroso, e bravo in tutte le sue attioni, e merita non men lode nella bonification familiare, e privata, che nella publica»*), die z.T. eindeutig nicht registriert wurden und daher wohl kaum von einem Minutanten entworfen worden waren, darf man ihm eigene Zusätze an Enzo durchaus zutrauen.

zeigt auch ein Vergleich zwischen den eigenhändigen Zusätzen des Nepoten in der Post an die Ferrareser Legaten Spinola und Serra. Daß sich die meisten der belegbaren Nachträge Borgheses an die Verwaltungschefs im Norden an Serra wandten, scheint zwar weniger auf die Sympathien des Papstneffen als auf die Quellenlage zurückzuführen zu sein. Schließlich ist die patronagerelevante Korrespondenz, auf der sich die Mehrzahl der Autographen findet, dank der ab September 1616 vollständig erhaltenen Minuten Baccis für Serra weit besser dokumentiert als der entsprechende Briefwechsel mit Spinola. Merkwürdig indes wirken die Notizen Borgheses auf den amtlichen Schreiben an Serra, die im Staatssekretariat angefertigt worden waren. Denn während die eigenhändigen Zusätze des Nepoten unter den Weisungen an Spinola stets den Inhalt des Schreibens aufnahmen und seine Bedeutung auf diese Weise unterstrichen, hatten die Nachträge an Serra so gut wie nie etwas mit dem Text zu tun, den ein Mitarbeiter der Behörde zu außenpolitischen Meldungen des Legaten oder zu Problemen aus dem Verwaltungsalltag in Ferrara verfaßt hatte. So konnte Serra den Briefen zunächst eine Stellungnahme zu seinen Nachrichten über die politische Lage in Oberitalien oder anderen Sachfragen entnehmen, um dann von Borghese persönlich zu erfahren, daß Kardinal Leni aus der Kutsche gefallen oder die Mutter der Savelli-Brüder gestorben war, Kardinal Caetano der Katarrh plagte, die Fassade von Sankt Peter ihrer Vollendung entgegenging, die Theateraufführung im Hause des Kardinals Lancellotti großen Anklang gefunden hatte, der Gastgeber aber bald darauf schwer erkrankt war[25]. Vom Tod Lancellottis dagegen erfuhr der Legat aus einem von Bacci angefertigten Schreiben, bot der traurige Anlaß dem Nepoten doch Gelegenheit, einem der Verläßlichsten aus dem nun neuerlich dezimierten Kreis der konklaverelevanten Borghese-Klienten seinen Dienstwillen – und seine Erwartungen! – zu versichern[26]. Umgekehrt bediente sich Borghese eines Schreibens des Staatssekretariats, um Serra eigenhändig die Freude Pauls V. über die Einnahme Prags mitzuteilen, während er es den Mitarbeitern der Behörde überließ, die militärischen Einzelheiten des Sieges auszubreiten[27]. Informationen über Ereignisse dieser Reichweite

---

[25] Die Fundstellen dieser Nachrichten in der Reihenfolge ihrer Nennung: FB I 945, 809r/v (zu Leni aber auch Autographen Borgheses auf FB II 416: 116v,162v); FB I 906,88v (zu Savelli und Caetano); FB I 906,114v; SS Bo 186,218r/v; SS Bo 186,239vf.

[26] Auch dieses Schreiben (FB II 422,333v) trägt einen Zusatz Borgheses: «*Nel dispiacere mi consolo con la sicurezza che ho che V.S.Ill.ma sia per favorirmi sempre, e mi creda ch'in lei fo ogni fondamento, come sò di poter fare, e così facci V.S.Ill.ma in ogni occasione, che vedrà, se io bramo servirla.*»

[27] «*Qui havemo havuto la nuova dell'acquisto di Praga, che hà apportato à Nostro Signore somma consolatione, domattina però s'anderà dalla Minerva all'Anima, dove Sua Santità dirà messa, e si canterà il Te Deum*», notiert Borghese auf SS Bo 186,241vf. Eine ausführliche Schilderung der Einnahme Prags sowie der Dankgottesdienste und Freudenfeste in Rom folgte in SS Bo 186,242r–243r; in ebd.,244r/v weitere Informationen über die «*buoni successi di Bohemia*».

standen den Legaten wohl zu, aber wer wie Serra von Borghese persönlich über das gesellschaftliche Leben am Hofe auf dem laufenden gehalten wurde, konnte sich der Verbundenheit dieses wichtigsten der Kardinäle sicher sein. Daß der Nepot zu diesem Zweck die Schreiben des Staatssekretariats nutzte, war praktisch, ersparte es Bacci doch die Abfassung zahlreicher Briefe, und wirft zugleich ein bezeichnendes Licht auf das Interesse Borgheses an der Arbeit der Behörde. Gerade der Kontrast zwischen den amtlichen Mitteilungen und den persönlichen Nachrichten aus Rom legt es nahe, im Nepoten selbst den Urheber und Autor der Notizen zu sehen, die zuweilen Veranstaltungen zum Thema hatten, bei denen die Herren mit den roten Hüten wenn schon nicht unter sich, so doch keinesfalls in der Gesellschaft von Minutanten und Sekretären gewesen sein dürften[28]. Vor allem aber erhöht der augenfällige Stilwechsel von Text zu Nachsatz die Wirkung dieser kleinen, aber permanenten Zeichen des Wohlwollens. So vermittelt der freundschaftliche, ja vertraute Ton des Nepoten in seiner Korrespondenz mit dem Legaten noch Jahrhunderte später einen völlig anderen Eindruck vom Verhältnis der beiden, als es die wenigen handschriftlichen Nachsätze für die Beziehung zwischen Borghese und Spinola vermuten lassen. Wie nah der Nepot und Serra sich standen, belegt nichts deutlicher als ihr Briefwechsel über eine Frage von größter Bedeutung für das Haus Borghese: die schwierigen Verhandlungen über die Eheschließung zwischen Marcantonio Borghese und Camilla Orsini. Was Serra zu sagen hatte, als die als Braut eingeplante Camilla im Mai 1619 ins Kloster zu gehen beschloß, war für Borghese nicht nur der neuerliche Beweis der Zuneigung, die einer seiner Klienten der Papstfamilie entgegenbrachte, sondern die Meinung eines Freundes, dessen Rat zu erbitten er nicht zögerte. Das Antwortschreiben an Serra persönlich zu entwerfen und ein weiteres nach der Vorlage Baccis eigenhändig ins reine zu schreiben verstand sich für Borghese daher von selbst[29].

---

[28] Als Beispiel für die Exklusivität von Veranstaltungen, von denen Leute wie Feliciani oder gar seine Mitarbeiter wohl nur vom Hörensagen wußten, sei Borgheses eigenhändiger Bericht vom 10. Juni 1620 zitiert (SS Bo 186, 218r/v): «*Hieri si fece la Pastorale in casa del Signore Cardinale Lancellotto, che riuscì bellissima e per la musica, e per le machine della scena, e per la colatione, e per le dame, et in somma per ogni rispetto. Vi furono li Signori Cardinali Barberino, Filonardi, Ubaldino, Muti, Este, Capponi, et io, li Signori Ambasciatori et Ambasciatrice di Spagna, e la Principessa di Sulmona.*» Wie Borgheses Autographen an Serra in die Register des Staatssekretariats gelangten, muß offenbleiben. Doch daß er selbst diese Nachträge nicht nur notiert, sondern auch entworfen hat, belegen m. E. neben dem Inhalt auch die Formulierungen, die mir – nach all der Zeit, die ich mit Kardinal Borghese verbracht habe, sei mir eine solche Behauptung gestattet – typisch für ihn erscheinen.

[29] Zu den Eheverhandlungen vgl. Reinhard, Ämterlaufbahn, S. 410–423. Serra hatte den gerade bekannt gewordenen Entschluß Camillas, ins Kloster zu gehen, in einem eigenhändig verfaßten Schreiben vom 25. Mai 1619 kommentiert (FB III 10 B,143), auf das Borghese persönlich (am Rand der Registereintragung in FB II 419,505v steht «*Di S.S.Ill.ma*») am 1. Juni 1619 antwortete: Nach der

Daß auch Serra seinen Brief zum Thema eigenhändig abgefaßt hatte, verweist auf eine weitere aktenkundliche Beobachtung: Während Spinola sich entschuldigen zu müssen glaubte, wenn ihm die Gicht verbot, einen der zahllosen Legationsberichte eigenhändig zu verfassen, überließ Serra dies grundsätzlich seinem Schreiber, wofür man ihm angesichts seiner eigenwilligen Handschrift dankbar sein kann. Persönlich widmete er sich allein Themen privater Natur wie der Familienpolitik der Borghese und den Empfehlungsschreiben, die in der Amtszeit seines Vorgängers stets von einem Mitarbeiter beantwortet worden waren[30]. Was den Gebrauch der eigenen Handschrift und die dahinter zu vermutende Prioritätensetzung anging, waren sich Borghese und Serra offenbar einig. Daß Spinola dagegen den Sachthemen eine größere Bedeutung einzuräumen schien als der personalpolitischen Korrespondenz, für die sich der Nepot in erster Linie interessierte, könnte das deutlich distanziertere Verhältnis zwischen diesem Legaten und Borghese erklären helfen[31].

Ein Blick auf die Autographen des Papstneffen lohnt sich somit nicht nur aus aktenkundlicher Sicht. Auch wenn dessen Tätigkeitsfelder und seine Beziehungen zu einzelnen Korrespondenzpartnern ermittelt werden sollen, können die Zusätze aus seiner Feder weiterhelfen. Denn wie man es auch dreht und wendet: die Patro-

---

Frage, ob diese Entwicklung *«gusto o disgusto»* bedeute, entgegnete Borghese auf den ehepolitischen Alternativvorschlag des Legaten, *«il partito proposto da V.S.Ill.ma»* sei zwar *«assai riguardevole»*, aber schwierig zu verwirklichen, *«però credo sia necessario pensar'anco ad altri, in che sommamente desidero il prudente, et amorevolissimo suo conseglio»*. Ein nicht auffindbares weiteres Schreiben Serras wertete Borghese in seiner Antwort vom 26. Juni 1619, die er komplett eigenhändig abschrieb (*«andò di mano di S.S.Ill.ma»* ist am Rand der Minute in FB II 419,572r vermerkt) *«per nuovo testimonio di quel cortese affetto, ch'io per prima havevo esperimentato in lei sempre verso questa Casa»*.

[30] Dies läßt sich in allen Bänden des Einlaufs Spinolas und Serras überprüfen, Beispiele erübrigen sich. Die Entschuldigung Spinolas datiert vom 6. Juni 1609 (FB II 321,25): *«Io da due giorni in quà ho male à la mano destra, che m'impedisce lo scrivere, et il sottoscrivere, che però supplico V.S.Ill.ma à perdonarmi.»* Borghese antwortete am 13. Juni 1609 (SS Bo 186,95v): *«L'impedimento che V.S.Ill.ma haveva nello scrivere mi dispiace per il suo travaglio che nel resto mi chiamo molto favorito delle lettere sue quando anco sono di mano aliena.»* Vgl. auch Kap. II, Anm. 196.

[31] Wichtig ist zweifellos auch, daß Borghese und Spinola sich erst nach dem Ausscheiden des Legaten aus seinem Ferrareser Amt persönlich kennengelernt haben. So berichtete der *Maestro di Casa* Borgheses, Diomede Ricci, seinem Herrn im Dezember 1610 über ein in Ferrara geführtes Gespräch mit Spinola, der mit ihm auch *«della persona di V.S.Ill.ma»* redete, *«dicendomi di non conoscerla di persona»* (Ricci aus Ferrara an Borghese, 4. Dezember 1610, SS Part 9,507r), woran sich aufgrund des päpstlichen Reiseverbots für den Legaten bis 1616 nichts ändern sollte. Serra dagegen dürfte Borghese in den Jahren vor seiner Ernennung zum Legaten wohl nahezu täglich gesehen haben. Wie eng das Verhältnis zwischen ihnen diesen beiden war, belegt nichts deutlicher als Serras Tätigkeit in der *«Congregatione delli uffitiali sopra li affari domestici di Casa Borghese»*, die er 1611/1612 leitete, vgl. Reinhard, Papstfinanz und Nepotismus, Bd. 1, S. 95 f., sowie Kap. IV.3.a.

nagepolitik, nicht der amtliche Briefwechsel der Behörden, trug die Handschrift des Nepoten.

2. Die Warnung der Barberini: Staats- und Patronagesekretariat zwischen Machtkampf und friedlicher Koexistenz

a. Kontraste: Barberinis Machthunger, Borgheses Zurückhaltung

Zum Nutzen aller scheint die schon früh sichtbar gewordene und ab September 1616 institutionalisierte Arbeitsteilung zwischen Borghese und dem Staatssekretariat gewesen zu sein, und friedlich hatte sich der beschriebene Ausgliederungsprozeß vollzogen. Dennoch: Staatssekretariat, Patronagesekretariat – kann man diese beiden Begriffe nebeneinander stehen sehen, ohne nicht schon das leise Klirren der Waffen zu vernehmen, die Staatsidee und Nepotismus in der Frühen Neuzeit gegeneinander erhoben haben sollen? Schließlich gelten gerade die ersten Jahrzehnte des 17. Jahrhunderts als die entscheidende Phase im Kampf zwischen dem Kardinalnepoten als Personifizierung eines rückständigen Herrschaftssystems und seinem natürlichen Rivalen, dem Staatssekretär als aufsteigendem Stern am römischen Bürokratenhimmel. Letzterem sollte spätestens mit der Etablierung des Amtes eines Kardinalstaatssekretärs der Sieg gehören, doch noch gaben sich Nepot und Nepotismus nicht geschlagen, und noch stand die große Auseinandersetzung zwischen Francesco Barberini, dem Kardinalnepoten Urbans VIII., und dem Chefsekretär Ceva bevor, die Andreas Kraus in seinem Werk über das Staatssekretariat des Barberini-Papstes beschreibt[32]. Die Voraussetzungen für diesen Machtkampf hatte sich Barberini selbst geschaffen: Jahrelang von den Geschäften der Behörde und somit von der Gestaltung der kurialen Politik ferngehalten, nutzte er die Chance, die die kurze Amtszeit seines Vertrauten Benessa als Chefsekretär bot, und baute sich seine eigene, seine *Proprio*-Korrespondenz auf. *Lettere di propria mano* waren ursprünglich Schreiben, die der Absender eigenhändig zu Papier gebracht hatte und direkt in die Hände des Adressaten gelangen sollten, doch unter Urban VIII. zunächst im Staatssekretariat geöffnet wurden. War der Brief privaten

---

[32] Zum Kampf zwischen Kardinalnepot und Staatssekretär, der in den meisten Veröffentlichungen im Zusammenhang mit dem Projekt der Görres-Gesellschaft beschrieben wird, vgl. Hammermayer, S. 157–178, der die Entwicklung von 1605 bis 1655 zusammenfaßt; Kraus, Geschichte, S. 78 f. und 84; ders., Secretarius, S. 73–84, nimmt eine Einordnung der römischen Entwicklung in den europäischen Rahmen vor; Samerski, 74 f. Die folgende kurze Schilderung der Auseinandersetzung zwischen Barberini und Ceva stützt sich auf Kraus, Staatssekretariat, v. a. S. 223–235.

Inhalts, verwies ihn ein Mitarbeiter, so Kraus, an das Privatsekretariat des Nepoten, beschäftigte er sich mit politischen Fragen, wurde er wie die gesamte Korrespondenz dieser Art in der Behörde bearbeitet[33]. Allerdings zog Barberini ab 1632,
die Ergebenheit seines ehemaligen Privat- und jetzigen Staatssekretärs Benessa
nutzend, immer größere Teile der Behördenkorrespondenz an sich. Da er es nun
war, der die Schreiben von Nuntien und Legaten beantwortete, und diese daher
ihre Berichte an den Nepoten persönlich, also *in propria mano*, adressieren mußten, erhielt bald der gesamte Briefwechsel Barberinis Charakter und Namen einer
Proprio-Korrespondenz. Zum Tragen kam diese Entwicklung, als der verhaßte
Ceva zum Chefsekretär wurde, denn nun ließ der Nepot die Proprio-Korrespondenz, die er bis dahin aufgebaut hatte, von seinen eigenen Mitarbeitern führen.
Schreiben in proprio waren somit vom Staatssekretariat an die Privatsekretäre
Barberinis übergegangen, und dabei hätte es bleiben können, wäre die Proprio-
Korrespondenz nicht enorm gewachsen und hauptsächlich in chiffrierter Form
geführt worden. Denn damit war der persönliche Stab des Nepoten überfordert,
und so bediente sich Barberini der Hilfe weiterer Mitarbeiter wie etwa des Chiffrensekretärs Feragalli und seiner Kollegen aus dem wichtigen Chiffrensekretariat.
Somit war eine Gruppe von Leuten mit der Proprio-Korrespondenz des Nepoten
beschäftigt, die er hauptsächlich als Privatsekretäre angestellt hatte, aber auch, wie
Feragalli, zum Staatssekretariat zählen konnten und gemeinsam das Proprio-Sekretariat bildeten.

Über dieses Sekretariat lief fortan die umfangreiche Korrespondenz, die Barberini vor allem mit den diplomatischen Vertretern Roms führte, und da diese auch
weiterhin an das Staatssekretariat berichten mußten, hatte sich die Last ihrer Be-
richterstattungspflicht schlichtweg verdoppelt. Überdies wurden die Nuntien und
Legaten nun aufgefordert, besonders brisante Informationen allein dem Proprio-
Sekretariat mitzuteilen, nicht aber dem Chefsekretär Ceva, denn diesen beim Papst
zu diskreditieren, ja zu stürzen, war das Ziel des Nepoten. Deckadressen wurden
geschaffen, Briefe auch unterschlagen, zuweilen sogar widersprüchliche Anweisungen erteilt, aber es half alles nichts. Denn da Barberini mit jeder Bloßstellung
des Sekretärs vor Urban VIII. Gefahr lief, von seinem Onkel nach den Quellen
seines Wissens befragt und als Intrigant enttarnt zu werden, konnte der Plan nicht
gelingen. So kehrte man, ermüdet von der doppelten Korrespondenzführung, nach
wenigen Jahren wieder zur alten Trennung der Post nach ihrem Inhalt zurück: Die
persönlichen Mitarbeiter des Nepoten beschränkten sich wie zu Beginn des Pontifikats auf die Post aus dessen eigentlichem Zuständigkeitsbereich, das Staatssekretariat erhielt das Monopol zur Bearbeitung der politischen Themen zurück.

---

[33] Die Problematik der Begriffe «privat» und «Privatsekretariat», wie sie Kraus verwendet, wird im
folgenden zu erörtern sein.

Sein Ziel hatte Barberini erst erreicht, als der von ihm unterstützte Kandidat Spada im Juli 1643 zum Nachfolger Cevas ernannt wurde, denn da ihm der neue Chefsekretär ergeben war, konnte der Nepot nun endlich den Einfluß auf die Korrespondenz der Kurie erlangen, der ihm als Konkurrent des Staatssekretariats nicht vergönnt gewesen war. Längerfristig aber, so Kraus, festigten die Erfahrungen aus dem Duell von Nepot und Staatssekretär die Stellung des letzteren, dessen Position ein Augenzeuge des Kampfs zwischen Barberini und Ceva, der spätere Innozenz X., mit einem bereits kreierten Kardinal besetzte und damit dem Amt des Kardinalstaatssekretärs zum endgültigen Durchbruch verhalf.

Verglichen mit dieser Episode aus dem Barberini-Pontifikat nimmt sich das Verhältnis Borgheses zum Staatssekretariat seiner Zeit nachgerade idyllisch aus. Oder sollte der Schein trügen und auch der Neffe Pauls V. von finsteren Gedanken getrieben gewesen sein, als er sich im September 1616 sein eigenes Sekretariat schuf? Borgheses auffällige Zurückhaltung bei der Bearbeitung der Behördenkorrespondenz läßt ihn zwar nicht gerade als machtbesessenen Kandidaten für solche Duelle erscheinen, doch sicherheitshalber sollte man einen Blick auf Baccis Schreiben gerade an die Nuntien als diplomatische Vertreter Roms werfen. Die Überraschung ist groß: «Es scheint geboten, Sie über jene Angelegenheit in Kenntnis zu setzen, die im beiliegenden Blatt behandelt wird. Sie sollten sich den dort gegebenen Anweisungen entsprechend verhalten und in dieser Sache mit gesonderten, an Bacci adressierten Briefen antworten.»[34] Kaum war der neue Nuntius Guido Bentivoglio in Paris angekommen, als ihn das erste Schreiben dieser Art erreichte, und zahlreiche weitere sollten folgen[35]. Die erwähnte Mitteilung war chiffriert, die Deckadresse gut gewählt[36], die Beteiligung des Staatssekretariats in dieser Angelegenheit nicht gefragt und Borghese offenbar genauso

---

[34] Borghese an den Nuntius in Frankreich, Guido Bentivoglio, 12. März 1617, FB II 401,170v: «Contiene l'incluso foglio un particolare, del quale si è stimato esser bene di dar conto a V.S. Potrà ella conseguire conforme all'ordine, che le vien dato, e rispondere sopra questa materia in lettere à parte, con soprascoperta al Bacci. Con che io le desidero contento, e prosperità.» Auf 170v findet sich die erwähnte Mitteilung, eine Chiffrenminute. Wer diese zu verschlüsseln hatte, ist nicht zu erkennen, die Minute jedenfalls stammt von Tartaglioni. Zum Inhalt vgl. Anm. 39.

[35] Die erste Aufforderung dieser Art erhielt Guido Bentivoglio bereits Ende 1616. So kündigte Borghese dem Nuntius in einem Schreiben vom 7. Dezember 1616 an, er werde ihm einen chiffrierten Brief über ein streng geheimes negozio (s.u.) schicken, und wies ihn an: «la risposta V.S. potrà inviarla con una sopracoperta al Bacci mio segretario» (FB II 416,229v; 230 die Chiffrenminute). Auch in seiner Antwort vom 11. Februar 1617 auf ein Schreiben Bentivoglios in dieser Angelegenheit forderte Borghese den Nuntius auf: «Intorno a così fatte materie mi risponda ella sempre sotto coperta del Bacci» (FB II 401,89v). Die Fundstellen weiterer Briefe dieser Art nennt Reinhard, Ämterlaufbahn, S. 420, Anm. 215.

[36] Daß Bentivoglio mit seinem ehemaligen Mitarbeiter korrespondierte, konnte selbst in Rom niemanden argwöhnisch machen.

bereit wie nach ihm Barberini, seine eigene Politik zu betreiben. Und doch taugen die von Bacci weitergeleiteten Direktiven des Nepoten, die er im übrigen auch dem Nuntius Valier in Florenz und anderen Diplomaten zukommen ließ[37], nur bedingt als Beweis für die intriganten Qualitäten des Kardinals. Denn diese Geheimdiplomatie hatte mitnichten hochpolitische Fragen zur Lage in Europa zum Gegenstand, sondern die schwierigen Verhandlungen mit den Orsini, mit deren Sproß Camilla die Borghese ihren Marcantonio nur zu gerne verheiratet hätten. Da die Orsini auf familienpolitische Abwege geraten und die Chancen einer Eheschließung entsprechend gesunken waren, bedurfte es der Mithilfe der Nuntien: Bentivoglio hatte den Auftrag, die Beziehungen der Orsini zum französischen Hof im Auge zu behalten und die geplante Stärkung ihrer Position in Paris zu hintertreiben, Valier sollte die Medici dafür gewinnen, ihren Einfluß auf die Orsini im Sinne der Papstfamilie geltend zu machen[38]. Allerdings waren die Ehepläne der Borghese nicht frei von politischen Implikationen. So mochte es ihnen aus rein familienpolitischen Gründen wenig attraktiv erscheinen, daß der zwielichtige Kardinal Orsini die diplomatische Vertretung Frankreichs bis zur Ankunft des neuen Botschafters in Rom übernahm, doch die Versuche des Pariser Nuntius, diese interimistische Amtsverleihung zu verhindern, konnten schnell zur Gefahr für die auswärtigen Beziehungen der Kurie werden[39]. Entsprechend groß wäre wohl das Interesse Felicianis und des Staatssekretariats am diesbezüglichen Briefwechsel Borgheses mit dem Nuntius gewesen, aber da Bentivoglio Berichte in dieser Sache nur an Bacci adressieren sollte, hielt der Nepot eine Einbeziehung der Behörde offenbar für nicht ratsam.

---

[37] In einem Schreiben vom 13. Januar 1618 wies Borghese den Nuntius in Florenz an, «*ch'ella mi scriva separatamente dal negotio publico i privati di me stesso, ò di questa Casa con inviarmi le lettere a parte sotto coperta d'Ottavio Bacci, mio segretario, ò con farmele dare in propria mano dal suo Agente*» (FB II 432,66v). Vom 22. Juni 1619 datieren die gleichlautenden Briefe des Nepoten an die Nuntien in Wien und Graz: «*Dalla Cifra qui inclusa comprenderà V.S. il particolare, del qual s'è giudicato espediente che sopra questa materia ella mi mandi le risposte separatamente sotto coperta del Bacci*» (FB II 419,567v). Die Minute der erwähnten Chiffre ist zwar nicht zu finden, doch da Borgheses Briefe vom gleichen Tag an die Nuntien in Florenz und Venedig (ebd.,565vf.) die gleiche Sache berührten wie die bisher erwähnten Schreiben an den Nuntius in Paris, dürfte es auch in den Briefen an dessen Kollegen in Graz und Wien um diese Angelegenheit gegangen sein.

[38] In seinem Bericht über die Eheverhandlungen würdigt Reinhard, Ämterlaufbahn, S.410–422, auch die Rolle der Nuntien, hier v.a. S.420f. In Florenz tat seit Juni 1616 allerdings nicht mehr der ebd., S.421, genannte Nuntius Grimani, sondern Pietro Valier Dienst, vgl. Biaudet, S.191, sowie FB I 944,506.

[39] Um diesen Versuch ging es im zitierten Schreiben Borgheses an den Nuntius, vgl. Anm. 34. In der chiffrierten Beilage wurde ihm der Wunsch des französischen Botschafters mitgeteilt, Kardinal Orsini die Geschäfte zu überlassen, was Rom in Paris begrüßen sollte. Gerade dies aber sollte Bentivoglio dem Auftrag Borgheses zufolge allein gegenüber den Parteigängern der Orsini tun, nicht aber vor den Majestäten, die diese Frage zu entscheiden hatten. Vgl. auch Reinhard, Ämterlaufbahn, S.420.

Daß dies sinistren Plänen des Kardinals entsprungen und als Kampfansage an Feliciani oder als Attacke gegen die Kompetenzen der Behörde gemeint war, ist indes unwahrscheinlich. Denn zum einen war Paul V. in der Orsini-Frage im allgemeinen bestens informiert, und da er wohl auch von den Anordnungen seines Neffen an die Nuntien wußte, scheidet eine Intrige gegen die Konkurrenz im Staatssekretariat à la Barberini aus. Zum anderen trug die Entwicklung, die in der Etablierung eines eigenen Sekretariats des Nepoten mündete, zuviele Züge des Zufälligen, so daß den administrativen Gewohnheiten Cenninis und Baccis ein größerer Anteil an den mit ihrer Einstellung verbundenen Neuerungen zugeschrieben werden kann als einem Plan oder auch nur einer Entscheidung Borgheses. Und schließlich findet sich in Baccis Registern kein anderer Fall als besagte Auseinandersetzung mit den Orsini, der Hinweise auf den Versuch des Nepoten liefern könnte, sich der Geschäfte der Behörde zu bemächtigen, die er seinen aktenkundlichen Spuren zufolge dem Chefsekretär nicht ungern überlassen hatte. Einem engen Vertrauten wie Cennini schlug Borghese zwar vor, Briefe über seine privaten Angelegenheiten und alles, was seine Mitarbeiter in der spanischen Nuntiatur betraf, an die Adresse Baccis zu schicken. Doch da der Papstneffe solche Themen ausdrücklich als jenseits der öffentlichen Angelegenheiten bezeichnete und allein die Gefahr, die zuweilen pikanten Meldungen über das römische Personal könnten im Staatssekretariat nicht mit der nötigen Verschwiegenheit behandelt werden, als Argument für die Sonderkorrespondenz ins Feld führte, dürfte Scipione mit der Umleitung der Post keine politischen Ambitionen verfolgt haben[40]. Ebenso scheint auch die Umgehung des Staatssekretariats bei der Familienpolitik der Borghese

---

[40] Am 20. Dezember 1618 schrieb Borghese an Cennini in Spanien: «*Quando V.S. havrà occasione di scrivermi qualche cosa sua propria, ò che tocchi le persone e qualità de' suoi servitori, e de i ministri della Nuntiatura, ò altro fuori delle occorrenze publiche potrà mandar le sue lettere e Cifre sotto coperta del Bacci, a fine che gli avvisi di questa sorte, che verranno da lei, non vadano in segretaria di negotio publico, dove è pericolo che non sia del tutto custodito il segreto, il che dico a V.S. in confidenza con occasione di quel, ch'ella scrive del Fiscale Cerbelli, ch'è parente del Commissario della Camera*» (FB II 488,619r). Der Definition dieser Angelegenheit als «*fuori delle occorrenze publiche*» entspricht Borgheses Unterscheidung des «*negotio publico*» von «*i privati di me stesso, ò di questa Casa*» im Brief an den Nuntius in Florenz vom 13. Januar 1618 (FB II 432,66v, zit. in Anm. 37). Daß Borghese kein Interesse daran hatte, die politische Korrespondenz der Kurie mit Baccis Hilfe dem Staatssekretariat zu entziehen, zeigt auch seine zurückhaltende Reaktion auf die Anfrage des Giovanni Battista Soleri, eines polnischen Agenten in Mailand, der auch Rom mit Informationen versorgte und zu diesem Zweck dem Nepoten eine eigene Chiffre und seine Post fortan an eine sichere Adresse schicken wollte. Borghese antwortete Soleri am 18. Januar 1620: «*Aspetterò la Cifra, che V.S. mi scrive d'haver risoluto di voler preparare, e mandarmi per poter poi venir alla communicatione de' particolari, ch'a lei piacerà di significarmi. Quanto all'indirizzo delle sue lettere, torno a dirle, che vengono sicure inviate a dirittura a me stesso; ma nondimeno s'ella volesse mandarle a Ottavio Bacci mio Segretario ... a lei me ne rimetto*» (FB II 417,68v).

ihren Grund nicht im Machthunger des Kardinals gehabt zu haben, sondern in der Hoffnung, in der heiklen und auf äußerste Diskretion angewiesenen Angelegenheit die Zahl der Mitwisser möglichst gering zu halten. Daß Verschwiegenheit an der ebenso hellhörigen wie auskunftsfreudigen römischen Kurie um so unwahrscheinlicher wurde, je schwächer die persönlichen Bindungen zwischen dem Nepoten und seinen Geheimnisträgern waren, sprach eindeutig dafür, den Mitarbeitern des Staatssekretariats die Meldungen der Nuntien über die Orsini vorzuenthalten. Bacci dagegen stand als Privat- und Patronagesekretär des Nepoten in einem weit engeren Verhältnis zu Borghese als seine Kollegen in der politischen Behörde, und da er ohnehin mit der Post in Sachen Orsini betraut war[41], lag es nahe, ihm auch die familienpolitischen Weisungen an die Nuntien zu überlassen. Bei einem derart weitreichenden Projekt wie dem Versuch, der Papstfamilie mittels einer geschickten Heiratspolitik eine möglichst gute Ausgangsposition für das Leben nach dem Tod Pauls V. zu sichern, konnten zwar durchaus Schreiben auf dem Tisch des Privatsekretärs gelangen, für die man sich auch im Staatssekretariat interessiert hätte. Doch in der Regel funktionierte die Arbeitsteilung zwischen der politischen Behörde und dem Stab des Nepoten problemlos, und so durften sich Feliciani und seine Amtsvorgänger sicher sein, daß von diesem Papstneffen keine Gefahr für ihre Stellung ausging.

b. Kontinuitäten: Von Borgheses Privat- und Patronagesekretariat zu Barberinis Proprio-Sekretariat

Ihr Nachfolger Ceva wird die Chefsekretäre Pauls V. um dessen Neffen beneidet haben, denn verschiedener hätten zwei Nepoten nicht sein können als der zurückhaltende Scipione Borghese und der machthungrige Francesco Barberini. Etwas aber hatte sich nicht verändert: die parallele Existenz des Staatssekretariats auf der einen und des Privat- und Patronagesekretariats auf der anderen Seite sowie die Kriterien, nach denen sich diese beiden Einrichtungen die Bearbeitung der Post aufteilten. So handelte es sich nach Kraus bei den Schreiben, die vom Staatssekretär an den Privatsekretär Barberinis überwiesen wurden, zwar um jene *«lettere di complimenti, et altre spettanti alli negotij privati del Cardinale»*, für deren Bearbeitung der Verfasser einer Denkschrift über die Aufgaben des Kardinalnepoten 1623 die Einstellung eines *«Secretario di lettere private»* empfohlen hatte[42]. Doch da zu den *complimenti* im Verständnis der Zeitgenossen neben Gratulationen, Kondolenzen und dem Austausch anderer Höflichkeiten auch die Empfeh-

---

[41] Vgl. Anm. 29.

[42] Vgl. Kraus, Staatssekretariat, S. 21. Die Zitate stammen aus der Edition der Denkschrift bei dems., Amt und Stellung, S. 243, 242.

lungsschreiben zählten[43], scheint sich der Sekretär Barberinis nicht nur mit den Privatinteressen des Nepoten und seiner Familie, sondern auch mit der Patronagekorrespondenz des Papstneffen in seiner Rolle als Klientelchef befaßt zu haben und somit nichts anderes gewesen zu sein als ein Privat- und Patronagesekretär wie vor ihm Bacci. Die zeitgenössische Bezeichnung dieser Korrespondenz als «privat» sollte daher nicht im heutigen Sinne verstanden werden, beschränkten sich die Schreiben eines solchen Sekretärs doch keineswegs auf jene Themen, die den Kardinal als Privatperson angingen[44]. So verdankten sich die Gratulationen und Kondolenzen, die der Patronagesekretär zu entwerfen hatte, wohl nur in seltenen Fällen dem persönlichen Wunsch des Kardinals, seiner Freude oder Trauer Ausdruck zu verleihen. In der Regel waren sie eine zeremonielle Pflichtübung, deren Vernachlässigung einem Affront gleichgekommen wäre, einem Affront nicht

---

[43] Dies belegt die Definition des ehemaligen Sostituto Caetano in seiner Denkschrift an den neuen Staatssekretär Magalotti von 1623, die Kraus, Denkschrift, ediert hat (hier: S. 119): *«Le lettere di complimenti, cioè di risposta à raccomandationi, di condoglienze, di congratulatione ò altro...».* Bezeichnend auch Caetanos Benennung des Sekretärs für die Fürstenbreven als *«quello de complimenti»*, weil *«in quella Segreteria si risponde all'Imperatore, alli Rè, Cardinali, Duchi, et altri Principi, che scrivono al Papa, ò in congratulatione, ò in raccomandare le cose della Religione, ò gli Ecclesiastici del Regno, òvero in condoglienza de morti di Principi ò d'altro»* (ebd., S. 107 f.). Daß diese Benennung durchaus üblich war, wird belegt bei Hammermayer, S. 189 f., und Pásztor, Guida, S. 120.

[44] Gerade dies behauptet Kraus. So nennt er im Zusammenhang mit der Frage, «ob ein Schreiben als privat oder amtlich anzusehen sei» (Staatssekretariat, S. 21), als Beispiele für «Schreiben, welche Barberini nicht in seiner amtlichen Stellung, sondern als Privatmann angingen» (ebd., S. 27), die Bitte des Kölner Nuntius um ein Kanonikat in Lüttich für einen Arnold Kerken und die Nachricht des Turiner Nuntius vom Tod des dortigen Herzogs, die der Privatsekretär Tighetti mit einer Kondolenz Barberinis beantworten sollte (vgl. ebd., S. 27, Anm. 150). Briefe dieser Art gingen Barberini m. E. jedoch mitnichten als Privatmann an, sondern in seiner Rolle als Kardinalnepot, der die Klientel zu betreuen und die *complimenti*, ein zentrales Element der Beziehungspflege, zu machen hatte. Daß Barberinis Privatsekretär Tighetti jene Schreiben bearbeitete, «die an Barberini im Proprio-Verkehr gerichtet waren, aber private Gegenstände betrafen» (ebd., S. 26 f.; als Beispiele werden genannt: eine Bitte um eine Domherrenstelle und eine Empfehlung für einen Edelmann, vgl. ebd., S. 27, Anm. 148), erwähnt Kraus ebenso wie die Briefwechsel «um Bücher und Kunstwerke, die auch Gegenstand der Proprio-Korrespondenz waren» (ebd., S. 228), und die Durchlässigkeit der «Grenze zwischen Privatbriefen und solchen amtlichen Inhalts» (ebd., S. 236). Doch begegnet immer wieder die Tendenz, solche Themen und ihre Bearbeitung aus dem Proprio-Sekretariat auszuschließen («..das Proprio-Sekretariat, zu dem die Beamten des Chiffrensekretariats, ferner C. Bichi, F. Ubalbini, G.G. Panziroli und C. Facchinetti gehörten» (ebd., S. 234) – nicht aber Tighetti?) oder ihnen zumindest doch eine weit geringere Aufmerksamkeit zu widmen. Um das Proprio-Sekretariat als Instrument des Nepoten zur Informationsbeschaffung und letztendlich als Mittel im Kampf gegen Ceva zu identifizieren, mag dies ausreichen, den Blick für die Wurzeln dieser Einrichtung im Privat- und Patronagesekretariat des Papstneffen und somit für die behördengeschichtliche Kontinuität, in der das Proprio-Sekretariat steht, schärft es indes nicht.

nur des Nepoten, sondern zugleich des Papstes[45]. Umgekehrt waren die Vergünstigungen, die einzelne Bittsteller erhalten hatten, den Formulierungen des Sekretärs zufolge zwar von Borghese erwirkt worden, doch wer diesem dankbar war, fühlte sich zwangsläufig allen Borghese und somit auch Paul V. verpflichtet. Solche von Dankbarkeit, Verbundenheit und Verpflichtung geprägten Beziehungen herzustellen und zu pflegen – in anderen Worten: die Betreuung der Klientel – war die Aufgabe des Kardinalnepoten als alter ego des Papstes, die Patronagekorrespondenz das dazu notwendige Instrument und der Mitarbeiter, der den von Amts wegen geführten Briefwechsel abwickelte, in dieser Funktion kein Privat-, sondern der Patronagesekretär des Klientelchefs. Gleichzeitig aber befaßte sich das Sekretariat Barberinis nicht anders als Baccis Büro mit den privaten Interessen des Kardinalnepoten und seiner Familie, und genau aus diesem Grund konnte es unter den Borghese wie unter den Barberini zu Überschneidungen zwischen der Arbeit des Privat- und Patronagesekretariats des Papstneffen und dem Staatssekretariat kommen. Für das Pontifikat Pauls V. hat dies der Blick auf die Ehepläne und -verhandlungen der Borghese gezeigt, für die Zeit Urbans VIII. läßt sich als Beispiel für ein zunächst privates Projekt, das Kreise auf den höchsten Ebenen der kurialen Politik zog, das Vorhaben der Papstfamilie anführen, Taddeo Barberini als Präfekten von Rom die *precedenza* im höfischen Zeremoniell zu erstreiten. Da die Diplomaten der Ewigen Stadt dem weltlichen Papstneffen nicht freiwillig Vorrang einzuräumen gedachten, entspann sich eine ausgiebige und langwierige Korrespondenz mit sämtlichen in Rom akkreditierten Mächten, die es, wenn es sein mußte mit der Aussicht auf Subsidienzahlungen, für diesen Plan zu gewinnen galt. Daß Verhandlungen in dieser Frage nicht nur mit Nuntien, Fürsten und gekrönten Häuptern, sondern auch bevorzugt in chiffrierter Form geführt wurden, brachte

---

[45] Am deutlichsten tritt dieser Zusammenhang hervor, wenn Borghese ausdrücklich auch im Namen Pauls V. gratulierte oder kondolierte, vgl. den Autographen Borgheses auf Spinolas Schreiben vom 7. März 1609, in dem der Legat den Tod der Mutter des Kardinals d'Este mitteilte: «*Nostro Signore vuol ch'io mi condoglio co'l Cardinale d'Este per la morte della madre in nome di Sua Santità*». Bezeichnenderweise bezieht sich die handschriftliche Notiz des Papstes auf diesem Schreiben auf die von Spinola berichteten Sachthemen, während er es dem für Dinge dieser Art zuständigen Neffen überließ, die Kondolenz in seinem Namen anzuordnen (FB II 318,100; dors.103v). Auf ähnliche Weise scheint das Beileidsschreiben Borgheses im Namen Pauls V. an Kardinal Pio zum Tod seines Bruders Giberto zustande gekommen zu sein (26. März 1619, FB II 419,299v), denn für sich selbst hatte der Nepot bereits kondoliert: Kardinal Pio am 8. März 1619 (ebd., 235r), dessen Bruder Ascanio aber erst am 20. März 1619 (ebd., 278r), weil dessen Mitteilung, die in der Regel die Voraussetzung für eine Kondolenz war, erst am 13. März 1619 abgefaßt worden war (FB I 836,91). Der Tod Gibertos bescherte Bacci im übrigen noch mehr Arbeit, da er auch im Namen Marcantonio Borgheses sowohl an Kardinal Pio als auch an Ascanio schreiben mußte (FB II 419,278r+v, am Rand notiert: «*Per l'Eccellentissimo Signore Principe*»), was die Indienstnahme des Nepotensekretärs für Formschreiben zum Ausdruck der gesamtborghesischen Trauer unterstreicht.

die Reichweite des Barberini-Wunsches mit sich; daß es die vom Chiffrensekretär unterstützten persönlichen Mitarbeiter des Nepoten waren, die sich um die einschlägige Post zu kümmern hatten, lag am familienpolitischen Charakter des Unternehmens.

Ob der Wille des Nepoten, die Verhandlungen in der Präfektenfrage nicht aus der Hand zu geben, zum Anwachsen der Proprio-Korrespondenz und schließlich zur Entstehung des Proprio-Sekretariats geführt hat, wie Rotraut Schnitzer in ihrer Rezension des Krausschen Werkes vermutet[46], kann hier nicht entschieden werden, scheint aber trotz des heftigen Protestes des Autors denkbar[47] und würde überdies

---

[46] Vgl. Rotraut Schnitzer, Über neuere Forschungen zur Geschichte des päpstlichen Staatssekretariats, in: RQS 62 (1967), S. 102–111, hier: S. 109 f., deren Ausführungen die obigen Bemerkungen zur Präfektenfrage entnommen sind. Für Kraus dagegen baute Barberini ab August 1632 «zielstrebig ... sein Proprio-Sekretariat aus, das ihm auch bei einem Wechsel im Staatssekretariat maßgebenden Einfluß auf die Geschäfte sichern sollte» (Staatssekretariat, S. 18, ähnlich: ebd., S. 29 und 155) und erst nach diesem Wechsel «seinen eigentlichen Charakter erhielt» (ebd., S. 225), ja gar «erst in seine eigentliche Bestimmung ein (trat)» (ebd., S. 226). Schließlich habe «Barberini wahrscheinlich schon seit Herbst 1632, jedenfalls aber seit November 1633» mit dem Amtsantritt des bereits am 28. November 1633 zum Staatssekretär berufenen Ceva «gerechnet», so Kraus in seiner Entgegnung auf Schnitzer: Andreas Kraus, Der Kardinalnepote Francesco Barberini und das Staatssekretariat Urbans VIII., in: RQS 64 (1969), S. 191–208, hier: S. 200, vgl. auch S. 199. Reinhard, Freunde, S. 63, Anm. 143, hält die Debatte mit der Identifizierung des Proprio-Sekretariats «als das schon immer vorhandene Privat- und Patronagesekretariat wie im Falle Borgheses» für erledigt, da dies die Zuständigkeit des Proprio-Sekretariats für die Präfektenfrage kläre, ohne dessen Ausbau zur Konkurrenz zum Staatssekretariat auszuschließen, was im übrigen ja auch Schnitzer nicht getan hat. Vgl. auch Reinhards Einschätzung (Amici, S. 319), zuständig für die «Personal- und Patronagekorrespondenz des Nepoten» sei «ein besonderes Sekretariat» gewesen, «das dann für die Barberinizeit als *Propriosekretariat* bezeichnet wird».

[47] Schnitzers Annahme wäre widerlegt, könnte gezeigt werden, daß die Präfektenfrage weder das erste noch das dominierende Thema der Proprio-Korrespondenz in der Zeit vor Cevas Amtsantritt und somit in der Phase, in der Barberini seine eigene Korrespondenz aufbaute, gewesen ist. Dies aber tut Kraus weder in seiner Monographie noch in seiner geharnischten Replik auf Schnitzer, vgl. Kraus, Kardinalnepote. So teilt er für die fragliche Zeit zwischen August 1632 und November 1634 zwar mit, wer wieviele Minuten an welche Empfänger verfaßt hat (vgl. Staatssekretariat, S. 18, 86, 225 f.; Kardinalnepote, S. 198), doch welche Themen in diesen frühen Proprio-Schreiben behandelt wurden, bleibt im dunkeln. Daß er «die Korrespondenten und z. T. ihre Themen ... genau zu erfassen versucht» (Kardinalnepote S. 201, Anm. 38 mit Verweis auf Staatssekretariat, S. 227 f.) habe, stimmt allein für die Phase nach Cevas Amtsantritt. Die Präfektenfrage «als *ein* Thema unter vielen» (Kardinalnepote S. 201, Anm. 36 mit Verweis auf Staatssekretariat, S. 228, Anm. 29) der Proprio-Korrespondenz, die «diese Sache sehr förderte» (Kardinalnepote, S. 201, Anm. 36), wird zwar erwähnt, doch nicht, ab wann sie behandelt wurde und welchen Anteil sie an der gesamten Proprio-Korrespondenz hatte. Ebenso unklar bleibt die Mitteilung, Barberini sei es schon vor Cevas Amtsantritt im November 1634 «gewohnt» gewesen, «alle chiffrierten Depeschen vorgelegt zu bekommen» (Staatssekretariat, S. 17), da Kraus unter den Belegen für diese Aussage, die er, Kardinalnepote, S. 200, auf «alle Depeschen, die an das Staatssekretariat gingen», erweitert, einen «Beweis dafür» anführt, «daß die Vorlage nicht

nichts an dessen Einschätzung ändern, das – wie auch immer entstandene – Proprio-Sekretariat habe Barberini nach dem Amtsantritt Cevas als machtpolitisches Kampfmittel gegen den Chefsekretär gedient[48]. Worauf es hier ankommt, ist indes

---

automatisch erfolgte. Auch Briefe dürften nicht ohne Auswahl vorgelegt worden sein ..» (Staatssekretariat, S. 18, Anm. 78). Über die Kriterien dieser Auswahl wüßte man gerne mehr. Ob Schnitzers Annahme tatsächlich so abwegig ist, wie Kraus glauben machen will, läßt sich allein aufgrund seiner eigenen Angaben somit nicht entscheiden.

[48] Vgl. Kraus, Staatssekretariat, v. a. S. 226–231. Allerdings sollte im Falle Mazzarinis, des Kronzeugen für die gegen Ceva gerichteten Absichten Barberinis, die von Kraus selbst erwähnte Feindschaft zwischen diesem und Ceva berücksichtigt werden (vgl. ebd., S. 92 und 95). Wenn Mazzarini tatsächlich zu Recht mehrmals klagte, Ceva antworte ihm selten mehr als vier Zeilen auf seine langen und zahlreichen Berichte (vgl. ebd., S. 92, Anm. 242), mußte sich der Chefsekretär über die intensive Berichterstattung des Sondernuntius in Paris an aufmerksamere Leser wie Feragalli und Barberini nicht wundern. Daß Mazzarini 1636 klagte, Ceva, dem Eifersucht auf seinen Nachfolger in der Pariser Sondernuntiatur nachgesagt wurde (vgl. ebd., S. 92), habe ihm bei Urban VIII. geschadet (vgl. das Zitat in ebd., S. 92, Anm. 244), könnte die Vermutung nahelegen, Mazzarini selbst habe zum Schutz seines Ansehens ein mindestens ebensogroßes Interesse an der Korrespondenz mit dem Proprio-Sekretariat gehabt wie Barberini (was auch seine Äußerung über den Bericht des ordentlichen Nuntius in ebd., S. 228, Anm. 31, erklären könnte), zumal der Großteil dieser Schreiben ohnehin an Feragalli gerichtet war. Überhaupt erscheint Feragalli im Lichte einiger Quellen eine aktivere Rolle zugekommen zu sein als dem Nepoten, den er – und nicht umgekehrt! – zu Briefunterschlagungen und anderen Tricks gegenüber Ceva anstiftete (vgl. ebd., S. 229, Anm. 37, und den Einschub Feragallis in Barberinis Minute, der zitiert ist in ebd., S. 230, Anm. 40). Ist das Erstaunliche an der doppelten Korrespondenz nicht ohnehin, daß «ein wesentlicher Teil der Proprio-Korrespondenz ... die von Antonio Feragalli geführte Briefkorrespondenz mit einer Reihe von Nuntien» (ebd., S. 238) war, daß also der Chiffrensekretär zum Ansprechpartner des diplomatischen Personals aufgestiegen war, zuweilen darüber entschied, ob und was er aus deren Schreiben Barberini mitteilte (vgl. ebd., S. 239, Anm. 100 und 101), und somit als der eigentliche Konkurrent Cevas erscheinen könnte? Die Bedeutung der Angehörigen des Proprio-Sekretariats, die nicht in Feragallis Chiffrensekretariat saßen, ist dagegen äußerst gering. So kamen selbst Panciroli und Facchinetti, laut Kraus, ebd., S. 29, die bedeutendsten dieser Mitarbeiter, auf kaum 100 bzw. 80 Proprio-Minuten (vgl. ebd., S. 31, Anm. 198, und S. 32, Anm. 221). Überdies scheinen die meisten von ihnen eher von Amts wegen als Minutanten aufgetreten zu sein als in der Rolle von Helfern Barberinis im Kampf gegen Ceva. So hat sich sein Auditor Antonio Cerri schon lange vor 1633 mit der Post aus Avignon, der klassischen Nepoten-Legation, beschäftigt (vgl. ebd., S. 30), während Alessandro Boccabella Teile der Korrespondenz mit England, dessen Protektor Barberini war, in seiner Eigenschaft als Sekretär der Kongregation für England abwickelte (vgl. ebd., S. 30). Der Rotaauditor und spätere Nuntius in Madrid Panciroli entwarf Schreiben v. a. in juristischen Fragen und in erster Linie, wie nach ihm Facchinetti (vgl. ebd., S. 329), an den spanischen Nuntius, und dies sowohl für das Staats- als auch für das Proprio-Sekretariat (vgl. ebd., S. 31), so daß er an jene Experten erinnert, deren sachkundigen Rat das Staatssekretariat und andere Behörden nicht nur im Pontifikat Urbans VIII. in Anspruch nahmen (vgl. Hammermayer, S. 199 f.). Und daß Federigo Ubaldini für die Korrespondenz mit Malta zuständig war (vgl. Kraus, Staatssekretariat, S. 31 f.), dessen Orden den Neffen Pauls V. wie selbstverständlich als Protektor gewünscht und erhalten hatte (vgl. Kap. II, Anm. 27), legt den Gedanken nahe, Malta mit seinem prestigeträchtigen Ritterorden habe grundsätzlich im Zuständigkeitsbereich des Nepoten gelegen. Celio Bichi schließlich, dessen Stellung bei Barberini am ehesten mit Cenninis

weniger die Frage nach dem konkreten Hintergrund für die Zunahme der Nepotenkorrespondenz ab 1632 als vielmehr der Blick auf die behördenorganisatorischen Kontinuitäten, die sich zwischen den Pontifikaten Pauls V. und Urbans VIII.
zeigen. Denn auch wenn die Ziele Borgheses und Barberinis grundverschieden
gewesen sein mögen, kamen unter beiden Nepoten doch die gleichen Mittel zum
Einsatz: Beiden stand ein eigenes Sekretariat zur Verfügung, mit dem sie dem
Staatssekretariat Konkurrenz machen konnten, und selbst die Chiffren, Deckadressen und Aufforderungen zur Geheimhaltung, die im Kontext des Barberini-
Pontifikats so aufsehenerregend wirken, entpuppen sich im Lichte der Borghese-
Korrespondenz als *business as usual*.[49] Ungewöhnlich war allein die Verdoppelung
des Briefwechsels: Parallele, «doppelgleisige» (Kraus) Korrespondenz war schon
im Staatssekretariat Clemens' VIII. ein wichtiger Indikator für den Streit der Nepoten Pietro und Cinzio Aldobrandini um die Macht[50], und erst als Barberini die
diplomatischen Vertreter Roms drängte, nicht nur dem Chefsekretär, sondern

---

Position bei Borghese verglichen werden kann, wurde in so vielen Briefwechseln aktiv, daß kaum
noch von einem Geschäftsbereich die Rede sein kann (vgl. Kraus, Staatssekretariat, S.34), der Vergleich mit Cennini aber um so näher rückt. Vielleicht war Bichi die rechte Hand des Nepoten, dessen
Aufgaben zwar auch die gelegentliche Abfassung von Minuten (und das auch für das Staatssekretariat!) umfaßten, sich darin jedoch nicht erschöpften (vgl. ebd., S. 32–35). Kongregationskorrespon-
denz, Protektoratsangelegenheiten, klassische Nepotenaufgaben und -ämter, Expertenrat – sollten in
diesen Begriffen die Erklärungen für die Aktivitäten jener Leute liegen, die Kraus im Proprio-Sekretariat versammelt sieht? Dies allein aufgrund der Ausführungen bei Kraus zu behaupten ist natürlich
nicht zulässig und soll daher auch nicht geschehen. Aber möglicherweise wäre der Gedanke, daß das
Proprio-Sekretariat Barberinis letztendlich nichts anderes war als die Zusammenarbeit eines ehrgei-
zigen Chiffrensekretärs mit einem nicht minder ambitionierten Nepoten, der Einsatz anderer «Pro-
prio-Sekretäre» dagegen entweder von Amts wegen oder unabhängig von den politischen Zielen
Barberinis erfolgte, der Überprüfung wert. Die grundsätzliche Stoßrichtung der Aktivitäten Barberinis, der sich seines Kontrahenten Ceva entledigen wollte, um größeren und dauerhaften Einfluß auf
die Geschäfte der Kurie zu erlangen, würde dies nicht in Frage stellen.

[49] So baten auch die Legaten in Ferrara Borghese zuweilen, ihre Mitteilungen für sich zu behalten, ohne
daß sich dies gegen das Staatssekretariat gerichtet hätte (vgl. SS Ven 272,365r/v). Deckadressen wie
jene Baccis waren bereits unter Paul V. im Einsatz, und Nuntien, die ihre Post dem Staatssekretariat
über ihre Agenten in Rom zukommen ließen und folglich an deren Adresse schickten, begegnen
häufiger (vgl. Reinhard, Albergati, Bd. 1, S.LI; Wijnhoven, Carafa, Bd. 1, S.LXIV). Umgekehrt gab
es auch Nuntien, die, wie Fabio Chigi aus Köln, Post für ihren römischen Agenten im Briefpaket an
das Staatssekretariat mitgeschickt haben, um Portokosten zu sparen, vgl. Konrad Repgen, Die Finanzen des Nuntius Fabio Chigi. Ein Beitrag zur Sozialgeschichte der römischen Führungsgruppe im
17. Jahrhundert, in: Erich Hassinger, J.Heinz Müller, Hugo Ott (Hgg.), Geschichte, Wirtschaft, Gesellschaft. Festschrift für Clemens Bauer zum 75. Geburtstag, Berlin 1974, S.229–280, hier: S.275,
279. Daß wenn auch nicht der Nepot, so doch der Staatssekretär Gregors XIII., Tolomeo Gallio,
seine Proprio-Korrespondenz wie nach ihm Barberini vom Chiffrensekretär abwickeln ließ, erwähnt
Kraus, Staatssekretariat, S.154, selbst.

[50] Vgl. Jaschke, S.142.

auch ihm über ihre Amtsgeschäfte zu berichten, hatte der Kampf zwischen Ceva und dem Nepoten begonnen. Das Proprio-Sekretariat aber, das Barberini zum Instrument in dieser Auseinandersetzung wurde, war letztendlich nichts anderes als die Weiterentwicklung des wohl nicht nur unter Paul V. vorhandenen Privat- und Patronagesekretariats des Nepoten.

Ein Vergleich der Pontifikate lohnt sich somit in zweierlei Hinsicht. Zum einen wirft der Blick auf den Konflikt zwischen Ceva und Barberini nicht nur die Frage auf, ob vielleicht auch Borghese mehr wollte als seine Verwandtschaft verheiraten und Weihnachtswünsche beantworten, sondern liefert gleichzeitig das entscheidende Kriterium für ihre Beantwortung: Eine doppelte Korrespondenz in der Art Barberinis findet sich nicht, und so darf man davon ausgehen, daß sich die politischen Ambitionen dieses Nepoten tatsächlich in Grenzen hielten. Zum anderen präsentiert sich das Privat- und Patronagesekretariat Borgheses als Vorläufer des Proprio-Sekretariats, das im Lichte dieses Befundes weniger exzeptionell wirkt, als es die Darstellung bei Kraus vermuten läßt. Die Warnung der Barberini sollte daher ernst genommen, das Vorbild der Borghese aber beachtet werden.

3. Sachverstand und Privatinteressen:
Die Eingriffe des Nepoten in die Arbeit der kurialen Verwaltungsgremien

Wenn von einem Machtkampf zwischen Scipione Borghese und dem Chefsekretär keine Rede sein kann und die Büros des Kardinals folglich nicht in Konkurrenz zur politischen Behörde tätig wurden, scheinen sich die dysfunktionalen Effekte der Nepotenrolle in Grenzen gehalten zu haben. Gewiß, die Papstfinanz litt unter der Versorgungsfunktion des Nepotismus, doch für die Politik der Kurie stellte der Papstneffe mit den vielen Ämtern offenbar keine Belastung dar. Bleibt zu klären, ob dies auch für die Verwaltung des Kirchenstaats und die Arbeit der zuständigen Behörden gilt. Daher wird im folgenden dreierlei zu ermitteln sein: die Prinzipien der Arbeitsteilung zwischen den für sachliche bzw. klienteläre Gesichtspunkte zuständigen Abteilungen einschließlich der Sicherheitsmechanismen wie dem Vetorecht der Experten, mit deren Hilfe die Patronagepolitik im administrativen Alltag in ihre Grenzen gewiesen werden sollte, die Aktivitäten, die der Nepot zugunsten seiner Klienten an den Tag legte, sowie Borgheses Verhalten, wenn es um seine eigenen Interessen ging. Wie sich das Kräfteverhältnis zwischen Sachverstand und privaten Wünschen darstellt, ist dabei von Fall zu Fall zu bestimmen, welche

Quellen über die Kosten des nepotistischen Systems Auskunft geben, soll ebenfalls im Auge behalten werden.

a. Die Grenzen der Gunst:
Das Vetorecht der Experten im administrativen Alltag

Im administrativen Alltag war der Nepot kaum in Erscheinung getreten: Die Amtspost seiner eigenen Kongregationen unterzeichnete er regelmäßig, die Briefe anderer Ressorts wurden ihm zuweilen ebenfalls vorgelegt, doch da er die Schreiben zwar mit seinem Namen versah, ihren Inhalt in der Regel aber nicht zur Kenntnis nahm, dürfte sein Interesse an den Entscheidungen gering und das Maß seiner Einflußnahme bescheiden gewesen sein. Es nutze der Sache kaum, den Nepoten über die anstehenden Probleme zu informieren, hatte der Ferrareser Botschafter nach langen Dienstjahren an der Kurie befunden[51], und so scheint auch die Staatsverwaltung keinen Schaden genommen zu haben.

Gefragt war der Kardinal jedoch durchaus: nicht als Amtsleiter, sondern als Leiter der Patronagepolitik, der bei der Vergabe knapper Güter klienteläre Aspekte zu bedenken und die Bewerber je nach Verdienst und Bedeutung zu fördern hatte. Daß sich die Fachleute aus den Behörden um die anstehenden Sachfragen kümmerten, während der Nepot für die Wünsche einzelner zuständig war, hat sich bereits bei einem Blick auf die Arbeitsteilung zwischen Staats- und Patronagesekretariat gezeigt[52]. Allerdings ließen sich nicht alle Themen entweder dem einen oder dem anderen Bereich zuordnen, und so gab es nicht wenige Fälle, in denen beide Instanzen gleichzeitig aktiv wurden. Sollte diese parallele Tätigkeit nicht zu Problemen führen, mußte die Kollision sachlicher und klientelärer Aspekte vermieden werden. Wie dies gelingen konnte, zeigt das Beispiel der begehrten, weil gewinnträchtigen Ausfuhrlizenzen für Getreide und ihrer Vergabe. Der Staatssekretär kümmerte sich in Zusammenarbeit mit den *Ministri Camerali* um die Sicherstellung der Getreideversorgung, die zuweilen nur durch eine Beschränkung der Exportlizenzen vor den Folgen der *tratte* zu schützen war, Bacci und Tartaglioni brachten zu Papier, wessen Lizenz Borghese gerne ausgeführt gesehen hätte[53]. Widersprüche blieben nicht aus, denn auch wenn sämtliche dieser Schreiben die Unterschrift des Nepoten trugen, waren sie inhaltlich keineswegs aufeinander ab-

---

[51] Vgl. Kap. III, Anm. 76.

[52] Vgl. Kap. IV.1.b.

[53] Mit Fragen der Getreideversorgung in der Provinz Ferrara beschäftigten sich im Jahre 1617 z. B. FB I 906: 112vf., 114r, 122v, 138r (über eine allgemeine Beschränkung der *tratte*), 142r. Borgheses Anweisungen an Serra, die *tratte* einzelner auszuführen, für das gleiche Jahr sind zu finden in FB II 401, z. B. 874, 935r.

gestimmt. «Die Mitarbeiter der Kammerverwaltung wurden bereits angewiesen, angesichts der schlechten Ernte bei den *tratte* Zurückhaltung zu üben», konnte der Ferrareser Legat Serra etwa im September 1617 einem Brief des Staatssekretariats entnehmen, doch dessen Unterzeichner zögerte wenige Wochen später nicht, dem Legaten die Exportgenehmigung für den Ferrareser Bischof und Borghese-Vertrauten Kardinal Leni mit warmen Worten und einem eigenhändigen Zusatz ans Herz zu legen[54]. Leni durfte sein Getreide ausführen, aber jeden Wunsch konnte Serra nicht erfüllen. Dies mußte er auch nicht, denn da sich die Widersprüche in den Anweisungen der Zentrale offenbar nicht schon in Rom beseitigen ließen, oblag es dem Legaten, seinen Amtsbezirk vor dem Diensteifer des Nepoten und seinen Folgen zu schützen. Schließlich gehörte es zu den ersten Amtspflichten der Verwaltungschefs, die ausreichende Versorgung der Provinz mit Korn zu überwachen, und da die *tratte* zwar vom Papst persönlich verliehen wurden, aber ohne die Zustimmung des römischen Repräsentanten vor Ort nicht in Kraft traten, war in der Gestalt des Legaten eine Sicherung gegen die Begünstigung einzelner zu Lasten der Gesamtbevölkerung eingebaut[55]. Wer eine Lizenz wollte, mußte sich an Borghese wenden, der seinem Onkel die Bitte ohne Rücksicht auf den Verlauf der Ernte vortrug, doch wenn diese den Berichten des Legaten zufolge schlecht auszufallen drohte, hielten sich der Papst und seine Mitarbeiter in der Kammerverwaltung bei der Gewährung der *tratte* zurück. Wer bereits im Besitz der Exportgenehmigung war, bedurfte ebenfalls der Fürsprache des Nepoten, der dem Vertreter Roms in Ferrara mit seinen Empfehlungsschreiben klarmachte, wessen *tratta* vorrangig zur Ausführung kommen sollte. Borghese und Serra waren

---

[54] Im Schreiben des Staatssekretariats vom 6. September 1617 hieß es: *«Già s'era dato ordine à Ministri Camerali in materia delle Tratte, che ci andassero circospetti riuscendo il raccolto debole, et hora se gli replicherà il medesimo»* (FB I 906,138r/v). Laut FB II 401,874r, verwandte sich Borghese am 28. Oktober 1617 *«per il Signore Cardinale Leni, i cui interessi quanto mi premano puo ella molto bene imaginarselo, onde stimo soverchio il raccomandarle questo particolar negotio ma nondimeno per soprabondanza d'affetto non sò ritenermi di pregar V.S.Ill.ma come fo con ogni efficacia a voler favorire il medesimo Signore Cardinale per l'effetto della stessa occorrenza. In che mi reputerò e favorito, et obligato io medesimo a V.S.Ill.ma non meno che per interesse mio proprio.»* Eigenhändig fügte Borghese hinzu: *«Sò ch'è superfluo raccomandar' a V.S.Ill.ma gli interessi del Signore Cardinale Leni, qual V.S.Ill.ma favorisce tanto, nondimeno perche molto gli preme questo della tratta del presente anno, prego V.S.Ill.ma a favorirlo come suol favorir da dovero i suoi servitori che tutti due noi le ne resteremo con particolare obligatione»* (FB II 401,874r). Auf Serras Vollzugsmeldung antwortete Borghese am 11. November 1617: *«Tutto quello, che V.S.Ill.ma s'è compiaciuta di fare in servitio del Signore Cardinale Leni in materia della Tratta, vien reputato da me per una delle dimostrationi con ch'ella è solita di favorir me stesso, e le ne rendo affettuosissime gratie».* Auch hier folgt ein Autograph des Nepoten (FB II 401,935r).

[55] So wurde Spinola in einem Schreiben des Staatssekretariats vom 10. Oktober 1607 eingeschärft, *«che tutte le Tratte che sono state concesse sin'hora ò si concederanno si spediscono sempre di consensu legati ond'ella hà et havrà un' arbitrio assoluto»* (SS Bo 184,249v).

somit für zwei verschiedene Aspekte der gleichen Sache zuständig: Welche Menge an Getreide die Provinz verlassen durfte, bestimmte der Legat, wessen Korn er ziehen lassen sollte, erfuhr er vom Nepoten.

Ähnlich stellt sich die Aufgabenverteilung zwischen dem Papstneffen und dem römischen Verwaltungsapparat im Blick auf die Verpachtung der der Apostolischen Kammer zustehenden Fischfangrechte in den Valli di Comacchio dar. Im Dezember 1616 etwa empfahl der Nepot auf Wunsch der Interessenten oder höherrangiger Personen, die sie als Fürsprecher gewonnen hatten, zahlreiche Kandidaten an Serra, dem die Verpachtung bislang oblag[56]. Daß die *Ministri Camerali* derweil überlegten, den Pachtvertrag nach den schlechten Erfahrungen mit mehreren, häufig insolventen Kleinpächtern an einen einzelnen zu geben, scheint dem Kardinal entgangen zu sein, und so konnte er nichts mehr für die von ihm Vorgeschlagenen tun, als ihm Serra aus Ferrara die in Rom getroffene Entscheidung der Kammer für einen Gesamtpächter mitteilte[57]. Ebenso gering war Borgheses Interesse an der Suche nach einem möglichst ertragreichen Pachtsystem, als Serra im März 1618 vorschlug, die anhaltenden Mißstände durch einen neuen *affitto* mit veränderten Vertragsbedingungen zu beseitigen. Die Antwort Roms konnte der Legat mehreren Schreiben entnehmen, denn während ihm Paul V. in den Briefen des Staatssekretariats den Nutzen der Apostolischen Kammer wiederholt ans Herz legen ließ, diskutierten die *Ministri della Camera*, mit denen sich die politische Behörde in Verbindung gesetzt hatte, die Details seines Vorschlags in einem eigenen Schriftwechsel mit Serra[58]. Von Borghese und seinem Patronagesekretariat erhielt er indes keine Post, war es für die Unterstützung möglicher Bewerber doch

---

[56] Diese Empfehlungen Borgheses finden sich erwartungsgemäß in Baccis Bänden FB II 416: 76v, 251r, 266r, 270r; FB II 401,50r.

[57] Am 21. Dezember 1616 schrieb Serra an Borghese: «*Sin à qui cotesti Signori Camerali hanno trattato di dar l'Appalto delle Valli ad un solo Appaltatore, et con l'ordinario seguente havrò da Monsignore Tesoriere un'ultima risposta sopra questo negotio*» (FB I 510,257r). Am 7. Januar 1617 mußte er melden: «*L'Affitto delle Valli di Comacchio non si distribuisce fra Comacchiesi com'è stato fatto altre volte, mà si dà ad un solo; ond'à me non resta luogo di compiacer li Vitali di detta Terra nel particolare raccomandatomi da V.S.Ill.ma nella sua lettera in raccomandatione d'essi*» (FB III 50 A1,75r).

[58] Am 26. März 1618 schrieb das Staatssekretariat für Borghese an Serra: «*Circa le valli di Comacchio, ch'è negotio dell'importanza, che V.S.Ill.ma dice, se ne tratterà con li Ministri della Camera, accioche si pigli qualche risolutione ... rimettendomi però à quel di più ch'ella intenderà da i sudetti Ministri*» (SS Nap 326,457vf.), am 11. April 1618: «*Torno di nuovo in nome di Sua Santità à raccomandare à V.S.Ill.ma il negotio delle Valli di Comacchio, et son sicuro, che lei non havrà lasciato, ne lascierà di far tutto quello, che potrà in servitio della Camera*» (ebd.,460r/v); ähnlich am 25. April (ebd.,462vf.) und am 23. Mai 1618 (ebd.,466r). Der wohl nicht umgesetzte Vorschlag Serras fand zuletzt Erwähnung am 1. September 1618: «*Circa il trattar di nuovo affitto, se ne terrà proposto con questi ministri Camerali*» (ebd.,479v).

noch zu früh. Offenbar fielen auch bei der Verpachtung der römischen Einnahmen sachliche Erwägungen und Empfehlungen für einzelne Kandidaten in den Zuständigkeitsbereich verschiedener Einrichtungen: Wie die Verträge auszusehen hatten, legten die Fachleute der Apostolischen Kammer fest, wer sie erhielt, hing nicht zuletzt von der Fürsprache des Nepoten ab.

Daß Borghese die entsprechende Korrespondenz zunächst mit Hilfe seiner auf Patronagefragen spezialisierten Mitarbeiter über das Staatssekretariat abwickelte, um sie ab September 1616 in einem eigenen Sekretariat zusammenzufassen, entsprang im Lichte dieser Aufgabenverteilung wohl in erster Linie praktischen Überlegungen. Schließlich lag es schon aus arbeitstechnischen Gründen nahe, ein und denselben Sekretär sowohl die Bitten Dritter um Unterstützung eines bestimmten Kandidaten beantworten als auch die gewünschten Empfehlungsschreiben zu Papier bringen zu lassen[59]. Überdies verdienten nicht alle Bewerber und Fürsprecher den Einsatz Borgheses im gleichen Maße, und so war es die Aufgabe des Nepoten und seines Stabes, den Adressaten der Empfehlungen mit Hilfe eindeutiger Abstufungen klarzumachen, ob er den Aspiranten tatsächlich begünstigt sehen wollte oder der Anfrage nur pro forma nachgekommen war. Wie ernst es der Papstneffe etwa mit der *tratta* des Marsilio Peruzzi meinte, konnte Serra angesichts der eindringlichen Formulierungen nicht entgangen sein: «Sie, der Sie wissen, wie sehr mein *Gentilhuomo* Peruzzi von mir geliebt wird, können sich vorstellen, daß mir seine Angelegenheiten mehr als üblich am Herzen liegen ... Ich empfehle Ihnen seinen Wunsch mit dem größtmöglichen Nachdruck und versichere Ihnen, mit jeder Begünstigung des Peruzzi mir selbst zu dienen.»[60] Merklich kühler klang dagegen Borgheses Aufforderung an den Legaten, das Getreide der venezianischen

---

[59] Ein Beispiel für diese in Baccis Bänden sehr häufig anzutreffenden Briefpärchen mag genügen: Am 25. September 1620 empfahl Borghese dem Legaten die Ausführung der *tratta* des Principe Luigi d'Este (FB II 422,139v), dem er am gleichen Tag mitteilen ließ: «*Intesi il desiderio di V.E. ... scrivo hora al Signore Cardinale Serra*» (ebd.,140r).

[60] Borghese an Serra, 23. November 1616: «*V.S.Ill.ma chi sà quanto sia da me amato il Peruzzi mio gentilhuomo, può insieme persuadersi, che le cose sue mi siano piu ch'ordinariamente a cuore ... raccomando questo interesse del Peruzzi quanto piu posso efficacemente a V.S.Ill.ma rendendola certa ch'in tutto'l favore ch'ella si compiacerà di fare a lui per maggiore utilità sua in così fatta occorrenza, io stesso mi reputerò grandemente favorito.*» Es folgt der Autograph Borgheses: «*Il Peruzzi oltre esser gentilhuomo mio carissimo et al quale io desidero ogni bene, è per se stesso degno di ricevere da V.S.Ill.ma ogni gratia, come io spero che in questa occasione ella sia per fargliela*» (FB II 416,177v). In seiner Antwort vom 3. Dezember 1616 erwähnte Serra die besondere Herzlichkeit des Schreibens, die sich zwar mit der Wärme der Empfehlung der *tratta* Lenis vergleichen läßt (vgl. Anm. 54), aber nicht sehr häufig zu finden ist: «*In servitio del Signore Peruzzi, tant'affettuosamente raccomandato da V.S.Ill.ma per l'interesse de' suoi grani, io darò la tratta ... Et in ogn'altra cosa dov'io potrò far servitio all'istesso Peruzzi, terrò sempre memoria dell'ordine che me ne da V.S.Ill.ma*» (FB I 510,38r).

Landbesitzer im Ferraresischen passieren zu lassen: «Auf Antrag des Botschafters der Serenissima, dem zu dienen ich sehr wünsche, bitte ich Sie, die den Venezianern von Seiner Heiligkeit gewährte Gnade in die Tat umzusetzen.» Dies geschehe zu seiner besonderen Freude, versicherte der Nepot, doch wäre dem so gewesen, hätte der Brief wie im Falle Peruzzis sicherlich einen Zusatz aus seiner Feder getragen[61]. So aber scheint das Schreiben, das dem venezianischen Botschafter zu präsentieren Borghese sicherlich nicht zögerte, eher der Demonstration seiner Hilfsbereitschaft als der tatsächlichen Einflußnahme auf die Entscheidung Serras gedient zu haben.

Was aber sollte der Legat tun, wenn Borghese Gunstbeweise für Dritte forderte, die er als pflichtbewußter Repräsentant der Staatsgewalt nicht genehmigen konnte? Schließlich waren die Amtsträger des Apostolischen Stuhls immer auch Klienten der regierenden Familie und die mit Nachdruck geäußerten Wünsche des Patrons nicht minder verbindlich als die dienstlichen Anweisungen der Zentrale. Einen Ausweg eröffnete die Standardformulierung in den Empfehlungsschreiben des Nepoten, der die Empfänger der Briefe aufforderte, sich einer bestimmten Person oder Sache zwar anzunehmen, doch dabei allein das zu tun, was rechtens und angemessen sei[62]. Tatsächlich beherzigten die Ferrareser Legaten diese Einschränkung: Den von Borghese empfohlenen Modenesen Fulvio Paciani, der nach Ferrara übersiedeln wollte, werde er freundlich behandeln, entgegnete etwa Spinola auf die entsprechende Bitte des Papstneffen, fügte aber hinzu, Paciani stünde nicht im Rufe, dem Apostolischen Stuhl besonders wohlgesonnen zu sein. «Obschon ich ihn empfohlen habe, soll er ihn im Auge behalten, wenn er nach Ferrara kommt», notierte der Nepot persönlich auf der warnenden Antwort des Legaten, dessen Einschätzung in Rom offenbar als Korrektiv akzeptiert wurde[63]. Schließlich hatte Borghese dieses wie viele andere Schreiben in Auftrag gegeben, ohne die von ihm empfohlene Person oder ihr Anliegen zu kennen[64], und so war der kritische

---

[61] Borghese an Serra, 7. Juni 1618: «*Havendo la Santità di Nostro Signore conceduta a i Signori interessati Veneti su'l Ferrarese la tratta de i loro grani, io, per l'instanza, che mi vien fatta del Signore Ambasciatore della Serenissima Republica, al quale molto desidero di servire, prego caldamente V.S.Ill.ma à voler compiacersi d'operar, che si goda l'effetto della predetta gratia, che sarà successo di mio particolare piacere*» (FB II 432,655r).

[62] Vgl. die Beispiele in den folgenden Anm.

[63] Auf Borgheses Empfehlung vom 19. August 1609 (SS Bo 186,134v, vgl. die folgende Anm.) antwortete Spinola am 26. August 1609: «*Conosco il Dottor Fulvio Paciani, che altre volte hebbe occasione di trattar meco per conto de confini tra Bologna et Modena, lui non haveva nome d'esser molto ben affetto verso la Sede Apostolica ... se verrà à Ferrara io non solo lo vedero volentieri, ma come commanda V.S.Ill.ma li usaro anche ogni posibil cortesia*» (FB II 321,94r). Im Text finden sich Unterstreichungen, dorsal (97v) der Vermerk Borgheses: «*Nostro Signore l'ha vista. Se bene io gliel hò raccomandato, sarà nondimeno bene, che per qualche scrive S.S.Ill.ma gl'habbi l'occhio sopra venendo costui à Ferrara*». Mitgeteilt wurde Spinola dies am 2. September 1609 (SS Bo 186,138v).

[64] Paciani selbst «*hà desiderato, ch'io lo raccomandi à V.S.Ill.ma*» (SS Bo 186,134v).

Einwand des besser informierten Verwaltungschefs mehr als einmal gefragt. Auch Serra sah sich zuweilen gezwungen, seinen Freund und Patron in der fernen Hauptstadt über die Hintergründe von Auseinandersetzungen aufzuklären, in denen Borghese auf Wunsch Dritter, aber ohne Kenntnis der Sachlage Partei ergriffen hatte. «Obwohl ich keine Informationen über die Angelegenheit habe, bitte ich Sie der Person zuliebe, die dies von mir wünscht, die Interessen des Valerio zu fördern, soweit es rechtens ist», ließ Borghese den Legaten im Juli 1620 von seinem Patronagesekretariat auffordern[65]. Daß die Vorschläge des besagten Valerio zum Nutzen der Stadt Ferrara seien, wie man dem Nepoten nahegelegt hatte, wagte Serra, der den seit Jahren schwelenden Streit um einen großen Teil des städtischen Finanzbudgets entscheiden sollte, jedoch zu bezweifeln, und so teilte er Borghese seine Einwände mit. Diese stießen durchaus auf Interesse: Seine Heiligkeit habe den Brief gesehen und die Sache an die zuständigen Fachleute verwiesen, konnte der Legat der Antwort aus Rom entnehmen, die – es stand zu erwarten – im Staatssekretariat angefertigt worden war[66]. Empfehlen durfte Borghese, wen und was ihm im Rahmen der Klientelbetreuung geraten erschien, doch sobald seine Fürsprache Folgen zu zeitigen drohte, die den politischen Zielen Roms zuwiderliefen, mußten sich die Fachleute vor Ort und in der Hauptstadt zu Wort melden.

Daß die Amtsträger nicht immer mit dem Verständnis der Bittsteller rechnen konnten, deren Wünsche ihren sachlichen Einwänden zum Opfer zu fallen drohten, vermag nicht zu überraschen. So konnte Enzo Bentivoglio aus Ferrara, nach

---

[65] Borghese an Serra, 22. Juli 1620: «*Ne gli affari, che Maurelio Valeri tratta con cotesta Comunità, si presuppone, ch'egli proponga cose utili al publico, e se ben io non ho informatione della qualità de i negoti, contuttociò per sodisfare alla persona, che m'hà richiesto* (zu ergänzen wohl: dell'uffitio, B.E.) *di questa lettera apresso V.S.Ill.ma prendo confidenza di supplicarla a voler compiacersi di proteggere l'interesse del medesimo Valeri in tutto quel, che si potrà per il giusto, con sicurezza, ch'io habbia à riconoscere in ciò l'affetto cortese con ch'ella suol favorir la mia intercessione*» (FB II 417,594v).

[66] Auf Serras nicht erhaltenes Schreiben antwortete das Staatssekretariat am 1. August 1620 für Borghese: «*Hà veduto Nostro Signore quelche V.S.Ill.ma mi hà scritto in materia delle pretensioni di quel Valerio contra la communità di Ferrara per conto di un certo affitto, et hà Sua Santità rimessa la lettera à Monsignore Datario con ordine che stia avvertito in questo negotio, ch'è quanto devo dir in risposta della sudetta lettera*» (SS Bo 186,225r/v). Da es sich um einen Rechtsstreit um die Laufzeit eines im Januar 1611 zwischen Valerio und dem Ferrareser Magistrat abgeschlossenen Vertrags zur Entschuldung der Kommune handelte, den Paul V. im Mai 1620 an den römischen Tesoriere und dieser an den Ferrareser Legaten verwiesen hatte (vgl. die Korrespondenz des Tesoriere mit dem Magistrat in CP 170/A, 11–15, 16; CP 191/2,63), scheint die Erwähnung des Datars ein Irrtum des Minutanten oder des Registrators gewesen zu sein. Sachlich zuständig war zweifellos die Apostolische Kammer. Daß sich Borghese an solchen Vorkommnissen nicht störte, legt seine erneute Empfehlung des Valerio an Serra vom 19. Dezember 1620 nahe: «*Essendosi desiderato, ch'io di nuovo raccomandi à V.S.Ill.ma il negotio di Maurelio Valerio, non ho potuto lasciar d'interporre l'ufficio appresso di lei, massime ricordandomi del presupposto, che me fu fatto, che con l'istesso negotio andasse unita l'utilità di cotesto publico della Città di Ferrara*» (FB II 422,365v).

eigener Einschätzung jeder Gnade des Nepoten würdig, das Zögern des Commissario della Camera bei der Ausstellung seiner jährlichen *tratta* nicht verstehen. Beschweren müsse er sich über den Kommissar, der bei jeder Gelegenheit gegen ihn entscheide, obwohl er doch im Recht und – was mehr zähle – ein Diener Borgheses sei![67] Was Enzo in seinem Ärger übersehen oder ignoriert hatte, war die Grenze zwischen den Zuständigkeitsbereichen: Dem Kardinal gegenüber, der die Vergabe knapper Güter nach Kriterien wie Gunst und Treue zu regulieren hatte, konnte, ja mußte er sich als Klient präsentieren, die Kammerbeamten aber, die wie alle Mitglieder der römischen Verwaltungsgremien die Dienstbereitschaft des Nepoten auf ihre Folgen überprüfen und gegebenenfalls bremsen sollten, durften solche Hinweise nicht beeindrucken. Allerdings wußte gerade Enzo Bentivoglio, daß dieser Mechanismus nicht immer funktionierte. Er konnte nicht mehr funktionieren, wenn der Nepot ihn wissentlich, in voller Absicht und mit allen ihm zur Verfügung stehenden Mitteln ausschaltete. Für wen er dies tat, auf welche Weise und warum, wird nun zu klären sein.

b. Das Ende der Zurückhaltung:
Borgheses Einsatz für seine Klienten

Wo soll die Suche nach den dysfunktionalen Effekten der Nepotenrolle und ihren Folgen für das gesamte römische System ansetzen? Die Bände des Staatssekretariats haben keine Antwort auf diese Fragen zu bieten, die spärlichen Reste aus dem römischen Behördenalltag geben ebenfalls keine Hinweise, und die Andeutungen, die in Baccis Registern begegnen, lassen sich meist nur mit Hilfe zusätzlicher Quellen entschlüsseln. Als wahre Fundgruppe entpuppt sich hingegen das Familienarchiv der Bentivoglio in Ferrara und darin vor allem Enzos Korrespondenz mit seinen Vertretern und Freunden in der Hauptstadt, die ihn über die Hintergründe der römischen Geschehnisse informierten und Tips gaben, wie er seine Ziele am besten erreichen konnte. Zu ihren vornehmsten Aufgaben gehörte es, dem Nepoten die Briefe Bentivoglios zu überreichen, denn immer wieder wandte sich Enzo an seinen Padrone in Rom, und nicht selten betrafen die Hilfegesuche des streitbaren Ferraresen Rechtshändel, die in den Zuständigkeitsbereich der Verwaltungskongregationen fielen. Nicht nur diese Gremien, sondern auch die römische Rota,

---

[67] Enzo an Borghese, 13. November 1613: «*è forza anche mi doglia novamente di questo comisario essendomi tanto contrario in ogni cosa che mi fa stupire*». Er habe seinen Agenten Landinelli beauftragt, «*accio ricora a V.S.Ill.ma poiche non mi lasci far torto essendo troppo manifesto avendo egli fatto pasar trate ad altri che non ano ne grani suoi ne privilegi ed' io ch'ho l'uno e l'altro e che sempre l'o avute e quello che piu importa son servitore di V.S.Ill.ma mi vuol tratar cosi male pero la suplico della sua protetione*» (E 53,122r/v).

die Apostolische Kammer sowie den Legaten in Ferrara beschäftigte eine Angelegenheit Bentivoglios, die sich über ein Jahrzehnt hinzog, dem Nepoten ausreichend
Gelegenheit bot, die Bandbreite seiner Einflußmöglichkeiten zu demonstrieren,
und daher etwas ausführlicher betrachtet werden soll.

Im Mittelpunkt der Auseinandersetzung stand ein ehemaliges Sumpfgebiet, das
durch die Entwässerungsmaßnahmen im Rahmen der Generalbonifikation landwirtschaftlich nutzbar geworden und der in der Legation gelegenen Gemeinde Lugo,
einem Gouvernatorat der Consulta, zugefallen war. Als die Gemeinde die neuerwor-
benen Flächen 1608/1609 unter den Bürgern, die schließlich die Kosten für die
hydrologischen Eingriffe aufgebracht hatten, aufteilen wollte und sich die dafür
notwendige Genehmigung in Rom beschaffte, trat Enzo auf den Plan und erhob
Ansprüche auf weite Teile des Gebiets. Schwierig war der nun folgende Rechtsstreit,
weil es nicht nur um die Besitzfrage, sondern auch um die zukünftige Lastenvertei-
lung bei den Abgaben für die Wasserbauarbeiten und die Ansprüche auf die *decima*,
den Kirchenzehnten, ging[68]. Den Bischof von Imola, in dessen Diözese das umstrittene Ackerland lag, mußte dies weniger interessieren als einen alten Bekannten, dem
für seine Leistungen im Dienst der Kirche fast die gesamten Erträge des Bistums
reserviert worden waren: Kardinal Millino[69]. Mit Millino, dem er beim Verkauf der
Ernte aus dem Ferrareser Teil der Diözese zur Seite stand und die Patenschaft für
eines seiner Kinder antrug, wurde sich Enzo schnell einig, und so konnten der Kardinal in Rom und der Ferrarese vor Ort in der heißen Phase der Auseinandersetzung
gemeinsam für eine Entscheidung nach ihren Vorstellungen sorgen[70].

---

[68] Inhalt und Verlauf der Auseinandersetzung sind v.a. den im Pontifikat Urbans VIII. eingereichten
Memoriali der Parteien zu entnehmen. So berichtet die *«Per li Cittadini di Lugo ... Alla Santità di Nostro
Signore Papa Urbano ottavo»* gerichtete Eingabe in Acque 130: *«La Comunità ha certi terreni, che
prima erano valli, et che si acquistorno con la diversione del Santerno, nella quale furono spese circa X
m. scudi da questo popolo, essatti con molte tasse et impositioni. L'anno 1608 fù procurato a nome
della Comunità licenza di dividere a Cittadini originarij detti terreni con riserva delle colte e Xma alla
Comunità, et l'anno 1609 con licenza del Signore Cardinale Spinola già legato in conformità del Breve
fù fatta la divisione, la quale non hebbe effetto per certa lite mossa dal Signore Marchese Bentivoglio.»*

[69] In den noch zu behandelnden Dokumenten zu dieser Causa ist stets die Rede von *«il Signore Cardinale Mellini Reservatorio de frutti, et entrate del Vescovato d'Imola»*, so z.B. in der *Transazione* vom
29. Mai 1615 (vgl. Anm. 79) in ABent. SP 92/28.

[70] In der Hoffnung, *«ch'i miei grani si possino vendere al maggiore prezzo possibile»*, schrieb Millino
am 3. Dezember 1611 an Enzo: *«V.S. si contenti farmi gratia, ch'io possi addossare tutto il peso à
lei, della quale ho ordinato al mio Agente che facci capo, et che non si parta dall'ordine suo»*
(ABent.Corr. 278,277r). Schreiben dieses Inhalts erhielt Enzo auch in den folgenden Jahren von
Millino, vgl. ebd.,287, ABent.Corr. 10/57: 83, 89, 343, 355, 363. Für die Ehre, der Pate ihrer Tochter
werden zu dürfen, dankte Millino sowohl Enzo als auch dessen Gattin Catherina am 27. September
1614 (ebd., 317 und 315). Zur Einigung zwischen Enzo und Millino vgl. Anm. 79. Die auffallend
häufig eigenhändig abgefaßten Berichte des Kardinals an den Ferraresen über den Verlauf der Auseinandersetzung sind die wichtigste Quelle für deren Rekonstruktion.

Zunächst aber war Bentivoglios größter Gegner die Trägheit der kirchenstaatlichen Verwaltung und die Überlastung der Amtsinhaber. Spinola etwa fand sich nicht in der Lage, auch noch diese Angelegenheit zu bearbeiten, die ihm das Buon Governo nach jahrelanger ergebnisloser Beratung vor geraumer Zeit überwiesen hatte, und als ihn die Kongregation im November 1613 drängte, die Sache zu beenden, wollte er sie kurzerhand an das römische Gremium zurückgeben. Dies aber hätte eine weitere Verzögerung bedeutet, und so bat Enzo Kardinal Borghese um Hilfe. Wenn die Causa wieder in Rom verhandelt werden solle, dann wenigstens in der Apostolischen Kammer, schrieb er dem *Cardinale Padrone*, doch falls sie in Ferrara bleibe, möge er dem Legaten ihre beschleunigte Bearbeitung ans Herz legen. Wie ein solcher Brief beschaffen sein mußte, wußte Enzo genau: Von Borghese persönlich zu Papier gebracht, sollte das Schreiben zeigen, daß Bentivoglio kein gewöhnlicher Klient und sein Anliegen dem Kardinal so wichtig wie ein eigenes war[71]. «Wie sehr ich den Herrn Enzo Bentivoglio liebe, wissen Sie, und so erscheinen mir seine Interessen wie die meinen», begann das gewünschte Schreiben, dem der Nepot eine lange eigenhändige Beteuerung dieser Liebe hinzufügte[72].

---

[71] Am 13. November 1613 schrieb Enzo an Borghese, wie fast immer eigenhändig, ohne Punkt und Komma und in einem Stil, der mit der Sprachgewandtheit hauptberuflicher Schreiber nicht konkurrieren kann, aber deutlich zeigt, wie wichtig ihm die Sache war: «*V.S.Ill.ma sa la lite ch'io ho con quelli di Lugo e sa ancora esser in mano del Cardinale Spinola il quale sin ad hora non l'a spedita scusandosi sopra i molti negotij che l'impediscono hora o scoperto che la congregatione di bono regimine a scrito al detto Signore ordinandoli o che spedisca la causa o proponga modo d'acomodarnelo ... o scoperto che il Signore Cardinale a risposta di rinonciar la causa scusandosi non la poter spedire per i molti negotij suoi ordinari e molto piu per la nova occupatione della lite di Comachio Hora patron mio Ill.mo ricoro a lei essendo questo uno dei maggiori favori che dalla sua benigna mano posi ricevere suplicandola che avendosi a tirar la causa a Roma voglia farla andar in Camera come di ragione vi deve andare come V.S.Ill.ma intenderà dal Signore Landinelli ed in caso non si tirase a Roma la suplico scriver al Cardinale che la spedisca subito per giustitia ma Signore mio vorei che questa lettera fosse di suo pugno e ch'ella mostrase di premerci come cosa propria pregando il Signore Cardinale che per amor suo voglia far questa fatica di spedir questo negotio subito essendo in termine che lo puol fare sopratutto la suplico a scriver in forma che il Cardinale conosca che V.S.Ill.ma mi vuol bene e mi tiene per servitore asai diferente da gli altri io la suplico con tutto il core a riscaldarsi essendo questo a me un interese straordinariamente grande nel quale non o bisogno che di speditione*» (E 53,121r/v).

[72] Dem Schreiben Borgheses an Enzo vom 23. November 1613 (ABent.Corr. 10/57,239) lag die Empfehlung an Spinola bei, damit sie der Ferrarese seinem Legaten übergeben konnte: «*Io amo il Signore Enzo Bentivogli quanto V.S.Ill.ma sà, et la medesima affettione mi communica come proprij gl'interessi suoi. Onde non posso lasciar di supplicar la benignità sua quanto più vivamente posso, che si compiaccia di favorir me stesso di spedire quanto più presto si può la causa.*» Es folgt der Autograph Borgheses: «*Non per bisogno, che il Signore Enzo habbi del mio mezzo appresso V.S.Ill.ma, ma solo per il desiderio, che tengo d'ogni bene al detto Signore Enzo, lo vengo à raccomandare à V.S.Ill.ma con ogni più caldo affetto, ch'io possa ... in questa causa che ha con la Comunità di Lugo, della quale desidera se non la speditione da V.S.Ill.ma*» (ebd.,240r).

Doch da sich Enzo zwischenzeitlich von der Überlastung Spinolas überzeugt hatte, verzichtete er auf die Präsentation der bestellten Empfehlung und bat den Nepoten erneut, die Angelegenheit der Kongregation zu entziehen und an die Apostolische Kammer zu leiten[73]. Was Borghese für den Ferraresen tun konnte, dem zu helfen er versprochen hatte[74], bleibt unklar, denn zunächst folgten weitere Jahre des Stillstands. Erst als sich Kardinal Bevilacqua einschaltete und eine Einigung zwischen Bentivoglio und der Gemeinde Lugo vermittelte, kam wieder Bewegung in die Sache. Bevilacqua, der mit diesem Dienst an seinem Erzfeind Enzo wohl die Gunst des Nepoten zu gewinnen suchte, war selbst Mitglied des Buon Governo, und so scheint er gewußt zu haben, welche Möglichkeiten dem Präfekten offenstanden: Er möge die Kongregation anweisen, den Kompromiß zu bestätigen, bat er Borghese, der Bevilacqua zwar lediglich antworten ließ, er werde die Angelegenheit gerne zur Sprache bringen und sein möglichstes tun, nach den Worten Enzos aber tatsächlich für die notwendige Zustimmung des Gremiums sorgte[75].

---

[73] Enzo an Borghese, 30. November 1613 (E 53,125r/v): «*La lettera per il Cardinale Spinola non lo datta poiche avendo parlato col detto Signore prima di ricever questa m'a quasi fatto toccar con mano esser imposibile ch'egli la spedisca per le grandissime … occupationi … per il che credo che il detto Signore si risolvera di scriver alla Congregatione facendoli istanza che la faciano spedir in Roma che se cio sara in questo V.S.Ill.ma avra ad adoperar che la Congregatione la levi e se metta in Camera … Signore mio questo e un interesse de' maggiori ch io n'abbia nel quale io non ho dificoltà alcuna per conto di raggioni resta che V.S.Ill.ma l'abraci con quella solita sua benignita che m'asicura di vedervi prestissimo e felicissimo fine.*»

[74] In seiner Antwort vom 7. Dezember 1613: «*Confida V.S. con molta ragione, ch'io sia per impiegarmi volentieri nelle occasioni di suo servitio, et in quelle particolarmente che ella mi notifica, che più le premono*» (Orig. in ABent.Corr. 10/57,233; reg. in Ang. 1225,23vf.; Minute in SS Part 172,650).

[75] Als Mitglied des Buon Governo ist Bevilacqua belegt in Barb.lat. 4592, 247r. Der *accordo* zwischen Lugo und Enzo in ABent. SP 85/31 datiert vom 21. September 1615 und beginnt mit den Worten: «*Vertendo lite tra la Communità et huomini di Lugo da una parte et il Signore Enzo Bentivoglio dall'altra, et essendosi ciò pervenuto all'orecchio dell'Ill.mo Signore Cardinale Bevilacqua come Signore che non ha magior desiderio, che di vedere la quiete universale, et particolarmente fra persone à lui molte amiche, è desiderose di servirlo, come sono le parti nominate di sopra, quindi è, che il detto Signore si è fraposto trattare accomodamento tra le dette. Il qual col mezzo della sua somma prudenza è seguito nella seguente forma.*» Enzo teilte Borghese am 23. September 1615 mit, «*che col mezo del Cardinale Bevilacqua s'è acomodato la lite di Lugo con mia straordinaria consolatione*» (E 53,176r). Bevilacqua schrieb am 24. September 1615 an den Nepoten: «*Essendo seguita concordia, col mezzo, et opera mia … si manda con questo ordinario à V.S.Ill.ma l'instromento di detta concordia, accioche si degni di ordinare, che sia confirmata dalla Sacra Congregatione del buon governo*». Da die Einigung auch nach Spinolas Meinung allen zugleich diene, «*sarà perciò cosa conveniente alla somma prudenza di V.S.Ill.ma il comandare che segua detta confirmatione*» (E 15,307r). Auf der Rückseite notierte Cennini die Anweisung an Feliciani für die nicht erhaltene Antwort an Bevilacqua: «*Tratterà volentieri in Congregatione la confirmatione della concordia, e v'impiegherà ogni suo potere, sì per servir S.S.Ill.ma come anco per utile e quiete del Signore Enzo*» (ebd.,308v). Laut Enzos Schreiben an Borghese vom 24. Oktober 1615 «*V.S.Ill.ma mi fece gratia di far confirmare in Congregatione l'accordo con la comunita*» (E 53,187r).

Daß der Papstneffe in seinen Kongregationen schalten und walten konnte, wie er wollte, ist zwar nicht anzunehmen, hätte die Kontroverse unter diesen Voraussetzungen doch schon vor Jahren beigelegt werden können. Doch die Bestätigung des Vertrags vom September 1615 scheint er wirklich durchgesetzt zu haben, denn die sachlichen Einwände aus den Reihen des Gremiums zu widerlegen waren die Regelungen wohl kaum geeignet. Zahlreiche unangebrachte Bestimmungen enthalte der bereits von der Kongregation abgesegnete Text, mußte sich Enzo vorwerfen lassen, und da es nun um seine Ehre ging, bedurfte er des Schutzes seines Patrons[76]. «Ich habe Seiner Heiligkeit mitgeteilt, was Sie mir über Ihren Ausgleich mit Lugo berichteten, und zu Ihrer größeren Sicherheit hat Unser Herr die Causa an die römische Rota verwiesen», meldete Borghese im November 1615 nach Ferrara und fügte eigenhändig hinzu, Enzos Agent werde ihn informieren, wie sehr ihm seine Interessen am Herzen lägen und wie sie in Rom hintertrieben worden seien[77]. Jeden Widerstand konnte offensichtlich auch Borghese nicht überwinden, aber er blieb am Ball: Zu seiner großen Freude sei die Einigung zwischen Lugo und Bentivoglio zustande gekommen, deren Abschluß er um so lieber vorangetrieben habe, je größer Enzos Interesse daran sei, teilte er seinem Ferrareser Klienten im September 1617 zufrieden mit[78]. Noch war es nicht soweit, denn es fehlten einige Dokumente. Diese aber übergab Millino, dessen Ansprüche gegenüber Bentivoglio im

---

[76] In seinem Brief vom 24. Oktober 1615 (vgl. die vorhergehende Anm.) fuhr Enzo fort: *«io chi non vora che sia distruto* (der Einigungsvertrag, B.E.) *da maligni e tanto più essendo utilissimo alla Comunita la quale aveva pochissime ragioni in queste vali io non ho procurato questo acordo ben me ne a fatto richieder la detta comunita ardentissimamente da bevilacqua non mi dovuto ne anche tempo di scriver a Roma per parere hora che fatto certo a me spiaceria al estremo se getase a tera tanto piu con voler dar ad intender a patroni che ci sia tanti termini non convenienti io sono servitore suo e meglio che questo mi basti per asicurarmi che non me lasciara far torto ne a ... Nostro Signore ne alla Congregatione e rimetendomi al Signore Landinelli la suplico se mai credete favorirmi lo faria hora stimando io più la riputatione che la roba»* (E 53,187r).

[77] Borghese an Enzo, 14. November 1615, Orig. ABent.Corr. 10/78,37, reg. Ang.1232,311r/v: *«Ho visto quanto à V.S. mi scrive con la sua lettera di 4 circa l'accordo fatto tra lei et la Comunità di Lugo. Di che havendo io data parte alla Santità di Nostro Signore hà ordinato, che per maggiore sicurezza di lei la causa si veda in Rota»;* der Autograph Borgheses lautet: *«Il Landinelli credo che avvisarà V.S. quanto a me premino li suoi interessi, e quanto qui sia attraversata.»* Was in den folgenden Monaten geschah, geht aus dem einschlägigen Briefwechsel Borgheses und Enzos (vgl. ABent.Corr. 10/78,43 = Ang. 1232,319v; FB I 716,433; ABent.Corr. 277,9) zwar nicht klar hervor, ließe sich jedoch anhand der Berichte Landinellis und des Ferrareser Botchafters Manfredi, die Enzos Interessen in Rom vertraten, in den Korrespondenzbänden des Archivio Bentivoglio leicht ermitteln.

[78] *«S'è stabilita con mio particolare gusto la concordia, che si maneggiava fra la Comunità di Lugo e V.S. con la qual' hora affettuosamente io me ne rallegro, e può ella credere, che tanto più volontieri io habbia fatto attendere alla speditione del negotio, quanto meglio sapevo trattarsi materia di suo grande interesse»* (Borghese an Enzo, 20. September 1617, Orig. ABent.Corr. 10/78,168r, reg. FB II 401,637v).

Falle seines Sieges gegen Lugo schon lange geregelt waren und dem daher an einem für den Ferraresen günstigen Ausgang der Kontroverse gelegen sein mußte[79], keinem anderen als Francesco Cennini, dem Auditor und engsten Mitarbeiter Borgheses bei der Betreuung der Klientel[80]. Dies aber unterstreicht nachdrücklich, daß sich der Nepot Enzos Causa in der Tat persönlich angenommen hatte, denn wenn dem nicht so gewesen wäre, hätte er einem Kongregationssekretär oder den Fachleuten anderer Ressorts die Arbeit überlassen können. So verwundert die Meldung des Legaten Serra an Borghese vom Januar 1618 nicht: Er halte es für seine Pflicht, den nun vor Ort erfolgten endgültigen Vertragsabschluß mitzuteilen, der dem entspreche, was der Nepot in Rom ausgehandelt habe und allein dessen Autorität zu verdanken sei[81]. Die Freude, die Borghese in seiner Antwort an Serra zum Ausdruck brachte, darf man ihm wohl abnehmen, denn endlich war der lästige Streit zum Nutzen aller und – er mußte dies nicht verschweigen – vor allem des Kardinals Millino und Enzo Bentivoglios beigelegt worden[82].

«*Deo gratias, Deo gratias*», jubelte auch Millino erleichtert[83], aber zu früh.

---

[79] Die «*Transazione trà il Signore Cardinale Mellini Reservatorio de frutti, et entrate del Vescovato d'Imola, ed il Signore Marchese Enzo Bentivoglio sopra la valle Cona, per la quale pendeva lite in Roma tra detto Signore Marchese, e la Comunità di Lugo; nella quale transazione promette detto Signore Marchese di pagare la decima di tutti li frutti da raccogliersi in detta valle, e nelle terre bonificate, e nel canale ... al detto Signore Cardinale Mellini Reservatorio, ed a suoi successori*» in ABent. SP 92/28 datiert vom 29. Mai 1615. Die Verhandlungen scheinen sehr harmonisch abgelaufen zu sein. So schrieb Millino am 28. Mai 1614 an Enzo in einem eigenhändigen Zusatz: «*et in somma circonscritto il capo che concerne l'interesse della mia chiesa, V.S. e padrone ... et puo disporre del negotio, et di ogn'altra cosa, che sia in mio potere et in questo negotio non ho altra mira che satisfare al mio debito, et alla conscientia*» (ABent.Corr. 10/57,355r). Offenbar war der Ferrareser Vizelegat Massimi an den Gesprächen beteiligt, denn einem Schreiben an diesen vom 14. Februar 1615 fügte Borghese, immerhin verwandt mit Millino, eigenhändig hinzu: «*Io non ardisco di raccomandare a V.S. gl'interessi del Signore Cardinale Mellini spettanti alla Chiesa d'Imola, sapendo da S.S.Ill.ma quanto le siano à cuore, il quale certo gle ne resta molto obligato come per l'istesso rispetto glie resto anc'io*» (Ang. 1232,208r).

[80] Am 15. November 1617 schrieb Millino eigenhändig an Enzo: «*Ho ordinato che si porti subito a Monsignore Vescovo di Amelia quello, che si è notato per il stabilimento della concordia*» (ABent.Corr. 277,22r). Bereits am 1. Februar 1617 hatte Bentivoglios Agent Landinelli an Enzo berichtet, er habe in Sachen Lugo mit Cennini, dem Bischof von Amelia, geredet, vgl. ebd., 11/90,248r.

[81] Serra an Borghese, 24. Januar 1618, FB III 45 D,218r: «*Hò giudicato debito mio dar parte à V.S.Ill.ma c'hiersera si stipulò l'Instrumento frà la Chiesa d'Imola, Comunità di Lugo, e'l Signore Enzo Bentivoglio in conformità del concertato da V.S.Ill.ma costà; dalla cui auttorità ogni cos'è derivata.*»

[82] Borghese an Serra, 3. Februar 1618, FB II 432,138v: «*Il fine, che s'è dato alla causa della Comunità di Lugo si deve attribuire al valore di V.S. alla qual'io rendo le dovute gratie dell'avviso ... e sento gusto di veder terminato un negotio tanto fastidioso per benefitio de gl'interessati, e particolarmente del Signore Cardinale Mellino, e del Signore Enzo Bentivoglio.*»

[83] So in seinem eigenhändigen Schreiben an Enzo vom 3. Februar 1618. Er fuhr fort: «*Io non posso esprimere quanto mi sono ralegrato, che finalmente si sia terminata questa benedetta concordia*» (ABent.Corr. 10/78,276r).

Denn zufrieden mit Borgheses Lösung konnten zwar die bisherigen Kontrahenten sein, nicht jedoch die Familie Calcagnini, deren Lehensgüter im betroffenen Gebiet bei der Regelung der Wasserbauabgaben zugunsten Lugos benachteiligt worden waren[84]. Diesen rechtlichen und finanziellen Schaden hinzunehmen waren die Calcagnini nicht bereit, doch da ein Erfolg ihres Protestes das Abkommen zunichte gemacht hätte, fanden sie sich der Gemeinde Lugo, Kardinal Millino, Enzo Bentivoglio und den Förderern der endlich erzielten Einigung gegenüber. So versuchte Serra auf Bitten Millinos zu retten, was zu retten war, und verbot mit einem Edikt vom März 1618, die Rechte Lugos an diesen Gebieten in Zweifel zu ziehen, riet aber Enzo gleichzeitig, sich in dieser Sache erneut an Rom zu wenden[85]. Die Calcagnini hatten dies bereits getan: Ihr Einspruch wurde in der Wasserkongregation beraten, deren Präfekt nicht umhinkonnte, Serra zur Zurücknahme seines Edikts aufzufordern. Kaum hatte der Legat die entsprechende Anweisung Borgheses erhalten, schickte er sie mit der Empfehlung an Bentivoglio, die Sache in der Apostolischen Kammer vorzubringen[86]. In Rom aber war Millino bereits aktiv geworden: Mit den Monsignori Giglioli und Nappi, der eine Ferrarese, der andere ein

---

[84] Bereits in seinem freudigen Brief vom 3. Februar 1618 (vgl. die vorhergehende Anm.) mußte Millino Bentivoglio berichten, daß ihm Marchese Cesare Calcagnini geschrieben habe, *«che in questa concordia sono comprese molte miglia di tornature una gran parte delle quali e su la sua giurisditione del Leonino posseduta da lui et da suo nepote con investiture confirmate da questa Santa Sede, et fa scusa meco di volere litigare»* (ebd.,277r). Womit die Calcagnini nicht einverstanden waren, ergibt sich aus den Entscheidungen in diesem Streit, vgl. Anm. 94.

[85] Am 3. Februar 1618 teilte Millino Enzo mit, an Serra schreiben zu wollen, *«supplicandolo a favorirmi di farmi godere con la sua auttorità l'effetto della sua gratia con quiete e senza lite»*, denn ohne Serras Hilfe *«non ho speranza di cavare molto frutto da questi beni controversi»* (ABent.Corr. 10/78,277r, Aut.). Am 14. Februar 1618 berichtete Millino erneut, Serra zu bitten *«con ogni efficacia a favorire i miei interessi in questa nuova pretensione de i Signori Calcagnini affine che non si entri in lite, se sarà possibile di evitarla»* (ABent.Corr. 10/78,282r, Aut.). Das Edikt Serras vom 18. Februar 1618, in dem er anordnete, *«che da alcuna persona non sia molestata la Comunità di Lugo nel possesso, e quasi possesso de' beni detti di Bonzi, Maiano, e San Bernadino»*, findet sich in ABent.Miscel. MM Nr. 26. An Enzo, der sich in Parma aufhielt, schrieb Serra am 27. April 1618 in einem eigenhändigen Zusatz: *«Il negotio di Fusignano e Lugo ha bisogno di aiuto a Roma»* (ABent.Corr. 10/78,311r). Serra hatte sich im übrigen schon 1612, d. h. noch als Tesoriere in Rom, als Informant Enzos betätigt: *«Nelle Cause di Lugo»* wisse er nichts Genaues, schrieb er am 14. Juli 1612 eigenhändig, *«solo questo ha circolato la Corte ... e può anco esser senza fondamento»* (ebd., 10/57,127r).

[86] Eindeutig als Präfekt der Wasserkongregation schrieb Borghese am 5. Mai 1618 an Serra: *«Con occasione del Concistoro di Lunedi fu rappresentata à questi Signori Ill.mi Cardinali della Congregatione dell'acque l'istanza, che faceva il Signore Marchese Cesare Calcagnini per che si moderasse il bando, che V.S.Ill.ma ha fatto publicare intorno alle differenze tra la Comunità di Lugo e detto Marchese»* (ABent.Corr. 10/78,315r). Auf der Rückseite vermerkte Serra eigenhändig, was er davon hielt, *«essendo neccessario ... che si veda la causa in Camera»* (317v). Serra muß den Brief an Enzo weitergeleitet haben, denn sonst wäre er nicht im Bentivoglio-Archiv zu finden.

Freund der Familie Bentivoglio und beide Prälaten der Consulta, hatte er geredet, damit diese keine Schwierigkeiten machten und Informationen bereithielten, falls die Angelegenheit in ihr Gremium gelangte, doch mehr konnte er nicht unternehmen, weil ihm die notwendigen Dokumente fehlten[87]. Derweil mußte Borghese als Präfekt der Wasserkongregation Serra erneut auffordern, deren Beschlüsse auszuführen, so daß der Legat dringend eine gegenteilige Anweisung benötigte, um sein Edikt aufrechterhalten zu können[88]. Diese aber ließ auf sich warten, denn Cennini, so mußte Millino berichten, hatte irrtümlicherweise angenommen, eine andere Kongregation habe das gewünschte Schreiben abgeschickt, und sich nicht weiter um die Sache gekümmert[89]. Und nachdem auch die Kammer zu keiner Maßnahme

---

[87] Bereits am 14. Februar 1618 hatte Millino Enzo aufgefordert: *«mi tenghi avvisato di quello che occorrera di mano in mano, et di quello che posso fare io di qua per servitio del negotio»* (ABent.Corr. 10/78,282r, Aut.). Mit Giglioli, laut Urb.lat. 1078,320v und seiner eigenen Mitteilung an den Magistrat (CA 135,575r) im Mai 1608 in die Consulta berufen, dort belegt für Januar 1616 in Urb.lat. 1084,17 und laut ebd., 1087,311v im Juni 1619 aus der Kongregation ausgeschieden, weil er in sein gerade verliehenes Bistum Anglona abreiste, hatte Millino bereits im März 1618 in dieser Sache geredet: *«parlai a Monsignore Giliolo, il quale mi ha detto, che non si intriga, ne si intrigara in questa materia»* (ABent.Corr. 10/78,292v). Am 19. Mai 1618 kündigte er an: *«Con Monsignore Giliolo reiteraro l'offitio»* und berichtete: *«ho detto a Monsignore Nappi, che era necessario, che io sapessi, se faceva qualche difficoltà, et in che cosa per poterla superare»* (ebd.,324r). Nappi war zwar bis zu seiner Ernennung zum Vizegouverneur von Fermo Mitglied des Buon Governo (vgl. den Beleg für ca. 1610 in Barb.lat. 4592,247r, und die Meldung vom 21. Dezember 1611 von seiner Ablösung in dieser Kongregation in Urb.lat. 1080,10), wurde aber Ende 1617 in die Consulta berufen (vgl. Urb.lat. 1085,479v). Als einer ihrer Prälaten ist er für April 1618 belegt in der für ihn ausgestellten *Commissio causae* in Sec.Brev. 559, 342/347r. Am 23. Mai 1618 klagte Millino: *«Intanto non ci essendo quì ne scritture, ne nissuno che sia informato, et attenda al negotio non so vedere, come si possi procurare il mandato de manutenendo, per il quale come altre volte ho scritto a V.S.I., e necessaria la giustificatione del possesso in actis»* (ABent.Corr. 10/78,328r).

[88] Am 19. Mai 1618 hatte Borghese für die Wasserkongregation an Serra geschrieben: *«Quanto all'interesse delle parti, et proprietà delle terre, si degnerà ella esseguire l'ordine dato dalla Congregatione sopra l'acque»*. Eine Kopie dieses Briefs schickte der Legat am 26. Mai 1618 an Enzo und fügte hinzu: *«se non si fà venir ordine a me, o contrario al venuto come nelle dette lettere, o che confermi il mio bando, non posso dargli essecutione»* (ABent.Corr. 10/78,333r, die Kopie ebd.,334).

[89] Millino teilte Enzo am 28. Mai 1618 mit, er habe sich bei Monsignore Nappi nach dem Stand der Dinge erkundigt *«et così con sua participatione ho cominciato questa mattina a negotiare, et veramente ogni giorno mi chiarisco più, che non si attende al negotio, poiche Monsignore Cennini credeva, che per via del Santarelli ci fosse già scritta la lettera in esecutione del Ordine della Consulta. … Lunedi parlaro al Signore Cardinale padrone nel particolare del Santarelli, et gli parlaro anco io di buona maniera, et non lassaro di aiutare il negotio con ogni efficacia et diligentia, V.S. facci costì la parte sua».* In einem eigenhändigen Nachsatz fuhr er fort: *«Ho parlato adesso a Monsignore Santarelli il quale vole trattare lunedì di questo negotio in congregatione. Ho mandato a chiamare Monsignore Nappi, et con lui concertaro quello che doveremo fare»* (ABent.Corr. 10/78,336r). Um welche Kongregation es sich hier handelt, ist unklar, war Santarelli doch der Sekretär des Buon Governo und der Wasserkongregation, Nappi aber Mitglied in der Consulta.

zugunsten Enzos und Millinos zu bewegen war, griff der Kardinal zum letzten Mittel: «Ich schreibe diesen Brief in den Räumen des Cardinale Padrone», notierte Millino, während er auf Borghese wartete, und er fuhr fort, er hoffe, daß über die Consulta noch etwas zu machen sei[90]. Die Hoffnung trog ihn nicht: Wenige Tage später hatte die Consulta beraten und Borghese einen Brief unterzeichnet, der es Serra erlaubte, sein Edikt trotz der ausdrücklichen Anordnung der Wasserkongregation nicht zurückzunehmen[91]. Der Legat hielt somit zwei widersprüchliche Anweisungen in den Händen, die Entscheidung der Wasserkongregation über den Protest der Calcagnini und den Beschluß der Consulta, die auf Initiative Enzos und Millinos deren Ansprüche auf die umstrittenen Gebiete geprüft hatte. Bei beiden Sitzungen war Borghese zugegen gewesen, und beide Anordnungen trugen seine Unterschrift, doch von einer Koordinierung der behördlichen Arbeit konnte keine Rede sein. Warum auch, schließlich wußte der Nepot spätestens nach dem Gespräch mit Millino, wie er seinen Freunden helfen konnte, und so hatte er mit der einen Hand das getan, was die andere nicht vermochte. Eine dauerhafte Lösung war damit zwar nicht erreicht, wohl aber ein erster Sieg gegen den Protest der Calcagnini, der nun gemeinsam mit den Forderungen Enzos und Millinos beraten werden mußte. Die Wasserkongregation solle dies tun, befand der Papst, der bislang kaum in Erscheinung getreten war, zur Freude Millinos, der sich seiner und Enzos Sache sehr gewiß war, auch wenn sich das Gremium dem Einspruch der Calcagnini gegenüber aufgeschlossen gezeigt hatte[92]. Was gegen deren Position sprach, erfuhren die Kardinäle der Wasserbehörde noch vor der entscheidenden Sitzung, denn worüber sie demnächst zu befinden hatten und welchen Beschluß

---

[90] Millino an Enzo, 12. Juli 1618: «Scrivo questa di Camera del Signore Cardinale Padrone dove sono venuto a posto, perchè si pigli qualche provisione al nostro possesso poiche la Camera non ce la ha voluto pigliare, et spero, che si fara qualche bene per via della Consulta nella quale se ne trattara Venardi» (ABent.Corr. 10/78,358r).

[91] Am 1. August 1618 berichtete Millino Enzo von dem «appuntamento, che si prese in Congregatione ... la lettera del Signore Cardinale padrone non conteneva quello, che era il nostro bisogno, ma non fu possibile di ottener altro, perchè anco i nostri Avvocati dissero, che il Signore Cardinale non poteva fare più, poiche qua non ci era tanto, che bastasse per farci havere il nostro mandato de manutenendo.» Dennoch hielten die Rechtsberater Millinos den Brief für «molto bona particolarmente per ritenere il detto Cardinale Serra del rivocare il suo decreto» (ABent.Corr. 10/78,364v/r, Aut.).

[92] Bereits am 12. Juli 1618 hatte Millino angekündigt: «domattina penso anco di trattarne con Nostro Signore, se bene non credo, che bisogni» (ABent.Corr. 10/78,358r). Am 8. September 1618 schrieb er: «et poi favro tutto il sforzo possibile con Nostro Signore» (ebd.,370v, Aut.), am 14. November 1618 konnte er schließlich melden: «Nostro Signore si è degnato di commettere la nostra causa nel possessorio alla Congregatione sopra l'acque. Io me ne ralegro con V.S.I., perche veramente mi pare, che habbiamo gran causa di ralegrarcene, poiche per questa via spero, che si recavaranno presto le mani, che e quello che si poteva desiderare» (ebd.,398r, Aut.).

sich der mit Borghese verwandte Präfekt zahlreicher Kongregationen wünschte, teilte Millino jedem von ihnen sicherheitshalber persönlich mit[93]. Die Wasserkardinäle hatten verstanden, und so konnte Millino Ende Januar 1619 seinem Ferrareser Freund voller – diesmal berechtigter – Freude melden, daß die Kongregation zum gewünschten Ergebnis gekommen war. Und doch gebührte der Dank nach Millinos Einschätzung einem mehr als allen anderen: «Was wir dem *Cardinale Padrone* schulden, läßt sich nicht in Worte fassen, denn er hat keine Mühen gescheut und unsere Sache in jeder nur denkbaren Weise begünstigt.»[94] Dies aber läßt sich im Rückblick voll und ganz bestätigen: Empfehlungen an den Legaten hatte er geschrieben, mit seinem Onkel geredet, das Buon Governo zur Absegnung des faulen Kompromisses von 1615 veranlaßt, mit der Consulta die Wasserkongregation gebremst und in dieser schließlich für das gewünschte Endergebnis gesorgt. Für das vorläufige Endergebnis, muß man sagen, denn da weder Enzo seine vorgesehenen Abgaben an Lugo bezahlte noch die Gemeinden im Gebiet der Calcagnini die Regelung hinnahmen, ging die Debatte im Pontifikat Urbans VIII. in die nächste Runde, die nicht die letzte sein sollte[95]. So zeigt der Blick auf die Verhandlungen unter Paul V. nur einen kleinen Ausschnitt aus der langen Kontroverse, die zügig zu beenden angesichts der üblichen Akzeptanz- und Durchsetzungsprobleme römischer Entscheidungen kaum möglich war. Doch welche Wege dem Nepoten offenstanden, um den Verlauf der Beratungen zugunsten seiner

---

[93] Über «*questi Signori Cardinali*» schrieb Millino am 1. Dezember 1618: «*io ne parlai a tutti*» (ABent.Corr. 10/78,470r). Am 15. Dezember 1618 versicherte er: «*non mancaro di rinovare gli offitij con tutti i Signori Cardinali*» (ebd.,466r, Aut.). Was er sonst noch tat, konnte er dem Papier leider nicht anvertrauen: «*Qui si favra tutto quello, che si potrà, per levargli le longhezze, et molte cose, che non si possono scrivere in lettere*» (ebd.,452r, Aut.).

[94] Vom 29. Januar 1619 datiert die frohe Botschaft Millinos, «*che questa mattina si è terminata la Congregatione, et per quello, che ho potuto penetrare sino a questa hora, la risolutione e conforme alla nota, che io gli mando a parte*», d.h. auf fol.441, wo die Entscheidung, Enzo und Millino das gewünschte *Mandato de manutenendo* zu verleihen, notiert ist. «*Intanto non posso esprimergli in nissuna parte quello, che si deve al Signore Cardinale padrone, perche ha favorito in modo la giustitia della nostra causa, che io non haverci saputo che mi desiderare di avantagio, et vi ha durato sopra una buona fatiga*» (ABent.Corr. 10/78,440r, Aut.). Von diesem Beschluß berichtet auch das Memoriale Lugos an die Kardinäle der Wasserkongregation von 1625: «*La Comunità di Lugo espone alle SS.VV.Ill.me qualmente dell'anno 1619 dalla felice memoria di Paolo V fù commessa una causa vertente tra Luogo, et il Territorio di Leonino con tutti li suoi annessi, alla Sacra Congregatione dell'acque, la quale dopo lunga e matura discussione relassò un mandato de manutenendo à favore di Lugo di potere exigere le tasse della Bonificatione da li Particolari che possedevano terre nelle ville di San Bernadino, Roncio e Maiano*» (Acque 130).

[95] Dies belegen die Memoriali der Gemeinde Lugo in Acque 130, die sich sowohl gegen Enzo, der «*resta scoperto di migliaia di lire non pagate*», als auch gegen «*la Comunità del Territorio Leonino non contenta di questa risolutione*» richteten. Noch 1689 waren verschiedene Kongregationen mit diesem Streit beschäftigt.

Freunde und Klienten zu beeinflussen, sollte ebenso deutlich geworden sein wie die Grenzen seiner Möglichkeiten. In den Kongregationen, deren Präfekt er war, konnte er zwar nicht alles durchsetzen, was seinen Günstlingen geholfen hätte, jedoch blockieren, was zu ihrem Schaden gewesen wäre, auch wenn dem die zwischenbehördliche Koordinierung zum Opfer fiel.

Allerdings schien sich Borghese im Streit um die Güter Lugos der Rückendeckung seines Onkels erfreut zu haben, der zunächst kaum in Erscheinung trat, aber nach dem für Enzo und Millino positiven Urteil der Wasserkongregation dafür sorgte, daß die Vertreter der ebenfalls beteiligten Diözesen Ferrara und Faenza dem nun geretteten Vertrag vom Januar 1618 zustimmten[96]. Möglicherweise war das Einverständnis Pauls V. eine Voraussetzung für die Aktivitäten seines Neffen in Sachfragen, denn während Borghese nur den Nutzen der Klienten im Auge haben konnte, mußte sich der Papst von Amts wegen um eine für alle akzeptable Lösung bemühen, und da diese häufig nicht den Vorstellungen auch nur einer Partei entsprach, dürften die Ziele der beiden Borghese nicht immer zur Deckung gekommen sein. Ob der Nepot seinen Onkel konsultierte, bevor er den Bittstellern zur Hilfe eilte, gibt die Auseinandersetzung zwischen Enzo, Millino und Lugo indes ebensowenig zu erkennen wie die Folgen einer päpstlichen Absage an die Wünsche der Klienten. Doch da genau dieser Konflikt zwischen der Allgemeinwohlorientierung des Papstes und dem Diensteifer seines Neffen im Mittelpunkt einer anderen von Enzo ausgelösten Debatte stand, kann das Bentivoglio-Archiv auch hier nützliche Hinweise liefern[97].

Die Mühle der Bentivoglio, um die es ging, hatte ein bewegtes Schicksal hinter sich: Von den Este als unliebsame Konkurrenz geschlossen, unter Clemens VIII. zunächst wieder genehmigt, bald darauf erneut verboten, verdankte die in der Nähe des Po gelegene Mühle ihre 1608 endgültig erteilte Betriebsgenehmigung nicht zuletzt dem Eingreifen Borgheses, der den mit der Prüfung der Anfrage betrauten Fachleuten aus der Kammerverwaltung die Wünsche des Ferraresen ans Herz gelegt hatte[98]. Mit solchen warmen Empfehlungen war es 1612 indes

---

[96] Abschriften der Schreiben Pauls V. vom 3. Februar 1619, in denen er den Erzdiakon Faenzas und den Generalvikar Ferraras anwies, der *Transatione* von 1618 zuzustimmen, finden sich in ABent. SP 97/5.

[97] Daß es noch andere Ferraresen als Enzo Bentivoglio und unter diesen einige weitere Klienten Borgheses gab, scheint im Verlaufe dieser Untersuchung zusehends in Vergessenheit zu geraten. Wären deren Archive ebenso ergiebig und umfangreich wie das der Bentivoglio, hätte ich sie gerne zu ihrem Recht kommen lassen.

[98] Nicht unwesentlich gefördert wurde die Hilfsbereitschaft Borgheses in der vor allem 1607 geführten Auseinandersetzung um die Mühle für den ihm erst seit kurzem persönlich bekannten Ferraresen durch das Gemälde, das Enzo ihm besorgt und geschenkt hatte. Dies wenigstens legt Borgheses Brief an Enzo vom 19. September 1607 nahe, in dem er für das Bild dankte *«come di cosa rara, et come*

nicht getan: Der Sommer war heiß, der Pegelstand des Po niedrig und Bentivoglio nicht gewillt, auf den Stillstand der Wasserräder zu warten. Wie schon im Vorjahr wollte er auch nun wieder einen Damm durch den Po bauen, der dessen Wasser anstauen und in seinen Mühlenkanal lenken sollte, doch da ein solcher Eingriff nicht ohne Folgen für das umliegende Gebiet und den Po selbst bleiben konnte, mußte sich Enzo das Projekt vorab genehmigen lassen. Die Lizenz für das letzte Jahr hatte er vom langjährigen Presidente Caetano erhalten, der zwar soeben aus dem Amt geschieden und nach Rom zurückgekehrt, Enzo aber stets zu Diensten gewesen war und es nach dem jüngsten Empfehlungsschreiben Borgheses für den Ferraresen zweifellos auch weiterhin sein würde[99]. So wandte sich Bentivoglio mit der Bitte an Caetano, ihm die Genehmigung für den Dammbau zu erwirken, und an Borghese. Dieser konsultierte den mittlerweile von Caetano instruierten Sekretär der Wasserkongregation Santarelli und den ehemaligen Presidente, und da beide der Meinung waren, der Plan sei völlig unbedenklich, ließ der Nepot seiner Dienstbereitschaft für Enzo freien Lauf: Der neue Presidente der Generalbonifikation, Kardinal Rivarola, erhielt die Order, den

---

di uno nuovo testimonio dell'amor suo, ma sicome non pretendo di satisfare con parole all'obligo che V.S. m'impone, così riceverò et riconoscirò per nuova cortesia ch'ella mi commandi» (Orig.: ABent.Corr. 8/18,70, reg. unter dem 18.September 1607 in FB I 929,636vf.). Daß des Nepoten Freude die Erfolgsaussichten für die Mühlengenehmigung wohl nicht unmaßgeblich erhöht hatte, ist auch dem Brief des mit der Übergabe des Gemäldes an Borghese betrauten Monsignore Nappi an Enzo vom gleichen Tag zu entnehmen, vor allem der Meldung, «che al Padrone era di sommo contento sperando che debba in quest'occasione habbia da essere un gagliardo mezzo per far superar qualche difficoltà che nel negotio del mulino potesse nascere» (ABent.Corr. 9/41,798). In der Tat redete Borghese mit seinem Onkel über die Sache (vgl. ebd.,866), empfahl dem Kammerkommissar das «negozio del molino ... caldamente» und beauftragte seinen Auditor Tonti, die Angelegenheit im Interesse Bentivoglios zu überwachen (vgl. ebd., 9/42,38). Die «Renovatio Investiture pro Molendinij Filli facta DD: March.i Entio, et fratribus de Bentivolij à Reverenda Camera Apostolica» datiert vom 14.Februar 1608 und findet sich in ABent. SP 80/32.

[99] Die Wirkung einer solchen Empfehlung Borgheses belegt Caetanos Antwort vom 20.Dezember 1611 auf das Schreiben des Nepoten vom 7.Dezember 1611: «Bisogneria, che io pensassi à servir eternamente il Signore Entio Bentivogli, vedendo, che V.S.Ill.ma si è compiaciuta di raccomandarmelo tanto efficacemente ... Mi basta però di dirle, che se per il passato io li ho fatto piacere, et mostratali buona volontà, da qui inanzi farò il doppio», und eigenhändig ergänzte er: «Non sarà cosa al mondo, che dipenda da me la quale habbia a rimaner di fare per servizio del Signore Entio. A me basta di intender i cenni del gusto di V.S.Ill.ma per volare non che correr' precipitosamente ad esserne essecutore» (ABent.Corr. 10/57,48). Einer weder datierten noch adressierten, aber wohl an seinen mit der Abfassung eines Briefes an Rivarola beschäftigten Sekretär gerichteten eigenhändigen Anweisung Enzos zufolge hatte er selbst an den neuen Presidente geschrieben und ihn an das Beispiel Caetanos vom Vorjahr erinnert: «tanto milio lo puo far hora il Signore Cardinale avendo l'issimpio ed essendoli io tanto servitore» (ABent. SP 88/6,6v).

Wünschen Bentivoglios entgegenzukommen, der Bau des Dammes konnte beginnen[100].

Daß Enzos Nachbarn nach den Erfahrungen des letzten Jahres von der Unbedenklichkeit des Dammes weniger überzeugt waren als seine Berater, mußte Borghese jedoch bald erkennen. Immer mehr Memoriali trafen in Rom ein, die mit bösen Worten den Schaden beklagten, der den Gemeinden und Landbesitzern des umliegenden Gebiets durch das Bauwerk drohte, und als auch noch der Botschafter Bolognas gegen den Damm, der die Versandung des Flußbetts fördere und die Entwässerung des bolognesischen Territoriums verhindere, beim Papst protestieren wollte[101], bekamen es jene mit der Angst zu tun, die bei der Baugenehmigung eher die Zufriedenheit Bentivoglios im Auge gehabt hatten als das allgemeine Wohl. Der Nepot schien sich nur ungern die Reaktion seines offenbar ahnungslosen Onkels vorgestellt zu haben, Santarelli sah bereits alle Schuld auf sich geschoben, Caetano wollte nun schon immer gegen die Lizenz gewesen sein, und Rivarola verschreckte die Aussicht auf die Kritik des Papstes derart, daß er die Bauerlaubnis für Enzo sofort aussetzte[102]. Aber noch wußte Paul V. nichts von den Eigenmäch-

---

[100] Am 2. Juli 1612 schrieb Caetano aus Rom an Enzo: «*immediamente ricevuta la sua lettera ho fatto tutto quello, che per parte mia fu possibile, perche le fusse conceduta la licenza di trattener l'acqua del Po, come appunto le fu permesso l'anno passato, et io dissi al Signore Santarelli, che facesse relatione al Signore Cardinale Borghese, che il negotio si poteva, et doveva fare, et perciò spero, che se ne riporterà favorita provisione*» (ABent.Corr. 10/57,121). In einem späteren Schreiben war die Rede von «*il Cardinale Caetano ... col voto del quale diede Borghese l'ordine à Rivarola*» (Manfredi an Enzo, 1. August 1612, ABent.Corr. 10/66,494v). Eine Kopie dieser Anweisung schickte Borghese am 4. Juli 1612 auch an Enzo: «*scrivo con l'alligata al Signore Cardinale Rivarola, che ... le dia quella maggiore sodisfattione che potrà, come mi assicuro che farà per l'affettione che sò che porta a V.S.*» (ABent.Corr. 10/57,117).

[101] Bei Rivarola hatten sich die für die Lebensmittelversorgung zuständigen *Consoli* der Ferrareser Nachbargemeinde Argenta am 22. Juli 1612 und die «*conduttori di Caldirolo, et fosse, Valli di Comacchio, che pagano ogn'anno alla Reverenda Camera scudi 12 m.*» am 31. Juli 1612 beschwert (ABent. SP 88/6,1 und 2). Die Pächter der Fischfangrechte in den Valli di Comacchio hatten ebenfalls angedroht, «*si come sono per fare passare alle orecchie di Nostro Signore questo fatto, quando non si sia remediato*», und auch Argenta fühlte sich gezwungen, sich «*agli Ill.mi Signori Padroni di Roma*» zu wenden (ebd.). Einem Bericht aus Rom vom 1. August 1612 zufolge hatten «*quei galant'huomini degl'Argentani*» an das Regimento Bolognas geschrieben, das seinerseits den Botschafter beauftragte, «*che ne faccia rumore grandissimo col Papa*» (Manfredi an Enzo, ABent.Corr. 10/66,494). Bentivoglio war übrigens von Bekannten in Ravenna und Bologna über sämtliche Klageschriften informiert worden (ebd.,488; ABent. SP 88/6,1 und 2). Annibale Manfredi, Enzos Vertreter in Rom, berichtete am 1. August 1612 nach Ferrara: «*Il Santarelli dice che ha molti memoriali venuti contro V.S.Ill.ma e m'ha detto che ve ne sono alcuni bruttissimi senza nome; questi devono venir da Ferrara*» (ABent.Corr. 10/66,496r).

[102] Dem Bericht Manfredis an Enzo vom 1. August 1612 zufolge hatte der Bologneser Botschafter das Memoriale in Ermangelung einer Papstaudienz bei Borghese abgegeben, der «*conosce che il Papa è condisceso mal volontieri a dar la soprintendenza dell'acque al Cardinale Rivarola, non vorrà*»

tigkeiten seines Neffen: Auf keinen Fall solle er sich mit seinen Klagen an den Papst wenden, ließ Borghese dem Bologneser Botschafter über Santarelli bestellen, denn er, der Nepot, werde sich um alles kümmern und die Anweisung widerrufen[103]. Auch der Ferrareser Botschafter Annibale Manfredi, der sich wie so oft als Interessenvertreter seines Freundes Enzo betätigte, führte seinem Kollegen aus Bologna vor Augen, welches Mißfallen ein Vortrag vor Paul V. bei Borghese auslösen würde. Schließlich sei der Nepot nicht nur Bentivoglio in Freundschaft verbunden, sondern auch verpflichtet, die von ihm persönlich erteilten Anweisungen und die Handlungen seines Günstlings Rivarola zu verteidigen[104]. Doch es half alles nichts: Der Bologneser Botschafter entschied sich für die Ausführung seiner eindeutigen

---

dargli occasione di sentir rumore su'l bel principio della sua carica per havere ciò conceduto, perche stimerà, che'l rumore derivi da difetto della sua esperienza, per mancamento della quale si sia egli indotto à conceder quello, che non conveniva» (ABent.Corr. 10/66,494v/497r). Über Santarelli berichtete Manfredi: *«Egli mostra d'haver gran timore, che tutta la colpa dell'ordine dato al Cardinale Rivarola rinversi sopra di lui, essendo che sente il Cardinale Borghese dolente d'haver consentito al detto ordine»* (ABent.Corr. 10/66,495v). Daß Enzo auch an Santarelli geschrieben hatte, belegen dessen Antworten vom 14. Juli 1612 (ABent.Corr. 278,386) und vom 1. August 1612, in der er eigenhändig versicherte: *«creda pure il mio Signore Enzo che rubbarò volontieri ogni occasione che me si presenti di servirla»* (ABent.Corr. 10/66,507r). Der Antwort Caetanos vom 1. August 1612 zufolge hatte Enzo ihn erneut um Hilfe gebeten: *«Col Signore Santarelli farò ogni buon officio nel particolare, che V.S. mi scrive».* Mit eigener Hand fügte er tröstend hinzu: *«Nissun può haver bene in questo mondo senza invidia, et malignità. ... Et nel resto si prometta V.S. di me come del più affezionato Cardinale et più certo amico che habbia lei in questa Corte.»* (ABent.Corr. 10/57,131.) Allerdings sah sich Manfredi gezwungen *«à far ufficio col Signore Cardinale Caetano, che stia saldo, essendo che sò ch'egli stesso giudica ... che non le si doveva concedere il far quest'argine, oltra che non sò se gli fosse dispiacciuto molto che'l Cardinale Rivarola havesse della licenza concessale riportato biasimo appresso Nostro Signore»* (Manfredi an Enzo, 4. August 1612, ebd.,10/66,559v). Rivarola schrieb am 1. August 1612 an Enzo, Borghese habe ihm von den dem Papst vorgetragenen Klagen vieler über die Müller in den Valli di Marrara berichtet, die wie Enzo das Wasser angestaut hätten, und wegen seiner Mühle seien bereits die Valli-Pächter bei ihm gewesen, *«protestandosi volerne dar conto a Nostro Signore ... Si chè stante questi rumori io stimo esser bene che V.S. soprasieda à far lavorare in detto Argine sin a tanto ch'io senta questi che sclamono per vedere se deducono cosa rilevante»* (ABent. SP 88/6,3).

[103] Manfredi berichtete Enzo am 1. August 1612 über Borghese, *«il quale hieri dubitando che fosse per dispiacere à Nostro Signore l'ordine ch'egli havea dato al Cardinale Rivarola di sodisfar à V.S.Ill.ma fece subito chiamare il Santarelli, e gl'impose ch'andasse a trovar l'Ambasciatore, e lo ricercasse à non far di ciò querela nissuna con Sua Santità perch'egli rimediarebbe, e rivocarebbe l'ordine»* (ABent.Corr. 10/66,494r/v).

[104] Manfredi schrieb am 4. August 1612 an Enzo: *«Procurai perciò d'abboccarmi, come feci, con l'ambasciatore di Bologna per fargli confessare, che i danni allegati eran falsi, et per disporlo à non far strepito, benche il Reggimento gliel'havesse ordinato, e gli misi innanzi il disgusto che ne riceverebbe Borghese, non solo per l'affezion che porta a V.S.Ill.ma; ma anche per l'obbligo, c'ha di difendere gl'ordini dati da lui medesimo, e le azioni del Cardinale Rivarola»* (ABent.Corr. 10/66,559r).

Direktiven, begab sich zum Papst und berichtete diesem von den Vorgängen im Ferraresischen. Jetzt konnten Enzos Förderer froh sein, die Baugenehmigung ausgesetzt zu haben. Umsichtig sei Rivarola mit der Lizenz umgegangen, wurde Paul V. zur Ehrenrettung des neuen Presidente und zur Zufriedenheit Borgheses erläutert, und da dank des Baustopps keine akute Gefahr für Enzos Nachbarn drohte, verwies der Papst die Sache lediglich zur weiteren Prüfung an die Wasserkongregation[105]. Von diesem Gremium, das sachlichen Aspekten und der Frage der Allgemeinverträglichkeit wasserbaulicher Maßnahmen offenbar mehr Beachtung schenkte als sein Präfekt, war nach der Einschätzung des Bentivoglio-Freundes und Kongregationsmitglieds Serra eine Entscheidung gegen Enzos Plan zu erwarten[106]. So mochte den an der Lizenzgewährung Beteiligten der Zorn Pauls V. erspart geblieben sein, der Damm aber schien verloren.

Doch noch war das letzte Wort nicht gesprochen, die Wasserbehörde noch nicht zusammengetreten, und wenn sich dies verhindern ließe, eröffneten sich in der Frage eines Dammes, den man schnell, aber nur bis zum Ende der Sommertrockenheit brauchte, neue Möglichkeiten. Denn wenn Enzo den Bau des Dammes nun fortsetzte, würden die Betroffenen zwar aufschreien, doch Rivarola konnte besten Gewissens tatenlos zusehen und bei jedem Protest bedauernd mit den Schultern zucken, da eine Entscheidung der in der Kongregation anhängigen Sache nun nicht mehr in seiner Macht stand. Die Gegner des Baus mußten sich daher an Rom wenden, und da die dortige bürokratische Mühle bekanntermaßen langsam mahlte, würde diejenige der Bentivoglio bis zum Ende des Sommers ungestört in den Genuß des angestauten Wassers kommen[107]. Sollte dieser windige Plan Manfredis

---

[105] Landinelli kommentierte am 8. August 1612: «*L'Ambasciatore di Bologna si è portato male à dare quel memoriale, mentre haveva intesa l'inclinatione del Cardinale Padrone … ma non mi maraviglio perche non ha tutto il cervello che bisogneria*» (ABent.Corr. 10/66,634r). Landinelli fuhr fort: «*la Santità Sua non ha fatto altro rescritto se non, ch'il memoriale del Regimento l'ha rimesso alla Congregatione sopra l'acque*» (ebd.,631r). Am 11. August 1612 trug Landinelli nach, was Manfredi dem Papst vorgetragen hatte, nachdem der Bologneser Botschafter das Thema angesprochen hatte. Diese Ausführungen «*hanno dato gran gusto al Signore Cardinale Padrone per honore anco del Signore Cardinale Rivarola*» (Landinelli an Enzo, 11. August 1612, ebd.,680r).

[106] Kardinal Serra, mit dem sich Landinelli und Manfredi gelegentlich ebenfalls berieten, hatte ihnen laut Landinellis Bericht vom 8. August 1612 empfohlen, «*che in nessuna maniera si propponesse questo negozio nella Congregatione dell'acque perche senz'altro si saria presa risolutione contro di lei*» (ABent.Corr. 10/66, ebd.,631r).

[107] Mit seinem Brief vom 15. August 1612 (ABent.Corr. 10/66,748) schickte Manfredi Enzo das Memoriale, in dem er Borghese aufgefordert hatte «*a scrivere al Signore Cardinale Rivarola, che caso che'l supplicante* (=Enzo, B.E.) *seguiti di far perfezionare il detto argine, S.S.Ill.ma non gliel'impedisca, poichè può rispondere molto bene à coloro ch'à lui riccorressero per dolersi, ch'à lui non tocca l'ingerirsi in questo particolare, havendolo Nostro Signore avvocato à se e rimessolo alla Congregatione*» (das Memoriale ebd.,749).

gelingen, mußte er Santarelli davon abhalten, die Sache in der Kongregation zur Sprache zu bringen, und Borghese dazu bewegen, Rivarola die erneute Genehmigung der Bauarbeiten aufzutragen. Santarelli, der die große Zuneigung Borgheses zu Enzo kannte, werde diesem helfen und das Thema bei der nächsten Sitzung nicht berühren, konnte Bentivoglios Vertreter bald melden[108], Borghese aber zögerte zunächst. So etwas gehöre sich nicht, antwortete er Manfredi, und überdies müsse er mit größter Vorsicht agieren, da Seine Heiligkeit wisse, daß er ein Parteigänger Enzos sei. Dies war er wohl wirklich, denn schon am nächsten Tag hatte er sich mit dem Plan des Ferrareser Botschafters angefreundet und diesem versprochen, Rivarola jedes Eingreifen gegen die demnächst fortgesetzten Dammbauarbeiten zu untersagen[109]. Mit der entsprechenden Anweisung an den Presidente, dessen Amtspost er überdies der Kongregation fortan vorenthielt[110], unterzeichnete Borghese somit ein Beweisstück für den Verdacht, den bereits ein Blick auf die Auseinandersetzung um das Ackerland bei Lugo geweckt hat: Wenn er die ihm unterstellten Kongregationen nicht zu einem Beschluß bewegen konnte, der den Wünschen eines von ihm geförderten Klienten entsprochen hätte, umging der Kardinalnepot die Gremien, selbst wenn diese vom Papst mit der anstehenden Sache betraut worden waren. Im Falle Lugos gelang ihm dies mit Hilfe einer

---

[108] Über das Schicksal des Bologneser Memoriale berichtete Landinelli am 8. August 1612, «che essendo venuto nelle mani di Monsignore Santarello stava in pensiero di trattare di questo negozio dell'argine lunedi con l'occasione del Concistoro, ma havendogli detto, et mostratogli anco confidentemente la lettera di V.S.Ill.ma ... nella quale mi scrive che stà in dubbio se deve fare ò no l'Argine ... è rimasto di non parlarne ma di serrar la bocca à chiunque si sia, che non ha occasione di lamentarsi mentre V.S.Ill.ma non si è anco servita, et serva la licenza che ha havuta, et forse anco non se ne servirà, perche non ha bisogno» (ABent.Corr. 10/66,631r). Am 11. August bestätigte Landinelli dies: «Monsignore Santarelli vedendo un'inclinatione (Borgheses, B.E.) si grande aiuta il negotio e credo che non sia per parlarne nella Congregatione di lunedi» (ebd.,680v), was er auch weiterhin nicht tun sollte.

[109] Am 18. August 1612 mußte Manfredi noch berichten: «Il Signore Cardinale m'ha replicato, che questo non conviene à modo nissuno, e ch'egli è necessitato à procedere con molta circonspizione in questo particolare, perche Nostro Signore sà ch'egli è parziale di V.S.Ill.ma», doch schon am nächsten Tag konnte er melden, «che'l Signore Cardinale Borghese si è attaccato perapunto al mio parere» (ABent.Corr. 10/66,817r,818r). Auch Landinelli berichtete, Borghese wolle an Rivarola schreiben, «che volendo V.S.Ill.ma dar perfettione all'Argine non se gl'opponga» (18. August 1612, ebd.,813r). Am 22. August versicherte er Enzo des gewissen Sieges, da Borghese «la protteggarà, et aiutarà sempre» und bezüglich des Dammes bereits angeordnet habe, «che le sia permesso» (ebd.,863v).

[110] In seinem Bericht vom 22. August 1612 erwähnte Landinelli eine weitere Anordnung Borgheses: «ha detto all'Agente del Cardinale Rivarola, che intorno a questo particolare non scriva ad altri ch'a lui stesso» (ABent.Corr. 10/66,863v). Die sprachlichen Bezüge mögen nicht ganz eindeutig sein, die Absicht Borgheses ist es wohl: Die Korrespondenz in dieser Sache sollte an der Wasserkongregation vorbei geführt werden.

anderen Kongregation, bei Enzos Dammbau handelte der Präfekt gänzlich ohne die zuständige Behörde, die er mit der Unterstützung des Sekretärs regelrecht ausschaltete. Im Sinne Pauls V. mochte dieses Vorgehen nicht gewesen sein, doch da sowohl der Botschafter als auch der Agent Ferraras auf der Seite Bentivoglios standen, während Borgheses neuerlicher Hinweis, es gehe hier um die Interessen eines Freundes, den Eifer des bolognesischen Vertreters gebremst hatte[111], war von jenen Diplomaten, die als Sprecher der Betroffenen in Frage gekommen wären, kein energischer Protest und folglich keine Verärgerung des Papstes zu erwarten. Selbst als sich die Magistratsherren endlich aufschwangen, die Klagen einzelner Ferraresen weiterzuleiten und offiziell gegen den Damm ihres einflußreichen Mitbürgers zu opponieren, gelang es Manfredi, Paul V. von der Harmlosigkeit des Bauwerks zu überzeugen. Wenn die Allgemeinheit keinen Schaden nehme, wolle er Enzo gerne entgegenkommen, erwiderte der Papst dem Botschafter nach dessen Schilderung und verwies die Eingabe der Stadt an Santarelli[112]. Der Sekretär aber hielt die Vorlage der Ferrareser Beschwerde in der möglicherweise kritischeren Kongregation nicht für notwendig, und so blieb auch dieser Protest ohne Folgen[113]. Weil der Padrone seinen Wunsch erfüllen wolle, sei das Krächzen der Feinde vergebens, meldete Manfredi zufrieden an Enzo[114] und hätte damit den Schlußpunkt unter die Schilderung der Episode gesetzt, wären die Möglichkeiten des Nepoten tatsächlich unbegrenzt gewesen. Dem stand eine Hürde im Weg, die selbst Borghese nicht immer nehmen konnte: der Wille Pauls V., persönlich oder mit Hilfe seines kurialen Apparats eine Politik zu betreiben, die mit seinen Amtspflichten als Papst zu vereinbaren war. Als Padre comune maß er die Wünsche der Klienten an dem Preis, den andere für ihre Erfüllung zu zahlen hatten, und genau

---

[111] Mit dem Bologneser Botschafter hatte Borghese laut Landinelli gesprochen und *«gli messi in consideratione che poteva ben far l'uffitio che gl'haveva ordinato il Regimento ma non con tanta caldezza, mentre che si trattava dell'interesse d'un amico suo»* (11. August 1612, ABent.Corr. 10/66,680r/v).

[112] Landinelli berichtete über Manfredis Auftritt in der Audienz: *«parlò in maniera che sodisfece all' obligo suo, et non diede danno alcuno a V.S.Ill.ma persistendo tuttavia la Santità Sua con molta benignità, che vuole che habbia ogni servitio ogni volta che non ci sia il pregiuditio del publico, et replicando il Signore Conte che il pregiuditio publico non ce lo conosceva, ma se bene di qualche particulare, e così finì il ragionamento»* (8. September 1612, ABent.Corr. 10/67,162r). Tatsächlich wußte Manfredi, daß *«ne si può negar che molti particulari non ne ricevan danno»* (22. August 1612, ebd.,10/66,867v).

[113] Landinelli berichtete am 5. September 1612, Santarelli, an den der Papst das Schreiben des Magistrats verwiesen habe, halte eine Kongregationssitzung für überflüssig, *«e così s'andarà godendo il benefitio del tempo, hora che l'argine e fatto, et i Molini macinano»* (ABent.Corr. 10/67,87r).

[114] Am 5. September in einem eigenhändigen Nachtrag: *«qua non mancheran querele (al creder mio) di Bolognesi, Ferraresi, et Argentesi: ma indarno gracchieranno, perche il Padrone vuol ch'ella rimanga consolata»* (ABent.Corr. 10/67,91r).

dies verlangte er von seinen Mitarbeitern und Kongregationen. Der Nepot dagegen schien sich für die Folgen seiner Hilfsbereitschaft weniger zu interessieren als für die Person des Bittstellers, doch daß er die Kriterien seines Onkels kannte, zeigt sein gelegentliches Bemühen, die kurialen Gremien oder gar den Papst selbst zu umgehen[115]. Stützen konnte er sich hierbei auf die Mitarbeiter seines privaten Stabes: auf seine Auditoren, die für ihn die notwendigen Gespräche mit den Fachleuten führten[116], und auf seine Sekretäre, die die entsprechende Post abwickelten. Ohne die Hintergrundinformationen aus der Korrespondenz der Interessenten mit ihren römischen Vertretern wäre zwar weder die Auseinandersetzung um die Güter bei Lugo noch der Streit um Enzos Damm bei Longastrino zu rekonstruieren gewesen. Doch wenn es in den römischen Beständen Bände gibt, die wenigstens Hinweise auf die Eingriffe des Papstneffen in die Arbeit der kurialen Gremien liefern, so sind dies nicht die Überreste des Behördenalltags, sondern allein die Register und Einlaufsammlungen der Nepotensekretariate.

Wie unterschiedlich der Informationen ausfallen, die die einzelnen Korrespondenzarten zu bieten haben, wird vollends deutlich, wenn man die Beweggründe Borgheses für seinen nimmermüden Einsatz zugunsten Enzo Bentivoglios zu ermitteln versucht. Ein solches Unterfangen mag zunächst überflüssig erscheinen. Schließlich konnte bereits ein enges persönliches Verhältnis zum Kardinal genügen, damit dieser die Wünsche der Bittsteller ohne Rücksicht auf die politischen Folgen seines Tuns durchsetzte. So ließ Borghese seinem *caro gentilhuomo* und späteren Auditor Marsilio Peruzzi zuliebe 1617 die Wahl der Auditoren für die städtische Rota Perugias annullieren, was zwar einen massiven Eingriff in die Rechte der Stadt darstellte, Peruzzis zuvor gescheitertem Neffen Angelo Felici aber im zweiten Anlauf zu einem der begehrten Richterposten verhalf[117]. Gegenüber Enzo hatte der Nepot indes nicht nur seine Pflichten als Patron zu erfüllen, sondern auch handfeste ökonomische Interessen der Papstfamilie zu wahren. Wo dies in Erfahrung zu bringen ist und was es für die Tätigkeit der päpstlichen Verwaltung

---

[115] Borghese selbst hat das Spannungsverhältnis zwischen seinen Aufgaben und Zielen und jenen des Papstes in einem Schreiben an Enzo Bentivoglio über die Dammbaulizenz auf den Punkt gebracht: «Sà V.S. meglio d'ogni altro, quanta gelosia governi N.S. della bonificatione Universale di cotesti paesi ... nondimeno per il desiderio che ho d'ogni suo comodo, scrivo con l'alligata al Signore Cardinale Rivarola, che però mentre non sia di pregiuditio al publico, le dia quella maggiore sodisfattione che potrà» (Borghese an Enzo, 4. Juli 1612, ABent.Corr. 10/57,117r).

[116] Für Tonti findet sich ein Beispiel in Anm. 98, zu Cennini vgl. Anm. 80 und 89.

[117] Ausführlich zu diesem Eingriff vgl. Stader, S. 257–262. Allerdings war nicht Bernardo, wie ebd., S. 258, Anm. 296, vermutet, sondern der ja schon des öfteren, etwa in Sachen *tratte*, in den Genuß imperativer Empfehlungsschreiben gelangte Marsilio (vgl. Anm. 60) jener «Peruzzi mio gentilhuomo ch'è zio del Dottor Felice» (Borghese an den Gouverneur von Perugia, 6. Mai 1617, FB II 401,306v), dem zuliebe der Nepot die Wahl annullieren ließ. Zu Cenninis Rolle in dieser Angelegenheit vgl. Stader, S. 260.

bedeutete, wenn die Konten des Kardinalnepoten betroffen waren, wird nun zu betrachten sein.

c. Freie Bahn dem Eigennutz:
Die Interventionen des Nepoten in eigener Sache

In der Korrespondenz zwischen Borghese und den Bentivoglio stößt man zuweilen auf Schreiben, die den Verdacht nahelegen, Enzo könnte nicht nur der treueste Klient der Papstfamilie in Ferrara gewesen sein, sondern auch ein Geschäftspartner der Borghese. Auffällig ist vor allem die Detailkenntnis, die der Kardinal in diesen Briefen an den Tag legte. Bis auf die Stellen hinter dem Komma kannte er die Höhe der Schulden, die Bentivoglio bei Marcantonio Borghese, dem Principe di Sulmona und Cousin Scipiones, hatte, und ebenso genau wußte er, wie sich dieser Betrag zusammensetzte[118]. Kennt man die Hintergründe, ist dies nicht weiter erstaunlich. Schließlich war der Nepot selbst an dem folgenschweren Handel mit Enzo beteiligt gewesen, der dem Ferraresen 1608 die päpstliche Genehmigung und äußerst günstige Bedingungen für ein Entwässerungsprojekt der Sonderklasse, der Familie Borghese aber eine ansehnliche Gewinnbeteiligung eingebracht hatte[119]. Als Anteils-

---

[118] Borghese forderte Enzo am 31. Oktober 1618 auf: «*Potrebbe intanto V.S. ordinar' al Primi, ch'in conformità della Cedola pagasse al Prencipe gli scudi mille trecento sessanta otto, e tre quarti*» (Orig. in ABent.Corr. 10/78,390; reg. in FB II 488,448r). Eine Aufschlüsselung der einzelnen Posten, aus denen sich Enzos aktuelle Rückstände zusammensetzten, lieferte Borghese dem Legaten Serra am 5. August 1617 (FB II 401,694v), nachdem er ihm am 5. Juli 1617 lediglich mitgeteilt hatte, daß Enzo derzeit mit 5000 Scudi in der Kreide stand (ebd.,488v), und Serra wohl um nähere Informationen gebeten hatte.

[119] Zustandekommen und Inhalt dieses Handels auch nur in groben Zügen zu schildern würde sogar den in dieser Untersuchung üblichen Rahmen der Anmerkungen sprengen und soll daher unterbleiben. Näheres zu der Bonifikation Bentivoglios ist zu erfahren bei Luigi Lugaresi, La «Bonificazione Bentivoglio» nella «Traspadana Ferrarese», in: Archivio Veneto, Serie V, 76 (1986), S. 5–50, v. a. S. 26–32; Mario Zucchini, Bonifica Padana, Rovigo 1968, S. 22–32. Merkwürdigerweise wird die finanzielle Beteiligung der Borghese in keiner dieser Darstellungen erwähnt. Den Ferraresen war sie indes nicht verborgen geblieben. So berichtete der Chronist Rondoni, ein Zeitgenosse Enzos, in seiner *Cronaca dalli 29. Gennaio 1598 a tutto li 28. Giugno 1614*, Ms.Cl.I 536 (Original) und Coll.Antonelli 250 (Kopie von 1783, nach der aus technischen Gründen zitiert wird): «*Considerando Entio Bentivoglio, che il bonificare alcune Valli di Melara, et altri terreni circonvicini li sarebbe tornato di molto utile per un'entrata al'anno di 18 m. scuti procurò in Roma con promettere al Cardinale Borghese nepote del Papa una bona parte di dette Valli, et anco il terzo delli terreni bonificati quando li effettuasse la predetta bonificatione*» (cap.1296, fol.262r). Daß dies mehr als Gerüchte waren, belegt ein Vertrag Enzos mit einem weiteren Teilhaber an der Bonifikation, dem in Kap. IV.3 bereits erwähnten Alessandro Nappi, vom 24. September 1609 (Cam.III Ferrara 1113, Fasz. fol.364–452, 410–413r). Unter Punkt 3 ist in diesem Vertrag die Rede von «*quello ch'è stato promesso per li atti del Bulgarino dal predetto Signore Enzo a Roma all'Ecc.mo Signore Giovanni Battista Borghese*» (ebd., 411r). Folglich müßte der Vertrag zwischen Enzo und der Papstfamilie

eigner firmierte zwar der Principe di Sulmona, dessen *Ministri* Enzos Abrechnungen prüften und seine Zahlungen verbuchten. Doch Bentivoglios Ansprechpartner in Rom war Kardinal Borghese, dem er die Unterlagen schickte und immer wieder versicherte, allein die Interessen des Principe im Auge zu haben[120]. Bei Geld hört die Freundschaft auf, scheint sich der Nepot gedacht zu haben, dessen Gunst nicht mit den Scudi aufzuwiegen war, die Enzo den Borghese schuldete, und so drängte er den säumigen Ferraresen wiederholt zur Zahlung der fälligen Raten, die eintreiben zu helfen er überdies dem Legaten Serra auftrug[121]. Zu finden sind die ungewöhnlich kühl formulierten Schreiben Borgheses an Enzo und seine Anweisungen an Serra für die Zeit nach September 1616 in den Bänden Baccis, an den der Nepot weiterleitete, was ihm die *Ministri* des Principe mitgeteilt hatten[122]. In den Jahren zuvor beschäftigte sich den römischen Beständen zufolge jedoch allein das Staatssekretariat mit der Bonifikation Bentivoglios, die nicht nur zu Lasten zahlreicher Ferrareser Landbesitzer ging, sondern auch den Venezianern, an deren Grenze sie lag, ein Dorn im Auge war. Er solle jeden Ärger nach innen wie außen vermeiden, schrieb die Behörde im Auftrag des Papstes an den Legaten Spinola[123], der Enzos

---

auch in den Notariatsakten des Kammernotars Giovanni Giacomo Bulgarini zu finden sein, der laut Reinhard, Papstfinanz und Nepotismus, Bd. 1, S. 29, dem Haus Borghese seine Dienste gratis zur Verfügung gestellt hatte. Die Notariatsakten finden sich in ASR Archivio de' Notai del Tribunale dell'Auditore della Camera, wurden von mir aber nicht bearbeitet.

[120] So teilte Borghese Enzo am 31. Oktober 1618 mit: «*Ai Ministri del Prencipe di Sulmona feci consignar' i conti mandati da V.S., accioche li vedessero*» (Orig. in ABent.Corr. 10/78,390, reg. in FB II 488,448r). Enzo beteuerte z. B. am 5. Juni 1613: «*l'interesse del Signore Principe mi sarò a cuore più che il mio*» (E 53,103v, vgl. Anm. 125).

[121] Vgl. Borghese an Enzo, FB II 488,448r und 520v (Orig. in ABent.Corr. 10/78, 390 und 400). Borghese an Serra, 5. Juli 1617: «*Non havendo sin'hora il Signore Enzo Bentivoglio pagati i cinquemila scudi che per conto della sua Bonificatione egli deve al Signore Prencipe di Sulmona, io prendo confidenza di pregar V.S.Ill.ma a voler compiacersi d'haver per raccomandata l'esattione di questa somma, et interporre in buona maniera i suoi uffici, perche si conseguisca la dovuta sodisfattione*» (FB II 401,488v; vgl. auch ebd.,694v).

[122] So beginnt Borgheses Schreiben an Enzo vom 23. November 1618 mit den Worten: «*Mi dicono questi Ministri del Prencipe di Sulmona ..*» (Orig. in ABent.Corr. 10/78,400, reg. in FB II 488,520v). Weitere Belege für Schreiben Borgheses zu diesem Thema in den Bänden Baccis bieten die vorhergehenden Anm.

[123] Dies war der Tenor zahlreicher Schreiben aus dem Staatssekretariat, in denen Spinola sowohl bei seinen Verhandlungen mit der Opposition in Ferrara als auch im Blick auf Venedig zu größter Vorsicht aufgefordert wurde. Auf Spinolas Bericht vom 16. Mai 1609 über die «*mille oppositioni et difficoltà, et questi Interessati che ogni giorno crescono et sono una buona parte della Città*» (FB II 318,160v), vermerkte Paul V., der den Bearbeitungsvermerken zufolge die Korrespondenz zum Thema aufmerksam verfolgte, eigenhändig: «*Sua Santità intende che passi con sodisfattione de gli interessati*» (dors.161v). Fast drohend teilte die Behörde dem Legaten am 23. September 1609 mit, «*che quando nascesse qualche controversia de confini ò d'altro con Venetiani, per tal conto Nostro Signore l'havria molto à male et ne resteria con gran' disgusto*» (SS Bo 186,147r/v).

Landsleute beschwichtigen, die Nachbarn im Norden im Auge behalten und sich mit Hilfe seines Vizelegaten Massimi nahezu alljährlich um geborstene Schleusen und Überschwemmungen in der Bonifikation und ihrem Umland kümmern mußte. Daß die Venezianer in einer Nacht- und Nebelaktion einige Dämme des Entwässerungssystems niedergerissen hatten, ist in den Berichten des Legaten an das Staatssekretariat und in dessen Antworten an Spinola daher ebenso festgehalten wie der vehemente Protest der Bentivoglio-Gegner und die Sturm- und Wasserschäden in den bereits landwirtschaftlich genutzten Gebieten[124]. Von den Anteilen des Principe di Sulmona an Land und Einnahmen fehlt in der Korrespondenz der Behörde mit dem Legaten dagegen jede Spur, und da sich von den Schreiben an Enzo, die der jeweilige Chefsekretär zu Papier brachte, zwar einige mit der Bonifikation befaßten, doch keines von ihnen die ökonomischen Interessen der Papstfamilie berührte[125], bliebe dieses Thema gänzlich verborgen, zöge man allein die Bände des Staatssekretariats zu Rate.

Doch wird Borghese nicht erst mit Baccis Amtsantritt begonnen haben, die Ansprüche seines Cousins gegenüber Enzo geltend zu machen, und so scheint der entsprechende Briefwechsel vor September 1616 von einer anderen Stelle abgewikkelt worden zu sein. Daß mehrere Einrichtungen mit Bentivoglio und seiner Post beschäftigt waren, wußte auch Cennini, als er im Februar 1613 Spinolas Entgegnung auf die Bitte Borgheses, sich der Bonifikation und ihres Betreibers anzunehmen, «a chi ha scritto» verwies[126]. Wer sich um das Schreiben des Legaten kümmern sollte, falls sich die Mitarbeiter des Staatssekretariats nicht dafür zuständig fühlten, ist nach dem Blick auf die Korrespondenz der borghesischen Güterver-

---

[124] Zu den Attacken der Venezianer vgl. Spinola an Borghese, 10. September 1611, E 53: 256 und 258; 24. September 1611, ebd.,278. Zur Ferrareser Opposition vgl. die vorhergehende Anm. Über Schäden und Überschwemmungen berichteten sowohl Spinola (z. B. 1614 in E 15: 59vf., 63, 65 f., 71v; Borgheses Antworten in Ang. 1226: 73vf., 75vf., 87v) als auch Massimi, der bei Dammbrüchen häufig die Reparaturarbeiten leitete (vgl. z. B. E 52: 17r/v, 19r, 260 f.; Borgheses Antworten in Ang. 1228: 65vf., 122r/v, 131r/v, 145r).

[125] Abgesehen von Enzos Versicherung vom 5. Juni 1613 (E 53,103v, vgl. Anm. 120), die sich als eine Art Nachsatz unter seinem Angebot findet, Truppen für den Kirchenstaat zu stellen. Ein solcher Brief mußte natürlich im Staatssekretariat bearbeitet werden, an dessen Chef Perugino Borghese das Schreiben eigenhändig verwies, ohne das Thema der Bonifikation in seiner Antwortanweisung zu erwähnen (dors.104v).

[126] Dies könnte mit der für Spinolas Verhältnisse ungewöhnlich herzlichen Formulierung des Schreibens zu tun gehabt haben: «Con la lettera di V.S.Ill.ma ho veduto quello mi commanda a favore del Signore Enzo Bentivoglio circa gl'interessi suoi della bonificatione ...; io gl'ho sempre portati come conveniva, et con ogni affetto, et lui stesso ne puo far fede, et veramente l'ho fatto anche particolarmente voluntieri perche ho conosciuto che tanto lui, quanto Monsignore suo fratello sono veri et devoti servitori a V.S.Ill.ma. et così come meritano la sua gratia, et d'esser portati inanti, così obligano me a servirli in tutte l'occorrenze et lo faro vivamente per obedire à V.S.Ill.ma» (Barb.lat. 8761,30r/v; dors.31v).

waltung über die Angelegenheiten der Ferrareser Kommende San Bartolo leicht zu entscheiden: Ab Dezember 1610 dürfte Campori in seiner Doppelrolle als Maggiordomo und Privatsekretär mit dieser Art der Post seines Herrn befaßt gewesen sein, was im übrigen seine guten Beziehungen zu den Bentivoglio, die er auch als Kardinal noch pflegte, erklären helfen könnte[127]. Auch die Liste der Adressaten, an die Campori Schreiben Borgheses in Sachen Bonifikation zu verfassen hatte, erinnert an San Bartolo. So benannte der Kardinal mit Flaminio Sinibaldi den in Verwaltungsfragen erfahrenen Vikar seiner Abtei, als Enzo zur Aufteilung des bonifizierten Gebiets unter den Aktionären schritt und ein Beobachter im Dienste der Papstfamilie die gerechte Behandlung des Principe sicherstellen sollte[128]. Und als Marcantonio Borghese die auf diese Weise erlangten Ländereien bald darauf an Enzo verkaufen wollte und es eines Vertreters bedurfte, dem man die entsprechenden Preisverhandlungen sowie die endgültige Klärung und schriftliche Fixierung aller Ansprüche des Principe anvertrauen konnte, fiel die Wahl auf Massimi, dessen Mühen um San Bartolo offenbar Anerkennung gefunden hatten[129]. Spuren

---

[127] Kardinal Campori, der aus Modena stammte, kümmerte sich um die *tratta* des dortigen Generals Ippolito Bentivoglio (vgl. den Entwurf für ein Schreiben Ippolitos an Campori vom 21. März 1617 in ABent.Corr. 11/91,584, und den Bericht vom 29. April 1617 über die Bemühungen Camporis, den Ippolito von seinem römischen Agenten Mario Canonici erhielt, ebd., 11/92,574r), dessen Bruder Enzo er in einem Schreiben vom 28. Dezember 1619 versprach, wegen der finanziellen Angelegenheiten des Ferraresen mit Borghese zu reden *«perche reputo proprij gl'interessi suoi et della sua Casa»* (ABent.Corr. 277,16v). In einem eigenhändigen Nachsatz zu diesem Brief bezeichnete sich Campori als *«uno dei più suiscerati servitori suoi, et di Monsignore Nuntio»* (ebd.).

[128] Am 9. Oktober 1613 teilte Borghese Enzo mit: *«So che non potrei far meglio per il Principe mio di Sulmona, che rimettere totalmente à V.S. la divisione di terreni della nuova Bonificatione per la rata toccante a S.E.za ... ma dapoiche ella gusta, che si deputi persona ... per questo atto ... scrivo ... al Canonico Sinibaldi, che intervenga alla sudetta divisione per la parte di S.E.za»* (ABent.Corr. 10/57,257r, nicht registriert). Derart freundlich sind die späteren Schreiben des Nepoten zur Bonifikation im übrigen nicht mehr formuliert. Daß Borghese mit Sinibaldi korrespondierte, belegt der Verweis auf das, was *«il Sinibaldi scrisse ... per il quale se gli è scritto già due volte, et se li riscrivi questa sera ancora»* (Borghese an Enzo, 19. März 1614; Orig. in ABent.Corr. 10/77,379r, nicht registriert). Flaminio Sinibaldi erhielt als Lohn für seine Mühen 1624 die Stelle des Vikars von Borgheses Priorat San Romano in Ferrara, vgl. den Dank Sinibaldis vom 15. Juni 1624 in CB 68, Fasc. 1603–1629, nicht foliiert.

[129] Der Auftrag Borgheses an Massimi vom 4. April 1614, sich mit Enzo über den Preis zu einigen, findet sich im Original in ABent.Corr. 10/57,373, nicht registriert. Welche Rolle dem Vizelegaten zukam, mit dem Borgheses Finanzabteilung in regem Briefkontakt gestanden haben muß, ist dem Schreiben des Kardinals an Enzo vom 3. Februar 1614 zu entnehmen: *«Gl'Interessi del Prencipe nostro in materia della bonificatione si doveranno appuntare con Monsignore Vicelegato in conformità di quanto altre volte hò scritto a S.S.a et a lei ancora, che quà poi si ratificarà per Instromento ... quanto havera stabilito con detto Monsignore, non solo per conto della divisione della bonificatione, mà anco delli frutti di essa per li doi anni passati. et si farà anco l'Instromento della vendita a favore di V.S. delli Terreni spettanti a detto Signore Prencipe con la quietanza del prezzo, che lei darà ordine si paghi quà in mano delli Ministri di S.E.za»* (ABent.Corr. 10/57,285r, nicht registriert).

in den römischen Registern hinterließen die ferraresischen Interessen der Papstfamilie erst, nachdem Massimi seine Amtszeit als Vizelegat beendet und Campori den roten Hut erhalten hatte, denn nun kümmerten sich der neue Legat Serra um die privaten Anliegen der Borghese vor Ort und Bacci um die einschlägige Korrespondenz. Für die Probleme mit Venedig war zwar weiterhin das Staatssekretariat zuständig, während Marcantonios *Ministri* unverändert Enzos Abrechnungen prüften[130]. Doch wenn Bentivoglio zur Beschwichtigung seiner Gläubiger anbot, bei den geplanten Hochzeitsfeierlichkeiten des Principe eines seiner berühmten Turniere zu veranstalten, und der hartnäckige Nepot dessen ungeachtet weiter zur Zahlung mahnte, war fortan Bacci gefragt[131].

Was dies für die Quellenlage für die Zeit vor September 1616 bedeutet, ist offenkundig. Während die Register des Patronagesekretariats mit der Erwähnung von Finanzexperten wie dem Maggiordomo Borgheses oder den *Ministri* des Principe di Sulmona immerhin Hinweise auf die ökonomischen Interessen der Papstfamilie liefern, findet sich in den Bänden des Staatssekretariats und anderer Behörden kaum eine Andeutung, welche finanziellen Überlegungen die Position des Nepoten gegenüber der Legation Ferrara und ihren Bewohnern beeinflußt haben könnten. Daß einer der wichtigsten Klienten der Borghese in Ferrara Enzo Bentivoglio hieß und dieser immer wieder Schreiben erhielt, in denen ihm der Nepot seine Dienstbereitschaft versicherte, gibt die vom Staatssekretariat abgewickelte Patronagekorrespondenz zwar durchaus zu erkennen. Welche Folgen diese Dienstbereitschaft für die Entscheidungen der kurialen Verwaltungsgremien in den Angelegenheiten der Bentivoglio hatte, ist den Bänden der Behörde dagegen ebensowenig zu entnehmen wie der Grund für die große Anteilnahme Borgheses am erfolgreichen Verlauf der ökonomischen Unternehmungen seines Ferrareser Freundes. So mag man die Höhe der Kredite, die an den römischen Monti aufzunehmen Paul V. den Bentivoglio schrittweise gestattete, für einen Druckfehler halten, konnten Enzo und seine Brüder mit ihren 285 000 römischen Scudi Schulden, die sie bis 1619 zur Finanzierung der Bonifikation auf sich geladen hatten, doch selbst mit der Belastung der gesamten Stadt Ferrara konkurrieren[132]. Erst dank der Hinweise auf die finanzielle Beteiligung der Papstfamilie an der Bonifikation, die sich in den Bänden Baccis finden,

---

[130] Mit Enzos Gesprächen in Venedig über die Beteiligung der Republik an Dammbaumaßnahmen befassen sich Borgheses Schreiben an Serra in SS Nap 326: 444vf., 446r (Januar 1618), 471r, 472vf. (Juli 1618). Auf Enzos Berichte über Eingriffe der Venezianer im Gebiet der Bonifikation antwortete Borghese am 19. Juli 1617 in einem Schreiben des Staatssekretariats (Orig. in ABent.Corr. 10/78,202, wegen der Lücke in der Registerüberlieferung der Behörde keine Registrierung zu finden). Zur Tätigkeit der *Ministri* vgl. Anm. 120 und 122.

[131] Vgl. Borgheses Schreiben an Enzo in FB 401,118v, und FB II 488: 448r, 520v.

[132] Von den Schulden der Bentivoglio an den römischen Monti berichten Zucchini, S. 28–32, und im Anschluß an diesen Lugaresi, S. 41–46.

und deren Bestätigung in den Schreiben aus Borgheses Privatsekretariat und Güterverwaltung wird klar, wie es zu einer solch exorbitanten Verschuldung und vor allem zu der für jede einzelne Zulassung zu den Monti notwendigen päpstlichen Genehmigung hatte kommen können: Ob das Geld, mit dem Enzo seine Schulden bei dem Principe di Sulmona beglich, tatsächlich erwirtschaftet oder in Rom geliehen war, konnte dem Nepoten ebenso gleichgültig sein wie der Ärger der Montisti, die anstelle der Borghese zusehen mußten, wie sie ihre Zinsen und Kredite eintrieben, und so dürfte dem Ferraresen die Hilfe seines Patrons gewiß gewesen sein, wenn er dessen Onkel um eine weitere Genehmigung zur Kreditaufnahme ersuchte[133]. Der Liste jener, die wie die Gegner der Bonifikation, die Nachbarn von Enzos umstrittenen Mühlendamm oder die Calcagnini in der Auseinandersetzung um die Güter bei Lugo den Preis für die nicht zuletzt ökonomisch fundierten engen Beziehungen zwischen den Borghese und den Bentivoglio zahlen mußten, kann somit ein weiterer Eintrag hinzugefügt werden: Auch die Gläubiger Enzos und ihre Erben, deren Verluste sich nach über 150 Jahren der Mühen und Prozesse auf die schier unglaubliche Summe von nahezu 900 000 Scudi nicht einziehbarer Zinsen belaufen sollten[134], wußten nun, wie ernst es Borghese gewesen war, als er Enzo im Dezember 1613 versicherte, ihm schon aus eigenem Interesse eher eine Million als hunderttausend Scudi jährliche Einnahmen zu wünschen[135]. Daß der Nepot nach Kräften half, um die Taschen des Ferraresen zu füllen, mochte für die Zeitgenossen ein offenes Geheimnis gewesen sein, doch in den Unterlagen der Behörden, deren Entscheidungen Borghese mehr als einmal zu Enzos Gunsten beeinflußt haben mußte, hat sein Eifer keine Spuren hinterlassen. Allein die erhaltene Korrespondenz der Güterverwaltung und die Überreste des Privatsekretariats, die sich in Rom und Ferrara finden, können hier Auskunft geben, denn was dem Kardinal wirklich am

---

[133] Mit welchen Mitteln Enzo diese Zulassungen erreichte, ist ein Thema für sich. Hier mag der Hinweis auf die Bandbreite der einschlägigen Korrespondenz genügen. Briefe, die die Monti behandeln, finden sich unter anderem im Schriftverkehr zwischen Enzo und Borghese (typisch z.B. Borgheses Mitteilung vom 13. November 1610 (ABent.Corr. 278,195r, nicht reg.), mit dem üblichen «*affetto ho abbracciato il negotio dell'augumento del Monte ch'ella disegna fare per dar' fine alla sua Bonificatione; et ancorche si siano incontrate quelle difficultà che lei si può imaginar, s'è compiaciuto nondimeno Nostro Signore di gratificarle in parte, come intenderà dal Landinelli Agente suo*»; oder dass. am 3. Dezember 1614 (ebd., 10/57,285r, nicht reg.): «*L'uffitio per la gratia d'entrare nel Monte l'ho fatto volontieri per il desidero che tengo di servir sempre V.S. in ogni occasione*»); in der Korrespondenz zwischen Enzo und Serra (z.B. Serra an Enzo in ebd., 9/55,124; 9/55+,966; 10/57: 64, 123, 150, 154, 165, 212, 245, 297); ebenso im Schriftwechsel zwischen dem Nuntius Guido Bentivoglio und Borghese (z.B. FB II 420,60r). Landinelli, Enzos römischer Agent, ist in fast jedem dieser Schreiben erwähnt, weil er die Briefe seines Herrn in Rom übergab und die Verhandlungen für ihn führte. Entsprechende Berichte Landinellis an Enzo finden sich z.B. in ABent.Corr. 10/67: 87v, 162r, 238r.

[134] Vgl. Zucchini, S. 31 f.

Herzen lag und ihn zum Handeln trieb, brachten, so scheint es, nur seine persönlichen Mitarbeiter zu Papier.

Wer die Schreiben Borgheses an die Stadt Ferrara verfaßt hat, in denen es um die Ländereien seiner Abtei San Bartolo und deren Schutz vor den Gefahren des Wassers ging, ist den nur im Original und damit bei der Ferrareser Empfänger-überlieferung erhaltenen Briefen nicht zu entnehmen. Keinen Zweifel lassen diese Schreiben jedoch an den energischen Eingriffen in die hydrologische Debatte, zu denen sich der ansonsten untätige Präfekt der Wasserkongregation seiner Abtei und ihren Gütern zuliebe immer wieder entschloß. Ihren Niederschlag fanden diese ungewöhnlichen Aktivitäten in Borgheses Antworten an die Stadt Ferrara. So mochte er deren Hilfegesuche in aller Regel mit einer unverbindlichen Zusage seiner dann doch nicht unternommenen *uffici* abgefertigt haben[136]. Doch wenn das Umland San Bartolos bedroht war, klangen seine Meldungen gänzlich anders. Es sei ihm leichtgefallen, die von ihnen gewünschte Anweisung bei Paul V. zu erwirken, versicherte er den Magistratsherren etwa am 19. Dezember 1609, denn in der anstehenden Wasserfrage solle jede Maßnahme zur vollsten Zufriedenheit der Stadt sein. Er selbst, so fuhr der Nepot fort, sei wie kein Zweiter am Erhalt des gefährdeten Gebiets interessiert, doch auch wenn allein Ferrara von den Folgen der befürchteten hydrologischen Entscheidung betroffen gewesen wäre, hätte er sie verhindert[137]. Die Magistratsherren wußten, welche Antwort sich gehörte, und beteuerten, Borghese nicht etwa wegen ihrer gemeinsamen Interessen, sondern als ihren ersten und hervorragendsten Protektor nach dem Papst selbst um Hilfe gebeten zu haben[138]. Zuweilen aber fanden die Ferraresen deutlichere Worte: Die

---

[135] So Borghese in einem komplett eigenhändig verfaßten, nicht registrierten Schreiben vom 21. Dezember 1613: «*Mi rallegro con V.S. della bona nova, che mi da, che sia per haver 100m. sc. d'entrata, e perche mi pare d'esserne seco a parte, quasi per mio interesse mi dispiace che non siano assai più, volsi dire un milione*» (ABent.Corr. 278,440r).

[136] Typisch für solche nichtssagenden Versicherungen ist etwa das Schreiben Borgheses an Ferrara vom 17. Juni 1606, in dem er seine tatsächlich kaum spürbare Hilfsbereitschaft beteuerte: «*ho fatto e farò sempre ogni amorevol uffitio con Nostro Signore*» (CC 156,79); «*ogni buono officio*» versprach er am 10. Juni 1606 (ebd.,75), «*ogni amorevole offitio*» am 30. September 1606 (ebd.,103) und am 28. Juli 1607 (ebd.,133).

[137] Am 19. Dezember 1609 schrieb Borghese der Stadt, die ihn wegen der drohenden Öffnung der Chiavica Paolina, einer Schleuse im Ferraresischen, um Hilfe gebeten hatte: «*Mi fu facile d'ottenere da Nostro Signore l'ordine che le SS.VV. desideravano che non s'innovasse altro intorno alla Chiavica Paolina.*» Ihm läge die Sache sehr am Herzen, «*perchè l'esserci interessato nel Polesine di S.Giorgio quanto verun altro ... benche certo se questo rispetto particolare non fosse tanto congionto con il publico di cotesta Città non mi alterarebbe punto*» (CC 156,309).

[138] In ihrer Antwort vom 26. Dezember 1609 versicherte Ferrara Borghese: «*Assicurando V.S.Ill.ma che a lei particolarmente abbiamo fatto ricorso non per la comunione degl'interessi, ma per esser ella dopo la persona di Nostro Signore nostro principalissimo prottetore e padrone*» (26. Dezember 1609, CA 137,890v).

Verwalter San Bartolos würden ihm sicherlich demnächst berichten, was die in Rom beschlossene und von der Stadt bekämpfte Schleusenöffnung für die Güter seiner Abtei bedeute, schrieben sie dem frischgebackenen Kommendatarabt im Mai 1608, und prompt eilte Borghese zu seinem Onkel, der die Anordnung sofort widerrief[139]. Schließlich hatte Paul V. Scipione Caffarelli nicht zuletzt zum Zwecke der Akkumulierung geistlicher Einnahmen im Dienst des sozioökonomischen Aufstiegs der Familie mit dem Namen Borghese, dem roten Hut und zahlreichen Erwerbsquellen ausgestattet, deren Erträge durch riskante wasserbauliche Entscheidungen zu gefährden weder dem Borghese auf dem Stuhl Petri noch seinem Neffen gefallen konnte. So mochte es in finanzieller Hinsicht ein Ärgernis für manche Ferraresen gewesen sein, als der Kardinal im Januar 1608 die reiche Zisterzienserabtei erhielt. Doch in der Wasserdebatte war diese päpstliche Versorgungsmaßnahme ein ausgesprochener Glücksfall für die Stadt, die fortan keine Gelegenheit versäumte, den Nepoten auf die hydrologischen Gefahren für seine Ländereien – und ihr eigenes Territorium! – hinzuweisen. Allerdings nur den Nepoten, denn daß die Güter seines Neffen demnächst unter Wasser stehen würden, war kein Thema für die Audienz eines Papstes, der allein auf das Wohl seines Staates und die gerechte Behandlung aller Untertanen zu achten hatte. Dies mußte man einem Mitarbeiter aus dem privaten Stab Borgheses wie seinem Auditor Rivarola oder dem Kardinalnepoten persönlich sagen, denn ihm allein kam es zu, Argumente dieser Art hinauf in die Höhen päpstlicher Unparteilichkeit weiterzuleiten[140]. Von den *uffici* Borgheses bei Paul V. ist in den Antwortschreiben des Nepoten in solchen Fällen nicht die Rede, wohl aber von seinem entschlossenen Eingreifen zum Schutz der eigenen wie der Ferrareser Interessen, und da ihm der Erfolg recht gab, darf man den Briefen Borgheses über das hydrologische Schicksal San Bartolos eher Glauben schenken als den ansonsten üblichen Beteuerungen seiner Hilfsbereitschaft.

Den Papst zum Widerruf bereits ergangener Anordnungen zu bewegen war

---

[139] Als im Mai 1608 aufgrund eines Irrtums des Ferrareser Botschafters die Öffnung einer Schleuse angeordnet wurde, schilderte die Stadt dem Kardinal Borghese die zu erwartenden Schäden mit dem Hinweis, «e ben ne sentirebbe V.S.Ill.ma la nuova da suoi Ministri di questa Abbatia di S.Bartolo» (2. Mai 1608, CC 156,230). Als dieser am 8. Mai sein Antwortschreiben unterzeichnete, war schon alles geregelt: Sofort habe er den Brief der Stadt dem Papst gezeigt, und dieser habe beschlossen «di consolarli» und einen Eilboten mit der entsprechenden Anweisung ins Ferraresische entsandt (ebd.,238).

[140] Offenbar wußten die Ferraresen, daß der Auditor ein offenes Ohr für die Interessen seines Herrn hatte. So schrieb die Stadt am 6. November 1610 an Domenico Rivarola und bat ihn angesichts der bevorstehenden Mission des Sonderbotschafters Manfredi in Rom «d'aiutarlo con quella prontezza, con la quale sarà da noi servita sempre, e che ancora si conviene a gl'interessi del Ill.mo Signore Cardinal Borghese» (CC 167/7,4).

indes nicht das einzige, was Borghese für seine Abtei und das umliegende Ferra-reser Gebiet tun konnte. Immerhin saß er den Sitzungen der Wasserkongregation vor, die nicht selten über Anträge zu beraten hatte, deren Ausführung Teile der Legation Ferrara und mit ihnen die Einnahmen Borgheses zum Opfer gefallen wären. Doch daß die Mitglieder dieses Gremiums wasserbaulichen Plänen zustim-men würden, die den Besitzungen des Papstneffen und Präfekten geschadet hät-ten, stand nicht zu erwarten. So ließen auch die Ferraresen 1614 prüfen, ob die von ihnen gewünschte Flußumleitung eine im Gebiet Ravennas gelegene Abtei des Nepoten in Mitleidenschaft ziehen konnte, denn was eine mögliche Bedrohung borghesischer Geldquellen für die Erfolgsaussichten hydrologischer Vorschläge im Rom Pauls V. bedeutete, wußten sie nur zu gut[141]. Ob der Schutz seiner Abtei mit dem Konzept der Generalbonifikation zu vereinbaren war, schien dem Prä-fekten der Wasserkongregation gleichgültig gewesen zu sein: Die Bilanzen des Nepoten hatten Vorrang vor sachlichen Erwägungen, die Versorgungsfunktion mehr Gewicht als die Dienstpflichten eines Behördenleiters bei der Suche nach der besten Lösung für alle Betroffenen. So mochte sich Kardinal Borghese an der alltäglichen Arbeit der Kongregationen kaum beteiligt haben, doch sobald die Interessen seiner Familie und seine eigenen zur Disposition standen, führte er vor, über welche Einflußmöglichkeiten er immer noch verfügte, bei seinem Onkel wie in den Behörden. Jene aber, deren Wünsche mit denen des Nepoten übereinstimm-ten, konnten sich glücklich schätzen, denn ihnen war die Hilfe des mächtigen Kardinals gewiß.

Da Borgheses Vertreter vor Ort, der Vizelegat Massimi, in Fragen der General-bonifikation zu nichts anderem riet als der Ferrareser Magistrat[142], bedarf es im Falle San Bartolos offenbar nicht erst der Schreiben aus der Feder des Privatsekre-

---

[141] Weil die Magistratsherren das Ergebnis der prophylaktischen Erkundungen abwarten wollten, bremsten sie am 26. Februar 1614 ihren Botschafter, der bereits in den Startlöchern saß: «*Siamo intorno a pigliar informatione dell'Abbazia, che il Signore Cardinal Borghese [ha] in quel di Raven-na, cosa che a noi del tutto era ignota, e saputo, che sarà il sito preciso, dove si trova, sarà agevole al Roscelli* (ein Architekt in Diensten der Stadt, B.E.) *il dirci, che se in caso di rottura degli Argini del Lamone, quando si ponessi alli Gregoriani la detta Abbazia sia per sentirne pregiudizio alcuno.*» (CA 8,321r/v.) Am 1. März 1614 konnten sie schließlich melden: «*Finalmente s'è inteso, che i beni del Signore Cardinale Borghese sono verso Imola lontano dal sito, ove si tratta di ponere il Lamone da cinque miglia*». Vorsichtig sollte der Botschafter den Wunsch der Stadt vorbringen, «*non lasci-ando di contraporre à questo interesse quello dell'Abbazia di S.Niccolò*», wie San Bartolo in den Quellen nach der Ortschaft, in der die meisten Güter der Abtei lagen, gelegentlich genannt wurde, denn schließlich drohe ohne die Verlegung des Lamone mit der «*ruvina universale del Polesine quella eziandio dell'Abbazia di S.Niccolò*» (CA 8,329r).

[142] Nachdem Massimi dem Nepoten in einem Schreiben vom 3. Mai 1608 geschildert hatte, welche Entscheidung in der anstehenden Wasserfrage im Interesse seiner Abtei lag, betonte er, «*che questa e appunto l'instanza che fanno li ferraresi*» (SS Part 5,20v).

tärs und der Güterverwalter, um die Interessen des Nepoten zu erfassen[143]. Dennoch lohnt sich die Lektüre dieser Korrespondenz, denn sie allein belegt, daß die Verleihung der Abtei an Borghese den Ferraresen keineswegs nur Vorteile beschert hat. Selbst in der Wasserfrage erwies sich der Einfluß des Kardinals zuweilen als Last, denn Borghese wußte, was er als Gegenleistung für seinen Beistand in den römischen Debatten verlangen konnte. So blieb den Ferraresen nichts anderes übrig, als gehorsam zur Tat zu schreiten, wenn ihnen der Kardinal wie im August 1614 den Nutzen schilderte, den die Reinigung und Vertiefung einiger Entwässerungsgräben seinen Ländereien bringen würde[144]. Wo und wann solche Eingriffe notwendig waren, erfuhr der Nepot von Massimi, der ihm bereits 1608 den Weg zum Ziel gewiesen hatte: Da die Arbeiten zu den öffentlichen Aufgaben der Stadt zählten, deren Ausführung der Magistrat den Bewohnern des betroffenen Gebiets befehlen könne, solle er an den Vorsitzenden dieses Gremiums schreiben und ihm mitteilen, welche Maßnahmen er seiner Abtei zuliebe wünsche[145]. Völlig anders klang dagegen, was Massimis Vorgesetzter Spinola Borghese zu diesem Thema zu sagen hatte: Abstellen lasse sich die alte Unsitte, öffentliche Arbeiten im Interesse einzelner anzuordnen, zwar nicht von einem Tag auf den anderen, doch sei er auf dem besten Wege, die Verantwortlichen allein auf das allgemeine Wohl zu verpflichten, hatte Spinola im Juni 1607 an das Staatssekretariat gemeldet, und da auch zahlreiche Ferraresen gegen den Mißbrauch dieser Arbeitseinsätze für private Zwecke waren, konnte er einen Monat später vom Beschluß des Großen Rates berichten, die Indienstnahme der Bevölkerung zum Nutzen einzelner zukünftig nicht mehr zu tolerieren[146]. Wenn es sich nicht um den Nutzen des Nepoten han-

---

[143] Wobei nicht auszuschließen ist, daß die bei den Unterlagen der Stadt Ferrara befindlichen Originalschreiben Borgheses in Sachen San Bartolo ebenfalls aus einem dieser Büros stammen. Zur Bearbeitung der Schreiben Massimis vgl. Anm. 147.

[144] Am 13. August 1614 beschrieb Borghese dem Ferrareser Giudice de' Savi, d.h. dem Vorsitzenden des Magistrats, die Maßnahmen, von denen die Güter «di questa mia Abbadia di San Bartolo ... riceveriano grandissimo meglioramento» (CC 156,495r, nicht reg.). Wenig später erhielten zwei Hydrologen im Dienste der Stadt vom Magistrat den Auftrag, sich vor Ort zu informieren, was getan werden müsse, um Borghese zufriedenzustellen (CA 139,306). Vgl. auch CC 156: 323, 325 (Juni 1610).

[145] Massimi berichtete Borghese am 7. Mai 1608, «che non vi è il meglio rimedio, che nettare il Condotto di Benvegnante, Sabiosola, et Santo Antonio, et spettando al publico il nettare questi Condotti crederei fosse bene V.S.Ill.ma ne facesse con una sua lettera qualche instanza al Giudice de Savi, dicendo che ... voglino farli nettare» (SS Part 5,28vf.).

[146] Am 17. Juni 1607 schrieb Spinola «intorno al non doversi dal Giudice e Maestrato de' Savij impiegare l'opere de' contadini senon à quei lavorieri publici, à i quali sono designati ... io confesso che ci possa essere qualche disordine, ma essendo consuetudini invecchiate, e cose solite non si può così in un tratto rimediare à ogni cosa; ben tengo fine di farlo perfettamente e presto; e qui non mancano molti Cavalieri e Cittadini, che intendono il medesimo». Der Magistrat müsse «mirar solo al beneficio publico, e non attender punto con pregiuditio di esso al far far servitio à i particolari» (FB I

delte, müßte man hinzufügen, denn Borghese zeigte sich wenig beeindruckt von den Ausführungen des Legaten, die er als Chef des Staatssekretariats erhielt und beantwortete, als Angehöriger einer Familie, die die kurze Zeit ihres Pontifikats nicht ungenutzt verstreichen lassen wollte, aber ignorierte. So trafen in Ferrara Schreiben zur Frage der öffentlichen Arbeiten ein, deren einzige Gemeinsamkeit in der Unterschrift des Nepoten bestand: Arbeitseinsätze im Interesse einzelner zu bekämpfen, lautete der Auftrag des Staatssekretariats an Spinola, sie anzuordnen dagegen die Aufforderung von Borgheses privatem Stab an die Magistratsherren[147].

Ebenso widersprüchlich präsentiert sich die Korrespondenz, die Spinola mit dem Staatssekretariat und Massimi mit den persönlichen Mitarbeitern des Nepoten in Sachen Getreideexport führten. Die Ernte sei schlecht, die Versorgung bedroht und der völlige Verzicht auf Exportlizenzen die einzige Rettung in der Not, beschwor Spinola die Verantwortlichen in Rom in nahezu jedem Schreiben, als aus dem Engpaß von 1608 eine Krise zu werden drohte[148]. In Bologna würde er 30 Scudi, außerhalb des Kirchenstaats gar 33 Scudi pro *moggio* für sein Getreide aus San Bartolo erhalten, berichtete dagegen Massimi in der gleichen Zeit, und da in Ferrara noch nicht einmal 20 Scudi zu erzielen seien, solle Borghese dem Legaten befehlen, das Korn des Kardinalnepoten ziehen zu lassen[149]. Ob Spinola, den das Problem mit den *tratte* nach eigenem Bekunden um den Verstand zu bringen drohte[150], eine solche Anweisung erhalten und ausgeführt hat, ist zwar ungewiß.

958,360r/v). Am 27. Juli 1607 meldete er: «*Hieri passì largamente in Consiglio il partito che il Giudice de Savij et Magistrato nel avenire non puotessero dar opere de contadini a particolari ma solo impiegarle nel beneficio publico; ottima deliberatione et che dara l'essere à questo paese*» (ebd.,402v).

[147] Daß diese Schreiben Borgheses an den Magistrat nicht etwa aus der Wasserkongregation oder einer anderen Behörde stammten, steht zu vermuten. Schließlich sind Massimis Briefe zu den hydrologischen Problemen der Abtei, die den Anlaß für Borgheses Aufforderungen darstellten, in SS Part 5 (20, 26–29) und somit in einem Band gelandet, in dem sich von Campori und Ricci bearbeitete Schreiben zu San Bartolo befinden.

[148] Schon am 18. Juni 1608 kündigte Spinola an: «*non sarà occasione di tratte*» (FB II 39,187v). Am 2. Juli 1608 brachte er seine Meinung auf den Punkt: «*il ponto cavo già ho scritto a V.S.Ill.ma consiste in non consentire tratte*» (FB II 320,2v).

[149] Am 2. Mai 1608 forderte Massimi Borghese auf: «*potrà però V.S.Ill.ma mandar ordine quanto prima, che detti formenti si possino mandar fuori*» (SS Part 5,35r). Am 7. Mai 1608 präzisierte er: «*nella Città questo formento non lo venderebbe più di sedici scudi il Moggio*» (ebd.,27v) und empfahl, «*che V.S.Ill.ma lo venderà poi per lo stato Ecclesiastico cioè per Bologna più di trenta senz'altro et per fuori dello stato trenta tre ... Se V.S.Ill.ma commanda che si mandi questo formento fuori dello stato Ecclesiastico, opure che si mandi a Bologna, se cosi gli pare ne potrebbe scrivere una parola al Signore Cardinal Legato ... che lui ne facesse la speditione per dove valeranno più*» (ebd.,28r/v).

[150] Im Zusammenhang mit seinen Warnungen vor den *tratte* entfuhr es Spinola am 18. Juni 1608, «*che realmente questa materia e quella, che mi fa perdere il cervello*» (FB II 39,187v).

Welche Bedeutung den raren Überresten aus Borgheses Privatsekretariat und Güterverwaltung zukommt, sollte sich indes gezeigt haben: In seiner Rolle als sachkundiger Behördenleiter kann man den Nepoten in den Bänden des Staatssekretariats und der Post anderer kurialer Verwaltungsgremien antreffen, als Haupt der Klientel begegnet er in der Patronagekorrespondenz. Doch wenn man ihn jenseits dieser Stilisierungen antreffen und sehen will, was Kardinal Scipione Borghese wichtig war und zum Handeln bewegte, führt kein Weg an jenen Schreiben vorbei, die er nicht von Amts wegen, sondern als Repräsentant der Papstfamilie und ihrer eigenen Interessen unterzeichnete.

Doch nicht nur der Nepot, auch das Personal der päpstlichen Staatsverwaltung präsentiert sich in diesen Bänden in einem anderen Licht. Von den Legaten in der Provinz bis zu den Sekretären in der Zentrale hielt sich keiner der Amtsträger ausschließlich an die sachlichen Aspekte, die sie zwar nicht selten gegen die Dominanz privater Interessen zu verteidigen suchten, auf ausdrücklichen Wunsch ihres Patrons und Vorgesetzten aber auch zu ignorieren bereit waren[151]. Gezeigt hat sich dies bei den Auseinandersetzungen um Enzos Sonderwünsche, namentlich bei der Dammbaulizenz von 1612: Borghese war bereit, seinem Klienten die kritische Überprüfung der gewünschten Anweisung in der Wasserkongregation zu ersparen, der ehemalige Presidente Caetano, dem der Nepot die Interessen Bentivoglios empfohlen hatte, förderte dies mit seinem positiven Votum, sein Amtsnachfolger Rivarola kam den Aufforderungen des Papstneffen, dem er den Legatenposten in Ravenna verdankte, widerspruchslos nach, und Santarelli, der die Liebe Borgheses zu Enzo kannte, half, sein eigenes Gremium auszuschalten[152]. Zum Opfer gefallen waren die Interessen der Betroffenen und ihre sachlich begründeten Einwände somit nicht allein dem Diensteifer des Kardinalnepoten, sondern auch und vor allem dem Wunsch der restlichen Beteiligten, Borghese und seinem Schützling zu Gefallen zu sein. Daß sie dies wollten, war kein Zeichen persönlicher Schwäche, sondern die Regel in einem System, dessen Repräsentanten als Mitglieder der Amtsklientel vom Wohlwollen des Nepoten abhängig waren. Die Legaten etwa äußerten immer wieder Bitten, für sich selbst, ihre Verwandten und Freunde, und stets richteten sie diese an Borghese, der zwar von Amts wegen ihr Ansprechpartner in solchen Fällen war, doch sicherlich eine um so größere Einsatzbereitschaft an den Tag legte, je williger sich die Bittsteller seinen eigenen Anliegen gegenüber gezeigt hatten[153]. Auch Santarelli wußte, daß sein Ersuchen um eine Pension von Borghese und dessen für Patronagefragen zuständigem Stab

---

[151] Daß der Nepot allerdings nicht für jede Niederlage des Sachverstands gegen die privaten Interessen verantwortlich war, wird in Kap. VI.2 zu erörtern sein.

[152] Vgl. die obigen Ausführungen, v. a. Anm. 99, 100, 108.

[153] Vgl. z. B. die in Kap. II.2.b angeführten Bitten Spinolas an Borghese.

bearbeitet wurde[154], und so verwundert der Diensteifer nicht, auf den die Wünsche des Nepoten in Rom und andernorts gemeinhin stießen. Problematisch mußte dies werden, wenn sich der Kardinal für Anliegen einsetzte, die aus sachlichen Gründen abzulehnen gewesen wären, denn dann standen die Amtsträger vor der Wahl, ihren Pflichten als Vertreter Roms oder als Klienten des Padrone nachzukommen. Entschieden sie sich für ihre Amtspflichten, funktionierte das System, unterblieb der Einspruch der Sachverständigen, obwohl er not getan hätte, kam es zu Störungen. Diese aber ließen sich nicht vollständig vermeiden, denn wenn der Nepot seine eigenen Interessen oder die Anliegen seiner engsten Vertrauten und wichtigsten Gefolgsleute mit Nachdruck förderte, traten die Vertreter Roms nur noch als dienstpflichtige Klienten in Erscheinung, die Kontrollmechanismen außer Kraft und die dysfunktionalen Aspekte des Nepotismus in den Vordergrund.

---

[154] Kurz vor seiner Abreise zu einer hydrologischen Visitation Ferraras bat Santarelli Borghese schriftlich um eine Pension (am 2. Oktober 1608, FB III 44 A,13). Am 18. Oktober 1608 wiederholte er seine Bitte (ebd.,151). Auf der Rückseite des zweiten Schreibens findet sich der Vermerk: «Monsignore Lanfranco che si farà offitio col datario» (ebd.,153v). Dies teilte Margotti dem Sekretär im Namen Borgheses am 22. Oktober 1608 mit (FB II 434,749r/v).

VI. Bilanz und Ausblick

Alexander VII., der als Fabio Chigi jahrelang das Staatssekretariat Innozenz' X. geleitet hatte und daher wissen mußte, wovon er sprach, «pflegte zu sagen, daß man die Wahrheit viel eher in den laufenden Geschäftskorrespondenzen als in den Relationen, Historien und Chroniken findet»[1]. Diese Mahnung beherzigend, seien zunächst die Rollen zusammengefaßt, in denen der Kardinalnepot Scipione Borghese in seinen unterschiedlichen Briefwechseln begegnet. Allerdings zeigt bereits dieser Blick auf die verschiedenen Kategorien seiner Korrespondenz, daß der Kardinal als Haupt der Klientel und als Vertreter seiner Familie zuweilen Interessen verfolgte, die den in der amtlichen Korrespondenz formulierten Zielen zuwiderliefen. Solche Widersprüche zwischen privaten Wünschen und sachlichen Notwendigkeiten mußten vor allem eine Gruppe an der Kurie auf den Plan rufen: die Sekretäre des Papstes, die keineswegs nur in der älteren Literatur als Hoffnungsträger im Kampf der Staatsidee gegen den Nepotismus auftreten und mit ihrem Verhalten wohl tatsächlich über den Stand der Bürokratisierung und Modernisierung der römischen Verwaltung Auskunft geben. Ob der Staatssekretär und seine Kollegen in den anderen kurialen Gremien zu Recht als Verkörperung der Staatsidee gelten und welche Möglichkeiten sie hatten, ihre Arbeit vor den Eingriffen Borgheses und den dysfunktionalen Folgen des Nepotismus zu schützen, soll daher im zweiten Abschnitt überprüft werden. Dieser auf das Pontifikat Pauls V. kon-

---

[1] Ediert wurden die Bemerkungen des Chigi-Papstes über seinen Weg bis zum Stuhl Petri von Giovanni Incisa della Rocchetta, Gli appunti autobiografici d'Alessandro VII nell' Archivio Chigi, in: Mélanges Eugène Tisserant, Bd.VI/1 (Studi e Testi, Bd.236), Vatikanstadt 1964, S.439–457. Weber, Senatus, S.177–180, gibt sie in Auszügen in deutscher Übersetzung wieder; zit. nach ebd., S.180. Weniger schmeichelhaft ist indes die Aussage Alexanders VII., die diesem Zitat vorangeht: «Er war wissenshungrig nach den in den Archiven liegenden Schätzen, ... und er nahm Einblick in fast alles, was es dazu in Siena gab, um die Historiker zu widerlegen. Die nannte er wirklich oft 'Dichter' oder 'Redner'» (zit. nach ebd.).

zentrierten Analyse schließt sich ein Blick auf die weitere Entwicklung im 17. Jahrhundert und deren traditionelle Interpretation an. Der Nepot habe den Kampf gegen den Staatssekretär verloren und ihm und der Staatsidee 1692 endgültig das Feld überlassen müssen, lautet das Ergebnis vieler behördengeschichtlicher Untersuchungen, und so wird abschließend zu erörtern sein, ob es einen solchen Kampf überhaupt gegeben und die Staatsidee mit der Abschaffung der institutionalisierten Nepotenrolle tatsächlich über den Nepotismus gesiegt hat.

1. Amts-, Patronage- und Privatkorrespondenz:
Die Rollen des Kardinalnepoten Scipione Borghese

Überblickt man die Post des Kardinals Borghese, zeichnen sich drei Kategorien und mit ihnen die drei Rollen ab, in denen der Nepot auf der römischen Bühne in Erscheinung trat: Als Behördenchef führte er die amtliche Korrespondenz des Staatssekretariats und der Kongregationen, die unter seiner Leitung standen, als Haupt der Klientel die Patronagekorrespondenz und als Neffe des Papstes, dessen Familie das Pontifikat Pauls V. zum sozioökonomischen Aufstieg nutzen wollte, die Privatkorrespondenz[2]. Unterzeichnet wurden die Schreiben aus allen drei Bereichen von Borghese persönlich, zu Papier gebracht jedoch von den Mitarbeitern der Gremien, die dem Kardinal zur Bewältigung seiner vielfältigen Aufgaben zur Verfügung standen. In welchem Maße sich der Nepot an der Arbeit dieser Einrichtungen beteiligte und auf den Inhalt der Briefe Einfluß nahm, hing von der Art der Korrespondenz ab. So bestätigt ein Blick auf den Schriftverkehr, den das Staatssekretariat in politischen oder verwaltungstechnischen Angelegenheiten mit den Amtsträgern vor Ort führte, die Einschätzung Semmlers, Borghese habe sich bereits nach wenigen Jahren aus der Behörde zurückgezogen und die Arbeit dem stets gut informierten Papst und seinem jeweiligen Chefsekretär überlassen. Daß es dennoch nicht – noch nicht – möglich war, einen anderen als den kardinalizischen Papstneffen an die Spitze des Staatssekretariats zu stellen, hatte der von Paul V. zunächst mit den Geschäften betraute Kardinal Valenti erfahren müssen. Ein Amtschef, der den roten Hut, aber nicht den Namen der regierenden Familie trug, wurde von den Botschaftern als Verhandlungspartner abgelehnt, und so bedurfte die politische Behörde zwar nicht mehr der Mitarbeit des Nepoten, doch noch immer seiner nominellen Leitung.

---

[2] Da es sich bei diesem Abschnitt um die Zusammenfassung der bisherigen Ergebnisse handelt, verzichte ich auf Querverweise auf die Kapitel, in denen das hier Wiederholte ausführlich beschrieben und begründet wird. Nur für bislang nicht belegte Aussagen werden die Quellen angegeben.

Ähnlich verhielt es sich mit den Einrichtungen zur Verwaltung von Staat und Kirche. An deren Geschäften und Briefwechseln dürfte Borghese von Anfang an nur wenig Interesse gehabt haben, und entsprechend gering war seine Beteiligung an der Arbeit der ihm als Präfekten unterstellten Verwaltungskongregationen. Unterzeichnen mußte er zwar sämtliche Anweisungen, die das Buon Governo, die Consulta oder die *Congregazione delle acque* den Vertretern Roms vor Ort erteilten, doch die Abfassung dieser Schreiben überließ er dem Sekretär des zuständigen Gremiums und die Beratung der anstehenden Probleme den restlichen Kongregationsmitgliedern. Dennoch sprachen auch im Blick auf diese Behörden gute Gründe dafür, den Nepoten an ihre Spitze zu stellen. Zum einen gewährleistete seine Doppelrolle als Präfekt der wichtigsten Kongregationen und Leiter des Staatssekretariats wenigstens theoretisch den reibungslosen Austausch von Informationen und Schreiben, der zwischen diesen Einrichtungen mit ihren nicht immer klar abzugrenzenden Zuständigkeitsbereichen notwendig war. Zum anderen konnten sich die kurialen Behörden dank der Personalunion auf der Führungsebene zu spezialisierten Fachgremien entwickeln, ohne den monokratischen Anspruch der römischen Herrschaft in Frage zu stellen. Und schließlich ließ der Name Borghese unter den Anordnungen der Gremien keinen Zweifel an der Autorität der Behörden und ihrer Entscheidungen, die offen zu kritisieren einem Angriff auf Nepot und Papst gleichgekommen wäre. Der Rechtskraft der von ihm unterzeichneten Schreiben, die mit der juristischen Verbindlichkeit eines Breves konkurrieren konnten, aber weit flexibler einsetzbar waren als die formalisierten päpstlichen Verfügungen, hatte es der Nepot überdies zu verdanken, daß auch Ressorts wie die Kammerverwaltung, die nicht seiner Leitung unterstanden, ihre wichtigsten Beschlüsse im Namen des Papstneffen veröffentlichten. Selbst die Kongregationen für kirchliche Angelegenheiten machten von dieser Alternative zu den traditionellen Urkunden Gebrauch. Sollte ein Präzedenzfall vermieden oder die nötige Diskretion gewahrt werden, kam ein Breve nicht in Frage, und so erhielten Bittsteller, die sich mit delikaten Anliegen an die Kurie gewandt hatten, die gewünschte Bewilligung nicht selten in Form eines Nepotenbriefs. Nimmt man alle diese Vorteile zusammen, fällt die Bilanz der Nepotenrolle im Lichte der römischen Amtskorrespondenz überraschend gut aus. An der Arbeit der Gremien beteiligte sich der Papstneffe zwar kaum, doch als Kardinal mit dem Namen des Pontifex leistete er dessen Herrschaft und seinen Behörden wertvolle Dienste.

Weit engagierter als bei der Bearbeitung der römischen Amtskorrespondenz präsentiert sich Scipione Borghese im Umgang mit jenen Schreiben, die patronagerelevante Themen wie persönliche Wünsche, personalpolitische Empfehlungen oder Bitten um die Protektion des Nepoten betrafen. Diese Briefe wurden zunächst ebenfalls vom Staatssekretariat beantwortet und könnten daher als Teil der amtlichen Korrespondenz erscheinen. Doch wenn man die Beschränkung auf rein aktenkundliche Befunde aufgibt und auch den Inhalt der Post berücksichtigt, fällt die Patronagekorrespondenz des Papstneffen mit Amtsträgern wie Privatpersonen als eigenständige Gattung ins Auge. Bei deren Bearbeitung kann von einem Rückzug des Nepoten keine Rede sein. So galt Borgheses Interesse schon in den ersten Pontifikatsjahren, in denen er sich auch in politischen Fragen als Referent und Protokollant des Regenten betätigte, vor allem den Bitten und Wünschen einzelner. Bei Themen dieser Art war es der Kardinal, der die Entscheidungen traf oder doch zumindest bei seinem Onkel in Erfahrung brachte, und dem Chefsekretär, der bei der Patronagekorrespondenz lediglich als Weisungsempfänger in Erscheinung trat, blieb nichts anderes zu tun, als die von Borghese in Auftrag gegebenen Antwortschreiben zu erstellen. Wie diese Briefe auszusehen hatten, erfuhren die Mitarbeiter der politischen Behörde aus den Dorsalvermerken, die zunächst der Nepot selbst, in wachsendem Maße aber seine Auditoren notierten. Deren Aufgabe war es, die Post des Papstneffen zu öffnen, für den Vortrag vor ihrem Herrn vorzubereiten und anschließend an das Staatssekretariat weiterzuleiten. Die politischen Meldungen überstellten die Auditoren von Tonti über Rivarola bis Franceschini meist unkommentiert an das Sekretariat, denn da sie dem Stab des Nepoten angehörten, mußten sie sich lediglich um die Briefe kümmern, bei denen der Kardinal als Klientelchef gefragt war. Noch größer wurde der Abstand zwischen Borghese und seiner Behörde, als im Mai 1612 die Amtszeit Francesco Cenninis begann. Statt selbst zur Feder zu greifen, überließ es der Papstneffe nun endgültig seinem Auditor, die Post mit Notizen zu versehen, und so stand der Nepot nur noch über Cennini in Kontakt mit dem Sekretariat unter seiner Leitung. An der Arbeitsteilung hatte sich mit dem Dienstantritt des neuen Auditors indes nichts geändert: Borghese kümmerte sich so gut wie ausschließlich um die Anliegen einzelner, der Chefsekretär dagegen um die politischen Probleme, bei deren Bearbeitung Paul V., nicht der Kardinal, sein Ansprechpartner war. Die schrittweise Ausgliederung der Patronagekorrespondenz aus dem Staatssekretariat, das für diese Art der Post lange Jahre als Ausfertigungsbehörde gedient hatte, kam erst zu ihrem Abschluß, als mit Ottavio Bacci ein Mitarbeiter Borgheses für diese Aufgabe zur Verfügung stand. Ab September 1616 waren die Zuständigkeitsbereiche auch institutionell getrennt: Neben dem Staatssekretariat, das nur noch jene Schreiben zu erstellen hatte, die Borghese in seiner Rolle als Chef der Behörde zwar unterzeichnete, aber kaum mit großem Interesse zur Kenntnis nahm, war ein weiteres Sekretariat entstanden, das sich mit der Post des Papstneffen als Cardinale Padrone befaßte und daher als Patronagesekretariat zu bezeichnen ist.

Bacci übernahm im September 1616 indes nicht nur jenen Teil der Patronagekorrespondenz, der zuvor im Staatssekretariat abgewickelt worden war, sondern auch deren zweiten Strang, um den sich bis zu diesem Zeitpunkt der Privatsekretär des Nepoten gekümmert hatte. Nach welchen Kriterien die Post des Klientelchefs zwischen Privat- und Staatssekretariat aufgeteilt worden war, ist aufgrund der äußerst dünnen Quellenlage für das seit 1607 von Pietro Campori geleitete private Büro des Nepoten nicht eindeutig festzustellen. Doch wenn die wenigen Hinweise nicht täuschen, ließ Borghese Angelegenheiten, die ihm besonders am Herzen lagen, im Privatsekretariat bearbeiten und dort auch die seltenen Schreiben erstellen, über die sich der gerade in personalpolitischen Fragen nicht immer mit seinem Neffen einige Papst und sein Chefsekretär gewundert hätten. Vor allem aber war Campori für jene Briefe zuständig, die bei aller Vorsicht im Umgang mit diesem Begriff als private Post des Nepoten bezeichnet werden können und dem Privatsekretariat zu seinem hier gewählten Namen verholfen haben: die Schreiben, die Borghese als Erzbischof oder Ordensprotektor und damit kraft seiner nicht unmittelbar mit der Nepotenrolle verbundenen Ämter erhielt, sowie die Briefe, in denen es um allgemeine Aspekte der borghesischen Güterverwaltung ging. Mit den Details der Vermögensverwaltung mußte sich Campori zunächst nicht befassen, denn hierfür stand Diomede Ricci, der Maestro di Casa des Nepoten, zur Verfügung. Doch als Ricci im Dezember 1610 Rom und sein Amt verließ, wurde Campori unter Beibehaltung seines Sekretariats auch noch zum Maggiordomo des Kardinals ernannt und damit für dessen Bilanzen zuständig. Zur alten Trennung der Bereiche kam man erst zurück, als Campori im September 1616 den roten Hut erhielt. Sein Nachfolger im Amt des Maggiordomo, Stefano Pignatelli, konzentrierte sich fortan auf die Betreuung der Geldquellen, und der als Privat- und Patronagesekretär eingestellte Ottavio Bacci übernahm neben den nun erstmals vereinten Strängen der Patronagekorrespondenz auch die private Post des Nepoten.

Verändert haben sich im Verlaufe des Pontifikats Pauls V. somit zwar die behördliche Organisation und die Aufteilung der Korrespondenz unter den verschiedenen Büros. Doch die jeweiligen Rollen, in denen der Nepot auftrat, die Kategorien seiner Post, die sich daraus ergaben, und die Ziele, die er mit und in diesen Briefwechseln verfolgte, sind die gleichen geblieben. In seiner Amtskorrespondenz trat er als Behördenchef in Erscheinung, der sich um politische, verwaltungstechnische, ökonomische, ja selbst um hydrologische Sachfragen kümmerte; die Patronagekorrespondenz führte er als Haupt der Klientel, die es mit Hilfe dieser Schreiben zu rekrutieren und für ihre Treue zu belohnen galt; seine Privatkorrespondenz zeigt ihn als Repräsentanten einer Familie, die wie jede andere ihre sozioökonomische Position zu verbessern gedachte und, da eines ihrer Mitglieder gerade auf dem Stuhl Petri saß, über vielfältige und wirkungsvolle Mittel zu diesem Zweck verfügte. Mit anderen Worten, genauer: in der Sprache Reinhards und der Verflechtungsanalyse, könnte man sagen: In den verschiedenen Briefwechseln Borgheses haben sich die zur Fiktion gewordene traditionelle Herrschaftsfunktion des Kardinalnepoten, seine latente Herrschaftsfunktion als alter ego des Papstes und schließlich die Versorgungsfunktion des Nepotismus niedergeschlagen.

Doch nicht nur die unterschiedlichen Rollen des Nepoten kommen in den Kategorien seiner Post zum Ausdruck, sondern auch die vielfältigen Funktionen der Amtsträger, an die er Schreiben jeder Art richtete. So könnte man meinen, der Ferrareser Vizelegat Massimi habe sich zwar um die Dammbrüche und Überschwemmungen in der Bonifikation der Bentivoglio kümmern müssen, ansonsten aber nichts mit dieser Familie und ihrem Entwässerungsprojekt zu tun gehabt, wenn man allein die Amtskorrespondenz der politischen Behörde betrachtet. Bei einem Blick in die Patronagekorrespondenz zeigt sich hingegen, daß Massimi in Vertretung des Nepoten einen Sproß der Bentivoglio aus der Taufe gehoben hatte[3], und wer überdies die Privatkorrespondenz konsultiert, kann dem multifunktionalen Vizelegaten auch noch als Unterhändler und Bevollmächtigtem der Familie Borghese bei deren Verhandlungen über die Anteile des Principe di Sulmona an der Bonifikation begegnen. Entsprechendes gilt für den Umgang Roms mit Fragen, die, wie etwa die *tratte*, nur auf den ersten Blick als reine Sachthemen erscheinen. Welche Gefahr die Exportlizenzen für die Getreideversorgung darstellten, ist der Amtskorrespondenz des Staatssekretariats zu entnehmen, wer die *tratte* bevorzugt erhalten sollte, geht aus der Patronagekorrespondenz hervor, und nur die Privatkorrespondenz zeigt, wie wenig sich Borghese von den Warnungen des Personals vor Engpässen beeindrucken ließ, wenn die Ausfuhr seiner eigenen Ernte zur Debatte stand. Auch das Verhältnis zu einzelnen Untertanen präsentiert sich je nach Art des Briefwechsels höchst unterschiedlich. So trat Borghese den Registern des Staatssekretariats zufolge mit Enzo Bentivoglio in Kontakt, wenn dieser politische Informationen lieferte oder mit seiner Bonifikation Ärger mit Venedig zu provozieren drohte, während sein Bruder Guido als Nuntius allwöchentlich Post von der Behörde erhielt. Als Klienten mit Versorgungsanspruch, den sich Guido im Amt und Enzo mit seiner Einflußnahme auf die Ferrareser Politik verdienten, begegnen die Bentivoglio dagegen in der Patronagekorrespondenz, und als Geschäftspartner der Borghese kann man sie allein in deren Privatkorrespondenz kennenlernen.

Ob es um die Rollen des Nepoten, die Funktionen der Amtsträger, die Behandlung einzelner Themen oder das Verhältnis der Untertanen zu Borghese geht, stets ergibt erst die Berücksichtigung aller Korrespondenzen ein vollständiges Bild, das der Vielschichtigkeit der Beziehungen und der Politik Roms gerecht wird. Zugleich offenbart der Blick auf die verschiedenen Ebenen die Problematik eines Systems,

---

[3] Vgl. Borgheses Schreiben an Massimi vom 12. September und 13. Oktober 1607 in FB I 929: 605r/v und 728r.

in dessen Zentrum der Kardinalnepot als Behördenleiter, Klientelchef und Vertreter privater Interessen stand. Denn wie Borghese zu ein und derselben Frage je nach der Rolle, in der er aktiv wurde, höchst unterschiedliche Positionen vertreten konnte, waren die römischen Funktionsträger zwar von Amts wegen verpflichtet, die Anordnungen des Nepoten auf Überparteilichkeit und Allgemeinwohlorientierung als Leitlinien der päpstlichen Politik zu überprüfen und gegebenenfalls Einspruch zu erheben, als Klienten jedoch gut beraten, auf jeden Widerspruch zu verzichten. Wenn es sich aber für die Repräsentanten der Staatsgewalt empfahl, den Anweisungen Folge zu leisten, an deren Ausführung dem Nepoten im eigenen Interesse oder seinen engsten Vertrauten zuliebe besonders gelegen war, scheinen Sachverstand und Staatsidee den dysfunktionalen Aspekten des päpstlichen Nepotismus und Klientelismus hilflos ausgeliefert gewesen zu sein. Wie es sich damit im Pontifikat Pauls V. verhielt, soll daher nun am Beispiel der römischen Sekretäre betrachtet werden.

2. Staatsidee und Nepotismus im Pontifikat Pauls V.: Die römischen Sekretäre zwischen Gunst und Amtspflicht

Wenn eine Gruppe an der römischen Kurie als Fackelträger der Bürokratisierung und Modernisierung im Dunkel nepotistischer Zeiten in Betracht kam, waren es die kompetenten Sekretäre der Behörden, die sich um Sachfragen statt um die Betreuung der Klientel und die ökonomische Versorgung der Papstfamilie zu kümmern hatten. Dies war keineswegs das einzige, was sie von den Mitarbeitern Borgheses trennte. So gehörten die Auditoren und Privatsekretäre des Kardinals nicht anders als seine Maestri di Casa und Maggiordomi zur Familia des Nepoten, die Sekretäre der Kongregationen und der politischen Behörde aber zur Familia des Papstes[4]. Daß die Sekretäre der Gremien zu den über eintausend Mitgliedern des päpstlichen Hofstaats zählten, während Borgheses Mitarbeiter unter seinen rund einhundert Familiaren zu finden sind, mag naheliegen und zunächst als unbedeutende Formalie erscheinen, auch wenn die einen stets an erster Stelle der päpstlichen Roli auftauchen und die anderen als *Gentilhuomini-Ministri* und Angehörige der *Segreteria* in den Listen des Kardinalshaushalts ebenfalls eine exponierte Stel-

---

[4] Dies belegen z. B. die Bezeichnung Santarellis als «*Familiare Sanctissimi*» (Sec.Brev. 397,328v) oder Felicianis Etikettierung als «*secretario di Nostro Signore*» (CC 156,422r), v. a. aber die Roli Pauls V. für Januar 1611 und Dezember 1620, deren erste Blätter Pastor, Bd. 12, als Anhang 17 auf S. 659 wiedergibt.

lung einnehmen[5]. Setzt man jedoch die Suche nach Unterscheidungsmerkmalen zwischen diesen beiden Gruppen fort, fällt der Blick schnell auf die Frage, wer für die Einstellung dieser Herren zuständig war und welchen Qualitäten sie ihre Posten verdankten. Ob Borghese alle seine Mitarbeiter selbst auswählte, geben die spärlichen Aussagen der Quellen zu diesen Berufungen zwar nicht zu erkennen. Doch wenn sich der Nepot wie im Falle Baccis und des Auditors Gherardi zu dieser Frage äußerte, stellte er die Auswahl eines Bewerbers stets als seine eigene Entscheidung dar[6]. Die zum Teil mit päpstlichem Breve ernannten Sekretäre der Kongregationen und der politischen Behörde wurden dagegen zweifelsfrei von Paul V. persönlich berufen, und da dieser bereits wenige Tage nach seiner Thronbesteigung mit der Bulle *Cupientes* vom 4. Juni 1605 einen solchen Posten in der Doppelkongregation *degli Sgravi e Buon Governo* geschaffen und selbiges kaum ein halbes Jahr später in der Wasserkongregation wiederholt hat, dürfte der Borghese-Papst nicht nur von Nutzen und Notwendigkeit der Sekretariate überzeugt gewesen sein, sondern auch ihre Besetzung mit großer Sorgfalt vorgenommen haben[7]. Welche Kriterien der Personalpolitik des Nepoten bzw. seines Onkels zugrunde lagen, ist schwer zu rekonstruieren, doch in einem Punkt waren Paul V. und Borghese offenbar unterschiedlicher Auffassung. So finden sich im Stab des Kardinals ausnahmslos lupenreine Klienten der Borghese, die, wie Bacci den Bentivoglio, vor

---

[5] Dem Rolo in FB I 714 zufolge hatte die Familia Pauls V. Anfang November 1620 1023 *bocche* (29r). Zur schwankenden Größe der Familia Scipione Borgheses vgl. Völkel, S.52–56, und Volker Reinhardt, Scipione Borghese, S.156. Nach der Definition der *Famiglia pontificia* bei Völkel, S.403, umfaßte «der päpstliche Haushalt, d.h. der unmittelbare Hofstaat des Papstes, Mitglieder verschiedener Behörden, städtische Beamte sowie eingeschriebene Einzelpersonen», wobei die Sekretäre in den Roli bei Pastor, Bd.12, S.659, und in FB I 714 stets am Anfang genannt werden. Die Bezeichnung von Borgheses Mitarbeitern als *Gentilhuomini-Ministri* und Angehörige der *Segreteria* erfolgt in Anlehnung an die Auflistung der Familia Francesco Barberinis bei Völkel, S.418–447, hier: S.418 und 420, in der sie als erste genannt werden.

[6] Vgl. zu Bacci: ABent.Corr. 10/78,101, zit. in Kap.IV, Anm.4, zu Gherardi: FB II 488,176v, zit. in Kap.IV, Anm.17.

[7] Mit Breve ernannt wurden z.B. Cobellucci am 3.Juni 1606 zum Brevensekretär (Sec.Brev. 609,456) und Zazzara im Mai 1611 zum Sekretär der Consulta (ebd.,467,395r). Zur Bulle *Cupientes*, mit der Paul V., nicht Gregor XV., wie Kraus, Secretarius, S.76, meint, das Sekretariat des Buon Governo geschaffen hat, vgl. Lodolini, S.XIX, und Chig. H II 36,6r. Der Sekretär wurde zwar von den kardinalizischen Mitgliedern der Kongregation, doch sicher nicht ohne Zustimmung des Papstes gewählt. Zum ersten Sekretär der Wasserkongregation wurde Santarelli nach Dezember 1605 ernannt, denn wasserpolitische Schriften aus diesem Monat vermutete der Presidente der Generalbonifikation Caetano 1607 «*appresso il Signore Cardinale di Camerino che in quel tempo sottoscrivea le lettere per la congregatione senz'altro secretario che il suo proprio*» (Caetano an Enzo Bentivoglio, 4.September 1607, ABent.Corr. 8/18,66r), aber vor Mai 1606, denn am 13.Mai 1606 berichtete der Sonderbotschafter Montecuccoli nach Ferrara in einer Wasserangelegenheit über Santarelli, «*per le cui mani passano tutti questi negozi*» (CA 139,652).

ihrer Berufung in den Dienst des Nepoten zwar anderen Herren gedient haben konnten, doch niemals zu den Parteigängern der Aldobrandini gezählt hatten und in der Regel erst im Pontifikat Pauls V. die römische Karriereleiter zu erklimmen begannen. Völlig anders präsentieren sich die klientelären Vorbelastungen der päpstlichen Sekretäre: Margotti hatte seit 1592 der Familia Cinzio Aldobrandinis und dem Staatssekretariat Clemens' VIII. angehört, Feliciani seit 1602 der Familia des zweiten Nepoten, Pietro Aldobrandini, dessen Vater Silvestro er zunächst als Sekretär diente, Santarelli war als Auditor Pietros 1598 mit diesem in Ferrara gewesen und trat nach dem Tod Pauls V. sofort wieder in Dienst und Familia der Aldobrandini[8]. Für die meisten anderen wären die Scherze des entmachteten Kardinalnepoten Pietro Aldobrandini und der vertraute Ton, den dessen Schwester Olimpia noch 1607 in der Korrespondenz mit ihrem Sekretär Feliciani anschlug[9], wenn nicht das soziale Todesurteil, so doch ein schwerer Makel in der Welt der

---

[8] Ein Blick auf die Familia-Zugehörigkeit der Mitarbeiter des Staatssekretariats unter Clemens VIII. fördert aufschlußreiche Abweichungen zutage. So gehörten Minutio Minucci und Gian Andrea Caligari, die die Geschäfte der Behörde vom Regierungsantritt Clemens' VIII. (gewählt am 30. Januar 1592) bis zur Ausstattung der beiden Nepoten mit den üblichen Fakultäten (18. September 1592) leiteten, bis zu ihrem Ausscheiden aus dem Amt (Minucci: 1596, Caligari: November 1592) unverändert zur Familia des Papstes (vgl. Jaschke, S. 136 f., 139 f.). Ihre Nachfolger, deren Auswahl Clemens VIII. in die Hände seiner Nepoten gelegt hatte, zählten dagegen zur Familia des Kardinals, in dessen Abteilung sie tätig waren (vgl. ebd., S. 140); so auch Margotti, der laut Jaitner, Hauptinstruktionen, Bd. 1, S.L, seit 1592 Familiare Cinzios und ab 1596 dessen Sekretär für die diplomatische Korrespondenz war. Es scheint, als habe es einen Zusammenhang zwischen der Familia-Zugehörigkeit der Staatssekretäre und Machtwillen und tatsächlicher Regierungsbeteiligung der Nepoten gegeben. Zu Feliciani vgl. Jaitner, Hauptinstruktionen, Bd. 1, S.LI, Anm. 35, und die folgende Anm.; Santarellis Aufenthalt in Ferrara dokumentiert ein Bando vom 30. Januar 1598 (ed. in *Bandi generali dei Cardinali Legati*, unter dem Datum), mit dem im Namen des Legaten Aldobrandini das Tragen von Waffen und die Belästigung der Juden verboten wurde. Die Angabe *Odoardo Santarelli Aud.* unter dem Text belegt, daß dieser das Dokument ausgefertigt hat. Familiare Aldobrandinis war Santarelli laut Jaitner, Hauptinstruktionen, Bd. 1, S.CXXVI, dem zufolge der Aldobrandini-Getreue und langjährige Maggiordomo des Kardinals Pietro, Giovanni Battista Agucchia, im November 1621 sein erst wenige Monate zuvor erhaltenes Amt als Maggiordomo des Nepoten Gregors XV., Ludovico Ludovisi, wegen Arbeitsüberlastung an Santarelli abgab, was auf dessen anhaltende Aldobrandini-Bindung hinweist. Daß Santarelli noch Jahrzehnte später mit den Aldobrandini in Kontakt stand, belegt sein Schreiben vom 11. Dezember 1633 an Kardinal Ippolito Aldobrandini in FB II 71.72,211.

[9] Vgl. die Schreiben der Aldobrandini an Feliciani von November und Dezember 1606 in FB I 705 B,198–223. In CB 115 findet sich ein Faszikel mit «*Lettere scritte ad Antonio Michi da Montevarchi sottosegretario del Cardinale Silvestro Aldobrandini sotto l'Abbate Porfirio Feliciani 1627*» (tatsächlich: 1607) und einige Schreiben des Kardinals Aldobrandini aus Ravenna an Feliciani in Rom von August und September 1607. Ein alter Bekannter aus der Aldobrandini-Familia adressierte seinen Brief vom 18. August 1607 an «*Signore Porfirio Feliciani Roma In Casa della Ecc.ma Olimpia Aldobrandini*» (CB 103, dort auch weitere Schreiben des Kardinals Aldobrandini an Feliciani vom September 1607).

Borghese gewesen. Doch den Herren, denen Paul V. einen großen Teil der kurialen Arbeit übertrug, scheinen solche Bindungen den Weg zu Amt und Würden keineswegs verstellt zu haben[10]. Bei der Promotion vom Januar 1621 mußten sie sich zwar keine Hoffnungen machen, denn während 1608 mit Tonti und Margotti sowie 1616 mit Campori und Cobellucci der Stab des Nepoten und die Sekretäre des Papstes zu gleichen Teilen belohnt worden waren, zählte wenige Tage vor dem Tod Pauls V. nur noch die Treue potentieller Konklaveteilnehmer zu den Borghese, und so erhielten mit Cennini, Gherardi und Pignatelli gleich drei Mitarbeiter, Familiaren und enge Vertraute des Papstneffen den roten Hut. Bezeichnend ist überdies, daß sowohl Tonti als auch der 1611 ohne einen Gegenpart aus den Reihen der päpstlichen Sekretäre zum Kardinalat gelangte Rivarola sowie Campori das Wappen der Borghese, denen sie ihren Aufstieg zu verdanken hatten und für alle sichtbar danken wollten, in ihr Schild aufnahmen, nicht aber Margotti und Cobellucci[11]. Möglicherweise führten der Staatssekretär und sein Kollege von den Breven ihre Promotion weniger auf die Gnade der Papstfamilie als auf ihre eigene Leistung zurück. Tatsächlich scheint ihre Eignung Paul V. dazu bewogen zu haben, Leuten wie Margotti mit seiner eleganten Feder, Feliciani, dessen Registerführung noch heute beglückt, und dem mindestens in Wasserfragen überaus kompetenten Santarelli trotz ihrer starken Bindung an die Aldobrandini die Geschäfte seines Pontifikats anzuvertrauen. Ein Mindestmaß an Treue und Loyalität war natürlich auch bei den Sekretären unverzichtbar, doch da sie dem Papst als Padre comune helfen sollten, eine Politik der Überparteilichkeit zum Wohle aller zu betreiben, zählten in ihrem Fall Sachverstand, Fachkenntnisse und bürokratische Effizienz mehr als alles andere. Zur Parteilichkeit geradezu verpflichtet waren dagegen die Mitarbeiter des Nepoten, die anstelle des allgemeinen Wohls die Wünsche der Klienten und die privaten Interessen des Papstneffen zu fördern hatten. Zu diesem Zweck bedurfte es zwar auch patenter Sekretäre bzw. penibler Buchhalter, doch vor allem treuer Diener, die den Willen ihres Herrn umsetzten und in allen Fragen seinen Vorteil suchten.

Zwei verschiedene Gruppen von kurialen Funktionsträgern standen sich somit

---

[10] Daß der Vorwurf klientelärer Bindungen an eine andere als die regierende Familie auch nicht reichte, um Paul V. zur Entlassung verdienter Sekretäre zu bewegen, wird in Anm. 25 zu belegen sein.

[11] Zu den Promotionen vgl. HC IV, S. 11 f. (1608, 1611), S. 13 (1616), S. 14 f. (1621). Zu den Devotionswappen vgl. Wolfgang Reinhard, Sozialgeschichte der Kurie in Wappenbrauch und Siegelbild. Ein Versuch über Devotionswappen frühneuzeitlicher Kardinäle, in: Erwin Gatz (Hg.), Römische Kurie. Kirchliche Finanzen. Vatikanisches Archiv. Studien zu Ehren von Hermann Hoberg, Bd. 2, Rom 1979, S. 741–772, hier: S. 759 f. Daß weder Cennini noch Gherardi oder Pignatelli das Borghese-Wappen in das ihre aufnahmen, ist wohl auf das wenige Tage nach der Promotion erfolgte Ableben Pauls V. zurückzuführen, nach dem ein so klares Bekenntnis zu den Borghese der Karriere abträglich gewesen wäre.

gegenüber: die nach ihrer Treue zur päpstlichen Familie ausgewählten Mitarbeiter Borgheses, die private Interessen fördern und klienteläre Beziehungen pflegen sollten, und die aufgrund ihrer bürokratischen Fähigkeiten und Sachkenntnis eingestellten Sekretäre des Papstes, die das allgemeine Wohl vor Schäden durch die bevorzugte Behandlung einzelner zu bewahren und persönliche Bindungen als Wurzel des Übels zu ignorieren hatten. In diesem Sinne scheint es zulässig, in den einen die Personifizierung von Klientelismus und Nepotismus als rückständige Herrschafts- und Versorgungsformen und in den anderen die Verkörperung der Staatsidee zu sehen, die im Nepoten ihren Gegenspieler hatte und sich mit der Abschaffung seiner institutionalisierten Rolle endgültig durchsetzen würde. Doch so unterschiedlich Rekrutierungskriterien und Aufgaben dieser Amtsträger waren, so sehr ähnelte sich der Lohn, den sie für ihre Mühen erhielten. Daß die Sekretäre des Papstes ebenso wenig Grund hatten wie ihre Kollegen aus Borgheses Stab, Gunstbeweise als Zeichen einer rückständigen Herrschaftspraxis zu betrachten, die zu überwinden ihre Aufgabe gewesen wäre, illustriert nichts besser als die Ehren und Einnahmen, die in der Zeit Pauls V. nicht nur auf Mitarbeiter des Nepoten wie Cennini und Bacci herabregneten, sondern auch den Sekretären der kurialen Gremien zuteil wurden. Margotti erhielt den roten Hut, Perugino wurde von lästigen Steuern befreit, Feliciani konnte sich ab 1610 nahezu alljährlich für mindestens eine, nicht selten zwei neue Pensionen sowie für diverse Benefizien und Kommenden bedanken. Der Sekretär der Memoriali und Maestro di Camera Pauls V., Pietro Pavoni, sammelte gemeinsam mit seinem Verwandten Giulio, der dem Nepoten als Kammerherr diente, entsprechende Vergünstigungen, Santarelli wurde, wie wohl auch seine Kollegen aus den anderen Kongregationen, reichlich mit Pensionen und Benefizien bedacht, und Scipione Cobellucci schrieb sich mit seinen Breven bis zum Kardinalat[12]. Wie diese Leute mit ihren Erwerbungen umgingen, unterschied sich in nichts von den Praktiken, die bei Klienten ohne Amt und auch bei Borghese selbst zu beobachten sind. Wenn nötig von der Residenzpflicht befreit, kassierten sie nicht nur die Einnahmen ihrer Sinekuren, sondern griffen zu einem überaus beliebten und probaten Mittel, sich selbst das Geld und ihrer Familie die Quelle auch über ihren eigenen Tod hinaus zu sichern: Die Einkünfte eines auf Lebenszeit verliehenen Benefiziums ließen sie sich zum großen Teil als

---

[12] Vgl. zu Margotti: HC IV, S. 11. Perugino: Sec.Brev. 477,116. Feliciani: ebd. 613, 637–640; 616: 128–131, 194–196; 617,771 f.; 618: 447–449, 555 f. (neue Fol.); 623, 327–329 (neue Fol). Pietro Pavoni: ebd. 397,460; 407,126; 609: 189, 385; 611: 317, 511; 613: 178, 200; 614: 118, 452; 615: 156, 336; 616: 230, 470, 488; 618,355; 621: 368, 710; 622,187. Giulio Pavoni (als Maestro di Camera Borgheses belegt in FB I 27,700 für Mai 1608 und in Urb.lat. 1082,283 für Juli 1614): Sec.Brev. 598,232; 599,147; 612,587; 614,515; 617,311; 618: 106, 135. Santarelli: ebd. 397,327 f.; laut 404,368 Kanoniker an Santa Maria Maggiore; 617,399; 618,205–207r; 620,161 f; 621,101–103r. Cobellucci: HC IV, S. 13. Keine dieser Auflistungen erhebt Anspruch auf Vollständigkeit.

Pension reservieren, das Benefizium selbst aber resignierten sie einem Neffen[13]. Auch Sekretäre konnten Onkel sein, und wenn sie es waren, bedienten sie sich der gleichen nepotistischen Praktiken, die ihren Zeitgenossen außerhalb der Amtsstuben zur Verfügung standen.

Und noch etwas teilten sie mit diesen: Alle hatten sie Freunde, Verwandte, Landsleute, nicht wenige von ihnen Verpflichtungen gegenüber ihren Förderern und keiner die Gewißheit, eines Tages nicht doch auf die Hilfe alter Bekannter angewiesen zu sein. So versorgte Borghese immer wieder Aspiranten mit Ämtern, Geld und Benefizien, deren Fürsprecher in den Sekretariaten der Behörden zu suchen sind. Margottis Bruder beschaffte er einen lukrativen Pachtvertrag, die Ferrareser Freunde des Chefsekretärs empfahl er dem dortigen Legaten, und auch für Lanfrancos Bekannten Girolamo Lunadoro, den Autor der berühmten *Relatione della corte di Roma*, unterschrieb er einige Empfehlungsschreiben. Felicianis Verwandten Alessandro Giusti versuchte er zwar vergeblich in die Ferrareser Rota zu hieven, doch der Landsmann aus Gualdo, für den sich der Sekretär stark gemacht hatte, erhielt das Priorat in der gemeinsamen Heimat. Und wenn Michelangelo Zazzara zum Dank für die Dienste seines Bruders in der Consulta nicht erst 1617 mit einem militärischen Ehrenposten in Ferrara versehen worden wäre, hätte er dort den bereits 1609 verstorbenen Capitano Lazio Cobellucci angetroffen[14].

---

[13] Vgl. z.B. das Breve vom 10. Juni 1614: «*Reservatio Fructuum Monasterii Sancti Benedicti … ex causa resignationis*» (Sec.Brev. 618, 447–449 neue Fol.), mit dem Porfirio Feliciani die Erträge und sein Neffe Angelo die Kommende des Onkels in Gualdo erhielt. Selbiges wiederholten die Feliciani im September 1616, vgl. ebd., 621: 654f. und 662f. Daß besagter Angelo einer Liste der von Paul V. zwischen September 1615 und März 1616 verteilten spanischen Pensionen zufolge allein in diesem Zeitraum Pensionen im Wert von 150 Dukaten erhielt, während sich die «*giovani*» des Staatssekretariats, d.h. die Gehilfen Felicianis, lediglich 120 Dukaten teilen konnten (vgl. Reinhard, Papstfinanz, Benefizienwesen, S. 355 und Tab. 11=S. 370f.), dürfte wohl auf den Einsatz des Chefsekretärs für seinen Neffen zurückzuführen sein.

[14] Der Pächter der Valli di Comacchio Alessandro Nappi schrieb am 15. August 1607 an Enzo Bentivoglio: «*M'è stato incaricato dal Signore Cardinale Borghese Padrone di dare il datio del Pesce a un fratello di Monsignore Lanfranco Segretario … ho dato parola a esso Signore Cardinale di servirlo*» (ABent.Corr. 9/41,436v). Zur Empfehlung für Margottis Freunde vgl. FB III 51 B,106. Lunadoro, der Margotti aus der Familia Cinzio Aldobrandinis kannte und laut seiner *Relatione*, S. 121, sehr verehrte, fügte der Ausgabe dieser Schrift von 1652 einige Briefe hinzu, unter denen sich Empfehlungen für Girolamo oder seine Verwandten finden, die Margotti entweder im eigenen Namen verschickt (S. 251–269) oder Borghese zur Unterzeichnung vorgelegt (S. 270–273) hatte. Zu den Empfehlungsschreiben im Namen Borgheses für Giusti und zu dessen Verwandtschaft mit Feliciani vgl. Kap. IV.2.b. Am 9. August 1614 antwortete Borghese Spinola auf dessen Empfehlung für «*Don Guglielmo Mataloni suo Servitore per il Priorato di San Donato di Gualdo, si trovava Nostro Signore di haverne fatto gratia ad instanza di Monsignore Vescovo di Foligno al Protonotario Berardi del medesimo luogo*» (Ang. 1226,99r; Spinolas Antwort in FB III 60 FG,296). Michelangelo Zazzara empfahl Borghese am 11. April 1618 wegen «*le qualità, et i meriti di Monsignore Zazzara Segretario*»

Ob sie für alle ihre Verwandten und Bekannten in die Bresche sprangen, ist ungewiß, doch daß die Sekretäre dies nicht grundsätzlich ablehnten, zeigt diese kurze
Liste zweifellos. Wenn aber auch sie sich mit jener Münze bezahlen ließen, die eine
klientelär vernetzte Gesellschaft prägt, eignen sich die Sekretäre nur bedingt als
Stoßtruppen der Staatsidee im Kampf gegen den Nepotismus: Sie waren nicht die
Gegner des nepotistischen Systems, sie waren seine Bestandteile und Nutznießer,
verflochten, verbunden und auf Unterstützung der Mächtigeren angewiesen wie
alle anderen.

Problematisch wurde dies allerdings erst, wenn sich klienteläre und nepotistische Beziehungen und Interessen auf die Amtsführung der Sekretäre auswirkten,
doch stand für Wünsche dieser Art der Nepot als Ansprechpartner zur Verfügung. Daß die Untertanen Pauls V. dies wußten, zeigt die Konzentration ihrer
Bemühungen auf Borghese und dessen Vertraute. So unterhielt etwa Enzo Bentivoglio, der als Botschafter seiner Stadt in Rom alle einflußreichen Funktionsträger kennengelernt hatte, keine Beziehungen zu den Mitarbeitern der politischen Behörde, während er sich die Gunst Tontis, dessen Einfluß auf den Nepoten bekannt war, mit kleinen Geschenken zu erhalten versuchte, den für Wirt-
schaftsfragen zuständigen Pignatelli ebenfalls mit Präsenten beehrte[15], Campori
freundschaftlich verbunden war und mit Bacci schließlich einem treuen Diener
seiner Familie in die engste Umgebung Borgheses verhalf. «Ihre Familie hat mich
dorthin gebracht, wo ich bin, und dies verpflichtet mich mein Leben lang»,
beteuerte Bacci kurz nach seiner Ernennung zum Privat- und Patronagesekretär
des Nepoten und begann zu zeigen, wie er sich zu revanchieren gedachte: Wann
er was in welcher Tonlage an Borghese zu schreiben hatte, teilte er Enzo fortan
ebenso mit wie die Anliegen, die dem Kardinal besonders am Herzen lagen und
deren Förderung folglich großzügig belohnt werden würde. Die Agenten Benti-

---

della *Sacra Consulta gia sono molt'anni»* an Federico Savelli für *«un luogo di Lancia spezzata in
cotesta Fortezza»* (FB II 432,404v). Den *«accidente»* des Capitano Lazio Cobellucci und die Nach-
folgefrage sprach Borghese in einem Schreiben an Spinola vom 11. November 1609 an (FB I
932,162v).

[15] Guido Bentivoglio hatte 1607 an Tonti geschrieben: *«Sò ch'è grande l'auttorità sua appresso il
Signore Cardinale Ill.mo»* (ABent.Corr. 9/42,269r), was Pastor, Bd. 12, S.235, ebenso bestätigt wie
der Bentivoglio-Agent Landinelli, der am 10. Oktober 1607 an Enzo schrieb: *«Monsignore Nappi et
io habbiamo pensato che venendo porti qualche regalo al Signore Tonti Auditore del Signore Cardinale il quale è omnipotente»* (ABent.Corr. 9/42,152r). So verwundert es nicht, daß die Avvisi vom
Mai 1611 meldeten, Enzo habe nicht nur Borghese mit Kunstwerken, sondern auch Tonti beschenkt
(Urb.lat. 1079,365r). Welchen Einfluß Pignatelli schon lange vor seiner Ernennung zum Maggiordomo des Nepoten auf den Kardinal und die Geschäfte der Papstfamilie hatte, belegt das Schreiben
Landinellis vom 8. September 1612 an Enzo, in dem er von einem Gespräch mit Pignatelli berichtete
und Bentivoglio daran erinnerte, daß *«agl'interessi suoi importa molto, che mostri segni di gratitudine, et porti anco qualche cosa al Signore Pignatelli»* (ABent.Corr. 10/67,162v).

voglios empfing er, Schreiben Enzos leitete er an Borghese weiter, Cennini erinnerte er, die vom Nepoten in Auftrag gegebenen *uffici* zugunsten des Ferraresen
zügig zu machen. Und immer wieder redete der Sekretär mit seinem Herrn, auf
daß dieser weder die Liebe des treuen Enzo noch die Dringlichkeit seiner Wünsche vergesse[16]. Vielleicht wäre dessen Bruder früher mit dem roten Hut bedacht
worden, wenn Paul V. im Dezember 1613 den Vorschlag Enzos an Borghese
angenommen und Guido Bentivoglio anstatt Feliciani zum neuen Chefsekretär
der politischen Behörde bestellt hätte[17]. Für die privaten Anliegen der Bentivoglio aber war Baccis Eintritt in den Stab Borgheses weit förderlicher, als es die
Berufung eines Familienmitglieds in das Staatssekretariat je hätte sein können,
denn schließlich entschied der Nepot, nicht die Sekretäre des Papstes, wer in die
Gnade und Klientel der herrschenden Familie gelangte und wessen Wünsche
erfüllt wurden.

---

[16] Einige Beispiele aus ein und demselben Monat mögen genügen: Am 17. Dezember 1616 bedankte
sich Bacci bei Enzo für 100 Scudi, die ihm die Bentivoglio überwiesen hatten, und fügte hinzu: «*non
ho voluto accettar le offerte, fattemi qui da altri per poter dire, ch'essendomi dalla Casa di V.S.Ill.ma
stata aperta la strada al luogo, nel qual mi truovo, dalla stessa me ne venga il mantenimento; con
quell'obligo, ch'in me sarà perpetuo tutta mia vita*» (ABent.Corr. 11/88++,335r). Im gleichen Schreiben forderte er Enzo auf (ebd.,335v): «*V.S.Ill.ma vegga d'aiutare con ogni possibil maniera il negotio
del Signore Fausto Caffarelli, e poi condotto che sia a buon fine, scriva col suo solito modo libero al
Signore Cardinale ch'ella per quel, c'ha fatto dal canto suo, aspetta che S.S.Ill.ma comandi assolutamente al Commissario che spedisca il detto negotio della Conservatoria*», d.h. einen Wunsch Enzos
für seine Bonifikation. Schon am 14. Dezember 1616 hatte Bacci an Enzo geschrieben: «*Con l'Ill.mo
Signore Cardinale Padrone farò l'ufficio, che da lei mi viene importo. Il negotio del Signore Fausto
Caffarelli preme fuor di modo al Signore Cardinale ond'ella impiegherà benissimo l'opera sua per
condurlo a buon' essito*» (ebd.,251v). Am 31. Dezember 1616 versicherte er: «*e per servirla con
frutto appresso il Padrone Ill.mo osserverò l'opportunità*». Folgenden Tip fügte er hinzu: «*Laudarei
che V.S.Ill.ma pigliasse occasione di replicar' alla cortese lettera, che il Signore Cardinale le ha scritta
in ringratiamento per il negotio del Signore Fausto Caffarelli, e ch'ella entrasse nel fatto della Conservatoria supplicandolo a voler con l'auttorità sua superar la durezza del Commissario*»
(ebd.,741r). Am 17. Dezember 1616 berichtete Bacci an Enzo, er habe Borghese mitgeteilt, «*che
V.S.Ill.ma temeva di non haver perduta la sua gratia, non ricevendo piu niun suo comandamento e
che nondimeno ella mi haveva comandato di fare humil riverenza in suo nome a S.S.Ill.ma*». Daraufhin habe Borghese ihn aufgefordert, Cennini daran zu erinnern, mit dem Nepoten über das zur
Debatte stehende Anliegen Enzos zu reden (ebd.,336r). Enzos Agent Alderano Belatti meldete am
31. Dezember 1616 nach Ferrara: «*Mi son anco abboccato con il Signore Bacci, con il quale son
restato che ne parlerà al Signore Cardinale Padrone con la prima occasione*» (ebd.,739r).

[17] Am 21. Dezember 1613 teilte Borghese Enzo in einem komplett eigenhändig verfaßten Schreiben mit,
Seine Heiligkeit habe «*il loco vacato di Segretario*» mit «*Monsignore Vescovo di Foligni*» besetzt,
und fuhr fort: «*Non è però stato loco da poter sodisfar al desiderio, e pensiero di V.S. e mio in questa
congiuntura, et in vero con mio dispiacere, poiche non ho desiderio maggiore, che di procurarle ogni
bene e si può assicurare, che si come non era necessario, ch'ella s'affatigasse a ricordarmi le qualità
di Monsignore suo fratello à me notissime, così nell'occasione, ch'io potrò, conosceranno lor doi
dagl'effetti il desiderio, che tengo di servirli*» (ABent.Corr. 278,440r, nicht registriert).

Doch auch den kurialen Funktionsträgern aus der Familia Pauls V. fehlten weder Mittel und Wege noch die Bereitschaft, sich am klientelären Geben und Nehmen zu beteiligen. So zögerte Pietro Pavoni, bei dem Enzo in seiner Zeit als Botschafter jahrelang mit den Memoriali des Magistrats vorstellig geworden war, keineswegs, den einflußreichen Ferraresen um die Unterstützung eines Landsmannes aus seiner Heimatstadt Rimini bei der nächsten Rotawahl in Ferrara zu bitten[18]. Und ebenso prompt leitete er die Eingabe Bentivoglios, die ihm dessen Agent noch vor der frohen Kunde vom Wahlsieg des Riminesen zukommen ließ, am zeitaufwendigen Dienstweg vorbei und direkt in die Audienz des Papstes[19]. Gefälligkeiten dieser Art mochten den Antragstellern in der bürokratischen Warteschleife ein Dorn im Auge gewesen sein, hatten aber keinen Einfluß auf die Entscheidungen Pauls V. und waren daher weniger problematisch als Hilfegesuche in Sachfragen. Allerdings erreichten auch solche Bitten die Sekretäre des Papstes: Sobald neue Beratungen in der Wasserfrage anberaumt wurden, erhielt Santarelli Besuch vom Ferrareser Botschafter und von diesem ein Schreiben der Magistratsherren, die nach eigenem Bekunden alle Hoffnungen auf die Hilfsbereitschaft des Kongregationssekretärs setzten. Sein Ziel sei allein die Zufriedenheit des Papstes und der Dienst an der Allgemeinheit, wehrte Santarelli, der wußte, was er seinem Amt schuldig war, den Dank der Stadt für seinen Beistand ab[20], und tatsächlich dürfte er die Ferrareser Position für das beste der debattierten hydrologischen Konzepte gehalten und sie aus Überzeugung, nicht dem Magistrat zuliebe, vertreten haben. Im Streit um Enzos Dammbau handelte er dagegen eindeutig und wissentlich gegen die Interessen der großen Mehrheit. Weil er die Liebe Borgheses zu Enzo kenne, tue er dies, deutete Bentivoglios Agent das ungewöhnliche Verhalten des

---

[18] Pietro Pavoni schrieb am 13. Juni 1617 in seiner Empfehlung für Pasio Pasi an Enzo: «*Io so con quanto affetto ella è stata solita sempre favorire le cose mie, et però confido, che farà quanto potrà in beneficio di questo gentilhuomo mio paesano ... accrescerà il cumulo degl'oblighi, ch'io, et tutta la mia casa teniamo alla sua cortesia*» (ABent.Corr. 11/94,298r). Daß Enzo nicht nur die in Rom tätigen Pavoni kannte, belegt die bereits am 11. Februar 1617 abgefaßte Empfehlung von einem Francesco Pavoni aus Rimini für Pasio Pasi, den Bentivoglio kenne: «*è quello, che venne a farle riverenza in casa mia, quando passo per Rimini molt'anni sono venendo da Roma*» (ebd. 11/90,156r).

[19] Warum die Pavoni Pasi bereits 1617 empfahlen, ist unklar, fand die nächste Rotawahl in Ferrara doch erst am 31. Mai 1618 statt, bei der Pasi einen Richterposten erhielt (vgl. SP 72/41). Pietro Pavoni wird sich allerdings an sein gerade abgefaßtes Schreiben an Enzo erinnert haben, als dessen Agent Belatti wegen der «*solita tratta per la Bonificatione*» mit dem entsprechenden Memoriale an den Papst bei ihm erschien, und so konnte Belatti am 28. Juni 1617 melden, «*che mi promesse di leggerlo à Sua Santità questa mattina*» (ABent.Corr. 11/94,741r).

[20] Auf einen Dankesbrief Ferraras antwortete Santarelli am 3. Januar 1609: «*non ho altra parte che di buona volontà d'incontrare il gusto di Nostro Signore et il servitio publico*» (CP 171/H,30r).

Sekretärs[21], dessen «Amtsmißbrauch»[22] im Lichte dieser Interpretation als vorauseilender Gehorsam gegenüber Borghese und somit als Beispiel für die dysfunktionalen Folgen klientelärer Abhängigkeit erscheint. Allerdings war es nicht immer auf das Eingreifen des Nepoten zurückzuführen, wenn die Sekretäre ihre Amtsgewalt in den Dienst einzelner stellten. So zögerte Santarelli in seiner Funktion als Sekretär des Buon Governo nicht, die Kongregation zu hintergehen, Anweisungen in deren Namen nach eigenem Gutdünken aufzusetzen und sie dem ahnungslosen Borghese zur Unterzeichnung vorzulegen, als der Peruginer Schatzmeister einen ungewöhnlich günstigen Pachtvertrag erhalten und Jahre später für Unregelmäßigkeiten in der Buchführung nicht mit dem Verlust von Amt und Ansehen bezahlen wollte: Der Schatzmeister war ein Schwager des Sekretärs, ihn auf Kosten allgemeiner Interessen zu fördern und gegen berechtigte Vorwürfe in Schutz zu nehmen Santarellis Pflicht als Verwandter[23].

«Ohne Ansehen der Person» hätten sie ihres Amtes walten müssen, um wenigstens der wichtigsten der von Max Weber definierten Anforderungen an moderne Bürokraten Genüge zu leisten[24], doch da sie dies nur taten, wenn sie weder als Klienten

---

[21] Vgl. Kap. V, Anm. 108.

[22] Vor dem anachronistischen Einsatz von Begriffen wie Amtsmißbrauch für patrimoniale Gesellschaften warnen die Bedenken, die Kettering, S. 192, gegen die Anwendung des Korruptionsbegriffs auf die Frühe Neuzeit erhebt. Die Definition von Korruption als «the abuse of public office for private gain, that is, the misuse of public responsibility and trust for personal interest» greife nicht, denn: «The early modern patronage system was inherently corrupt by modern standards because it confused public and private interests and systematically served special interest groups: it was a political network of personal relationships based on the reciprocal exchange of public patronage». Doch da sich die Zeitgenossen Pauls V. ihrer politischen Rhetorik zufolge durchaus bewußt waren, daß von den Sekretären des Papstes Blindheit gegenüber privaten Interessen verlangt wurde, und auch die Sekretäre selbst diese Anforderungen wenn nicht in ihrem Verhalten, so doch in ihrer Wortwahl berücksichtigten, scheint die Verwendung des Begriffs Amtsmißbrauch vertretbar.

[23] Vgl. Stader, S. 149 f., v. a. S. 150, Anm. 350.

[24] Max Weber, Wirtschaft und Gesellschaft. Grundriß der verstehenden Soziologie, fünfte, revidierte Auflage, besorgt von Johannes Winckelmann, Tübingen 1976, S. 604 f., charakterisiert die patrimoniale Herrschaft folgendermaßen: «Statt der bürokratischen »Sachlichkeit« und des auf der abstrakten Geltung gleichen objektiven Rechtes ruhenden Ideals der Verwaltung »ohne Ansehen der Person« gilt das gerade entgegengesetzte Prinzip. Schlechthin alles ruht ganz ausgesprochenermaßen auf »Ansehen der Person«, d. h. auf der Stellungnahme zu dem konkreten Antragsteller und seinem konkreten Anliegen und auf rein persönlichen Beziehungen, Gnadenerweisen, Versprechungen, Privilegien.» Nach Weber, ebd., S. 131, fehlten dem patrimonialen Verwaltungsstab zur modernen Behörde: «a) die feste »Kompetenz« nach sachlicher Regel, b) die feste rationale Hierarchie, c) die geregelte Anstellung durch freien Kontrakt und das geregelte Aufrücken, d) die Fachgeschultheit (als Norm), e) (oft) das feste und (noch öfter) das in Geld gezahlte Gehalt». Ich beschränke mich auf den Aspekt der Politik «ohne Ansehen der Person», weil der Gegensatz zwischen Behörde und Kardinalnepot hierin seinen klarsten Ausdruck findet und ein möglicher Sieg der Staatsidee folglich am besten mit dieser Kategorie zu messen ist.

des Nepoten noch als Patron ihrer Angehörigen und Freunde gefragt waren, scheint auch das Verhalten der Sekretäre Pauls V. von jenen persönlichen Beziehungen bestimmt worden zu sein, die sich aus Verwandtschaft und anderen Formen sozialer Nähe ergeben und patrimonialen Gesellschaften als fundamentales Organisationsprinzip zugrunde liegen. Eine der wichtigsten Beziehungen der Amtsträger war die zum regierenden Nepoten, der als Cardinale Padrone im Zentrum des Rom und den Kirchenstaat dominierenden klientelären Netzes saß, und so ging ihr Fehlverhalten häufig auf die überdies gut dokumentierten Eingriffe des Papstneffen in die Arbeit der kurialen Verwaltung zurück. Der Nepot erscheint daher als größtes Hindernis der Bürokratisierung im Sinne Webers, doch sollte man nicht vergessen, daß er die Macht persönlicher Bindungen und Abhängigkeiten zwar verkörperte, aber nicht begründete. Bindungen dieser Art, die das soziale Gefüge der Gesellschaft und das Verhalten ihrer Mitglieder schon vor der Etablierung des Nepotenamtes geprägt hatten, standen der Entfaltung der Staatsidee, der Bürokratisierung und Modernisierung im Wege, nicht der Papstneffe, mit dessen Abschaffung als Institution 1692 folglich wohl kaum der Amtsmißbrauch aus den römischen Büros verschwunden sein dürfte. Überdies waren die Sekretäre und Fachleute Pauls V. der klientelären Willkür Borgheses keineswegs hilflos ausgeliefert. Schließlich gehörte es im Rahmen der Arbeitsteilung zwischen Behörden und Nepot zu ihren Aufgaben, die von Borghese gewünschten Vergünstigungen für einzelne auf ihre Folgen für das allgemeine Wohl zu überprüfen, und solange es nicht um die privaten Anliegen des Papstneffen oder um Bitten seiner engsten Getreuen ging, fügte sich der Kardinal dem Einspruch der Experten. Und selbst wenn ihm sehr an einer Sache gelegen war, scheiterte Borghese zuweilen am Widerspruch der Verwaltungsgremien, die sich bei ihrer Suche nach für alle akzeptablen Lösungen der Unterstützung Pauls V. gewiß sein konnten. So stand der Papst auf der Seite der Sekretäre, die seine Politik als Padre comune vor Schäden durch einen unbedachten Klientelismus und übertriebenen Nepotismus schützen sollten. Daß eine enge klienteläre Abhängigkeit vom regierenden Nepoten hierzu wenn nicht gar von Nachteil, so doch mindestens nicht nötig war, Sachkenntnisse und administratives Geschick dagegen um so mehr zählten[25], macht die Sekretäre tatsächlich zu Exponenten einer auch in Rom zu beobachtenden Bürokratisie-

---

[25] Caetano, der als Presidente der Generalbonifikation ein anderes hydrologisches Konzept vertrat als der Kongregationssekretär Santarelli und daher durchaus auch inhaltliche Gründe für seine Aversion gegen diesen hatte, schien dies anders zu sehen. So forderte er Paul V. mehrmals auf, den Sekretär abzusetzen, und erweiterte dies im Juni 1610 zu einem Generalangriff auf die verbliebenen Aldobrandini-Getreuen in der kirchenstaatlichen Verwaltung. Die Ablösung des alten Governatore di Roma, die Aldobrandini getroffen und ihn gefreut habe, nahm er für die folgenden Ausführungen in einem Brief an Borghese zum Anlaß: «Ma mi dia licenza V.S.Ill.ma ch'io dica, che vi resta anco da fare per servitio di Nostro Signore, et che sebene si è previsto à sufficienza quanto ai ministri spettanti al Governo della Città di Roma, vi è nondimeno necessario anco l'istessa previsione quanto al

rung und Modernisierung; daß sie ihren Amtspflichten wegen der auch sie dominierenden Macht persönlicher Bindungen nicht immer nachkamen, läßt deren dysfunktionale Aspekte in ihrem Verhalten am klarsten hervortreten.

Zu überlegen bleibt, ob ein Kardinalnepot, der diese Beziehungen verkörperte und
verwaltete und somit als der größte Gegner der Staatsidee erscheinen mag, die inner-
behördliche Entwicklung nicht eher förderte als hemmte. So könnte die Konzentration der Patronagepolitik in der Hand des Papstneffen den Einfluß sachfremder
Faktoren auf die Arbeit der Verwaltungsgremien reduziert und diesen eine Politik
ohne Ansehen der Person erleichtert haben. Schließlich übernahm Borghese als Cardinale Padrone nicht nur einen Teil der Korrespondenz, um den sich bislang das
Staatssekretariat gekümmert hatte, sondern auch die Aufgabe, die klientelären
Aspekte der zur Debatte stehenden Sachfragen zu bedenken, die Förderungswürdig-
keit der Bittsteller zu gewichten, gegebenenfalls in die Arbeit der Gremien einzugreifen und für jene Zugeständnisse zu sorgen, mit denen die Stützen der päpstlichen
Herrschaft für Treue und Gehorsam belohnt werden mußten. Meldete er sich zu
Wort, waren die zuständigen Fachleute und Sekretäre als kompetentes Regulativ zur
sachlichen Überprüfung der gewünschten Vergünstigung und ihrer Folgen gefragt;
machte er keine individuellen Wünsche geltend, konnten sie sich ungestört auf die
Suche nach einer Lösung begeben, die einer überparteilichen Politik zum Wohle aller
am ehesten entsprach. Und wenn es dann noch um Entscheidungen ging, die weder
Freunde noch Verwandte der Sekretäre betrafen, dürfte wenigstens deren nicht unbedeutende Meinung allein auf sachliche Argumente gegründet gewesen sein.

Welchen Beitrag die organisatorische und personelle Trennung der Patronagepolitik von den Behörden allen inhaltlichen Überschneidungen und Eingriffen des
Nepoten zum Trotz zur Rationalisierung der kirchenstaatlichen Verwaltung und
der gesamten kurialen Politik geleistet hat, läßt sich auf der Grundlage nur eines
Pontifikates nicht entscheiden[26]. Doch daß es modernisierende Effekte gehabt ha-

---

*Governo del resto dello Stato ecclesiastico; la Consulta, et le Congregationi di bono regimine et di
sgravij sono la più parte in mano di creature sue, et queste seconde stanno peggio, che la prima,
perche vi interviene egli medesimo come Camerlengo, et è Secretario il Santarello tutto suo in anima,
et in corpo ... È necessario ovviamente à far mutatione, et di Cardinali, et di ministri inferiori acciò
che quei che governano di fuori habbiano confidenza di scriver' liberamente perche in questa forma
Sua Santità non è servita bene, et le relationi delle cause si fanno con timidità, et mille rispetti. non
mancano modi dà impiegar li cardinali in altri negotij che hanno implicanza con quelli della consulta
et di mandar' gli altri via con honore, et rimuneratione»* (FB II 433,90vf.). Bezeichnend ist, daß Paul
V. Caetano in den Schreiben Borgheses aus dem Staatssekretariat stets hinhielt und keine Maßnahmen ergriff (vgl. SS Bo 185,170r, und SS Bo 186,8r/v). Offenbar zählten für den Papst die Qualitäten
des Sekretärs mehr als seine klientelären Vorbelastungen.

[26] Da sich die vorliegenden Arbeiten zur kurialen Verwaltung kaum mit innerbehördlichen Entschei-
dungsprozessen und deren Kriterien befassen, ist ein Vergleich der Borghese-Zeit mit anderen Pontifikaten nicht möglich.

ben dürfte, wenn die Fachleute klienteläre Aspekte ignorieren konnten und sollten, unterstreicht der Versuch, dies als römische Variante des «going out of court» zu interpretieren[27]. Sekretäre, die grundsätzlich zur Familia des Papstes gehörten, können sich an dem Auszug der zentralen Regierungs- und Verwaltungsorgane aus Hof und herrscherlichem Haushalt, der als einer der grundlegenden Modernisierungsprozeße zwischen dem 12. und dem 17. Jahrhundert gilt, stricto sensu zwar nicht beteiligt haben. Doch zum einen ist es der neueren Forschung zufolge wohl keiner europäischen Verwaltung dieser Zeit gelungen, sich gänzlich dem Einfluß des Hofes zu entziehen, wie im übrigen selbst heutige Bürokratien an den rigorosen Weberschen Abstraktionen scheitern würden[28]. Und zum anderen sollte man den Hof, von dem es sich zu trennen galt, mindestens im Falle der römischen Kurie nicht in Haushalt und Familia des Herrschers suchen, sondern als den Ort definieren, an dem Faktionskämpfe ausgetragen, Patronageakte erbeten, individuelle Interessen vertreten, Gnaden gewährt – kurz: sämtliche Entscheidungen ausdrücklich und ausschließlich im Ansehen der Person getroffen wurden. Nur auf diese Weise wird der Hof zum Inbegriff vormoderner Herrschaftstechniken und Gegenpol der Bürokratisierung, das «going out of court» aber zum Synonym für die Loslösung der Behörden vom Kardinalnepoten, der diesen Bereich der kurialen Politik verkörperte. Ob zur Zeit Pauls V. ausgerechnet die römische Administration, die nominell vom Papstneffen als Personifizierung des Nepotismus und Klientelismus dominiert wurde, in inhaltlicher Hinsicht weiter «gone out of court» war als jede andere Verwaltung Europas[29], kann hier nicht entschieden werden. Doch daß die Aufgabenverteilung zwischen Nepot und Behörden dem römischen Staatssekretär eine bessere Ausgangsposition für seinen angeblichen Kampf gegen den Kardinalnepoten als Favoriten des Herrschers verschaffte, als sie seine europäischen Amtskollegen hatten, sollte sich im Verlauf des 17. Jahrhunderts und im folgenden Abschnitt zeigen.

---

[27] Zum «going out of court» und der diesbezüglichen Literatur vgl. Kap. I, Anm. 18.

[28] Mit diesem zutreffenden Einwand nimmt Kettering, S. 225, ihre französischen Frühbürokraten vor den – eben idealtypischen- Vorstellungen Webers in Schutz.

[29] Daß sich die Sekretäre gerade der politischen Behörde, die Borghese kaum noch, den Papst dagegen nahezu täglich sahen, mitunter an Paul V. statt an dessen Neffen wandten, wenn sie ein Empfehlungsschreiben des Kardinals für einen Freund oder Angehörigen begehrten, wie die Abfassung einiger dieser Briefe an die Stadt Ferrara im Staats- statt in Borgheses Privatsekretariat zeigte, weist in diese Richtung.

3. Von Paul V. zu Innozenz XII.:
Der Sieg des Staatssekretärs und die Schwerkraft struktureller Probleme

Um nicht nur den Aufgaben gerecht zu werden, die ihm sein Onkel übertragen hatte, sondern auch der Rolle, die man dem Papstneffen als der römischen Version der Günstling-Minister zuschreiben könnte, hätte Scipione Borghese dem Staatssekretär die Geschäfte der politischen Behörde keineswegs kampflos überlassen dürfen. Schließlich führten regierende Favoriten wie Olivares oder Richelieu vor, wie ein Günstling-Minister mit dem Staatssekretär zu verfahren hatte. Zunächst kaum mehr als bloße Ausfertigungsbehörden der Favoriten und ihrer Politik, mußten die Staatssekretariate der europäischen Mächte den Abschied der Günstling-Minister von der historischen Bühne abwarten, bevor sie selbst zu leitenden Behörden und Ministerien werden konnten. In Rom dagegen setzte sich der Sekretär weit früher durch[30], und so ist die Versuchung groß, seinen Sieg als Kapitulation des Nepoten zu interpretieren.

Ihre besseren Aufstiegsmöglichkeiten scheinen die Sekretäre des Papstes jedoch weniger dem geringen Machthunger von Nepoten wie Scipione Borghese als vielmehr den eingangs beschriebenen spezifischen Bedingungen des römischen Systems verdankt zu haben[31]. Denn da das Papsttum im Unterschied zu den restlichen Kronen Europas eine zölibatäre Wahlmonarchie, die Tiara nicht erblich und die Erhebung eines der Familie seines Vorgängers wenig wohlgesonnenen Kandidaten auf den Stuhl Petri die Regel war, mußten den Papstneffen andere Aufgaben zufallen als den Günstling-Ministern in Frankreich, England oder Spanien. Statt der Thronfolge erwartete die Angehörigen des verstorbenen Pontifex der Versuch seines Nachfolgers, sie ihres noch nicht in rechtlich unantastbare Form überführten Besitzes sowie ihres Einflusses an der Kurie zu berauben, und dem galt es mit der rechtzeitigen ökonomischen Versorgung der Papstfamilie und der Bildung und Pflege ihrer Klientel vorzubeugen. Besitz, Prestige und Gefolgschaft mußten daher von dem nur befristet verfügbaren hohen Amt, dessen Früchte sie waren, abgekoppelt und noch vor dem Tod seines Inhabers an dessen Familie gebunden werden. Der fehlenden Erblichkeit des Papstthrons wurde somit mit der vorzeitigen Übereignung seiner Erträge an den Kardinalnepoten begegnet, der nicht zufällig als einziger aus der Gattung der Favoriten mit dem Herrscher, der ihn berief, verwandt war und sich auf die Wahrung der familiären

---

[30] Vgl. Kraus, Secretarius, S. 79.
[31] Vgl. Kap. I.2.

Interessen zu konzentrieren hatte, während Staat und Kirche von anderen regiert werden konnten.

Umgekehrt verhielt es sich mit den Günstling-Ministern. Da keiner von ihnen über enge verwandtschaftliche Beziehungen zur Familie des Regenten verfügte, konnte der Zweck ihrer Berufung weder in der Bereicherung ihrer Familie, die nicht die königliche war, noch allein in einer Patronagepolitik bestanden haben, die zwar den Gesetzen patrimonialer Gesellschaften zufolge ein notwendiges Mittel der Herrschaft darstellte und den Zielen der Krone tatsächlich zur Durchsetzung verhalf, aber Klienten schuf, die eher dem Günstling als dem Herrscher selbst ergeben waren[32]. Beides betrieben die Favoriten nach Kräften[33], doch wenn sie dem Vorbild des Nepoten gefolgt und nur zur Versorgung ihrer Familie und der Klientel tätig geworden wären, hätten sie sich selbst abgeschafft[34]. Ihre Aufgabe und Legitimation bestand in der tatsächlichen Leitung der Politik, die ihnen der Herrscher übertragen hatte, und da die Günstling-Minister aus diesem Grund Konkurrenten um die Macht weder dulden konnten noch fürchten mußten, gelang es den Staatssekretären nicht, sich während des Favoritenregiments aus ihrer subalternen Stellung zu befreien.

In Rom dagegen öffnete sich der Weg der Sekretäre aus der Abhängigkeit vom Kardinalnepoten, als sich dieser auf die Patronagepolitik und die Interessen seiner Familie zu konzentrieren begann und seine Amtstitel lediglich zur Legitimation der enormen Einnahmen gebrauchte, ohne die zur Fiktion gewordene Machtrolle auszufüllen. Zurückgezogen von den Geschäften der Behörde hat sich der Kardinal zweifellos, doch scheint dies eher das Resultat eines freiwilligen Funktionswandels denn die Konsequenz aus der Niederlage in einem Machtkampf gewesen zu sein, den mindestens Scipione Borghese nicht geführt hat. Vielmehr spricht einiges für die Annahme, daß sich der Aufstieg des Sekretariats und seines Chefs, der in kürzerer Zeit eine steilere Karriere machte als jeder andere seiner Kollegen an den Höfen Europas[35], nicht auf Kosten des Nepoten, sondern mit dessen Hilfe vollzo-

---

[32] Dies beschreibt Nicholas Henshall, The Myth of Absolutism. Change and Continuity in Early Modern Monarchy, London 1992, S. 26, am Beispiel Frankreichs zur Zeit Ludwigs XIII. «Richelieu thus constructed his own network of ministerial clients. The chief minister was the king's client and placed at royal disposal his own clients, but the faction through which he ruled was not the king's but his own.» Daß dies laut Kettering nicht so bleiben sollte (vgl. Kap. I.1), wird weiter unten in Erinnerung zu rufen sein.

[33] Vgl. z. B. die in der Einleitung bereits genannten Untersuchungen über Aufstieg, Machtsicherung und Bereicherung Richelieus von Dethan, Dunkley, Bergin und Ranum.

[34] Daß ein solcher Rückzug im Falle der genannten Günstling-Minister undenkbar gewesen sei, betont auch Reinhard, Freunde, S. 58.

[35] Für Molas Ribalta, S. 33, war der Aufstieg des römischen Staatssekretärs «certainly the most remarkable career of a secretary of state in Europeen history». Daß dies mit den Unterschieden zwischen dem römischen Nepoten und den königlichen Favoriten im restlichen Europa zu tun haben könnte, die Molas Ribalta m. E. zu sehr einebnet, zieht er nicht in Betracht.

gen habe. So hatten die Sekretäre den Freiraum, den sie zum Ausbau des Amtes brauchten, der zur Fiktion gewordenen Machtrolle des Papstneffen zu verdanken: Indem der Nepot in die alltägliche Arbeit der Gremien kaum noch eingriff, aber weiterhin als ihr nomineller Leiter firmierte, war eine funktionale Lücke entstanden, in die die Sekretäre im Windschatten des Kardinals hineinwachsen konnten. Auch in den Kongregationen rückten sie in den Vordergrund: Sie leisteten den Großteil der Arbeit, referierten dem Papst und begannen, die Routinekorrespondenz im Vorfeld der Entscheidungsfindung im eigenen Namen zu führen[36]. Den Weg in die Präfekturen verstellten ihnen jedoch die Purpurträger unter den Mitgliedern der Gremien, die den für eine solche Position notwendigen roten Hut bereits besaßen und nach der Abschaffung des Nepoten als Institution 1692 dessen Erbe als Chef der Kongregationen antraten. Die politische Behörde dagegen war formal lediglich ein päpstliches Sekretariat, das die Anweisungen Seiner Heiligkeit zu Papier zu bringen hatte und – von seinem nominellen Leiter abgesehen – aus rangniederen Sachbearbeitern bestand. Ein Behördenchef, der sich von der Arbeit seiner Untergebenen zurückzog, den Titel aber beibehielt und somit die Neubesetzung dieser mit der Kardinalswürde verbundenen Position mit einem eifrigeren Standesgenossen blockierte, konnte daher nur durch einen der Sekretäre ersetzt werden. So wurde der nach Eignung statt nach klientelären Kriterien ausgewählte Chefsekretär zum wichtigsten Mitarbeiter und wohl nicht selten zum politischen Berater des Papstes, dessen Anweisungen er den Amtsträgern vor Ort mitzuteilen hatte.

Allerdings bedurfte es hierfür weiterhin der Unterschrift des Kardinalnepoten, an den die Vertreter Roms ihre Post adressierten. Offenbar war es den in der Regel mindestens mit einem Bischofstitel versehenen Nuntien und Legaten noch immer nicht zuzumuten, ihre Weisungen von rangniederen Beamten zu empfangen. Doch während dies zu Beginn des 16. Jahrhunderts den kardinalizischen Papstneffen an die Spitze der Behörde gebracht hatte[37], war nun die Zeit reif für

---

[36] In den Unterlagen der Verwaltungskongregationen in ASR finden sich zwar immer auch Schreiben der Gemeinden und Amtsträger vor Ort an die Präfekten, d. h. an den jeweiligen Kardinalnepoten (z. B. BG II 356: Bagnacavallo an Barberini, 28. Februar 1634; ebd., 251: Kardinallegat Donghi an Kardinal Pamphili, 23. Mai 1646; BG II 1614: Ferrara an Kardinal Chigi «In Congregatione de Sgravij», 22. August 1661; Kardinallegat Fransone an Chigi, 18. April 1663). Doch wenn es nur um die Beantwortung von Sachfragen und Bitten um Stellungnahmen ging, die die Sekretäre der zweiten Jahrhunderthälfte offenbar im eigenen Namen an die Legaten gerichtet haben, adressierten die Amtsträger vor Ort ihre Entgegnungen an die Sekretäre (z. B. BG II 1614: Kardinallegat Fransone an Monsignore Fani, 21. Juli 1663; b.251: Kardinallegat Corsini an «Monsignore Fani Segretario della Congregatione del Buon Governo», 4. Januar 1668 und 14. Januar 1668; Kardinallegat Casoni an «Monsignore Marabottini Segretario del Buongoverno», 20. November 1709).

[37] Vgl. Hammermayer, S. 162 f.

eine andere Lösung. Francesco Barberini glaubte 1643 zwar noch, die Promotion seines Vertrauten Spada verhindern zu müssen, um ihn als Staatssekretär durchsetzen zu können, und auch Ceva erhielt den roten Hut erst nach seinem Ausscheiden aus der politischen Behörde[38]. Kaum ein Jahr später ernannte Innozenz X. Pamphili jedoch mit Giangiacomo Panciroli einen Kardinal zum neuen Chefsekretär, der im Blick auf seinen Rang die Amtspost im eigenen Namen hätte führen können. Aber zunächst gab es mit Camillo Pamphili einen wenn auch äußerst schwachen Kardinalnepoten, und erst als dieser im Januar 1647 zurücktrat, um zu heiraten, und sein Onkel keinen Nachfolger für ihn bestimmte, war die Stunde Pancirolis gekommen: Als Adressat und Unterzeichner der politischen Korrespondenz Roms war er der erste, der die später institutionalisierte Rolle eines Kardinalstaatssekretärs einnahm. Zwar verlor er diese Aufgabe bald darauf an Camillo Astalli, den Innozenz X. im Herbst 1650 zum neuen Kardinalnepoten ernannte, doch nimmt dies dem Pamphili-Pontifikat nichts von seiner Bedeutung für den Aufstieg der Behörde und ihres Chefs. Dessen gewachsenem Einfluß trug die nun endgültig durchgesetzte Erhöhung seines Ranges Rechnung, denn fortan war es nicht mehr die Ausnahme, wenn ein Staatssekretär wie Lanfranco Margotti den roten Hut erhielt, sondern die Regel. Ab 1644 wurden wenn nicht gleich Kardinäle zu Chefsekretären, so doch die noch nicht promovierten Chefsekretäre zu Kardinälen ernannt[39]. Die Promotion Fabio Chigis vom 19. Februar 1652 etwa erfolgte bereits wenige Wochen nach seinem Dienstantritt in der politischen Behörde, und so konnte er deren Amtspost im eigenen Namen führen, nachdem der Kardinalnepot Astalli, dem Panciroli kaum zwei Jahre zuvor diese Aufgabe hatte überlassen müssen, einer Intrige zum Opfer gefallen war[40]. Chigis Karriere endete indes weder mit dem roten Hut noch im Staatssekretariat: Als Alexander VII. war er der erste Papst, der aus der politischen Behörde auf den Stuhl Petri gewechselt war, und als solcher brachte er sein früheres Amt der endgültigen Loslösung vom Kardinalnepoten einen großen Schritt näher. Denn zum einen führte sein Chefsekretär Giulio Rospigliosi die diplomatische Korrespondenz der Kurie bereits im eigenen Namen, als er noch nicht zum Kardinalat aufgestiegen war, und zum anderen blieb er mit dem nun offiziellen Titel eines *Segretario di Stato* der Empfänger und Unterzeichner der Amtspost, auch nachdem Alexander VII. nach Monaten des Zögerns mit Flavio Chigi einen Kardinalnepoten ernannt hatte[41]. Daß

---

[38] Vgl. ebd., S. 171, und Kraus, Secretarius, S. 77.

[39] Zur Entwicklung im Pamphili-Pontifikat vgl. Hammermayer, S. 171–176. Im übrigen stieg der Staatssekretär nach Kraus, Secretarius, S. 77, 1644 auch vom Protokollanten zum stimmberechtigten Mitglied der *Congregazione di Stato* auf.

[40] Vgl. Hammermayer, S. 176.

[41] Vgl. Hammermayer, S. 177 f., der die Erhebung Flavio Chigis zum Kardinalnepoten allerdings nicht erwähnt und somit den m. E. entscheidenden Punkt außer acht läßt.

auch Rospigliosi 1667 sein Amt als Kardinalstaatssekretär gegen die Tiara ein-
tauschte[42], unterstreicht nachdrücklich, welche Entwicklung die politische Behörde und die Position ihres Leiters innerhalb weniger Jahrzehnte genommen hatte:
Während die rangniederen Chefsekretäre zu Beginn des 17. Jahrhunderts aus
wenig namhaften Familien des städtischen Patriziats und des niederen Adels Italiens stammten, über einen Bischofstitel als Lohn für ihre Mühen hoch erfreut sein
konnten, mit höheren Ehren nach ihrem Ausscheiden aus dem Amt jedoch nicht
rechnen durften[43] und die Korrespondenz ihrer Behörde, deren Arbeit sie de facto
bereits leiteten, dem Nepoten zur Unterzeichnung vorlegen mußten, trugen ihre
Nachfolger seit der Mitte der 1640er Jahre ausnahmslos den roten Hut und die
Verantwortung für die Geschäfte des Staatssekretariats, dessen Post sie zunächst
nur bei ausbleibenden Nepotenernennungen, bald jedoch grundsätzlich im eigenen Namen führten und das einigen von ihnen als Sprungbrett bis auf den Stuhl
Petri diente[44].

Daß sich Einfluß, Rang und Karriereaussichten der Staatssekretäre in einem für
römische Verhältnisse erstaunlichen Maße erhöht hatten, konnte nicht ohne Folgen für die Kriterien bleiben, die über die Besetzung dieser Schlüsselstellung entschieden. Wichtiger als zuvor wurde nun das Vertrauen des Papstes in seinen

---

[42] Giulio Rospigliosi wurde am 20. Juni 1667 zum Papst gewählt und nannte sich Clemens IX.

[43] «Vom Staatssekretariat führte im allgemeinen kein Weg in die Hierarchie», urteilt Hammermayer,
S. 194, dem darin allerdings nur im Blick auf die erste Hälfte des 17. Jahrhunderts zuzustimmen ist.

[44] Nach Ansicht Menniti Ippolitos (Il tramonto, S. 58 f., Anm. 4) gibt es zwei grundfalsche Wege, den
Verschiebungen im Verhältnis zwischen Staatssekretär und Kardinalnepot nachzugehen: die hier
eingeschlagenen. So sei es unerheblich, welcher Sekretär als erster anstelle des Nepoten die Post der
Behörde unterzeichnete und als Adressat der Amtskorrespondenz fungierte, solange die Dinge sich
in den folgenden Pontifikaten wieder ändern und die Papstneffen abermals als Unterzeichner und
Adressat in Erscheinung treten konnten. Allerdings sucht Menniti Ippolito selbst nach Hinweisen
auf die wachsende Bedeutung der Sekretäre (vgl. ebd., S. 50), und so bleibt unklar, warum er ausgerechnet die für alle Korrespondenzpartner Roms augenfälligen Zeichen der Veränderung im kurialen
Gefüge wie die Unterschrift unter der Amtspost geringschätzt. Im übrigen handelt es sich bei seiner
als Argument gegen die Interpretation der Unterschrift als Hinweis auf die Machtverhältnisse gedachten Frage, wie denn zu erklären sei, daß bereits Feliciani die Amtspost unterzeichnete (vgl. ebd.,
S. 58 f., Anm. 4), um ein Mißverständnis: Wenn der Name des Sekretärs auf dem Rücken einiger
Auslaufregister zu finden ist, was nicht nur für die von Menniti Ippolito genannten Bände SS Ven
269 und 270, sondern für viele der Register aus dem Staatssekretariat Pauls V. gilt, ist dies ein
Hinweis auf den zuständigen Ressortchef, nicht auf den Unterzeichner des hier registrierten Auslaufs
(vgl. Kap. II, Anm. 49 und 53), den Feliciani einzig und allein während Borgheses Erkrankung im
Jahr 1610 unterschrieben hat (vgl. Kap. IV, Anm. 172). Für den zweiten falschen Weg hält Menniti
Ippolito die Suche nach dem ersten kardinalizischen Staatssekretär, «come se la porpora di per sé
potesse garantire particolare dignità al ruolo» (Il tramonto, S. 59, Anm. 4). Eine Garantie für Einfluß
war der rote Hut sicherlich nicht, doch was hätte die Aufwertung eines Amtes deutlicher markieren
können als seine dauerhafte Verbindung mit dem Kardinalat, das, wie Menniti Ippolito in Anlehnung
an Paolo Prodi selbst schreibt (ebd., S. 130), als Höhepunkt jeder Ämterlaufbahn galt?

politischen Berater und dessen Treue und Ergebenheit. Panciroli etwa verdankte den roten Hut zwar seiner Tätigkeit als Maggiordomo Francesco Barberinis und als Nuntius Urbans VIII. in Spanien, die Berufung ins Staatssekretariat Innozenz' X. aber seinem engen persönlichen Verhältnis zu Giovanni Battista Pamphili, dem er am Beginn seiner Karriere als Auditor gedient und im Konklave von 1644 zur Wahl verholfen hatte[45]. Doch Panciroli blieb der einzige Schneiderssohn[46], der es an die Spitze der politischen Behörde brachte, denn Hand in Hand mit der Rangerhöhung des Staatssekretärs wuchsen die sozialen Anforderungen an die Kandidaten für dieses Amt. So rekrutierten sich die Chefsekretäre in der zweiten Jahrhunderthälfte verstärkt aus namhaften Familien, die nicht selten Kardinäle oder gar Päpste in ihren Ahnenreihen aufzuweisen hatten[47]. Die persönliche Bindung an den Papst und eine angemessene soziale Herkunft konnten indes nicht die einzigen Kriterien für die Vergabe eines Amtes sein, dessen Inhaber die kuriale Politik wenn nicht gestaltete, so doch maßgeblich beeinflußte. Diplomatisches Geschick und politisches Gespür waren mehr denn je gefragt, und wer dies, wie Fabio Chigi als Kölner Nuntius und Vertreter Roms bei den Friedensverhandlungen in Münster, unter Beweis gestellt und den Pontifex allein mit seinen Berichten beeindruckt hatte, mußte sich nicht mehr wundern, wenn mit der üblichen Nuntiaturkorrespondenz die Berufung in das Staatssekretariat eines Papstes einging, dem er nie zuvor persönlich begegnet war[48]. Nicht zuletzt dank der zwar sozial modifizierten, im Kern jedoch konstanten Bedeutung fachlicher Qualitäten bei der Auswahl der Staatssekretäre war deren Stellung schon lange gefestigt, als ihnen Innozenz XII. 1692 auch offiziell die Leitung der Behörde und den Titel eines Kardinalstaatssekretärs übertrug.

Gleichzeitig wurde die Institution des Kardinalnepoten abgeschafft, doch hatte dieser den Aufstieg des Sekretärs nicht als Rivale bekämpft, sondern mit seinem schrittweisen Rückzug erleichtert. Daß das Verhältnis zwischen Sekretär

---

[45] Vgl. Hammermayer, S. 171, Anm. 38, und S. 172. Nach Weber, Senatus, S. 162, galt Panciroli «als der einzige Kardinal, der einen stabilen und politisch durchschlagenden Einfluß auf den Papst hatte. Er hatte de facto die Stellung eines ersten Beraters und vertrauten Freundes», was erklären könnte, warum Panciroli einen zum Tode führenden Zusammenbruch erlitt, nachdem ihn der erkrankte Papst nicht empfangen hatte, vgl. ebd., S. 162 f. Menniti Ippolito, Il tramonto, S. 49, folgt hingegen dem Urteil der venezianischen Botschafter und führt Pancirolis hervorgehobene Stellung an der Kurie auf seine Ergebenheit gegenüber der einflußreichen Papstschwägerin Donna Olimpia zurück.

[46] Vgl. Hammermayer, S. 193.

[47] So waren nach Weber, Senatus, sowohl Fabio Chigi (vgl. S. 458: Nr. 443) als auch Alderano Cibo (vgl. S. 246, 364: Nr. 32, 457: Nr. 433) Papstnachkommen; letzterer hatte sogar zwei Päpste im Stammbaum.

[48] So wenigstens schildert Pastor, Bd. 14,1, S. 35, die Berufung des von Kardinal Spada ins Gespräch gebrachten Fabio Chigi durch Innozenz X.

und Nepot eher als friedliche Koexistenz denn als Konkurrenz zu beschreiben ist[49], demonstrieren gerade jene Staatssekretäre, deren Amtszeit eine neue Etappe im Aufstieg der Behörde einleitete: Panciroli selbst soll an der Neubesetzung des Nepotenamtes gelegen gewesen sein, obwohl ihm dies die Möglichkeit nahm, die Amtspost im eigenen Namen zu führen; Fabio Chigi versuchte Camillo Astalli in der schließlich erfolgreichen Intrige gegen diesen zu halten, anstatt den Sturz des Nepoten freudig zu begrüßen und ihm die diplomatische Korrespondenz zu entreißen; und als im Vorfeld der Bulle von 1692 über die Abschaffung der institutionalisierten Nepotenrolle beraten wurde, tat sich unter den wenigen Kardinälen, die diesen Schritt ablehnten, ausgerechnet Dezio Azzolini hervor, der bereits in der Zeit Innozenz' X. zum mächtigen Chiffren- und interimistischen Staatssekretär aufgestiegen war und im Pontifikat Clemens' IX. die alleinige Leitung der Geschäfte innegehabt hatte[50]. Wie die Kardinalstaatssekretäre die Nepoten keineswegs als Konkurrenten begreifen und bekämpfen mußten, machte die Förderung des Staatssekretariats einen Papst noch lange nicht zum Gegner des Nepotismus. Innozenz X. schwang sich zwar auf, die Barberini für die Plünderung der römischen Schatztruhen zur Kasse zu bitten, doch galt er bald als Statthalter seiner Schwägerin Olimpia Maidalchini und diese als Verkaufsstelle

---

[49] Von der zwangsläufigen Konkurrenz zwischen Staatssekretär und Kardinalnepot gehen nicht nur die von der Görres-Gesellschaft veröffentlichten Untersuchungen zum Staatssekretariat aus, sondern auch neuere Arbeiten, die sich auf die Befunde von Semmler, Kraus und Hammermayer stützen. So verweist Del Re in der 1970 erschienenen dritten Auflage seiner Curia romana bei der Darstellung des Nepoten als zentraler Figur der kurialen Politik auf Kraus, Amt und Stellung (Del Re, S. 65 und ebd., Anm. 2), und da er für die 1998 veröffentlichte, um zwischenzeitliche Veränderungen an der Kurie und neuere Literatur ergänzte (aber hier aus dem zu nennenden Grund nicht berücksichtigte) vierte Auflage zwar Laurain-Portemers (Über-)Interpretation der Ernennungsbreven der Nepoten zu Superintendenten, nicht aber die mittlerweile erschienenen Arbeiten zur Patronage als Herrschaftstechnik berücksichtigt, wird sein Bild des Nepoten, «nelle cui mani si accentrava il potere effettivo di governo» (4. Auflage, Vatikanstadt 1998, S. 77, Anm. 1), noch einseitiger. Ähnliches gilt für Menniti Ippolito, der sich zwar energisch gegen die übliche Konzentration «sull'aspetto della competizione tra poteri» ausspricht und für den Blick «sull'equilibrio tra i medesimi» plädiert (Il tramonto, S. 28), diesen m. E. richtigen Ansatz in seinem Kapitel über Staatssekretär und Nepot (ebd., S. 29–70) aber nicht durchhält und seinerseits den Sekretär zum «serio competitore del nipote» erklärt (ebd., S. 31). Dies dürfte mit Menniti Ippolitos Orientierung an den (ebd., S. 58, Anm. 2, fälschlicherweise dem Deutschen Historischen Institut in Rom zugeschriebenen) Arbeiten der Görres-Gesellschaft zusammenhängen.

[50] Vgl. Hammermayer, S. 174–176, und Reinhard, Nepotismus, S. 182, Anm. 196. Am ausführlichsten über Person und Stellung Azzolinis sowie über seine Argumente und schriftlichen Stellungnahmen in der Nepotismus-Debatte berichtet Marie-Louise Rodén, Cardinal Dezio Azzolino and the Problem of papal Nepotism, in: AHP 34 (1996), S. 127–157, die als Anhang Azzolinis Voto von 1679 ediert (ebd., S. 150–157). Diese Stellungnahme referiert und interpretiert auch Menniti Ippolito, Il tramonto, S. 96–100.

päpstlicher Gnaden[51]. Und wer wissen wollte, welche Summen der ehemalige Staatssekretär Fabio Chigi als Alexander VII. zur Verherrlichung seiner Casa auszugeben bereit war, mußte nur von der Porta del Popolo über den Corso und die alte Via papalis zum Petersdom spazieren und auf die ohnehin unübersehbaren Chigi-Wappen achten, die den barock umgestalteten Triumphweg durch die Ewige Stadt säumten und noch heute säumen[52].

Möglich wurde das friedliche Miteinander von Staatssekretär und Nepot[53] durch die Trennung ihrer Zuständigkeitsbereiche und der Loslösung der Behörde vom Papstneffen, die mit der Bulle von 1692 auch formal abgeschlossen war, doch bereits in den ersten Jahrzehnten des 17. Jahrhunderts zu beobachten ist. Daß schon im Pontifikat Pauls V. die Weichen für diese Entwicklung gestellt waren, fand seinen behördenorganisatorischen Ausdruck in der Errichtung eines eigenständigen Patronagesekretariats, wird aber nirgends deutlicher als in der Amtspost, die Borghese aus gesundheitlichen Gründen nicht unterzeichnen konnte. So steht unter den Schreiben der Kongregationen der Name Tontis zu lesen, der zwar den Gremien nicht angehörte, aber ein Vertrauter des Nepoten war und somit den nominellen Behördenchef, nicht die Behörde selbst verkör-

---

[51] Zum Vorgehen des Pamphili-Papstes gegen die Barberini vgl. Pastor, Bd. 14,1, S. 41–45; zu deren Nepotismus vgl. ders., Bd. 13: Geschichte der Päpste im Zeitalter der katholischen Restauration und des Dreißigjährigen Krieges. Gregor XV. und Urban VIII. (1621–1644), Freiburg 1928, Teilband 1, S. 253–261, und Georg Lutz, Rom und Europa während des Pontifikats Urbans VIII. Politik und Diplomatie. Wirtschaft und Finanzen. Kultur und Religion, in: Reinhard Elze, Heinrich Schmidinger, Hendrik Schulte Nordholt (Hgg.), Rom in der Neuzeit. Politische, kirchliche und kulturelle Aspekte, Wien 1976, S. 72–167, hier: S. 137–140. Zu Olimpia Maidalchini und ihrem Einfluß auf Innozenz X. vgl. Pastor, Bd. 14,1, S. 28–30. Zu Benefizienhandel vgl. Weber, Senatus, S. 222–225. Mit der Rolle Olimpias befaßten sich zahlreiche Pasquinaten aus dem Pontifikat ihres Schwagers, von denen einige wiedergegeben werden bei Arzone, z. B. S. 19: «Marforio: *Oh, Pasquino, vieni dal Vaticano?* Pasquino: *Sì*. M.: *Hai visto il papa?* P.: *No, era inutile. Ho veduto la signora Olimpia.*» Oder ebd., S. 20: «Pasquino: *Dov'è la porta di Donna Olimpia?* Marforio: *Chi porta, vede la porta; chi non porta, non vede la porta.*»

[52] Wem dieser Weg zu weit ist, sei auf ein wunderbares Buch hingewiesen: Richard Krautheimer, The Rome of Alexander VII, 1655–1667, Princeton 1985. Was die Römer beim Anblick des Chigi-Wappens dachten, schildert folgende Pasquinate, zit. nach Arzone, S. 25: «Marforio: *Mi sai dire, Pasquino, cosa significa la montagna, l'albero e la stella che si vedono sullo stemma di casa Chigi?* Pasquino: *La montagna è il Calvario, dove Roma soffre la sua passione e sulla quale i carnefici si dividono i suoi beni e le sue spoglie. L'albero è quello della croce, non di Cristo, ma del cattivo ladrone, su cui il nepotismo di Alessandro ha inchiodato il popolo romano. La stella è una cometa, la quale presagisce la ruina della città, che sotto gli Alessandri n'ebbe sempre ad assaggiar di tutte.*»

[53] Um Mißverständnisse zu vermeiden: Daß es ausgerechnet zwischen diesen beiden Kardinälen keine Reibungen gegeben habe, soll hier nicht behauptet werden, doch – und nur darum geht es – mußten sie sich nicht von Amts wegen bekämpfen.

perte[54]. Die Anweisungen des Staatssekretariats, das offensichtlich ein weit höheres Maß an Eigenständigkeit erlangt hatte, trugen dagegen die Unterschrift des amtierenden Chefsekretärs,[55] dessen Autorität nicht in seinem persönlichen Verhältnis zu Borghese, sondern in seinem Amt wurzelte und wenigstens in Ausnahmefällen wie diesem ausreichte, um den Namen des Papstneffen zu ersetzen. Manchen Nepoten mochte die wachsende Autorität des Staatssekretärs ein Dorn im Auge gewesen sein, doch ließ sich dessen Aufstieg weder rückgängig machen noch aufhalten. Francesco Barberini hat dies in seiner Auseinandersetzung mit Ceva erfahren, und so dürfte der Neffe Urbans VIII. gewußt haben, daß er und seine Amtsnachfolger als tatkräftige Behördenleiter nicht mehr gebraucht wurden. Wäre dies der Grund für den Schritt von 1692 gewesen[56], hätte er Jahrzehnte zuvor erfolgen können, doch richtete sich die Bulle Innozenz' XII. nicht gegen die schon vor langem zur Fiktion gewordene Machtrolle des Nepoten, sondern gegen das, was diese rechtfertigen sollte: die Bereicherung der Papstfamilie[57].

---

[54] Daß Tonti während Borgheses Erkrankung 1610 die von Privatsekretariat und Güterverwaltung abgewickelte Korrespondenz des Nepoten an dessen Stelle führte, wurde in Kap. IV.3.a dargelegt. Laut Stader, S. 106, Anm. 21, trugen die Anweisungen des Buon Governo an den Gouverneur von Perugia in Archivio di Stato Perugia, Carteggio, *Lettere al Governatore 1 (1558–1630)* von September bis November 1610 ebenfalls die Unterschrift Tontis. Daß dies schon für August 1610 und auch für andere Gremien gilt, zeigen der im Auftrag Borgheses erstellte Brief Tontis an Ferrara vom 14. August 1610 in CC 167/7,5 sowie das Schreiben des Magistrats vom 25. September 1610 an den Sekretär der Wasserkongregation, in dem die Stadt zu Vorwürfen Stellung nahm, die Tonti offenkundig in Vertretung des Präfekten Borghese gegen sie erhoben hatte (CP 171/H,36r–37v).

[55] Vgl. Kap. IV, Anm. 172.

[56] Was in den Veröffentlichungen der Görres-Gesellschaft angenommen wird, vgl. z. B. Hammermayer, S. 201. Daß der Botschafter Bolognas und wohl auch sein Ferrareser Kollege über die Anliegen ihrer Stadt schon vor 1692 mit dem Kardinalstaatssekretär redeten (so z. B. 1685 mit Alderano Cibo, vgl. Umberto Mazzone, «Evellant vicia ... aedificent virtutes»: Il Cardinale legato come elemento di disciplinamento nello Stato della Chiesa, in: Paolo Prodi (Hg.), Disciplina dell'anima, disciplina del corpo e disciplina della società tra medioevo ed età moderna (Annali dell'Istituto storico italo-germanico, Quaderno 40), Bologna 1994, S. 691–731, hier: S. 721), unterstreicht den bereits vollständigen Funktionsverlust des Nepoten in der Behörde. Innozenz XII. war dies nicht entgangen, hatte er seine Berichte als Bologneser Legat doch an den Kardinalstaatssekretär adressiert (vgl. ebd., S. 709, und v. a. ders., «Con esatta e cieca obedienza.» Antonio Pignatelli cardinal legato di Bologna (1684–1687), in: Bruno Pellegrino (Hg.), Riforme, religione e politica durante il pontificato di Innocenzo XII (1691–1700), Lecce 1994, S. 45–94, v. a. S. 46, Anm. 5).

[57] Daniel Büchel danke ich für den Hinweis, daß Innozenz XII. über keinen für das Nepotenamt geeigneten männlichen Verwandten verfügte (was sowohl Pastor, Bd. 14,2, S. 1083, v. a. Anm. 5, als auch der Stammbaum für die Pignatelli, Marchesi di Spinazzola, bei Christoph Weber, Genealogien zur Papstgeschichte (Georg Denzler (Hg.), Päpste und Papsttum, Bd. 29, I+II), 2 Bde., Stuttgart 1999, hier: Bd. 2, S. 765, bestätigt) und somit weniger Grund als seine Vorgänger hatte, am Nepotismus als Technik zur Bereicherung der eigenen Familie festzuhalten. Dies ändert nichts an den Verdiensten

Auch die Kritik an der Versorgungsfunktion des institutionalisierten Nepotismus, deren Lautstärke mit der römischen Finanzkrise wuchs, konnte Francesco Barberini nicht entgangen sein, hatte sein Onkel doch spätestens mit dem kostspieligen Castro-Krieg die Papstfinanz dem Bankrott nahe- und die römische Bevölkerung in ihren Pasquinaten zum Stöhnen über die gefräßigen Bienen der Barberini gebracht[58]. Zwar scheiterten die Versuche, die Nepoten von der historischen Bühne zu verbannen, zunächst an der Schwerkraft der Verhältnisse, dem Gebot der Pietas[59] und der Personalunion von potentiellen Reformern und Opfern der Reform. So berief Innozenz X. nach dem Rücktritt Camillo Pamphilis schließlich doch noch einen neuen Nepoten, während Alexander VII. dem Druck seiner römischen Umwelt nicht lange standhielt und seine anfänglich vernachlässigten Verwandten kaum ein Jahr nach seiner Wahl nach Rom und in den Genuß der üblichen Wohltaten kommen ließ[60]. Doch da auch die Nachfolger des Chigi-Papstes weder auf die Ernennung eines Kardinalnepoten noch auf die Bereicherung ihrer Familien verzichteten[61], nahmen die Finanznot der Kurie und der Druck der öffentlichen Meinung unverändert zu. Als dann noch Alexander VIII. die Versorgungsfunktion des Nepotismus auf einen neuen Höhepunkt führte[62], durchbrach er damit nicht nur die Grenzen des bislang Tolerierten, sondern auch den letzten Widerstand des Kollegiums. Nun stimmten die Kardinäle dem schon des öfteren diskutierten Projekt zu, das Innozenz XII. mit der Bulle *Romanum decet pontifi-*

---

des ja auch in Sachen Ämterhandel reformfreudigen Pignatelli-Papstes (s.u.). Zu dessen Pontifikat vgl. den Tagungsband von Bruno Pellegrino (Hg.), Riforme, religione e politica durante il pontificato di Innocenzo XII (1691–1700), Lecce 1994.

[58] Vgl. Reinhard, Nepotismus, S.179. Pasquino, von dessen Äußerungen über Urban VIII. einige bei Arzone, S.11–16, nachzulesen sind, schlug als Grabinschrift für «*papa gabella*» (ebd., S.12) vor (zit. nach ebd., S.16): «*Pauca haec Urbani sint verba incisa sepulcro: Quam bene pavit Apis, tam male pavit Ovis.*»

[59] Laut Reinhard, Papa Pius, S.298f., war die Zeitspanne von 1559 bis 1676 eine der Phasen, in denen die Bedeutung der *pietas* als «Motiv für das soziale Verhalten der Päpste den Kulminationspunkt» erreichte (ebd., S.299).

[60] Zu Innozenz X. vgl. Hammermayer, S.174, zu Chigis Zögern und späterem Nepotismus vgl. Pastor, Bd.14,1, S.315–320.

[61] Vgl. z.B. Pastor, Bd.14,1, S.534f., 618–622.

[62] Vgl. ebd., S.1054–1056, sowie Menniti Ippolito, Il tramonto, S.111, der die Wahl Pietro Ottobonis von 1689 als Sieg des konservativen Lagers an der Kurie über den unter Innozenz XI. 1679 erstmals in die Offensive gegangenen reformbereiten Flügel interpretiert, die von Alexander VIII. in knapp zwei Jahren in die Taschen seiner Verwandtschaft umgeleiteten Gelder auf über 700 000 Scudi beziffert, den sofort nach dem Tod Alexanders VIII. einsetzenden Abstieg der Familie Ottoboni als Zeichen für das nahende Ende des institutionalisierten Nepotismus deutet, aber den eigentlichen Grund für die Zustimmung der Kardinäle zu der unter Innozenz XI. noch abgelehnten Reformbulle in den inzwischen vollzogenen personellen Umbesetzungen im Heiligen Senat sieht.

cem vom 22. Juni 1692 verwirklichte[63]. Mit den traditionellen Nepotenämtern, die die weltlichen Verwandten im Bereich des Militärs und der kardinalizische Papstneffe als Legat von Avignon, Gouverneur mehrerer Städte und vor allem als Sopraintendente dello Stato Ecclesiastico in der staatlichen Verwaltung eingenommen hatten, wurden die rechtlichen Grundlagen des institutionalisierten Nepotismus abgeschafft. Den Nepoten waren somit die Machtrollen, die sie schon lange nicht mehr ausgefüllt, doch bis zuletzt zur Legitimierung ihrer Bereicherung genutzt hatten, abhanden gekommen, den kurialen Gremien aber ihre untätigen Leiter. Daß dem Kardinalstaatssekretär die Geschäfte der politischen Behörde, die er de facto seit Jahrzehnten führte, nun auch offiziell übertragen wurden, während die Sekretäre der Kongregationen lediglich einen neuen Vorgesetzten erhielten, zeigt deutlich, welche Aufstiegsmöglichkeiten sich dem Staatssekretär im Windschatten des Nepoten geboten hatten. Doch auch aus den Verwaltungskongregationen waren selbständige Gremien geworden, die weder der Autorität des Papstnamens unter ihren Anordnungen noch der Koordinierung der zwischenbehördlichen Kooperation durch den Superintendenten als nominellem Leiter der wichtigsten Einrichtungen bedurften. Die Ausdifferenzierung des römischen Verwaltungsapparats, der nicht länger an die Familie des regierenden Papstes angebunden werden mußte, war indes nicht die Folge des Einschnitts von 1692, sie war eine seiner Voraussetzungen. Denn da der Kardinalnepot nach der Abschaffung seiner institutionalisierten Rolle auch als offizielles Haupt der Klientel nicht mehr zur Verfügung stand, scheint der nicht zuletzt durch seinen schrittweisen Rückzug möglich gewordene Ausbau der Behörden die latente Herrschaftsfunktion des Nepotismus entbehrlich gemacht zu haben[64].

Hier aber ist Vorsicht angebracht: Verschwunden war die Konzentration der Patronagepolitik in der Hand des Papstneffen, nicht die Bedeutung persönlicher Beziehungen, die unverändert die Gesellschaft strukturierten und über die Karrierechancen ihrer Mitglieder bestimmten. Möglicherweise half die Ablehnung des

---

[63] Frühere Anläufe, die Beratungen über die Bulle von 1692 und deren Inhalt werden knapp geschildert bei Reinhard, Nepotismus, S. 180–183, und ausführlich behandelt bei Menniti Ippolito, Il tramonto, der in Kap. 3 (Il dibattito curiale sul nepotismo, S. 71–126) die Behandlung des Themas Nepotismus vom kritischen Vorstoß Bellarmins im Jahre 1612 über die wohl nur zur Legitimierung der bisherigen Praxis erfolgten Befragungen der Kardinäle und Experten durch Urban VIII. und Alexander VII. bis hin zum gescheiterten Reformversuch Innozenz’ XI. von 1679 und dem Erfolg Innozenz’ XII. 1692 darlegt.

[64] Vgl. Reinhard, Nepotismus, S. 181. Möglicherweise waren die seit Beginn des 17. Jahrhunderts von einigen Päpsten unternommenen Versuche, ohne Kardinalnepot zu regieren, nicht nur am Gebot der Pietas und den Verlockungen des Nepotismus gescheitert, sondern auch, weil die Staatssekretäre dieser Zeit noch des Windschattens des Nepoten bedurften, um ihre Stellung weiter auszubauen. Kardinal Valenti hätte dieser Annahme angesichts seiner Erfahrungen mit den Botschaftern und deren Weigerung, mit ihm zu verhandeln, gewiß zugestimmt.

institutionalisierten Nepotismus Kategorien wie Qualifikation und Verdienst, sich gegen das Übergewicht der Verwandtschaft als dominierendem Kriterium für die Konstituierung solcher Beziehungen durchzusetzen, wie Gunnar Lind zu bedenken gibt[65]. Doch daß mit dem Nepoten 1692 auch die Patronagepolitik abgeschafft worden wäre, darf man bezweifeln, und so wüßte man gern, wem fortan die Bearbeitung der entsprechenden Briefwechsel oblag. Schließlich war die Ausgliederung der Patronagekorrespondenz nur dort sinnvoll, wo die Interessen des Klientelchefs, etwa durch den Tod seines regierenden Onkels, von den Interessen der Krone abweichen konnten. Im Frankreich Richelieus hat diese Art der Korrespondenz das Staatssekretariat daher nie verlassen, und wenn sie in Rom nach 1692 dorthin zurückgekehrt sein sollte, ließe sich dies als Schritt zur Verstaatlichung der Patronagepolitik und somit als Modernisierung eines vormodernen Herrschaftsinstruments deuten[66].

Einer solchen Modernisierung waren in der zölibatären Wahlmonarchie jedoch Grenzen gesetzt, und an diesen Grenzen sollten sich die Wege des Kirchenstaats von der inneren Entwicklung der europäischen Kronen trennen. Was damit gemeint ist, mag eine Erinnerung an Sharon Ketterings Befunde für das Frankreich des 17. Jahrhunderts verdeutlichen. Dort hatte der gezielte Aufbau administrativer Networks als soziale und funktionale Konkurrenz zu den Klientelverbänden des hohen Adels in der Provinz eine Politisierung des Klientelismus in Gang gesetzt, in deren Verlauf die personale Dimension der Beziehungen zugunsten pragmatischer Aspekte in den Hintergrund und die Effizienz des Verwaltungsapparats an die Stelle getreten war, die zuvor die Treue zur Person des Patrons eingenommen hatte. Am Ende dieses Prozesses war der König als Verkörperung des Staates, ja der Staat selbst zum Patron, der Klient zum Untertan und die Patronage als einst

---

[65] Vgl. Gunnar Lind, Great Friends and Small Friends: Clientelism and the Power Elite, in: Wolfgang Reinhard (Hg.), Power Elites and State Building, 13th–18th Centuries (The Origins of the Modern State IV), Oxford 1996, S. 123–147, v. a. S. 129.

[66] Zum Staatssekretariat unter Richelieu vgl. Ranum, S. 45–76. Wie die französischen Staatssekretäre mit den Bittbriefen der Untertanen zu verfahren hatten, konnten sie ihren Dienstvorschriften im Detail entnehmen, so z. B. dem *Règlement* vom 21. Juni 1617, ed. ebd., S. 185–189. Da es die Sekretäre für ihre Pflicht hielten, Richelieu als ihren Patron stets über die eingelaufene Post zu informieren und personalpolitische Entscheidungen des Königs zu verzögern, damit sich der Kardinal einschalten konnte, kommt Ranum, S. 67, zu dem Schluß: «It was through the secretaries that Richelieu controlled patronage.» Könnte es sein, daß nicht nur Richelieu die Patronagepolitik durch das Staatssekretariat, sondern auch das Staatssekretariat die Patronagepolitik Richelieus kontrolliert hat? Ob die behördenorganisatorische Verquickung von Patronage- und diplomatisch-politischer Korrespondenz die dysfunktionalen Folgen des Klientelismus reduziert hat, wäre der Überprüfung wert. Wer in Rom nach 1692 die Patronagekorrespondenz bearbeitete, gibt die Literatur zum Thema nicht zu erkennen, und so scheint eine Untersuchung mindestens der politischen Behörde für die Zeit nach diesem Datum, die bereits Jaschke, S. 134, gefordert hat, tatsächlich sehr wünschenswert.

fundamentales Herrschaftsinstrument durch die entwickelte Bürokratie ersetzbar geworden[67]. Unter den spezifischen Bedingungen des römischen Systems dagegen mußte die Orientierung an administrativer Effizienz von untergeordneter Bedeutung gegenüber der Treue zur Papstfamilie und diese an einen jüngeren Angehörigen des amtierenden Papstes gebunden bleiben, denn nur so konnte die Klientel nach dem Tod des Pontifex vom Apostolischen Stuhl als abstrakter Größe gelöst und in den Dienst einer Familie gestellt werden, die sich gegen die Maßnahmen des neuen Regenten zu behaupten hatte. Eine Politisierung klientelärer Bindungen und deren Konzentration auf den König als aktueller Verkörperung des zeitlosen Staates mag in Monarchien mit etablierten Herrscherhäusern ein erstrebenswertes Ziel und wichtiger Faktor für Staatsbildung und Modernisierung gewesen sein. Doch in Rom war ein solcher Prozeß weder erwünscht noch imstande, sich im ständigen Wechsel der regierenden Familien durchzusetzen[68].

Das stete Drehen des durch den Wahlcharakter des Papsttums und den Zölibat in Gang gehaltenen Personalkarussells auf der höchsten Ebene blieb indes nicht ohne Folgen für die Rekrutierung der Klienten in und außerhalb der Ämter und für deren Verhalten: Die Intendanten Colberts waren die Söhne und Enkel der Intendanten, die einst Richelieu und Mazarin gedient hatten[69], die Angehörigen des kirchenstaatlichen Apparats dagegen zölibatäre Geistliche. Den Einstieg in die römische Laufbahn konnten sie sich und ihren Neffen zwar in Form eines Amtes erkaufen, doch den weiteren Verlauf ihrer Karriere mußten sie mit der Herstellung und Pflege vielfältiger Beziehungen zu den Mächtigen und zu hoffnungsvollen Bewerbern um die Nachfolge an der Spitze absichern und vorantreiben. Und da auch sie auf nepotistische Praktiken angewiesen waren, um die Früchte ihrer Mühen in den Besitz ihrer Familien zu überführen, scheinen Klientelismus und Nepotismus keine Privilegien der Papstfamilie gewesen zu sein, sondern die Voraussetzung für Erfolg und Kontinuität auf allen Stufen der kirchenstaatlichen Hierarchie. Vor diesem Hintergrund wird verständlich, warum die Klerikalisierung des römischen Verwal-

---

[67] Vgl. Kettering, v.a. S.232–237, auf deren Ergebnisse bereits in Kap.I.1 eingegangen wurde.

[68] Die große Bedeutung der dynastischen Erbfolge für den Staatsbildungsprozeß wird ausführlich diskutiert in Johannes Kunisch (Hg.), Der dynastische Fürstenstaat. Zur Bedeutung von Sukzessionsordnungen für die Entstehung des frühmodernen Staates (Historische Forschungen, Bd.21), Berlin 1982. Daß sich der Kirchenstaat als «absolute Wahlmonarchie … als veraltete, dem dynastischen Fürstenstaat unterlegene politische Form (entpuppte)», berichtet Wolfgang Reinhard, Bemerkungen zu «Dynastie» und «Staat» im Papsttum, in: ebd., S.157–161, hier: S.161. Daß dies keineswegs nur für Rom galt, ruft der Beitrag von Helmut Quaritsch in der Schlußdiskussion in Erinnerung (vgl. die Schlußdiskussion in ebd., S.365–383, hier: S.376): «Nicht zufällig, sondern systembedingt erstarrten die Wahlmonarchien Polen und das Reich in ihren Strukturen und wurden schließlich von jenen Staaten aus der politischen Landkarte radiert, die ihre Herrschaft besser organisiert hatten».

[69] Vgl. Kettering, S.203.

tungsapparats die innere Entwicklung des Kirchenstaats trotz seines anfänglichen Vorsprungs vor den europäischen Monarchien gelähmt und schließlich zum Stillstand gebracht hat. Zwar verfügte der Papst als geistliches Oberhaupt über weit bessere Zugriffsmöglichkeiten auf die Kirche seines Staates als seine europäischen Herrscherkollegen, die sich deren finanzielle und personalpolitische Ressourcen mühsam erkämpfen mußten und ihr Disziplinierungspotential nicht in eigener Regie nutzen konnten[70]. Doch gerade diese Vermischung der temporalen und der spirituellen Sphäre schlug auf beide Seelen im päpstlichen Körper[71]: Die Kirche litt unter den staatlichen Zielen ihres Herrn, die den Kirchenstaat zum Vorreiter der Säkularisierung machten[72], der Staat unter der Klerikalisierung seines Apparats, die sich zwar zunächst als der einzige Weg zur Vereinheitlichung der Herrschaft über Laien und Geistliche zugleich darstellte, längerfristig aber die Entstehung einer Beamtenschaft – Alberto Caracciolo würde sagen: des Bürgertums – als tragender Schicht der weiteren staatlichen Entwicklung blockierte[73]. Wie sich das fortwährende Drehen des Personalkarussells, das zwar vom Zölibat der Geistlichen angetrieben wurde, doch auch für die laikalen Mitglieder der Gesellschaft nicht ohne Folgen bleiben konnte, auf das soziale Gefüge und die mentale Prägung der nichtgeistlichen Oberschicht in Rom und den Zentren der Provinz auswirkte, harrt noch der Untersuchung. Aber daß die spezifischen Rekrutierungskriterien und -mechanismen der administrativen Elite Roms den Studien Volker Reinhardts zufolge Präfekten an die Spitze der hauptstädtischen Annona brachten, die merkantilen Prinzipien und Praktiken abhold und somit langfristig die Totengräber des staatlichen Versorgungssystems waren, illustriert in aller Deutlichkeit, welchen Preis der Kirchenstaat für seine strukturellen Probleme als zölibatäre Wahlmonarchie zu zahlen hatte[74].

---

[70] Zur Kirche als Instrument der Disziplinierung im konfessionellen Zeitalter und ihrem Beitrag zum Staatsbildungsprozeß vgl. z.B. den voluminösen Sammelband: Paolo Prodi (Hg.), Disciplina dell'anima, disciplina del corpo e disciplina della società tra medioevo ed età moderna (Annali dell'Istituto storico italo-germanico, Quaderno 40), Bologna 1994; v.a die Beiträge der Konfessionalisierungs-Theoretiker Wolfgang Reinhard, Disciplinamento sociale, confessionalizzazione, modernizzazione. Un discorso storiografico, ebd., S.101–123; Heinz Schilling, Chiese confessionali e disciplinamento sociale. Un bilancio provisorio della ricerca storica, ebd., S.125–160; beide Aufsätze mit üppigen Literaturangaben.

[71] Auf diesen Begriff hat Paolo Prodi in seinem Werk über Il sovrano pontefice, un corpo e due anime, die strukturellen Probleme des Kirchenstaats gebracht.

[72] Vgl. ebd., S.36, 119.

[73] Vgl. ebd., S.104f., 109, und Alberto Caracciolo, Lo stato pontificio tra Seicento e Settecento: Problemi della formazione dello stato moderno, in: Renzo Paci (Hg.), Scritti storici in memoria di Enzo Piscitelli, Padua 1982, S.201–211, v.a. S.209–211.

[74] Volker Reinhardt, der in seiner Studie: Überleben in der frühneuzeitlichen Stadt. Annona und Getreideversorgung in Rom, 1563–1797 (Bibliothek des Deutschen Historischen Instituts in Rom, Bd.72), Tübingen 1991, die Entwicklung dieser Einrichtung und ihre Probleme rekonstruiert,

Wenn es aber letztendlich die fehlende Erblichkeit war, die die Politisierung der klientelären Bindungen und ihre Funktionalisierung für die Zwecke des Staates verhinderte und Klientelismus und Nepotismus zu zentralen Formen der Rekrutierung und Versorgung der römischen Amtsträger machte, stellt sich die Frage nach der Reformierbarkeit eines Staates, der bis zu seinem Untergang am Zölibat festhielt. Tatsächlich zeigte sich in den Maßnahmen von 1692, welche Schwerkraft solche strukturellen Probleme besaßen. So untersagte Innozenz XII. seinen Nachfolgern zwar, einen Kardinalnepoten mit den bislang üblichen Fakultäten auszustatten, doch gegen die Erhebung eines Nepoten zum Kardinal ohne Ämter hatte er nichts einzuwenden. Dessen Gunst galt es fortan zu erlangen, denn daß die Papstneffen mit dem roten Hut ihren Einfluß auf die kurialen Funktionsträger weniger ihren zu Attrappen der Macht gewordenen Ämtern als vielmehr der verwandtschaftlichen und häufig auch persönlichen Nähe zum Pontifex verdankten, hatte sich schon vor 1692 gezeigt[75]. Ebensowenig wie die Bedeutung persönlicher Beziehungen ließ sich die Versorgungsfunktion des Nepotismus per Dekret abschaffen. Innozenz XII. scheint dies gewußt zu haben, denn indem er seinen Nachfolgern nicht die Promotion eines Neffen verbot, sondern Höchstgrenzen für die Beträge festsetzte, die sie dem Nepoten und anderen Verwandten zukommen lassen durften, versuchte er das offenbar Unvermeidliche unter Kontrolle zu bringen und wenigstens die Exzesse der Vergangenheit für die Zukunft unmöglich zu machen[76]. Vielleicht ahnte er auch, welche Folgen das Verbot des ebenfalls von Alexander VIII. auf die Spitze getriebenen Ämterhandels haben würde, das der tatkräf-

---

kommt in seinem Aufsatz: Die Präfekten der römischen Annona im 17. und 18. Jahrhundert. Karrieremuster als Behördengeschichte, in: RQS 85 (1990), S. 98–115, hier: S. 115, zu der Einschätzung: «An keiner anderen Stelle wird die doppelte Wechselwirkung zwischen der Rekrutierung von Führungspersonal und dem Weg in die aussichtslose, anachronistische Beharrung bei alteuropäischen Formeln so deutlich wie gerade hier», d. h. am Beispiel der Annona.

[75] Daß «schon die bloße Tatsache einer solchen Verwandtschaft die gesellschaftlichen Chancen einer Familie beträchtlich erhöhte» (Reinhard, Nepotismus, S. 184), dürfte analog auch für den Einfluß des Nepotenkardinals in Rom gelten.

[76] Der Kardinalnepot durfte maximal 12 000 Scudi im Jahr erhalten, die restlichen Verwandten nur Almosen wie «andere Arme», vgl. Reinhard, Nepotismus, S. 183. Aufgeführt werden die Bestimmungen der Bulle von 1692 auch bei Menniti Ippolito, Il tramonto, S. 112–114, der ebd., S. 115 f., auf die mit der Veröffentlichung des Dokuments einsetzende Uminterpretation der von Teilen der Kurie lieber als Mäßigung der alten Praxis denn als deren grundsätzliche Abschaffung verstandenen Bulle verweist. Mit diesem Argument kann er zwar das in der Tat zu optimistische Urteil Pastors relativieren, dem zufolge sich die Bulle von 1692 so gut bewährt habe, «daß man sagen kann, der Nepotismus habe seitdem nur mehr in der Geschichte fortgelebt» (Pastor, Bd. 14,2, S. 1129). Allerdings dürfte Menniti Ippolito seinerseit den Rigorismus Innozenz' XII. überschätzen, der schließlich den in der Diskussion um den Nepotismus aufgekommenen Vorschlag, die Kardinalserhebung päpstlicher Verwandter gänzlich zu verbieten, ebensowenig in sein Reformpaket aufnahm, wie es Innozenz XI. getan hätte (vgl. Menniti Ippolito, Il tramonto, S. 108).

tige Pignatelli-Papst wenige Monate nach der Nepotismus-Bulle erließ: Mit dem
«plutokratischen Direkteinstieg ins Kardinalat» war die Zeit der Blitzkarrieren
unqualifizierter Kurialinvestoren zwar vorbei, doch da die Amtsinhaber die nicht
unerheblichen Kosten ihrer Amtsführung selbst tragen mußten, kehrte «die Käuf-
lichkeit, zur Vordertüre herausgewiesen, ... zur Hintertüre wieder zurück»[77].

Strukturwandel braucht Zeit, könnte man sagen, doch was, wenn sich die
Strukturen, die Phänomenen wie Klientelismus und Nepotismus zugrunde liegen,
nicht wandeln können? Funktion und Ausmaß beider Phänomene haben sich im
Laufe der Jahrhunderte stark verändert[78], die Faktoren, die sie einst zur Blüte
gebracht haben, dagegen nicht. Wie sonst wäre zu erklären, daß in den meisten
Pontifikaten nach 1692 der bis dahin übliche Nepotismus entweder wiederbelebt
oder durch modifizierte Formen der Günstlingsherrschaft ersetzt wurde?[79] Clemens XI. versah einen Neffen mit dem roten Hut, Innozenz XIII. folgte seinem
Beispiel, und Benedikt XIII. versorgte zwar nicht seine eigene Familie, aber die
Beneventaner-Clique um den ebenso geldgierigen wie einflußreichen Niccolò Coscia mit Ämtern und Erwerbsquellen[80]. Clemens XII. schwenkte mit der Vergabe
von Positionen und Würden bis hin zum Kardinalat für Bartolomeo Corsini wieder auf den neonepotistischen Kurs ein, der fünf Jahrzehnte nach der Bulle von
1692 zwar nicht mehr ganz neu, aber offensichtlich noch immer der leichteste Weg
war, die vom Kardinalnepoten alten Stils hinterlassene Lücke zu füllen. Erst Benedikt XIV. wählte eine andere Möglichkeit, das institutionelle Gefüge, das sich im
späten 16. und im 17. Jahrhundert um die Doppelspitze aus Papst und Nepot
eingependelt hatte und mit der Abschaffung des Nepotenamtes aus dem Gleichge-
wicht geraten war, neu zu ordnen: Er verzichtete auf jede Form der Günstlings-
wirtschaft und führte die Geschäfte seines Pontifikats mit Hilfe eines kleinen Krei-

---

[77] Weber, Senatus, S. 196–210, beschreibt, wie die «hohen Kammerämter als plutokratischer »Direkteinstieg« ins Kardinalat» (S. 196) funktionierten. Zu den langfristigen Folgen des Verbots vgl. ebd.,
S. 227–236 (das Zitat: S. 232). Laut Weber war es Alexander VIII., «dessen Maßlosigkeit zum Ende
dieses Systems führte» (ebd., S. 239). Daß der Ämterkauf einen großen Beitrag zur Sicherung der
Kontinuität in der römischen Führungsgruppe leistete, dürfte in Analogie zu unseren Beobachtungen
zu Nepotismus und Klientelismus seine tatsächliche Abschaffung maßgeblich erschwert haben.

[78] Diese Veränderungen zu beschreiben und zu erklären wäre für ein differenzierteres Bild, als es hier
entworfen wird, zweifellos notwendig. Doch da die vorliegende Arbeit mit primär aktenkundlichen
Mitteln zu behördengeschichtlichen Ergebnissen kommen und keine Gesamtdeutung des Kirchenstaats sein will, sollen hier lediglich Hypothesen präsentiert werden, die der Überprüfung und Vertiefung bedürfen.

[79] Der folgende Überblick stützt sich vor allem auf die Ausführungen bei Menniti Ippolito, Il tramonto,
S. 154–158, der ebd., S. 162 f., die Belege nennt.

[80] Coscia soll binnen eines Jahres 2 Millionen Scudi zusammengerafft haben. Dies könnte erklären
helfen, warum ihn die römische Bevölkerung nach dem Tod seines Protektors gerne gelyncht hätte,
vgl. ebd., S. 155.

ses qualifizierter Berater in eigener Regie[81]. Damit hatte zwar die Angst der Purpurträger vor einer Machtkonzentration in der Hand des Papstes, auf die Menniti Ippolito den Widerstand im Heiligen Senat gegen die 1679 gescheiterte und 1692 nur mit Mühe durchgesetzte Reform zurückführt[82], eine nachträgliche Bestätigung gefunden. Doch da Benedikts Nachfolger Clemens XIII. nach seiner Wahl nichts Eiligeres zu tun hatte, als einen Neffen zum Kardinal und Sekretär der Memoriali zu ernennen, stand die Kurie nach dem Zwischenspiel des autokratischen Lambertini-Papstes abermals vor einer Neuauflage der klassischen Nepotenrolle. Unter Clemens XIV. spielte zwar statt eines Verwandten des Papstes dessen persönlicher Sekretär, der Franziskaner Innocenzo Buontempi, eine so zentrale wie unrühmliche Rolle. Aber als Pius VI. seine baufreudigen Braschi mit Geld und Ämtern zu überhäufen begann, schien das nepotistische Unwesen hundert Jahre nach seiner offiziellen Abschaffung endgültig wiederhergestellt.

Wo aber, so ist angesichts dieser Günstlinge und Nepoten zu fragen, blieb der Kardinalstaatssekretär? Gewiß, auch des 18. Jahrhundert kannte einflußreiche Inhaber dieses Amtes, allen voran Kardinal Valenti Gonzaga, auf dessen Rat und Hilfe sich Benedikt XIV. in außenpolitischen Belangen verließ[83]. Doch im allgemeinen ist es den Kardinalstaatssekretären wohl nicht gelungen, die Vetrauensstellung einzunehmen, die 1692 an der Seite des Papstes frei geworden war. Dies wenigstens deuten ihre Amtszeiten an: Da nicht wenige Staatssekretäre des 18. Jahrhunderts die Pontifikatswechsel unbeschadet im Amt überstanden und der Tod des bisherigen Inhabers zum häufigsten Grund für eine Neubesetzung dieser Position wurde[84], scheinen die Leiter der politischen Behörde in geringerem Maße als ihre Vorgänger vor 1692 vom persönlichen Vertrauen und Wohlwollen des Regenten abhängig gewesen zu sein. Die Verwandten und Günstlinge der Pontifices hingegen, die nicht von ungefähr häufig als Sekretär der Memoriali oder in einer ähnlichen Stellung im nächsten Umkreis des Papstes anzutreffen waren[85], verloren mit dem Ableben ihres päpstlichen Protektors umgehend alle Ämter. Daß die Loyalität dieser Leute nicht etwa dem Apostolischen Stuhl, sondern allein ihrem Wohltäter und der eigenen Person galt, wußte man am Tiber offenbar schon lange bevor der Nepot des verstorbenen Pius' VI. 1809 auf die Seite des Erzfeindes wechselte und im napoleonischen Rom Bürgermeister von Frankreichs Gnaden wurde[86]. Vor

---

[81] Vgl. Mario Rosa, Benedetto XIV, in: DBI 8 (1966), S. 393–408, v. a. S. 395 f.
[82] Vgl. Menniti Ippolito, Il tramonto, v. a. S. 129, auch S. 94 f. und 110.
[83] Vgl. Rosa, S. 396.
[84] Vgl. Menniti Ippolito, Il tramonto, S. 157.
[85] Als Sekretäre der Memoriali fungierten Coscia unter Benedikt XIV. und Carlo Rezzonico unter seinem Onkel Clemens XIII. Pius VI. ernannte seinen Nepoten Romualdo Onesti-Braschi zum Brevensekretär.
[86] Vgl. Menniti Ippolito, Il tramonto, S. 163, Anm. 77.

übereilten Schlußfolgerungen im Blick auf den Einfluß der Sekretäre und Günstlinge auf den Papst und seine Politik sollte man sich jedoch hüten. Schließlich dürften auch die vor 1692 tätigen und schon damals primär nach ihrer Eignung ausgewählten Sekretäre dem Pontifex persönlich weniger nahegestanden haben als die Nepoten, und daß diese Papstneffen trotz ihrer engen Bindung an den Regenten keineswegs zwangsläufig zu Gestaltern der kurialen Politik wurden, hat neben anderen auch Scipione Borghese vorgeführt. Von einer Marginalisierung der Staatssekretäre zu reden, wie dies Menniti Ippolito angesichts der Günstlinge des 18. Jahrhunderts tut[87], ist daher vor einer näheren Untersuchung der einzelnen Pontifikate und ihrer jeweiligen Machtverhältnisse mindestens vorschnell. Die anhaltende Nachfrage der Päpste nach Vertrauten in ihrer engeren Umgebung ist indes tatsächlich bemerkenswert und wohl nur mit den Schwierigkeiten zu erklären, vor die sich ein auf Zeit regierender Pontifex in der von klientelären Bindungen und Faktionen durchzogenen Kurie gestellt sah. 1692 dürfte daher der Nepotismus in seiner institutionell eingebundenen Form verschwunden sein, nicht aber das Phänomen an sich, das in modifizierten Varianten weiterlebte und letztendlich nur unkalkulierbarer geworden war als in der Zeit vor Innozenz XII[88]. Das unruhige 19. Jahrhundert scheint zwar Verschiebungen im römischen Machtgefüge zugunsten der kurialen Bürokratie mit sich gebracht zu haben. Doch selbst eine überragende Gestalt wie der Kardinalstaatssekretär Ercole Consalvi[89] kann nicht den Blick auf die langfristigen Kontinuitäten in der zölibatären Wahlmonarchie verstellen. So sichert die Kombination aus Wahlmodus und päpstlicher Allgewalt dem persönlichen Hintergrund der *papabili* und ihren Bindungen bis heute die Aufmerksamkeit der Wähler, deren Kollegium zwar nach anderen Kriterien, aber im Grundsatz unverändert in Faktionen zerfällt. Und wie Leo XIII. und Pius XII. mit ihren Neffenregimenten unter Beweis gestellt haben, ist der Nepotismus selbst in seiner politischen Variante, d. h. als Herrschaftsinstrument der Päpste gegenüber der eigenen Kurie, bis ins 20. Jahrhundert reaktivierbar geblieben[90]. Als Versorgungstechnik war er hingegen die Antwort des Familiensinns auf Zölibat und fehlende Erblichkeit, die den Kirchenstaat quer durch die Schichten der Ge-

---

[87] Vgl. ebd., S. 157.

[88] Zu diesem Ergebnis kommt Menniti Ippolito, ebd., S. 158, dessen Buch ich bei aller Kritik im Detail gerade wegen der überfälligen Hinweise auf das Fortleben des Phänomens und den Preis, den die Abschaffung des institutionalisierten Nepotismus hatte, für einen wichtigen Beitrag zum Thema halte.

[89] Dem schon Leopold von Ranke, Kardinal Consalvi und seine Staatsverwaltung unter dem Pontifikat Pius VII., ein Denkmal gesetzt hat. Dieser Aufsatz ist als eine Art Anhang in der 1836 abgeschlossenen Geschichte der Päpste erschienen: Leopold von Ranke, Geschichte der Päpste, hg. von Willy Andreas, Wiesbaden 1957, S. 601–705.

[90] Vgl. Reinhard, Nepotismus, S. 185.

sellschaft durchdrang und als systemimmanente Belastung bis zu seiner Auflösung begleitete. Erst seit die Familien der Geistlichen in einem anderen Staat als dem der Kirche und somit nicht mehr unter den Bedingungen leben, die den Nepotismus gefördert haben, konnte er wenigstens in seiner endemischen Form verschwinden.

Der Sieg, den die Staatsidee über Nepotismus und Klientelismus errungen haben soll[91], läßt sich daher nur auf der Ebene der Institutionen ausmachen: Der Kardinalnepot als feste Einrichtung wurde abgeschafft, das Amt des Kardinalstaatssekretärs endgültig etabliert. Doch die Strukturen, die den Kardinalnepoten hervorgebracht und zugleich zu einem leichteren Gegner für die politische Behörde und ihren Chef gemacht haben, als es die Günstling-Minister im restlichen Europa waren, diese Strukturen lebten fort, und so hatte 1692 der Staatssekretär über den Kardinalnepoten, nicht aber die Staatsidee über den Nepotismus gesiegt.

---

[91] Vgl. v. a. Andreas Kraus, Geschichte, S. 84, demzufolge «unter dem Druck der sachlichen Erfordernisse, bei der gewaltigen Steigerung der behördenmäßigen Anstrengungen ... die Behörde sich gegenüber der bisher dominierenden persönlich bzw. familiär geprägten Institution des Kardinalnepoten durchsetzt». Dies bedeute den «Sieg der Staatsidee über den Nepotismus».

Abkürzungsverzeichnis

AB	Archivio Segreto Vaticano, Archivio Borghese
ABent.	Archivio di Stato Ferrara, Archivi di Famiglie e di Persone, Archivio Bentivoglio
Corr.	Corrispondenza
SP	Serie Patrimoniale
Misc.	Miscellanea
Acque	Archivio di Stato Roma, Archivio della Congregazione delle Acque
AHP	Archivum Historiae Pontificiae
Ang.	Biblioteca Angelica, Rom
ARG	Archiv für Reformationsgeschichte
ASFe	Archivio di Stato Ferrara
ASR	Archivio di Stato Roma
ASV	Archivio Segreto Vaticano, Vatikanstadt
BAV	Biblioteca Apostolica Vaticana, Vatikanstadt
Barb.lat.	Biblioteca Apostolica Vaticana, Fondo Barberiniano, Barberiniani latini
BCA	Biblioteca Comunale Ariostea, Ferrara
BG	Archivio di Stato Roma, Archivio del Buon Governo
BG II	Serie II = Atti per luoghi
BG V	Serie V = Lettere
Borg.lat.	Biblioteca Apostolica Vaticana, Fondo Borgiani latini
CA	Archivio di Stato Ferrara, Fondo Comune: Archivio Storico Comunale, Serie H: Ambasciatori, Agenti e Procuratori di Ferrara a Roma – Corrispondenza con la Comunità
Cam.III	Archivio di Stato Roma, Camera Apostolica, Camerale III = Miscellanea camerale per luoghi
CB	Archivio Segreto Vaticano, Carte Borghese
CC	Archivio di Stato Ferrara, Fondo Comune: Archivio Storico Comunale, Serie I: Cardinali – Corrispondenza con la Comunità
Chig.	Biblioteca Apostolica Vaticana, Manuscritti Chigiani
Coll.Antonelli	Biblioteca Comunale Ariostea, Ferrara, Collezione Antonelli
Confal.	Archivio Segreto Vaticano, Fondo Confalonieri
CP	Archivio di Stato Ferrara, Fondo Comune: Archivio Storico Comunale, Serie L: Prelati – Corrispondenza con la Comunità
Cybo	Archivio di Stato Roma, Fondo Miscellanea Cybo

DBI	Dizionario biografico degli Italiani
E	Biblioteca Apostolica Vaticana, Fondo Boncompagni-Ludovisi, E: Codices, quos epistolares appello
FB	Archivio Segreto Vaticano, Fondo Borghese
Giust.	Archivio di Stato Roma, Archivio Famiglia Giustiniani
HC	Hierarchia Catholica medii et recentioris aevi
	III Bd. III, hg. von Ludwig Schmitz-Kallenberg, Münster 1923
	IV Bd. IV, hg. von P. Gauchat, Münster 1935
IB	Archivio Segreto Vaticano, Instrumenta Burghesiana
M.F.	Biblioteca Comunale Ariostea, Ferrara, Miscellanea Ferrarese
Ms.Cl.I	Biblioteca Comunale Ariostea, Ferrara, Manoscritti Classe prima
Ottob.lat.	Biblioteca Apostolica Vaticana, Fondo Ottoboniani latini
Pio	Archivio Segreto Vaticano, Fondo Pio
QFIAB	Quellen und Forschungen aus italienischen Archiven und Bibliotheken
Reg.	Archivio Storico del Comune di Ferrara, Delibere del Consiglio, 124 Registerbände, 1393–1960
RHE	Revue d'histoire ecclésiastique
RQS	Römische Quartalschrift für christliche Altertumskunde und Kirchengeschichte
SC	Archivio di Stato Roma, Archivio Tribunale della Sacra Consulta, Protocolli di Corrispondenza
Sec.Brev.	Archivio Segreto Vaticano, Segreteria dei Brevi
SP	Archivio di Stato Ferrara, Fondo Comune: Archivio Storico Comunale, Serie Patrimoniale
SS	Archivio Segreto Vaticano, Segreteria di Stato
Av	Nunziature e Legazioni, Avignone
Bo	Nunziature e Legazioni, Bologna
Col	Nunziature e Legazioni, Colonia
Card	Lettere di Cardinali
Div	Nunziature Diverse
Fe	Nunziature e Legazioni, Ferrara
Fian	Nunziature e Legazioni, Fiandra
Fir	Nunziature e Legazioni, Firenze
Fra	Nunziature e Legazioni, Francia
Germ	Nunziature e Legazioni, Germania
Misc.Arm.	Miscellanea
Nap	Nunziature e Legazioni, Napoli
Part	Lettere di Particolari
Pol	Nunziature e Legazioni, Polonia
Port	Nunziature e Legazioni, Portogallo
Ppi	Lettere di Principi e Titolati
Sav	Nunziature e Legazioni, Savoia
Spa	Nunziature e Legazioni, Spagna
Svizz	Nunziature e Legazioni, Svizzeri
Ven	Nunziature e Legazioni, Venezia
Vesc	Lettere di Vescovi e Prelati
Urb.lat.	Biblioteca Apostolica Vaticana, Fondo Urbinate, Urbinates latini
Vallic.	Biblioteca Vallicelliana, Rom

Verzeichnis der Tabellen und Schaubilder

Verzeichnis der wichtigsten Mitarbeiter Borgheses (1605–1621)[1]

Staatssekretariat

NOMINELLER LEITER
Kardinal Valenti (Mai 1605 – August 1605): S 6
Kardinal Scipione Borghese (September 1605 – Januar 1621): S 3; Abb. 1 und 3

CHEFSEKRETÄRE
Lanfranco Margotti (August 1605 – November 1611): S 7
Martio Malacrida (Mai 1605 – Juli 1609): S 8
Giovanni Battista Confalonieri (August 1609 – November 1611): S 29
Porfirio Feliciani (August 1609 – Januar 1621): S 9
Giovanni Battista Perugino (April 1610 – Dezember 1613): S 10

CHIFFRENSEKRETÄRE
Matteo und Marcello Argenti (Mai 1605 – Mai 1606): S 12 bzw. 23
Vincenzo Bilotta (Juni 1606 – Februar 1609): S 24; Abb. 1
Mario d'Ilio (Februar 1609 – Januar 1621): S 15

Auditoren

Michele Angelo Tonti (Mai (?) 1605 – November 1608): Abb. 2 und 3
Domenico Rivarola (November 1608 – August 1611): Abb. 4, 5, und 6
Antonio Maria Franceschini (August 1611 – August 1612): Abb. 6
Francesco Cennini (de facto Mai, offiziell August 1612 – August 1618): S 4; Abb. 12
Marsilio Peruzzi (August 1618 – Januar 1621): Abb. 7 und 8
Cesare Gherardi (zweiter Auditor neben Peruzzi, August 1618 – Januar 1621): Abb. 9

---

[1] Dieses Verzeichnis bietet Hinweise auf die vorhandenen Schriftproben für die wichtigsten Mitarbeiter Borgheses: Mit «S» sind die Schrifttafeln bei Semmler, Staatssekretariat, gemeint, «Abb.» bezieht sich auf die hier folgenden Reproduktionen. Diese möchten nicht nur als Schriftproben für die Mitarbeiter aus Borgheses Stab dienen, sondern auch die obigen Ausführungen illustrieren.

Privat-und Patronagesekretäre

Angelo Corradi (1605 – September 1607)
Pietro Campori (Oktober 1607 – September 1616): Abb. 10 und 11
Ottavio Bacci (September 1616 – Januar 1621): S 39; Abb. 9
Lodovico Tartaglioni (Mitarbeiter Baccis, September 1616 – Januar 1621): S 38
Annibale Conti (Mitarbeiter Baccis, Juli 1619 – Januar 1621): S 32

Güterverwaltung

Diomede Ricci (Maestro di Casa, ? – Dezember 1610)
Fabio Palemonio (Maestro di Casa, Dezember 1610 – Januar 1621)
Pietro Campori (Maggiordomo, Dezember 1610 – September 1616): Abb. 10 und 11
Stefano Pignatelli (Maggiordomo, September 1616 – Januar 1621): Abb. 12

Schriftproben

1. Vincenzo Bilotta: Estratto
zuvor von Borghese an Bilotta verwiesen (links oben quer zu Bilottas Estratto)
(FB II 431,56v)

2. Michele Angelo Tonti: eigenhändiges Schreiben an Borghese, 2. Juni 1613
(E 14,238r)

3. Michele Angelo Tonti: Antwortanweisung an Lanfranco Margotti
zuvor von Borghese an S(ignore) M(ichele) A(ngelo Tonti) verwiesen
unter Tontis Anweisung der Einlaufvermerk des Staatssekretariats
(FB I 647,146v)

4. Domenico Rivarola: eigenhändiges Schreiben an Borghese, 27. November 1613
(E 14,396r)

5. Domenico Rivarola: Antwortanweisung, angebracht unterhalb eines Ausrisses; neben dem Ausriß
die Adresse des Schreibens
(FB II 318,37v)

6. Antonio Maria Franceschini: Antwortanweisung, zuvor von Rivarola an Franceschini verwiesen
(SS Part 9,625v)

7. Marsilio Peruzzi: eigenhändiges Schreiben an Borghese, 15. April 1619
(FB I 836,409r)

8. Marsilio Peruzzi: Antwortanweisung an Bacci
(FB I 836,428v)

9. Cesare Gherardi: Antwortanweisung, zuvor von Bacci an Gherardi verwiesen
(FB III 42 AC,242v)

10. Pietro Campori: eigenhändiges Schreiben an Cobellucci, 27. Dezember 1610
(Sec.Brev. 598,466r)

11. Pietro Campori: Antwortanweisung
(SS Part 7,312v)

12. Stefano Pignatelli: Verweis an Bacci, zuvor von Cennini an Pignatelli verwiesen
(FB III 8 B,344v)

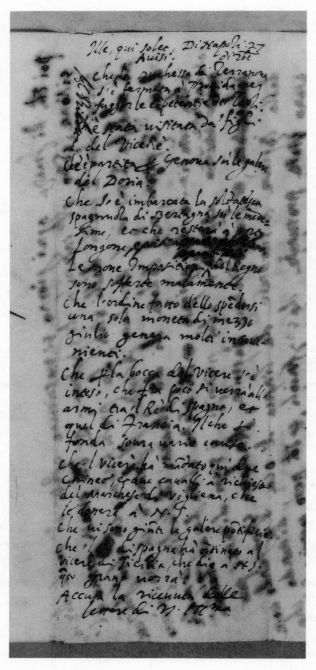

1. Vincenzo Bilotta: Estratto
zuvor von Borghese an Bilotta verwiesen
(links oben quer zu Bilottas Estratto)
(FB II 431,56v)

2. Michele Angelo Tonti: eigenhändiges Schreiben an Borghese, 2. Juni 1613
(E 14,238r)

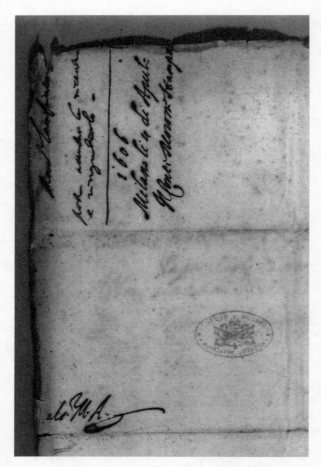

3. Michele Angelo Tonti: Antwortanweisung an Lanfranco Margotti
zuvor von Borghese an S (ignore) M (ichele) A (ngelo Tonti) verwiesen
unter Tontis Anweisung der Einlaufvermerk des Staatssekretariats
(FB I 647,146v)

4. Domenico Rivarola: eigenhändiges Schreiben an Borghese, 27. November 1613
(E 14,396r)

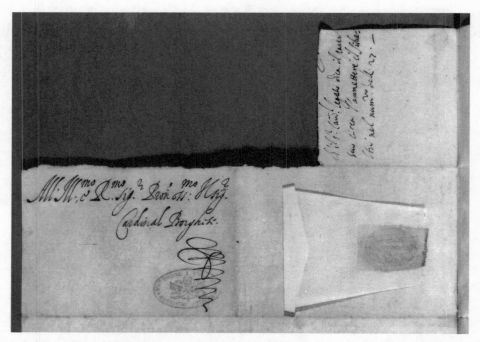

5. Domenico Rivarola: Antwortanweisung, angebracht unterhalb eines Ausrisses; neben dem Ausriß die Adresse des Schreibens
(FB II 318,37v)

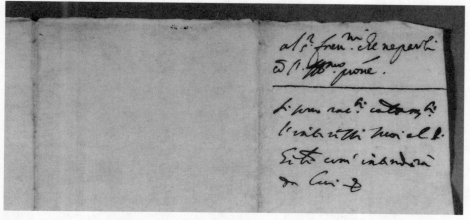

6. Antonio Maria Franceschini: Antwortanweisung, zuvor von Rivarola an Franceschini verwiesen (SS Part 9,625v)

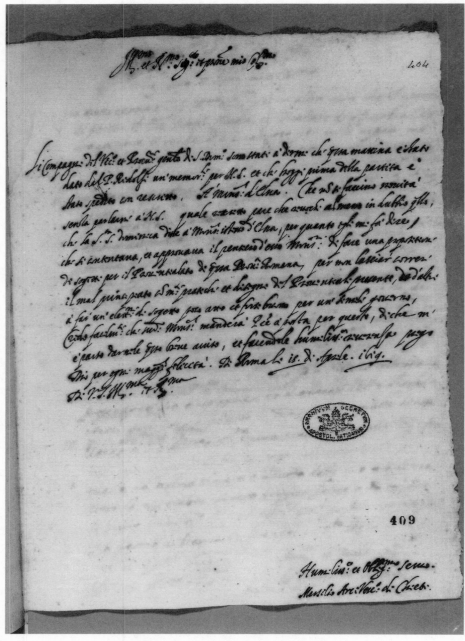

7. Marsilio Peruzzi: eigenhändiges Schreiben an Borghese, 15. April 1619
(FB I 836,409r)

8. Marsilio Peruzzi: Antwortanweisung an Bacci
(FB I 836,428v)

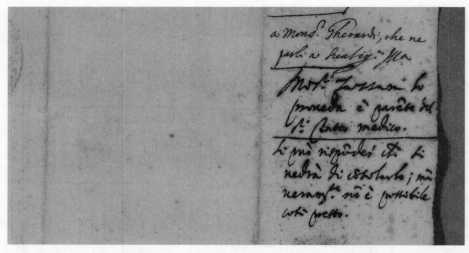

9. Cesare Gherardi: Antwortanweisung, zuvor von Bacci an Gherardi verwiesen
(FB III 42 AC,242v)

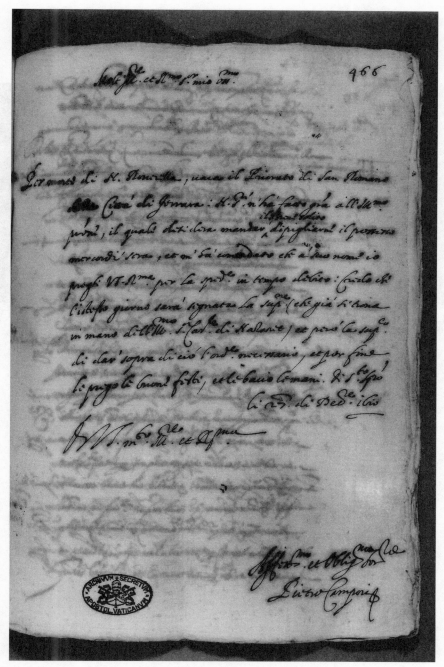

10. Pietro Campori: eigenhändiges Schreiben an Cobellucci, 27. Dezember 1610
(Sec.Brev. 598,466r)

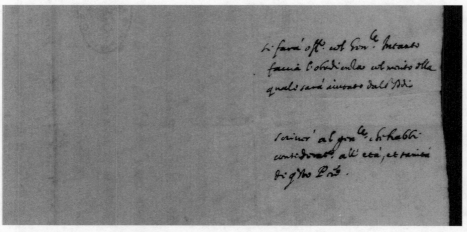

11. Pietro Campori: Antwortanweisung
(SS Part 7,312v)

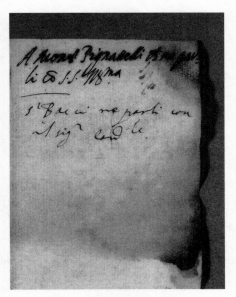

12. Stefano Pignatelli: Verweis an Bacci
zuvor von Cennini an Pignatelli verwiesen
(FB III 8 B,344v)

Quellen- und Literaturverzeichnis

1. Handschriftliche Quellen

FERRARA

ARCHIVIO DI STATO FERRARA

– Fondo Comune: Archivio Storico Comunale
Serie H: Ambasciatori, Agenti e Procuratori di Ferrara a Roma – Corrispondenza con la Comunità:
4, 7–9, 12, 135, 137–140
Serie I: Cardinali – Corrispondenza con la Comunità: 153, 155–157, 162–169
Serie L: Prelati – Corrispondenza con la Comunità: 170, 171, 183, 191–193
Serie Patrimoniale: 40/1, 50/60, 52/66, 61/2, 62/31, 64/19, 72/41

– Archivi di Famiglie e di Persone, Archivio Bentivoglio
Corrispondenza: 8/18, 9/40–43, 9/55, 9/55+, 10/57, 10/66, 10/67, 10/73–75, 10/77, 10/78,
11/88++, 11/90–94, 12/132, 277, 278
Serie Patrimoniale: 85/31, 88/6, 92/28, 97/5
Miscellanea: MM Nr. 26

ARCHIVIO STORICO DEL COMUNE DI FERRARA

Delibere del Consiglio: Reg. C, D

BIBLIOTECA COMUNALE ARIOSTEA

M.F. 229/30: Lettere d'ordine de Sommi Pontefici scritte dalli Cardinali Nepoti alli Cardinali Legati di Ferrara, Vicelegati, e Giudici de Savij in dichiarazione delli Editti revocatorij di tutti li Privilegi, nelli quali vengono eccettuati, e confirmati quelli de Ferraresi.

Ms.Cl.I 308: Agostino Martinelli, Pratica per li Signori Ambasciatori della Città di Ferrara à Nostro Signore del Dottore Agostino Martinelli Agente per detta Città in Roma.

Ms.Cl.I 536: Claudio Rondoni, Cronaca dalli 29. Gennaio 1598 a tutto li 28. Giugno 1614 (Original).

Coll.Antonelli 250: Dass. in Kopie von 1783, nach der aus technischen Gründen zitiert wird.

ROM

Archivio di Stato Roma

– Archivio del Buon Governo
Serie II = Atti per luoghi: 251, 356, 1614
Serie V = Lettere: 6, 7

– Archivio della Congregazione delle Acque
Atti generali: 1–3
Acque e paesi: 38, 130
Legazioni di Bologna, Ferrara e Ravenna: 284

– Archivio Famiglia Giustiniani: 99–101

– Archivio Tribunale della Sacra Consulta, Protocolli di Corrispondenza: 813, 814

– Camera Apostolica, Camerale III = Miscellanea camerale per luoghi: 1063, 1113

– Fondo Miscellanea Cybo: 81

Biblioteca Angelica

Ms. 1215–1239bis

Biblioteca Vallicelliana

Ms. G 64

VATIKANSTADT

Archivio Segreto Vaticano

– Archivio Borghese: 4100

– Carte Borghese: 57, 60, 68, 78, 103, 115

– Fondo Borghese
I: 2, 27, 379, 510, 513, 514, 592, 593, 597, 647, 648, 691, 692, 693.694, 695, 705B, 714, 716, 717, 834–836, 855, 857, 858, 894–910, 914, 916–921, 923, 925–930, 931a, 931bis, 932, 933, 935–946, 948–955, 957, 958
II: 11, 39, 42.43, 66, 71.72, 308, 318–322, 325, 332, 346, 359, 364, 369, 378, 390, 399, 401, 403, 408, 416, 417, 419, 420, 422, 427, 428, 430–435, 488
III: 3A, 3,3, 4A, 4D, 7B, 8B, 10B, 11AB, 41B-D, 42AC, 42B, 42D, 43AB, 43DE, 44A, 44B, 44D, 45A, 45B, 45D, 46A, 46C, 46D, 47A-C, 49ABC, 49D, 50A1, 50A2, 50B, 50C, 51B, 59A, 59B, 60FG, 119A, 127A, 128, 128D, 131C, 132B
IV: 8, 12, 22, 134, 217, 226, 231B, 239, 240B, 240C, 241, 264, 270

– Fondo Confalonieri: 3, 19–24, 43, 47, 54

– Fondo Pio: 166–193, 285, 287–291

– Instrumenta Burghesiana: 93

– Segreteria dei Brevi: 395–401, 404, 407, 410, 421, 422, 427, 430, 436, 437, 449, 450, 461, 464, 471, 477, 482, 485, 490, 533, 545, 551, 559, 573, 575, 584, 585, 593, 595, 598, 599, 603–605, 609, 611–626, 696

– Segreteria di Stato
Lettere di Cardinali: 5, 134A, 135–138
Lettere di Particolari: 5–7, 9, 11, 152, 171–175
Lettere di Principi e Titolati: 154–169, 179, 184–194
Lettere di Vescovi e Prelati: 1, 189–191

Miscellanea: Arm.IX, 27, 29; Arm.XI 55

Nunziature Diverse: 2–8, 71–73, 124–127, 144A, 147, 164A, 186, 200, 200A, 201, 203–205, 233–236, 293
Nunziature e Legazioni, Avignone: 154, 155
Nunziature e Legazioni, Bologna: 184–186
Nunziature e Legazioni, Colonia: 210, 211
Nunziature e Legazioni, Ferrara: 2, 238
Nunziature e Legazioni, Fiandra: 136A, 137A
Nunziature e Legazioni, Firenze: 193
Nunziature e Legazioni, Francia: 292–297, 299
Nunziature e Legazioni, Germania: 16–23, 25–27
Nunziature e Legazioni, Napoli: 323–326
Nunziature e Legazioni, Polonia: 173, 174
Nunziature e Legazioni, Portogallo: 12, 150–152
Nunziature e Legazioni, Savoia: 39, 40
Nunziature e Legazioni, Spagna: 333–337, 339–341
Nunziature e Legazioni, Svizzeri: 11
Nunziature e Legazioni, Venezia: 39, 268–272

BIBLIOTECA APOSTOLICA VATICANA

– Fondo Barberiniano, Barberiniani latini: 2000, 4592, 4810, 5912–5938, 5940, 5942, 5943, 5945–5957, 6029, 6543, 8690, 8760, 8761

– Fondo Boncompagni-Ludovisi, E: Codices, quos epistolares appello: 7–11, 13–16, 18–24, 33, 40–42, 46–49, 52–61

– Fondo Borgiani latini: 390

– Fondo Ottoboniani latini: 1853

– Fondo Urbinate, Urbinates latini: 1073, 1074, 1075 II, 1076–1080, 1082–1087

– Manuscritti Chigiani: H II 36, I VII 273.27

2. Gedruckte Quellen und Literatur

ADAMSON, John (Hg.): The Princely Courts of Europe. Ritual, Politics and Culture under the Ancien Régime 1500–1750, London 1999.

AGO, Renata: Carriere e clientele nella Roma barocca, Rom 1990.

ANTINORI, Aloisio: Scipione Borghese e l'architettura. Programmi, progetti, cantieri alle soglie dell'età barocca, Rom 1995.

ARZONE, Rossana: Pasquinate del Seicento. Le invettive delle «statue parlanti» contro il potere delle nobili famiglie alla conquista di Roma barocca (Quaderni della Città, Bd. 4), Rom 1995.

ASCH, Ronald G.: Der Hof Karls I. von England. Politik, Provinz und Patronage 1625–1640 (Gert Melville (Hg.), Norm und Struktur. Studien zum sozialen Wandel in Mittelalter und Früher Neuzeit, Bd. 3), Köln 1993.

–: Introduction: The Court and Household from the Fifteenth to the Seventeenth Century, in: Ders., Adolf M. Birke (Hgg.), Princes, Patronage, and the Nobility. The Court at the Beginning of the Modern Age, c. 1450–1650, Oxford 1991, S. 1–38.

BANDI DEI CARDINALI LEGATI dal 1598 al 1690. Raccolti in voll.IX, Bd. 1: 1598–1615.

BANDINI, Domenico: Francesco Cennini Cardinale di S.R.Chiesa (A.D. 1566–1645), in: Bullettino Senese di Storia Patria 49=3.Ser. 1 (1942), S. 37–50 und 93–116.

BANGEN, Johann Heinrich: Die römische Curie, ihre gegenwärtige Zusammensetzung und ihr Geschäftsgang, Münster 1854.

BECKER, Rotraut: Campori (Campora), Pietro, in: DBI 17 (1974), S. 602–604.

BENTIVOGLIO, Guido: Memorie e lettere. Hg. von C.Punigadia, Bari 1934.

BERCÉ, Yves-Marie: La carrière politique dans l'État pontifical au XVIIe siècle, in: Journal des Savants 1965, S. 645–652.

BÉRENGER, Jean: Pour une enquête européenne: Le problème du ministériat au XVIIe siècle, in: Annales. Économies, Sociétés, Civilisations 29 (1974), S. 166–192.

BERGIN, Joseph: Cardinal Richelieu: Power and the Pursuit of Wealth, Yale 1985.

BIAUDET, Henry: Les nonciatures apostoliques permanentes jusqu'en 1648 (Annales Academiae Scientiarum Fennicae, Ser.B, Tom.II, Nr. 1), Helsinki 1910.

BOUTRY, Philippe: Paul V., in: Dictionnaire historique de la papauté, hg. von Philippe Levillain, Paris 1994, S. 1269–1272.

BOYLE, Leonard E. O.P: A Survey of the Vatican Archives and of its Medieval Holdings, Toronto 1972.

BUES, Almut: Nuntiaturberichte aus Deutschland 1572–1585 nebst ergänzenden Aktenstücken, Bd. 7: Nuntiatur Giovanni Dolfins (1573–1574). Im Auftrag des Deutschen Historischen Instituts in Rom bearbeitet von Almut Bues, Tübingen 1990.

BURSCHEL, Peter: Nuntiaturberichte aus Deutschland nebst ergänzenden Aktenstücken. Die Kölner Nuntiatur. Band V/1, Ergänzungsband: Nuntius Antonio Albergati (1610 Mai–1614 Mai). Im Auftrag der Görres-Gesellschaft in Verbindung mit Wolfgang Reinhard bearbeitet von Peter Burschel, Paderborn u. a. 1997.

CARACCIOLO, Alberto: Lo stato pontificio tra Seicento e Settecento: Problemi della formazione dello stato moderno, in: Renzo Paci (Hg.), Scritti storici in memoria di Enzo Piscitelli, Padua 1982, S. 201–211.

CARAVALE, Mario, Caracciolo, Alberto: Lo stato pontificio da Martino V a Pio IX (Storia d'Italia, diretta da Giuseppe Galasso, Bd. 14), Turin 1978.

CARDELLA, Lorenzo: Memorie storiche de' Cardinali della Santa Romana Chiesa, 9 Tomi in 10 voll. (Tomo primo in due parti), Rom 1792–1797.

CAROCCI, Giampiero: Lo stato della chiesa nella seconda metà del secolo XVI. Note e contributi, Mailand 1961.

CASANOVA, Cesarina: Comunità e governo pontificio in Romagna in età moderna (secoli XVI - XVIII), Bologna 1981.

CERCHIARI, Emmanuele: Capellani Papae et Apostolicae Sedis Auditores causarum sacri palatii Apostolici seu Sacra Romana Rota. Ab origine ad diem usque 20 Septembris 1870. Relatio Historica-Iuridica, 4 Bde., Rom 1919–1921.

DA MOSTO, Andrea: Ordinamenti militari delle soldatesche dello Stato Romano nel secolo XVI, in: QFIAB 6 (1904), S. 72–133.

–: Milizie dello Stato Romano (1600–1797), in: Memorie storiche militari 10 (1914), S. 193–580.

DE BENEDICTIS, Angela: Politica e amministrazione nel Settecento bolognese, I. La Congregazione del Sollievo (1700–1725), Bologna 1978.

–: Il Seicento. Politica e società, in: Francesca Bocchi (Hg.), Storia illustrata di Ferrara, Bd. 2, Mailand 1987, S. 481–496.

DE CARO, Gaspare: Pompeo Arrigoni, in: DBI 4 (1962), S. 320 f.

–: Francesco Cennini, in: DBI 23 (1979), S. 569–571.

DE LUCA, Giovanni Battista: Il Cardinale di S.R. Chiesa pratico, Rom 1680.

–: Theatrum veritatis et iustitiae, sive decisivi discursus per materias, seu titulos distincti, 16 Bände, Venedig 1706.

DEAN, Trevor: Le corti. Un problema storiografico, in: Giorgio Chittolini, Anthony Molho, Pierangelo Schiera (Hgg.), Origini dello stato. Processi di formazione statale in Italia fra medioevo ed età moderna (Annali dell'Istituto storico italo-germanico, Quaderno 39), Bologna 1994, S. 425–447 (engl. Übersetzung in: The Origins of the State in Italy, 1300–1600, in: The Journal of Modern History, Suppl. 67, Dezember 1995, S. 136–151).

DEL RE, Niccolò: La curia romana. Lineamenti storico-giuridici, Rom ³1970.

DENZLER, Georg: Paul V., in: Biographisch-bibliographisches Kirchenlexikon, Bd. 7, Herzberg 1994, Sp. 18 f.

DETHAN, Georges: Mazarin et ses amis. Étude sur la jeunesse du Cardinal d'après ses papiers conservés aux archives du Quai d'Orsay suivie d'un choix de lettres inédites, Paris 1968.

DE VECCHIS, Petrus Andreas: Collectio Constitutionum, chirographorum, et brevium. Pro bono Regimine Universitatum, ac Communitatum Status Ecclesiastici, & pro eiusdem Status felici Gubernio promulgatorum, ac specialiter disponentium, Bd. 1, Rom 1732.

DIENER, Hermann: Die großen Registerserien im Vatikanischen Archiv (1378–1523). Hinweise und Hilfsmittel zu ihrer Benutzung und Auswertung, in: QFIAB 51 (1971), S. 305–368.

DIETRICH FERNÁNDEZ, Henry: The Patrimony of St Peter. The Papal Court at Rome, c. 1450–1700, in: John Adamson (Hg.), The Princely Courts of Europe. Ritual, Politics and Culture under the Ancien Régime 1500–1750, London 1999, S. 141–163 und 326–328.

DUNKLEY, Kenneth M.: Patronage and Power in Seventeenth Century France: Richelieu's Clients and the Estates of Brittany, in: Parliaments, Estates, and Representation 1 (1981), S. 1–12.

ELLIOTT, John H.: The Count-Duke of Olivares. The Statesman in an Age of Decline, New Haven 1986.

–: Lawrence W.B. Brockliss (Hgg.): The World of the Favorite, New Haven/London 1999.

EVANS, Robert John Weston: Rudolf II. Ohnmacht und Einsamkeit, Graz 1980.

–: Die Habsburger: Die Dynastie als politische Institution, in: Arthur Geoffrey Dickens (Hg.), Europäische Fürstenhöfe. Herrscher, Politiker und Mäzene 1400–1800, Graz/Köln/Wien 1978 (engl. Orig: London 1977), S. 121–145.

FELDKAMP, Michael F.: Studien und Texte zur Geschichte der Kölner Nuntiatur, Bd. 1: Die Kölner Nuntiatur und ihr Archiv. Eine behördengeschichtliche und quellenkundliche Untersuchung (Collectanea Archivi Vaticani, Bd. 30), Vatikanstadt 1993.

FINK, Karl August: Die ältesten Breven und Brevenregister, in: QFIAB 25 (1933/34), S. 292–307.

–: Untersuchungen über die päpstlichen Breven des 15. Jahrhunderts, in: RQS 43 (1935), S. 55–86.

–: Zu den Brevia Lateranensia des Vatikanischen Archivs, in: QFIAB 32 (1942), S. 260–266.

–: Das Vatikanische Archiv. Einführung in die Bestände und ihre Erforschung, 2., vermehrte Auflage, Rom 1951.

FRENZ, Thomas: Die «Computi» in der Serie der Brevia Lateranensia im Vatikanischen Archiv, in: QFIAB 55/56 (1976), S. 251–275.

–: Armarium XXXIX vol. 11 im Vatikanischen Archiv. Ein Formelbuch für Breven aus der Zeit Julius' II., in: Erwin Gatz (Hg.), Römische Kurie. Kirchliche Finanzen. Vatikanisches Archiv. Studien zu Ehren von Hermann Hoberg, Bd. 1 (Miscellanea Historiae Pontificiae, Bd. 45), Rom 1979, S. 197–213.

–: Die Kanzlei der Päpste der Hochrenaissance (1471–1527) (Bibliothek des Deutschen Historischen Instituts in Rom, Bd. 63), Tübingen 1986.

–: Papsturkunden des Mittelalters und der Neuzeit (Thomas Frenz, Peter-Johannes Schuler (Hg.), Historische Grundwissenschaften in Einzeldarstellungen, Bd. 2), Stuttgart 1986.

FRIZZI, Antonio: Memorie per la storia di Ferrara. Con giunte e note di Camillo Laderchi, Seconda Edizione, Volume V, Ferrara 1848.

GARDI, Andrea: Il cardinale legato come rettore provinciale: Enrico Caetani a Bologna, in: Società e Storia 8 (1985), S. 1–36.

–: Lo stato in provincia. L'amministrazione della Legazione di Bologna durante il regno di Sisto V (1585–1590) (Istituto per la Storia di Bologna, Studi e Ricerche, n.s.2), Bologna 1994.

GIORDANO, Silvano: Aspetti di politica ecclesiastica e riforma religiosa nelle istruzioni generali di Paolo V, in: Alexander Koller (Hg.), Kurie und Politik. Stand und Perspektiven der Nuntiaturberichtsforschung (Bibliothek des Deutschen Historischen Instituts in Rom, Bd. 87), Tübingen 1998, S. 236–259.

GIUSTI, Martino: Studi sui registri di bolle papali (Collectanea Archivi Vaticani, Bd. 1), Vatikanstadt 1968.

–: Inventario dei Registri Vaticani (Collectanea Archivi Vaticani, Bd. 8), Vatikanstadt 1981.

GREIPL, Egon Johannes: Die Geschichte des päpstlichen Staatssekretariats nach 1870 als Aufgabe der Forschung, in: RQS 84 (1989), S. 92–103.

GUALDO, Germano: Il «Liber Brevium de Curia anni septimi» di Paolo II. Contributo allo Studio del Breve pontificio, in: Mélanges Eugène Tisserant, Bd. 4 (Studi e Testi, Bd. 234), Vatikanstadt 1964, S. 301–345.

–: (Hg.): Sussidi per la consultazione dell'Archivio Vaticano. Lo Schedario Garampi – I Registri Vaticani – I Registri Lateranensi – Le «Rationes Camerae» – L'Archivio Concistoriale, Nuova edizione (der etwa gleichnamigen Ausgabe von 1926) riveduta e ampliata (Collectanea Archivi Vaticani, Bd. 17), Vatikanstadt 1989.

GUIDA Generale degli Archivi di Stato Italiani. Ministero per i beni culturali e ambientali. Ufficio centrale per i beni archivistici, Direttori: Piero D'Angiolini, Claudio Pavone, 3 Bde., Rom 1981, 1983, 1986.

HAMMERMAYER, Ludwig: Grundlinien der Entwicklung des päpstlichen Staatssekretariats von Paul V. bis Innozenz X. (1605–1655), in: RQS 55 (1960), S.157–202.

HENSHALL, Nicholas: The Myth of Absolutism. Change and Continuity in Early Modern Monarchy, London 1992.

HINTZE, Otto: Der Commissarius und seine Bedeutung in der allgemeinen Verwaltungsgeschichte. Eine vergleichende Studie (1910), in: Ders., Staat und Verfassung. Gesammelte Abhandlungen zur allgemeinen Verfassungsgeschichte. Göttingen ³1970, S.242–274.

INCISA DELLA ROCCHETTA, Giovanni: Gli appunti autobiografici d'Alessandro VII nell' Archivio Chigi, in: Mélanges Eugène Tisserant, Bd.VI/1 (Studi e Testi 236), Vatikanstadt 1964.

JACOBELLI, Ludovicus: Biblioteca Umbria sive De scriptoribus provinciae Umbriae alphabetico ordine digesta, Foligno 1658.

JAITNER, Klaus: Nuntiaturberichte aus Deutschland nebst ergänzenden Aktenstücken. Die Kölner Nuntiatur. Bd.VI, zweiter Halbband: Nuntius Pietro Francesco Montoro (1621 Juli–1624 Oktober). Im Auftrag der Görres-Gesellschaft bearbeitet von Klaus Jaitner, München u.a. 1977.

–: Die Hauptinstruktionen Clemens' VIII. für die Nuntien und Legaten an den europäischen Fürstenhöfen. 1592–1605. Im Auftrag des Deutschen Historischen Instituts in Rom bearbeitet von Klaus Jaitner, 2 Bde., Tübingen 1984.

–: Il nepotismo di papa Clemente VIII: Il dramma del Cardinale Cinzio Aldobrandini, in: Archivio Storico Italiano 146 (1988), S.57–93.

JASCHKE, Helmut: «Das persönliche Regiment» Clemens' VIII. Zur Geschichte des päpstlichen Staatssekretariats, in: RQS 65 (1970), S.133–144.

KATTERBACH, Bruno: Specimina supplicationum ex registris vaticanis, Rom 1927.

–: Inventario dei Registri delle Suppliche, Vatikanstadt 1932.

KETTERING, Sharon: Patrons, Brokers, and Clients in Seventeenth-Century France, Oxford 1986.

KOLLER, Alexander (Hg.): Kurie und Politik. Stand und Perspektiven der Nuntiaturberichtsforschung (Bibliothek des Deutschen Historischen Instituts in Rom, Bd.87), Tübingen 1998.

KRAUS, Andreas: Das päpstliche Staatssekretariat im Jahre 1623. Eine Denkschrift des ausscheidenden Sostituto an den neuernannten Staatssekretär, in: RQS 52 (1957), S.93–122.

–: Amt und Stellung des Kardinalnepoten zur Zeit Urbans VIII., in: RQS 53 (1958), S.238–243.

–: Secretarius und Sekretariat. Der Ursprung der Institution des Staatssekretariats und ihr Einfluß auf die Entwicklung moderner Regierungsformen in Europa, in: RQS 55 (1960), S.43–84.

–: Das päpstliche Staatssekretariat unter Urban VIII. (1623–1644) (Forschungen zur Geschichte des päpstlichen Staatssekretariats I – RQS Suppl.29), Rom 1964.

–: Der Kardinalnepote Francesco Barberini und das Staatssekretariat Urbans VIII., in: RQS 64 (1969), S.191–208.

–: Die Geschichte des päpstlichen Staatssekretariats im Zeitalter der katholischen Reform und der Gegenreformation als Aufgabe der Forschung, in: RQS 84 (1989), S.74–91.

–: Das päpstliche Staatssekretariat unter Urban VIII.: Verzeichnis der Minutanten und ihrer Mitarbeiter, in: AHP 33 (1995), S.117–167.

KRAUTHEIMER, Richard: The Rome of Alexander VII, 1655–1667, Princeton 1985.

LAEMMER, Hugo: Zur Kirchengeschichte des sechszehnten und siebenzehnten Jahrhunderts, Freiburg 1863.

–: Meletematum Romanorum Mantissa, Regensburg 1875.

LAURAIN-PORTEMER, Madelaine: Absolutisme et népotisme. La surintendance de l'État ecclesiastique, in: Bibliothèque de l'École des Chartes 131 (1973), S.487–568.

LIND, Gunnar: Great Friends and Small Friends: Clientelism and the Power Elite, in: Wolfgang Reinhard (Hg.), Power Elites and State Building, 13th–18th Centuries (The Origins of the Modern State IV), Oxford 1996, S. 123–147.

LOCKYER, Roger: Buckingham. The Life and political Career of George Villiers, First Duke of Bukkingham 1592–1628, London/New York 1981.

LODOLINI, Elio: L'Archivio della S.Congregazione del Buon Governo (1592–1847). Inventario, Rom 1956.

LOVETT, A.W.: Early Habsburg Spain 1517–1598, Oxford 1986.

LUGARESI, Luigi: La «Bonificazione Bentivoglio» nella «Traspadana Ferrarese», in: Archivio Veneto, Serie V, 76 (1986), S. 5–50.

LUNADORO, Girolamo: Relazione della Corte di Roma. E de' Riti da osservarsi in essa, e de' suoi Magistrati, et Offitij; con la loro distinta giurisditione. In questa ultima editione accresciuta dall'Autore di molti Capitoli, e lettere, et in cose Notabili emanata, Viterbo 1652.

LUTZ, Georg: Rom und Europa während des Pontifikats Urbans VIII. Politik und Diplomatie. Wirtschaft und Finanzen. Kultur und Religion, in: Reinhard Elze, Heinrich Schmidinger, Hendrik Schulte Nordholt (Hgg.), Rom in der Neuzeit. Politische, kirchliche und kulturelle Aspekte, Wien 1976, S. 72–167.

Mc CZAK, Antoni (Hg.): Klientelsysteme im Europa der Frühen Neuzeit (Schriften des Historischen Kollegs, Kolloquien, Bd. 9), München 1988.

MALETTKE, Klaus: The Crown, Ministériat, and Nobility at the Court of Louis XIII, in: Ronald G. Asch, Adolf M. Birke (Hgg.), Princes, Patronage, and the Nobility. The Court at the Beginning of the Modern Age, c. 1450–1650, Oxford 1991, S. 415–439.

MARGOTTI, Lanfranco: Lettere scritte per lo più nei tempi di Paolo V a nome del Signore Cardinale Borghese, raccolte e pubblicate da Pietro de Magistris de Caldirola, Rom 1627.

MAZZONE, Umberto: «Con esatta e cieca obedienza.» Antonio Pignatelli cardinal legato di Bologna (1684–1687), in: Bruno Pellegrino (Hg.), Riforme, religione e politica durante il pontificato di Innocenzo XII (1691–1700), Lecce 1994, S. 45–94.

–: «Evellant vicia ... aedificent virtutes»: Il Cardinale legato come elemento di disciplinamento nello Stato della Chiesa, in: Paolo Prodi (Hg.), Disciplina dell'anima, disciplina del corpo e disciplina della società tra medioevo ed età moderna (Annali dell'Istituto storico italo-germanico, Quaderno 40), Bologna 1994, S. 691–731.

MEISTER, Aloys: Die Geheimschrift im Dienst der päpstlichen Kurie von ihren Anfängen bis zum Ende des 16. Jahrhunderts, Paderborn 1906.

MENNITI IPPOLITO, Antonio: Politica e carriere ecclesiastiche nel secolo XVII. I vescovi veneti fra Roma e Venezia, Bologna 1993.

–: Il tramonto della curia nepotista. Papi, nipoti e burocrazia curiale tra XVI e XVII secolo (La corte dei Papi 5), Rom 1999.

MEYER, Arnold Oskar: Nuntiaturberichte aus Deutschland nebst ergänzenden Aktenstücken. IV. Abteilung: Siebzehntes Jahrhundert. Die Prager Nuntiatur des Giovanni Stefano Ferreri und die Wiener Nuntiatur des Giacomo Serra (1603–1606). Im Auftrage des K.Preussischen Historischen Instituts in Rom bearbeitet von Arnold Oskar Meyer, Berlin 1913.

MINISTERO DEL TESORO: Istituzioni finanziarie, contabili e di controllo dello Stato pontificio, dalle origini ad 1870, Rom 1961.

MOLAS RIBALTA, Pere: The Impact of Central Institutions, in: Wolfgang Reinhard (Hg.), Power Elites and State Building, 13th–18th Centuries (The Origins of the Modern State IV), Oxford 1996, S. 19–39.

MOOTE, A. Lloyd: Richelieu as Chief Minister. A comparative Study of the Favorite in Early Seventeenth Century Politics, in: Joseph Bergin, Laurence Brockliss (Hgg.), Richelieu and his Age, Oxford 1992, S. 13–43.

MÖRSDORF, Klaus: Der Kardinalstaatssekretär. Aufgabe und Werdegang seines Amtes, in: Ders., Schriften zum Kanonischen Recht, hg. von Winfried Aymans, Karl-Theodor Geringer und Heribert Schmitz, Paderborn 1989, S. 391–399.

MORONI, Gaetano: Dizionario di erudizione storico-ecclesiastica, 103 Bde., Venedig 1840–1861.

MUNAFÒ, Paola, Muratore, Nicoletta: La Biblioteca Angelica, Rom 1989.

NANNI, Luigi (Hg.): Epistolae ad Principes, Bd. 1: Leo X – Pius IV (1513–1565), Vatikanstadt 1992.

–: Mrkonjie, Tomislav (Hgg.): Epistolae ad Principes, Bd. 2: Pius V – Gregorius XIII (1566–1585), Vatikanstadt 1994.

–: Epistolae ad Principes, Bd. 3: Sixtus V – Clemens VIII (1585–1605), Vatikanstadt 1997.

PARTNER, Peter: Papal financial Policy in the Renaissance and Counter-Reformation, in: Past and Present 88 (1980), S. 17–62.

–: The Papal State: 1417–1600, in: Mark Greengrass (Hg.), Conquest and Coalescence. The Shaping of the State in Early Modern Europe, London 1991, S. 25–47.

VON PASTOR, Ludwig Freiherr, Geschichte der Päpste seit dem Ausgang des Mittelalters. Mit Benutzung des Päpstlichen Geheim-Archives und vieler anderer Archive,
Bd. 12: Geschichte der Päpste im Zeitalter der katholischen Restauration und des Dreißigjährigen Krieges. Leo XI. und Paul V. (1605–1621), Freiburg 1927.
Bd. 13: Geschichte der Päpste im Zeitalter der katholischen Restauration und des Dreißigjährigen Krieges. Gregor XV. und Urban VIII. (1621–1644), 2 Teilbde., Freiburg 1928.
Bd. 14: Geschichte der Päpste im Zeitalter des fürstlichen Absolutismus. Von der Wahl Innozenz' X. bis zum Tode Innozenz' XII. (1644–1700), 2 Teilbde., Freiburg 1929.

PÁSZTOR, Lajos: Per la storia dell'Archivio Segreto Vaticano nei secoli XVII – XVIII (Eredità Passionei, Carte Favoriti-Casoni, Archivio dei Cardinali Bernardino e Fabrizio Spada), in: Archivio della Società Romana di Storia Patria 91 (1968), S. 157–249.

–: Guida delle fonti per la storia dell'America Latina negli archivi della Santa Sede e negli archivi ecclesiastici d'Italia (Collectanea Archivi Vaticani, Bd. 2), Vatikanstadt 1970.

–: Per la storia degli archivi della Curia Romana nell'epoca moderna. Gli archivi delle Segreterie dei Brevi ai Principi e delle Lettere Latine, in: Erwin Gatz (Hg.), Römische Kurie. Kirchliche Finanzen. Vatikanisches Archiv. Studien zu Ehren von Hermann Hoberg, Bd. 2 (Miscellanea Historiae Pontificiae, Bd. 46), Rom 1979, S. 659–686.

–: La Segreteria di Stato e il suo Archivio 1814–1833, 2 Bde. (Georg Denzler (Hg.), Päpste und Papsttum 23, I+II), Stuttgart 1984 bzw. 1985.

PELLEGRINO, Bruno (Hg.): Riforme, religione e politica durante il pontificato di Innocenzo XII (1691–1700), Lecce 1994.

PENUTI, Carla: La Rota di Ferrara: Funzioni e organico degli Uditori fra Sei e Settecento, in: Mario Sbriccoli, Antonella Bettoni (Hgg.), Grandi Tribunali e Rote nell'Italia di Antico Regime, Mailand 1993, S. 461–489.

PIEPER, Anton: Der Augustiner Felice Milensio als päpstlicher Berichterstatter am Regensburger Reichstag des Jahres 1608, in: RQS 5 (1891), S. 54–61 und 151–158.

–: Instruction und Relation der Sendung des Cardinals Millino als Legaten zum Kaiser (1608), in: Stephan Ehses (Hg.), Festschrift zum elfhundertjährigen Jubiläum des deutschen Campo Santo in Rom, Rom 1897, S. 264–279.

PRIVILEGIA SUMMORUM PONTIFICUM Constitutiones, indulta et decreta, urbi Ferrariae concessa, Vol. 1: 1598–1632, Ferrara, apud Franciscum Succum, o. J.

PRODI, Paolo: Lo sviluppo dell'assolutismo nello stato pontificio (secoli XV-XVI), Bd. 1: La monarchia papale e gli organi centrali di governo, Bologna 1968.

–: Il sovrano pontefice, un corpo e due anime: La monarchia papale nella prima età moderna, Bologna

1982 (engl. Übersetzung: The Papal Prince. One Body and two Souls: The Papal Monarchy in Early Modern Europe, Cambridge 1987).

–: Il «sovrano pontefice», in: Giorgio Chittolini, Giovanni Miccoli (Hgg.), La Chiesa e il potere politico dal Medioevo all'età contemporanea (Storia d'Italia, Annali, Bd. 9), Turin 1986, S. 195–216.

–: (Hg.): Disciplina dell'anima, disciplina del corpo e disciplina della società tra medioevo ed età moderna (Annali dell'Istituto storico italo-germanico, Quaderno 40), Bologna 1994.

RAINER, Johann: Die Grazer Nuntiatur 1580–1622, in: Alexander Koller (Hg.), Kurie und Politik. Stand und Perspektiven der Nuntiaturberichtsforschung (Bibliothek des Deutschen Historischen Instituts in Rom, Bd. 87), Tübingen 1998, S. 272–284.

VON RANKE, Leopold: Geschichte der Päpste, hg. von Willy Andreas, Wiesbaden 1957.

RANUM, Orest: Richelieu and the Councillors of Louis XIII: A Study of the Secretaries of State and Superintendants of Finance in the Ministry of Richelieu, 1635–1642, Oxford 1963.

REINHARD, Wolfgang: Akten aus dem Staatssekretariat Pauls V. im Fondo Boncompagni-Ludovisi der Vatikanischen Bibliothek, in: RQS 62 (1967), S. 94–101.

–: Kardinal Millino als Sachverständiger der Kurie für Fragen der deutschen Politik. Ein Gutachten zur Gefangennahme des Salzburger Erzbischofs Wolf Dietrich von Raitenau 1611, in: RQS 62 (1967), S. 232–239.

–: Papst Paul V. und seine Nuntien im Kampf gegen die «Supplicatio ad Imperatorem» und ihren Verfasser Giacomo Antonio Marta 1613–1620, in: ARG 60 (1969), S. 190–238.

–: Nuntiaturberichte aus Deutschland nebst ergänzenden Aktenstücken. Die Kölner Nuntiatur. Bd. V/1, erster und zweiter Halbband: Nuntius Antonio Albergati (1610 Mai–1614 Mai). Im Auftrag der Görres-Gesellschaft bearbeitet von Wolfgang Reinhard, Paderborn u. a. 1972.

–: Papa Pius. Prolegomena zu einer Sozialgeschichte des Papsttums, in: Remigius Bäumer (Hg.), Von Konstanz nach Trient. Beiträge zur Kirchengeschichte von den Reformkonzilien bis zum Tridentinum. Festgabe für August Franzen, Paderborn u. a., 1972, S. 261–299; gekürzt wiederabgedruckt in: Wolfgang Reinhard, Ausgewählte Abhandlungen (Historische Forschungen, Bd. 60), Berlin 1997, S. 13–36.

–: Ämterlaufbahn und Familienstatus. Der Aufstieg des Hauses Borghese 1537–1621, in: QFIAB 54 (1974), S. 328–427.

–: Papstfinanz und Nepotismus unter Paul V. (1605–1621). Studien und Quellen zur Struktur und zu quantitativen Aspekten des päpstlichen Herrschaftssystems, 2 Bde. (Georg Denzler (Hg.), Päpste und Papsttum, Bd. 6, I+II), Stuttgart 1974.

–: Nepotismus. Der Funktionswandel einer papstgeschichtlichen Konstanten, in: Zeitschrift für Kirchengeschichte 86 (1975), S. 145–185.

–: Herkunft und Karriere der Päpste 1417–1963. Beiträge zu einer historischen Soziologie der römischen Kurie, in: Mededelingen van het Nederlands Historisch Instituut te Rome 38 (1976), S. 87–108.

–: Freunde und Kreaturen. «Verflechtung» als Konzept zur Erforschung historischer Führungsgruppen. Römische Oligarchie um 1600 (Schriften der Philosophischen Fachbereiche der Universität Augsburg, Nr. 14), München 1979; gekürzt wiederabgedruckt in: Wolfgang Reinhard, Ausgewählte Abhandlungen (Historische Forschungen, Bd. 60), Berlin 1997, S. 289–310.

–: Sozialgeschichte der Kurie in Wappenbrauch und Siegelbild. Ein Versuch über Devotionswappen frühneuzeitlicher Kardinäle, in: Erwin Gatz (Hg.), Römische Kurie. Kirchliche Finanzen. Vatikanisches Archiv. Studien zu Ehren von Hermann Hoberg, Bd. 2, (Miscellanea Historiae Pontificiae, Bd. 46), Rom 1979, S. 741–772.

–: Reformpapsttum zwischen Renaissance und Barock, in: Remigius Bäumer (Hg.), Reformatio Ecclesiae. Festgabe für Erwin Iserloh, Paderborn 1980, S. 779–796; wiederabgedruckt in: Wolfgang Reinhard, Ausgewählte Abhandlungen (Historische Forschungen, Bd. 60), Berlin 1997, S. 37–52.

–: Bemerkungen zu «Dynastie» und «Staat» im Papsttum, in: Johannes Kunisch (Hg.), Der dynastische Fürstenstaat. Zur Bedeutung von Sukzessionsordnungen für die Entstehung des frühmodernen Staates (Historische Forschungen, Bd. 21), Berlin 1982, S. 157–161.

–: Die Verwaltung der Kirche, in: Deutsche Verwaltungsgeschichte, Bd. 1: Vom Mittelalter bis zum Ende des Reichs, Stuttgart 1983, S. 143–176.

–: Papal Power and Family Strategy in the Sixteenth and Seventeenth Centuries, in: Ronald G. Asch, Adolf M. Birke (Hgg.), Princes, Patronage, and the Nobility. The Court at the Beginning of the Modern Age c. 1450–1650, London 1991, S. 329–356.

–: Disciplinamento sociale, confessionalizzazione, modernizzazione. Un discorso storiografico, in: Paolo Prodi (Hg.), Disciplina dell'anima, disciplina del corpo e disciplina della società tra medioevo ed età moderna (Annali dell'Istituto storico italo-germanico, Quaderno 40), Bologna 1994, S. 101–123.

–: Papstfinanz, Benefizienwesen und Staatsfinanz im konfessionellen Zeitalter, in: Hermann Kellenbenz, Paolo Prodi (Hgg.), Fiskus, Kirche und Staat im konfessionellen Zeitalter (Schriften des Italienisch-Deutschen Historischen Instituts in Trient, Bd. 7), Berlin 1994, S. 337–371 (zuerst erschienen als: Finanza pontificia, sistema beneficiale e finanza statale nell'età confessionale, in: Hermann Kellenbenz, Paolo Prodi (Hgg.), Fisco, religione, stato nell'età confessionale (Annali dell'Istituto storico italo-germanico in Trento, Quaderno 26), Bologna 1989, S. 459–504).

–: Amici e creature. Politische Mikrogeschichte der römischen Kurie im 17. Jahrhundert, in: QFIAB 76 (1996), S. 308–334.

–: Introduction: Power Elites, State Servants, Ruling Class, and the Growth of State Power, in: Ders. (Hg.), Power Elites and State Building, 13th–18th Centuries (The Origins of the Modern State IV), Oxford 1996, S. 1–18.

REINHARDT, Nicole: Macht und Ohnmacht der Verflechtung. Rom und Bologna unter Paul V. (Peter Blickle, Richard van Dülmen, Heinz Schilling, Winfried Schulze (Hgg.), Frühneuzeit-Forschungen, Bd. 8), Tübingen 2000.

REINHARDT, Volker: Der päpstliche Hof um 1600, in: August Buck, Georg Kauffmann, Blake Lee Spahr, Conrad Wiedemann (Hgg.), Europäische Hofkultur im 16. und 17. Jahrhundert, Bd. 3 (Wolfenbütteler Arbeiten zur Barockforschung, Bd. 10), Hamburg 1981, S. 709–715.

–: Kardinal Scipione Borghese 1605–1633. Vermögen, Finanzen und sozialer Aufstieg eines Papstnepoten (Bibliothek des Deutschen Historischen Instituts in Rom, Bd. 58), Tübingen 1984.

–: Die Präfekten der römischen Annona im 17. und 18. Jahrhundert. Karrieremuster als Behördengeschichte, in: RQS 85 (1990), S. 98–115.

–: Überleben in der frühneuzeitlichen Stadt. Annona und Getreideversorgung in Rom, 1563–1797 (Bibliothek des Deutschen Historischen Instituts in Rom, Bd. 72), Tübingen 1991.

REPGEN, Konrad: Die Finanzen des Nuntius Fabio Chigi. Ein Beitrag zur Sozialgeschichte der römischen Führungsgruppe im 17. Jahrhundert, in: Erich Hassinger, J.Heinz Müller, Hugo Ott (Hgg.), Geschichte, Wirtschaft, Gesellschaft. Festschrift für Clemens Bauer zum 75. Geburtstag, Berlin 1974, S. 229–280.

RICHARD, Pierre: Origins et développement de la secrétairerie d'état apostolique (1417–1823), in: RHE 11 (1910), S. 56–72, 505–529, 728–754.

RIETBERGEN, P.J.: Problems of Government. Some Observations upon a 16th. Century «Istruttione per li governatori delle città e luoghi dello Stato Ecclesiastico», in: Mededelingen van het Nederlands Instituut te Rome 41 (1979), S. 173–201.

RODÉN, Marie-Louise: Cardinal Dezio Azzolino and the Problem of papal Nepotism, in: AHP 34 (1996), S. 127–157.

ROSA, Mario: Benedetto XIV, in: DBI 8 (1966), S. 393–408.

SAMERSKI, Stefan: Akten aus den Staatssekretariaten Pauls V. und Gregors XV. im Archiv des Kardinals Alderano Cibo (1613–1700) in Massa, in: AHP 33 (1995), S. 303–314.

–: Das päpstliche Staatssekretariat unter Lanfranco Margotti 1609–1611. Das Provinzprinzip als notwendiges strukturelles Fundament zur Etablierung des Kardinalstaatssekretärs, in: RQS 90 (1995), S. 74–84.

SCHILLING, Heinz: Chiese confessionali e disciplinamento sociale. Un bilancio provisorio della ricerca storica, in: Paolo Prodi (Hg.), Disciplina dell'anima, disciplina del corpo e disciplina della società tra medioevo ed età moderna (Annali dell'Istituto storico italo-germanico, Quaderno 40), Bologna 1994, S. 125–160.

SCHMITZ-KALLENBERG, Ludwig: Die Lehre von den Papsturkunden, in: Urkundenlehre, erster und zweiter Teil (Grundriß der Geschichtswissenschaft. Zur Einführung in das Studium der Deutschen Geschichte des Mittelalters und der Neuzeit, hg. von Aloys Meister), Leipzig und Berlin 1913, Bd. 1, Abt. 2, Teil B, S. 56–116.

SCHNITZER, Rotraut: Über neuere Forschungen zur Geschichte des päpstlichen Staatssekretariats, in: RQS 62 (1967), S. 102–111.

SCHWAIGER, Georg: Paul V., in: Lexikon für Theologie und Kirche, Bd. 8, Freiburg 1963, Sp. 202 f.

LES SÉCRÉTAIRES D'ÉTAT du Saint-Siège (1814–1979), in: Mélanges de l'École Française de Rome. Italie et Mediterranée 110 (1998), S. 439–686.

SEIDLER, Sabrina M.: Il teatro del mondo. Diplomatische und journalistische Relationen vom römischen Hof aus dem 17. Jahrhundert (Christoph Weber (Hg.), Beiträge zur Kirchen- und Kulturgeschichte, Bd. 3), Frankfurt am Main 1996.

SEMMLER, Josef: Beiträge zum Aufbau des päpstlichen Staatssekretariats unter Paul V. (1605–1621), in: RQS 54 (1959), S. 40–80.

–: Das päpstliche Staatssekretariat in den Pontifikaten Pauls V. und Gregors XV. (1605–1623) (Forschungen zur Geschichte des päpstlichen Staatssekretariats II – RQS Suppl. 33), Rom 1969.

SIMONCELLI DE' CARVAJAL, V.: La stirpe dei Bacci di Arezzo, in: Rivista del Collegio araldico 35 (1937), S. 441–445.

STADER, Ingo: Herrschaft durch Verflechtung. Perugia unter Paul V. (1605–1621). Studien zur frühneuzeitlichen Mikropolitik im Kirchenstaat (Christoph Weber (Hg.), Beiträge zur Kirchen- und Kulturgeschichte, Bd. 5), Frankfurt am Main 1997.

STORTI, Nicola: La storia e il diritto della Dataria apostolica dalle origini ai nostri giorni, Neapel 1969.

STRADLING, Robert A.: Philip IV. and the Government of Spain 1621–1665, Cambridge 1988.

THOMPSON, I. A. A.: The institutional Background to the Rise of the Minister-Favorite, in: John H. Elliott, Lawrence W. B. Brockliss (Hgg.), The World of the Favorite, New Haven/London 1999. S. 13–25.

TOCCI, Giovanni: Le legazioni di Romagna e di Ferrara dal XVI al XVIII secolo, in: Aldo Berselli (Hg.), Storia della Emilia Romagna, Bd. 2: L'età moderna, Bologna 1977, S. 65–99.

UGINET, Francois-Charles: Secrétairerie des Brefs aux Princes, in: Philippe Levillain (Hg.), Dictionnaire historique de la papauté, Paris 1994, S. 1558 f.

VIAN, N.: Giacomo Pietro Bacci, in: DBI 5 (1963), S. 30 f.

VÖLKEL, Markus: Römische Kardinalshaushalte des 17. Jahrhunderts. Borghese – Barberini – Chigi (Bibliothek des Deutschen Historischen Instituts in Rom, Bd. 74), Tübingen 1993.

WEBER, Christoph: Die Territorien des Kirchenstaats im 18. Jahrhundert. Vorwiegend nach den Papieren des Kardinals Stefano Borgia dargestellt, Frankfurt am Main 1991.

–: Legati e governatori dello Stato Pontificio 1550–1809 (Pubblicazioni degli Archivi di Stato, Sussidi 7), Rom 1994.

–: Senatus Divinus. Verborgene Strukturen im Kardinalskollegium der frühen Neuzeit (1500–1800) (Ders. (Hg.), Beiträge zur Kirchen- und Kulturgeschichte, Bd. 2), Frankfurt am Main 1996.

–: Genealogien zur Papstgeschichte, 2 Bde. (Georg Denzler (Hg.), Päpste und Papsttum, Bd. 29, I+II), Stuttgart 1999.

WEBER, Max: Wirtschaft und Gesellschaft. Grundriß der verstehenden Soziologie, 5., revidierte Auflage, besorgt von Johannes Winckelmann, Tübingen 1976.

WIJNHOVEN, Joseph: Nuntiaturberichte aus Deutschland nebst ergänzenden Aktenstücken. Die Kölner Nuntiatur. Im Auftrag der Görres-Gesellschaft bearbeitet von Joseph Wijnhoven, Paderborn u. a. 1980.

Bd. VII,1: Nuntius Pier Luigi Carafa (1624 Juni–1627 August).

Bd. VII,2: Nuntius Pier Luigi Carafa (1627 September–1630 Dezember), Paderborn u. a. 1989.

ZAZO, Alfredo: Dizionario bio-bibliografico del Sannio, Neapel 1973.

ZÖPFFEL, Richard, BENRATH, Karl: Paul V., in: Realencyklopädie für protestantische Theologie und Kirche, Bd. 15, Leipzig 1904, S. 44–49.

ZUCCHINI, Mario: Bonifica Padana, Rovigo 1968.

Personenregister

Das Register erfaßt die im Text und in den Anmerkungen genannten historischen Personen. Die Stichwörter Paul V. und Scipione Borghese wurden **nicht** aufgenommen. Bei Personen, die nur in den Fußnoten genannt werden, ist die entsprechende Seitenzahl *kursiv* gedruckt. Angegeben werden Nachname und Vorname, bei Kardinälen (Kard.) auch das Jahr der Promotion. Konnte der Vorname nicht ermittelt werden, steht an seiner Stelle ein Fragezeichen. Bei Amtsträgern, die gelegentlich oder ausschließlich in ihrer Funktion erwähnt werden, wird diese in Klammern genannt.